D1483013

HANDBUCH ZUM NEUEN TESTAMENT

BEGRÜNDET VON HANS LIETZMANN
IN VERBINDUNG MIT FACHGENOSSEN
HERAUSGEGEBEN VON GÜNTHER BORNKAMM

8a

AN DIE RÖMER

VON

ERNST KÄSEMANN

2., durchgesehene Auflage

1974

J. C. B. MOHR (PAUL SIEBECK) TÜBINGEN

VORWORT

Als ich am dritten Tag meines ersten Semesters im Mai 1925 neugierig in Erik Petersons Vorlesung über den Römerbrief geriet, wurde damit über den Weg meines Studiums und, wie das einem Theologen geziemt, in gewisser Weise auch meines Lebens entschieden: Das grundlegende Problem war gestellt. In den nächsten Semestern habe ich dann H. v. Sodens und R. Bultmanns Auslegung gehört, in vielfachen Anläufen diejenige von K. Barth, A. Schlatter, Luther und Calvin hingerissen und kritisch studiert und mich von ihnen in alte und neue Interpretation einweisen lassen. Kein literarisches Dokument ist mir wichtiger geworden. So schließt sich folgerichtig der Kreis meiner theologischen Arbeit, wenn ich in einem eigenen Kommentar darstelle, was ich mir vom Apostel habe sagen lassen und was das Ergebnis meiner Beschäftigung mit der sich zu Bergen türmenden wissenschaftlichen Produktion war.

Diese vorausgeschickte Bemerkung möchte begründen, warum ich die mir ursprünglich gesetzte Aufgabe, Lietzmanns Handbuch zu revidieren, nicht erfüllen konnte. So unübertrefflich ich heute noch das vom Vorgänger geleistete Werk im Rahmen seiner Ziele und Prämissen finde, so wenig konnte ich ohne Verleugnung meiner selbst und der nach meiner Meinung gegenwärtig gegebenen Realitäten und Notwendigkeiten in seinen Spuren bleiben. Er hat mich dazu gerufen, auf möglichste Kürze und weiteste Information bedacht zu sein. Sonst mußte ich den eigenen Weg gehen, selbst noch in der Übersetzung. Der Wissenschaft sollte nichts entzogen werden, was mir unaufgebbar erschien. Das Schwergewicht fiel jedoch auf die Frage, was Paulus theologisch gemeint hat. Von diesem Maß her wurde entschieden, was in der Einzelauslegung zu berücksichtigen oder für unser Verständnis zu entbehren ist. Bei seinen Lesern konnte Lietzmann heute nicht mehr vorhandene philologische und historische Kenntnisse voraussetzen. Umgekehrt ist durch neue Lexika verschiedener Art, die zum gängigen Instrumentarium der Exegese gehören, die von ihm gebotene Hilfe weithin überholt oder ausgeweitet, so daß nun darauf verwiesen werden kann. Sofern nicht Begriffe und religionsgeschichtliche Zusammenhänge neu analysiert werden mußten, wurden Belege nur sparsam und illustrierend zitiert. Um dem Leser Einblick in den Forschungsstand zu geben und ihm eigene Meinungsbildung durch Hinweis auf variierende und konträre Anschauungen zu ermöglichen, habe ich mich ausgiebig auf die Literatur der letzten 50 Jahre eingelassen. Weil Anmerkungen im Handbuch nicht vorgesehen sind, benutze ich, nicht gerade darüber vergnügt, Klammern im Text wie schon bei Lietzmann, um stattgefundene Auseinandersetzung wenigstens anzudeuten. Verzichtet habe ich nach langem Überlegen und mancherlei Experimenten auf Exkurse. Wo sie nicht einer auch anderswo schon vorliegenden Übersicht des Materials dienen, fordern sie zu nivellierender Systematik oder zu kleinen Monographien heraus. Ich halte es für geraten, Schritt für Schritt dem Text zu folgen, bis sich der größere Horizont dabei von selbst ergibt, obgleich auch solche Methode ihre Nachteile hat, Irrtümer nicht ausschließt und angestrengte Aufmerksamkeit des Gesprächspartners verlangt. Endlich halte ich mich nicht für kompetent, textkritische Probleme grundsätzlich, wie Lietzmann es konnte, zu erörtern und gebe in notwendigen Fällen bloß mein persönliches Urteil.

Bis zum Erweis des Gegenteils gehe ich von der Annahme aus, daß der Text ein zentrales Anliegen und eine innere, vielleicht merkwürdige und uns nicht mehr recht begreifliche Logik hat. Deshalb werden nicht nur die großen Briefteile voneinander abgegrenzt, sondern auch diese wieder in relativ geschlossene Abschnitte zerlegt, denen ich die mir zugängliche Literatur voranstelle. Falls das in einiger Vollständigkeit gelungen sein sollte, habe ich dafür allen meinen ehemaligen Tübinger Assistenten zu danken, welche die Flut der Publikationen überwachten und mir zuleiteten. Eine gegenläufige Bewegung bestimmt also meine Arbeit. Wie ich im ganzen systematische Klarheit erstrebe, soll Fülle des Details neben der Information die kritische Nachprüfung ermöglichen und zum offenen Gespräch provozieren. Allein so wird sich zeigen, ob die Summe stimmt oder wenigstens zu fruchtbaren Antithesen führt. Rechte Theologie kann es sich nicht leisten, pauschal zu urteilen und anders als konkret zu sein. Das Wissen um die Vorläufigkeit ihrer jeweils angebotenen und von ihr zu erwartenden Lösungen entlastet sie nicht, sondern verpflichtet sie zu nicht endender Mühe. Jeder ihrer Sätze ist vom Leser in Zustimmung oder Ablehnung nachzuvollziehen, bleibt also eine Frage, statt einschläfern und gesicherten Besitz geben zu wollen. Der Ungeduldige, dem es bloß um Ergebnis und mögliche praktische Verwendung geht, soll die Finger von der Exegese lassen. Er taugt nicht für sie, rechtschaffen betreiben sie ihn nicht für ihn.

Weil ich mich nur auf die eigenen Augen verlassen wollte, deren Kraft ebenso wie die Konzentrationsfähigkeit mit dem Alter abnimmt, jahrelange Pausen eingelegt werden mußten und viele Verpflichtungen mich zumeist am Kommentar nur nebenbei arbeiten ließen, werden dem Sachkundigen in dieser Auflage vielerlei Fehler und Übersehenes auffallen. Jedem, der zur Korrektur beiträgt, bin ich von Herzen dankbar. Ein erster Entwurf bedarf der Nachsicht und Hilfe.

Tübingen, 1. 5. 1973   Ernst Käsemann

GLIEDERUNG DES BRIEFES

BENUTZTE KOMMENTARE UND GEMEINVERSTÄNDLICHE AUSLEGUNGEN
(Zum jeweiligen Text bloß mit dem Namen des Autors zitiert)

K. H. Schelkle, Paulus, Lehrer der Väter. Die altkirchliche Auslegung von Röm 1—11, 1956

M. Luther, Vorlesung über den Römerbrief 1515/1516 (hrsg. J. Ficker, Anfänge reformatorischer Bibelauslegung, Bd. 1, [3]1925; deutsche Übersetzung von E. Ellwein, [4]1957)

J. Calvin, In omnes Novi Testamenti Epistolas Commentarii, Bd. 1 (hrsg. A. Tholuck, [2]1834; Corpus Reformatorum, Bd. 77, 1892)

J. A. Bengel, Gnomon Novi Testamenti (Ed. III, 1773, hrsg. P. Steudel, [8] 1915)

H. C. G. Moule, The Epistle to the Romans, 1893, 2. Edit. [6] o. J.

W. Sanday—A. C. Headlam, The Epistle to the Romans (The International Critical Commentary, reprinted [5]1925)

Th. Zahn, Der Brief des Paulus an die Römer, [1]1910, [3]1925

E. Kühl, Der Brief des Paulus an die Römer, 1913

A. Jülicher, Der Brief an die Römer (Die Schriften des Neuen Testamentes, [3]II, 1917)

A. Pallis, To the Romans, 1920

F. S. Gutjahr, Der Brief an die Römer I—II, 1923. 1927

K. Barth, Der Römerbrief, [3]1924

O. Bardenhewer, Der Römerbrief des Heiligen Paulus, 1926

P. Billerbeck, Kommentar zum Neuen Testament aus Talmud und Midrasch III, 1926

J. Sickenberger, Die Briefe des Heiligen Paulus an die Korinther und Römer (Die Heiligen Schriften des Neuen Testamentes, hrsg. F. Tillmann, VI), [4]1932

H. Lietzmann, An die Römer (Handbuch zum Neuen Testament 8), [4]1933

A. Schlatter, Gottes Gerechtigkeit, 1935

C. H. Dodd, The Epistle of Paul to the Romans, [8]1941

E. Gaugler, Der Römerbrief (Prophezei), I—II, 1945. 1952

E. Brunner, Der Römerbrief, 1948

M. J. Lagrange, Saint Paul, Épître aux Romains, [6]1950

A. Nygren, Der Römerbrief, 1951

H. Asmussen, Der Römerbrief, 1952

K. E. Kirk, The Epistle to the Romans (The Clarendon Bible), 1955

V. Taylor, The Epistle to the Romans (Epworth Preacher's Commentaries), 1955

J. Huby, Saint Paul, Épître aux Romains (Verbum Salutis X, Nouvelle Édition par St. Lyonnet), 1957)

C. K. Barrett, A Commentary on the Epistle to the Romans, 1957

F. J. Leenhardt, L'Épître de St. Paul aux Romains (Commentaires du Nouveau Testament VI), 1957

H. Ridderbos, Aan de Romeinen (Commentaar op het Nieuwe Testament), 1959

O. Kuss, Der Römerbrief I—II (unabgeschlossen), 1957. 1959

J. Murray, The Epistle to the Romans I—II, 1960. 1965

H. W. Schmidt, Der Brief des Paulus an die Römer (Theologischer Handkommentar zum Neuen Testament VI), 1963

P. Althaus, Der Brief an die Römer (Das Neue Testament Deutsch 6), [10]1966

O. Michel, Der Brief an die Römer (Kritisch-exegetischer Kommentar über das Neue Testament, Neubearbeitung), [4]1966

E. Best, The Letter of Paul to the Romans (The Cambridge Bible Commentary), 1967

H. Franzmann, Romans (Concordia Commentary), 1968

R. Baulès, L'Évangile Puissance de Dieu (Lectio Divina 53), 1968

F. F. Bruce, The Epistle of Paul to the Romans, [5]1969

WICHTIGE SONDERLITERATUR
(Zitiert mit Namen des Autors, Stichwort und Seitenzahl)

F. Amiot, Die Theologie des Heiligen Paulus, 1962

R. Asting, Die Heiligkeit im Urchristentum, 1930
  Die Verkündigung des Wortes im Urchristentum, 1939

H. A. Balz, Heilsvertrauen und Welterfahrung. Strukturen der paulinischen Eschatologie nach Römer 8,18—39, 1971

C. K. Barrett, Die Umwelt des Neuen Testaments. Ausgewählte Texte, hrsg. und übersetzt von C. Colpe, 1959
  From first Adam to last, 1962

K. A. Bauer, Leiblichkeit das Ende aller Werke Gottes, 1971

F. C. Baur, Über Zweck und Veranlassung des Römerbriefs und der damit zusammenhängenden Verhältnisse der römischen Gemeinde, Tübinger Zeitschrift für Theologie, 1836, S. 59—178
  Paulus, der Apostel Jesu Christi, 1845

W. A. Beardslee, Human Achievement and Divine Vocation in the Message of Paul, 1961

J. Becker, Das Heil Gottes. Heils- und Sündenbegriffe in den Qumrantexten und im Neuen Testament, 1964

K. Berger, Abraham in den paulinischen Hauptbriefen, Münch. ThZ 17 (1966), S. 47—89

G. Bertram, Die Himmelfahrt Jesu vom Kreuz aus und der Glaube an seine Auferstehung, Festgabe Deissmann, 1926, S. 187—217

W. Beyschlag, Die paulinische Theodizee Römer 9—11, 1868

C. J. Bjerkelund, Parakalo, 1967

P. Bläser, Das Gesetz bei Paulus, 1941

J. Bonsirven, Exégèse rabbinique et exégèse Paulinienne, 1939
  Théologie du Nouveau Testament, 1951

G. Bornkamm, Das Ende des Gesetzes, 1952
  Studien zu Antike und Christentum. Ges. Aufs. II, 1959
  Geschichte und Glaube I. Ges. Aufs. III, 1968
  Geschichte und Glaube II. Ges. Aufs. IV, 1971
  Paulus, 1969

W. Bousset, Kyrios Christos, ²1921

W. Bousset und H. Gressmann, Die Religion des Judentums im späthellenistischen Zeitalter, ³1926

M. Bouttier, En Christ, 1962

E. Brandenburger, Adam und Christus, 1962
  Fleisch und Geist, 1968

H. Braun, Gerichtsgedanke und Rechtfertigungslehre bei Paulus, 1930
  Gesammelte Studien zum Neuen Testament und seiner Umwelt, 1962
  Qumran und das Neue Testament I—II, 1966

R. Bring, Christus und das Gesetz, 1969

R. Bultmann, Der Stil der paulinischen Predigt und die kynisch-stoische Diatribe, 1910
  Glaube und Verstehen I, 1933, II, 1952, III, 1960, IV, 1965
  Glossen im Römerbrief, ThLZ 72 (1947), Sp. 197—202
  Geschichte und Eschatologie, 1958
  Theologie des Neuen Testaments, ⁵1965
  Zeit und Geschichte. Dankesgabe hrsg. von E. Dinkler, 1964
  Exegetica, hrsg. von E. Dinkler, 1967

G. B. Caird, Principalities and Powers. A Study in Pauline Theology, 1956

J. Cambier, L'Évangile de Dieu selon l'Épître aux Romains I, 1967

L. Cerfaux, La Théologie de l'église suivant Saint Paul, ³1965. Englische Übersetzung: The Church in the Theology of St. Paul, ²1959

Le Chrétien dans la théologie Paulinienne, 1962

Christus in der Paulinischen Theologie, 1964

L. G. Champion, Benedictions and Doxologies in the Epistles of Paul, Diss. Heidelberg, 1934

H. Conzelmann, Grundriß der Theologie des Neuen Testaments, 1967

C. E. B. Cranfield, A Commentary on Romans 12—13, Sc. J. Th., Occas. Pap. 12, 1965

St. Paul and the Law, New Testament Issues ed. R. Batey 1970, S. 148—172

O. Cullmann, Die ersten christlichen Glaubensbekenntnisse, 1943

Christus und die Zeit. Die urchristliche Zeit- und Geschichtsauffassung, 1946

Die Christologie des Neuen Testaments, 1957

Heil als Geschichte, 1965

N. A. Dahl, Das Volk Gottes. Eine Untersuchung zum Kirchenbewußtsein des Urchristentums, 1941. Neudruck 1963

D. Daube, The New Testament and Rabbinic Judaism, 1956

W. D. Davies, Paul and Rabbinic Judaism. Some Rabbinic Elements in Pauline Theology, ²1955

Paul and the Dead Sea Scrolls: Flesh and Spirit, in: The Scrolls and the New Testament ed. K. Stendahl, 1957, S. 157—182

R. Deichgräber, Gotteshymnus und Christushymnus in der frühen Christenheit, 1967

A. Deissmann, Die neutestamentliche Formel „in Christo Jesu" untersucht, 1892

Licht vom Osten, ⁴1923

Paulus, ²1925

G. Delling, Der Gottesdienst im Neuen Testament, 1952

Zum neuen Paulusverständnis, Nov. Test. 4 (1960), S. 95—121

Partizipiale Gottesprädikationen in den Briefen des Neuen Testamentes, StTh 17 (1963), 1—59

M. Dibelius, Geschichte der urchristlichen Literatur, 1926

Vier Worte des Römerbriefs, Symb. Bibl. Upsal. 3 (1944), S. 3—17

M. Dibelius—W. G. Kümmel, Paulus, ³1964

C. H. Dodd, The Apostolic Preaching and its Development, ⁷1951

Gospel and Law, ³1952

According to the Scriptures, ³1953

The Meaning of Paul for Today, 1958

Das Gesetz der Freiheit, 1960

U. Duchrow, Christenheit und Weltverantwortung, 1970

A. van Dülmen, Die Theologie des Gesetzes bei Paulus, 1968

J. Dupont, Gnosis, 1949

Le Problème de la structure littéraire de l'épître aux Romains, Rev. Bibl. 62 (1955), S. 365—397

G. Eichholz, Die Theologie des Paulus, 1972 (nur noch teilweise benutzt)

E. E. Ellis, Paul's Use of the Old Testament, 1957

F. W. Eltester, Eikon im Neuen Testament, 1958

E. Fascher, Prophetes, 1927

A. Feuillet, La citation d'Habacuc II,4 et les huit premiers Chapîtres de l'épître aux Romains, NTSt 6 (1959/60), S. 52—80

F. V. Filson, St. Paul's Conception of Recompense, 1931

J. de Fraine, Adam und seine Nachkommen, 1962

E. Fuchs, Christus und der Geist bei Paulus, 1932

Die Freiheit des Glaubens. Römer 5—8 ausgelegt, 1949

Hermeneutik, 1954

J. Fuchs, Lex naturae. Zur Theologie des Naturrechts, 1955

H. M. Gale, The Use of Analogy in the Letters of Paul, 1964

K. Galley, Altes und neues Heilsgeschehen bei Paulus, 1965

N. Gäumann, Taufe und Ethik, 1967

J. G. Gibbs, Creation and Redemption, 1971

L. Goppelt, Typos, 1939
  Christentum und Judentum im ersten und zweiten Jahrhundert, 1954

A. Grabner-Haider, Paraklese und Eschatologie bei Paulus, 1967

H. Greeven, Gebet und Eschatologie im Neuen Testament, 1931

W. Grundmann, Der Begriff der Kraft in der neutestamentlichen Gedankenwelt, 1932
  Die Übermacht der Gnade, Nov. Test. 2 (1958), S. 50—72

H. Gunkel, Die Wirkungen des hl. Geistes nach der populären Anschauung der apostolischen
  Zeit und nach der Lehre des Apostels Paulus, 1888
  Schöpfung und Chaos in Urzeit und Endzeit, 1895

W. Gutbrod, Die Paulinische Anthropologie, 1934

F. Hahn, Christologische Hoheitstitel, 1963

W. T. Hahn, Das Mitsterben und Mitauferstehen mit Christus bei Paulus, 1937

N. Q. Hamilton, The Holy Spirit and Eschatology in Paul, 1957

H. Hanse, „Gott haben", 1939

St. Hanson, The Unity of the Church in the New Testament, 1946

G. Harder, Paulus und das Gebet, 1936

W. Harnisch, Verhängnis und Verheißung der Geschichte, 1969

E. Hatch, Essays in Biblical Greek, 1889

J. Haussleiter, Der Glaube Jesu Christi, 1891

H. Hegermann, Die Vorstellung vom Schöpfungsmittler im hellenistischen Judentum und Urchristentum, 1961

H. W. Heidland, Die Anrechnung des Glaubens zur Gerechtigkeit. Untersuchungen zur Begriffs-
  geschichte von חשב und λογίζεσθαι, 1936

Paulus — Hellas — Oikumene (An Ecumenical Symposium), hrsg. The Student Christian
  Association of Greece, 1951

E. Hennecke, Neutestamentliche Apokryphen in deutscher Übersetzung I—II, 3. Aufl. hrsg. von
  W. Schneemelcher, 1959. 1964

J. Héring, Le royaume de Dieu et sa venue, 1937

I. Hermann, Kyrios und Pneuma, 1961

H. Hommel, Schöpfer und Erhalter. Studien zum Problem Christentum und Antike, 1956

Th. Hoppe, Die Idee der Heilsgeschichte bei Paulus mit besonderer Berücksichtigung des Römerbriefes, 1926

G. Jeremias, Der Lehrer der Gerechtigkeit, 1963

J. Jeremias, The Central Message of the New Testament, 1965
  Abba. Studien zur neutestamentlichen Theologie und Zeitgeschichte, 1966

J. Jervell, Imago Dei. Gen 1,26 f. im Spätjudentum, in der Gnosis und in den paulinischen Briefen, 1960

A. Jülicher, Einleitung in das Neue Testament, [7]1931

E. Jüngel, Paulus und Jesus, 1962

E. Käsemann, Leib und Leib Christi, 1933
  Exegetische Versuche und Besinnungen I, [6]1970, II, [3]1970
  Paulinische Perspektiven, [2]1972

E. Kautzsch, Die Apokryphen und Peudepigraphen des Alten Testaments, 1921

K. Kertelge, Rechtfertigung bei Paulus. Studien zur Struktur und zum Bedeutungsgehalt des
  paulinischen Rechtfertigungsbegriffs, 1966

H. Kittel, Die Herrlichkeit Gottes. Studien zu Geschichte und Wesen eines neutestamentlichen Begriffs, 1934

G. Klein, Die zwölf Apostel. Ursprung und Gehalt einer Idee, 1961
Rekonstruktion und Interpretation. Ges. Aufs. zum Neuen Testament, 1969

J. Knox, Life in Christ Jesus. Reflections on Romans V—VIII, 1962

W. L. Knox, St. Paul and the Church of the Gentiles, ²1961

W. Kramer, Christos, Kyrios, Gottessohn, 1963

K. G. Kuhn, Πειρασμός — ἁμαρτία — σάρξ im Neuen Testament und die damit zusammen-hängenden Vorstellungen, ZThK 49 (1952), S. 200—222

W. G. Kümmel, Das Bild des Menschen im Neuen Testament, 1948
Einleitung in das Neue Testament (P. Feine—J. Behm), ¹²1963
Heilsgeschehen und Geschichte. Ges. Aufs. 1933—1964, 1965
Die Theologie des Neuen Testaments nach seinen Hauptzeugen, 1969

O. Kuss, Auslegung und Verkündigung I, 1963
Paulus. Die Rolle des Apostels in der theologischen Entwicklung der Urkirche, 1971

M. Lackmann, Vom Geheimnis der Schöpfung, 1952

E. Larsson, Christus als Vorbild, 1962

L. Ligier, Péché d'Adam et Péché du Monde. Bible — Kippur — Eucharistie II, 1961

G. Lindeskog, Studien zum neutestamentlichen Schöpfungsgedanken, 1952

H. Ljungman, Pistis, 1964

E. Lohmeyer, Grundlagen paulinischer Theologie, 1929

E. Lohse, Die Texte aus Qumran, 1964

E. Lövestam, Spiritual Wakefulness in the New Testament, 1963

H. Lüdemann, Die Anthropologie des Apostels Paulus und ihre Stellung innerhalb seiner Heils-lehre, 1872

W. Lütgert, Freiheitspredigt und Schwarmgeister in Korinth, BFchrTh 12, 1908
Der Römerbrief als historisches Problem, BFchrTh 17, 1913

U. Luz, Das Geschichtsverständnis des Paulus, 1968
Zum Aufbau von Röm 1—8, ThZ 25 (1969), S. 161—181

S. Lyonnet, Les Étapes du mystère du Salut selon l'épître aux Romains, 1969

A. B. Macdonald, Christian Worship in the Primitive Church, 1935

F. W. Maier, Israel in der Heilsgeschichte nach Römer 9—11, Bibl. Zeitfragen 12, 1929

T. W. Manson, On Paul and John, 1963
Studies in the Gospels and Epistles ed. M. Black, 1962

W. Marxsen, Einleitung in das Neue Testament, ³1964

L. Mattern, Das Verständnis des Gerichtes bei Paulus, 1966

Chr. Maurer, Die Gesetzeslehre des Paulus nach ihrem Ursprung und in ihrer Entfaltung, 1941

U. Mauser, Gottesbild und Menschwerdung, 1971

O. Merk, Handeln aus Glauben. Die Motivierungen der Paulinischen Ethik, 1968

J. J. Meuzelaar, Der Leib des Messias, 1961

W. Michaelis, Die Versöhnung des Alls, 1950
Einleitung in das Neue Testament, ²1954

O. Michel, Paulus und seine Bibel, 1929

P. S. Minear, Bilder der Gemeinde, 1964

E. Molland, Das paulinische Euangelion. Das Wort und die Sache, 1934

J. Moltmann, Theologie der Hoffnung, 1964

F. Moore, Judaism in the First Centuries of the Christian Era. The Age of the Tannaim, I—II, ⁶1950, III, ³1948

Chr. Müller, Gottes Gerechtigkeit und Gottes Volk. Eine Untersuchung zu Römer 9—11, 1964

H. Müller, Die Auslegung alttestamentlichen Geschichtsstoffes bei Paulus, Diss. Halle, 1960

J. Munck, Paulus und die Heilsgeschichte, 1954

    Christus und Israel. Auslegung von Römer 9—11, 1957

W. Mundle, Der Glaubensbegriff des Paulus, 1932

J. Murphy—O' Connor, Paul and Qumran. Studies in New Testament Exegesis, 1968

A. E. S. Nababan, Bekenntnis und Mission in Römer 14 und 15, Diss. Heidelberg, 1963

F. Neugebauer, In Christus, 1961

K. Niederwimmer, Der Begriff der Freiheit im Neuen Testament, 1966

J. M. Nielen, Gebet und Gottesdienst im Neuen Testament, 1937

A. D. Nock, Paulus, übersetzt von H. H. Schaeder, 1940

E. Norden, Agnostos Theos. Untersuchungen zur Formengeschichte religiöser Rede, ⁴1956

A. Oepke, Das neue Gottesvolk in Schrifttum, Schauspiel, bildender Kunst und Weltgestaltung, 1950

E. Percy, Der Leib Christi in den paulinischen Homologoumena und Antilegoumena, 1942

E. Peterson, Theologische Traktate, 1951

Chr. Plag, Israels Wege zum Heil. Eine Untersuchung zu Römer 9 bis 11, 1969 .

F. Prat, La Théologie de Saint Paul I—II, ²1961

J. Ranft, Der Ursprung des katholischen Traditionsprinzips, 1931

M. Rauer, Die Schwachen in Korinth und Rom, Bibl. Stud. 21, 1923

R. Reitzenstein, Die hellenistischen Mysterienreligionen, ³1927

A. Richardson, An Introduction to the Theology of the New Testament, 1958

G. Richter, Kritisch-polemische Untersuchungen über den Römerbrief, BFchrTh 12, 1908

H. Ridderbos, Paulus. Ein Entwurf seiner Theologie, 1970

P. Riessler, Altjüdisches Schrifttum außerhalb der Bibel, 1928

J. A. T. Robinson, The Body, 1952

C. J. Roetzel, Judgement in the Community, 1972

O. Roller, Das Formular der paulinischen Briefe. Ein Beitrag zur Lehre vom antiken Briefe, 1933

J. Roloff, Apostolat — Verkündigung — Kirche, 1965

D. Rössler, Gesetz und Geschichte. Untersuchungen zur Theologie der jüdischen Apokalyptik und der pharisäischen Orthodoxie, 1960

A. Sand, Der Begriff „Fleisch" in den paulinischen Hauptbriefen, 1967

G. Sass, Apostelamt und Kirche, 1939

J. B. Schaller, Gen 1—2 im antiken Judentum, Diss. Göttingen, 1961

K. H. Schelkle, Die Passion Jesu in der Verkündigung des Neuen Testaments, 1949

    Theologie des Neuen Testaments III. Ethos, 1970

G. Schille, Frühchristliche Hymnen, 1962

A. Schlatter, Der Glaube im Neuen Testament, ⁴1927

    Die Theologie der Apostel, ²1922

H. Schlier, Die Zeit der Kirche, ²1958

    Besinnung auf das Neue Testament, 1964

K. L. Schmidt, Die Judenfrage im Lichte der Kapitel 9—11 des Römerbriefes, ²1947

W. Schmithals, Das kirchliche Apostelamt, 1961

O. Schmitz, Die Christusgemeinschaft des Paulus im Lichte seines Genetivgebrauchs, 1924

R. Schnackenburg, Das Heilsgeschehen bei der Taufe nach dem Apostel Paulus, 1950

    Die Kirche im Neuen Testament, 1961

J. Schniewind, Die Begriffe Wort und Evangelium bei Paulus, 1910

    Euangelion I—II, 1927. 1931

Nachgelassene Reden und Aufsätze, 1952

H. J. Schoeps, Paulus. Die Theologie des Apostels im Lichte der jüdischen Religionsgeschichte, 1959

L. Schottroff, Der Glaubende und die feindliche Welt, 1970

W. Schrage, Die konkreten Einzelgebote in der paulinischen Paränese, 1961

G. Schrenk, Die Weissagung über Israel im Neuen Testament, 1951

Studien zu Paulus, 1954

S. Schulz, Zur Rechtfertigung aus Gnade in Qumran und bei Paulus, ZThK 56 (1959), S. 155—185

R. Schumacher, Die beiden letzten Kapitel des Römerbriefes, 1929

G. Schunack, Das hermeneutische Problem des Todes im Horizont von Römer 5 untersucht, 1967

P. Schwanz, Imago Dei als christologisch-anthropologisches Problem in der Geschichte der Alten Kirche von Paulus bis Clemens von Alexandrien, 1970

A. Schweitzer, Geschichte der Paulinischen Forschung, 1911

Die Mystik des Apostels Paulus, 1930

E. Schweizer, Erniedrigung und Erhöhung bei Jesus und seinen Nachfolgern, [2]1962

Neotestamentica. Aufsätze, 1963

Beiträge zur Theologie des Neuen Testaments, 1970

Ph. Seidensticker, Lebendiges Opfer, 1954

C. Smits, Oud-Testamentische Citaten in het Nieuwe Testament, Collect. Framcisc. Nerlandica, VIII, 3, 1957

C. Spicq, Agape dans le Nouveau Testament II, 1959

G. Stählin, Skandalon, 1930

K. Stalder, Das Werk des Geistes in der Heiligung bei Paulus, 1962

E. Stauffer, Die Theologie des Neuen Testaments, [4]1948

A. von Stromberg, Studien zur Theorie und Praxis der Taufe in der christlichen Kirche der ersten zwei Jahrhunderte, 1913

Studia Paulina in honorem J. de Zwaan, 1953

Studiorum Paulinorum Congressus Internationalis Catholicus 1961 (Analecta Biblica 17—18), I—II, 1963

P. Stuhlmacher, Gerechtigkeit Gottes bei Paulus, [2]1966

Das paulinische Evangelium I. Vorgeschichte, 1968

P. Tachau, „Einst" und „Jetzt" im Neuen Testament, 1972

R. C. Tannehill, Dying and Rising with Christ, 1963

V. Taylor, Forgiveness and Reconciliation, 1948

W. Thüsing, Per Christum in Deum, 1965

H. Thyen, Der Stil der jüdisch-hellenistischen Homilie, 1955

Studien zur Sündenvergebung im Neuen Testament und seine alttestamentlichen und jüdischen Voraussetzungen, 1970

H. E. Tödt, Der Menschensohn in der synoptischen Überlieferung, 1959

H. Ulonska, Paulus und das Alte Testament, 1964

Ph. Vielhauer, Oikodome, 1939

Aufsätze zum Neuen Testament, 1965

W. Vischer, Das Geheimnis Israels, Judaica 6 (1950)

A. Vögtle, Das Neue Testament und die Zukunft des Kosmos, 1970

H. Vollmer, Die Alttestamentlichen Zitate bei Paulus, 1895

H. E. Weber, Das Problem der Heilsgeschichte nach Römer 9—11, 1911

K. Wegenast, Das Verständnis der Tradition bei Paulus und in den Deuteropaulinen, 1962

H. Weinel, Paulus, [2]1915

H. F. Weiss, Untersuchungen zur Kosmologie des hellenistischen und palästinischen Judentums, 1966

J. Weiss, Beiträge zur Paulinischen Rhetorik. Theol. Stud. für B. Weiss, 1897, S. 165—247
    Urchristentum, 1917

H. D. Wendland, Die Mitte der paulinischen Botschaft, 1935
    Ethik des Neuen Testaments, 1970

P. Wendland, Die urchristlichen Literaturformen, ³1912

K. Wengst, Christologische Formeln und Lieder des Urchristentums, Diss. Bonn, 1967

G. P. Wetter, Der Vergeltungsgedanke bei Paulus, 1912
    Charis. Ein Beitrag zur Geschichte des ältesten Christentums, 1913

A. Wikenhauser, Die Kirche als der mystische Leib Christi nach dem Apostel Paulus, 1937

H. Windisch, Paulus und Christus, 1934
    Paulus und das Judentum, 1935

J. Wobbe, Der Charisgedanke bei Paulus, 1932

H. W. Wolff, Jesaja 53 im Urchristentum, ³1952

W. Wrede, Paulus, 1904

J. A. Ziessler, The Meaning of Righteousness in Paul, 1972 (nur noch teilweise benutzt)

ABKÜRZUNGSVERZEICHNIS

Arch.Rel.	= Archiv für Religionswissenschaft
Bauer, Wb	= Griechisch-Deutsches Wörterbuch zu den Schriften des Neuen Testaments und der übrigen urchristlichen Literatur, ⁵1958
B.-D.	= F. Blass, Grammatik des neutestamentlichen Griechisch, bearbeitet von A. Debrunner, ⁸1949
Bibl.	= Biblica
Bibl.Z.	= Biblische Zeitschrift
Bibl.St.	= Biblische Studien
BHH	= Bo Reicke und L. Rost, Biblisch-Historisches Handwörterbuch I—III, 1962—1966
CBQ	= The Catholic Biblical Quarterly
Conj.Neotest.	= Coniectanea Neotestamentica
EvTh	= Evangelische Theologie
EKK	= Evangelisch-Katholischer Kommentar
Ephem.Lov.	= Ephemerides Lovanienses
ET	= The Expository Times
Harv.Th.Rev.	= The Harvard Theological Review
Hist.Jahrb.	= Historische Jahrbücher
Jahrb.Liturgiewiss.	= Jahrbuch für Liturgiewissenschaft
JBL	= Journal of Biblical Literature and Exegesis
J.Jew.St.	= The Journal of Jewish Studies
IKZ	= Internationale Kirchliche Zeitschrift
JThSt.	= The Journal of Theological Studies
KuD	= Kerygma und Dogma
Liddel-Scott	= A Greek-English Lexicon compiled by H. G. Liddell and R. Scott, ¹²1953
Münch.ThZ	= Münchener Theologische Zeitschrift
NTSt	= New Testament Studies

Nov.Test.	=	Novum Testamentum
Nouv.Rev.Th	=	Nouvelle Revue Théologique
RAC	=	Reallexikon für Antike und Christentum, hrsg. von Th. Klauser
Radermacher	=	L. Radermacher, Neutestamentliche Grammatik, ²1925
RB	=	Revue Biblique
RGG	=	Die Religion in Geschichte und Gegenwart, 3. Aufl. hrsg. von K. Galling, 1957—1965
RHPhR	=	Revue d'Histoire et de Philosophie Religieuses
Rev.Sc.PhTh	=	Revue des Sciences philosophiques et théologiques
Rech.ScRel.	=	Recherches des Science religieuse
ScJTh	=	The Scottish Journal of Theology
Stud.Evang.	=	Studia Evangelica
Stud.Hell.	=	Studia Hellenistica
Stud.Paul.Congr.	=	Studiorum Paulinorum Congressus Internationalis
StTh	=	Studia Theologica
Symb.Osl.	=	Symbolae Osloenses
SEÄ	=	Svensk Exegetik Ärsbok
ThBl	=	Theologische Blätter
ThEx.heute	=	Theologische Existenz heute
ThLZ	=	Theologische Literaturzeitung
ThR	=	Theologische Rundschau
ThSt	=	Theologische Studien
ThStKr	=	Theologische Studien und Kritiken
ThWb	=	Theologisches Wörterbuch zum Neuen Testament, hrsg. von G. Kittel und G. Friedrich, I—IX, seit 1933, unabgeschlossen
ThQu	=	Theologische Quartalschrift
ThZ	=	Theologische Zeitschrift
Trier.ThZ	=	Trierer Theologische Zeitschrift
VD	=	Verbum Domini
VuF	=	Verkündigung und Forschung
WZKM	=	Wiener Zeitschrift für die Kunde des Morgenlandes
ZAW	=	Zeitschrift für die alttestamentliche Wissenschaft
ZKTh	=	Zeitschrift für Kirche und Theologie
ZNW	=	Zeitschrift für die neutestamentliche Wissenschaft und die Kunde der älteren Kirche
ZsystTh	=	Zeitschrift für systematische Theologie

Für weitere Abkürzungen vgl. W. Bauer, Wörterbuch XIV ff. und RGG ³VI, XIX ff.

A) 1,1—17: BRIEFEINGANG

Der Eingang des Briefes gliedert sich in das Praescript 1—7, das Prooemium 8—15 und das formal zum letzten gehörende, um seiner inhaltlichen Wichtigkeit jedoch davon getrennte Thema 16—17. Paulus modifiziert das Schema des antiken Briefes (vgl. Roller, Formular, 54 ff.; 81 ff.; 213 ff.) auch darin, daß er den Eingang nicht nur auflockert, sondern ihm durch persönliche Bemerkungen und theologische Aussagen Eigenart gibt. Nirgendwo geschieht das aber in solcher Länge, mit derart starkem Pathos im ganzen und so viel bedeutungsvollen Einzelmotiven wie hier. Das hat drei Gründe. Die Briefe des Apostels sind durchweg Gelegenheitsschreiben, jedoch nicht im heutigen Sinne private Schreiben. Die Unterscheidung von Brief und Epistel (Deissmann, Licht, 194 ff.) führt nicht weiter, weil es sich nirgendwo um einen Kunstbrief handelt. Man wird zu bedenken haben, daß diese Schreiben zumeist zur Verlesung in der Gemeindeversammlung bestimmt sind, also Verkündigung und Lehre bringen, und daß der Apostel ebenso wie die den ganzen Christusleib repräsentierende Einzelgemeinde von vornherein in eschatologischem Horizont stehen. Damit wird die Sphäre eines bloßen Privatbriefes durchbrochen. Zweitens partizipiert die römische Gemeinde in den Augen der übrigen Christenheit am Glanz der Hauptstadt des Imperiums, was nicht ohne Einfluß auf die paulinische Diktion bleibt. Drittens hat sie, wie sich noch ergeben wird, für den Apostel um seiner zukünftigen Missionspläne willen eine außerordentliche Bedeutung. Er ist ihr bisher persönlich unbekannt und muß sich deshalb offiziell bei ihr einführen. Obgleich die Darstellung der vertretenen theologischen Position an Ausführlichkeit und Gewicht den Brief von allen andern Paulinen abhebt, darf man den Brief nicht als theologischen Traktat bezeichnen. Dem Inhalt würde das zwar weithin entsprechen. Doch ist die Briefform in Eingang und Schluß gewahrt (Roller, Formular 23 ff.), und das Temperament des Apostels setzt sich in Sprüngen immer wieder wie über Konventionen, so auch über strenge Logik hinweg. Das macht es schwer, eine glatte Formel für seine schriftliche Hinterlassenschaft zu finden (Michel).

Das weist bereits auf jenes Problem, das sich besonders auch in unserm Brief aus der überaus kennzeichnenden Mischung aufgenommener Tradition, ihrer eigenwilligen Abwandlung und der selbständigen Gedankenführung ergibt. Wie der Gemeindegründer nicht in ein leeres Feld vorstößt, hat Paulus als Briefschreiber es nicht nur mit der lebendigen Reaktion der Gemeinden auf seine Verkündigung zu tun. Es gibt Rivalen und Gegner in seinem Missionsgebiet, das sich zudem in recht verschiedenen Phasen der Entwicklung befindet und von dauernd wechselnden Strömungen bestimmt wird. Daraus folgt ein Geschiebe, welches sowohl den Rückgriff auf allgemein zugrunde liegende Überlieferung fordert und erlaubt wie theologische Auseinandersetzung und Korrektur nötig macht. Alle nt.lichen Schriftsteller sind damit beschäftigt, vorhandene, teilweise sehr konträre Positionen in der jungen Christenheit aufzufangen und zu ordnen. Paulus, bereits von seinen Anfängen her umstritten, läßt sich nur verstehen, wenn man ihn bald offensiv, bald defensiv in solche Notwendigkeit verstrickt sieht.

I. 1,1—7: Das Präskript

1 Paulus, Knecht Christi Jesu, (als) berufener Apostel ausgesondert (zum Dienst) am
2 Evangelium Gottes, welches er zuvor verheißen hat durch seine Propheten in hei-
3 ligen Schriften, (handelnd) von seinem Sohne, geboren aus Davids Samen nach dem
4 Fleische, eingesetzt zum Gottessohne in Macht nach dem Geiste der Heiligkeit seit
5 der Auferstehung von den Toten, Jesus Christus, unserm Herrn. Durch ihn haben
  wir empfangen Gnade und Apostelamt, zur Ehre seines Namens Glaubensgehorsam
6 zu schaffen unter allen Heiden, zu denen auch ihr gehört (als) Berufene Jesu
7 Christi: — allen Geliebten Gottes zu Rom (und) berufenen Heiligen. Gnade sei
  euch und Friede von Gott, unserm Vater, und dem Herrn Jesus Christus!

Literatur: P. Stuhlmacher, Theologische Probleme des Römerbriefpräskripts, EvTh 27 (1967), 374-389. 1: G. A. Harrer, Saul who also is called Paul, Harv. Th.Rev. 33 (1940), 19-34. G. Sass, Zur Bedeutung von δοῦλος bei Pls, ZNW 40 (1941), 24-32. S. V. McCasland, Christ Jesus, JBL 65 (1946), 377-383. N. A. Dahl, Die Messianität Jesu bei Pls, Stud. Paul. de Zwaan, 83-95. K. Berger, Zum traditionsgeschichtlichen Hintergrund christologischer Hoheitstitel, NTSt 17 (1970/71), 391-425. Zur Problematik des Apostelbegriffs außer den Monographien von G. Klein, W. Schmithals, J. Roloff und dem Forschungsbericht von E. Güttgemanns, Literatur zur Neutestamentlichen Theologie, VuF 12 (1967), auf S. 61-79: K. Lake in The Beginnings of Christianity, ed. F. J. F. Jackson and K. Lake, I, Vol. V, 1933, 46-52. A. Fridrichsen, The Apostle and his Message, 1947. H. v. Campenhausen, Der urchristliche Apostelbegriff, St. Th. 1 (1947), 96-130. Ed. Lohse, Ursprung und Prägung des christlichen Apostolates, ThZ 9 (1953), 259-275. E. M. Kredel, Der Apostelbegriff in der neueren Exegese, ZKTh 78 (1956), 169-193. B. Gerhardsson, Die Boten Gottes und die Apostel Christi, SEÅ 27 (1962) 89-131. T. Holtz, Zum Selbstverständnis des Apostels Pls, ThLZ 91 (1966), 321-330. A. Satake, Apostolat und Gnade bei Pls, NTSt 15 (1968/9), 96-107. J. W. Bowman, The Term Gospel and its Cognates in the Palestinian Syriac, New Testament Essays T. W. Manson, 1959, 54-67. 3-4: Ed. Schweizer, Röm 1,3 f. und der Gegensatz von Fleisch und Geist vor und bei Pls, Neotestamentica, 180-189. E. Linnemann, Tradition und Interpretation in Röm 1,3 f., EvTh 31 (1971), 264-276. M. E. Boismard, Constitué Fils de Dieu, RB 60 (1953), 5-14. C. L. Allen, The Old Testament Background of (προ-)ὁρίζειν in the New Testament, NTSt 17 (1970/1), 104-108. W. Foerster, Herr ist Jesus. Herkunft und Bedeutung des urchristlichen Kyrios-Bekenntnisses, 1924. Ph. Vielhauer, Ein Weg zur neutestamentlichen Christologie?, Aufsätze 141-199. 5: W. Wiefel, Glaubensgehorsam? Erwägungen zu Römer 1,5, Wort und Gemeinde (Festschr. E. Schott), 1967, 137-144. R. Gyllenberg, Glaube und Gehorsam, ZsystTh 14 (1937), 547-566. 7: E. Lohmeyer, Probleme paulinischer Theologie, I. Briefliche Grußüberschriften, ZNW 26 (1927), 158-173. A. Pujol, De salutatione Apostolica Gratia vobis et pax, Verb. Dom. 12 (1932), 38-40. 76-82. G. Friedrich, Lohmeyers These über das paulinische Briefpräskript kritisch beleuchtet, ThLZ 81 (1956), 343-346.

Das paulinische Präskript läßt nach dem Muster des griechischen Briefes (Roller) Superscriptio, Adscriptio und Salutatio einander folgen, trennt jedoch (anders noch Sickenberger) orientalisch-jüdischem Brauch gemäß die Salutatio in einem besonderen Satze von den beiden ersten Gliedern (vgl. die Belege Lietzmanns und Michels mit den typisch griechischen Präscripten in Apg 15,23; 23,26; Jak 1,1). So wird auch der Gruß durch den Segenswunsch ersetzt. Geradezu monströs wirkt, mit den andern Paulinen verglichen, schon die Superscriptio, welche die Selbstprädikation des Apostels in 1, das Evangelium in 2—3a, den Titel des Gottessohnes in 3b—4 mit erläuternden Bestimmungen versieht, ehe sie in 5—6 den apostolischen Auftrag nach seiner Reichweite charakterisiert. Nennt der Apostel sich in allen Briefen Paulus, entspricht das der Sitte des sich seiner Umwelt anpassenden Diasporajuden. Dabei wird ein dem hebräischen Namen möglichst ähnlich klingender gewählt. Reflexionen über die sich damit verbindende Demut des Apostels oder die Begegnung mit dem Statthalter Sergius Paulus von Apg 13,6 ff. als Anlaß dieses Namenswechsels sind absurd. So stellt sich Paulus mit der Prädikation δοῦλος Χριστοῦ auch nicht demütig (gegen Leenhardt) in die gleiche Reihe mit andern Christen (gegen Zahn; Lagrange; Barrett). Er gebraucht vielmehr den auch in Qumran aufgenommenen (vgl. Michel) Ehrentitel at.licher Gottesmänner, der wie in der Apc Joh zugleich mit der Unterwerfung des Werkzeugs unter den göttlichen Willen die Erwählung ausdrückt. Jesus rückt dabei kennzeichnenderweise an Gottes Stelle, weil seine Gottessohnschaft im metaphysischen Sinne, vom ganzen NT selbstverständlich vorausgesetzt, die Einzigartigkeit des Offenbarers charakterisiert. Die textkritisch problematische Voranstellung des Christusnamens ist festzuhalten, obgleich dieser bei Pls schon in einen Eigennamen übergeht. Damit wird, wie das häufige Vorkommen der Verbindung in liturgisierenden Texten erhärtet, an die ursprünglich messianische Bedeutung erinnert, die Pls jedenfalls noch kennt, selbst wenn er sie nicht besonders heraushebt (vgl. den Exkurs bei Lietzmann; Dahl, Messianität 84 ff.) und bereits in den Schatten des Kyrios-Titels rückt (Kramer, Christos 38). Eine Analogie dazu bildet der ebenfalls eschatologisch begründete Doppelname Simon Petrus (Berger, Hintergrund 391 ff.). Daß hinter dem so gebrauchten Christus-Titel die jüdische Tradition des gesalbten Propheten steht (wieder Berger), ist mindestens fraglich und für den Apostel jedenfalls nicht beweisbar.

Ursprung und Sinn des christlichen Apostolates sind nicht nur aufs heftigste umstritten, sondern für die vorpaulinische Zeit auch kaum noch eindeutig zu klären. Als gesichert darf gelten, daß die semitische Anschauung der durch einen Auftraggeber bevollmächtigten Sendung den nt.lichen Apostelbegriff bestimmt, der Zwölferkreis erst nach Pls mit dem Apostolat identifiziert wurde, Pls selber die Wendung „Apostel Christi" mit ihren Variationen gebildet und von der Funktion sowohl einer unbestimmten Zahl von Missionaren wie der von „Gemeindeaposteln" abgehoben hat. Die Einwirkung des jüdischen Schaliach-Institutes (besonders vertreten durch Rengstorf, ThWb I, 406 ff.; Gerhardsson, Boten 105 ff.; dagegen etwa G. Klein, Zwölf Apostel 26 f.) ist denkbar, wo nt.lich von der paarweisen Sendung von Aposteln gesprochen wird. Sonst muß sie abgelehnt werden, weil sich im Urchristentum der Rechtscharakter dieses Institutes nicht spiegelt und umgekehrt der eschatologische Charakter des nt.lichen, zur Verkündigung des Evangeliums berufenen Apostels im jüdischen Institut keinen Ansatz findet. Erst mit dem paulinischen Selbstverständnis gewinnen wir einigermaßen festen Boden (Kramer, Christos 52 ff.). Die umfassendere Problematik kommt allenfalls beim Vergleich von Gal 1 mit dem lukanischen Schrifttum in den Blick, braucht deshalb hier nicht behandelt zu werden. Doch sollte man sich hüten, das paulinische Verständnis vom Apostel Christi zum Angelpunkt der gesamten Problematik zu machen, wie das heute zumeist dort geschieht, wo man sich kritisch von der überkommenen kirchlichen Anschauung absetzt. Es ist recht wahrscheinlich, daß dieses Verständnis zwar Wurzeln in vorliegender Tradition, nach 1.K 9,1; 15,8 f. zumal in dem Motiv des „Zeugen der Auferstehung" von Apg 1,22, besitzt. Umgekehrt muß damit gerechnet werden, daß das paulinische Selbstverständnis eine Entwicklung durchlief, welche es dem Bereich des Vergleichbaren, ungeachtet der Berührung nach den verschiedensten Seiten hin, entnimmt. Wenn es zutrifft, daß Pls bis zum Apostelkonzil und zum Bruch mit Petrus in Antiochien der Juniorpartner des Barnabas und als solcher Delegat Antiochiens war, ist das schlechterdings nicht mit seinem späteren Selbstverständnis als dem letzten Auferstehungszeugen und der apokalyptischen Funktion des Völkerapostels zu vereinigen. Die gegnerischen Angriffe auf die Apostolizität des Pls machen sichtbar, daß er das Schema einer herkömmlichen Vorstellung sprengt und bei allen vorhandenen Berührungen mit andern als Apostel sui generis betrachtet werden muß, wie er das offensichtlich selber getan hat. So gewiß seine Briefe Rückschlüsse auf andere Anschauungen erlauben, so geraten ist es, daß wir uns in unserer Exegese darauf beschränken, vornehmlich sein apostolisches Selbstverständnis herauszuarbeiten und nur bei gegebenem Anlaß auf traditionelle Elemente darin einzugehen.

Jeder Christ empfängt mit der Berufung zum Heil zugleich diejenige zum Dienst. Göttliche κλῆσις gibt jedoch Gabe und Verantwortung nicht allgemein, sondern in Gestalt eines spezifischen Charismas (vgl. meinen Aufsatz „Amt und Gemeinde im NT, Ex. Vers. I, 111 ff.). Der κλητὸς ἀπόστολος ist nach 1.K 12,28 zwar Charismatiker vor und neben andern (anders repräsentativ Satake, Apostolat 102 f.), in seiner konkreten Berufung und Aufgabe aber allen übrigen gegenübergestellt. Das äußert sich in der at.licher Sprache etwa in Lev 20,26; Jes 29,22; Hes 45,1 entnommenen Prädikation ἀφωρισμένος, welche nicht (gegen Zahn; Schlatter; Franzmann; Nygren; Michel) den Kontrast zur pharisäischen Vergangenheit andeutet. Sie ruft vielmehr wie Gal 1,15 (Gaugler; anders Schmithals, Apostelamt 19) die Erinnerung an Jer 1,5, nämlich die dem konkreten Auftrag vorangehende Erwählung, wach. Das Schema prophetischer Berufung wird freilich in apokalyptischer Perspektive gesehen, wie sie in Ass. Mos. 1,14 vorliegt: „Deshalb hat Gott mich auserwählt und vorbezeichnet (excogitavit et invenit me) und mich vom Weltbeginn zum Mittler seines Bundes vorbereitet." Die Kategorie des Apostels ist die besondere Zuordnung zum Evangelium, das sich irdisch durch ihn manifestiert und in ihm geradezu verleiblicht. Dabei bleibt das Evangelium dem Apostolat vorgeordnet. Es setzt diesen aus sich heraus. εἰς wie in 1,5; 15,26.31; 16,5 f.; 2K 11,20 = für (Lietzmann). In der Koine fehlt der Artikel nach der Präposition häufig, wenn die folgende Wendung technischer Art ist (W. Bauer, Wb 328).

Trotz vielfacher gründlicher Untersuchung in der letzten Generation sind Ableitung und konkrete Bedeutung des absolut und terminologisch gebrauchten Singulars τὸ εὐαγγέλιον noch nicht restlos geklärt. Den Sinn „gute Botschaft" hat das griechische Wort (vgl. Klostermann zu Mk 1,1) erst allmählich gewonnen, im allgemeinen aber nicht gepflegt. LXX, welcher das Verb, nicht aber das singularische Substantiv vertraut ist, und Philo bezeichnen damit die Botschaft schlechthin. Anders scheint es in der Sprache des Kaiserkults zu stehen, aus der man früher vielfach den nt.lichen Terminus meinte ableiten zu können (zuletzt etwa Deissmann, Licht 313 f.; Klostermann zu Mk 1,1; Schneemelcher in Hennecke, Apokryphen I,41 ff.). Eine Schlüsselstellung kommt dann der überall besprochenen berühmten Priene-Inschrift zu: ἦρξεν δὲ τῷ κόσμῳ δι' αὐτὸν εὐαγγελι[ων ἡ γενέθλιος] τοῦ θεοῦ, die man übersetzt: „Der Geburtstag des Gottkaisers eröffnete der Welt die Reihe der um seinetwillen ergehenden Freudenbotschaften". Die Ableitung des nt.lichen, absolut und technisch gebrauchten Begriffs von hier aus befriedigt aber keineswegs, selbst wenn man den sakralen Sinn nicht (wie Bultmann, Theol. 89) rundweg bei der Inschrift bestreitet. Die Antithese von Christus- und Kaiserkult spielt in der kirchlichen Frühzeit noch nicht die (selbst von Friedrich, ThWb II, 722) vorausgesetzte Rolle. Die Verstümmelung der Inschrift würde sogar die geläufige Übersetzung durch „Freudenopfer" zulassen, und jedenfalls gestattet ihr Plural nicht ohne weiteres den Rückschluß auf einen Singular, der bei Pls Ausschließlichkeit beansprucht (vgl. zum ganzen Komplex Stuhlmacher, Evangelium 11 ff., 199 ff.). Andererseits sind gewichtige Bedenken gegen die sich heute durchsetzende Ableitung aus der Verkündigung Deuterojesajas (Schniewind, Euaggelion; Friedrich, ThWb II,705—735; Stuhlmacher, Evangelium, besonders ab 109 ff.; Michel, RAC VI,1107—1160) nicht völlig ausgeräumt. Während Verb und Partizip tatsächlich die technische Bedeutung „Freudenbotschaft bringen" und „Freudenbote" besitzen und eschatologisch ausgerichtet sind, fehlt das entscheidende Substantiv. Der at.liche Wortgebrauch, von LXX aufgegriffen, wird konkretisiert. Was dort, gelegentlich sogar durch ein determinierendes Adjektiv hervorgehoben, einfach die gute oder böse Nachricht bezeichnete, erhält, in eschatologischen Horizont gerückt, nun den Sinn der Heilsbotschaft. Rabbinische Exegese hat relativ spärlich (vgl. Billerbeck; Friedrich, ThWb II, 712 f.) die Verkündigung Deuterojesajas nicht vergessen, aber zunächst mehr zitiert als reflektiert. Das letzte geschieht deutlich jedoch in Qumran, wenn dort in 1QH 18,14 und 11QM der Freudenbote wohl mit dem Lehrer der Gerechtigkeit bzw. mit Melchisedek identifiziert werden (Stuhlmacher, Evangelium 142 ff.), und schon LXX bekundet Bekanntschaft mit der sich hier äußernden Auslegungstradition (Stuhlmacher 159 ff.). Im nachbiblischen Judentum, für das besonders die Auswechselbarkeit der Begriffe בשורה und שמועה bedeutsam ist, mehren sich die Belege dieses Überlieferungsstromes, der nun auch Substantiv und Verb in sich einbezieht, sowohl die konkrete geschichtliche Nachricht, die prophetische Botschaft von Heil oder Unheil, deren Aufnahme und Weitergabe seitens der Gemeinde, die Engelbotschaft oder die göttliche Ankündigung von Segen und Trost umgreift (Stuhlmacher 129 ff. 137 ff.). Man mag schließlich zugeben, daß die Wendung „Proklamation des ewigen Evangeliums" Apk 14,6 und der Verweis darauf in Apk 10,7, die sich apokalyptisch auf das göttliche Gericht als Sieg über die Welt beziehen, in diesen Zusammenhang gehören und seine Aufnahme in der Judenchristenheit bezeugen. Wenn man das alles festgestellt hat, bleiben jedoch folgende Fakten zu berücksichtigen: Erstens ist die Breite dieser Tradition in nt.licher Zeit außerordentlich schmal. Trotz Mt 11,5 Par läßt sich (etwa gegen Molland, Evangelium 33 u. a.) schwerlich behaupten, Jesus habe aus der Botschaft Deuterojesajas die eigene Sendung erkannt. Der spärliche Gebrauch der Wortgruppe bei den Synoptikern und zumal das sonderbare Fehlen des Verbs bei Mk sprechen drittens nicht dafür, daß die palästinische Christenheit die sich hier anbietende Möglichkeit der Anknüpfung früh und umfassend benutzt hat. Trifft es zu, daß im christlich-palästinischen Syrisch die technische Verwendung des Verbs aufgenommen ist (Bowman 60 f.), beweist das etwas nur für die bereits missionierende Gemeinde. In Apk 14,6; 10,7 ist die kennzeichnende Ambivalenz von Gericht und Heil noch nicht durchstoßen. Eine direkte Analogie zu dem absolut gebrauchten Substantiv bei Pls läßt sich nicht nachweisen (Stuhlmacher, Evangelium 135). Das alles besagt, daß die Anschauung der deuterojesajanischen Überlieferung relativ unterschwellig blieb, von ihrer ununterbrochenen Kontinuität nicht gesprochen werden kann und in der ältesten Judenchristenheit jedenfalls keinen dominierenden Platz gewann. Eine Möglichkeit, sie zu nutzen, war vorhanden, nicht mehr und nicht weniger. Sie erkannt und aufgegriffen zu haben, ist das Verdienst der missionierenden Gemeinde auf hellenistischem Boden (vgl. Bultmann, Theol. 89 f.; G. Bornkamm, RGG³ II, 749 f.; Stuhlmacher, Evangelium 58 ff. 218 ff.), die dabei auch der Etymologie des griechischen Wortes Rechnung tragen mochte.

Die letzte Behauptung dürfte sich von dem für Pls so charakteristischen absoluten Gebrauch des Substantivs her stützen lassen, der zumeist als Schöpfung des Apostels betrachtet wird. Umstritten wie die Ableitung ist die des Sinnes. Sicherlich bezeichnet die Wortgruppe zunächst die mündliche Verkündigung der Missionstätigkeit, so daß das Verb wie in Apg 8,4; 15,35 oder Röm 10,15 mit einem sachlichen Objekt verbunden sein, in Lk 3,18; Apg. 14,15; Apk 14,6 sogar die Gerichtsbotschaft bedeuten kann. Von da aus liegt es nahe, Evangelium und Kerygma zu identifizieren und das erste stets (Bultmann, Theol. 89) als nomen actionis zu behandeln. Doch gilt das weder für unsere Stelle noch für 1.K 15,1 f., wo es, sehr merkwürdig mit den typischen Verben der Lehrüberlieferung παραλαμβάνειν, παραδιδόναι, κατέχειν verbunden, Didache anzeigt, die in den folgenden Versen entfaltet ist (Stuhlmacher, Evangelium 266 ff.). Genauso wird es hier in 3b—4 durch ein Bekenntnis bestimmt. Weil das nicht dem sonstigen Wortgebrauch bei Pls entspricht, wird man die beiden Stellen als Belege für einen vorpaulinischen Gebrauch des absolut verwandten Substantivs ansehen dürfen. Missionsrede qualifiziert in ihnen, wie Mt es 4,23; 9,35; 24,14 mit der für ihn charakteristischen Wendung τὸ εὐαγγέλιον τῆς βασιλείας tut, die Heilsbotschaft von ihrem zentralen Inhalt her, nämlich durch den Hinweis auf die Auferweckung Jesu und dessen damit erfolgten Herrschaftsantritt. Damit wird doch wohl der Umschlag aus der von Deuterojesaja erwachsenen, jüdisch-judenchristlichen Tradition in die spezifisch auf heidenchristlichem Felde erfolgende Predigt sichtbar. Wird diese Tradition in der Ansage einer Freudenbotschaft, die sich auf ein bestimmtes Ereignis bezieht und in unserm Verse durch den gen. auct. θεοῦ als göttliche Botschaft charakterisiert wird, aufgenommen, umgreift das nun in den Vordergrund rückende, in 1.K 15,1 f. sogar absolut gebrauchte Substantiv nicht mehr ambivalent Heil und Gericht, ist es nicht mehr wie in Apk 14,6 auf das Weltende hin orientiert, sondern durch die mit der Auferstehung verbundene Erhöhung Christi bestimmt. Das Verb, das im allgemeinen die Bedeutung „verkündigen" behält, kann emphatisch die Proklamation eschatologischer Art bezeichnen. Stimmt solche Rekonstruktion, hat Pls diese Entwicklung nicht initiiert, sondern präzisiert. Er konnte ihr folgen und sogar auf ihre Wurzeln wie hier und in 1.K 15,1 f. zurückgreifen, weil auch sein zentrales Interesse auf der Heilsbotschaft vom erhöhten Herrn lag. Er mußte sie, wie noch zu erläutern sein wird, von seiner Rechtfertigungslehre her verschärfen und damit dem absolut gebrauchten Substantiv mehr Platz einräumen.

Mehr als ein Versuch zur Aufhellung der verwickelten Geschichte der Wortgruppe ist damit nicht gegeben. Immerhin werden von da aus noch zwei Abgrenzungen im Blick auf die heutige Debatte notwendig. Einerseits verflacht die Identifikation von Evangelium und Kerygma, die nicht überall von vornherein auszuschließen ist, die Meinung des Apostels. Beides ist unauflöslich aufeinander bezogen. Es wird gleichwohl differenziert, wenn Pls das Evangelium wie in 1,16 und zumal 1.K 9,16, indirekt auch 1.K 1,18 ff.; 2.K 2,14 ff. als schicksalsetzende Macht, wie den λόγος τοῦ θεοῦ geradezu personifiziert als „selbständige Größe" (Schniewind, Begriffe 112; Molland, Evangelium 46; Friedrich, ThWb II, 729 f.; Stuhlmacher, Evangelium 70 ff.) versteht. Es manifestiert sich nach 11,28; 15,16.19 in der Verkündigung derart, daß die eschatologische Heilsordnung der καινὴ διαθήκη von 2.K 3,6 ff. auf den Plan tritt. In ihm bricht Gott selber machtvoll als Herr, Schöpfer und Richter in die Welt ein und tut es, indem er die aktuelle christliche Botschaft ermöglicht und begründet (Asting, Verkündigung 366), ohne in ihr aufzugehen (Asmussen). Das Christusgeschehen bleibt dieser Botschaft ebenso voraus, wie es sich in ihr fortsetzt und wird nur so nicht zum Gegenstand einer Lehre unter andern oder einer Idee. Die zweite Abgrenzung ist um eines möglichen Mißverständnisses von 2 willen notwendig. Es läßt sich nicht gut leugnen, daß mit diesem Vers das Evangelium heils-geschichtlich verankert wird. Gott hat seinen Willen zum Evangelium längst zuvor durch die at.lichen Propheten angekündigt, deren Aufgabe nicht wie der in 1.K 14 gekenn-zeichneten nt.lichen in der entfaltenden, aktualisierenden Predigt, sondern in der Pro-klamation des eschatologisch zukünftigen Geschehens erblickt wird. Heilige Schriften, wie Pls mit einem schon von der Diaspora entlehnten Ausdruck sagt (Lietzmann; Schrenk, ThWb I, 751), haben mit diesen Ankündigungen dokumentarisch den über den Augenblick hinausgreifenden, die Weltgeschichte auf ihr Ziel ausrichtenden Heilsplan be-wahrt. Sie stehen damit selber in mehr als historischem Zusammenhang und partizipie-ren als ἐπαγγελία am εὐαγγέλιον. Das dialektische Verhältnis dieser beiden Begriffe hat theologische Relevanz. Für Pls ist ἐπαγγελία nach Röm 4 und Gal 3 Prototyp des Evan-geliums wie das Gesetz dessen Antithese. Das uns geläufige Schema von Verheißung und Erfüllung rationalisiert diese Funktion, während es dem Apostel darum geht, die Kon-tingenz des endzeitlichen Evangeliums nicht mirakelhaft erscheinen zu lassen. Wird da-bei noch nicht auf Israel als Empfänger und Hüter der Verheißung geblickt, obgleich das selbstverständlich impliziert ist, bekundet sich damit, daß es Pls jetzt nicht auf die irdi-sche Kontinuität, sondern den Zusammenhang göttlichen Handelns in Vorzeit und End-zeit ankommt. Umgekehrt sollte nicht übersehen werden, daß in gewisser Hinsicht auch das Evangelium den Charakter der Verheißung behält. Das wird freilich unglücklich for-muliert, wenn das Evangelium als proleptische Selbstkundgabe Gottes bezeichnet und diese Ausdrucksweise mit der Verborgenheit solcher Kundgabe im Wort begründet wird (gegen Stuhlmacher, Problem 377; Evangelium passim, z. B. 82). Richtig ist, daß Pls das Evangelium als Mysterium bezeichnet, seine Verkündigung auf die endgültige Weltherr-schaft Christi ausgerichtet ist und diese schon jetzt bezeugt. Seine Verborgenheit im Wort wehrt jedoch die Meinung ab, daß es je zu unserm Besitz würde. Es muß ständig neu von uns empfangen werden und uns in seine Macht ziehen, weil wir selber noch auf dem Wege, nicht am Ziel sind. Spricht man von Prolepse, erweckt man den kaum beabsich-tigten Eindruck, als wäre das Evangelium nicht das letzte, Heil ganz umschließende und bereits in der Gegenwart völlig gewährende Wort, über das hinaus nichts gesagt und erfahren werden kann. Die Dialektik von Verheißung und Evangelium, Evangelium und apokalyptischer Selbstkundgabe Gottes ist nicht die eines historischen Wachstumsprozes-ses. Sie entzündet sich vielmehr daran, daß im Raum der Weltgeschichte Verheißung erst vom Evangelium her als dessen Prototyp erkannt und Evangelium nur in Kampf und Gefahr, also in ständig neuer Zusprache als Gottes Verheißung für Welt und Mensch bewahrt werden kann.

Christus ist nicht (gegen Schniewind, Begriffe 107. 111) Stifter des Evangeliums, son-dern dessen entscheidender Inhalt. Das macht die recht gezwungene Präpositionalwen-dung in 3 sichtbar, die auf εὐαγγέλιον θεοῦ zurückgreift und wie in 1,9; Gal 1,7 einen gen. obj. εὐαγγέλιον τοῦ Χριστοῦ ersetzt. Der Rückgriff und die Variation sind nötig, weil

Evangelium in 1 bereits determiniert wurde und der Relativsatz in 2 als Einschub wirkt. Feierlich wird die Prädikation des Gottessohnes eingeführt. Das ist also auch nach Pls der eigentliche Inhalt des Evangeliums, obgleich 16 f. das noch präzisieren werden. Daß die Prädikation, sofern sie nicht auf Israel bezogen oder wie in Ps 2,7 bei der Inthronisation dem König verliehen wird, im Judentum ebenso selten wie im Hellenismus geläufig ist, läßt sich kaum bestreiten (vgl. Jeremias, Abba 15—33). Es läßt sich auch (gegen Cullmann, Christologie 281 ff.) ihre christliche Verwendung schwerlich auf ein Erlebnis Jesu zurückführen. Selbst wenn Abba das spezifische Gottesverhältnis Jesu gekennzeichnet hätte (Jeremias, Abba 33—67), wäre daraus nicht notwendig der nachösterliche Christustitel abzuleiten, zumal wenn Jesus seine Jünger in dieses Gottesverhältnis hineingezogen haben soll. Doch wird auf die Vorgeschichte dieses Titels alsbald einzugehen sein. Vorläufig genügt die Feststellung, daß kein nt.licher Schriftsteller die besondere Gottessohnschaft Jesu anders als im metaphysischen Sinne verstanden hat. Gottes Sohn ist Jesus als derjenige, welcher nach Phil 2,6 göttlichen Wesens und darin gottgleich, nach Joh 1,1 selber Gott war. Das Interesse ruht dabei auf der Funktion der Eikon Gottes, sei es allgemein als des unvergleichbaren Offenbarers, sei es speziell des Mittlers der ersten oder der eschatologischen Schöpfung. Erst wenn das mit Schärfe erkannt wird, tritt auch das Problem von 3b—4 in helles Licht.

Zunehmend hat sich die Einsicht durchgesetzt, daß wir es hier mit einem liturgischen Fragment aus vorpaulinischer Zeit zu tun haben. Die Verse sind noch sorgfältiger als das übrige Präskript stilisiert, wie besonders der antithetische Parallelismus, der Partizipialgebrauch und die typisch semitische, etwa auch in 1.Tim 3,16 u. a. begegnende Voranstellung des Verbs beweisen (vgl. Norden, Agnostos Theos 254 ff.). Strittig sind der Beginn der Formel und die Hypothese paulinischer Einschübe in sie. Während durchaus begreiflich ist, daß Pls mit dem Titel Gottessohn das ihm Wichtige und für das Evangelium Charakteristische vorwegnimmt, leuchtet (gegen Bultmann, Theol. 52) nicht ein, daß der Titel, aus 3a entnommen, die ursprüngliche Einleitung gebildet hat. Damit würde 4 in schlechter Antizipation das Gewicht verlieren. Erklärt man die beiden κατά-Wendungen für paulinisch (Bultmann, Theol. 52; Dahl, Messianität 90; Wengst, Formeln 104 ff.; Linnemann, Tradition 273 f.), vereinfacht man zwar, schwächt zugleich jedoch die Antithese. Die Tendenz, überschaubare und möglichst symmetrische Kola zu erhalten, hat sich gegenüber semitischen Texten nicht bewährt. Die Methode, Schwierigkeiten textkritisch zu beseitigen, ist höchst anfechtbar. Niemand hat sich die Mühe gemacht anzugeben, warum κατὰ σάρκα in 3b stört. Dann ist jedoch die antithetische Entsprechung in 4 durchaus sinnvoll. Daß der Gegensatz von Geist und Fleisch nicht bloß für Pls reserviert werden darf, ergibt sich beispielsweise aus Joh 6,63. Er ist zudem hier nicht einmal spezifisch paulinisch formuliert, sachlich nicht wie bei dem Apostel anthropologisch, sondern christologisch orientiert. Anders als in 8,3 wird nicht vom sündlich verstrickten, sondern gut at.lich-jüdisch vom schwachen und vergänglichen Fleische gesprochen. Taucht der Begriff ἁγιωσύνη noch in der Paränese 1.Th 3,13; 2.K 7,1 auf, so ist die Wendung πνεῦμα ἁγιωσύνης eine Entsprechung dessen, was in Jes 63,10 f.; Ps 50,13 „Geist der Heiligkeit" heißt, von LXX jedoch durch πνεῦμα ἅγιον wiedergegeben wird, obgleich ἁγιωσύνη ihr geläufig ist. Es ist nicht einzusehen, warum Pls selber nicht ebenfalls das Adjektiv oder das ihm vertraute Substantiv ἁγιασμός gebraucht haben sollte. Dagegen begegnet die Wendung noch in Test.Levi 18,11, auf die Heiligen der Endzeit bezogen:

καὶ πνεῦμα ἁγιωσύνης ἔσται ἐπ᾿ αὐτοῖς, während das genaue griechische Äquivalent in den Qumranstellen 1QS 4,21; 8,16; 9,3; 1QH 7,6 f.; 9,32; CD 2,12 (Michel) nicht auszumachen ist. Nicht sittliche (so Kuss), sondern ursprünglich kultische, dann wie oft ins Eschatologische transponierte Heiligung ist damit gemeint, welche dem Profanen und Weltlichen endgültig entnimmt und den Zugang zu Gott eröffnet. In dieser Bedeutung paßt die Wendung vorzüglich in den Kontext, dessen zweite Zeile, für die Gesamtinterpretation entscheidend, mit τοῦ ὁρισθέντος beginnt. Die kirchliche Lehre von den zwei Naturen Christi hat dem Verständnis des Partizips stets im Wege gestanden, wie schon die Textvarianten zeigen, welche (vgl. L. C. Allen, Background 104 ff.) die göttliche Vorherbestimmung ins Spiel brachten. Luther bemerkte in den Scholien seiner Vorlesung nicht grundlos: iste locus nescio si ab ullo sit vere et recte expositus. Doch kann ὁρίζειν τινά τι wie in Apg 10,42; 17,31; Ignatius Eph 3,2 nur meinen: jemanden als etwas definieren, zu etwas bestellen (gegen die Übereinstimmung der neueren Kommentare noch Ridderbos, Paulus 51: rehabilitieren). Dann wird hier von der Inthronisation Christi als des Gottessohnes gesprochen, und der Geist der Heiligung war die das bewirkende Macht. Entspricht solche Anschauung durchaus der Stelle aus Test. Levi, so ist sie in den Paulinen unerhört, weil dort der Geist von Christus ausgeht oder ihn repräsentiert, aber nicht ihm gegenüber tätig wird. Die Aussage kann schlechterdings nur vorpaulinisch sein, muß also der ursprünglichen Formel zugehören.

Damit ist die Perspektive gewonnen, aus welcher unsere Verse verständlich werden. Wie in Mk 12,35; 2.Tim 2,8 und in den evangelischen Vorgeschichten wird dem irdischen Jesus das Prädikat des Davidsohnes zugeschrieben, das nach Ps. Sal 17,21 ff. dem Messiaskönig gebührt und so auch in 4QFlor zu 2.Sam 7,11 ff. verstanden wird. Von einer Niedrigkeitstheologie kann also in 3b keine Rede sein (Kramer, Christos 106; Wengst, Formeln 108). Der irdisch als Messiaskönig Gekennzeichnete ist vielmehr zur Einsetzung in die Gottessohnschaft bestimmt, durchläuft also einen Weg, welcher durch die Auferweckung in zwei Stufen zerlegt wird. Es läßt sich begreifen, daß man diesen Sachverhalt unter Nachwirkung der Lehre von den zwei Naturen Christi noch immer verschleiert und deshalb von zwei „Existenzweisen" Jesu spricht (Lietzmann; Kühl; Lagrange; Kuss; Althaus). Anders als Pls selber setzt die Formel jedoch noch nicht die Präexistenz und Gottessohnschaft des irdischen Jesus voraus (gegen Lietzmann). Die Antithese der beiden Zeilen und die Verwendung des Terminus „einsetzen" machen vielmehr deutlich, daß Jesus die Würde des Gottessohnes erst bei seiner Erhöhung und Inthronisation erhielt. So sprechen die beiden Partizipien ausdrücklich von einem „Werden", nicht von einem Sein. Wie in Apg 2,36; 13,33 tritt hier eine adoptianische Christologie der frühen Christenheit zutage (Dodd; Schweizer, ThWb VI, 415; Hahn, Hoheitstitel 254 f.; Stuhlmacher, Probleme 382; Wengst, Formeln 107). ἐξ ἀναστάσεως νεκρῶν benennt, temporal verstanden, den entscheidenden Wendepunkt (Lietzmann; Hahn, Hoheitstitel 257 gegen die grammatisch mögliche kausale Deutung bei Schweizer, Erniedrigung 91; Gaugler; Murray; Ridderbos). Betrachtet man die Wendung als paulinisches Interpretament (Barrett), verliert die Formel mit der Präzision zugleich das nicht zufällig an den Schluß gestellte Gewicht, von dem aus das Partizip erst seinen eindeutigen Sinn erhält. Nicht richtig dürfte es auch sein, wenn man die Wendung um des Wohllautes und der Kürze willen (Lietzmann; Kuss) Abbreviatur des zu erwartenden „seit seiner Auferweckung von den Toten" sein läßt. Gerade hymnisches Gut isoliert Christi Auferweckung nicht,

sondern versteht sie in ihrer kosmischen Tragweite als Beginn der allgemeinen Auferwek-
kung (Schlatter; Nygren; Franzmann). Begreiflich ist, daß man mit ἐν δυνάμει wenig
anzufangen wußte und die sich allmählich als Allheilmittel ad absurdum führende Annahme eines Interpretaments erneut anwandte (Barrett; Schweizer, Erniedrigung, 91; Wegenast, Tradition 71; Kramer, Christos 107; Wengst, Formeln 106). Gewonnen war damit freilich nichts, weil der Apostel auf diese Weise den Adoptianismus der Formel nur
verstärken, nicht mildern konnte. Es darf auch nicht in der Schwebe gelassen werden, ob
man die Wendung zum Verb (so Sanday-Headlam: Schlatter; Hahn, Hoheitstitel 255)
zu ziehen habe (Lietzmann) oder, mit den meisten Auslegern, zum Substantiv. Im ersten
Fall würde sie sich mit der κατά-Konstruktion stören. Sie läuft dem ἐν δόξῃ in 1.Tim
3,16 und dem ἐν δεξιᾷ τῆς μεγαλωσύνης ἐν ὑψηλοῖς in Hebr 1,3 parallel und ist so eben
nicht für Pls, wohl aber für einen christologischen Hymnus charakteristisch. δύναμις,
δόξα, φῶς, πνεῦμα sind in der religiösen Sprache des Hellenismus fast synonym. Christus
ist zum Gottessohn im himmlischen Machtbereich inthronisiert worden.

Nun können wir endlich den Streit um den Sinn der beiden κατά-Wendungen erörtern. Mit Recht verbindet man die beiden Stufen des Christusweges mit den beiden Bereichen von Erde und Himmel, und zweifellos kann πνεῦμα, im vorpaulinischen Christentum noch nicht wie beim Apostel streng mit der Christologie verknüpft, sowohl
dynamistisch wie animistisch oder räumlich ausgerichtet sein. Ohne substantielles Substrat und Ausstrahlung in ein Kraftfeld vermag der Hellenismus sich göttliche Energie
nicht vorzustellen (vgl. meinen Artikel über Geist im NT, RGG³ II, 1272 ff.). Gleichwohl legt (gegen Schweizer, Erniedrigung 91 ff.; R 1,3 S. 160 ff.; ThWb VI, 414 f.; Barrett; Michel; Wegenast, Tradition 74; Hahn, Hoheitstitel 25) die gegebene Interpretation nicht notwendig nahe, κατὰ πνεῦμα auf die himmlische Sphäre zu beziehen. Das
wird durch ἐν δυνάμει bereits getan und durch die Genetivkonstruktion ausgeschlossen.
Der Geist der Heiligung ist die Macht, kraft deren Jesus als Gottessohn eingesetzt wurde,
wie die mündliche Vorgeschichte der Taufe Jesu wohl von einer Messiasweihe durch den
heiligen Geist erzählte. Daß die gleiche Präposition in zwei einander folgenden Zeilen
bei rhetorischem Parallelismus sachlich anders nüanciert wird, zeigt sich in 4,25 und noch
häufiger. Versteht man das zweite κατά nicht instrumental, wird man gezwungen, dem
ἐξ am Schluß kausalen Sinn zu geben und bestätigt so, daß man auf das Motiv der wirkenden Kraft im Kontext nicht verzichten kann. Trifft die vorgelegte Deutung zu, finden wir in der Formel die Spur einer ältesten Christologie. Man mag sie im hellenistischen Judenchristentum ansetzen (so etwa Kramer, Christos 118 f.; Wengst, Formeln
108). Mindestens palästinischen Einfluß sollte man jedoch um des Motivs des Messiaskönigs und seiner Inthronisation wie um der singulären Funktion des Geistes willen nicht
leugnen. Daß die Formel im Zusammenhang der Taufbotschaft steht (Wengst, Formeln
108), ist glaubhaft, weil das Prädikat Gottessohn dort seinen ältesten Platz zu haben
scheint und Geistempfang und Adoption auch für den Christen sich dort verbinden, das
Christusgeschehen also geradezu als Modell dafür erscheint. Wichtig ist, daß die Formel
das Wesen des Evangeliums umschreibt, insofern dieses nun den Weg des irdischen Jesus
zu seiner Erhöhung und Inthronisation als seinen Gegenstand betrachten lassen kann,
wie Mk es auf andere Weise mit seiner Theorie vom Messiasgeheimnis getan hat. Es
wird also tatsächlich von hier aus der Evangelienschreibung die Bahn gebrochen (Stuhlmacher, Problem 383 ff.; Evangelium 288; Wengst, Formeln 110 ff.). Umgekehrt wird

man sich vor Augen halten, daß Pls der Formel als das für ihn Entscheidende und das Evangelium auch nach 1,9 Kennzeichnende nur die Prädikation des Gottessohnes entnimmt, die nach ihm dem Präexistenten gebührt. Indem er deshalb 3a voranstellt und 4 mit dem Kyriostitel schließt, hat er die Anschauung der Formel korrigiert (Schweizer, ThWb VI, 415; Wengst, Formeln 104; unentschieden Kramer, Christos 185), wobei dahingestellt bleiben mag, ob er es bewußt oder unbewußt tat. Die Formel diente ihm jedenfalls dazu, die gemeinsame Grundlage des Glaubens mit den Römern herauszustellen. Eine Bekanntschaft der Gemeinde mit der Formel selber anzunehmen (etwa Kuss), überschreitet aber die Grenze zulässiger Vermutungen.

Eine plerophorisch feierliche Prädikation, in welcher die Kombination von Jesus und Christus nun als Eigenname erscheint, beendet die Aussage über das Kriterium des Evangeliums und eröffnet die andere über die Aufgabe des Apostels. Über den Ursprung des Kyriostitels ist seit Boussets berühmtem Buch Kyrios Christos und dessen Kritik durch W. Foerster unendlich oft verhandelt worden. Daß Boussets konsequente Ableitung aus den hellenistischen Mysterienkulten mindestens eingeschränkt werden muß, ist kaum noch zu bestreiten (anders Bultmann, Theol. 54 f.). Mit Recht ist von Anfang an dagegen das Maranatha der Urgemeinde ins Feld geführt worden. Umgekehrt geht es zu weit, wenn im Gegenzug die Wurzeln des absolut gebrauchten Titels (wie etwa bei F. Hahn, Hoheitstitel 74 ff.; Kümmel, Theologie 99 ff.) in die palästinische Tradition verlegt werden (vgl. dazu Vielhauer, Ein Weg 147 ff.). Es empfiehlt sich, zwischen dem palästinischen Mare-Kyrios als dem wiederkommenden Menschensohn und Weltenrichter und jenem Kyrios zu unterscheiden, der in der Akklamation κύριος Ἰησοῦς als der ältesten Form des Bekenntnisses zum kultisch präsenten Herrn angerufen und verehrt wird (Vielhauer, Ein Weg 167; Kramer, Christos 95 ff. 156 ff.; Schweizer, Erniedrigung 165; Conzelmann, Grundriß 101 ff.). Ob und wie stark das Maranatha eine Brücke zur Kyrios-Akklamation schlug (Cullmann, Christologie 212 ff.), läßt sich kaum sicher ausmachen. Die LXX-Exegese erlaubte schließlich, den Herrn der christlichen Gemeinde, der als solcher wie in 1.K 8,5 f. den Herren der heidnischen Welt entgegengestellt wurde, in seiner Würde als Kosmokrator herauszustellen. Boussets These dürfte also insofern recht behalten, als erst auf heidnischem Boden und in der Antithese zu den Gottheiten der Mysterienkulte Kyrios zum beherrschenden christologischen Titel wurde und es so auch für Pls ist (Wengst, Formeln 126 ff.). Überwiegt beim Apostel die Beziehung des Herrn auf die Gemeinde, so betrachtet er ihn doch nicht als christlichen Kultgott, wie das in der hellenistischen Christenheit weithin geschehen zu sein scheint. Für ihn ist der Kyrios der Repräsentant des die Welt beanspruchenden Gottes, der mit der Kirche die neue Schöpfung mitten in der vergehenden alten Welt heraufführt.

Darin gründet nach 5 die Aufgabe des Apostels, nach 6 auch sein Recht, sich an die römische Gemeinde zu wenden. Der Plural ist zweifellos schriftstellerisch und betont offiziell, umfaßt also (gegen Zahn; Schlatter; Roller, Formular 172) nicht die Apostel insgesamt, auf die 5b nicht paßt. Es gehört zu den Merkwürdigkeiten des Briefes, daß nicht wie sonst Mitarbeiter erwähnt werden, obgleich der Verkehr zwischen Korinth als wahrscheinlichem Abfassungsort und Rom auch Christen in beiden Städten zusammenbringen mußte. Pls tritt als Einzelner vor die Gemeinde und beabsichtigt das wohl auch, weil er Rechenschaft über die eigene Botschaft zu geben gedenkt. Was er ist, wurde er durch Gnade, die ihn zugleich als ihr Instrument benutzt und ihm Vollmacht gibt. χάριν καὶ ἀποστολήν sind, explikativ verbunden, fast ein Hendiadyoin. Der Apostolat ist die Pls gewährte spezifische Gnade. Gegen eine noch immer verbreitete Anschauung ist schon hier festzustellen, daß χάρις bei Pls keineswegs primär eine göttliche Eigenschaft (so Wobbe, Charisgedanke 32), also gut griechisch die Huld, konkret die freie Liebe Gottes (so Taylor) meint. Fast durchweg gilt sie als Heilsmacht, die sich in bestimmten Gaben, Taten und Bereichen objektiviert und in den Charismen geradezu individualisiert. Lange kirchliche Tradition der Unterscheidung von Amt und Charisma bewirkt, daß der Apostolat im allgemeinen aus den Charismen herausgenommen und ihnen gegenübergestellt wird. Von 1.K 12,28 und der in 12,3; 15,15; 1.K 3,10; Gal 2,9 stereotyp gebrauchten Wendung ἡ χάρις ἡ δοθεῖσα μοι her ist das Recht dieser Ansicht für Pls zu bestreiten, so gewiß sein Charisma einzigartig ist. Als Macht begründet Gnade nicht menschliche Qualitäten, sondern Dienst. Die Wortverbindung ist daher nicht so aufzulösen, daß zunächst an den Christenstand, dann an den Apostolat gedacht wird (gegen Zahn; Lietzmann). Die spezifische Aufgabe des Apostels ist es, Glaubensgehorsam unter allen Heiden zu schaffen. Die Genetivkonstruktion läßt sich nicht (gegen Lietzmann; Kuss; Michel) als gen. obj. deuten, weil das Objekt ähnlich wie in 3a durch die präpositionale Wendung ὑπέρ ... umschrieben wird. Diese kann dann nicht (wie nach Bauer Wb 1659) den Sinn haben: um seinen Namen zu verbreiten. Der Name ist vielmehr wie auch sonst in der Antike das manifest werdende Wesen seines Trägers und infolgedessen personifizierbar. Die Genetivkonstruktion ist also erneut explikativ. Das ergibt sich auch daraus, daß Glaube und Gehorsam in 1,8; 1.Th 1,8 und R 15,18; 16,19 oder in 2.K 10,5.15 wechseln können, Glaube in 10,16 als Gehorsam gegenüber dem Evangelium beschrieben wird (Bultmann, Theol. 315 f.; ThWb VI, 206). Diese Stellen zeigen zugleich, daß der Glaubensgehorsam sich auf die Christusoffenbarung bezieht, wie besonders deutlich in 2.K 9,13 zutage tritt. Der Sinn unseres Textes ist aus solchen Zusammenhängen eindeutig. Es besteht nun natürlich die Gefahr, aus diesem Sachverhalt die Konsequenz zu ziehen, die Heiligung im aktiven Gehorsam sei die eigentliche Intention des Glaubens. Doch bannt man sie nicht, wenn man (Wiefel, Glaubensgehorsam 137 ff. in einer eher Schlatter als Bultmann treffenden Kritik) die Parallelismen übersieht und die Genetivkonstruktion hier und anderswo als ad-hoc-Verbindungen deklariert. Der Kontext, die Kettenreihe 10,14 ff. und eine Wendung wie ἀκοὴ πίστεως Gal 3,2 machen völlig deutlich, daß Glaubensgehorsam die Annahme der Heilsbotschaft meint (Bultmann, Theol. 91). Die Situation der Mission hat dem Substantiv wie dem Verb seine überragende Bedeutung gegeben, und die für Pls charakteristische Verbindung von Glaube und Gehorsam hat primär nicht ethischen, sondern, besonders deutlich in 2.K 10,4—6, eschatologischen Sinn: Wo die Christusoffenbarung angenommen wird, unterwirft sich rebellische Welt wieder ihrem Herrn. Dieses Verständnis des Glaubens entspricht der Kyrios-Christologie des Apostels.

Von da aus muß auch die Sendung des Pls zu allen Heiden verstanden werden, die hier fraglos (anders Michel; Zahn; Schlatter) mit ἔθνη gemeint sind. Der sich in Christus offenbarende Gott will sich Welt, nicht bloß menschliche Existenz unterwerfen, und es ist der spezifische Dienst des Pls, das unter den Heiden zu realisieren, während andere zu den Juden gesandt sind. Betont steht ἐν πᾶσιν, auf diesen kosmischen Horizont hinweisend und zugleich den Übergang zu 6 ermöglichend. Die Römer gehören zu dieser Welt jenseits des Judentums. Diese Feststellung zeigt, daß mindestens die Majorität der Gemeinde (anders Zahn) aus Heidenchristen besteht. In plerophorischer Feierlichkeit, die derjenigen des Absenders entspricht, werden auch die Empfänger des Briefes angeredet. Das Fehlen des Begriffs ἐκκλησία fällt hier wie im übrigen Schreiben auf, ohne plausibel erklärbar zu sein. Statt dessen werden urchristliche Selbstprädikationen verwandt. Wie Pls selber sind die Christen in Rom von Jesus Christus berufen, nämlich aus der heidnischen Welt herausgerufen, um nunmehr dem einen Kyrios zu gehören. 7a bringt endlich die längst fällige adscriptio in einer der Charakteristik des Apostolates gegenüber bemerkenswerten Kürze, wenngleich in sehr offiziellem Ton. Nochmals erscheint das kennzeichnende πᾶσιν, das nach allen Gliedern der Gemeinde greift. Die vieldiskutierte Auslassung von ἐν Ῥώμῃ in späteren Lesarten (vgl. die Exkurse bei Zahn und Lietzmann) ist nach τοῖς οὖσιν unbegreiflich, wenn man nicht annimmt, daß der Brief auf diese Weise in ein katholisches Schreiben verwandelt wurde. Sie hat die Textkorrektur ἐν ἀγάπῃ θεοῦ nach sich gezogen, die offensichtlich glätten sollte. ἀγαπητοῖς θεοῦ ist nicht erste Apposition, sondern zu τοῖς οὖσιν zu ziehen und inhaltlich kaum von κλητοῖς ἁγίοις unterschieden. Die Geliebten Gottes sind nach at.lichem Sprachgebrauch die Erwählten, die dessen in ihrer Berufung gewiß werden. Daß hinter der Wendung von den berufenen Heiligen sich die LXX-Formel von Ex 12,16 u. a. κλητὴ ἁγία als der heiligen Versammlung verbergen soll (Asting, Verkündigung 141 ff.; Procksch, ThWb I, 108), dürfte Heidenchristen nicht erkennbar gewesen sein. Mit dem Prädikat „Heilige" wird die Würde des at.lichen Gottesvolkes auf die Christenheit übertragen. Wenigstens teilweise wurde der ursprüngliche kultische Sinn erhalten, als der Begriff ins Eschatologische transponiert wurde: Heilig ist, wer zur Stätte der Gottesgegenwart zugelassen ist. Das geht nun auf das himmlische Wesen. Die ebenfalls stattgefundene Ethisierung kultischer Begriffe sollte hier also nicht in Betracht gezogen werden. Nicht auf Grund ihres Verhaltens sind die Christen heilig, sondern weil sie „im Angesichte" ihres Herrn und damit Gottes stehen.

Die in 7b folgende Salutatio ist streng rhythmisch in drei Zeilen mit je vier Worten gegliedert und findet sich außer in 1.Th und dem grußlos beginnenden Gal stereotyp in den echten Paulinen wieder. Die verlockende These, es handle sich in ihr um eine liturgische, den Gottesdienst eröffnende Formel (Lohmeyer, Grußüberschriften 162), ist nicht stichhaltig. Wie 1.Thess als ihr Ausgangspunkt beurteilt werden muß (Schrenk, ThWb V, 1008), hat die nachpaulinische Gemeinde sie, von Eph abgesehen, nicht bewahrt. Das Fehlen jedes Artikels läßt sich gerade hier durchaus erklären (Friedrich, These 345 f.). Das schließt jedoch nicht aus, daß der Apostel im Blick auf etwaige gottesdienstliche Verlesung seiner Briefe besonders sorgfältig und „liturgisierend" stilisiert (Kramer, Christos 87 ff. 150 ff.). Die Verbindung des Schlusses, die wie in 1.Th 1,1; 3,11; 2.Th 1,12; 2,16 Gott als unsern Vater prädiziert und (gegen Schrenk, ThWb 1009), davon nicht abhängig, Jesus Christus als Herrn danebenstellt, dürfte vorpaulinisch sein (Lohmeyer 164; Michel: Kramer, Christos 150). Jedenfalls geht es nicht um einen bloßen Gruß, sondern um Segenszuspruch. Die früher vielfach vertretene Ansicht, Pls vertiefe durch χάρις ein χαίρειν und kombiniere also den griechischen mit dem hebräischen Gruß (noch Sanday-Headlam; Bruce), ist überholt (Lohmeyer 159; Friedrich, These 345 f.; Michel). Pls modifiziert vielmehr eine orientalisch-jüdische Formel, die in Apk Bar 78,2 und Gal 6,16 erhalten blieb: „Erbarmen und Frieden sei mit euch!" Gemeint ist das eschatologische Heilsgut der den Menschen nicht nur in Seelenfrieden stellenden, sondern total erfassenden Gnadenmacht. Sie begründet mit dem Zugang zu Gott auch irdisch die Gottesordnung des Friedens als des Bereiches eines nach allen Seiten hin offenen und furchtlosen

Lebens. Allerdings bleibt das daran gebunden, daß Gott wirklich unser Vater und Jesus unser Herr wurde.

II. 1,8—15: Das Prooemium

8 Zunächst sage ich meinem Gott durch Jesus Christus über euch allen Dank, weil in
9 der ganzen Welt euer Glaubensstand verkündet wird. Denn mein Zeuge ist Gott, dem ich mit meinem Geiste diene im Evangelium von seinem Sohne, daß ich unab-
10 lässig eurer gedenke, immer bei meinen Gebeten, (darum) bittend, ob es mir wohl
11 endlich einmal gelingen möchte, zu euch zu kommen mit Gottes Willen. Denn ich sehne mich, euch zu sehen, damit ich euch etwas an geistlicher Gnade zu eurer Stär-
12 kung mitteilen kann. Das meint: damit ich unter euch mitgetröstet werde durch den
13 gegenseitigen, euch und mir (gemeinsamen) Glauben. Ich will euch auch nicht ver- hehlen, Brüder, daß ich mir (schon) oft vorgenommen hatte, zu euch zu kommen — jedoch wurde ich bis zum heutigen Tage verhindert —, um ebenso bei euch wie bei
14 den übrigen Heiden einige Frucht zu erhalten. Griechen und Barbaren, Weisen so-
15 wohl wie Unverständigen bin ich verpflichtet. Deshalb bestand, was mich anlangt, Bereitschaft, auch euch in Rom das Evangelium zu predigen.

Literatur: P. Schubert, Form and Function of the Pauline Thanksgivings, Beih. ZNW 20, 1964. G. Eichholz, Der ökumenische und missionarische Horizont der Kirche. Eine exegetische Studie zu Röm 1,8-15, EvTh 21 (1961), 15-27. 8: A. Schettler, Die paulinische Formel „Durch Christus", 1907. O. Kuss, Die Formel ‚durch Christus' in den paulinischen Hauptbriefen, Trier. ThZ 65 (1956), 193-204. H. Greeven, Gebet und Eschatologie im Neuen Testament, 1931. 9: G. Stählin, Zum Gebrauch von Beteuerungsformeln im Neuen Testament, Donum Gratulatorium E. Stauffer, 1962, 115-143. 11 ff.: G. Schrenk, Der Römerbrief als Missionsdokument, Studien 81-106. H. Preis- ker, Das historische Problem des Römerbriefes, Wiss. Z. Schiller-Universität Jena, Ges. und sprachw. Reihe 1952/3, Heft 1,25-30. J. Knox, A Note on the Text of Romans, NTSt 2 (1955/6), 191-193. K. H. Rengstorf, Paulus und die älteste römische Christenheit, Stud. Evangelica II, 1964, 447-464. G. Klein, Der Abfassungszweck des Römerbriefes, Rekonstruktion 129-144. 14: P. Minear, Gratitude and Mission in the Epistle to the Romans, Basileia (Festschr. W. Freytag), 1959, 42-48.

Pls folgt in 8a.9—10a mit allen Einzelheiten (anders noch Roller, Formular 65) der Formel einer heidnisch-hellenistischen Briefgattung, welche in jüdischer Diaspora zunächst in 2.Makk 1,11 f. und bei Philo aufgegriffen ist (vgl. Schuberts Analyse). Ihr Schema, das religiöse Danksagung und Fürbitte unmittelbar zum Anliegen des Schreibens führen läßt, wird nie bloß konventionell angewandt. Es setzt vielmehr trotz einer gewissen Förmlichkeit eine gemeinsame religiöse Bindung und ein Vertrauensverhältnis zwischen Absender und Empfänger voraus und dient durchweg einem konkreten Anliegen. Zu den typischen Merkmalen gehören in unserm Text der Begründungssatz nach dem stereo- typ einleitenden εὐχαριστῶ τῷ θεῷ und der Finalsatz nach der Fürbitte, weiter das auf die Empfänger blickende περί = „hinsichtlich", das ἀδιαλείπτως μνείαν ποιοῦμαι und das ἐπὶ τῶν προσευχῶν μου als Angabe von Zeit und Umständen. Vom Schema her wird das neben ἀδιαλείπτως scheinbar überflüssige πάντοτε auf die letzten gehen (gegen Pallis; La- grange, Murray; Barrett; H. W. Schmidt), also von δεόμενος abzugrenzen sein (Michel).

Das sonst übliche πρὸ μὲν πάντων ist, nach dem langen Präscript begreiflich, durch πρῶτον μέν ersetzt worden, ohne daß ein ἔπειτα δέ folgt. Pls selber hat die Formel ausgefüllt und christianisiert. Im Stil des at.lichen Beters spricht er wie in Phil 1,3; 4,19 u. a. von „seinem" Gott. Die Wendung διὰ ᾽Ιησοῦ Χριστοῦ sollte nicht zu stark christologisch im Sinn des Mittlergedankens gepreßt werden (gegen die altkirchliche Tradition und manche Kommentare sowie Wobbe, Charisgedanke 92 f.; Stuiber, RAC IV, 214). Sie bezieht sich auf den erhöhten Herrn (Schettler, Formel 6), nicht zunächst (so Kuss, Formel 193 ff.) auf die Heilstat, will aber nicht (gegen Schettler 43) das Dankgefühl psychologisch erklären. Wie in 12,1 hat διά die noch heute im gottesdienstlichen Gebet vorhandene Bedeutung „kraft", mit welcher man sich auf Grund und Recht des Betens beruft (Schettler 14; Kramer, Christos 84 f.). Der ὅτι-Satz leitet eine captatio benevolentiae ein. Dabei meint πίστις nicht das Gläubigwerden (Lietzmann; Bultmann, ThWb VI, 213), sondern den Glaubensstand (Schlatter: Michel; Kuss). Er ist, weil es sich um die Gemeinde der Welthauptstadt handelt, überall bekannt. Ähnliche Hyperbolie, zu welcher die ägyptische Grabinschrift ὧν ἡ σωφροσύνη κατὰ τὸν κόσμον λελάληται (Bauer, Wb 882) eine schöne Parallele bildet, findet sich auch in 1.Th 1,8, bestimmt aber den ganzen Zusammenhang. Sie äußert sich in πάντες, ἀδιαλείπτως, πάντοτε, dem einfaches „erzählen" überbietenden καταγγέλλειν und schließlich in der Schwurformel 9a. Daraus wie aus dem folgenden Kontext läßt sich wenig über das persönliche Verhältnis des Apostels und seine „tiefe innere Gemeinschaft" mit der Gemeinde gewinnen (gegen Rengstorf, Paulus 450 ff.). Es geht Pls darum, die Römer seiner Wertschätzung und seines lebhaften Gedenkens zu vergewissern. Die 1.Reg 12,6 LXX auftauchende, in den Paulinen häufig und formelhaft gebrauchte eidliche Beteuerung hat heidnische Parallelen (Bauer, Wb 977; Klauser, RAC II, 220 f.; einschränkend Stählin, Beteuerungsformeln 132). Sie dürfte beweisen, daß Jesu Schwurverbot dem Apostel nicht bekannt ist. Als Eideshelfer kann Gott angerufen werden, weil ihm der paulinische Dienst uneingeschränkt gilt. λατρεύειν kann im Kontext kultischen Sinn haben (Michel). Doch werden nicht Gebetsleben und Verkündigung parallelisiert (gegen Zahn; Strathmann, ThWb IV, 65), und τὸ πνεῦμα μου meint (gegen Schlatter; E. Schweizer, ThWb VI, 434) nicht den göttlichen Geist, sondern, mit ψυχή identisch, das den Menschen bestimmende Inwendige (Michel; Leenhardt). ἐν ist wie etwa in 1.K 4,21 = „mit". Phil 3,3 hat einen andern Tenor und scheidet als Parallele aus, und auch der Verweis darauf, daß im Rabbinischen das Gebet als „Dienst im Herzen" bezeichnet wird (Billerbeck; Michel) nützt für den Skopus der Aussage nichts. Pls dient mit seinem ganzen Menschen dem Evangelium, das genau wie in 3 durch den gen. obj. christologisch determiniert wird. Erst der Schluß von 9 spricht vom Gebet des Apostels und 10 von dem sich dabei äußernden konkreten Wunsch, der durch δεόμενος eingeleitet wird. εἴ πως drückt Ungewißheit, ἤδη ποτέ, wie in Phil 4,10 = „endlich einmal" (Lietzmann), die Ungeduld aus. Das Passiv des wohl der LXX-Sprache entnommenen Verbs εὐοδόω könnte zwar auf göttliches Handeln deuten (Lagrange) und dann den Sinn von „den Weg gebahnt bekommen" wie in Tob 5,17 haben. Doch ist um des folgenden Infinitivs willen die in 2.Chron 32,30; Sir 41,1 belegte übertragene Bedeutung „gelingen" vorzuziehen. Die frommen Juden und Heiden in gleicher Weise geläufige conditio Jacobaea (vgl. Billerbeck; Deissmann, Licht 175), nt.lich in 15,32; 1.K 4,19; 16,7; Apg 18,21; Jak 4,15 aufgegriffen, bekundet, woran nach des Apostels Meinung die Erfüllung seines Wunsches bisher scheiterte. Ohne aufgegeben zu sein, äußert sich seine Absicht anders als in den parallelen Ausführungen 15,22 ff. hier keineswegs bestimmt in Gestalt eines festen Programms. Das ist höchst verwunderlich und bedarf der späteren Klärung.

Verwunderlich ist aber auch (von Klein, Abfassungszweck, vorzüglich S. 140 herausgestellt) der Wechsel im Anspruch auf Autorität, der immer stärker zurückgeschraubt wird, ehe er sich am Schluß von 11—15 unverhüllt wieder meldet. Man macht es sich zu einfach, wenn man das aus paulinischer Diskretion erklärt (Fridrichsen, The Apostle 7 f.). Die Aporie unserer Verse wird jedoch überspielt, wenn man die völlig unpaulinische, dagegen in Apg 7,5 ff.; 9,27 f. und vor allem in der Korneliusgeschichte zutage tretende Anschauung einträgt, eine Gemeinde bedürfe der apostolischen Gründung oder wenigstens Sanktionierung (Klein, Abfassungszweck 141 ff.; in scharfer Kritik dazu Kuss, Paulus 198 f.). Mußte das den Römern klargemacht und damit die paulinische Verantwortung auch ihnen gegenüber herausgestellt werden, war das bündig zu sagen. Das eben geschieht bis zum letzten Wort in unserm Abschnitt nicht, in welchem sich die Verlegenheit des Apostels steigert, die Beweggründe seiner vorgesehenen Reise und seine Erwartungen scharf zu formulieren. Das läßt nur den Schluß zu, daß Pls sich den ihm unbekannten Briefempfängern gegenüber höchst unsicher fühlt und in apologetische Defensive getrieben wird. Er befürchtet offensichtlich Mißtrauen und in Rom umlaufende Verdächtigungen seiner Person wie seines Werkes (so Preisker in seinem Aufsatz; Michel). Das veranlaßt ihn zu vagen Auslassungen über sein Vorhaben und zu dauernden Einschränkungen seiner Hoffnungen. Der Besuch wird nicht einmal fest angemeldet. Das sonderbare τί in 11b hält alle Möglichkeiten offen. Ganz ungewöhnlich ist die nur hier gebrauchte Verbindung χάρισμα πνευματικόν. Nach 1.K 12,3 ff. sind alle Charismen πνευματικά, und Pls vermeidet sogar in seinem Antienthusiasmus den letzten Begriff geflissentlich, wo immer er kann, und ersetzt ihn durch den ersten. Der seltsame Gebrauch an unserer Stelle erlaubt jedenfalls nicht, um einer allgemeinen Bedeutung „Gabe" willen (so Wetter, Charis 169; Lagrange) das Charisma-Motiv zu leugnen. Wahrscheinlich reduziert das Adjektiv im Sinn von 15,27 die Weite charismatischer Wirkungen auf den mit der Predigt gegebenen Segen. Die Kette der Einschränkungen setzt sich im Infinitiv-Satz fort. Pls kann den Römern das Evangelium nicht als erster bringen, sondern sie bloß darin bestärken, womit wohl missionarische Sprache aufgegriffen wird. Selbst solche Aussage schließt jedoch Mißverständnisse nicht aus und muß deshalb erneut korrigiert werden. Dabei überspringt der Apostel sogar das nächste Gedankenglied. Er spricht nicht von jener Paraklesis, die er als Trost und Mahnung zu bringen vermag, weil Predigt evangelisch immer zugleich Kraft und Verpflichtung schenkt. Pls vermeidet geradezu ängstlich jeden autoritativ klingenden Anspruch und nimmt in Kauf, daß die Logik des Satzbaus dabei leidet (Lietzmann; Lagrange; Barrett). Die mutua fratrum consolatio, von der er selber profitieren will, erscheint nun als seine Erwartung. Die neben ἐν ἀλλήλοις ziemlich überflüssigen Pronomina ὑμῶν τε καὶ ἐμοῦ unterstreichen das noch. Damit ist der geplante Besuch endgültig jedes offiziellen Charakters entkleidet, und zwar in offensichtlichem Widerspruch zu den wirklichen Plänen des Apostels und dem in 5 erhobenen Anspruch. Das darf unter keinen Umständen erbaulich durch den Hinweis auf die Bescheidenheit (Zahn; Kühl; Gutjahr; Lietzmann; H. W. Schmidt; Kuss), die Demut (Gaugler; Brunner; Murray), den Takt und das Feingefühl (Althaus; Nygren), die Angefochtenheit und die dadurch veranlaßte Vorsicht (Michel) des Pls verdeckt werden (richtig Klein, Abfassungszweck 141). Der Umbruch vom Pathos des Präscripts und der Würde der Danksagung zu der hier zutage tretenden Unsicherheit und Verlegenheit (Schubert, Thanksgivings 5. 33) ist nicht zu überbrücken. Es genügt zu seiner Erklärung auch nicht festzustellen, daß der Apostel bei seinem Besuch in Rom gegen seinen 15,20; 2.K 10, 15 f. feierlich verkündeten Grundsatz verstößt, nicht in fremdes Missionsgebiet einzudringen (gegen Lagrange; Dodd; Barrett). Pls brauchte dann nur wie in 15,24 darauf aufmerksam zu machen, daß Rom für ihn eine notwendige Durchgangsstation bildet. Warum wird der Apostel hier nicht klar und sachlich? Warum sieht er sich genötigt, selbst das Schreiben an die Römer zu rechtfertigen? Warum bekommt dieses Schreiben umgekehrt den Charakter einer Zusammenfassung paulinischer Lehre? Warum klingt die dreifache Versicherung des längst geplanten Besuches wie eine Entschuldigung oder sogar eine Verteidigung gegen den Verdacht, der Apostel habe es damit nicht so ernst genommen oder so eilig gehabt? Werden diese Fragen gestellt, den hier noch verschwiegenen wirklichen Plänen wie dem ungeheuren Anspruch von 5 entgegengesetzt, kommt die Problematik des paulinischen Apostolates zum Vorschein, die fast alle seine Briefe mitbestimmt und häufig ihr Angelpunkt ist. Die von ihm behauptete Autorität deckt sich nicht mit dem, was ihm in Wirklichkeit zugestanden wird. Selbst am Ende seines Weges steht er im Zwielicht ungeklärter Situationen, im Widerstreit gegensätzlicher Beurteilung. Er hat damit zu rechnen, daß Türen, die er leidenschaftlich aufzustoßen wünscht, sich ihm verschließen. Der wichtigste theologische Brief christlicher Geschichte ist unzweifelhaft auch Dokument einer um Anerkennung ringenden Existenz und einer als fragwürdig geltenden Apostolizität. Ohne diese Einsicht kann er nicht richtig interpretiert werden.

Als ob er fühlte, zu weit gegangen zu sein, setzt Pls in 13 neu ein. Er tut es mit einer auch in 11,25; 1.K 10,1; 12,1; 2.K 1,8; 1.Th 4,13 begegnenden Wendung, welche stets eine Anrede nach sich zieht, dem γινώσκειν σε θέλω hellenistischer Briefe (Bauer, Wb 701) entspricht und anders als hier paränetisch verwandt werden kann. In Aufnahme von 10b wird der oft und fest gehegte Vorsatz seiner Reise nochmals wie die nicht präzisierte Verhinderung beteuert. Die nachlässige Satzkonstruktion wird klar, wenn 13c als Parenthese, das einleitende καί (Bl.-D. § 465,1) adversativ gefaßt wird (so schon J. Weiss, Beiträge 212; Kühl; H. W. Schmidt). Nach 11a ist ἐκωλύθην auf göttliche Führung zu beziehen. ἄχρι τοῦ δεῦρο ist geläufig (Bauer, Wb 350), ἀδελφός eine alte christliche Prädikation des Gemeindeglieds, die jüdische und heidnische Analogien hat (Lietzmann). καρπὸν ἔχειν stammt wie in Phil 1,22 wohl aus der Erbauungssprache der Mission. τινά schränkt wie τί in 11 ein. Der Finalsatz markiert den neuerlichen Umschwung in der Gedankenführung, mit καθώς kehrt Pls zum Anspruch in 5 zurück. Es endet nun auch jede Unsicherheit des Tons. Das Mandat des Apostels ist, weil unter die ἀνάγκη von 1.K 9,16 gestellt, unerschütterlich und klar. Von ihm wird nicht anders als mit einem gewissen Pathos gesprochen. Selbst wenn ὀφειλέτης εἰμί wie in 8,12; 15,27; Gal 5,3 nicht emphatisch gesagt wird, nennt es doch nicht (gegen Minear, Gratitude 42 ff. im Gefolge Schlatters) die allgemeine, sondern die besondere apostolische Pflicht. Diese kennt keine Grenze als die vom Herrn gesetzte und umgreift (vgl. Sass, Apostelamt 30 f.) die gesamte Heidenwelt. Dabei werden alle irdischen Schranken relativiert, wie die Antithesen, die aus griechischem Aspekt heraus Kulturträger und Kulturlose unterscheiden (Windisch, ThWb I, 544 f.; vgl. II, 512 f.), zeigen. Pls leugnet nicht die Realität der Gegensätze. Als Bote des Evangeliums kann er jedoch unbefangen durch die Konventionen und Vorurteile des zerklüfteten Kosmos hindurchschreiten. Ihn schüchtern die Weisen nicht ein, mit den Unverständigen kann er sich in gleicher Weise einlassen. Die ganze Welt steht ihm, sofern er Diener des Kyrios ist, nach 1.K 3,21 f. offen. Als könnte er sich davon nicht lösen, kehrt 15 nochmals zum Thema der Reise zurück. Ist τὸ πρόθυμον als Subjekt zu betrachten (Sanday-Headlam; Ridderbos), umschreibt in der Koine häufig wie in Apg 18,15; 26,3; Eph 1,15 κατ᾽ ἐμέ einen Genitiv (Bl.-D. § 224). Doch läßt sich limitierender Sinn der letzten Wendung nicht rundweg ablehnen, wenn man an die vorher genannten Hindernisse denkt (Kühl; Lagrange; Gutjahr; Barrett gegen Lietzmann; Bardenhewer). Das substantivierte Abjektiv πρόθυμον ist durch ein ἐγένετο zu ergänzen. Die Tilgung der Ortsangabe in G wird hier deutlich als sekundär sichtbar. Spricht Pls betont von „evangelisieren", erscheinen alle Einschränkungen in 10—12 als sinnlos. Doch muß dieses Stichwort jetzt fallen, wenn der Übergang zum Folgenden gewonnen werden soll. Das zeigt zugleich, daß 16—17 sachlich noch zum Prooemium gehören, das (nach Schubert) bei seiner vorliegenden Gestalt durchweg in einem konkreten Anliegen mündet. Wird es gleichwohl in der Auslegung davon getrennt, so geschieht das, um es deutlich als Thema des ganzen Briefes herauszustellen: Ut summam evangelii Paulus hac epistola, sic epistolae summam versu hoc et sequente complectitur (Bengel).

III. 1,16—17: Thema

Denn nicht schäme ich mich des Evangeliums. Denn Gottes Macht ist es zum Heile jedem, der glaubt, dem Juden zunächst und auch dem Griechen. Denn in ihm wird Gottes Gerechtigkeit offenbart aus Glauben zu Glauben, — wie geschrieben steht: Der aus Glauben Gerechte wird leben.

Literatur: O. Michel, Zum Sprachgebrauch von ἐπαισχύνομαι in Röm 1,16, Glaube und Ethos (Wehrung-Festschr.), 1940, 36-53. C. K. Barrett, I am not ashamed of the Gospel, Analecta Biblica 42 (1970), 19-50. W. Grundmann, Der Begriff der Kraft in der neutestamentlichen Gedankenwelt, 1932. O. Glombitza, Von der Scham der Gläubigen. Zu Röm 1,14-17, Nov. Test. 4 (1960), 74-80. W. Michaelis, Rechtfertigung aus Glauben bei Paulus, Festgabe A. Deissmann, 1927, 116-138. R. Gyllenberg, Glaube bei Paulus, ZsystTh 13 (1936), 613-626. A. Fridrichsen, Aus Glauben zu Glauben, Conj. Neotest. 12 (1948), 54. Th. Häring, Δικαιοσύνη θεοῦ bei Paulus, 1896. H. Cremer, Die paulinische Rechtfertigungslehre im Zusammenhange ihrer geschichtlichen Voraussetzungen, ²1900. K. Müller, Beobachtungen zur paulinischen Rechtfertigungslehre, Th. St. M. Kähler, 1905. A. Schmitt, Δικαιοσύνη θεοῦ, Natalicium J. Geffcken, 1931, 111-131. O. Zänker, Δικαιοσύνη θεοῦ bei Paulus, ZsystTh 9 (1932), 398-420. R. Gyllenberg, Die paulinische Rechtfertigungslehre und das Alte Testament, Studia Theologica I (1935), 35-52. H. D. Wendland, Die Mitte der paulinischen Botschaft. Die Rechtfertigungslehre des Paulus im Zusammenhang seiner Theologie, 1935. F. R. Hellegers, Die Gerechtigkeit Gottes im Römerbrief, Diss. Tübingen, 1939. H. Hofer, Die Rechtfertigungsverkündigung des Paulus nach neuerer Forschung. 37 Thesen, 1940. S. Lyonnet, De Justitia Dei in Epistola ad Romanos, Verb. Dom. 25 (1947), 23-34. 118-121. 129-144. 193-203. 257-263. Ders., La justice de Dieu, Les étapes 25-53. V. Taylor, Forgiveness and Reconciliation, 1948. H. Riesenfeld, Accomplements de termes contradictives dans le Nouveau Testament, Conj. Neotest. 9 (1944), 1-21. A. Oepke, Δικαιοσύνη θεοῦ bei Paulus in neuer Beleuchtung, ThLZ 78 (1953), 257-264. E. Käsemann, Gottesgerechtigkeit bei Paulus, Ex. Vers. II, 181-193. R. Bultmann, Δικαιοσύνη θεοῦ, JBL 83 (1964), 12-16. G. Klein, Gottes

Gerechtigkeit als Thema der neuesten Paulus-Forschung, VuF 12 (1967), 1-11. H. Conzelmann, Die Rechtfertigungslehre des Paulus. Theologie oder Anthropologie?, EvTh 28 (1968), 389-404. E. Käsemann, Rechtfertigung und Heilsgeschichte im Römerbrief, Paul. Persp. 108-139. A. Feuillet, La citation d'Habakuk II,4 et les huit premiers chapitres de l'épître aux Romains, NTSt 6 (1959/60), 52-80. A. Strobel, Untersuchungen zum eschatologischen Verzögerungsproblem auf Grund der spätjüdisch-urchristlichen Geschichte von Hab 2,2, Suppl. Nov. Test. II, 1961. J. A. Fitzmyer, The Use of Explicit Old Testament Quotations in Qumran Literature and in the New Testament, NTSt VII (1960/1), 297-333. G. Jeremias, Der Lehrer der Gerechtigkeit, 1963. E. Güttgemanns, Gottesgerechtigkeit und strukturale Semantik, Studia Linguistica Neotestamentica, 1971, 59-98.

16a bezieht sich auf 14 zurück. οὐ γὰρ ἐπαισχύνομαι ist nicht zu psychologisieren: Dem ganzen Kosmos verpflichtet, brauche Pls sich vor der Welthauptstadt nicht zu scheuen (gegen Gutjahr; Bardenhewer; Gaugler; Glombitza, Scham, 74 ff.). Vielmehr liegt hier eine geprägte Formel der Bekenntnissprache vor, welche in pathetischer Negation ein ὁμολογεῖν ersetzt (Michel; Barrett, Not ashamed; Stuhlmacher, Gerechtigkeit 78 f.). Erneut wird sichtbar, daß Evangelium und Predigt nicht einfach identifiziert werden sollten. Denn man bekennt sich weder zur Tätigkeit der Predigt noch zu ihrem Inhalt. Evangelium ist mehr als bloß die kirchlich aktualisierte Botschaft, nämlich die dem Menschen nicht verfügbare, auch der Kirche und ihren Dienern selbständig gegenüberstehende Heilskundgabe Gottes an die Welt, welche sich kraft des Geistes in der Verkündigung stets neu verwirklicht. So eben kann es als δύναμις θεοῦ bezeichnet werden. War damit im Hellenismus konstitutiv die Wunderkraft gemeint, so wurde unter at.lich-jüdischem Einfluß die zugrunde liegende Anschauung auf das die Geschichte lenkende Gotteshandeln übertragen (Grundmann, Kraft 20. 84 ff.) und wie hier dem Bereich vereinzelter Machttaten entrissen. Das Evangelium ist nicht eine Wundertat unter andern, sondern die Epiphanie der eschatologischen Gottesmacht schlechthin. Genauso hat Mech.Ex. 15,13.26 u. a. die Tora in der Interpretation von Ps 29,11 mit der „Stärke Gottes" identifiziert. Daraus darf nicht (gegen Grundmann ThWb II, 310; Fascher RAC IV, 436 f.) gefolgert werden, Pls formuliere seine Anschauung in Antithese zur jüdischen. Wohl ist aber die Parallelität kennzeichnend für den geschichtlichen Ort der vorliegenden Aussage. Dem eschatologischen Charakter der Gottesmacht entspricht ihre Wirkung. Sie schafft Heil in jener den ganzen Menschen zeitlich und ewig bestimmenden Weise, welche die Erwartung der hellenistischen Religiosität schlechthin ist und so nach Firmicus Maternus, de errore profanarum religionum 22 auch in der Botschaft der Attismysterien versprochen wird: θαρρεῖτε μύσται τοῦ θεοῦ σεσωσμένου ἔσται γὰρ ἡμῖν ἐκ πόνων σωτηρία. Der urchristlichen Mission wurde der Begriff σωτηρία von der LXX als hellenisierende Umschreibung der göttlichen Hilfe dargeboten (Harder, Gebet 114 f.). Seine apokalyptische Zuspitzung bereits auf jüdischem Boden beweisen die vielen Qumrantexte, die vom endzeitlichen Heil und seinen Bezeugungen sprechen (vgl. Michel). Für Pls und seine Traditionsquellen meint σωτηρία nach 13,11; 5,9; 1.K 3,15; 5,5; Phil 1,19 konstitutiv Rettung im Endgericht. Gleichwohl wird die Übersetzung „Rettung" nicht völlig dem Sachverhalt gerecht, daß die damit verbundene Erlösung für den neuen Äon nach 8,24; 2.K 6,2 und unserer Stelle durch Christus bereits gegenwärtige Wirklichkeit mitten in der Welt, und zwar nicht bloß (Lietzmann) als Antizipation „im Prinzip", geworden ist. So wird der konsequenten Beschränkung auf die Gottesfürchtigen des Bundesvolkes in Qumran hier schroff παντὶ τῷ πιστεύοντι entgegengesetzt. Präsenz des Heils wie universale

2*

Weite werden damit in gleicher Weise ausgedrückt. Wo immer geglaubt wird, ist Ort des Heils und, darin integriert, Gewißheit zukünftiger Errettung aus dem Gericht, darüber hinaus jedoch schon gegenwärtig Friede und Freude als Stand in der Offenheit gegenüber Gott und den Menschen. Wird von jedem Glaubenden gesprochen, erscheint das Urteil aus den Anfängen religionsgeschichtlicher Forschung, Pls habe den Einzelnen überhaupt nicht im Sinn (Wrede, Paulus 77), unbegreiflich. Denn Universalismus und äußerste Individuation sind hier Kehrseiten desselben Sachverhaltes.

Über das Thema „Glaube" wird ausführlich zu c.4 gehandelt werden müssen. So mögen hier einige vorläufige Bemerkungen, wie der Text sie fordert, genügen. In unserm Verse hat „glauben" eindeutig den ursprünglichen, für die Missionssituation charakteristischen Sinn: das Evangelium annehmen. Das griechische Verständnis des Fürwahrhaltens spielt für Pls ebensowenig eine Rolle, wie das at.liche des Vertrauens oder, davon (bei Gyllenberg, Glaube 626) abgeleitet, das der Einordnung in die neue Gottesgemeinschaft noch entscheidend sind. Unser Vers spricht von ihm einzig als einer Entscheidung, so daß von ihr her der Charakter als Gabe noch nicht akut wird, der äußerst fragwürdigen Spekulation über ein „überindividuelles Gesamtphänomen" (gegen Stuhlmacher, Gerechtigkeit 81 ff.) aber energisch widersprochen werden muß. Damit entfällt auch die Definition, welche Glaube als demütiges und befreiendes Sich-Schicken in die verborgene Epiphanie des im Wort kommenden Kyrios bestimmt (Stuhlmacher, ebd. 81 f.). Weder ist das Evangelium im Wort verborgene Epiphanie noch der Glaube ein sich darein Schicken, vielmehr Aneignung der eschatologisch-öffentlichen Proklamation an alle Welt und jeden Einzelnen. Wie jeder hier persönlich in Verantwortung gestellt wird, so geschieht das zugleich in weltweitem Horizont. Das kommt sowohl in παντί wie in der erläuternden Schlußwendung zum Ausdruck: dem Juden zunächst und auch dem Griechen. Repräsentierten vorher Griechen und Barbaren die Heidenwelt, so nun Juden und Griechen den Kosmos. Pls sieht ihn zutiefst geschichtlich durch den Menschen bestimmt, also nicht etwa als Ordnungsgefüge von Göttern und Menschen und des um ihretwillen Geschaffenen, wie Chrysipp fr. 527 im Sinn der Stoa formulierte. So scheidet sich die Welt vor und außer Christus auch für den Apostel noch am Nomos, mit dem es darum das Evangelium, sofern es in irdische Realität einbricht, von vornherein zu tun bekommt. Spätere Zeit hat das nicht mehr verstanden. Marcion strich deshalb, von Textvarianten aufgegriffen, πρῶτον. Sein Anstoß macht sich noch geltend, wenn (bei Lietzmann) von einer faktisch wertlosen Konzession gesprochen, ein Eintrag aus 2,1 f. vermutet (J. Weiss, Beiträge 212 f.) oder (Zahn; Kühl; H. W. Schmidt) das Wort auf Juden und Griechen als gemeinsam Bevorzugte und Bedürftige bezogen wird. Doch findet sich die gleiche Konstruktion in 2.K 8,5: „zuerst dem Herrn und in zweiter Linie uns", und man sollte nicht einmal abschwächend vom „Vorsprung" statt vom Vorrang sprechen (gegen Barth; Michel). Pls hat um der Kontinuität des Heilsplans willen dem Judentum eine Prävalenz eingeräumt. Anders bleibt seine Rechtfertigungslehre tatsächlich eine nur historisch interessante Kampfeslehre und muß die Inkarnationslehre an ihre Stelle rücken. Gottes Selbstbekundung bestimmt die gesamte Geschichte. Wie die Heiden nicht ohne die Erkenntnis seines Willens gelassen sind, so ist der Nomos als Dokumentation des göttlichen Anspruchs zugleich Geschichte differenzierende Macht. Die Theologie des Apostels involviert eine bestimmte heilsgeschichtliche Betrachtungsweise. Wer sie radikal leugnet, wird aus dem Herrn der Geschichte den Schöpfer des jeweiligen Augenblicks machen müssen, also die paulinische Gotteslehre antasten. Anders als im Judentum wird freilich der Vorrang Israels nicht exklusiv verstanden. Wer Gott wirklich ist, ergibt sich für Pls eben nicht letztlich vom Gesetz, sondern vom Evangelium her. Die Ableitung der δικαιοσύνη θεοῦ aus dem Gesetz wird verneint, diese vielmehr als Glaubensgerechtigkeit proklamiert. Mit solchem Stichwort ist nicht nur präzisiert, sondern konstitutiv interpretiert, was vorher präsent gewordene σωτηρία hieß, und ebenso jenes Evangelium, das Pls zunächst in der christologischen Formel 3 f. der ihm vorgegebenen Tradition gemäß definiert hatte (vgl. Bornkamm, RGG³ V, 177; Paulus 128 f.). Die Rechtfertigungslehre ist die spezifisch paulinische Deutung der Christologie wie umgekehrt diese die Grundlage der ersten (vgl. meinen Aufsatz über Rechtfertigung und Heilsgeschichte 130 ff.).

Das ist nun freilich eine These, welche sich in der Exegese des ganzen Briefes als richtig zu erweisen hat, weil sie selbst in dem Protestantismus, der von der Reformation herkommt, heftig umstritten wird. Heute wird zwar nicht mehr in der bewundernswerten Klarheit des kritischen Liberalismus gesagt werden, man könne das Ganze der paulinischen Religion darstellen, ohne überhaupt von der Rechtfertigungslehre als einer bloß historischen Polemik Notiz zu nehmen (Wrede, Paulus 72). Diese sei ein Nebenkrater in der Mystik des Apostels (A. Schweitzer, Mystik 220). Als unverzichtbarer Bestandteil der paulinischen Theologie wird sie sogar über die Konfessionsgrenzen hinweg anerkannt. Doch schwelt der alte Streit verdeckt weiter, wenn man sie nicht als Inhalt, sondern als Konsequenz des Evangeliums betrachtet (Molland, Evangelium 62 f.) oder, in den Schatten der Heilsgeschichte gerückt, als bestimmte Auslegung und Anwendung der Eschatologie (Ridderbos 121) gelten läßt und ihr (wie bei A. Schweitzer) den Empfang des Geistes entgegenstellt (Ridderbos, Paulus 39). Nicht sie, sondern die Christologie soll das Thema des Briefes sein, der sonst mit 5,1—11 enden könnte (Friedrich, RGG³ V, 1139; ähnlich Ridderbos, Paulus 39). Solche Stimmen repräsentieren die zweifellos herrschende Ansicht der gegenwärtigen Paulus-Interpretation und markieren selbstverständlich oder reflektiert deren unerledigtes Grundproblem. Hier scheiden sich weiterhin die Geister, wie sie es schon im Neuen Testament, selbst im paulinischen Missionsgebiet, und durch die ganze Dogmengeschichte hindurch getan haben.

Um so wichtiger ist die Analyse und Deutung von 17, welche, nicht weniger umstritten als die Sachfrage im ganzen, zugleich die Weiche für alle folgende Interpretation stellt. Immerhin haben wir uns im Laufe des letzten Jahrhunderts wenigstens grundsätzlich vom griechischen Verständnis der δικαιοσύνη als Rechtsnorm für Gott und Mensch (vgl. dazu Stuhlmacher, Gerechtigkeit 102 ff.) gelöst. Der religionsgeschichtliche Ort des paulinischen Theologoumenons ist durch AT und Judentum gegeben. Auf den ersten Blick unserm Text zum Verwechseln ähnlich, heißt es dort in Sap.Sal. 12,16 von göttlicher Allmacht und Herrschaft: ἡ γὰρ ἰσχύς σου δικαιοσύνης ἀρχή, kann in Qumran CD 20,20, wieder unserer Stelle ähnlich, die eschatologische Hoffnung laut werden: „bis daß aufgeht Heil und Gerechtigkeit für die Gottesfürchtigen". Leider ist konkret noch wenig gewonnen, wenn derart der historische Platz abgesteckt wurde. Ein weiterer Fortschritt ergab sich mit der Einsicht (schon Cremer, Rechtfertigungslehre 335; K. Müller, Beobachtungen 90 f.; dann scharf Bultmann, Theol. 71 ff. und fast völlig damit übereinstimmend H. D. Wendlands Monographie), daß im biblischen Sprachgebrauch Gerechtigkeit, konstitutiv forensisch gebraucht, eine Relation bezeichnet, in die man gestellt ist, nämlich die „Geltung", in welcher man etwa als unschuldig anerkannt wird. Dieses Verständnis wird in jüdischer Apokalyptik auf das Rechtfertigungsurteil im Endgericht übertragen. Was zunächst Voraussetzung und Bedingung des Heils war, schließt als bereits gewährte Gabe in nuce ewiges Leben ein, wird selber Heilsgut. Jedenfalls gilt das für Pls und besonders für die Schlüsselstelle Phil 3,9, in welcher Gottes Gerechtigkeit, an die Wendung צדקתם מאתּ־ in Jes 54,17 erinnernd, durch δικαιοσύνη ἐκ θεοῦ geradezu definiert zu werden scheint. Als „authentische Interpretation" (so schon Zahn; Billerbeck nach Cremer; Häring; zuletzt exemplarisch Bultmann; Nygren; Ridderbos; dagegen Schrenk, ThWb II, 209; Lyonnet, Justitia 23—34) mußte das um so mehr erscheinen, als es den Formeln δικαιοσύνη ἐκ oder διὰ πίστεως parallel lief. Die paulinische Anschauung soll sich (nach Bultmann und etwa Ridderbos, Paulus 122) darin von der jüdischen unterscheiden, daß für sie als eschatologisch gegenwärtig gilt, was vorher Hoffnungsgut und insofern Gegenstand letzter Ungewißheit blieb. Von ihrem Ansatz her entgeht solche Position von vornherein der Aporie, welche die Auslegung stets aufs schwerste belastet hat. Es war vorher undeutlich, ob Gerechtigkeit Gottes eine göttliche Eigenschaft oder die dem Menschen geschenkte Gabe ist, womöglich sogar (W. Bauer, Wb 389 ff.; Lietzmann; Lagrange) eine ethische Qualität, die in einem Übertragungsprozeß von Gott auf den Menschen übergeht (z. B. Sanday-Headlam; Zänker, Δικαιοσύνη 418). Diese Auslegung hatte es, darin gut reformatorisch, auch nicht nötig, den konsequent eschatologisch verstandenen Vorgang der Rechtfertigung psychologisch, ethisch oder von einem Entwicklungsgedanken her anthropologisch zu verifizieren, also auf die Erfahrung im Bewußtsein des Glaubenden zu reflektieren (K. Müller, Beobachtungen 98 ff.) oder Glaubens- und Lebensgerechtigkeit (Hellegers, Gerechtigkeit 36 ff.), die beiden Stufen des Anfangs und des Endes (Hofer, Rechtfertigungsverkündigung 54 ff.) zu unterscheiden. Sofern sie sich am at.lichen Motiv der Gemeinschaftstreue im Bundesverhältnis orientierte, konnte sie plausibel machen, warum der Begriff bei Pls nie Strafgerechtigkeit bedeutet, obgleich er forensischen Charakter behält (Bornkamm, Paulus 147), und warum in ihm nicht ein bloßer Urteilsspruch, sondern der befreiende Anspruch und Zuspruch der Gnade (Wendland, Mitte 26 ff.) sich verwirklicht. Der törichte Streit darüber, ob der gesetzte oder fehlende Artikel die göttliche von der durch Menschen empfangenen (Oepke, Neue Beleuchtung 259 ff.) oder von „einer" der Strafgerechtigkeit gegenüber abgehobenen Gerechtigkeit unterscheidet (Zahn; Hellegers, Dissertation 45), blieb ihr erspart.

Eine vollständige Geschichte der Auslegung in dieser Sache wird kaum geschrieben werden, weil sie viele Bände umfassen würde. Immerhin muß man sich exemplarisch die Variationsbreite der Deutungen klargemacht haben, um der Problematik aller Auslegung an dieser Stelle nicht durch Kurzschlüsse zu entrinnen, wie das bis in die Gegenwart hinein geschieht. Auch jene bisher vorgetragene Interpretation hat ihre Schwächen. Seit der Auffindung der Qumrantexte kann man schlechterdings nicht mehr die eschatologische Präsenz des mit der Gottesgerechtigkeit empfangenen Heils zum paulinischen Proprium machen. Eine Fülle von Aussagen widerlegt das vor allem in den Hodajoth, aus denen nur einige Belege herausgegriffen werden, um die Weite der Parallelität zu paulinischer Verkündigung zu verdeutlichen. Steht nach XII, 32 „das Geschöpf aus Ton außerhalb der Gerechtigkeit", so ist nach XV, 14 f.; XVI, 10 Gott der Schöpfer des Gerechten, den er vom Mutterschoße an für die Zeit des Wohlwollens bestimmt hat. Deshalb bekennt XIII, 16 f.: „Nur durch deine Güte wird der Mensch gerechtfertigt". Das geschieht nach XI, 17 f. durch die Gerechtigkeit, die bei Gott ist und, mit dem Heil identisch, sich in

Gottes Gnadenerweisen äußert. Von ihrem Wirken heißt es in IV, 37: „Du vergibst das Unrecht, und du reinigst den Menschen von Schuld durch deine Gerechtigkeit." Der so ermöglichte Stand in der nova oboedientia wird VII, 19 begründet: „Du in deiner Gerechtigkeit hast mich aufgestellt." Dem läuft VII, 14 parallel: „In deiner Wahrheit hast du meine Schritte gelenkt auf die Pfade der Gerechtigkeit." Nun gibt es diejenigen, welche nach V, 21 f. „bereitwillig sind zur Gerechtigkeit", nach VI, 19 zu ihrem Dienst, also nach II, 13 die „Erwählten der Gerechtigkeit" oder einfach nach I, 36 die Gerechten. Daß es sich dabei stets um justitia aliena handelt, um die immer neu gebeten werden muß, zeigt XI, 30 f.: „Reinige mich durch deine Gerechtigkeit, so wie ich auf deine Güte geharrt habe und auf deine Gnadenerweise meine Hoffnung gesetzt habe." In einer Zeit allgemein jüdischer Toraverschärfung kann solche Rechtfertigung natürlich nur zu einem radikalisierten Leben im Gesetz führen. Offensichtlich liegt darin der entscheidende Unterschied zur paulinischen Theologie, mehr: eine unüberbrückbare Kluft zwischen beidem. Ebenso deutlich entsteht diese Kluft von seiten des Apostels kraft seiner Christologie, welche bei ihm das Gesetzesverständnis Qumrans ausschaltet. Hier muß dann jedoch das eigentliche Kriterium seiner Rechtfertigungslehre gesucht werden, nicht in seiner präsentischen Eschatologie und allem, was wie etwa die Geistlehre damit zusammenhängt. Im sola gratia sind die Gegner sich einig. Sie sind es so sehr, daß der Versuch unternommen werden konnte, die paulinische Gnadenlehre aus derjenigen von Qumran abzuleiten (S. Schulz, Rechtfertigung 182 ff.).

Auch wenn diese letzte Konsequenz höchst fragwürdig bleibt und verschiedene Schichten in Qumran davor warnen, die zitierten Texte pauschal als allgemein verbindlich zu erklären, ist doch damit die Problematik der paulinischen Konzeption in ein neues Stadium geraten. Die Interpretation kann sich nicht länger darauf beschränken, Phil 3,9 als maßgeblichen Schlüssel dieser Konzeption zu betrachten, ohne sich gerade hier der weitreichenden Gemeinsamkeit zwischen Pls und Qumran bewußt zu werden. Offensichtlich genügt es auch nicht, das sine lege und sola fide als für den Apostel, die Ausrichtung auf eine verschärfte Tora als für Qumran kennzeichnende Radikalisierung einer beide verbindenden, religionsgeschichtlich als apokalyptisch zu benennenden Grundanschauung anzusehen. Damit würde eine historische Feststellung getroffen, welche das theologische Recht der paulinischen Argumentation in der Schwebe läßt. Selbst der Hinweis auf die paulinische Christologie als Ursache der Differenz würde im Rahmen einer solchen historischen Erklärung verbleiben, die theologische Sachfrage jedoch nicht beantworten. Diese lautet: Warum und inwiefern ist für den Apostel die Gottesgerechtigkeit sine lege und sola fide der Inhalt des Evangeliums und die endzeitliche Gabe schlechthin? Denn daß sie als Gabe Gottes betrachtet werden muß, geht nicht bloß aus Phil 3,9 hervor, sondern kommt überall zum Vorschein und läßt Gottesgerechtigkeit und Glaubensgerechtigkeit identifizieren. Mit griechischer Grammatik und der aus ihr gewonnenen Unterscheidung zwischen einem subjektiven oder objektiven Genetiv, einem genetivus relationis oder auctoris macht man zwar die Interpretation in ihrer Intention einigermaßen verständlich. Man hat damit aber nur chiffriert, was als Sachproblem empfunden, jedoch nicht letztlich geklärt ist. Weshalb verwirft Pls die jüdische Rechtfertigungslehre grundsätzlich mit dem Stichwort der ἰδία δικαιοσύνη, obgleich sie mindestens in bestimmten Schichten Qumrans nicht weniger als er sich auf das sola gratia berief (vgl. dazu weiter J. Bekker, Heil 120 ff. 149 ff. 257 f.; Stuhlmacher, Gerechtigkeit 159 ff.)? Geradezu klassisch kommt das, wohl häretischen Anschauungen entnommen (vgl. Harnisch, Verhängnis 235 ff.), in der Aussage 4.Esra 8,31—36 zum Ausdruck: „Denn wir und unsere Väter haben Werke des Todes getan, du aber wirst um unser, der Sünder, willen der Barmherzige genannt. Denn wenn du dich über uns, die wir keine (guten) Werke haben, erbarmen willst, dann wirst du Erbarmer genannt werden ... Darin eben wird deine Güte (sekundär eingefügt: deine Gerechtigkeit), Herr, sich zeigen, wenn du dich derer erbarmst, die keinen Schatz von Werken haben." Hier wird, auch wenn Orthodoxie das schroff abweist, im Judentum justificatio impiorum geglaubt und verkündigt, also selbst die äußerste Zuspitzung paulinischer Gnadenlehre anerkannt. Man wird wohl einen neuen Anlauf nehmen müssen, um das Proprium des Apostels richtig zu sehen und seine für das Evangelium konstitutive „Kampfeslehre" angemessen zu begreifen.

Zweifellos in Anlehnung an das alte und als solches überwundene Verständnis von der Gottesgerechtigkeit als einer auf den Menschen übergreifenden göttlichen Eigenschaft ist das versucht worden. Scharf wurde eine freilich nur angeblich „reformatorische" Interpretation kritisiert, welche allein auf das achte, was der Glaubende empfängt, und die Parallelität der Genetivkonstruktion δικαιοσύνη θεοῦ zu den andern des Kontextes, nämlich δύναμις und ὀργὴ θεοῦ abschwäche (Schlatter). Man sprach von einem gen. subj., der von vornherein auf ein Handeln ausgerichtet sei (Schrenk, ThWb II, 205 f.), und wandte sich gegen ein bloß auf das Individuum bezogenes Verständnis (ebda; schon K. Müller, Beobachtungen 92 ff.; Wendland, Mitte 44 f.; Nygren). Wie vom at.lichen Äquivalent her (Gyllenberg a.a.O.) Eingliederung in die Bundesgemeinschaft als Werk der Gottesgerechtigkeit herausgestellt wurde, betonte man jetzt (Schrenk, ThWb II, 209 f.) die Einbeziehung in ein universales Heilsgeschehen und konnte sogar behaupten (so A. Schmitt in der Geffcken-Festschrift; Hellegers, Gerechtigkeit 68), Gerechtigkeit Gottes meine abgeblaßt nichts anderes als Heil oder (durchgängig Baulès) die göttliche Liebe. Das Merkmal dieses Verständnisses, das die alte Betrachtungsweise von der göttlichen Eigenschaft abwandelte, war die Voraussetzung, die Genetivkonstruktion des Pls umschreibe ein nomen actionis und bezeichne das eschatologische Heilshandeln (Dodd; Huby; Taylor: Barrett; der Tendenz nach auch Althaus; Michel; Kuss; am schärfsten Lyonnet, Justitia 31 ff.: attributum Dei = activitas Dei salvificans; Étapes 32 ff.). Gegen diesen Strang der Interpretation, der gegenwärtig vorzuherrschen scheint, ist jedoch nicht nur einzuwenden, daß er die paulinische Charakteristik der dem Glauben zugeeigneten Gerechtigkeit als Gabe ungebührlich vernachlässigt, sondern häufig auch den forensischen und apokalyptischen Horizont der paulinischen Wendung übersieht und dann die Gerechtigkeit einfach zu einem Wechselbegriff für Erbarmen, Güte, Liebe Gottes werden läßt.

Die alten Fronten stehen sich im Grunde, nur modern abgewandelt, noch immer gegenüber. Sie haben sich bloß insofern angenähert, als die religionsgeschichtliche Arbeit am AT und Judentum nicht mehr übersehen werden kann und sich von dort aus die Frage stellt, wie weit Pls noch unter dem leitenden Gedanken der Bundestreue steht, mit dem tatsächlich eine Relation gesetzt, ein Handeln wie ein Stand bezeichnet und die Anschauung von einer Strafgerechtigkeit ausgeschlossen wird. Wenigstens diese religionsgeschichtliche Abhängigkeit, welche die Nähe der paulinischen Aussagen zu den aus Qumrantexten zitierten begreiflich macht, sollte nicht mehr bestritten werden. R. 3,5.25 zeigen unwiderleglich, daß der Apostel mit ihr vertraut ist. Spricht er im Zusammenhang mit der Antithese der beiden Bünde 2.K 3,8 von der διακονία τῆς δικαιοσύνης, so setzt er ebenfalls diesen Horizont für seine Theologie voraus, benutzt eine Wendung, für die 1QH 6,19 das Vorbild abgegeben haben könnte, und versteht mindestens hier Gottes Gerechtigkeit nicht primär als Gabe, sondern als Macht. Er tut das letzte genauso, wenn er in R 10,3 von der Unterwerfung unter diese Gerechtigkeit redet, in R 6,13 ff. das ganze Christenleben unter solche Signatur stellt und in 6,18.22 parallelisierend sogar δικαιοσύνη und θεός geradezu identifiziert. Werden in 1.K 1,30 Christus, in 2.K. 5,21 die christliche Gemeinde als Gottes Gerechtigkeit bezeichnet (vgl. zu all diesen Stellen Stuhlmacher, Gerechtigkeit 74—99), so mag man zwar von einer typisch semitischen Abstraktion sprechen, hat damit aber zu einer Interpretation wenig beigetragen. Die wohl ursprüngliche Lesart Test. Dan 6,10 ἀπόστητε οὖν ἀπὸ πάσης ἀδικίας καὶ κολλήθητε τῇ δικαιοσύνῃ τοῦ θεοῦ hätte immerhin belegen können, daß Gottes Gerechtigkeit im Judentum einen Ausstrahlungsbereich und einen Ort ihrer Manifestation besitzt, was trefflich zu den beiden Pls-Stellen paßt. Zu 3,21 wird deutlich werden, daß δικαιοσύνη und δόξα θεοῦ synonym gebraucht werden und Pls entsprechend in 8,30; 2.K 3,18 von gegenwärtiger Verherrlichung der Christen spricht, schließlich in 2.K 3,8 f. zwischen Dienst der Gerechtigkeit und Dienst des Pneuma abwechselt. Muß man daraus nicht folgern, daß in gewisser Hinsicht Gerechtigkeit, Herrlichkeit, Pneuma für ihn identisch sind? Zieht man diese Konsequenz jedoch, steht man unausweichlich vor dem Problem, daß Pneuma beim Apostel sowohl die in Christus widerfahrene göttliche Macht wie die dem Christen eschatologisch geschenkte Gabe ist. Dieser Sachverhalt ist von einem Streit um die passende Einordnung solcher Genetivkonstruktionen in die Chiffren einer griechischen Grammatik weder zu lösen noch überhaupt zu erfassen, wie O. Schmitz völlig zutreffend in seinem Buch über die Christusgemeinschaft mit dem allerdings komisch wirkenden Titel gesehen hat. Viel komischer ist es noch, wenn man sich heute weithin darauf geeinigt hat, von einem gen. auctoris zu sprechen, jeder dahinter aber seine eigene Ansicht versteckt. Sprachregelungen hüllen im technischen Zeitalter nicht selten die Sachprobleme in dichten Nebel und ermöglichen einen faulen Frieden für gegensätzliche Anschauungen.

Pls selber erlaubt durchaus, das scheinbar Konträre zu versöhnen. Denn für ihn sind Macht und Gabe eben keine echten Gegensätze (vgl. meinen Aufsatz über Gottesgerechtigkeit 182 ff.). Der Kontext unseres Verses beweist es, wenn er das Christen offenbarte und geschenkte Evangelium zugleich als Gottesmacht bezeichnet. Die Christologie des Apostels handelt von nichts sonst, als daß Christus die Gottesgabe für uns schlechthin sei — „für uns dahingegeben"! — und nicht weniger unser Herr. χάρις ist bei Pls primär die Gnadenmacht und konkretisiert sich individuell doch im Charisma. Durch die Gabe des Christusleibes werden wir nach 1.K 10,16 zugleich dem Herrschaftsbereich des Christusleibes eingegliedert. Das alles hat nicht bloß einen weiten inneren Zusammenhang in der paulinischen Theologie, sondern ist für sie konstitutiv. Denn der Apostel kennt keine Gabe, die uns nicht fordernd in Verantwortung stellt, sich uns gegenüber also als Macht erweist und uns Raum zum Dienst schafft. Er kennt umgekehrt keinen Gott, der sich seiner Schöpfung gegenüber isolieren läßt, sondern nur denjenigen, der in Gericht und Gnade in seiner Schöpfung manifest wird, als Herr an ihr handelt. Die Genetivkonstruktionen des Apostels, die von den eschatologischen Gaben sprechen, lassen sich durchweg dieser Grundanschauung einfügen, und zwar so, daß der Ton dabei auf den Genetiv fällt: Es ist in Wirklichkeit Gott selber, der in demjenigen auf den irdischen

Plan tritt, was er uns zuteil werden läßt. Trifft das aber zu, ist das Verständnis der Wendung Gottesgerechtigkeit bei Pls nicht mehr problematisch. Sie spricht von dem Gott, der gefallene Welt in den Bereich seines Rechtes zurückholt, sei es im Zuspruch oder im Anspruch, in Neuschöpfung oder Vergebung oder in der Ermöglichung unseres Dienstes und, was nach Gal 5,5 nicht weniger bedacht werden muß, in den Stand gewisser Hoffnung, uns also nach Phil 3,12 in den ständigen irdischen Aufbruch stellt. Die ganze Botschaft des Briefes läßt sich im Rückgriff auf die Kyrios-Akklamation in die ebenso knappe wie paradoxe Aussage bringen, der Gottessohn sei als unser Kyrios die eine eschatologische Gabe Gottes an uns und darin offenbare sich zugleich Gottes Recht auf uns wie unser Heil. Die Texte Qumrans, die von gegenwärtiger Rechtfertigung sprechen, teilen die gleiche Macht-Gabe-Struktur. Weil sie jedoch nicht christologisch bestimmt sind, können sie nur von einer Erneuerung des alten Bundes sprechen, die sich durch Vergebung, Reinigung und aktive Heiligung im Dienste am Gesetz vollzieht, auch wenn sie das gelegentlich unter dem Stichwort der Neuschöpfung tun. Um der christologischen Bindung und Begründung willen muß Pls die Gottesgerechtigkeit mit der Glaubensgerechtigkeit identifizieren und den Nachdruck auf die uns gewährte Heilsgabe fallen lassen. Um ihretwillen ist der Stand im Heil aber nicht nur an den genannten Stellen, sondern durchgängig der Stand im Gehorsam, also im Angesicht und unter der Macht Christi. Die paulinische Rechtfertigungslehre ist insofern nichts anderes als die theologisch präzisierende Variation der frühesten christlichen Verkündigung von der Königsherrschaft Gottes als dem eschatologischen Heil. Nicht zufällig greift sie insofern die ihr vorgegebene Botschaft von geschehener Äonenwende auf und zieht sie anthropologisch in die Verkündigung des Existenzwandels aus. Weil in Qumran die christologische Bindung fehlt, fehlt auch die Identifikation der Gottesgerechtigkeit mit der Glaubensgerechtigkeit, beschränkt sich die Aeonenwende auf den Bereich des Bundes und kommt man anthropologisch nicht über den ethischen Dualismus des Kampfes zwischen Fleisch und Geist hinaus. Nähe und Differenz der beiden Betrachtungsweisen sind von da aus verständlich.

Ist bereits in Qumran jedoch die Erneuerung des Bundes apokalyptisch mit dem Stichwort der göttlichen Gerechtigkeit verbunden, stellt sich die Frage, ob Pls dieses Stichwort nicht bereits als geprägte Formel vorfand. Es ist doch auffallend, daß er nicht bloß von der Rechtfertigung spricht. Die Antithese zwischen eigener und gottgegebener Gerechtigkeit sowie die Personifikation der Gottesgerechtigkeit würden sich am leichtesten aus einer solchen vorgegebenen Formel erklären, zumal sie, freilich in anderm Sinn (gegen Stuhlmacher, Gerechtigkeit 188 ff.), außer in Test. Dan 6,10 auch in Mt 6,33; Jak 1,20 vorzuliegen scheint. Die jüdischen Belege dafür sind nicht überwältigend. Dt 33,21 spricht als einzige Stelle im hebräischen AT singularisch und terminologisch von der Gottesgerechtigkeit (vgl. Oepke, Neue Beleuchtung 260 ff.), ist aber wahrscheinlich (vgl. Stuhlmacher, Gerechtigkeit 142 ff.) erst von den Masoreten aus einem ursprünglichen Plural „Heilserweise" derart abgewandelt worden. Strengen Maßstäben halten, weil LXX und das hellenistische Judentum ausfallen (Stuhlmacher 106 ff.), außer Test. Dan 6,10 nur wenige Qumranstellen stand, die sich bemerkenswerterweise nicht in den Hodajoth finden. Es sind die Exhomologese 1QS X,25; XI,12 und besonders die Inschrift „Gerechtigkeit Gottes" auf dem Feldzeichen des heiligen Krieges in 1QM IV,6, welche (gegen Thyen, Sündenvergebung, und seine Kritik an Stuhlmacher, vgl. 56 ff.) nach dem Kontext schlechterdings nicht in „Rache Gottes" uminterpretiert werden darf. Wie weit man anderswo die geprägte Formel wenigstens in Spuren feststellen kann (vgl. dazu Stuhlmacher 154 ff.), hängt in starkem Maß von der Sicht des Interpreten ab. Auch bei äußerster Vorsicht wird man es nicht nur für möglich, sondern für wahrscheinlich halten dürfen, daß Pls das für ihn so charakteristische Stichwort als bereits geprägte Formel aus jüdischer Apokalyptik übernahm und dieser Tradition den Stempel seiner Theologie aufdrückte. Verhält es sich so, ist von der Genetivkonstruktion und ihrem ursprünglichen Sinn der göttlichen Bundestreue auszugehen. Der Versuchung, δικαιοσύνη zunächst gesondert zu behandeln und dabei zu einem rein juridischen Sinn, vom griechischen Wortgebrauch her womöglich sogar zu der Bedeutung „Rechtsnorm" zu gelangen, wird damit von vornherein ein Riegel vorgeschoben. Die weitere Analyse hat sich nunmehr bloß noch damit zu beschäftigen, in welcher Weise der Apostel das Stichwort seines Briefes entfaltet und variierend orientiert.

Die Aussage in 17 verlangt, falls sie das Briefthema enthält, jedes ihrer Wort gewichtig zu nehmen. Auch wenn ἀποκαλύπτειν nicht notwendig und von Haus aus „apokalyptischen" Sinn hat, ist dieser vom Kontext her doch nächstliegend. Das Evangelium ist darum Gottesmacht, weil in ihm die göttliche Gerechtigkeit als endzeitliche Offenbarung in die Welt einbricht. Damit werden zwei einander widerstreitende Meinungen in gleicher Weise widerlegt. Es läßt sich weder behaupten (gegen Bornkamm, Paulus 126 f.), daß die Gegenwart des Heils in kein apokalyptisches Konzept paßt, noch auf der anderen Seite (gegen Stuhlmacher, Gerechtigkeit 79 ff. 238 f. und passim), daß hier in einer Antizipation der endgültigen Offenbarung von der noch verborgenen, im Wort sich verhüllenden Epiphanie gesprochen wird. Wenn die zitierten Hodajothtexte und die Anschauung vom neuen Bund in Qumran die erste These nicht bereits ad absurdum geführt haben, wird unser Brief es laufend tun. Sonst hätte wirklich, wie neuerdings an manchen Orten behauptet wird, das Reden vom eschatologischen Charakter der urchristlichen Botschaft keinen Sinn mehr. Es ist zwar eine unerlaubte Überspitzung, wenn der Slogan vom Ende der Geschichte in die Paulinen eingetragen wird (zuerst wohl Bultmann, Geschichte 41 f. 49). Vom Täufer Johannes bis zur Apokalypse des Johannes wird jedoch der Anbruch der Endzeit, Heil also apokalyptisch als gegenwärtig verkündigt. Die zweite These widerspricht nicht bloß dem Wortlaut unseres Verses, sondern überträgt auch wiederum unerlaubt das, was vom Glauben gilt, auf das Wort, das weder bei Pls noch in der Reformation als „Hülle" betrachtet werden konnte und nach 2.K 3 im Gegensatz zur Tora keine Decke über sich trägt. Die Offenbarung des Gottessohnes weckt nach 1.K 1,18 ff. Ärgernis und Torheit, weil sie Juden und Griechen, also aller Welt wie in 1.Tim 3,15 öffentlich proklamiert wird, und als Botschaft von der Herrschaft Christi kann sie inhaltlich nicht mehr überboten werden, so gewiß ihre universale Annahme nach Pls noch aussteht. Die Brücke von der Rechtfertigungsbotschaft zu einer Ontologie kann einzig spekulativ geschlagen werden. Dann wird jedoch notwendig das Wort vom Kreuz in den Hintergrund gedrängt, und der Glaube wird, statt Annahme dieses Wortes und nichts sonst zu sein, zum Stadium in einem unter Umständen apokalyptischen Entwicklungsprozeß. Ihn so zu sehen, verbietet die Schlußwendung von 17a, über die vielfach gerätselt worden ist. Wenn man sie nicht schlicht als sinnlos erklärte (Pallis), bezog man sie entweder auf eine Bewegung im Leben des einzelnen Christen oder in der Heilsgeschichte (vgl. die Übersicht bei Kuss). Ihr semitisch-rhetorischer Charakter (J.

Weiss, Beiträge 213; Lietzmann; Ridderbos; dagegen Oepke, ThWb II, 427 und etwa H. W. Schmidt) ergibt sich aus den Parallelen ἐκ κακῶν εἰς κακά Jer 9,2, ἐκ δυνάμεως εἰς δύναμιν Ps 83,8, ἐκ θανάτου εἰς θάνατον 2.K 2,16, ἀπὸ δόξης εἰς δόξαν 2.K 3,18, καθ' ὑπερβολὴν εἰς ὑπερβολήν 2.K 4,17, wozu noch χάριν ἀντὶ χάριτος Joh 1,16 und die (von Bauer, Wb 1315 zitierte) Grabinschrift ἐκ γῆς εἰς γῆν ὁ βίος οὗτος gezogen werden mögen. Die Wendung kann um ihrer Stellung willen nicht gut zum Subjekt, von der Sache her (gegen Murray) aber auch nicht zum Verb gehören, ist logisch also nur locker mit der vorhergehenden Aussage verknüpft: Sie stellt im Sinne des sola fide emphatisch „ungebrochene Kontinuität" (Fridrichsen, Aus Glauben 54), besser noch die „Dimension der neuen Welt" (Stuhlmacher, Gerechtigkeit 83; ähnlich Michel; Gaugler) heraus: Offenbarung der Gottesgerechtigkeit verwirklicht sich, weil an das Evangelium gebunden, immer nur im Bereich des Glaubens.

Mit einer geläufigen Zitationsformel beweist Pls seine Aussage aus Hab 2,4. Das δέ im Zitat spricht für wörtliche Übernahme eines vorliegenden Textes, aber (gegen Lagrange; Kuss) nicht in einer Modifikation der LXX, weil diese überhaupt nicht vom Glauben, sondern von Gottes Treue spricht: ὁ δὲ δίκαιός μου ἐκ πίστεώς μου ζήσεται. Die genaue Parallele Gal 3,11, mehr noch die sachlich entsprechende, jedoch nicht von Pls ableitbare Form in Hebr 10,38 ὁ δὲ δίκαιός μου ἐκ πίστεως ζήσεται lassen vermuten, daß hier eine Auslegung des Urtextes vorliegt, welche באמונתו aus der Situation der christlichen Gemeinde verstand. Seit wir eine analoge Auslegung aus der Lage der Qumrangemeinde in 1QpHab VIII, 2 f. kennen, deren Anlaß die Meditation über den Kairos von Hab 2,3 war (Strobel, Untersuchungen 173 ff.), können wir die christliche Version nicht mehr (wie noch Michel, Bibel 73 f. 90) auf den Apostel selber zurückführen. Sie ist ihm aus judenchristlicher Mission überkommen, die in Hab 2,4 das Heil an den Glauben dem Messias gegenüber geweissagt fand wie Qumran in der Bindung an den Lehrer der Gerechtigkeit. Die umfangreiche Diskussion über den Qumrantext ist hier nicht aufzurollen. Sie interessiert nur insofern, als sie uns die Möglichkeit der christlichen Auslegung auf Grund bereits erfolgter jüdischer Spekulationen und Meditationen verstehen lehrt und sich davon abhebt. Der jüdische Text spricht davon, daß Gott alle Täter des Gesetzes im Hause Juda „erretten wird aus dem Hause des Gerichtes um ihrer Mühsal und ihrer Treue willen zum Lehrer der Gerechtigkeit". Gegen eine messianologische Deutung der Stelle und ein Verständnis des Verhältnisses zum Lehrer, das hier vom persönlichen, heilwirkenden Glauben gesprochen findet, sind durchschlagende Einwände erhoben: Nach 1QpHab 10,12 meint Mühsal, daß man sich um die Tora müht. Der Hinweis auf den Lehrer erfolgt, weil er die rechte Auslegung und Verkündigung garantiert (G. Jeremias, Lehrer 144 f.). Man mag zweifeln, ob nicht statt von Treue vom Glauben die Rede ist (H. Braun, Qumran I, 170; II, 172), obgleich das weniger wahrscheinlich ist. Jedenfalls gilt der Lehrer selber als Gegenstand der persönlichen Bindung (Braun II, 169), selbst wenn nicht seine Person, sondern seine Lehre diese Bindung bewirkt (G. Jeremias, Lehrer 145). Jedoch steht das Verhältnis zu ihm unter dem Vorzeichen der Beachtung des Gesetzes. Die sachliche Differenz zur christlichen Deutung ist also unübersehbar. Umgekehrt sind hier bemerkenswerte Schritte zu ihr hin getan. Nirgendwo sonst ist im Judentum Hab 2,4 auf Bindung an eine Person bezogen, und die im AT nicht belegte Konstruktion des Substantivs mit der Präposition ב entspricht einem πίστις ἐν, wie es sich in Gal 3,26 u. a. findet (G. Jeremias, Lehrer 145 f.), auch wenn ἐν dabei nicht das Objekt des Glaubens bezeichnet. Natürlich heißt das nicht, daß die Urchristenheit solche Überlieferung gekannt und fortgeführt hat. Das so wichtige Objekt fehlt in den paulinischen Zitaten und seiner Parallele, und der Glaube hat hier einen andern Sinn als im AT und Judentum. Bewiesen ist einzig, daß Hab 2,4 meditiert wurde und so die Aufmerksamkeit auch der jungen Gemeinde auf sich lenken konnte. Sie vernahm daraus, daß dem Glauben eschatologisches Leben verheißen wurde, vielleicht in den Anfängen der Heidenmission sogar polemisch: dem Glauben allein. Darauf kommt es jedenfalls Pls an. Unter Umständen ist er hier noch einen Schritt weitergegangen. Wie im Urtext und in LXX gehört in Hebr 10,38 und selbst wohl in Gal 3,11 ἐκ πίστεως zum Verb. Der Kontext wie die Rechtfertigungslehre des Apostels legen, obgleich das heftig umstritten ist, nahe, es hier zum Subjekt zu ziehen. Das prophetische Futur verheißt Dauer. Das Zitat (mit Nygren) die Gliederung von c.1—4.5—8 bestimmen zu lassen, wirkt künstlich und zieht die zweite Briefhälfte nicht in Betracht. Die paulinische Deutung wird weder dem at.lichen Text gerecht noch von der jüdischen Auslegung unterstützt (vgl. Billerbeck; Moore, Judaism II, 237 f.), die hier aufs äußerste differiert. Sie sieht vom Glauben der Väter, von der Minimalforderung des monotheistischen Bekenntnisses oder des Gottvertrauens als der Zusammenfassung aller Gebote oder von den Gebotserfüllungen schlechthin und in Qumran von der Treue zum Lehrer der Gerechtigkeit gesprochen, hat πίστις jedenfalls stets als Leistung verstanden. Die Problematik des urchristlichen Schriftbeweises meldet sich also symptomatisch schon in unserm Verse. Bei Pls speziell bekundet sie die mit seinem Gesetzesverständnis notwendig verbundene Dialektik auch gegenüber dem AT.

B) 1,18—3,20: DIE NOTWENDIGKEIT FÜR DIE OFFENBARUNG DER GERECHTIGKEIT GOTTES

Der Briefteil spricht von menschlicher Schuld und göttlichem Gericht bei Heiden und Juden, die jeweils als Repräsentanten des Menschen gesehen werden und gemeinsam das Wesen des Kosmos bestimmen. Von solcher Intention aus überschneiden sich die beiden Unterteile in 1,1—32 und 2,1—3,20. Unverkennbar tritt im ersten Teil das Heidentum in den Vordergrund, verlagert sich das Schwergewicht des Ganzen jedoch immer stärker auf die Kritik des religiösen, spezifisch durch das Judentum vertretenen Menschen. Von da aus wird die vorgenommene Gliederung des Folgenden sinnvoll.

Literatur: E. Grafe, Das Verhältnis der paulinischen Schriften zur Sapientia Salomonis, Festschr. C. v. Weizsäcker, 1892, 251-286. E. Weber, Die Beziehungen von Röm 1-3 zur Missionspraxis des Paulus, 1905. A. Daxer, Römer 1,18-2,10 im Verhältnis zur spätjüdischen Lehrauffassung, Diss. Rostock, 1914. A. Oepke, Die Missionspredigt des Apostels Paulus, 1920. K. Oltmanns, Das Verhältnis von Röm 1,18-3,20 zu 3,21 ff., ThBl 8 (1929), 110-116. G. Kuhlmann, Theologia naturalis bei Philon und bei Paulus, 1930. M. Pohlenz, Paulus und die Stoa, ZNW 42 (1949), 69-104. W. L. Knox, Some hellenistic Elements in Primitive Christianity (Schweich Lectures 1942), 1944. J. Jeremias, Zur Gedankenführung in den paulinischen Briefen, Studia Paulina J. de Zwaan, 1953, 146-154. P. Dalbert, Die Theologie der hellenistisch-jüdischen Missionsliteratur unter Ausschluß von Philo und Josephus, 1954. G. Bornkamm, Die Offenbarung des Zornes Gottes. Röm 1-3, Das Ende des Gesetzes 9-33. R. C. M. Ruijs, De struktur van de brief aan de Romeinen. Een stilistische, vormhistorische en thematische analyse van Rom 1,16-3,23. 1964. H. M. Schenke, Aporien im Römerbrief, ThLZ 92 (1967), 881-888.

Die Spannung von Kosmologie und Anthropologie charakterisiert paulinische Theologie im ganzen. Mit der typisch jüdischen, besonders etwa in Eph 2,11 ff. zutage tretenden Unterscheidung von Heiden und Juden wird der weltweite Horizont dieser Theologie herausgestellt, andererseits das Wesen des Menschen in seinen exemplarischen Möglichkeiten und Wirklichkeiten markiert. Daß es in diesem Briefteil zugleich um die Totalität des Kosmos, nicht bloß um Anhäufung von Einzelnen, und gerade deshalb um den Menschen als solchen, nicht bloß um Exponenten religiöser Gruppierungen, geht, hat als Grundvoraussetzung der hier geführten Argumentation zu gelten, steht jedoch auch ihrer logisch klaren Wiedergabe im Wege. Darf man aber angesichts des unbestreitbaren Temperaments des Apostels und der zweifellos erheblichen Schwierigkeiten beim Diktat eines so langen Briefes überhaupt so etwas wie eine systematische Logik erwarten? Zeigen nicht insbesondere vielfache Digressionen und Sprünge im Gedankengang, daß hier nicht eine in sich geschlossene Abhandlung, sondern der Niederschlag mannigfaltiger Auseinandersetzungen vorliegt, den man um seines noch überall durchschimmernden Gesprächscharakters willen die Überschrift eines Dialogus cum Judaeis geben sollte (so Jeremias, Gedankenführung 149)? Solche Frage verbindet sich gerade in unserm Briefteil mit der alten These, hier spiegele sich in besonderer Weise lebendige Erfahrung und Predigt des Missionars (etwa Michel). Ein gewisses Recht wird dem nicht abzusprechen sein, trifft aber wohl für die Paulinen insgesamt zu. Problematisch ist nur, wie stark dieser Einfluß ist. Die Verwendung der Stilmittel, welche (vgl. Bultmann, Stil, durchgängig) die Diatribe bereitgestellt hat, zumal die Auseinandersetzung mit Einwänden vorhandener oder fiktiver Gegner, läßt sich nicht übersehen. Etwas anderes ist es jedoch, die auf ein konkretes Ziel gerichtete innere Konsequenz im Aufbau des Briefes durch die Behauptung aufzulösen, Pls stelle in ihm gleichsam nur Fragmente früherer Disputationen und Predigten zusammen. Im Gegensatz zu manchen Reden der Apg werden in unsern Kapiteln weniger stilisierte Beispiele oder Summarien der Missionspraxis als Reflexionen geboten, welche allerdings Motive solcher Praxis aufgreifen (Kuss). Der Brief wendet sich eindeutig an eine Gemeinde, deren fester Christenstand nicht zweifelhaft ist, und ihrem theologischen Verständnis wird in dogmatischer Verdichtung nicht wenig zugemutet (vgl. Oepke, Missionspredigt 70. 82 ff.; überspitzt Jervell, Imago 313). Die vom Apostel erhobenen Anklagen sind nicht auf sie zugespitzt und wollen nicht ihre Buße bewirken. Eine religionsgeschichtliche Erklärung unseres Textes, der ihn letztlich in den Horizont der Apologetik und Polemik, wie sie von der Diasporasynagoge betrieben wird, rückt (Dupont, Gnosis 21 ff.), verfehlt seinen Skopus. Thema, Argumentation und Ergebnis des Ganzen weisen vielmehr in den Bereich einer eigenartig abgewandelten jüdisch-urchristlichen Apokalyptik. Diese wird abgewandelt, insofern die jüdische Lehre von den beiden Äonen zwar als bekannt vorausgesetzt, jedoch (gegen Nygren; Stählin, ThWb V, 434) keineswegs grundlos nicht direkt aufgenommen wird. Aus der Apokalyptik ist die Schwärze des gezeichneten Bildes zu begreifen, das der Besinnung auf echte Religiosität kaum Platz läßt, die allgemeine Verworfenheit recht undifferenziert herausstellt und an den abscheulichsten Verirrungen demonstriert. In solchen Rahmen mögen sich Elemente anderer Herkunft und auch missionarischer Tendenz einfügen. Während aber etwa in den jüdischen Teilen der Oracula Sibyllina die Apokalyptik der zur Buße rufenden Propaganda dient, verhält es sich bei Pls umgekehrt. Er macht sonstige Tradition dem Anliegen dienstbar, die Welt unter dem Gotteszorn darzustellen.

Erst von dieser Einsicht aus läßt sich die theologische Relevanz des Briefteils und sein Verhältnis zum Folgenden angemessen bestimmen. Kennzeichnet man ihn als preliminary (Dodd), als Unterbau der positiven Darlegung (Michel), bedenklicher noch als Propädeutik (Oepke, Missionspredigt 104), kann jedenfalls von „vorevangelischem" (Oepke, ThWb III, 590) oder sogar (Lietzmann zu 2,26) „hypothetischem" Charakter keine Rede sein. Tatsächlich wird hier die Voraussetzung für alles Folgende gegeben. Doch handelt es sich nicht um eine psychologische „Anknüpfung" in einer Predigt, welche den Hörer auf die eigentliche Botschaft vorbereitet, sei es auch nur derart, daß sie den Kontrast zwischen dem, was Menschen verdienen und Gott statt dessen tut, hervorhebt. Ebensowenig wird bloß festgestellt, daß die Welt die von Pls verkündigte Gerechtigkeit nicht besitzt (gegen Lagrange). In all diesen Deutungen rächt sich die Überbetonung der missionarischen Motive. Angesichts der Berührung des Briefteils mit Sap. Sal. 12—14 sind sie nicht zu bestreiten. Gemeinsame Tradition (so Michel, Bibel 14—18), nicht direkte Abhängigkeit des Apostels (gegen Grafe, Verhältnis; Norden, Agnostos Theos 128 ff.), begründet das. Jedoch wird die Überlieferung aus anderer Perspektive verwertet. Das zeigt sich, wenn im Vorgriff auf die Auslegung des nächsten Abschnittes der Zusammenhang von 1,18 ff. mit dem Thema von 16 f. bedacht wird. 17 und 18 sind bewußt antithetisch parallelisiert. Das begründende γάρ in 18 entspricht der dreifachen Wiederholung in 16 f., ist also nicht bloß Übergangspartikel (gegen Lietzmann; Kuss). Die Notwendigkeit der Gottesgerechtigkeit tritt zugleich mit ihrer Verwirklichung zutage. Denn ἀποκαλύπτεται meint nicht die dringende Kunde vom Zorn des jüngsten Tages (Kühl) oder die eines von jetzt ab erfolgenden (Zahn) oder zeitlos Gottes Vergeltung (Lietzmann; Lagrange), seine Nemesis (Dodd). Das Präsens hat den gleichen Sinn wie in 17, bezieht sich jedoch auf etwas unerkannt schon Vorhandenes, welches erst jetzt mit dem Evangelium und in dessen Bereich ans Licht kommt (anders Ridderbos, Paulus 85). Denn Pls spricht in diesem heilsgeschichtlichen Zusammenhang anders als in 2,4 oder in Apg 14,16; 17,30 nicht von der göttlichen ἀνοχή vor Christus (gegen Oepke, ThWb III, 586 f.; Bornkamm, Offenbarung 12). Wie in 5,12 ff.; 7,7 ff.; 8,18 ff.; c.9—11 ist es vielmehr das Wesen der Welt vor und außer Christus, unter dem Gotteszorn, nämlich in Verlorenheit, Knechtschaft, Verwerfung zu stehen (Stählin, ThWb V, 432). Das wird jetzt nicht als Folge zweier verschiedener Offenbarungen, sondern im gleichen Offenbarungsakt enthüllt. Wie der Mensch vor dem Evangelium nicht wirklich weiß, was Sünde ist, obgleich er in ihr lebt, so weiß er auch nicht um den Zorn, dem er verfallen ist. Der Zorn ist nicht (richtig Bornkamm 10) Inhalt des Evangeliums, ein Teil der Gottesgerechtigkeit (gegen Gaugler). Rechtfertigende und richtende Gerechtigkeit laufen nicht (gegen Kühl; Lietzmann) parallel. Die eschatologische Gegenwart hellt jedoch implizit die Vergangenheit auf (vgl. Schenke, Aporien 888), die vorher verdeckt war (Bornkamm 30 ff.). Das ist nicht die Folge und der eigentliche Sinn des Evangeliums, sondern seine Kehrseite, nicht bloß etwas, dessen man jetzt bewußt wird, sondern von außen den Menschen treffendes Geschehen, das deshalb ebenfalls als eschatologische Offenbarung charakterisiert wird. Auch hier hängt alles daran, den Machtcharakter der göttlichen Gerechtigkeit zu betonen. Gott hat seinen Anspruch auf Herrschaft über die Schöpfung schon immer darin verwirklicht, daß er dem Ungehorsam rächend in den Weg trat. Das Evangelium bedeutet als Rechtfertigung stets Rettung aus dem Zorn, justificatio impiorum, eschatologische creatio ex nihilo und Vorwegnahme der resurrectio mortuorum, wie 4,17 es deutlich ausspricht. Unser Text bereitet (gegen Leenhardt) nicht pädagogisch auf die Heilsbotschaft vor, sondern kennzeichnet ihre kosmische Weite und Tiefe. Ihre Wirklichkeit und ihre Notwendigkeit fallen zusammen. Um ihre Wirklichkeit als weltumspannend heraustreten zu lassen, verkündet der Apostel zunächst ihre Notwendigkeit. Er tut es gegenüber Christen, welche der Propädeutik und der missionarischen Anknüpfung nicht mehr bedürfen. Gottesgerechtigkeit versteht man in ihrem universalen Charakter nur, wenn man die Welt gleichzeitig vor und außer Christus unter dem Zorn erblickt, ohne daß Mission damit beginnen sollte oder müßte. 16 f. gehen unserm Briefteil nicht zufällig voraus, und so werden auch nicht Heiden hier direkt auf die sie bestimmende Realität hin angesprochen.

I. 1,18—32: Gottes Zornesoffenbarung über den Heiden

18 Denn offenbart wird Gottes Zorn vom Himmel her über jede Gottlosigkeit und Ungerechtigkeit der Menschen, welche die Wahrheit mit Ungerechtigkeit darnieder-
19 halten. Denn was von Gott erkennbar ist, ist bei ihnen offenbar. Gott selbst hat es
20 nämlich ihnen kundgetan. Denn seit der Weltschöpfung wird er in seiner Unsichtbarkeit erfaßt und an dem Geschaffenen wahrgenommen, (das meint:) seine ewige
21 Macht und Gottheit, so daß sie sich nicht entschuldigen können. Denn obwohl sie Gott kannten, haben sie (ihm) nicht als Gott Ehre oder Dank gebracht, sondern sie wurden zunichte in ihren Gedanken, und ihr unverständiges Herz wurde verfinstert.
22 Während sie behaupteten, weise zu sein, wurden sie töricht. Sie vertauschten die
23 Herrlichkeit des unvergänglichen Gottes mit der Abschattung des Bildes des ver-
24 gänglichen Menschen und der Vögel und Vierfüßler und Kriechtiere. Darum hat Gott sie in den Begierden ihrer Herzen preisgegeben an Unreinheit, daß ihre Leiber
25 durch sie selbst geschändet würden. Haben sie doch die Wahrheit Gottes in den Trug verkehrt, Verehrung und Dienst erwiesen der Schöpfung an Stelle des Schöpfers —
26 gepriesen sei er in alle Ewigkeit, Amen! Darum hat Gott sie preisgegeben an schändliche Leidenschaften. Denn ihre Weiber haben den natürlichen Verkehr mit dem
27 widernatürlichen vertauscht. Ebenso sind auch die Männer, von dem natürlichen Verkehr mit dem Weibe lassend, in ihrer Brunst gegenseitig entbrannt. Männer trieben mit Männern Schamlosigkeit und empfingen die gebührende Vergeltung für
28 ihre Verirrung an sich selbst. Weil sie es nicht zu schätzen wußten, Gott erkennen zu können, hat Gott sie preisgegeben in haltlosen Sinn, das Unstatthafte zu tun:
29 Erfüllt von jeglicher Ungerechtigkeit, Schlechtigkeit, Habsucht, Bosheit; voll von
30 Neid, Mord, Zank, Arglist, Verschlagenheit. (Sie sind) Ohrenbläser, Verleumder, Gotthasser, Gewalttäter, Überhebliche, Prahler, im Bösen erfinderisch, aufsässig den
31 Eltern; unverständig, unbeständig, lieblos, ohne Erbarmen. Sie erkannten Gottes
32 Rechtssatzung, wonach des Todes schuldig sind, welche dergleichen tun; (trotzdem) tun sie es nicht nur, sondern zollen sogar Beifall, wenn man es tut.

Literatur: 18. H. Schulte, Der Begriff der Offenbarung im Neuen Testament, 1949. R. Bultmann, Der Begriff der Offenbarung im Neuen Testament, Glauben und Verstehen III,1-34. D. Lührmann, Das Offenbarungsverständnis bei Paulus und in Paulinischen Gemeinden, 1965. A. Ritschl, Die christliche Lehre von der Rechtfertigung und Versöhnung II², 1882, 119-148. M. Pohlenz, Vom Zorne Gottes. Eine Studie über den Einfluß griechischer Philosophie auf das alte Christentum, 1909. A. T. Hanson, The Wrath of the Lamb, 1957. G. H. C. Macgregor, The Concept of the Wrath of God in the New Testament, NTSt 7 (1960/1), 101-109. 19 ff.: A. Fridrichsen, Zur Auslegung von Röm 1,19 f., ZNW 17 (1916), 159-168. H. Schlier, Von den Heiden, Die Zeit der Kirche, 29-37. F. Flückiger, Zur Unterscheidung von Heiden und Juden in Röm 1, 18-2,3, ThZ 10 (1954), 154-158. A. Feuillet, La connaissance naturelle de Dieu par les hommes d'après Rom 1,18-32, Lumière et Vie 14 (1954), 63-80. M. Barth, Speaking of Sin. Some interpretative Notes on Romans 1,18-32, ScJTh 8 (1955), 288-296. H. Bietenhard, Natürliche Gotteserkenntnis bei den Heiden?, ThZ 12 (1956), 275-288. S. Schulz, Die Anklage in Röm 1,18-32, ThZ 14 (1958), 161-173. H. Ott, Röm 1,19 ff. als dogmatisches Problem, ThZ 15 (1959), 40-50. 22 ff.: E. Klostermann, Die adäquate Vergeltung in Rm 1,22-32, ZNW 32 (1933), 1.-6. J. Jeremias, Zu Rm 1,22-32, ZNW 45 (1954), 119-123. K. Koch, Gibt es ein Vergeltungsdogma im AT, ZThK 52 (1955), 1-42. J. Schneider, Doxa. Eine bedeutungsgeschichtliche Studie, 1932. Chr. Mohrmann, Note zur δόξα, Sprachgeschichte und Wortbedeutung, Festschr. A. Debrunner, 1954, 321-328. H. Schlier, Doxa bei Paulus als heilsgeschichtlicher Begriff, Stud. Paul. Congr. I,45-56. N. Hyldahl, A Reminiscence of the Old Testament at Romans 1,23, NTSt 2 (1955/6), 285-288. M. D. Hooker, Adam in Romans 1, NTSt 6 (1959/60), 297-306. 28 ff. A. Bonhoeffer, Epiktet und das Neue Testament, 1911. D. S. Easton, New Testament Ethical Lists, JBL 51 (1932), 1-12. E. de los Rios, Ad catalogos peccatorum apud S. Paulum animadversiones, VD 12 (1932), 364-370. A. Vögtle, Die Tugend- und Lasterkataloge im Neuen Testament exegetisch, religions- und formgeschichtlich untersucht, 1936. S. Wibbing, Die Tugend- und Lasterkataloge im Neuen Testament und ihre Traditionsgeschichte unter besonderer Berücksichtigung der Qumran-Texte, 1959. E. Kamlah, Die Form der katalogischen Paränese im Neuen Testament, 1964. 31: A. Fridrichsen, ΑΣΥΝΘΕΤΟΣ, Conj. Neotest. IX (1944), 47 f.

18 nennt das Thema des Abschnittes, 19—21 kennzeichnet die Schuld der Heiden, 22—32 das göttliche Gericht. Der von Pls häufig gebrauchte Begriff des Gotteszornes entstammt nicht griechischer Tradition, sondern at.lich-jüdischer Apokalyptik, darf darum nicht als Affekt verstanden oder in den Rahmen einer moralischen Weltanschauung gestellt werden. Anders müßte man mit Ritschl (Rechtfertigung II, 153 f.) urteilen, hier äußere sich eine anthropomorphe, die göttliche Liebe verdunkelnde Betrachtungsweise. Schon Marcion empfand so und ließ deshalb ϑεοῦ aus. Es ist davon auszugehen, daß die Manifestation dieses „Zorns" in 24 ff. beschrieben wird. Dann ist psychologisierende Redeweise etwa von heiligem Unwillen (Nygren; Gaugler; Murray; Fichtner, ThWb V, 408 f.; Feuillet, Connaissance 66) unmöglich. Vordergründig bleibt aber auch die Charakteristik, welche der Psychologie entgehen möchte, indem sie einen Kausalzusammenhang zwischen Schuld und Vergeltung rein immanent konstatiert (Dodd; Hanson, Wrath 69. 81 ff. 110; Macgregor, Concept 105 ff.; schon Wetter, Vergeltung 21 ff.; dagegen Barrett). Das dreifach wiederholte παρέδωκεν αὐτούς zeigt unwiderleglich (vgl. Mauser, Gottesbild 148 ff.), daß in dem scheinbar rein immanenten Kausalzusammenhang Gott verborgen wirkt, seine ὀργή also nicht zur unpersönlichen Nemesis oder sogar (gegen Hanson, Wrath 110) zur menschlichen Beschaffenheit wird. Anders als der Rabbinat (vgl. Billerbeck) bemüht Pls nicht einmal die Engel des Verderbens, um das Schlimme von Gott fernzuhalten. Phänomenologisch betrachtet, ist der Zorn die Macht des Fluches. Entscheidend ist die eschatologische Perspektive, die bereits in Zeph 1,18; Dan 8,19 vom jüngsten Gericht technisch als dem Tag des Zorns sprechen läßt (Bultmann, Theol. 288 f.;

schon von Ritschl II, 140 ff. erkannt). Aus der Fülle jüdischer Parallelen (vgl. Michel) kommt äthiop. Henoch 91,7 unserm Vers am nächsten: „Wenn aber Sünde, Ungerechtigkeit, Gotteslästerung und Gewalttätigkeit in allem Tun zunimmt und Abfall, Frevel und Unreinheit wachsen, dann kommt über alle ein großes Strafgericht vom Himmel, und der Herr tritt mit Zorn und Züchtigung hervor, um Gericht zu halten auf Erden." Die Parallelität von 1,18 ff. und 2,1 ff. (Bornkamm, Offenbarung 26 f.) und die Antithese zwischen der sich im Evangelium offenbarenden Gerechtigkeit und dem in stereotyp jüdisch-urchristlicher Redeweise wie in der eben zitierten Henochstelle sich ἀπ' οὐρανοῦ enthüllenden Zorn beweisen, daß die apokalyptische Anschauung auch von Pls festgehalten wird. Die Weltgeschichte hat schon stets im Zeichen des Endgerichtes und des Unterganges gestanden. Es gilt nicht erst seit der Verkündigung des Evangeliums (gegen Pallis; Schenke, Aporien 888), wird aber zugleich mit ihm offenbart. ἀπ' οὐρανοῦ blickt nicht auf Gottes unzugänglichen Wohnsitz (Kuss; Leenhardt) oder die himmlische Art des Zorns (Michel), sondern auf das unvermittelte (Barrett) und unentrinnbar (Schlier, Heiden 30) den Menschen heimsuchende Geschick. ἐπί enthält das Moment des Feindlichen, πᾶσαν schließt jede Ausnahme aus. Der Intensität des Gerichtes entspricht die Totalität der darunter stehenden Welt, so daß die Aussage über die Heiden das Heidentum des Menschen überhaupt trifft, also auch den schuldigen Juden impliziert. Dieses Heidentum wird nun durch ἀσέβεια und ἀδικία charakterisiert, worunter nicht Irreligiosität und Unmoral (Zahn; Billerbeck; Leenhardt), Vergehen gegen die erste und zweite Gesetzestafel (Schlatter; H. W. Schmidt), religiöser und sittlicher Frevel (Schlier, Heiden 30; Ridderbos) zu verstehen sind. Nach dem Kontext ist die Immoralität nicht Schuld, sondern Strafe (Kühl; Gutjahr; Nygren; Michel; Foerster, ThWb VII, 189). So wird beides wie ein Hendiadyoin mit ἀδικία aufgenommen, die wie in 3,5 offensichtlich im Gegensatz zur Gottesgerechtigkeit steht und eben darum mit ἀσέβεια verbunden werden kann. Umgekehrt schützt ἀδικία gegen ein Verständnis von ἀσέβεια in bloß kultischem Sinne. Dem Schöpfer gehört die ganze Welt auch in ihrer Profanität. Das eben ist seine ἀλήθεια, nämlich wie in 19 die Erschlossenheit der göttlichen Welt und ihres Anspruches (Bultmann, ThWb I, 244), nicht etwa rechte religiös-sittliche Erkenntnis (Bardenhewer) oder das rechte Verhalten (Michel). Die Realität der Welt und die Grundsünde des Menschen bestehen darin, Gott in seiner sich uns erschließenden Wirklichkeit nicht anzuerkennen, vielmehr diese in rebellischem Widerspruch gegen das mit ihr gesetzte Recht niederzuhalten. Vielleicht hat κατέχειν ἐν hier nicht den üblichen Sinn von gefangenhalten, niederdrücken, sondern den durch Zaubertexte belegten „binden, bannen" (vgl. Liddel-Scott 926, Id; Deissmann, Licht 260; Schlier, Heiden 30). Von „Aufhalten" wie in 2.Th 2,6 f. ist jedenfalls (gegen Strobel, Untersuchungen 194 ff.) nicht die Rede. Pls empfindet den Angriff auf die göttliche Wahrheit als dämonisch und kennzeichnet ihn mit Abscheu als Sakrileg.

19 begründet 18 b: Man kann dieses Geschehen nicht, wie es in Apg 3,17; 17,30 geschieht, mit Unwissenheit entschuldigen. Der Mensch ist auf die Erfahrung der göttlichen Wirklichkeit ansprechbar. φανεροῦν, ebenfalls ein Terminus der Offenbarungssprache, nimmt ἀποκαλύπτειν auf, um empfangene Offenbarung zu behaupten (Lührmann, Offenbarung 21 f. 148). ἐν ἑαυτοῖς meint natürlich nicht bloß das Inwendige (Zahn; Gutjahr; Huby), sondern „unter ihnen" oder besser die Umschreibung des Dativs (Bl.-D. 220,1; Pallis). Der Nachsatz unterstreicht. Gottes freier Wille schuf gnädig solche Möglichkeit.

Nach 21.28.32 kommt alles darauf an, daß diese Möglichkeit real vorhanden war und ist, τὸ γνωστὸν τοῦ θεοῦ also von da verstanden wird. Weil der Ton jedoch auf φανερόν liegt und es anders zu einer Tautologie käme, ist die noch Sir 21,7 LXX sich findende Bedeutung „erkennbar" der gewöhnlichen „bekannt" vorzuziehen (gegen die Reformatoren; Bengel; Schlatter; Sanday-Headlam). Fraglich bleibt, ob partitiv zu übersetzen ist „was von Gott erkennbar" (so meistens) oder in Analogie zu τὰ ἀόρατα αὐτοῦ in 20; vgl. 2,4; 1.K 4,5; 2.K 4,17 „Gott in seiner Erkennbarkeit" (so Fridrichsen, Auslegung 160; Bultmann, ThWb I, 719; Ligier, Péché d'Adam 174). Jedenfalls ist mit diesem Stichwort das aufs heftigste umstrittene Problem einer theologia naturalis bei Pls aufgeworfen. Man darf es mindestens nicht vom Kontext und der Intention des Abschnittes isoliert anfassen und sollte sich von vornherein klarmachen, daß der Apostel hier auf einer komplexen Tradition fußt. Zweifellos weisen die Abstrakta τὰ ἀόρατα αὐτοῦ, ἀΐδιος δύναμις, θειότης und die Wendung νοούμενα καθορᾶται in den Zusammenhang hellenistischer Popularphilosophie. Als tragender Grund steht dahinter die auch 12,1 f. erhobene Frage nach dem vernünftigen Gottesdienst. Sie treibt stoische Theologie in der Auseinandersetzung mit den nationalen Kulten, ihrem Opferwesen und ihren anthropomorphen Gottesvorstellungen zur Aussage in Ps. Aristoteles, de mundo 399a—b (ed. W. L. Lorrimer, p. 88. 90): Gott sei ὁ πάντων ἡγεμών τε καὶ γενέτωρ, ἀόρατος ὢν ἄλλῳ πλὴν λογισμῷ . . . ταῦτα χρὴ καὶ περὶ θεοῦ διανοεῖσθαι δυνάμει μὲν ὄντος ἰσχυροτάτου, κάλλει δὲ εὐπρεπεστάτου, ζωῇ δὲ ἀθανάτου, ἀρετῇ δὲ κρατίστου, διότι πάσῃ θνητῇ φύσει γενόμενος ἀθεώρητος ἀπ᾽ αὐτῶν τῶν ἔργων θεωρεῖται. Der Einheit der als Ökumene erfahrenen Welt entspricht jener Gott, der allein in der sinnvollen διοίκησις des Kosmos erkennbar wird. Paradox kann deshalb formuliert werden: ὅτι ἀφανὴς ὁ θεὸς φανερώτατός ἐστιν wie in Corp. Hermet. V oder wie bei Seneca, Nat. Quaest. VII, 30,3; effugit oculos, cogitatione visendus est. Wahrer Gottesdienst vollzieht sich dann nach Cicero, Tusc. I, 69 durch den Menschen als contemptatorem caeli ac deorum cultorem. Epiktet I 6,19 sagt von Gott: τὸν δ᾽ἄνθρωπον θεατὴν εἰσήγαγεν αὐτοῦ τε καὶ τῶν ἔργων τοῦ αὐτοῦ. Philo zeigt exemplarisch, daß die Diasporasynagoge solche Argumentation aufgegriffen hat, wenn er etwa de praem. et poen. 43 erklärt: κάτωθεν ἄνω προῆλθον οἷα διά τινος κλίμακος ἀπὸ τῶν ἔργων εἰκότι λογισμῷ στοχασάμενοι τὸν δημιουργόν. In Sap. Sal 13,5 heißt es: ἐκ γὰρ μεγέθους καὶ καλλονῆς κτισμάτων ἀναλόγως ὁ γενεσιουργὸς αὐτῶν θεωρεῖται, und der Aristeasbrief 132 faßt zusammen: μόνος ὁ θεός ἐστι καὶ διὰ πάντων ἡ δύναμις αὐτοῦ φανερὰ γίνεται (weiteres Material in der angegebenen Literatur und bei Michaelis, ThWb V, 321 ff. 335 ff. 369 f. 379). Aus der gleichen Tradition ist in Apg 14,15—17; 17,22—29 geschöpft, und ohne jeden Zweifel darf und muß man hier von natürlicher Theologie sprechen. So einfach liegen die Dinge dagegen bei Pls nicht (anders Daxer, Diss. 6 ff.; Hommel, Schöpfer; Dupont, Gnosis 21 f.; Moule; Murray; Bruce u. a.). Für ihn ist schon kennzeichnend, was er nicht aufnimmt, und die äußerste Restriktion im Aufgenommenen. Anders als etwa in Apg bildet die Schöpfung in den echten Paulinen kein selbständiges Lehrstück, obgleich der Blick auf Gottes Schöpferhandeln und die Geschöpflichkeit des Menschen wie der Welt sie durchgängig mitbestimmt (vgl. dazu G. Bornkamm, Paulus, RGG³ V, 177 ff.). Dieser Blick ist jedoch eschatologisch orientiert. Darum unterbleiben alle Ausführungen, die sich theoretisch und isoliert mit dem Anfang der Welt beschäftigen. Die Wirklichkeit vor dem Fall ist nicht rekonstruierbar, also auch nicht als Idealität des vorhandenen Lebens zu betrachten. Selbst von Gott wird nur in seinem Verhalten zum Menschen und zur Welt nach dem Fall gesprochen, über seine Eigenschaften und sein Wesen als solches jedoch nicht reflektiert (gegen Hommel, Schöpfer 8; Ligier, Péché 173). Pls verweist nicht auf die διοίκησις und τάξις des Kosmos, um von da wie der Aristeasbrief 254; Aristobul II, 17 f.; Apg 17,26 Erkenntnis Gottes zu begründen oder im Blick auf den das All einenden Nomos das Gottes-, Welt- und Selbstverständnis zu verbinden (als Gegenbeispiel der Zeushymnus des Kleanthes, Stoic. vet. fr. I, 537, übersetzt bei Barrett, Umwelt 74 ff.). Die metaphysischen Fragen sind dem Apostel so fremd, daß die Möglichkeit der Erkenntnis Gottes überhaupt nicht als Problem empfunden, sondern als selbstverständlich und für jedermann vorausgesetzt wird. So versucht er anders als etwa Sap. Sal 13,1.6; 14,14.22 die in ἀγνωσία τοῦ θεοῦ Befindlichen nicht aufzuklären, beschreibt er nicht wie Apg 17,27 pädagogisch-missionarisch das Suchen und Finden Gottes als unsere Aufgabe (vgl. Pohlenz, Stoa, 95 ff.; Dupont, Gnosis 24), malt endlich nicht klagend oder mit tragischem Pathos das Elend der Heiden aus. Die unsern Text tatsächlich bestimmende Rhetorik (J. Weiss, Beiträge 213) dient der schonungslosen Anklage und der prophetischen Schilderung eines um sich greifenden Fluches. Der Raum der hellenistischen Diskussion über den wahren Gottesdienst ist damit verlassen und die Bahn at.licher Gerichtspredigt über verstockte Empörer betreten (umgekehrt Michel; S. Schulz, Anklage 170 f.: Hellenisierung!). Von dort aus sind in 21.23 die Anspielungen auf das AT, die Rede vom Gotteszorn und vom κτίσας statt wie in Sap. Sal. 13,1 vom τεχνίτης, von der ἀσύνετος καρδία zu begreifen (Bornkamm, Offenbarung 21, Anm. 38). Exemplarisch zeigt syr. Bar 54,17 ff., daß jüdische Apokalyptik at.liche Tradition mit Motiven hellenistischer Theologie verknüpft und der paulinischen Aussage den Weg bereitet: „Wendet euch nur dem Verderben zu, ihr, die ihr jetzt Übeltäter seid; denn ihr werdet streng heimgesucht werden, da ihr ja ehemals die Einsicht des Höchsten mißachtet. Denn nicht haben euch seine Werke belehrt; auch hat euch nicht die kunstvolle Einrichtung seiner Schöpfung, die allezeit besteht, überzeugt." Test. Napht 3,2—5 verwendet in der Beschuldigung sogar das paulinische Stichwort der Vertauschung des Göttlichen mit dem Irdischen. Hält man sich das alles vor Augen, ist es mehr als unwahrscheinlich, daß der Apostel in 20 auf das paradoxe Oxymoron τὰ ἀόρατα — καθορᾶται abzielt (gegen Zahn; Gutjahr; Bardenhewer; Lagrange; Leenhardt; Fridrichsen, Auslegung 160 f.). Dann wäre schon eine einfachere Konstruktion des Satzes zu erwarten. Paulinische Theologie widerspricht nach 2.K 4,18; 5,17 ausdrücklich dem gegenwärtigen „Schauen". νοούμενα bezieht sich auf ἀόρατα. So läßt sich (gegen Fridrichsen 164) in τοῖς ποιήμασιν νοούμενα nicht eine parenthetische Parallele zum übrigen Satz erblicken. Man kann hier nicht einmal die verklausulierte Paradoxie finden: Wir sehen den Unsichtbaren, indem man die modale Bestimmung des Verbs (Michaelis, ThWb V, 380) aktivisch wendet und einem νῷ καθορῶμεν gleichsetzt. Auf den allerdings höchst aufschlußreichen Text Corp. Hermet V,2 νόησις γὰρ μόνον ὁρᾷ τὸ ἀφανές darf man sich dafür eben nicht berufen (gegen Fridrichsen 165 ff.; ähnlich Lietzmann; Kuss; Leenhardt; Behm, ThWb IV, 949). Denn für Pls ist der νοῦς nicht das „Auge der Vernunft" (Bauer, Wb 1069) im stoischen oder mystischen Sinne des gottgeschenkten Wahrnehmungsvermögens und als solches der übersinnlichen Wirklichkeit adäquat (gegen Daxer, Diss. 6.15 f.; ähnlich Kühl; Feuillet, Connaissance 68). Er ist vielmehr das kritische, urteilende Verstehen, das den Anspruch einer Situation oder eines fordernden Willens erkennt (Bultmann, Theol. 213 f.). Es entspricht zwar der hellenistischen Tradition, wenn man τὰ ἀόρατα durch „Summe des göttlichen

Wesens" (Fridrichsen 160; Murray), „Mannigfaltigkeit seiner Eigenschaften" (Zahn; Gutjahr; Bardenhewer) übersetzt. Doch wird man dann nicht der Apposition in 20b gerecht, welche ἀόρατα nicht limitiert (Kühl) oder an herausgehobenen Eigenschaften konkretisiert (Zahn), sondern (Lagrange; Barrett) interpretiert: Gott in seiner Unsichtbarkeit und in der ihn vom kosmischen Sein unterscheidenden ϑειότης ist ewige, immerwährende Macht. Mit erstaunlicher Unbefangenheit bedient Pls sich hier hellenistischer Terminologie und benutzt dabei ein Wort, das biblisch nur in Sap 18,9 noch begegnet (Bauer, Wb 700). Er folgt damit den Spuren jener Polemik gegen den Anthropomorphismus, die bereits Philo auf die via negationis gedrängt hatte (vgl. Kuhlmann, Theologia naturalis 12 ff.). Allerdings zeigt Philo, daß das hellenistische Judentum so die Transzendenz Gottes zu wahren suchte. In de migr. Abrah 183 heißt es darum: „Er ist vor allem Geschaffenen und übersteigt es; also ist er in keinem enthalten." Nach de post. Caini 15 kommt alles darauf an zu sehen, daß er unsichtbar ist. Freilich kann solche Transzendenz nur als metaphysische Aussage behauptet werden, also nicht in letzter Radikalität, wenn man gleichzeitig Gottes konkretes Wesen aus der Immanenz abzulesen oder zu erschließen sucht. Hier bleibt Gott etwas gegenständlich Vorhandenes, über das man allgemeine Feststellungen treffen und etwa als causa mundi begreifen kann.

Die entscheidende Frage an unsern Text lautet, ob Pls nicht mehr als das hellenistische Judentum sagen wollte. Dann verträte er tatsächlich eine theologia naturalis, welche sich mit seiner Eschatologie und Christologie kaum vereinen läßt. Wir haben zu beachten, daß er hier nicht aufklärt, beweist, verteidigt oder bloß „anknüpft", sondern anklagt, die hellenistischen Motive aufs äußerste reduziert, Gottes Gottheit als begegnende Macht charakterisiert und auf Herrschaft konzentriert, menschliche Schuld nicht in der Unkenntnis, sondern in der Empörung gegen den erkannten Herrn erblickt. Solches Gefälle erzwingt eine Interpretation, welche die bei Philo zu beobachtende Tendenz noch radikalisiert. Von den ποιήματα wird rabbinisch (vgl. Billerbeck) speziell im Blick auf das Werk der Schöpfung, at.lichen Sprachgebrauch z. B. aus Ps 103,22 festhaltend, gesprochen, und so kann 1QH 5,36 sagen: „sie verdarben die Werke Gottes durch ihre Schuld". Wer sie kritisch in ihrem Anruf und Anspruch versteht, dem sind sie nach Pls Hinweis auf seinen Herrn und damit auf die eigene Geschöpflichkeit. Sie sind es stets, von Anfang an und für jedermann gewesen, sofern jeder ihnen gegenüber seiner Angewiesenheit auf den Schöpfer und der Begrenzung durch seinen Herrn, also nicht auf dem Wege rationaler Deduktion, sondern existentiell und merkwürdig unvermittelt (richtig Hooker, Adam 299) innewerden konnte. Den wahren Gottesdienst markiert nach dem Apostel die facultas standi extra se coram Deo, noch bevor das per Christum hinzutritt. Schon die Realität der „Werke", welche die geschichtlichen Erfahrungen umschließen (Ligier, Péché 271), stellt uns in diesen Stand vor die majestas Gottes, den Luther überspitzt, aber in richtiger Tendenz durch die Worte nuda divinitas, nude ipsum kennzeichnet. Ihr bloßes Geschehen macht uns deutlich, daß wir nicht Herren unserer selbst sind (Bultmann, Theol. 228; Barth; Bornkamm RGG³ V, 178 f.; Oltmanns, Verhältnis 115; Schlatter; Ott, Problem 43 ff.; Michaelis, ThWb V, 381). Gott bleibt hier „unsichtbar", sofern wir ihn nicht in unsere Gewalt bekommen und metaphysisch verrechnen können, vielmehr von ihm „gehabt" werden. Die Verkehrung des Gottesdienstes besteht nach 23 eben darin, daß man in der Kreatur Gottes habhaft werden will. Schon hier wird der Enthusiasmus, der sich stoisch in der Weltordnung geborgen sieht oder mystisch über die Welt erheben zu können meint, abgewiesen. Nicht zufällig greift 8,19 antienthusiastisch mit dem Stichwort der ἀποκαραδοκία τῆς κτίσεως auf unsern Text zurück. So löst sich nun auch der scheinbare Widerspruch, der die Parallele in 1.K 1,21 davon sprechen läßt, die Welt habe Gott in seiner Weisheit nicht erkannt, während hier von seinem Erkennen die Rede ist. Gerade wenn Gott sich als Herr bekundet und der Mensch dadurch in seine menschlichen Schranken gewiesen wird, erkennen Rebellen ihn nicht an, wird die Erkenntnis nicht praktisch festgehalten (Bultmann, ThWb I, 705 ff.; Schlier, Heiden 31). So wird die Wahrheit im Angriff auf Gottes Recht geradezu dämonisch gebannt, und es ergibt sich auch von hier aus, daß nur die machtvolle, Gottes Rechtsanspruch durchsetzende Offenbarung der Gerechtigkeit solchen Bann lösen kann. 20c sieht die Empörung als die Signatur menschlicher Wirklichkeit vor und außer Christus. Der Infinitiv εἰς τὸ εἶναι ist nicht final (Zahn; Kühl; Schlatter; Nygren; Michel; H. W. Schmidt) aufzulösen und auf das jüngste Gericht zu beziehen. Der feststellende Sinn der Anklage bleibt nur bei konsekutivem Verständnis (z. B. Oepke, ThWb II, 428) erhalten. Das wird in 21 präzisiert. διότι faßt 19—20 zusammen. Zum vierten Male wird in unsern Versen nicht eine Möglichkeit, sondern die Tatsächlichkeit der Gotteskenntnis konstatiert. Darauf ruht die gesamte Argumentation. Liegt der Nachdruck dabei auf οὐχ ὡς θεόν, so bestätigt das die vorstehende Interpretation. Das Folgende zeigt, daß Pls heidnische Religiosität nicht übersah. Er gesteht ihr jedoch nicht zu, daß sie der majestas Gottes genügte, wie es der Sinn des Ehrens und Dankens ist, deren Unterlassung auch in 4. Esra 8,60 als Sünde schlechthin gilt. Findet dieses Ehren und Danken wirklich statt, wird Gott um Gottes willen (Schlatter), nämlich als Schöpfer, Herr und Richter, angebetet. Nach unserm Text fährt der Zorn Gottes als Fluch vom Himmel auf die Verächter des 1. Gebotes herab. Das gilt nicht nur im Blick auf eine „Uroffenbarung" (Gaugler, deutlich nach Althaus), sondern stets, wenn der Mensch es mit dem wirklichen Gott zu tun bekommt, obgleich es erst mit dem Evangelium apokalyptisch klar wird. Auch der Heide hat es nach Pls schon stets mit dem wirklichen Gott zu tun gehabt. Denn seine Wirklichkeit ist unablässig erfahrene Kreatürlichkeit und insofern Wirklichkeit coram deo. Wenn der Mensch nicht sein Menschsein verleugnet, ist er stets der Allmacht des unsichtbaren Gottes begegnet, nämlich dem erkennbaren Grund wie der Grenze der eigenen Existenz (so Oltmanns, Verhältnis 115; anders Schlier, Doxa 48). Das ist freilich nur die Prämisse für das Thema des Textes, nach welchem der Mensch in seiner geschichtlichen Realität Gottes Allmacht stets verletzte, weil er fliehend oder aggressiv aus seiner Kreatürlichkeit hinauszuspringen suchte. Er bleibt in und nach dem Fall Mensch und Geschöpf. Weil er Gottes Gottheit entrinnen möchte und nicht entrinnen kann, erfährt er sie als Fluchmacht, ehe er sie zugleich mit dem Evangelium als gegen sich gerichteten Zorn des letzten Richters erfährt. Offensichtlich ist solche Argumentation nicht theologia naturalis im hellenistischen oder modernen Sinn (vgl. Nygren), sondern eschatologische Aufhellung der Existenz und Welt.

21bc markiert damit, daß das Verb aus dem Aktiv ins Passiv fällt und nun die Folge der konstatierten Schuld anzeigt, den Übergang zum nächsten, ungleich längeren Abschnitt von der göttlichen Vergeltung. Zwei Voraussetzungen der Gedankenführung müssen scharf herausgestellt werden. Bengel bemerkt richtig, daß von Existenzwandel die Rede ist, formuliert das aber nicht präzis; objecto suo conformatur mens. Für die Theologie des Apostels erfolgt Existenzwandel stets als Herrschaftswechsel, also mit der Re-

lation zu einem andern Herrn, und ist nichts anderes als der Eintritt in eine neue Relation. Was es um den Menschen ist, entscheidet sich daran, welchen Herrn er hat. Wie
das für das Christwerden und für die Auferweckung gilt, so nach unsern Versen auch für
das Geschehen des sich universal fortsetzenden Sündenfalls. Der Knecht wird wie sein
Herr und bekundet das in seinem Verhalten. Für Pls gibt es den herrenlosen, sich selbst
überlassenen Menschen nie wirklich. Wer sich dem Schöpfer entzieht, behält seinen Richter. Vom Richter und dessen Zorn spricht der Apostel zweitens in der Weise der Apokalyptik, nämlich auf den jüngsten Tag als dessen eigentliche Manifestation bezogen. Bei
Juden und Heiden steht für ihn die Weltgeschichte bereits im Wetterleuchten des letzten
Gerichtes. Mit dem eschatologischen jus talionis proklamiert Pls wie urchristliche Prophetie vor ihm, daß sich das vergeltende Handeln Gottes schon gegenwärtig über aller
menschlichen Sünde vollzieht. Das erfolgt vorläufig allerdings in merkwürdiger Indi-
rektheit, wie sie auch der Erkenntnis Gottes aus den Schöpfungswerken entspricht, nämlich in der Preisgabe des Schuldigen an die aus der Schuld resultierende Realität. Gottes
Zorn ereignet sich in der Gegenwart nach dem Grundsatz von Sap. Sal 11,16: δι' ὧν τις
ἁμαρτάνει, διὰ τούτων κολάζεται, der in Test. Gad 5,10 aufgenommen und Jub. 4,32;
1QS IV, 11 f. variiert wird. Damit knüpft Pls an die at.liche Anschauung an, nach welcher menschliche Tat „Schicksal" begründet und Gott solchen Zusammenhang wie für den
Einzelnen, so auch für das Gemeinschaftsleben in Kraft setzt und erhält. Böse Tat schlägt
ihren Täter und schafft zugleich eine Sphäre des Unheils. Modifiziert wurde diese Anschauung mit rechtlichen Kategorien verbunden und unter das Vergeltungsschema gestellt (K. Koch), wie das bei dem Apostel zweifellos der Fall ist. Der Zusammenhang von
Schuld und Schicksal als Wirklichkeit des Gotteszorns wird gelegentlich richtig erkannt,
aber falsch aus immanenter Kausalität heraus erklärt (Dodd und seine Schüler). Pls liegt
jedoch alles daran, daß in diesem scheinbar immanenten Geschehen Gott selbst verborgen
rächend wirkt (Taylor). Er hält Gericht, indem er die Schuldigen an die von ihnen
intendierte Gottesferne preisgibt. Was sie wollten, wird ihr Schicksal, also die beherrschende Macht. Umgekehrt läßt diese Macht sie wieder werden, was sie wollen und tun,
nämlich Geschöpfe im Verfall der Geschöpflichkeit.

Von diesen Voraussetzungen aus ist schon 21b zu begreifen. Es liegt wohl eine Anspielung auf Jer 2,5 vor: ἀπέστησαν μακρὰν ἀπ' ἐμοῦ καὶ ἐπορεύθησαν ὀπίσω τῶν ματαίων καὶ
ἐματαιώθησαν, mit der sich eine Reminiszenz an Ps 93,11 zu verbinden scheint: „Der Herr
kennt die Gedanken der Menschen, daß sie nichtig sind." Schon Sap. Sal 13,1 führte das
weiter: μάταιοι μὲν γὰρ πάντες ἄνθρωποι φύσει, οἷς παρῆν θεοῦ ἀγνωσία. Pls selber
konstatiert, aus dieser Tradition das durch LXX gelieferte Stichwort aufgreifend,
ματαιότης als Signatur der aus ihrer Geschöpflichkeit ausbrechenden und durch den Gotteszorn an sich selbst preisgegebenen Welt. Weil alsbald vom Götzendienst gesprochen
wird, mag mit dem Verb die at.liche Charakteristik der Götzen als „Nichtse" bewußt
werden. Wer die Wahrheit mißachtet, gerät jedenfalls in die auch 8,19 f. erwähnte Sklaverei dadurch bestimmter Nichtigkeit und die damit verbundene Finsternis. Er wird zur
unterscheidenden Wahrnehmung unfähig, verliert so den Blick für die Realität und verfällt der Illusion. ἐν τοῖς διαλογισμοῖς meint das bewegte Innere, καρδία die Personalität
des Menschen. Mit ἀσύνετος wird wohl bereits das Resultat, nicht die Voraussetzung des
Prozesses bezeichnet. Der falsche Gott und der falsche Mensch gehören zusammen und
bedingen sich gegenseitig (Baulès). Gegen die übliche Einteilung ist 22 als Beginn des

folgenden Abschnittes anzusehen. In den drei konzentrischen Kreisen 22—24, 25—27, 28—31 mit den kunstvollen Entsprechungen δόξα / ἀτιμάζεσθαι 22 ff., μετήλλαξαν / μετήλλαξαν 25 ff., οὐκ ἐδοκίμασαν / εἰς ἀδόκιμον νοῦν 28 ff. wird der Verfall an spezifisch heidnische Laster als adäquate Vergeltung der jeweils in 22 f., 25, 28a herausgestellten Schuld des Götzendienstes geschildert (vgl. die zitierten Aufsätze von Klostermann und J. Jeremias). 32 faßt das Ganze zusammen. Das dreifache παρέδωκεν αὐτοὺς ὁ θεός markiert, durch διό 24, διὰ τοῦτο 26, καθώς 28 eingeleitet, den Umschlag von Schuld in Verhängnis. Ein gedanklicher Fortschritt ist nicht zu bemerken (Lietzmann; Sanday-Headlam; Klostermann, Vergeltung 2 f.; anders Schlier, Heiden 34 f.; Leenhardt; H. W. Schmidt). Schuld und Strafe bleiben sachlich gleich. Eine rhetorische Steigerung ergibt sich dagegen schon daraus, daß die Schuld immer kürzer, der Verfall immer ausführlicher, zuletzt sogar mit dem Lasterkatalog 29—31, dargestellt werden. Die beiden ersten Gedankengänge sind vielleicht mit der Betonung sexueller Verirrung gegenüber dem dritten enger verknüpft (Jeremias, Zu Rm 1, S. 120). Rhetorik dient bei Pls stets der Sache und verstärkt eine bestimmte Absicht. Jener Kosmos, welcher Gottes Gottheit nicht dienend anerkennt, wird zum Chaos entfesselter Perversion. Über ihn ergießt sich gleichsam die Sintflut aller Laster. Die Manifestation des Gotteszorns verbleibt sowenig wie diejenige der Gerechtigkeit im privaten oder (gegen Murray) moralischen Bereich. Sie führt von der inneren Verfinsterung der Existenz zur Objektivation der Narrheit im Götzendienst und nimmt in ihrer kosmischen Weite die eschatologische Öffentlichkeit des letzten Gerichtes vorweg (Ligier, Péché 208).

Narrheit vermag ihre eigene Situation nicht mehr zu diagnostizieren. Sie hört selbst unter der ὀργή nicht auf, sich zu rühmen. φάσκειν, ursprünglich iterativ, meint wie Apg 24,5; 25,19 die prahlerisch lebhafte, hier zudem objektiv falsche Beteuerung (Bertram, ThWb IV, 850). In der hellenistischen Umwelt des Apostels gilt Religion als integrierender Teil der Weisheit, so daß in Kol 2,8 von ihr als „Philosophie" gesprochen werden kann. Von da ergibt sich der Übergang zu 23. Pls zitiert Ps 105,20 LXX: καὶ ἠλλάξαντο τὴν δόξαν αὐτῶν ἐν ὁμοιώματι μόσχου ἔσθοντος χόρτον und denkt vielleicht auch an Jer 2,11: εἰ ἀλλάξονται ἔθνη θεοὺς αὐτῶν; καὶ οὗτοι οὐκ εἰσιν θεοί. ὁ δὲ λαός μου ἠλλάξατο τὴν δόξαν αὐτοῦ ... Der Schluß des Psalmverses mit dem Hinweis auf die Verehrung des goldenen Kalbes war für die Argumentation des Abschnittes zu speziell. Heidnischer Bilderdienst sollte allgemein getroffen werden, wie es in dem Verbot Dt 4,15—19 geschieht. Pls hat sich jedoch nicht der Ausdrucksweise dieser Stelle, sondern der Schöpfungsgeschichte Gen 1,20—27 bedient, um das Zitat seinen Zwecken entsprechend zu vervollständigen (Hyldahl, Reminiscence 285 ff.; Ligier, Péché 172 f.). Die Konstruktion ὁμοίωμα εἰκόνος stammt aus dem Psalm. Aus dem Gebrauch im klassischen Griechisch läßt sich die Bedeutung „Herrlichkeit" für δόξα nicht ableiten. LXX scheint damit zunächst כבוד im Sinn von „Ehre" übersetzt und dann den hebräischen Begriff in seiner ganzen Bedeutungsbreite schematisch derart wiedergegeben zu haben (H. Kittel, Herrlichkeit Gottes gegen J. Schneider, Doxa). Vielleicht wurde das dadurch erleichtert, daß der profane Sinn „Ehre" sich mit dem verband, was orientalische Hofsprache als „Glanz" bezeichnete (Mohrmann, Note 321 ff.). Die in unserm Text folgende Genetivverbindung schließt jedenfalls die sonst vorhandene Möglichkeit aus (gegen J. Jeremias, Beobachtungen, ZNW 38 [1939], 121), daß δόξα hier den Gottesnamen umschreibt. Dadurch würde die genaue Entsprechung zu 23a zerstört. Der Gedanke ist klar: Nur Perversion setzt

Götzenbilder an die Stelle der göttlichen Herrlichkeit. So hatte es bereits die früher zitierte Aussage Test. Napht III,2 ff. festgestellt. Äußerst schwerfällig wirkt aber die Formulierung, welche mit der Antithese der Aussage den Pleonasmus ὁμοίωμα εἰκόνος verbindet (Ridderbos). Jedes der beiden Worte meint „Abbild", wie das erste im Psalm es tut. Befriedigen kann weder die Annahme eines gen. expl. (Zahn; H. W. Schmidt) noch die verwegene These, εἰκών solle an die Gottebenbildlichkeit des Menschen von Gen 1,26 erinnern (Jervell, Imago 325 ff.; passim). εἰκών ist nomen regens auch für die aufgezählten Tiere. Diese Zusammenstellung mag sich zwar aus der Schöpfungsgeschichte ableiten lassen. Doch bildet der generell gebrauchte Singular ἄνθρωπος neben den folgenden Pluralen dafür kein sicheres Indiz (gegen Hyldahl, Reminiscence und Hooker, Adam a.a.O.). φθαρτὸς ἄνθρωπος meint jedenfalls (gegen Jervell) nicht den Urmenschen, von dessen Abbildung auch nicht gesprochen werden kann, und es ist willkürlich, 19 ff. exklusiv auf Adam zu beziehen (gegen Hooker). Am besten versteht man den Pleonasmus intensiv (Barrett: the inferior, shadowy character). Dafür läßt sich geltend machen, daß die Formel κατ' εἰκόνα καὶ καθ' ὁμοίωσιν Gen 1,26 f. im Judentum als Hendiadyoin begriffen und mit einer Genetivkonstruktion aufgelöst werden konnte (Jervell, Imago 321). Sonst müßte man annehmen, εἰκών bezeichne, mindestens bei Pls singulär, die „Gestalt" (so zumeist) oder in pedantischer Unterscheidung von ὁμοίωμα das „Urbild" (Kittel, ThWb II, 391.393).

Offensichtlich kommt hier in traditionell jüdischer Polemik (vgl. Billerbeck) der Abscheu über den heidnischen Bilderdienst zum Ausdruck. Die Aufzählung in 23b trifft konkret ägyptische Religiosität, welche schon Sap. Sal 11,15; 12,24 empörte. Man sollte nicht einwenden, daß solche Polemik die hellenistische Theologie der Aufklärung und ihren Spiritualismus nicht berücksichtige, also heidnischer Frömmigkeit nicht im ganzen gerecht werde. Das verkennt die Argumentation des Apostels. Sie wendet sich nach 25 dagegen, daß das Geschöpf an die Stelle des Schöpfers rückt, und beruft sich dabei auf den überall zu konstatierenden heidnischen Bilderdienst. Erst recht darf man aus dem Psalmzitat nicht folgern, Pls greife hier zunächst jüdische Schuld an (gegen Jervell, Imago 318 ff.; M. Barth, Speaking 291). Das widerspricht nicht nur dem Kontext und der Tendenz der verwerteten jüdischen Tradition, sondern auch der ersten Interpretation unserer Stelle oder mindestens der ihr zugrunde liegenden Anschauung in Eph 4,17 ff. Es ist gerade die Pointe des Verses, daß Pls auf die ganze menschliche Geschichte überträgt, was umgekehrt Jer 2,11 auf diejenige des Gottesvolkes beschränkte. Das geschieht sinnvoll nur unter zwei höchst gewichtigen Voraussetzungen. Die in der Schrift dokumentierte Geschichte Israels hat erstens für den Apostel eine exemplarische Bedeutung für die Welt. Damit wird der Rahmen einer bloßen Bundesgeschichte gesprengt und macht sich eschatologische Interpretation geltend, wie 1.K 10,11 sie ausdrücklich fordert. Die Hermeneutik des Judentums, nach welcher das AT auf die Heilszeit ausgerichtet und auf sie hin auszulegen ist, wird radikalisiert. Israels Geschichte ist von der eingetretenen Heilszeit her weltgeschichtlich relevant, sofern sie universal das Verhältnis von Gott und Mensch erhellt und deshalb auch anthropologisch gedeutet werden muß. Läßt diese Geschichte sich zweitens schon deshalb nicht bloß historisch verstehen, so gilt von ihren entscheidenden Ereignissen wie etwa der Verehrung des goldenen Kalbes erst recht, daß sie sich nicht einfach der Vergangenheit zuordnen und chronologisch verrechnen lassen. Sie stehen vielmehr nach vorwärts und rückwärts in einem Geschehenszusammenhang, der

durch eine ähnliche Kontinuität wie Schuld und Verhängnis in unserm Kapitel charakterisiert wird und die paulinische Anschauung von der Heilsgeschichte präzisiert. Die
Geschichte von Heil und Unheil läuft derart zusammen, daß ihre Bereiche sich verflechten und überlagern können, es also keine immanent kontrollierbare Kontinuität bei
ihnen gibt. Statt dessen markieren bestimmte, von Pls zweifellos als historisch betrachtete Situationen von letzter Bedeutung wiederkehrende Grundverhältnisse und erhalten
so typologisch den Charakter von Urbildern. Das meint nicht, daß der Apostel in ihnen
bloß Modelle sich wiederholender anthropologischer Entscheidungen erblickt. Sie eröffnen vielmehr die Sicht auf einen schicksalhaften Geschehenszusammenhang, in dessen
Vorgegebenheit der Einzelne sich schon stets vorfindet. Deshalb kann hier die heidnische
Wirklichkeit auf die Anbetung des goldenen Kalbes durch die Wüstengeneration bezogen
und von ihr her in ihrem eschatologischen Horizont gedeutet werden. Deshalb gibt es
auch den Zusammenhang zwischen dieser Wirklichkeit und jenes Geschehens zur Schöpfungsgeschichte, auf welchen die Terminologie von 23b hinweist. Bereits das Judentum
hat die Traditionen von Schöpfung und Exodus, Sündenfall und Israels Schuld miteinander verknüpft und daraus den Verlust der gottgeschenkten δόξα resultieren lassen (vgl.
Jervell, Imago 321). Pls setzt solche Überlieferung voraus. Darum spricht er anders als
der Psalmtext, aber in Übereinstimmung mit rabbinischer Auslegung und LXX-Lesarten
von der Herrlichkeit Gottes, nicht Israels (Billerbeck). Diese δόξα ist Israel wie dem Urmenschen von Gott verliehen worden als Anteil an seiner Herrlichkeit und konnte darum
von Adam wie in Wiederholung des Sündenfalles von dem Volke Gottes um der Kreatur
willen vertauscht werden. Daß die Geschichte des Falls sich in die Gegenwart hinein fortsetzt, ergibt sich aus 25, wo heidnische Schuld als Fall aus dem Stand der Geschöpflichkeit beschrieben wird. Es kündet sich ebenso in der Ablösung der präsentischen Form der
Aussage durch die aoristische von 21a an, die nicht bloß rhetorisch (wie bei Michel) gewertet werden darf. Weder rein historische noch mythische Betrachtungsweise werden
dem vorliegenden Sachverhalt gerecht. Wenn Pls die Wirklichkeit nach seiner Meinung
geschehener Historie sogar der Urzeit mit derjenigen der Gegenwart zusammensah,
konnte das für modernes Urteil nur mythologisch erfolgen. Offensichtlich ging es ihm
darum, daß die Kontingenz gegenwärtiger Entscheidung nicht aus dem Zusammenhang
von Schuld und Verhängnis seit dem Anfang der Welt isoliert und umgekehrt die Gegenwart nicht um dieses Zusammenhanges willen um ihre Verantwortlichkeit gebracht
würde (vgl. Bultmann, Theol. 250 f.). Wie für Apk. Bar. 54,19 galt für ihn: „Wir alle
sind ein jeder für sich selbst zum Adam geworden." Doch finden wir uns schon immer in
der Kontinuität der durch Adam eröffneten Geschichte, die unter dem hier waltenden
Aspekt nicht in Augenblicke atomisiert, jedoch auch nicht spekulativ verrechenbar wird.
Diese Feststellungen werden zu c. 4; 5,12 ff.; 7,7 ff.; 8,19 ff. aufgenommen und weitergeführt werden müssen, bestimmen aber noch c. 9—11, sind also von grundlegender Bedeutung für den ganzen Brief. Abschließend mag darauf aufmerksam gemacht werden, daß unsere Stelle auch für das Verständnis der Gottesgerechtigkeit unentbehrlich ist.
Sie bestätigt antithetisch den noch weiter zu entfaltenden Sachverhalt, daß Pls Gottes
Bundestreue zur Treue des Schöpfers seiner Schöpfung gegenüber ausweitet und sich darin
von dem Judenchristentum vor ihm unterscheidet. Es entspricht dem genau, wenn in
unserm Text Israels Anbetung des goldenen Kalbes als Urbild auch der heidnischen Verirrung gesehen und, mit der Schöpfungsgeschichte verknüpft, als Merkmal jedes Falles

aus der Geschöpflichkeit gedeutet wird. Beide Male wird universal ausgeweitet, was im Judentum nur innerhalb des Sinaibundes Geltung hatte.

Für den Apostel ist die Geschichte durch die immer neu und weltweit erfolgende Ur-sünde der Rebellion gegen den Schöpfer und deshalb durch den Gotteszorn bestimmt, welcher das Geschöpf auf sich selbst, seinem eigenen Willen entsprechend, zurückwirft und der Welt preisgibt. Daß Pls auch damit auf vorgeformte Tradition zurück-greift (Daxer, Diss. 25 ff.; Jeremias, Zu Rm 1, S. 119 f.; anders Feuillet, Connaissance 75 f.), zeigt Apg 7,42, wo Gottes Vergeltung ebenfalls Israels Sünde durch ein παρέδω-κεν, nämlich die Preisgabe an den Gestirndienst, straft. Allerdings verdrängt hier das mit παραδιδόναι auch sonst (K. A. Bauer, Leiblichkeit 140 ff.) verbundene Moment des Richter-lichen bereits die Apokalyptik, und an diese erinnert nichts mehr, wenn die gleiche Tradi-tion (Jervell, Imago 289 ff. 314) im Sinn der aus der Schuld folgenden Selbstpreisgabe an die Immoralität umgeformt wird. Der paulinische Gedanke tritt umgekehrt auf der Folie dieser Modifikationen scharf heraus. Er scheint Philo, de decal 91, beizupflichten: πηγὴ δὲ πάντων ἀδικημάτων ἀθεότης. Doch wird durch ihn Ursache und Folge paradox vertauscht: Sittliche Perversion ist nicht der Grund, sondern die Auswirkung des Gotteszorns (Stäh-lin, ThWb V, 455; Baulès), und dieser bekundet sich nicht direkt erkennbar als Richter-funktion (gegen Schlatter) oder, was tradere auch meinen kann (Hommel, Schöpfer 10), als Wahrung des Herrenrechtes, geschweige als abstention from interference (Dodd). Vielmehr bewirkt er die Auslieferung der Existenz an die Bestimmtheit durch die Welt, die später als σάρξ beschrieben werden wird. Das bedeutet aber Preisgabe an das Chaos. Der sich seines unmittelbar erkennbaren Herrenrechtes begebende Schöpfer wird zum verborgenen Richter und schlägt mit Verfall diejenigen, welche weder ohne noch gegen ihn leben können (K. A. Bauer, Leiblichkeit 143 f.). Die Menschen müssen erleiden, was sie erlangen wollten: Ipsi sunt materia poenae suae et impensa eius (Bengel). Die Veräch-ter der Gottheit vollstrecken zugleich den göttlichen Fluch an sich selber. In solchem Ge-richt wird deutlich, was es um sich von Gott lösende und von ihm der Immanenz über-lassene Realität von Mensch und Welt ist. Der Wille bleibt ihr Merkmal, nicht griechisch die Vernunft. Er äußert sich jedoch jetzt in ἐπιθυμίαι als dem stets eigensüchtigen Begeh-ren und objektiviert sich in ἀκαθαρσία, welche wie in 6,19; Gal 5,19 den Zugang zum Hei-ligen versperrt und als Unzucht für den Juden heidnisches Wesen kennzeichnet. Mit ἐν wird semitisch die Beschaffenheit und die Sphäre charakterisiert, welche Geschöpflichkeit nicht mehr zu spiegeln vermag (vgl. die Belege bei K. A. Bauer, Leiblichkeit 141 f.). Der passivisch zu deutende Infinitiv ist konsekutiv. ἐν αὐτοῖς wird wohl instrumental (Rader-macher 227), also nicht gleich ἐν ἀλλήλοις (Sanday-Headlam) sein. Gericht greift wie Er-lösung nach 1.K 5,5; 11,30 ins Leibliche hinein. Der Realismus der nächsten Verse ver-deutlicht das und markiert damit eine für den ganzen Brief wichtige Perspektive.

Der relativische Einsatz in 25 und 32 hebt begründend (Michel; Bauer, Wb 1067) Fest-gestelltes nochmals heraus. καί in 25b expliziert. Wieder meint ἀλήθεια die sich erschlie-ßende Wirklichkeit Gottes, nicht dessen Eigenschaft oder sein „wahres Wesen". Entspre-chend ist τὸ ψεῦδος weder das lügnerische Verhalten der Menschen noch in abstrakter Umschreibung der „Lügengott", sondern der objektiv die Wahrheit verdeckende Trug speziell in heidnischer Religiosität. σεβάζεσθαι meint, in der Koine σέβεσθαι ersetzend, fromme Verehrung, λατρεύειν den kultischen Dienst. παρά c. acc., ursprünglich kompara-tivisch vergleichend „mehr als" (Lietzmann; Riesenfeld, ThWb. V, 730 f.), bekommt den ausschließenden Sinn „anstatt" (Bl-D. § 236,3). Während im Aristeasbrief 139 das Judentum von sich behauptet: θεὸν σεβόμενοι παρ' ὅλην τὴν κτίσιν, wird heidnisch die Kreatur vergötzt. Das entsetzt Pls so, daß er nach jüdischer Sitte (Billerbeck) wohl nicht nur den Gottesnamen doxologisch heiligt, sondern sich apotropäisch (Schlier, Heiden 35) von solchem Greuel distanziert und die Aussage mit einer Akklamation unterbricht. Es handelt sich um geläufige jüdische Segnung. Die durch LXX verbreitete Formel εἰς τοὺς αἰῶνας ersetzt die singularische Form im sonstigen Hellenismus. Semitisch erscheint dabei Ewigkeit als unendlicher Zeitablauf. Auf die Doxologie folgt wie in 9,5 traditionell die eigentlich vom Hörer bestätigend zu sprechende Amen-Akklamation (RAC I, 378 ff.). πάθη ἀτιμίας als gen. qual. faßt, durchaus unstoisch (Pohlenz, Zorn 82) wie in Test. Jos 7,8 gebraucht, die Beschreibung von 24 zusammen und gibt das Thema von 26b—27. Homosexualität erscheint nicht grundlos dem Juden als typisch heidnisch, auch wenn im Rabbinat die eigenen Verhältnisse kritisch betrachtet werden und wenigstens die Ehe als zu schützen gilt (Billerbeck; Lietzmann; Lagrange). χρῆσις im sexuellen Sinn ist geläufig (Bauer, Wb 1720). Pls teilt nicht das den stoischen Stichworten φυσικός und παρὰ φύσιν zugrunde liegende Ideal, weil er keine von Gott lösbare oder mit ihm identifizierbare Natur kennt (Koester, ThWb IX, 267). Diese Worte, die kennzeichnenderweise erst jetzt und nur in adverbieller Verwendung des Substantivs erscheinen, zeigen nach ihm die Verwilderung auf: Man läßt sich nicht einmal mehr durch der Welt immanente Ordnung binden. Verächtlich wird, einseitig das Geschlecht betonend, von Weibern und Männern gesprochen, wobei die Reihenfolge nicht (gegen Michel) vom Sündenfall her zu erklären ist. Das ursprüngliche τε τε verstärkt ὁμοίως καί. Meint ὄρεξις die tierische Brunst, so τὴν ἀσχημοσύνην κατεργάζεσθαι euphemistisch (vgl. Lietzmann) den geschlechtlichen Verkehr. τὴν ἀντιμισθίαν ἀπολαμβάνειν entstammt wohl rechtlicher Sprache. πλάνη ist kaum der Abfall von Gott (Kuss), sondern die Ausschweifung und ἀντιμισθία dann deren verwüstende Folge (Braun, ThWb VI, 244). Oft wird betont, daß Pls hier wie Sap. Sal 14, 12.24 f. in der Tradition des strengsten Judentums gleichwohl nicht jeden Heiden dieser Laster beschuldigen oder verdächtigen will, aber auch die Reformversuche des Imperiums nicht beachtet habe, sein Bild also verzerrt erscheint. Doch ist für ihn gut apokalyptisch der Einzelne nicht von seiner Welt zu trennen, die als solche charakterisiert wird.

Die dritte Variation in 28 ff. macht vollends deutlich, daß in diesem Kosmos kein schützender Deich mehr hält. Wie oft hat καθώς begründenden Sinn. δοκιμάζειν = prüfen und daraufhin beschließen, hier wie in 1.K 16,2; 2.K 8,22: zu schätzen wissen (Grundmann, ThWb II, 262). ἐν ἐπιγνώσει ἔχειν (Parallelen bei Bauer, Wb 659; Lietzmann) steigert nicht (gegen Kuss), weil vorher nicht von einem bloßen Erkennen die Rede war, bezeichnet jedoch die immer neu vorhandene Möglichkeit, der unerloschenen Wirklichkeit Gottes (Bornkamm, Offenbarung 24) innezuwerden. ἔχειν ist also (Hanse, Gott haben 104 gegen Schlatter) nicht zu τὸν θεόν zu ziehen. ἀδόκιμος meint, was nicht besteht. Das Wortspiel mit dem einleitenden Verb stellt die göttliche talio heraus: Wer sich seinem Herrn entzogen hat, verliert zugleich mit dem Sinn für die Ordnung des Daseins die Kontrolle über sich selbst, kann nicht mehr in Verantwortung gerufen werden. Sein Handeln beweist, daß keine konventionelle Schranke des „Geziemenden" ihn noch hält und auch den Heiden ehrwürdige Humanität ihm nichts mehr bedeutet (Schlier, Heiden 35). Der Plural, die Negation des Ausdrucks und die Intention des Apostels zeigen, daß τὰ μὴ καθήκοντα nicht direkt der stoischen Pflichtenlehre entlehnt ist (gegen

Michel; Kirk), deren Stichwort τὸ παρὰ τὸ καθῆκον ist (Bonhöffer, Epiktet 157 f.; Schlier, ThWb III, 443). Doch benutzt Pls eine Modifikation dieses Stichwortes, welche in 2.Makk 6,4; 3.Makk 4,16, variiert bei Philo, de mut. nom. 241 vorliegt. Die sehr harmlose und reichlich unbestimmte Zusammenfassung der folgenden Laster in dem Thema „das Ungebührliche" spricht dafür, daß der Apostel sich an den Sprachgebrauch der Popularphilosophie wenigstens anlehnt. Die folgenden Akkusative beziehen sich auf αὐτούς zurück. Ähnliche Kataloge finden sich bei Pls noch in 13,13; 1.K 5,10 f.; 2.K 12,20 f.; Gal 5,19 ff., und zwar stets inhaltlich ungegliedert. Ihr Sinn wird hier unverkennbar: Die Götzenverehrung eröffnet die Sintflut der Laster, welche jede Gemeinschaft zerstören und die Schöpfung grauenhaft in ein Chaos zurückverwandeln. Der Fluch des Gotteszornes vollendet sich darin (Kamlah, Kataloge 18 f.). Die religionsgeschichtliche Ableitung solcher Kataloge ist noch nicht völlig abgeschlossen. Offensichtlich orientiert sich der Apostel nicht an persönlichen Erfahrungen oder etwa (so noch Feuillet, Connaissance 65; de los Rios, Animadversiones 368) an den römischen Verhältnissen. Bleibend verdienstvoll hat Lietzmann in seinem von Material strotzenden Exkurs auf die popularphilosophischen Laster- und Tugendkataloge als den Ursprung der nt.lichen verwiesen und deren Zusammenhang mit unserm Text vor allem auf die Betonung der Gesinnungssünden gestützt. Unmittelbar stoischer Einfluß läßt sich allerdings deshalb nicht behaupten, weil den nt.lichen Katalogen die Ausrichtung auf die vier Kardinaltugenden und die entsprechenden Laster abgeht, das Begriffsgut infolgedessen auf beiden Seiten erheblich differiert. Die assyndetische Folge der Aufzählungen ist eine Eigenart der popularphilosophischen Diatribe (so besonders Vögtle; Kamlah, 139 ff.). Ebensowenig befriedigt die Ableitung der paulinischen Kataloge aus hellenistisch-jüdischer Tradition bei Philo, 4. Makk und Sap. Sal, weil dadurch ihre dualistisch-eschatologische, aus einer Tugendlehre nicht zu begreifende Tendenz nicht erklärt würde. Es bedeutete darum einen Schritt vorwärts und lenkte zugleich zu der älteren Anschauung A. Seebergs „Der Katechismus der Urchristenheit", 1903, zurück, als man einen Zusammenhang mit der jüdischen Lehre von den beiden Wege rekonstruierte (Daxer, Diss. 35 ff.) und solche Rekonstruktion durch Qumran etwa in 1QS 4,2—14 bestätigt wurde (Wibbing, Traditionsgeschichte 43 ff.; vorher schon Vögtle 204 ff.; ausführlich dann Kamlah 40 ff.). Der eschatologische, aus dem Ethischen ins Metaphysische reichende Dualismus von Geist und Fleisch als Hintergrund und Thema in Gal 5,17 ff., von Licht und Finsternis in R 13,12 f.; Eph 5,3—13, das Verständnis der vermeintlichen Tugenden als Bekundung des Gehorsams, der Laster als Grund oder Erweis des Gerichts werden aus solcher Tradition und ihrem breiten jüdischen Strom durchaus begreiflich. Gleichwohl liefert auch sie mindestens zu unserm Text keine vollkommene Lösung (vgl. schon Vögtle, Kataloge 192 ff.). Kennzeichnend ist bereits, daß Pls die Überschrift nicht dem Zusammenhang des Todesweges entnimmt, sondern sich dabei an die Popularphilosophie anlehnt. So füllen bei ihm auch nicht die für die Terminologie Qumrans charakteristischen Abstrakta, sondern Grundbegriffe und Merkmale des Verbrechens den Katalog. Endlich stehen hier nicht religiöse, sondern soziale Vergehen im Vordergrund (vgl. H. Braun, Qumran II, 294. 297 f. 301). Derartige Unterschiede im Stil sind für formgeschichtliche Betrachtung mindestens so wichtig wie sachliche Übereinstimmungen. Aus dem allen wird infolgedessen zu schließen sein, daß in unserm Text verschiedene, schon vor Pls im hellenistischen Judentum zusammengeflossene Traditionsströme sich vereinen. Anders gerät man in die Notwendigkeit, gewaltsame Lösungen anzubieten (z. B. Wibbing 93 f. 97 f.). Der sachliche Schwerpunkt mag sich dabei durchaus verlagern und liegt gerade in unserer Stelle wohl der Popularphilosophie näher.

Natürlich hat ein so langer Katalog zu Verschreibungen und zur Auffüllung gedrängt. Das zeigt sich (vgl. Lietzmann), wenn in abendländischen Varianten das ohnehin von κακία kaum abstechende πονηρία durch πορνεία ersetzt und, besonders interessant, die Reihenfolge der Laster 2-4 vertauscht wird. Deutlich ist die Tendenz, nicht „Schlechtigkeit" und „Bosheit" durch das viel speziellere Wort „Habsucht" trennen zu lassen und κακία an den Anfang zu ziehen. Der anstößigere Text B Or hat deshalb als ursprünglich zu gelten. Nach ἀστόργους in 31 fügen CKvulg das aus 2.Tim 3,3 bekannte ἀσπόνδους ein. In 32 hat ein „uralter Fehler" (Lietzmann) das verbum finitum ausfallen lassen. Der Katalog ist nicht logisch, wohl aber rhetorisch gegliedert (vgl. Michel). πεπληρωμένους leitet die erste Gruppe von vier Gliedern ein, die kaum (gegen Lagrange; Schlier, Heiden 36; Vögtle, Kataloge 17) allgemeine Dispositionen sein können, wenn man πλεονεξία konkreten Sinn beläßt. μεστούς eröffnet die zweite Gruppe mit 5 Gliedern. Im Folgenden fehlt das übergeordnete Wort. Die Laster quellen gleichsam überstürzt aus der Pandorabüchse. Unklar bleibt, ob alle zwölf Glieder zusammengehören (Vögtle; Schlier) oder ob die doppelgliedrigen Wendungen in 30 die ersten 8 von den letzten 4 trennen (Michel; Kuss). Nicht unmöglich, aber unwahrscheinlich ist die Annahme, daß der Anfang der dritten Gruppe aus Wortpaaren besteht (Zahn; Michel; Schulz, Anklage 167 f.; Wibbing, Traditionsgeschichte 82). Die Verbindung von θεοστυγεῖς mit καταλάλους (Pallis; Barrett) wäre seltsam. Das nur im Sinn von „gottverhaßt" belegte erste Wort würde sich aus den Bezeichnungen für eine Tätigkeit herausheben. Doch sprechen der Kontext und θεοστυγία = Gotteshaß in 1.Clem 35,5 für den aktiven Sinn (vgl. weiter Bauer, Wb 708). Die Rhetorik des Ganzen tritt in den Paronomasien φθόνου — φόνου und ἀσυνέτους — ἀσυνθέτους, dem Chiasmus der doppelgliedrigen Wendungen, der gleichlautenden Endung der ersten, den Bildungen mit a-privativum der letzten Gruppe und der kunstvollen Einschaltung der Doppelwendungen in 30 zutage. ἀδικία steht nach dem ganzen Zusammenhang kaum zufällig an der Spitze (Vögtle, Kataloge 213 f.; Schrenk, ThWb I, 515), wenngleich es nicht „Sammelbegriff" (Daxer, Diss. 48) ist, weil πάσῃ sinngemäß auf alles Folgende geht. κατάλαλος findet sich biblisch nur hier, während καταλαλία außerhalb des paulinischen Sprachbereiches noch Sap. Sal 1,11 vorkommt. κακοήθεια meint wohl nicht gehässige Herabsetzung, sondern Verschlagenheit (Bauer, Wb 784), ἀσύνθετος „eigenwillig, querköpfig" (Fridrichsen 47 f.). Bei ἐφευρετὰς κακῶν mag man schwanken, ob das Sinnen auf Böses und sein Erfinden (Barrett) oder sein Aufspüren durch „Schnüffler" (Schlier, Heiden 36) betont wird.

32 hat eine dreifache Funktion. Es faßt erstens zusammen, wie aus dem an 19.21.28 erinnernden ἐπιγνόντες und dem summierenden τὰ τοιαῦτα πράσσοντες hervorgeht. Alles von 24 an Gesagte wird zweitens im Urteilsspruch und seinem Nachsatz aufs höchste gesteigert. Schließlich bildet der Vers um des Nachsatzes willen wie mit der Rechtsterminologie in δικαίωμα und ἄξιοι θανάτου eine Überleitung zu c.2 (Daxer, Diss. 64 f.; Barrett). Der für Pls charakteristische prinzipielle Singular δικαίωμα τοῦ θεοῦ (Schrenk, ThWb II, 225) meint wie in 2,26; 8,4 die Forderung oder Satzung des Rechtes. Von hier aus bestätigt sich nochmals die frühere Interpretation. Die Erkenntnis Gottes bezieht sich nicht spekulativ auf sein Wesen, sondern auf seinen Herrschaftsanspruch und unsere da-

mit zugleich erfahrene Geschöpflichkeit. Alle hier und überhaupt zu 1,19 ff. auftauchen-
den Mißverständnisse hängen letztlich damit zusammen, daß man Offenbarung an die
Heiden als objektiv vorliegend und rational deduzierbar versteht, sei es in einer „Uroffenbarung", im Naturgesetz (Vögtle, Kataloge 191; ähnlich Daxer, Diss. 62), sei es in
der Beziehung von δικαίωμα auf die Tora oder wenigstens auf die sogenannten „adamitischen" und „noachischen" Gebote (Pallis; Jervell, Imago 319; Flückiger, Unterscheidung 156 ff.; M. Barth, Speaking 291; W. D. Davies, Rabbinic Judaism 115 f.). Pls
braucht eben nicht wie das Judentum (vgl. Billerbeck; Moore, Judaism I, 227 ff. 453)
heidnische Kenntnis und Verwerfung der Tora vorauszusetzen, um die Schuld des Menschen zu begründen. Es ist das Merkmal unseres Textes, daß er die Erkenntnis Gottes
weder jüdisch noch stoisch als Problem der Mission empfindet (Bornkamm, Offenbarung
18 ff.). Mit seiner Existenz in der Welt steht der Mensch vor Gott, bevor Religion ihm
das erschließt und er selber in theologischen Entwürfen darüber nachdenkt. Er ist schon
immer zu Ehrfurcht, Dankbarkeit und sich nicht überhebender, der Verantwortung nicht
entfliehender Menschlichkeit gefordert. Deshalb kann er darauf angesprochen werden,
daß er faktisch in pervertierter Geschöpflichkeit lebt. Pls muß auch nicht wie seine
Ausleger reflektieren, was nach heidnischem oder jüdischem Recht aus seinem Katalog
wirklich todeswürdig ist, und braucht nicht (gegen Michel; Daxer, Diss. 62 f.; Wibbing,
Traditionsgeschichte 117) auf das Endgericht zu schauen, das die Todesstrafe vollziehen
soll. Nach 8,19 schreit die verlorene Schöpfung eben deshalb nach der Freiheit, weil sie
das bereits gegenwärtig über ihr lastende Todesverhängnis spürt. Im δικαίωμα weiß man
also nicht profan um einen Rechtssatz (Dupont, Gnosis 27 f.), und diese Erkenntnis
steht auch nicht als schuldhaft verloren im Widerspruch zu 28 (Flückiger). Sie wird
vielmehr stets von neuem beiseitegeschoben als Wissen des über unserm Dasein gefällten
Urteils, dessen Vollzug wir in einer pervertierten Schöpfung schon erleiden (Schlatter).
Sie bewahrt weder vor dem Tun des Bösen noch vor dem Applaus, der alle Laster amü-
siert begleitet. Erstaunliche Parallelen zu diesem Nachsatz finden sich in Test. Ass 6,2:
πράσσουσι τὸ κακὸν καὶ συνευδοκοῦσι τὸ κακόν und bei Seneka, ep. mor. 39,6: turpia non
solum delectant, sed etiam placent. Pls denkt wohl an drastische Schilderungen des antiken Romans (Lagrange) oder noch einleuchtender (Bultmann, Glossen 200,3) an Szenen
der Komödie und des Mimus. 32 gehört also nicht zum Folgenden (richtig Schrage, Einzelgebote 193 gegen Flückiger, Unterscheidung 154 ff.). Die jüdische Kritik am Heidentum bildet jedoch einen so vortrefflichen Anküpfungspunkt, daß der neue Einsatz damit
gut markiert wird.

II. 2,1—3,20: Das Gericht über die Juden

Zu Unrecht werden Thematik und Gliederung dieses Abschnittes umstritten. Man muß
sich allerdings nochmals das eigenartige Verständnis des Apostels klarmachen, nach welchem zwar die Welt und der einzelne Mensch direkt aufeinander bezogen sind und in
der Anthropologie die Signatur der Kosmologie erscheint. Weil Pls aber auch als Christ
die Welt vor und außer Christus noch durch den Nomos gespalten sieht, beläßt er ihr die
geschichtliche Tiefe, die durch die Antithese von Juden und Heiden herausgestellt wird.
Den Menschen gibt es für ihn nur konkret, also im Blick auf die ihn jeweils bestimmende Welt, darum in einem heils- oder unheilsgeschichtlich relevanten Stand als Juden

oder Heiden. Erst mit Christus als des Gesetzes Ende erfolgt jene Menschwerdung, in welcher es nach Gal 3,28 den Juden und Heiden allein noch in der Erinnerung an die Vergangenheit gibt. Das anthropologische und das heilsgeschichtliche Interesse an der Totalität der Welt kreuzen sich also ständig, sichern sich jedoch ebenso gegenseitig davor, psychologisch oder mythologisch mißverstanden zu werden. Das ergibt eine Dialektik mit fließenden Übergängen. Vom Heiden oder Juden her enthüllt sich exemplarisch die Wirklichkeit des Menschen in ihren religiösen Alternativen. Dennoch muß immer wieder der Mensch als solcher angesprochen werden, sofern es bei solcher Unterscheidung eben um seine exemplarischen Möglichkeiten und nicht um ein bloß historisches Problem geht. Aus der antinomistischen Frontstellung des Apostels ist zu begreifen, daß der neue Abschnitt besonders ausführlich wird und der Schluß über dem Juden das Urteil summiert, welches dem Menschen überhaupt gilt. Das „dem Juden zunächst und auch dem Heiden" wird paradox hier gerade in der Umkehr der Reihenfolge festgehalten. Wo die Rechtfertigung des Gottlosen verkündet werden soll, ist notwendigerweise die Angriffsspitze auf den religiösen Menschen gerichtet. Gottes Zorn über den Heiden ist gleichsam das Vorspiel des Gerichtes über dem Juden, wie sich das mit umgekehrtem Vorzeichen im Verhältnis von c. 1—8 zu c. 9—11 wiederholt. Die Notwendigkeit des Evangeliums von der Gottesgerechtigkeit scheint dem Juden gegenüber nicht in gleicher Weise zwingend. Deshalb müssen seine Illusionen radikal abgebaut werden. Von da aus ergibt sich ein sachlich begründeter Aufbau: 1—11 proklamieren den Grundsatz. Vor dem Richter gibt es kein Ansehen der Person. 12—29 greifen derart an, daß in 12—16 die Rechtfertigung allein auf Grund des Besitzes der Tora verworfen wird, 17—24 jüdische Gesetzesübertretung demonstrieren, 25—29 die Beschneidung als Privileg entwerten. 3,1—8 lassen jüdischen Einwänden gegen die paulinische Verkündigung Raum. 3,9—20 schließen im Rückgriff auf die allgemeine Schuld das Gesetz als Heilsweg aus.

1. 2,1—11: Das Kriterium des eschatologischen Gerichts

1 Darum bist du ohne Entschuldigung, o Mensch, wann immer du richtest. Denn worin du über den andern urteilst, verurteilst du dich selbst. Dasselbe treibst du doch,
2 obgleich du richtest. Wir wissen aber, daß Gottes richterliches Urteil sachgemäß über
3 die ergeht, die solches tun. Bildest du dir etwa ein, o Mensch, welcher richtet, die
4 solches tun, und (doch) dasselbe tust, daß du Gottes Gericht entrinnen wirst? Oder verachtest du den Reichtum seiner Güte, Geduld und Langmut, nicht merkend, daß
5 Gottes Güte dich zur Umkehr leiten will? Mit deiner Härte und in unbußfertigem Herzen häufst du dir selbst Zorn an auf den Tag des Zorns, nämlich der Offenbarung
6 des gerechten Gerichtes Gottes. Er wird einem jeglichen vergelten nach seinen Wer-
7 ken: Denen, die sich, beharrlich um das gute Werk bemüht, auf Herrlichkeit, Ehre
8 und Unvergänglichkeit richten, ewiges Leben! Denen jedoch, die aus Eigensucht (kommen), sich der Wahrheit widersetzen, aber der Ungerechtigkeit gehorchen,
9 Zorn und Grimm! Anfechtung und Bedrängnis über jede Menschenseele, die das
10 Böse wirkt, den Juden zunächst wie auch den Griechen! Herrlichkeit, Ehre und Frieden aber über jeden, der das Gute tut, den Juden zunächst wie auch den Grie-
11 chen! Denn es gibt kein Ansehen der Person bei Gott.

Literatur: H. Schlier, Von den Juden. Römerbrief 2,1-29, Die Zeit der Kirche 38-47. F. Flückiger, Die Werke des Gesetzes bei den Heiden, ThZ 8 (1952), 17-42. W. Joest, Gesetz und Freiheit. Das Problem des tertius usus legis bei Luther und die nt.liche Paränese, ³1961. Ch. Haufe,
Die sittliche Rechtfertigungslehre des Paulus, 1957. 1: A. Fridrichsen, Quatre conjectures sur le
texte du Nouveau Testament, RHPhR 3 (1923), 439-442. 4: H. Pohlmann, Die Metanoia als
Zentralbegriff der urchristlichen Frömmigkeit, E. Molland, Serta Rudbergiana, Symb. Osl.
Fasc. Suppl. IV, 1931, 44-52. K. Stendahl, Rechtfertigung und Endgericht, Luther. Rundschau 11
(1961), 3-10. 6: E. Jüngel, Das Gesetz zwischen Adam und Christus, ZThK 60 (1963), 42-74.
K. Grobel, A chiastic Retribution-Formula in Romans, Zeit und Geschichte (Dankesgabe R. Bultmann), 1964, 255-261. J. Jeremias, Paul and James, ET 66 (1954/5), 368-371. S. Lyonnet, Gratuité de la justification et gratuité du salut, Stud. Paul. Congr. I, 95-110. 11. D. Rahnenführer,
Das Testament des Hiob und das Neue Testament, ZNW 62 (1971), 68-93. K. Berger, Zu den
sogenannten Sätzen Heiligen Rechtes, NTSt 17 (1970), 10-40.

Das Folgende ist einzig als Polemik gegen jene jüdische Tradition begreiflich, welche
sich am deutlichsten und teilweise mit gleicher Begrifflichkeit in Sap. Sal 15,1 ff. äußert
(Daxer, Diss. 68 ff.; Lietzmann; Nygren): „Du aber, unser Gott, bist gütig und treu,
langmütig und mit Erbarmen regierst du das All. Denn auch wenn wir sündigen, sind
wir dein, kennen wir doch deine Macht. Wir werden aber nicht sündigen, weil wir wissen,
daß wir zu dir gerechnet sind. Denn dich kennen ist volle Gerechtigkeit, und um deine
Macht wissen, Wurzel der Unsterblichkeit. Denn uns hat nicht in die Irre geführt, was
sich menschliche Bosheit ausdachte." Hier wird heidnischer Götzendienst gerichtet. Der
Fromme kann, von dieser Grundsünde befreit, sich auf seine Gotteskenntnis als seine
Gerechtigkeit berufen und dann die eigene Schuld bagatellisieren. Der Kontrast zur
Schilderung in c. 1 ist unverkennbar. Er greift bis in den Stil hinein, der wenigstens in
1—6 mit Anrede, Fragen, Argumentation den bewegten Dialog der Diatribe spiegelt.
Typisch paulinisch sind die dem Gegner unterstellten absurden Beweggründe (Bultmann,
Stil 67). Schließlich läßt sich die Fülle rechtlicher Termini nicht übersehen, die sich jetzt
im Unterschied zu 1,18—31 mit der auch hier herrschenden apokalyptischen Anschauung verbindet. Der Jude kommt aus einer Geschichte, welche nicht vornehmlich durch
den heimlich-unheimlichen Zusammenhang von Schuld und Verhängnis bestimmt ist. An
ihn ist Gottes Wort in Gesetz, Verheißung und Fluch ergangen. Er weiß um das Ziel des
letzten Gerichtes und kann darauf angesprochen werden. Leidvolle Erfahrung läßt ihn
den geschichtlichen Wechsel von Heil und Unheil verhältnismäßig gelassen ertragen. Wie
er jedoch vom Ende her seine Rechtfertigung erhofft, kann tiefste Bedrohung ihm auch
nur von dem Ende der Geschichte im göttlichen Gericht widerfahren (Bornkamm, Offenbarung 27). Die paulinische Beweisführung sieht jüdische Wirklichkeit exemplarisch für
den Menschen schlechthin. Doch darf das der jetzt gezeichneten jüdischen Situation nicht
die Schärfe nehmen (Murray). Erst der Kontrast zwischen der Welt heidnischer Laster
und des richtenden Frommen läßt die Tiefe und Weite des göttlichen Zornes über allem
Dasein in uneingeschränkter Radikalität sichtbar werden.

1 dürfte eine frühe Randglosse sein, welche ursprünglich das Fazit aus 3 zog und dann
an den Anfang rutschte (Bultmann, Glossen 200). διό hat jedenfalls nicht folgernden
Sinn, nötigte häufig zur Eintragung ausgelassener Gedanken oder wurde (Fridrichsen,
Conjectures 439 ff.) als Verschreibung eines originalen δίς erklärt. Bei Pls stets konsekutiv verwandt (Jervell, Imago 319), ließe es sich nach sonstigen Parallelen (vgl. Lietzmann; Molland, Serta 44 ff.) allenfalls als farblose Übergangspartikel verstehen (auch

Michel). Gewicht bekommt es jedoch, wenn es die erwartete Antwort auf die rhetorische Frage in 3 einleitet. Dann begreift sich auch besser das verallgemeinernde und nachklappende πᾶς ὁ κρίνων, das keinesfalls auf den Rabbi bezogen werden kann (gegen Michel). Es stört die Antithese von „richten" und „dasselbe tun", weil es den Ton ganz auf das erste Wort fallen läßt. Es mag sich um eine Reminiszenz an das Verbot des Richtens in Mt 7,1 und Lk 6,37 handeln. Pls geht es aber nicht um die Problematik des Urteilens über andere, in welche die Auslegung unvermeidbar durch die Glosse geworfen wird (vgl. Zahn; Schlatter). Weiter wird die teilweise Überschneidung von 1 und 3 beseitigt, wenn der Einschub erkannt ist. 2 schließt sich mit seinem antithetisch summierenden οἴδαμεν δέ vortrefflich an 1,32 an. Allerdings kann dann das anders auf 1,20 zurückweisende und der Situation angemessene ἀναπολόγητος εἶ jetzt leider nicht mehr Pls selbst zugeschrieben werden. 2 stellt geschickt heraus, worin der Apostel mit dem Gesprächspartner übereinstimmt. τὸ κρίμα τοῦ θεοῦ meint den Spruch des Urteils am jüngsten Tage. Nach Aboth 3,16 sagt R. Akiba von ihm: „Das Gericht ist ein Gericht der Wahrheit." Spätere interpretieren das (Billerbeck): „Er richtet alles nach Wahrheit und nach Recht." Folgt Pls dieser Tradition, ist mit κατὰ ἀλήθειαν also die Norm des Gerichtes angegeben. Der Sinn verschiebt sich kaum, wenn man die Wendung griechisch auf den objektiv vorliegenden Tatbestand bezieht (Bauer, Wb 71; Bultmann, ThWb I, 244; Nygren; Murray). τὰ τοιαῦτα übergreift ein ταῦτα und wird in 3 wiederholt: all derartiges. Mit λογίζῃ δέ, gewöhnlich von dem zu ziehenden Schluß gebraucht, nach dem Kontext hier im Sinn von „sich einbilden" (Heidland, Anrechnung 62 f.), setzt der Angriff ein. Sap. Sal 15,8 zeigt, daß auch das traditionell geschieht: „Die Unrecht tun, entgehen nicht dem Gericht des Herrn." Das gilt selbst, wenn man sich zum Mitkritiker Gottes macht (Barth). 4 bringt keine Alternative zu 3, sondern konkretisiert. Man entgeht dem Gericht nicht, beschwört es vielmehr, wenn man Gottes Güte verachtet. Die Anlehnung an jüdische Tradition, vielleicht (Michel) der Gebetssprache, ist erneut unverkennbar. Die Stichworte χρηστότης, τὸ χρηστόν, μακροθυμία begegnen bereits in Sap. Sal 15,1. Die syr. Apk. Bar 21,20 spricht von denen, welche Gottes Langmut für Schwäche halten. Andererseits greift Pls vorhandene Anschauung an. Sap. Sal 11,23 erklärt, daß Gott Sünden um der Buße willen übersieht, und Apk. Bar 59,6 verbindet das Zurückhalten des Zorns mit dem großen Maß göttlicher Langmut. Die letzte Stelle beweist, daß ἀνοχή hier die Verzögerung des Zornes meint (Schlier, ThWb I, 361; Stählin, ThWb V, 433; anders Kühl). Die drei Gottesprädikate sind in hellenistischer Genetivkonstruktion und typisch paulinisch (Michel gegen Zahn; Kühl) von πλούτου abhängig. Die Individualisierung der Anklage mildert den Tenor von 1,18 ff., ohne ihn aufzuheben (vgl. Strobel, Untersuchungen 198 ff.). Es wird dabei deutlich, wie stark der Apostel sich auf den Gegner und dessen Prämissen einläßt, um ihn gerade von da aus zu fassen. In der ἀνοχή tritt der lange Atem der μακροθυμία zutage, welche das Judentum der Allmacht besonders zuordnet (Billerbeck). χρηστότης ist demgegenüber wie in 11,22 die beschenkende „Milde". Die rhetorische Plerophorie verleiht der Forderung von 4b Nachdruck. ἄγειν εἰς steht im präs. de conatu (Bauer, Wb 1014). μετάνοια ist (vgl. Norden, Agnostos Theos 134 ff.) dem Griechentum durchaus fremd, also nicht als „Sinnesänderung", sondern vom hebräischen שוב her als „Umkehr" zu deuten. Begegnet das Wort auffallenderweise bei Pls nur noch 2.K 7,9, das Verb in 2.K 12,21, erklärt sich das von da aus, daß in der Missionspredigt πίστις dafür eintrat. Die dauernde Forderung wurde so betont. Die Gefahr des frommen Menschen

ist, daß er Gottes Gaben von dem in ihnen mitgegebenen Anspruch isoliert und vergißt,
Langmut und Geduld auf den Richter des letzten Tages zu beziehen. Stets begehrt der
Mensch Sicherheit. Er sucht sie sich durch die moralische Position, die Verehrung der Götter oder das Vertrauen auf göttliche Güte zu verschaffen. Der als Richter erkannte Herr
begründet jedoch nicht Sicherheit, sondern zerschlägt sie. Faktisch spielen heidnische wie
jüdische Frömmigkeit stets Gott gegen Gott aus, den Geber gegen den Richter. In solchem Zusammenhang kann Buße als integriertes Moment des Glaubens nur besagen, daß
Umkehr aus dem religiös pervertierten Begehren des Menschen vollzogen werden muß,
man sich gerade dem Richter auszuliefern hat. So wird μετάνοια nur als Existenzwandel
des faktischen Menschen denkbar. 5 leitet insofern (gegen Flückiger, Werke 20) kein
neues Thema ein, ist nicht eine Widerlegung der jüdischen Auffassung von der Rechtfertigung im Gericht, sondern umgekehrt deren radikale Bestätigung.

Jener exemplarisch durch den Juden repräsentierte Mensch wird durch σκληρότης und
mit einer Explikation durch die καρδία ἀμετανόητος bestimmt. Die beiden Stichworte greifen typisch at.lich-jüdische Gerichtspredigt etwa aus Dt 9,27, aber nicht weniger aus
Qumran (Michel; Behm, ThWb IV, 1004) auf. Sie bezeichnen schon dort Verstockung
und daraus resultierende Härte, welche sich dem Anspruch des Herrn nicht öffnet, also
in einer konstitutiven Verschlossenheit der Person lebt. Die uns geschenkten Gaben werden dann als unsere Beute betrachtet, mit welcher man sich gegen den Geber selbst verteidigt, als wäre er unser Feind. Wo das jedoch geschieht, erfolgt der gleiche paradoxe
Prozeß, den 1,22 ff. geschildert hat. Gott wird tatsächlich, was wir in ihm sehen und
aus ihm machen, nämlich der zürnende Gegner. Der Unterschied zu 1,22 ff. wird durch
die apokalyptische Terminologie und Motivation charakterisiert. Jetzt wird die ἡμέρα
τῆς ὀργῆς καὶ ἀποκαλύψεως δικαιοκρισίας τοῦ θεοῦ zur Verkündigungsmitte. Umgekehrt
wird nun sichtbar, daß alles geschichtliche Verhängnis nicht bloß (Dodd) seiner Vollendung, sondern der Erhellung seines Sinnes und besser noch des in ihm wirkenden Willens
entgegendrängt. Die vom Himmel her erfolgende Offenbarung des Zornes in der zeitlichen Dimension ist trotz ihrer grenzenlosen Weite und undurchdringlichen Tiefe etwas,
das zwar erlitten, jedoch nicht in seinem eigentlichen Charakter erfaßt wird. Gottes
Recht auch über den Empörern bleibt, nicht direkt zu uns sprechend, noch merkwürdig
verborgen. Es vollzieht sich Gericht, ohne daß der Richter selber auf den Plan tritt. Erst
mit der Manifestation der δικαιοκρισία durchbricht eschatologische Klarheit das Zwielicht
des Verhängnisses. Der Richter gibt sich zu erkennen. Pls greift hier ein seltenes, erst hellenistisches Wort auf (Bauer, Wb 387), das nach Test. Levi 3,2; 15,2 (vgl. das Äquivalent „gerechtes Gericht" 1QS 5,12; dazu H. Braun, Qumran I, 172) mit dem Motiv des
Gerichtes über Schuldigen das andere des aufgerichteten Gottesrechtes verbindet. Von
da wird das bisher problematisch gebliebene Verhältnis von Gottes Gerechtigkeit und
Zorn näher bestimmbar. Beide Male geht es um die Bekundung göttlichen Rechtes gegenüber der Welt, so daß eins nicht vom andern gelöst werden kann. In ihrem Willen und
Wirken ist freilich die Bekundung jeweils grundverschieden. Die Dialektik löst sich darin, daß seit der Offenbarung der Gerechtigkeit im Evangelium das schon immer waltende und verspürte Zornesverhängnis in seiner eschatologischen Ausrichtung, nämlich als
verborgene Epiphanie des letzten Richters und als vorausgreifender Vollzug seines Urteils über einer abtrünnigen Welt erkannt werden kann. Denn erst jetzt wird Gottes
uneingeschränkte Herrschaft universal und ohne Vorbedingung als Heil verkündigt. Alles

Unheil empfängt von dort aus seine Aufschlüsselung. Umgekehrt bleibt die Gerechtigkeit Gottes als Heil die nur vom Glauben ergreifbare Gabe. Der Unglaube hebt als Ungehorsam gegenüber dem Angebot die Gabe nicht auf und beseitigt erst recht nicht den sich darin äußernden Herrn. Der verschmähte Herr kann sich jedoch, sofern er seinen Anspruch auf die Schöpfung nicht aufgibt und das in seiner Herrschaft bestehende Heil nicht selber relativiert, nur als Richter und zu unserm Unheil offenbaren. Rechtfertigungslehre und Gerichtsgedanke sind bei Pls also untrennbar aufeinander bezogen (vgl. Mattern, Gericht 71 ff.), weil es in beidem um das sich am Geschöpf verwirklichende Recht des Schöpfers als des Herrn der Schöpfung geht. Dieser Herr erscheint denen, die sich ihm öffnen, als Heil, dagegen denen, die ihm widerstehen, als Unheil, weil sie damit dem eigenen Leben Ursprung, Ziel und Weg verstellen. Eine Rechtfertigungslehre, die den Gerichtsgedanken umgeht, verliert ihren Charakter als Verkündigung der Herrschaft Gottes und damit den einzigen Grund der Menschwerdung des Menschen. Ein Gerichtsgedanke, der nicht durch die Rechtfertigungslehre Sinn erhält, vermag der Heilsgewißheit nicht mehr Platz zu lassen. Es gibt für den Apostel nicht nur die Welt unter dem Verhängnis, sondern auch den Einzelnen, dessen Existenz Gottes Zorn auf sich häuft. Von ϑησαυρίζειν wird ohne Ironie gesprochen (gegen Michel), vielmehr aus der gut jüdischen Anschauung heraus, daß man mit seinen Taten sich lebend ein Kapital im Himmel sammelt (Billerbeck I, 429 ff.; Stählin, ThWb V, 439; bildlich aber auch sonst, vgl. Bauer, Wb 714). Pls verkehrt allerdings die jüdische Erwartung in ihr Gegenteil. Für die Koine charakteristisch ist der Ersatz von εἰς durch ἐν im Sinn „für".

Ihre äußerste Zuspitzung erfährt die Argumentation, wenn der Apostel in 6 wie in 1.K 3,13 ff.; 9,17; 2.K 5,10; 9,6; Gal 6,7 ff. mit dem Zitat aus Ps 61,13 LXX, vgl. Prov 24,12, die jüdische Grundanschauung (Billerbeck) von der eschatologischen Talio nach den Werken aufgreift. Der Protestantismus ist durch dieses Theologoumenon stets in schwerste Verlegenheit gestürzt worden (vgl. die Problemgeschichte bei H. Braun, Gerichtsgedanke 14—31; Oltmanns, Verhältnis 110 ff.), und auf katholischer Seite hat man seine eigene Dogmatik nicht ohne Schadenfreude bestätigt gefunden (vgl. etwa Gutjahr). Bestimmte Lösungen sollten von vornherein als Verlegenheitsprodukte aus dem Verkehr gezogen werden, selbst wenn sie interkonfessionell vertreten wurden. Das gilt besonders für die These, die Ausführung sei hypothetisch. Pls stelle sich auf den vorevangelischen Standpunkt, um den Juden Schuld und Gericht aufzudecken, selbst wenn es das Evangelium nicht gäbe und das Gesetz erfüllbar wäre (Lietzmann; Sickenberger). Schon die vielen paulinischen Parallelen widerlegen diese Sicht, von der außerdem kein Wort etwas verrät. Richtig ist nur, daß wie in c. 7 die nichtchristliche Welt aus christlichem Aspekt gesehen wird. Doch dürfen die Stilformen der Diatribe nicht vergessen lassen, daß der Apostel zur Gemeinde, nicht pädagogisch-missionarisch zur Umwelt spricht. Unannehmbar ist weiter jede Erklärung, welche einfach die Gebundenheit des Apostels an jüdische Tradition feststellt, sich also mit Religionsgeschichte und Psychologie begnügt, auf theologische Interpretation aber verzichtet. Natürlich läßt sich ein judaisierender Rückfall selbst für Pls nicht grundsätzlich ausschließen. Umgekehrt hat er Tradition wohl durchgängig reflektiert und gerade hier auch radikalisiert (Braun, Gerichtsgedanke 48 ff.). Das Moment des eschatologischen Gottesrechtes spielt, wenn die bisherige Interpretation nicht völlig verfehlt war, zudem bei ihm eine derartige Rolle, daß es nicht auf Partien seiner Theologie oder Phasen seiner Biographie beschränkt werden darf. Von der Rechtferti-

gungslehre her ist drittens jede Theorie abzulehnen, welche zu einem „Sowohl-Als auch"
gelangt, wie das in mancherlei Variationen versucht worden ist. Pls mag nicht immer in
strenger Logik argumentieren, seine einzelnen Aussagen und selbst Intentionen mögen
sich gelegentlich widersprechen. Unter keinen Umständen darf man aber das Zentrum
seiner Botschaft nivellieren. Für ihn ist der Glaube sicher nicht ein Werk unter andern,
sei es auch das wichtigste, und ebenso sicher läßt sich bei ihm nicht eine Ergänzung von
Glaube und Werken behaupten (Sanday-Headlam; Filson, Recompense 127 ff.), wie es
notwendig eine Stufenfolge von Rechtfertigung und Heiligung einerseits oder die Annahme einer doppelten Rechtfertigung bei der Taufe und im Endgericht (J. Jeremias,
Paul and James 370 f.; Lyonnet, Gratuité 106) und der dann mögliche Ausgleich mit
Jak 2,14 ff. mit sich bringt. Man kann schließlich nicht den Widerspruch feststellen und
auffordern, ihn auszuhalten (Joest, Gesetz 165—176; vgl. Jüngel, Gesetz 73; kritisch dazu
Stuhlmacher, Gerechtigkeit 229 ff.). Sonst wird der Apostel schizophren. Von Christus
als der Erfüllung des Gesetzes wird hier noch nicht gehandelt (gegen Flückiger, Werke
23), so daß das Problem auch nicht auf diese Weise entschärft werden kann.

Entscheidend ist, die Lehre vom Gericht nach den Werken nicht der Rechtfertigung
überzuordnen, sondern sie umgekehrt aus deren Perspektive heraus zu verstehen (Mattern, Gericht 214 f.), obgleich diese Perspektive hier noch nicht erscheint. Wieder hängen
die Schwierigkeiten der Auslegung nicht zuletzt damit zusammen, daß man den Machtcharakter selbst der als Gabe empfangenen Gottesgerechtigkeit nicht gebührend beachtet,
deshalb Gabe und Geber, Geber und Richter grundsätzlich trennt. Ist die Gabe letztlich
Zeichen und Inhalt der Herrschaft Christi auf Erden, kann man nicht mehr aus eigenem
Willen und Recht leben, steht man dauernd in Verantwortung und Rechenschaft. Das
jüngste Gericht unterscheidet sich insofern nicht von jedem irdischen Tage. Zweitens ist
zu bedenken, daß nach unserer Stelle wie nach 1,22 ff. der Richter stets in der Auseinandersetzung mit menschlicher Illusion auf den Plan tritt. Illusion ist jeder Stand, der
mit dem Vergessen der eigenen Geschöpflichkeit die Herrschaft des Schöpfers antastet
und nicht aus ihr lebt, sei es heidnisch, jüdisch oder, worauf Jak 2,14 ff. mit Recht hinweist, in einem Glauben, der sich aus Erlebnissen, dogmatischen, kirchlichen Bindungen
her versteht, statt nach R 14,7 ff. seinem Herrn zu stehen und zu fallen. Von da aus
konnte Pls sich die at.lich-jüdische Maxime aneignen. Der Zusammenhang der genannten Stellen beweist allerdings, daß er es christianisierend tat (richtig H. W. Schmidt).
Nach at.licher Anschauung lebt der Mensch als Handelnder und auf dem Wege der Wanderschaft, deshalb zugleich als Hoffender, der nach Phil 3,12 f. stets neu sich danach ausstrecken muß, seinem Herrn zu begegnen. Nach Gal 5,5 erwartet deshalb gerade der
Glaube seine endgültige Rechtfertigung von eschatologischer Zukunft. Der irdische Weg
endet nicht in der Angefochtenheit des Glaubens, die gegenwärtig ihn bestimmt, sondern
in der vollen Freiheit des Seins beim Herrn, darum nach 2.K 5,10 vor dem Richterstuhl
Christi. Dort stellt sich nach 1.K 3,12 f. heraus, worauf man gebaut hat, und das wird
durch die Alternative von Gehorsam und Illusion beschrieben. Wenn Vergeltung nach den
Werken nicht mehr im Sinn des von Pls bekämpften Judentums Anerkennung menschlicher Leistung, sondern endgültige Offenbarung der Herrschaft Christi im Gericht über
alle menschlichen Illusionen bedeutet, steht der Glaubende gemeinsam mit Heiden und
Juden unter dem gleichen Maß des gleichen Herrn, ist das Gesetz des jüngsten Tages kein
anderes als das ständig bereits gegenwärtig erfahrene „Gesetz des Glaubens", nämlich

Annahme und Bestätigung der Herrschaft Christi. Das „allein aus Werken" fällt hier tatsächlich mit dem „allein aus Glauben" zusammen (Althaus). Das Mißverständnis eines „teils aus Glauben, teils aus Werken" wird gerade ausgeschlossen, als müßte es nach dem Glauben auch noch zu einer sittlichen Lebensführung kommen, über die schließlich allein gerichtet würde (exemplarisch Kühl). Der Glaube selber steht auf dem Spiel, wenn Gott die Illusionen richtet. Genau das tut er aber schon heute und täglich. So gewiß Gerechtigkeit Gottes Heil ist, so gewiß wird der diese Gerechtigkeit empfangende Glaube vor seinen Richter gestellt, ist er überhaupt nur in diesem Stande Glaube. Im Vorgriff auf die folgenden Kapitel wird man schon hier sagen dürfen, daß echter Glaube die einzige menschliche Wirklichkeit darstellt, nicht aus der Illusion zu leben, weil allein er sein Heil in der Herrschaft Christi erblickt, es aus der Hand seines Richters und im bleibenden Stand vor dessen Angesicht empfängt, also als facultas standi extra se coram deo per Christum. Wo es um die Notwendigkeit der Offenbarung göttlicher Gerechtigkeit geht, wird solche Wirklichkeit noch nicht erörtert, aber herausgestellt, daß Gottes Gerechtigkeit und Illusion sich ausschließen. Eben das besorgen unser Vers und sein Kontext.

Nicht von ungefähr sind 7—10 geradezu hymnisch und höchst rhetorisch stilisiert (Grobel, Retribution 255 ff.). 9 f. wiederholen 7 f. chiastisch. 11 ist eine formal 6 parallelisierende, inhaltlich begründende Schluß-Sentenz. Die Prädikate fehlen durchgängig in 7—10. Spricht man etwa in 8 von einem Anakoluth (Lagrange), hat man den Charakter dieser Verse als Akklamation nicht begriffen, 6 wird nicht entfaltet, sondern durch Pls als Repräsentanten der christlichen Gemeinde feierlich bestätigt. Segen und Fluch werden hier prophetisch über denen proklamiert, welche sich gegenüber dem Gesetz des jüngsten Tages in 6 adäquat oder rebellisch verhalten. Mit einem Stilmittel heiligen Rechtes, das jede hypothetische Deutung des Vorangegangenen ausschließt, wird das Kriterium des jüngsten Gerichtes in seiner universalen Tragweite und bereits in die Gegenwart projizierten Geltung enthüllt, wie es auch die Akklamationen der Apk. Joh tun. Diesem Kriterium gegenüber kommt es zur eschatologischen Trennung der Menschen, welche die Unterschiede zwischen Juden und Heiden genauso relativiert, wie es in der Verkündigung der Rechtfertigung geschieht. Das ist ein neues Indiz dafür, daß die Botschaft vom Gericht bei Pls von seiner Rechtfertigungslehre her verstanden werden muß und mit ihr gesetzt ist. Wo das Evangelium gepredigt wird, verbreitet sich nach 2.K 2,16 mit dem Duft von Leben zu Leben zugleich der vom Tode zum Tode, scheiden sich nach 1.K 1,18; 2.K 2,15 die zur Rettung Berufenen von den ins Verderben Gehenden. Man kann die Parallelität dieser Stellen unmöglich übersehen und muß unsere Verse in ihren Zusammenhang einbeziehen. Das entspricht genau dem Übergang von 1,16 f. zu 1,18. Wo Heil offenbart wird, wird auch Unheil enthüllt, und die Besonderheit unserer Stelle besteht nicht so sehr im Gerichtsgedanken als solchem wie in der apokalyptisch-universalen Dimension ihrer Proklamation. Offensichtlich ist jüdische Tradition in Fülle aufgegriffen. Doch berechtigt nichts dazu, einen semitischen Urtext anzunehmen (gegen Grobel, Recompense 259 und dessen Gliederung). Mit dem kontradiktorischen Gegensatz von ζωὴ αἰώνιος und der von Pls nur hier aus AT und LXX übernommenen Doppelwendung ὀργὴ καὶ θυμός werden ewiges Heil und Unheil bezeichnet. Der gleichen Sphäre des hellenistisch beeinflußten Judentums gehören nach 1.Pt 1,7; Apk 4,9 δόξα und τιμή als Preis und himmlische Anerkennung an. ἀφθαρσία, z. B. auch Sap 2,23 gebraucht, wechselt genauso mit εἰρήνη und steht der allerdings rein irdischen Enge und Mühsal in

4.Esra 7,95 f. entgegen. Semitisch ist die Charakteristik des Wesens durch den Ursprung in der Formel οἱ ἐκ und die Bedeutung von ἀλήθεια wie in 2,20 als Forderung Gottes in der Antithese zu ἀδικία (Bultmann, ThWb VI,4). Unsicher bleibt der Sinn von ἐριθεία. Man wird es wohl nicht von ἐρεθίζειν = widerspenstig sein" wie in Dt 21,20 LXX (Lagrange), sondern von ἐριθεύειν = „Lohnarbeiter sein und sich entsprechend benehmen" abzuleiten haben. Die Vermutung, Pls bringe es in falscher Etymologie mit ἔρις zusammen (Lietzmann; Pallis; Murray), paßt gerade hier nicht recht und ist auch sonst wenig zwingend. Der Sinn „Selbstsucht, Eigennutz" (Bauer, Wb 612; Sanday-Headlam) setzt sich heute stärker durch, auch wenn „Niedertracht" (Büchsel, ThWb II, 658), „Geltungsdrang" (Schlier, Juden 40) zu erwägen bleiben. καθ' ὑπομονὴν ἔργου ἀγαθοῦ ist zum Partizip zu ziehen. Anders als in der Genetivkonstruktion 2.K 1,6 ist dabei nicht an ein Ertragen, sondern an ein beharrliches Tun, die konsequente Verfolgung eines Ziels gedacht (Murray). Das Ziel liegt transzendent außerhalb des Bereichs irdischer Möglichkeiten, ist jedoch der Lohn einer darauf ständig ausgerichteten Konzentration, welche in ζητεῖν und der damit verbundenen Präpositionalwendung angezeigt wird. Die Antithese in 8 macht klar, daß der keine Ablenkung duldende Gehorsam beschrieben werden soll. Gehorsam und Ungehorsam lassen alternativ das Ziel erreichen oder verfehlen. Gehorsam ist demnach das eine gute Werk, das Gute von 10 schlechthin, das Kriterium der talio im Weltgericht und der Stand im eschatologisch antizipierten Segen. Ungehorsam entstammt dagegen dem auf sich selbst bezogenen Willen und bezeichnet ebenso uneingeschränkt das Böse. Er ist das Merkmal aller im Gericht enthüllten, schon jetzt unter dem Zorn stehenden Illusion des Menschen. Gewöhnlich wird behauptet, die Wiederholung von 7 f. in 9 f. sei deutlicher gegen jüdische Ansprüche gerichtet und deshalb tauche nun nicht zufällig die aus 1,16 bekannte, hier genauso gebrauchte Formel „dem Juden zunächst und auch dem Griechen" auf. Doch geht es in der Akklamation und der Modifikation der Terminologie darum, daß kommendes Gericht in Segen und Fluch bereits in die Gegenwart hineinreicht. Pls spricht in prophetischer Funktion mit wirksamer Kraft beides den jeweils Betroffenen zu. Diesen Tatbestand kann man nur als Geschehen heiligen Rechtes deuten, wie immer man die religionsgeschichtlichen Hintergründe erklärt (gegen Berger, Sätze..., der meinen Ausgangspunkt beim paulinischen Phänomen nicht ernst nimmt). Das Folgende darf dann nicht psychologisch interpretiert werden. θλῖψις, die eschatologische Drangsal, wird wie in 2.K 4,8 mit στενοχωρία als Enge der Auswegslosigkeit gesteigert, wie beide Worte schon in LXX verbunden worden waren (Lagrange; Bertram, ThWb VII, 607). Gemeint ist objektiv die Wirklichkeit eines allerseits eingekesselten, vom Zorn des Richters ohne Fluchtmöglichkeit gelassenen Lebens. Dem entspricht umgekehrt der Friede als Stand in der treuga Dei und des vorweggenommenen Reiches der Freiheit, in welchem man Raum zum Atmen und zur Aktion erhält. Das Kompositum κατεργάζεσθαι vertritt wohl wie häufig in der Koine das Simplex. So steht es schon heute um Juden und Griechen, daß sie zum göttlichen Gericht unterwegs und in dessen Ausstrahlungsbereich geraten sind. Der heilsgeschichtlich begründete Vorrang der Juden wird nicht angetastet (gegen Kühl), ist jedoch kein Privileg, auf dem man ausruhen kann. Wie nach 4,11 ff. gilt es, ihn im Gehorsam zu bewähren. Gerade er stellt stärker in die Alternative von Fluch und Segen.

Die abschließende Sentenz begründet nicht Uniformität. Gott macht nicht wie der Tod gleich, sondern gibt jedem das Seine, wie Pls zu betonen nicht müde wird (Schlatter). Das πρῶτον betrifft auch das Gericht, dessen Prämisse nicht Gleichmacherei, sondern das Maß der jedem gewährten Gabe ist. Der Übergang in die heilsgeschichtliche Dimension ist hier besonders aufschlußreich. Er zeigt, daß der Apostel sich kritisch vor allem gegen das Judentum wendet, warnt zugleich aber davor, die individualisierende Tendenz des Abschnittes zu überspitzen. Anthropologie darf das heilgeschichtliche Problem nicht relativieren oder eliminieren. Sonst würde sich das Folgende erübrigen. 11 schlägt als Ergebnis der ersten Verse und als Voraussetzung des nächsten Abschnittes speziell die jüdischen Ansprüche nieder. Die Sentenz greift auf 2.Chr 19,7 zurück, eine jüdisch auch in Jub 5,16 ff.; 33,18; Apk. Bar 44,4 reflektierte Stelle. Pls radikalisiert, indem er sie auf Juden und Heiden zugleich anwendet (Billerbeck). LXX kennt nur πρόσωπον λαμβάνειν oder θαυμάζειν. Das Substantiv begegnet nt.lich erst seit Pls. Seine Benutzung in den Haustafeln Kol 3,25; Eph 6,9 wie in Jak 2,1 spricht jedoch für vorpaulinische Tradition (Lohse, ThWb VI, 780), die auch durch Test. Hiob 43,13 und adverbiell 4,8 bestätigt erscheint (Rahnenführer, Testament des Hiob 75 f.).

2. 2,12—16: Der Besitz der Tora ist kein Privileg

12 Denn welche ohne das Gesetz sündigten, werden auch ohne das Gesetz umkommen, und welche unter dem Gesetz sündigten, werden durch das Gesetz gerichtet werden.
13 Denn nicht die Gesetzeshörer (sind) vor Gott gerecht, sondern die Gesetzestäter
14 werden gerecht gesprochen werden. Wenn also Heiden, die das Gesetz nicht haben, aus sich die (Forderungen) des Gesetzes erfüllen, sind sie sich selbst Gesetz, obgleich
15 sie das Gesetz nicht haben. Sie erweisen nämlich das Werk des Gesetzes als in ihre Herzen geschrieben, und Mitzeuge dafür sind ihr Gewissen und die sich untereinander verklagenden oder auch verteidigenden Gedanken — an dem Tage, da Gott
16 das Verborgene der Menschen richten wird nach meinem Evangelium durch Christus Jesus.

Literatur: W. Mundle, Zur Auslegung von Röm 2,13 ff., ThBl 13 (1934), 249-256. W. Brandt, Das Gesetz Israels und die Gesetze der Heiden, Kirche und Erziehung 8 (1934). R. Liechtenhahn, Evangelium wider Gesetz im Neuen Testament, 1940. F. K. Schumann, Bemerkungen zur Lehre vom Gesetz, ZsystTh 16 (1939), 600-628. G. Bornkamm, Gesetz und Natur, R. 2,14-16, Studien 93-118. R. Bultmann, Anknüpfung und Widerspruch, ThZ 2 (1946), 401-418. O. Kuss, Die Heiden und die Werke des Gesetzes (nach Röm 2,14-16), Auslegung I, 213-245. J. B. Souček, Zur Exegese von Röm 2,14 ff., Antwort f. K. Barth, 1956, 99-113. B. Reicke, Natürliche Theologie nach Paulus, SEÅ 22/23 (1957/8), 154-167. R. Walker, Die Heiden und das Gericht. Zur Auslegung von Röm 2,12-16, EvTh 20 (1960), 302-314. F. Kuhr, Römer 2,14 f. und die Verheißung bei Jeremia 31,31 ff., ZNW 55 (1964), 243-261. J. Riedl, Die Auslegung von R 2,14-16 in Vergangenheit und Gegenwart, Stud. Paul. Congr. I. 271-281. R. Hirzel, νόμος ἄγραφος Sächs. Ges. Wiss., phil.-hist. Kl. 20,1, 1900. I. Heinemann, Die Lehre vom ungeschriebenen Gesetz im jüdischen Schrifttum, Hebr. Univ. Coll. Annual 4 (1927), 149-171. W. Kranz, Das Gesetz des Herzens, Rhein. Museum f. Philol. 94 (1951), 222-241. M. Pohlenz, Die Stoa I-II, 1948/9. F. Heinimann, Nomos und Physis, 1945. H. Osborne, Syneidesis, JThSt 32 (1931), 167-179. J. Dupont, Syneidesis, Stud. Hell. 5 (1948), 119-153. C. A. Pierce, Conscience in the New Testament, 1955. B. Reicke, Syneidesis in Röm 2,15, ThZ 12 (1956), 157-161. J. Stelzenberger, Syneidesis im Neuen Testament, 1961. H. Sahlin, Einige Textemendationen zum Römerbrief, ThZ 9 (1953), 92-100.

γάϱ erläutert die Konsequenz von 11. Die dem Juden heilsgeschichtlich gewährten Gaben bewahren ihn nicht vor dem allgemeinen Gericht. Das richtet sich zunächst gegen jedes Pochen auf Empfang und Besitz der Tora als dem eigentlichen Merkmal der Unterscheidung zwischen Juden und Heiden. Die antijudaistische Tendenz des Folgenden verrät sich darin, daß Pls erst jetzt den Begriff des Gesetzes thematisch einführt. Für die gesamte Theologie des Apostels charakteristisch, wird die mosaische Tora mit dem göttlichen Gesetz derart identifiziert, daß ein übergreifender Gattungsbegriff νόμος wegfällt und infolgedessen auch das Fehlen des Artikels bedeutungslos wird (Lietzmann; Bläser, Gesetz 1 ff.). Bekannt ist zwar der verallgemeinernde Gebrauch des Wortes im Sinne von „Norm", den das Griechentum dem Apostel anbot. Er schränkt jedoch die Tora nicht so ein, daß sie zu einem Gesetz unter andern würde. Die Tora greift im Gegenteil in eigentümlicher Weise über den Bereich Israels in die Welt hinaus, wie sich alsbald zeigen wird. Ihr spezifisches Kennzeichen ist ihre schriftliche Fixierung. Eben darin hat sie Klarheit und verpflichtende Macht, welche nach paulinischer wie jüdischer Anschauung allen sogenannten ungeschriebenen Gesetzen nicht in solchem Maße eigen sind (Heinemann, Die Lehre 150 ff.). Die Unvergleichlichkeit der Tora läßt Pls den Nichtjuden als ἄνομος bezeichnen. Von diesen Prämissen aus wird die unbedingte Gültigkeit des Grundsatzes in 11 durch 12 in zwei parallelen Sentenzen festgestellt. Sünde zieht, wo immer sie geschieht, Gericht nach sich. Außerhalb des Bereiches der Tora geschieht das in der schicksalhaften Vergeltung von c. 1, die den Tod heraufführt. Gegen den schuldigen Juden tritt aber, gleichsam den Geber vertretend, die ihm verliehene Gabe des Gesetzes als Ankläger und Mittel des persönlich ergehenden Gerichtes auf und bekundet darin ihren Charakter als Macht. 13 zeigt begründend, daß der Nachdruck auf der zweiten Sentenz liegt. Die Antithese von ἀϰροαταί — ποιηταί νόμου entstammt in ihrem Sachgehalt jüdischer Tradition, erscheint so auch in Jak 1,22 und hat mindestens in älterer Zeit den gleichen Akzent wie hier (Billerbeck). Die Futura der Verben, deren Passiv göttliches Handeln umschreibt, sind eindeutig eschatologisch. διϰαιοῦσθαι bedeutet in Entsprechung zu ϰρίνεσθαι „als gerecht erklärt werden" (Stuhlmacher, Gerechtigkeit 217 ff.). Die typisch semitisierende Formel δίϰαιοι παρὰ θεῷ (Michel) stellt δίϰαιος klar als Relationsbegriff heraus. Mit 14 vollzieht Pls, wieder mit argumentierendem γάρ, den Übergang zur konkreten Anwendung, also nicht zu einem Exkurs. Der zunächst überraschende Blick auf die Heiden ergibt sich logisch, sofern auch die „Gesetzlosen" von 12a nicht ohne Ankläger und ohne jegliches Gesetz sind, darum möglicher Strafe unterliegen. ἀνόμως in 12a wird in gewisser Hinsicht jetzt korrigiert (Bornkamm, Gesetz 100). Damit verschärft sich zugleich der Angriff auf die Juden: Das Gesetz ist keineswegs ihr unantastbarer Privatbesitz. Die Richtung der Beweisführung kehrt sich um. Wurde bisher vom Gesetz zur Tat gerufen, wird nun von der Tat auf das sie wirkende Gesetz zurückgeschlossen. Das hat nichts mit einem plötzlich optimistischeren Urteil über die Heiden (Dodd; M. Barth, Speaking of Sin 290) oder (richtig Bornkamm, Gesetz 99 gegen Flückiger, Werke 26) mit der pelagianischen Frage einer sittlich zu begründenden Gerechtigkeit zu tun. Es geht weiterhin ausschließlich um die Unentrinnbarkeit des universalen Gerichts. Schließlich ist die vorsichtige Formulierung ebenso zu beachten wie die radikale Intention. Pls bezieht analog zu 1,20 f. (Bornkamm, Gesetz 99) sich auf den Bereich des Erfahrbaren. ὅταν = „immer, wenn" (Bauer, Wb 1165). Vor ἔθνη fehlt der Artikel kaum absichtslos: Es geht nicht um alle Heiden (richtig v. Dülmen, Gesetz 76 f.; gegen Walker,

Heiden 304), aber auch nicht um Ausnahmen (Lagrange). Ähnlich schwebend wird statt von νόμον von τὰ τοῦ νόμου gesprochen, was weder (Lackmann, Geheimnis 222 ff.) die Bemühung um die Erfüllung des Gesetzes noch (Flückiger, Werke 28; Gaugler) das „Vollwerk" oder (Gutjahr) das ganze Gesetz meint. Es handelt sich vielmehr, dem ὅταν entsprechend, um die in konkreter Situation begegnenden Forderungen des Gesetzes, die als solche keineswegs erkannt zu werden brauchen (Bläser, Gesetz 69; anders Walker, Heiden 305). Es ereignet sich eben immer wieder, daß die „Gesetzlosen" den Willen des Gesetzes faktisch erfüllen (Maurer, Gesetzeslehre 68). Sie tuen es φύσει. Um die Interpretation dieses Wortes, mit dem nochmals die Problematik einer theologia naturalis bei Pls aufbricht, streiten sich Theologen und Philologen aufs heftigste und ohne Aussicht auf Verständigung. Votiert der Apostel hier im Sinne eines jedermann vertrauten Naturgesetzes (neben vielen katholischen Theologen auch Fuchs, Lex 27 f.; Dodd; Lietzmann; Bornkamm, Gesetz 101; Norden, Agnostos Theos 122; Pohlenz, Paulus 69 ff.; Kranz, Gesetz 222 ff.), aus dem vielleicht sogar naturrechtliche Folgerungen zu ziehen sind? Variiert und modifiziert er wenigstens die griechische Anschauung vom νόμος ἄγραφος, welcher den Grund und die Norm kodifizierter Gesetzgebung bildet oder sich in seiner Ursprünglichkeit und Universalität gegen die willkürlichen θέσεις politischer Machthaber wendet (vgl. Huby; Kuhr, Verheißung 255 ff.)? Daß der Mensch sich selbst Gesetz sei oder werden könne, erinnert an Aussagen wie Arist. Nik. Eth. IV, 1128a 31: ὁ δὲ χαρίεις καὶ ἐλεύθερος οὕτως ἕξει οἷον νόμος ὢν ἑαυτῷ (weitere Parallelen bei Lietzmann; Bornkamm, Gesetz; Kleinknecht, ThWb IV, 1025; Pohlenz, Stoa I, 133. 201 ff.; II, 101). Die Wendung γραπτὸν ἐν ταῖς καρδίαις αὐτῶν läßt sich durchaus im Sinn des „ungeschriebenen Gesetzes" verstehen. Schließlich ist der Verweis auf die συνείδησις erst auf griechischem Boden möglich. Daß Pls die Vorstellung vom νόμος ἄγραφος gekannt und aufgegriffen haben könnte, ist nicht zu bestreiten. Sie wird nicht bloß durch Philo und 4.Makk 5,25 bezeugt, sondern hat sich sogar im palästinischen Judentum angesiedelt (I. Heinemann, Lehre 163 ff.). Dort diente sie freilich dem Zweck, die Kenntnis der Tora bereits der Patriarchenzeit zuschreiben zu können, wie in syr. Apk. Bar 57,2 oder wie in 1QS X, 6.8. 11 das auf himmlischen Tafeln „eingegrabene Gesetz" der göttlichen Weltordnung und zumal der Zeitenfolge herauszustellen (vgl. auch Koester, ThWb IX, 267 f.; dagegen Walker, Heiden 305 f.). Gleichwohl empfiehlt sich mindestens unserer Stelle gegenüber äußerste Zurückhaltung (Kuss; Ridderbos). Ein durchschlagender Beweis dafür, daß sie von der griechischen Anschauung aus verstanden werden müsse, ist nicht erbracht und nicht einmal wahrscheinlich. Sieht man von dem Sonderfall in 1.K 11,14 ab, wird φύσις von Pls außerordentlich farblos gebraucht. Daß der ohnehin für den philosophischen Sprachgebrauch nicht charakteristische Dativ (Bonhöffer, Epiktet 148) instrumental den Grund für das Tun des Gesetzes angibt, ist (gegen Bornkamm, Gesetz 103) weder aus seiner adverbialen Stellung noch aus dem Nachsatz zu erschließen. Im Gegenteil bringt ἑαυτοῖς eine sachliche Entsprechung. Die Bedeutung von φύσει = „von selbst", „von Haus aus", „als solche" ist allein angemessen, weil der Apostel in Gal 2,15; 4,8 und ebenso Eph 2,3 das Sein der Juden, der Kinder des Zorns, der Götzen nicht auf die Natur zurückführen kann und will. Die Umschreibung durch „Naturanlage" (Kühl; Lietzmann; Althaus; Brunner; Kuhr, Verheißung 256 ff.; W. Bauer, Wb 1719), „sittliches Bewußtsein" (Huby), „Ordnungsbewußtsein, Schöpfungsordnung" (Kuss), „Artgemäßheit" (Souček, Exegese 109), Geschöpflichkeit (Michel) gibt dem Wort ein Gewicht, das allenfalls der ganzen Prädikatsbestimmung zukommt und teilweise diese noch überschreitet. Der Apostel charakterisiert in 14 nicht eine Verfassung des Menschen, sondern ein bestimmtes, nicht durch die Tora bewirktes Tun. Die Pointe des Nachsatzes wird verdorben, wenn man die Reflexion über die Möglichkeit eines derartigen Tuns in den Vordersatz hineinträgt. Es geht zudem Pls nicht um die Einordnung des Menschen in ein Ordnungsgefüge, wie naturrechtliche Konsequenz eines griechischen Verständnisses annimmt, sondern, wie sich aus 15 ergibt, um die Krise der Existenz.

Eine Steigerung führt ebenfalls von τὰ τοῦ νόμου zum Nachsatz. Pls will zweifellos weder sagen, die Heiden seien sich selber ein Gesetz, noch weniger aber, sie hätten in verschiedener Weise das gleiche Gottesgesetz wie die Juden (gegen Bornkamm, Gesetz 101). Denn der Apostel hat die Tora nicht auf das Sittengesetz beschränkt (gegen Moule; Gutjahr; Bardenhewer) und so nivelliert. Alles kommt ihm darauf an, daß auch die Heiden den transzendenten Anspruch des göttlichen Willens erfahren und sich darin — weder „das" noch „ein" — Gesetz werden. Damit stehen sie zwar nicht in Identität, jedoch in gewisser Analogie (Michel) zu den Juden. Sie verspüren, daß der Mensch in Frage gestellt und von außerhalb seiner selbst her gefordert wird, und tuen es paradoxerweise gerade in ihrem Inneren. 15 hat bestätigenden Sinn, wird deshalb wie in 1,25. 32 mit begründendem οἵτινες eingeleitet. ἐνδείκνυσθαι wird wie in 9,22; 2.K 8,24 gebraucht, hat hier aber forensischen Sinn (Schlatter): mit der Tat erweisen. Schon das Judentum hat, wie 4.Esra 3,33—36 zeigen, heidnischer Ethik Rechnung getragen oder heidnische Schuld konstatiert, indem es von „adamitischen" oder „noachischen" Geboten sprach und deren Erfüllung durch einzelne Heiden anerkannte (Billerbeck). Pls sagt jedoch mehr, wenn er ihnen das Werk des Gesetzes ins Herz geschrieben sein läßt. Weil kein eschatologischer Tatbestand aufgedeckt wird, ist nicht die Verheißung Jer 38,33 LXX im Spiel (gegen Zahn; Lietzmann; Nygren; Souček, Exegese 101 f.). Man mag sogar bezweifeln, daß daran mit der Formulierung erinnert wird (gegen Bornkamm, Gesetz 107; Kuss; dagegen Kuhr, Verheißung 259). Die Pointe der Wendung ist wohl darin zu sehen, daß den Heiden zwar nicht der jüdische Vorrang des geschriebenen vor dem nicht fixierten Gebot zugebilligt wird. Sie besitzen nicht das auf göttlichen Tafeln Geschriebene. Immerhin ist ihnen etwas „eingeschrieben". Sie haben etwas der γραφή Analoges und sind darauf ansprechbar wie die Juden auf die von ihnen empfangene Tora. Sie können dem so wenig entfliehen wie sich selbst. Die Ausdrucksweise verfolgt also das gleiche Ziel wie die Anschauung vom νόμος ἄγραφος, nämlich den Menschen auf das ihn unbedingt Verpflichtende zu stellen. Doch geschieht das hier aus jüdischen Prämissen, wird deshalb statt vom Ungeschriebenen gerade von einem allerdings sonderbar „Geschriebenen" als nicht zu leugnend gesprochen, wie es sehr lehrreich für unsern Text auch Test. Jud 20,3 f. tut. Mit „Werk" des Gesetzes wird offensichtlich auf τὰ τοῦ νόμου zurückgegriffen. Der Singular ist äußerst ungewöhnlich (Nygren; Michel; anders Bornkamm, Gesetz 106), die Genetivkonstruktion, zudem nicht abwertend gebraucht, sogar singulär (Mattern, Gericht 144 f.). Die Übersetzung mit „Kern" (Lietzmann; Kuss), „Inbegriff" (Schlier, Juden 43) trifft nicht. Es geht generell (Kühl) um die jeweils vom Gesetz verlangte konkrete Tat (Lagrange; Schlatter; Asmussen). Anders kommt man zu einem Nomos, wie die Juden ihn für die Patriarchen behaupten und nach Pls nur die Christen ihn erfüllen. Hier geht es jedoch darum, daß selbst Heiden den göttlichen Willen zwar nicht aus der Tora als solcher, wohl aber gleichsam abgeschattet aus dem ihrem Herzen Eingeschriebenen erfahren. Beläßt man dem Text nicht das Schwebende und begründet man ihn metaphysisch, wird man in der Abwehr eines befürchteten Pelagianismus nur schwer der Fehldeutung Augustins von ἔθνη auf die Heidenchristen entgehen (Mundle, Auslegung 249 ff.; Flückiger, Werke 34 ff.; Souček; dagegen Leenhardt; Schrage, Einzelgebote 191 ff.), die nur lexikalisch möglich ist (vgl. Buhr, Verheißung 234 ff.). Denn weder wird die Spontaneität des geistgewirkten Handelns bei Pls statt vom Geist her durch φύσει ausgedrückt, noch ist der Christ sich selbst Gesetz oder ein ἄνομος, sofern er dem Gesetze Christi untersteht. Es ist absurd, 15 auf ihn zu beziehen, wenn man nicht auch 7,7 ff. auf ihn gehen läßt. Die ganze Argumentation läuft schließlich (Schrage, Einzelgebote 192 f.) darauf hin, daß der Torabesitz nicht einmal gegenüber den Heiden als uneingeschränktes Privileg verteidigt werden kann. Für den Christen ist das selbstverständlich (vgl. Bornkamm, Gesetz 109 f.). Immerhin zeigt die Diskussion, wie vorsichtig hier zu interpretieren ist.

In 15b wird das Gewissen als Zeuge weder für das Gesetz noch für das Subjekt des Verbs, sondern für den damit beschriebenen Vorgang benannt. Daß dabei die at.liche Regel Dt 19,15 beachtet würde, ist nicht beweisbar. Pls führt den biblisch nur noch in Sap. 17,10 gebrauchten, dann auch in Test. Rub 4,3 aufgegriffenen Begriff συνείδησις in das NT ein. Er wird fälschlich noch immer der Stoa zugeschrieben, gehört aber der Popularphilosophie zu (vgl. Maurer, ThWb VII, 897 ff.) und bezeichnet zunächst (vgl. Dihle, RAC VI, 686) die Wahrnehmung eines an den Menschen gerichteten Anspruches. Von νοῦς hebt er sich dadurch ab, daß dieser Anspruch absolut verpflichtend ist und dazu zwingt, die eigene Reaktion darauf kritisch zu überprüfen (Bultmann, Theol. 217 ff.). Reflektiert man gleich über die Ausrichtung auf Gottes Gebot (Michel) oder das innere Gesetz (Dodd), wird man zu einem Verständnis im Sinn eines Normenbewußtseins getrieben, wie es der späteren Anschauung entspricht. Pls geht es um jenes Bewußtsein um sich selbst, das sich kritisch gegen die eigene Lebensführung zu wenden vermag. Reizvoll ist die Annahme (Bornkamm, Gesetz 111 ff.), unsere Stelle stände in der pythagoräischen Tradition des examen conscientiae. Nach Seneca, de ira III, 26,1 läßt es den römischen Philosophen Sextius jeden Abend sich fragen: Quod hodie malum tuum sanasti? Cui uitio obstitisti? Qua parte melior es? Seneca selber kann ep. 28,10 von da aus raten: Ideo quantum potes, te ipsum coargue, inquire in te; accusatoris primum partibus fungere, deinde judicis, novissime deprecatoris. 15c scheint dadurch trefflich illustriert zu werden. Gleichwohl ist die Vermutung nicht zu halten. So eng Pls die anklagenden und sich verteidigenden Gedanken mit dem Gewissen und mit dessen sonst beschriebener Funktion verbindet, so unübersehbar hat συνείδησις hier wie in 9,1 und zumeist im profanen Wortgebrauch nur die eine Aufgabe des Zeugen. So weist 15c auch nicht auf ein Organ der Meditation (Bornkamm, Gesetz 115 gegen Flückiger, Werke 35 f.). Vor allem sollte man die in 14b—15 scharf abgegrenzten Sachverhalte nicht um ihre Nüancen bringen, indem man von vornherein allen Nachdruck modern auf die Rolle des Gewissens fallen läßt (gegen Barrett; Kuss) und dann das 15c einleitende καί explikativ versteht (Lagrange). Noch abwegiger ist es (Reicke, Natürliche Theologie 158 ff.), λογισμῶν als gen. obj. zu συνειδήσεως zu ziehen: „Bewußtsein oder Gefühl für die Gedanken“. Ebenso verkehrt ist es vom Kontext her, αὐτῶν in 15b und μεταξὺ ἀλλήλων in 15c antithetisch zu fassen und bei λογισμῶν, wie G es mit der Lesart διαλογισμῶν tut, an jene Urteile zu denken, welche man gegenseitig übereinander fällt (Kühl; Gutjahr; Schlatter; Althaus; Heidland,

ThWb IV, 290; Gutbrod, ebd. 1049; richtig Maurer, ThWb VII, 915). Pls kommt es auf die forensische Situation (Lackmann, Geheimnis 221 ff.) im inneren Menschen (Sanday-Headlam; Ridderbos) an, wie schon die juridische Terminologie anzeigt. Sie äußert sich im Widerspruch von Anklage und — ἢ καί wie in 2.K 1,13 — Verteidigung wie in der völlig ungriechischen Funktion des Gewissens als eines eschatologischen Zeugens. Das heißt nicht, der Apostel sei am menschlichen Selbstgericht in der Eigenkritik nicht interessiert (gegen Bornkamm, Gesetz 115). Die Pointe liegt darin, daß gerade in solcher Kritik sich schattenhaft das jüngste Gericht vorausprojiziert. In der actio seiner Entscheidungen für jenen transzendenten Anspruch, den er statt aus der Tora in der eigenen Existenz erfährt, wie in der Reactio der Selbstkritik wie in der unaufhörlichen Dialektik seiner Urteile über sich selbst wird nach dem Apostel deutlich, daß es für den Menschen Kriterien gibt, die er sich nicht selbst gesetzt hat. Sofern sie sich im allgemeinen gegen ihn wenden, mag er sie leugnen oder sich gegen sie wehren. Zum Schweigen bringt er sie nicht. Statt dessen zeigt sich in seiner Auseinandersetzung mit ihnen, daß er selber wie nach 7,7 ff. in einem tiefsten Widerspruch steht. Anders als die griechische Anschauung vom νόμος ἄγραφος spricht Pls gerade nicht von dem Gesetz, das uns in ein metaphysisches Ordnungsgefüge und in Harmonie mit dem uns umgebenden All, in eine moralische Weltordnung (Dodd) oder auch nur ein natürliches Sittengesetz (Sickenberger; Best; Baulès) stellt, erst recht nicht von dem mit uns geborenen Recht oder dem uns leitenden sittlichen Ideal. Er weist vielmehr auf die große Störung hin, die denen widerfährt, welche in sich selbst einem von fremder Hand Geschriebenen begegnen und sich mit Selbstkritik wie Selbstverteidigung vor einem fremden Forum stehend vorfinden. Der Mensch ist gerade in seinem Innersten nicht sein eigener Herr. Er gibt sich nicht die gegen ihn gerichteten Kriterien und würde, wenn er es könnte, die Spaltung seines Ich und die Dialektik seiner Existenz beenden. Ein anderer blickt uns an, wenn wir gegen uns selber kritisch werden müssen, und er widerspricht uns im Widerspruch unseres Lebens. Der Schatten des Richters umgibt uns nicht bloß wie nach 1,22 ff. von draußen. Er fällt in unser Inwendiges (vgl. Schlatter) und macht es zum Tribunal. Das ist der Fortschritt über 1,18 ff. hinaus: Der schicksalhaft waltenden ὀργή über der heidnischen Welt entspricht (vgl. Pierce, Conscience 85) der heimliche Gerichtstag in unserm Dasein. Mag die Existenz noch so depraviert sein, Gewissen und Urteil noch so sehr verschiedenen Einflüssen und dauernden Schwankungen unterliegen, keinesfalls spielen wir lebenslang in Anklage und Verteidigung Gericht mit uns selbst außer unter dem Zwang eines uns noch verborgenen Richters. Das kann natürlich nur der Glaube verkündigend sagen (Schlier, Juden 43). Immerhin zeigen die antike Tragödie wie die hellenistische Erörterung des Gewissensproblems, daß diese Verkündigung an heidnische Erfahrung anknüpfen konnte.

Von da aus muß 16 interpretiert werden. Die Schwierigkeiten ballen sich hier nochmals. Sachlich bedeutungslos sind die Varianten des Eingangs (vgl. Lietzmann). Ihre Entstehung ist am einfachsten aus der Sonderlesart in B ἐν ᾗ ἡμέρᾳ zu begreifen. Das versehentlich einmal ausgefallene ᾗ führte zum ägyptischen Text und dem von den meisten Zeugen vertretenen byzantinischen. Fast allen Auslegern erscheint unverständlich, wieso das in 15 beschriebene Geschehen sich zugleich zukünftig bekunden soll. Man hat alle denkbaren Lösungen durchprobiert. 16a wurde auf den irdischen Tag der Begegnung mit dem Gotteswort bezogen (H. E. Weber, Beziehungen 142 ff.) oder auf den der Bekehrung (Reicke, Natürliche Theologie 161). 16 sollte seinen ursprünglichen Platz hinter 13 haben (Sanday-Headlam; Dodd; Kirk). Häufig erklärte man 14 f. als Parenthese. Erschien das schon wegen der Länge unglaubwürdig, beschränkte man die These auf 15b (Mundle, Auslegung 255). Zur Streichung von ἡμέρᾳ und der Verbindung des Relativs ἐν ᾗ mit συνειδήσεως (Sahlin, Emendationen 93) gesellte sich der radikale Vorschlag, 14 f. und 26 f. um ihres Inhaltes willen als Glossen zu erklären (J. Weiss, Beiträge 218). Man braucht auf diese offensichtlichen Verlegenheitseinfälle nicht einzugehen. Meint man, mit einem Eingriff in den ursprünglichen Text rechnen zu müssen, empfiehlt sich am meisten die Annahme einer Glosse für 16. Dann läßt sich zugleich das etwas schwierige, nur deuteropaulinisch in 16,25; 2.Tim 2,8 bezeugte κατὰ τὸ εὐαγγέλιόν μου als Reminiszenz an 1.K 4,5 begreifen (Bultmann, Glossen 200 f.; Bornkamm, Gesetz 118; kritisch dagegen Walker, Heiden 311). Im allgemeinen stellt man fest, die Satzkonstruktion sei zu lang geraten und deshalb gewaltsam mit locker angehängtem Nachsatz beendet worden. Ein Zwischengedanke sei zu ergänzen, nämlich: das wird sich zeigen (Michel; Leenhardt; Huby). Doch erübrigt sich der letzte Vorschlag, wenn man ἐνδείκνυνται wie κρίνει, falls nicht überhaupt κρινεῖ zu lesen ist, futurischen Sinn gibt (H. W. Schmidt; Ridderbos). Wie 5 vom „Sammeln" ἐν ἡμέρᾳ ὀργῆς sprach, so erfolgt der Erweis auch hier am Gerichtstag. Gegen die Vermutung, 16 sei eine Glosse, ist einzuwenden, daß der Hinweis auf das Endgericht unentbehrlich ist. Der Kontext bleibt ein Torso ohne ihn, solange man nicht das Vorangegangene auf die Glaubensgerechtigkeit der Heidenchristen bezieht. Der in 15 geschilderte Prozeß kann unmöglich ohne letzte Klärung und Krisis bleiben, in welcher der bis dahin verborgene Richter hervortritt. 14 f. gehören eben nicht derart zusammen, daß in ihnen (Bultmann, Glossen 200 f.) der Beweis für das dereinstige Gericht gegeben wird. Von 14 führt eine Steigerung zu 15: Diejenigen, die nicht einfach aus jüdischer Sicht „gesetzlos" genannt werden können, weil ihre guten Taten auf so etwas wie ein Gesetz über ihnen schließen lassen, befinden sich zugleich in forensischer Situation. Mit ihrer Existenz im Widerspruch deuten sie auf einen Gerichtstag, von dem 16 offen redet. Die Behauptung ist unbefriedigend, dieser Hinweis genüge als solcher und brauche nicht erst von 16 her seine Auflösung zu erhalten (Bornkamm, Gesetz 118). Denn 14 f. beweisen für sich nicht mehr, als daß der Heide nicht völlig ohne Gesetz ist und gerade deshalb in Selbstwiderspruch gerät. Bei einer anderen Interpretation rächt sich, daß das Schwergewicht auf 14a gelegt und das Zentrum der Aussagen in einer Variation des Motivs vom νόμος ἄγραφος gefunden wurde. Dann wird das Folgende zur Konsequenz statt zum Ziel und eigentlichen Anliegen der Argumentation. Daß Pls mit ungeheurer Kühnheit in 15 Apokalyptik in die Anthropologie projiziert und 16 vor einem psychologischen Mißverständnis dieser Anthropologie schützt, ist nicht erkannt, obgleich c. 5 und c. 7 in ihrer Komplementarität dasselbe tun. Die vorläufig feststellbaren Phänomene sind denn auch keineswegs unbestreitbar und jedermann sichtbar (gegen Bultmann, Glossen 201). Sie sind es in ihrer psychologischen Vorfindlichkeit, nicht in ihrem eschatologischen Sinn (H. W. Schmidt; Walker, Heiden 313), und Pls zählt sie deshalb nicht gedankenlos zu den κρυπτὰ τῶν ἀνθρώπων. Sie müssen erst noch entziffert werden. Der Mensch ist darauf ansprechbar, aber keineswegs festlegbar. Erst Gott wird darauf festlegen. Damit ist das Ziel des Abschnittes erreicht: Wie der Jude kann auch der Heide die Proklamation des jüngsten Gerichtes und der dort geltenden Kriterien vernehmen. Der Schluß unterstreicht mit einer feierlichen Formel. Evangelium meint hier einfach die apostolische Predigt. Paulinisches Evangelium ist, von der Kehrseite her betrachtet, daß als unantastbar erscheinende Privilegien fallen, Illusionen aufgedeckt werden und darin das kommende Gericht sich ankündigt. Die von der liberalen Auslegung hier empfundenen Aporien sind nicht vorhanden, weil gerade unser Kapitel herausstellt, daß und inwiefern die Verkündigung des Gerichts untrennbar zum Evangelium gehört. Umgekehrt ist solches Evangelium für die urchristliche Missionspredigt konstitutiv (Molland, Evangelium 96). Für Pls ist einzig die Radikalität charakteristisch, in der diese Botschaft von der Rechtfertigungslehre her ihre Zuspitzung erhält. Daß die hier verwandte Schlußformel im deuteropaulinischen Schrifttum wiederkehrt, begreift sich leichter, wenn man dabei auf den Apostel zurückgriff. διὰ Χριστοῦ Ἰησοῦ sollte schon um seiner Stellung willen nicht zu κρινεῖ (Schlatter) gezogen werden. Es endet liturgisierend den Abschnitt.

3. 2,17—24: Jüdische Gesetzesübertretung

17 Wenn du dich aber „Jude" nennst und dich verläßt auf das Gesetz und dich Gottes
18 rühmst und den (göttlichen) Willen kennst und prüfen kannst, worauf es ankommt,
19 aus dem Gesetz unterwiesen, und dir zutraust, zu sein ein Führer der Blinden, ein
20 Licht derer in Finsternis, ein Erzieher der Unverständigen, ein Lehrer der Unmün-
21 digen, die Ausprägung der Erkenntnis und Wahrheit im Gesetz besitzend, — der du also den andern lehrst, dich selbst lehrst du nicht? Der du predigst: Nicht steh-
22 len!, du stiehlst? Der du sagst: Nicht ehebrechen!, du brichst die Ehe? Der du die
23 Götzen verabscheust, beraubst Tempel? Du rühmst dich des Gesetzes, — durch
24 Übertretung des Gesetzes entehrst du Gott. Denn geschrieben steht: Der Name Gottes wird um euretwillen unter den Heiden gelästert.

Literatur: G. Bornkamm, Paulinische Anakoluthe, Ende des Gesetzes 76-92. G. Klein, Studien über Paulus, Beitr. z. Religionswissenschaft 3, 1918. A. Fridrichsen, Der wahre Jude und sein Lob. Röm 2,28 f., Symbolae Arctoae I, 1927, 39-49. R. Hermann, Über den Sinn des μορφοῦσθαι Χριστὸν ἐν ὑμῖν in Gal 4,19, ThLZ 80 (1955), 713-726. M. Philonenko, Le maître de justice et la Sagesse de Salomon, ThZ 14 (1958), 81-88. L. Goppelt, Der Missionar des Gesetzes, Basileia (Festschr. W. Freytag), 1959, 199-207 (Nachdruck in Christologie und Ethik, 1968, 137-146). J. Murphy-O'Connor, Paul and Qumran 1968, 179-250.

Der Abschnitt geht zum konkreten Angriff auf die Juden über (gegen Ulonska, AT 163, der von den römischen Judenchristen spricht). Die Wendung in 3 ὁ κρίνων ... καὶ ποιῶν αὐτά wird geradezu begründet. Der Anspruch des wohl pharisäischen Frommen und seiner rabbinischen Führung wird christlich zwar nicht anerkannt, jedoch nicht (Schlatter; Nygren gegen Kühl; Lagrange u. a.) ironisiert. Die jüdische Praxis wird ihm entgegengehalten, wobei der Angriff sich noch stärker als in 1,22 ff. an äußerster Perversion orientiert. Das Judentum hat selbst den moralischen Verfall in den Erschütterungen vor dem jüdischen Kriege lebhaft beklagt (Billerbeck). Im allgemeinen war pharisäisches Leben aber rigoros und für Heiden nicht selten sogar anziehend. Diese Feststellung berechtigt freilich nicht dazu, 21 ff. übertragen zu verstehen (gegen Barrett; Goppelt, Missionar 204 ff.). Es läßt sich nicht einmal (gegen Goppelt 203) sagen, hier würden wie im

essenischen Schrifttum Typen dargestellt. Wieder zeichnet vielmehr apokalyptische Betrachtungsweise das, was empirisch Ausnahme sein mag, als für die Gemeinschaft repräsentativ. 17—20 bilden ein Anakoluth, das für paulinische Diktion charakteristisch, nicht
nur das Temperament des Apostels und seine Rhetorik bekundet, sondern der Sache angemessene Wirkung bezweckt. Die imponierend aufgetürmten Vorzüge des Juden brechen wie eine sich überschlagende Welle auf ihrem Höhepunkt in sich zusammen. So bilden die Schärfe und Härte der Anklagen in den knappen Fragesätzen 21—22 gleichsam
ein Sperrfeuer, das dem Angeredeten keinen Ausweg läßt. Stilistisch kann die Diskrepanz zwischen Anspruch und Leistung kaum eindrücklicher hervorgehoben werden (z. T.
wörtlich nach Bornkamm, Anakoluthe 78). Der Einfluß der Diatribe ist unverkennbar
(Bultmann, Stil 70), wie die ausgezeichneten Parallelen bei Epiktet, Diss. II, 19,19 ff.;
III, 7,17 zeigen, die nach dem Wesen des wahren Stoikers fragen (Fridrichsen, Der
wahre Jude 45). Die byzantinische Lesart ἴδε in 17, die das Anakoluth beseitigt, ist ein
klassisches Beispiel für Itazismus. Die fünf Verben in 17 f. kennzeichnen die aus dem
Besitz der Tora gewonnene Einstellung. Die Partizipialwendung 18c ist gleichsam ein
erster Haltepunkt, der dem neuen Vorstoß in 19 f. Raum gibt. Vier substantivische
Wendungen lösen nun die vorangehenden Verben ab. Erneut schafft in 20c ein Partizipialsatz, die jüdischen Selbstprädikationen begründend, eine rhetorische Ruhepause, ehe
in 21 f. vier schneidende Fragen den Kontrast zwischen Lehre und Leben des Gegners
konstatieren. Wenn in 23 der Partizipialstil relativisch abgelöst wird, zeigt sich schon
damit die Summe des Ganzen an. Sie wird in 24 mit den Worten der Schrift und in ihrer
Autorität gezogen. Die Analyse beweist, daß man von einem rhetorischen Meisterstück
sprechen darf.

    Der zunächst von der Umwelt gebrauchte Titel „Jude" wurde (vgl. Kuhn-Gutbrod,
ThWb III, 360 ff.) in der Diaspora eine Selbstprädikation für die Anhänger des at.lichen
Monotheismus (Billerbeck). Inschriften verwenden ihn als cognomen. Doch besagt ἐπονο-
μάζειν hier kaum mehr als „nennen". Ebensowenig muß bei ἐπαναπαύεσθαι = „sich ausruhen, sich verlassen auf" der tadelnde Nebensinn aus Micha 3,11 entnommen werden.
Das gilt noch mehr für καυχᾶσθαι ἐν θεῷ. Zu all dem wird der Jude vom AT gerufen.
Der Angriff folgt erst. Selbst die Aufzählung der Titel in 19 f. referiert zunächst einfach die aus jüdischer Position sich ergebenden Ansprüche (Conzelmann, ThWb IX, 337
mit Parallelen). Fragwürdig wird das erst, wenn es nicht mehr von der Realität gedeckt
wird. Allerdings bereitet die Häufung der Prädikationen darauf vor, daß Pls das be-
haupten will. Das aus Jer 9,23 stammende καυχᾶσθαι ist ein Schlüsselwort paulinischer
Theologie, von dem aus wahre und falsche Religiosität unterschieden werden. Es läuft
πεποιθέναι parallel. Beide Male ist das Moment des Vertrauens konstitutiv, das sich in
Wort und Verhalten äußert (Bultmann, ThWb III, 649; Theol. 243). Sein Recht oder
Unrecht beruht allein auf dem Gegenstand, der durch die Alternative von Gott und
Fleisch bestimmt wird. Seine Problematik liegt darin, daß man auch religiös Gott und
Fleisch verwechseln kann. Wie in 1.K 16,12 umschreibt das absolut gebrauchte θέλημα
gut rabbinisch den göttlichen Willen, der at.lich-jüdisch als der eigentliche Inhalt des
γινώσκειν gilt. Es gibt diese Erkenntnis nicht ohne kritische Prüfung, welche τὰ διαφέ-
ροντα feststellt, nämlich im Unterschied zu ἀδιάφορα (W. Bauer, Wb 378; Lietzmann;
Ridderbos) das, worauf es ankommt, das Entscheidende. Phil 1,10 zeigt, daß die Erfassung der Situation dabei eine erhebliche Rolle spielt, also nicht ausschließlich die mora-

lische Wertung. An die rechte Unterscheidung zwischen Judentum und Heidentum zu denken (Michel), ist überspitzt (K. Weiss, ThWb IX, 65). Spricht der Apostel vom κατη-χούμενος, sind die festen katechetischen Überlieferungen des Judentums zu bedenken. Das junge Christentum übernahm mit der Praxis weithin auch die Inhalte der Unterweisung, und es ist unglaubhaft, daß erst Pls das Verb technisch gebraucht hat (gegen Beyer, ThWb III, 639). Auffälligerweise wird der jüdische Kult nicht erwähnt. Um so stärker tritt wie etwa auch Apk. Bar 48,22 ff. die Tora als die eine Möglichkeit des Zugangs zu Gott und als Mitte jüdischer Frömmigkeit heraus, wie es besonders der Situation in der Diaspora entspricht. Man weiß sich als Erben und Vollstrecker der eschatologischen Verheißungen an den Gottesknecht 42,6 f.; 49,6, wie die beiden ersten Titel zeigen. Fehlen rabbinische Parallelen, spiegeln Mt 15,14; 23,16. 24 den Anspruch der ersten, 1QH IV, 27; fragm. 28 b Qumran Cave I 126, Col IV, 27 f. den der zweiten Prädikation. Nach 1QS 3,13; 9,12 gibt es das Amt des Unterweisers, und der Lehrer der Gerechtigkeit gilt nach 1QpHab 7,4; 1QH 2,13 als Inhaber und Sprecher der göttlichen Geheimnisse. Test. Levi 14,3 f. und die Aussage über den priesterlichen Messias 18,3. 9 bezeugen die gleiche Tradition. Sachlich unterscheiden sich die Prädikate wenig, weil es bei ihnen stets um die Vermittlung der Tora geht. Immerhin stellen die beiden ersten das Thema der Erleuchtung, die beiden folgenden das der Erziehung, nach 1QH 2,9 der „Klugheit für die Einfältigen" heraus. Die Erinnerung an Jesu Kampf mit dem Rabbinat und Pharisäismus (Dodd; Schlatter; Althaus u. a.) ist unnötig und deplaziert. Es wird wohl auf die Mission in der Diaspora angespielt. In Palästina wurde sie eingeschränkt, wenn nicht sogar perhorresziert (Billerbeck; G. Klein, Studien 7 ff. beweist nur, daß es Proselyten gab und nicht der gesamte Rabbinat dem unfreundlich gegenüberstand). Anders steht es im hellenisierten Judentum. Seine Stimme wird in Sap 18,4 laut: δι᾽ ὧν ἤμελλεν τὸ ἄφθαρτον φῶς τῷ αἰῶνι δίδοσθαι; ebenso in Orac. Sib. III, 195: „welche allen Sterblichen die Wegweiser des Lebens sein werden." Josephus erklärt c. Apion II, 41: „Ich möchte kühnlich behaupten, daß wir Juden in bezug auf das meiste und zugleich das Beste für die andern die Führer sind." Nach Philo, de Abr 98 hat Israel das Amt des Priesters und Propheten für das ganze Menschengeschlecht inne, vgl. weiter etwa de vit. Mos I, 149; Orac. Sib III, 582 f. Daß Pls hier vorgegebene Formulierungen aus dem Bereich der Diasporasynagoge benutzt (Lietzmann; Behm, ThWb IV, 762), tritt besonders klar (vgl. Norden, Agnostos Theos 296 ff.; anders Kuss) in 20b zutage. μόρφωσις kann nach dem Kontext nicht vom klassischen Griechisch her als „Formung" (Schlatter), „Abriß, Umriß" (Hermann, Gal 4,19, S. 721), „Bildung" (Pallis) gedeutet werden. Der Sprachgebrauch der Koine liegt vor. Das ursprüngliche nomen actionis bezeichnet also anders als in 2.Tim 3,5, mit χαρακτήρ fast synonym, das Resultat der „Ausprägung" (Michel; H. W. Schmidt). At.lich-jüdisch geht γνῶσις auf den fordernden Gotteswillen (Bultmann, ThWb I, 705). ἀλήθεια bezieht sich wohl besonders auf den Monotheismus, wobei die etwa Apk. Bar 44,14 belegte Formel „Wahrheit des Gesetzes" zugrunde liegen dürfte. Es ist also nicht (gegen Schlatter) an ein nicht täuschendes Verhalten zu denken. Das Judentum erblickt einen Vorzug darin, den Gotteswillen nicht bloß actualiter, sondern fixiert zu besitzen (vgl. Murphy-O'Connor, Paul 187 ff.). νόμος könnte sogar das Gesetzbuch meinen (vgl. Bauer, Wb 1045), das in der Diaspora unter dem Aspekt der göttlichen Paideia gelesen wird (Schoeps, Paulus 20). Auch die Fragesätze gehören zum Stil der Diatribe. Zwischen διδάσκων — κηρύσσων — λέγων in 21 f.

wird einfach rhetorisch unterschieden (anders Michel; Leenhardt; H. W. Schmidt). Denn bei διδάσκειν geht es nicht um den Lehrsatz, sondern das Lehren als solches. κηρύσσειν und λέγειν gehen auf die Weisungen des Dekalogs. Die Verbindung von Diebstahl, Ehebruch und Tempelraub findet sich genauso bei Philo, conf. ling 163, die von Ehebruch und Tempelraub auch in Corp. Herm XII, 5 vor (Bauer, Wb 738). In CD IV, 15 ff. wird von den „drei Netzen Belials" gesprochen, die wenigstens in den Zusammenhang unseres Textes schauen lassen. Rabbinische Diskussion beweist das tatsächliche Vorkommen derartiger Vergehen (Billerbeck; Michel). Es besteht kein Grund, 22b aus dem Parallelismus der voraufgehenden Sätze zu lösen (gegen Goppelt, Missionar 204 f.), ἱεροσυλεῖν im weiteren Sinn der Sakrilegs oder übertragen (Nygren) zu verstehen (vgl. Schrenk, ThWb III, 255 f.). Natürlich handelt es sich nach dem Vordersatz nicht um jüdische Tempel. Das nt.lich nur noch Apk 21,8 gebrachte βδελύσσεσθαι bezieht sich auf den Abscheu vor dem Götzendienst, und der judengriechische Terminus εἴδωλα meint die Götzen (Büchsel, ThWb II, 375). Diese galten dem Juden als nichtig, so daß ihr Eigentum ihm trotz Dt 7, 25 f. nicht sakrosankt zu sein brauchte, zumal wenn es ihm als Hehlergut angeboten wurde (Billerbeck). Apg 19,37 belegt diese Möglichkeit. 23 faßt in eklatantem Widerspruch zu Orac. Sib III, 234 ff. den Abschnitt zusammen: In Wahrheit ist der Jude ein Übertreter des Gesetzes, auf das er sich beruft, und entheiligt damit den göttlichen Namen. Durch Jes 52,5 sieht Pls sein Urteil bestätigt. Der Sinn des Urtextes, den LXX bereits durch die Worte δι' ὑμᾶς und ἐν τοῖς ἔθνεσιν erweitert hatte, wird mit solcher Deutung allerdings in sein Gegenteil verkehrt. Nicht mehr das Leiden, sondern das die Sendung verleugnende Handeln Israels läßt die Heiden lästern. Vielleicht ist urchristliche Missionspolemik bereits vor Pls auf diesen Schriftbeweis gekommen. Wirkungsvoller kann jedenfalls nicht geendet werden.

4. 2,25—29: Die Beschneidung rechtfertigt nicht

25 Die Beschneidung nützt allerdings, wenn du das Gesetz befolgst. Bist du aber ein Übertreter des Gesetzes, dann ist deine Beschneidung (vor Gott) Unbeschnittenheit
26 geworden. Wiederum: Wenn Unbeschnittenheit die Rechtsforderungen des Gesetzes beachtet, wird dann nicht die Unbeschnittenheit eines solchen (vor Gott) als Be-
27 schneidung gelten? So wird, was an sich Unbeschnittenheit ist, das Gesetz jedoch erfüllt, dich, den Gesetzesübertreter, richten trotz Buchstaben und Beschneidung.
28 Denn nicht ist (wahrer) Jude, wer es sichtbar (ist), und nicht ist wahre Beschneidung
29 die am Fleisch sichtbare. Vielmehr der Jude im Verborgenen (ist es) und die Herzensbeschneidung im Geist, nicht dem Buchstaben nach. Dessen Lob (kommt) nicht von Menschen, sondern von Gott.

Literatur: S. Lyonnet, La circoncision du cœur, celle qui relève de l'Esprit et non de la lettre, L'Evangile hier et aujord'hui, Mélanges offerts au F. J. Leenhardt, 1968, 87-97. G. Schrenk, Der Segenswunsch nach der Kampfepistel, Judaica 6 (1950), 170-190. B. Schneider, The Meaning of St. Paul's Antithesis ‚The Letter and the Spirit', CBQ 15 (1953), 163-207. E. Käsemann, Geist und Buchstabe, Paulinische Perspektiven, 236-285.

Nur die Beschneidung gibt nach jüdischer Anschauung Anteil am Gottesbund mit Israel (vgl. den Exkurs bei Kuss). Die Frage nach ihrem Nutzen, auf die 3,1 zurückgreift, ist für den Juden kein offenes Problem. Pls distanziert sich bereits von der Orthodoxie, wenn er sie stellt. Noch stärker tut es die Antithese zur Gesetzeserfüllung, weil diese für den Frommen schon mit der Beschneidung erfolgt und mindestens in Palästina nicht von ihr gelöst vorgestellt werden kann (Barrett). In der Diaspora liegen die Dinge insofern etwas anders, als es dort den der Synagoge vorgelagerten Kreis der „Gottesfürchtigen" gibt und hellenisierter Liberalismus sich, wie Jos. Ant. 20,41 f.; Philo, de spec. leg 1,1—11 zeigen, der Problematik wenigstens öffnen kann (vgl. K. G. Kuhn, ThWb VI, 731 f.). Apologetik wie Propaganda lassen hier nach dem Sinn des Ritus fragen, ihn moralisch deuten und die Möglichkeit der Verehrung Gottes auch ohne ihn zugestehen. Entgegen verbreiteter Ansicht kennt man jedoch auch dort keine „Halbproselyten". Unbeschnittene Juden gibt es nicht. Behauptet Pls in 28 f. das Gegenteil, trennt er sich selbst von jenem Liberalismus, der seine Frage und Argumentation noch am ehesten hätte vernehmen können. Er spricht eben nicht bloß oder primär vom Verhältnis zu Gott (gegen Michel), sondern greift das Judentum in seinem Grunde und in seinen unaufgebbaren Merkmalen an. Die Beweisführung von 12—16 wiederholt sich gegenüber dem neuen Thema und richtet sich gegen die fast selbstverständliche Annahme, daß die Beschneidung als solche rettende Kraft besitzt (vgl. Billerbeck; Stummer, RAC II, 159 ff.). Zu beachten bleibt, daß Pls nicht einfach antijudaistische Polemik treibt. Mit den gleichen Argumenten streitet er in 1.K 10,1—11 gegen ein enthusiastisches Verständnis der Taufe, wobei sakramentale Gegebenheiten in israelitischer Geschichte durchaus anerkannt werden. In unserm Text meldet sich also schon das Problem des Sakramentalen, freilich auf die Beschneidung verengt und antijudaistisch zugespitzt. Die Beschneidung ist Initiationsritus, dessen sakramentaler Charakter für den Juden nicht geleugnet wird. Im Gegensatz zu seiner religiösen Umwelt kennt Pls jedoch keine Sakramente, welche ex opere operato wirken und dem Gericht entziehen. Eröffnen sie nicht den Weg des Gehorsams, wird ihre ὠφέλεια illusionär. Das stellt die scharfe Antithese in 25 heraus, welche mit argumentierendem γάρ den neuen Gesprächsgang einleitet und sofort einen noch überhaupt nicht erhobenen jüdischen Einwand zurückweist. Das Stichwort des Nützlichen kennzeichnet die Front, in die der Apostel sich begibt, weil es stets Schwärmern gegenüber angewandt wird. περιτομή und, nur biblisch-kirchlich gebraucht (K. L. Schmidt, ThWb I, 226 f.), ἀκροβυστία umschreiben sowohl die Handlung wie den daraus resultierenden Zustand und die so begründete Gemeinschaft. νόμον πράσσειν und das nur in 27 gebrauchte τελεῖν greifen weiter als die Aussage in 14. Die Wendung τὰ δικαιώματα τοῦ νόμου φυλάσσειν in 26 charakterisiert eindeutig die streng am Gesetz festhaltende, Zugehörigkeit zur Heilsgemeinde bekundende Einstellung (vgl. die Belege bei Rössler, Gesetz 85 ff. 101 f.). Unter δικαιώματα ist wie in Dt 30,16 das Ganze der Tora gemeint (Flückiger, Werke 29), das durch Rechtssätze bestimmt ist. γέγονεν wird nicht mit Dativ und der Vergleichspartikel ὡς konstruiert, kann also nicht Äquivalent zu נחשב כ im Sinn von „anrechnen als" sein (gegen Billerbeck; Michel), obgleich ihm das λογισθήσεται in 26b entspricht. Pls stellt fest, daß ohne Gehorsam Beschneidung annulliert ist (Perfekt!), der Unbeschnittene jedoch auf Grund seines Gehorsams im Gericht dem jüdischen Frommen gleichgestellt werden wird. Beiden Sätzen können die Gegner unmöglich zustimmen. Sie sind nur von der Prämisse aus sinnvoll, daß vor Gott allein die „Herzensbeschneidung" gilt. Damit wird, wie Dt 10,16; 30,6; Jer 4,4; 6,10; 9,25; Hes 44,7 verdeutlichen, ein Thema at.licher Prophetie

5*

aufgegriffen, das vom palästinischen Rabbinat nur zögernd, von Philo um so häufiger behandelt worden ist (Billerbeck). Pls knüpft also wohl an die Spiritualisierung kultischer Sachverhalte in der Diasporasynagoge an, hat jedoch seinerseits dabei kein spiritualisierendes Interesse (gegen Moule; H. W. Schmidt). Weder die at.liche Prophetie noch die Apologetik und Propaganda der Diasporasynagoge haben um der Herzensbeschneidung willen die Beschneidung als solche irrelevant werden lassen, während Pls genau das tut. 26 entzieht spiritualisierender Deutung vollends den Boden.

Die Beschneidung ist nun für den Juden bloß Weisung zum Gehorsam, für alle andern überflüssig. Wie nach Gal 6,13 dient sie nur dazu, Übertretung des Gesetzes zu kennzeichnen. So urteilt der Christ, und zwar in fiktiver Diskussion, weil von dieser Basis aus ein ernsthaftes Gespräch nicht geführt werden kann. Das zeigt sich im Diatribenstil der Frage 26b. Fiktiv ist auch die hier erwogene Möglichkeit mindestens im unmittelbaren Kontext. Wenn der Apostel dem Juden abspricht, das Gesetz in seiner Einheit und Ganzheit zu „bewahren", kann er das Heiden erst recht nicht zubilligen. Die Formel charakterisiert nicht einmal den Gehorsam des Christen, so daß man schwerlich schon hier den Heidenchristen (mit Zahn; Bultmann, Theol. 262) ins Spiel bringen darf. Umgekehrt bezieht sich die Aussage fraglos auf die nicht hypothetische Feststellung 14 f. steigernd zurück. Es ist höchst unwahrscheinlich, daß polemischer Eifer und dialektische Neigung Pls gegen seine eigentliche Überzeugung dazu drängten, das Bild des gedachten Heiden in radikaler Konsequenz immer günstiger zu gestalten und dem dann spiritualisierend den idealen, ganz zum Menschen befreiten Juden entgegenzuhalten (gegen Fridrichsen, Wahre Jude 43 f.). Derart verrennt der Apostel sich nicht. Wohl wird die Atmosphäre der hier stattfindenden Beweisführung lehrreich erhellt, indem auf die stoische Umwandlung des Begriffes der politischen Freiheit, die damit verbundene Differenzierung zwischen Sein und Schein, Innerem und Äußerem und schließlich auf die so erwachende Frage nach der wahren Existenz verwiesen wird. Doch ist der Text damit nicht hinreichend erklärt, wie der eschatologische Aspekt in 27 klarmacht. Denn das Futur des Verbs ist genau wie in 26b nicht logisch (gegen Kühl). Umschrieb das Passiv dort Gottes richterliches Handeln, so greift Pls nun die aus Mt 12,41 und indirekt 1.K 6,2 f. bekannte rabbinische Anschauung auf, daß der Mensch im jüngsten Gericht an andern gemessen werden wird (Billerbeck). Das besagt nicht, daß der Apostel durch den Evangelientext beeinflußt ist (gegen Lagrange; Dodd; Nygren). Was dort prophetische Verkündigung in äußerster Polemik war, wird hier mit einleitendem καί consecutivum (Lagrange) ganz selbstverständlich aus dem Vorhergehenden gefolgert. Das Paradox ist durch die Antithesen sowohl in Vorder- und Nachsatz wie zwischen beiden herausgehoben. Was „physisch" Unbeschnittenheit ist, erfüllt das Gesetz. Was Schrift und Beschneidung vorweisen kann, bekundet sich als Gesetzesübertreter. Also werden Heiden die Juden richten. Das ist für jüdische Ohren eine blasphemische Äußerung, die in den Rahmen der urchristlichen Botschaft von der eschatologischen Umkehrung aller irdischen Werte gehört. Nicht anders verhält es sich mit der noch 7,6; 2.K 3,6 begegnenden Antithese von γράμμα und πνεῦμα, die stets den Gegensatz zwischen altem und neuen Äon ausdrückt. Offensichtlich bildet sie den Gipfel des Abschnittes. Ausgelöst wird sie durch die Wendung διὰ γράμματος καὶ περιτομῆς, in welcher διά nicht instrumental (Schlatter; Schrenk, ThWb I, 765), zu fassen ist, sondern den begleitenden Umstand anzeigt (Lietzmann). διὰ γράμματος scheint dem ἐκ φύσεως zu kontrastieren: Zur Unbeschnittenheit kommt es natürlich, zur Beschnittenheit kraft des Schriftgebotes. Der das Gesetz übertretende Jude verleugnet wie seine Beschneidung auch das sie anordnende Gebot der Schrift. Die Wendung ist als solche damit geklärt. Zu fragen bleibt aber, was Pls veranlaßt, den Satz mit der neuen Antithese zu überladen. Die grundsätzliche Entscheidung ist bereits in 25 gefallen. Was soll der scheinbare Überhang, der über das Thema hinaus mit seinen sich immer mehr häufenden Antithesen in eschatologischen Horizont drängt? Nur von der Antwort darauf läßt sich auch sagen, warum der Apostel offensichtlich auf 14 f. zurückgreift, es nun jedoch in unbegreiflicher Steigerung tut. Denn den Heiden, der als solcher die Tora erfüllt, kann es anders als den, der bestimmte Forderungen des Gesetzes von sich aus tut, nicht geben. Verliert sich Pls in Hypothesen?

Das muß sich von 28 f. her ergeben, welche nicht 25—27 mit andern Stichworten wiederholen (Kuss), sondern deren Ergebnis darstellen. Die Sentenz ist so gestaltet, daß in 28 das hier deutlich als religiöses Ehrenprädikat gebrauchte Ἰουδαῖος und περιτομή Prädikatsnomen, in 29 dagegen Subjekt sind. Es fehlen also das Subjekt des ersten und das Prädikat des zweiten Verses, damit nicht die gleichen Substantive einander unmittelbar folgen. So entsteht ein wirkungsvoller Chiasmus. 29c bringt, auf Ἰουδαῖος in 29a bezogen, kunstgerecht das in paulinischer Rhetorik oft sich findende überschüssige Glied des Schlusses, in welchem die Wellen der vorher aufgetürmten Gegensätze gleichsam ausrollen. Damit ist angedeutet, daß die Antithetik des Abschnittes jetzt ihren Höhepunkt erreicht, und zugleich zeigt sich jenes Thema, welches den Überhang von 26 an verursachte. Der Apostel begnügt sich nicht damit, das Problem der Beschneidung fast im Handumdrehen beiseitegeschoben zu haben. Er stellt ihm nun als heimliche Mitte und entscheidendes Kriterium der aufgegriffenen Problematik das Thema des wahren Juden entgegen und gerät so in eschatologische Dimension, weil der wahre Jude ein eschatologisches Phänomen ist. Pls kann sich dabei hellenistische Tradition zunutze machen, welche etwa Epiktet nach dem wahren Stoiker fragen läßt. In ihr wird die von der Schätzung der Zuschauer abhängige scheinhafte Existenz der innerlichen und wesenhaften konfrontiert. Die letzte ruht nach den Stoikern (vgl. Fridrichsen, Der wahre Jude 44 f.) in sich selbst und achtet auf die Übereinstimmung mit Gott und dem All. Pls hat sich dieses Motivs allerdings modifiziert und wohl nicht ohne Vermittlung der Diasporasynagoge bedient. Denn der Gegensatz ἐν τῷ φανερῷ — ἐν τῷ κρυπτῷ deckt sich nicht einfach mit dem von äußerlich und innerlich (gegen Althaus). Pls wie 1.Pt 3,4 nennen nicht nur das Inwendige „verborgen", sondern die ganze Existenz im Geheimnis ihrer erst eschatologisch sich offenbarenden Personalität, wie umgekehrt die Frömmigkeit zum Sichtbaren gehören mag. Weitere Bestimmungen sind deshalb unentbehrlich. ἐν σαρκί weist auf den Bereich des Leiblichen als der allgemein zugänglichen und vorfindlichen Konkretion des Sichtbaren. Schlägt man um der Doppelung mit dieser Wendung willen vor, ἐν τῷ φανερῷ in 28b zu streichen (Sahlin, Emendationen 95), bringt man das Verhältnis zu dem noch gehäufteren V. 29 aus dem Gleichgewicht. Der Nachdruck liegt auf 29b. Die hier vorliegende jüdische Tradition setzt die eschatologisch-dualistische Variation des Motivs von der Herzensbeschneidung voraus, die in Qumran die ethisch allegorische Deutung Philos ablöst. Im Unterschied zu dem in 1QpHab 11,13 geschilderten Verhalten des Frevelpriesters befiehlt 1QS 5,5: „Sie sollen beschneiden in der Gemeinschaft die Vorhaut des Triebes und die Halsstarrigkeit, um ein Fundament der Wahrheit für Israel zu legen, für die Gemeinschaft eines ewigen Bundes." Von da spannt sich eine Brücke zu Jub 1,23: „Ich werde die Vorhaut ihres Herzens ... beschneiden und werde ihnen einen heiligen Geist schaffen" und zu Od. Sal 11,1—3: „Mein Herz ward beschnitten, und seine Blüte erschien; die Gnade wuchs in ihm und brachte Früchte dem Herrn. Denn der Höchste beschnitt mich durch seinen heiligen Geist. ... so ward die Beschneidung mir zur Erlösung." Das letzte Glied in dieser Kette bildet Kol 2,11 ff. mit dem Verständnis der Taufe als der geistgewirkten Christusbeschneidung.

Aus solchem Zusammenhang erklärt sich hier die Verbindung von Herzensbeschneidung und Geist, wobei es relativ belanglos ist, ob man ἐν instrumental (Zahn; Kuss) oder vielleicht besser lokal versteht: im Machtbereich. Nun wird nicht spiritualisierend von dem entnationalisierten, zum reinen Menschsein befreiten Juden, sondern eschatologisch von der Wirkung des heiligen Geistes gesprochen. Alle vorhergehenden eschatologischen Aussagen sind darauf ausgerichtet. Hellenistisch ist nur das Motiv des wahren Juden, für das es im Rabbinat denn auch keine Entsprechung gibt (Billerbeck). Stimmt diese religionsgeschichtliche Einordnung unserer Stelle, geht es Pls nicht um Hypothesen, sondern um eine Realität. Er baut mit seiner vermeintlich völlig theoretischen Argumentation nicht eine Scheinposition auf (Bornkamm, Gesetz 110). Nicht grundlos ist 14 f. derart gesteigert, daß die Wirklichkeit aus den Augen verloren zu sein scheint, und alles in eschatologischen Horizont gerückt. Was bis 28 als Möglichkeit erwogen wurde, wird in 29 dem Verständnis als einer bloßen Fiktion entnommen. Es gibt den wahren Juden, der selbst als Heide das Gesetz erfüllt, während die Juden das nicht tun. Es gibt ihn in Gestalt des Heidenchristen (Schrenk, Segenswunsch 176; Maurer, Gesetzeslehre 40; anders Dahl, Volk Gottes 238 im Gefolge Fridrichsens). Er hat die allein nützende Herzensbeschneidung durch den Geist empfangen, welcher nach 8,4 das Gesetz erfüllen läßt und nach 2.K 3,6 dem neuen Gottesbunde zuordnet. Man kann nicht einwenden, solche Deutung sprenge den Zusammenhang, breche ihm die Spitze ab, der Christ werde nicht vor Gott als beschnitten betrachtet (z. B. Nygren im Gefolge Schlatters). Das Gegenteil ist richtig. Nur so erhält der Zusammenhang Logik und eine theologische Krönung. Die rhetorische Kunst des Aufbaus in unserm Kapitel gipfelt darin, daß erst der letzte Satz die Pointe bringt und die Intention des Ganzen enthüllt (Lyonnet, Circoncision 96 f.). Anders gerät man bei 29 nur in Verlegenheiten. Mit Recht wird dann gefragt, wo es den Heiden gäbe, von dem 26 f. gilt (Zahn). Genauso ist zu fragen, wo Pls den Juden zugesteht, daß sie in der Wirksamkeit (Schlatter; Schlier, Juden 46), in der Ordnung des Geistes (Lagrange), in a spiritual way (Barrett) oder der innerlichen Bewegung freudiger Hingabe (Althaus) lebten. Die Auslegung sollte überprüft werden, welche die Antithese nicht im Kontext unterzubringen vermag und mindestens reduzieren (Kuss) muß. Obwohl sie es nicht wahrhaben wollen, bekunden gerade die aufgezählten Erklärungen, daß Pls hier prinzipiell die Grenzen des Ἰουδαισμός überschreitet (so R. Meyer, ThWb VI, 82; v. Stromberg, Studien 105 f.). Vollends deutlich ergibt sich das aus der so bedeutsam gewordenen, jedoch schwer zu interpretierenden Antithese von γράμμα und πνεῦμα. Merkwürdig ist schon, daß der Apostel diese Worte stets im Singular gebraucht, obgleich das erste in Anlehnung an die geläufige Redeweise ἱερὰ γράμματα entstanden sein dürfte. Ob der typische Singular zuerst von Pls gebildet wurde, läßt sich unmöglich sagen. Denn er ist zwar für seine Theologie charakteristisch, wird jedoch völlig unvorbereitet wie eine dem Leser vertraute Tradition benutzt. Er hat den Vorzug, daß damit eine Macht bezeichnet werden kann, wie das in 2.K 3,6 eindeutig, und zwar in weltgeschichtlichem Aspekt, geschieht. Gedacht ist zweifellos an die Tora, allerdings im Unterschied zur Verwendung von Nomos stets im pejorativem Sinn. Insofern trifft die Übersetzung „Buchstabe" jedenfalls eine richtige Nüance. Umgekehrt erzeugte eben diese Übersetzung schwerste Mißverständnisse (vgl. Ebeling, RGG³ II, 1290 ff.). Idealistische Auslegung spiritualisierte das Verhältnis beider Worte: γράμμα ist das Nichtlebendige, das der Mensch als geistige Existenz nicht zu assimilieren und dem er sich mit seinem eigentlichen Wesen nicht einzuordnen vermag, also das, was außen liegen bleibt, kontingent ist. Umgekehrt wird dann der Geist zur Fähigkeit, seiner selbst zutiefst innezuwerden und die begegnende Welt von sich her zu begreifen, abgeblaßt zur Innerlichkeit und rechten Gesinnung. Solches Verständnis wirkt selbst dann nach, wenn man die anderswo übliche Unterscheidung von Legalität und Moralität ablehnt (Bläser, Gesetz 98), gleichwohl aber definiert, γράμμα sei die bloß äußerlich fixierte Vorschrift, die nicht zum Inneren des Menschen vordringt und diesen sich selbst überläßt (ebd. 133). Die griechische Quelle eines derartigen Verständnisses und vielleicht sogar den Sitz der paulinischen Antithese zeigt die Sentenz des Archytas in Stobaeus, ecl. IV, 1,135 an: νόμος ὁ μὲν ἔμψυχος βασιλεύς, ὁ δὲ ἄψυχος γράμμα. Selbst wenn jedoch der Hellenismus dem Apostel den Begriff γράμμα für das fixierte Gesetz geliefert hätte, wird dort die Beziehung von Geist und Gesetz fast durchweg positiv gesehen (Kleinknecht, ThWb IV, 1017. 1025 ff.). Die für Pls schlechthin entscheidende eschatologisch-dualistische Komponente der Antithese ist von dort nicht begreifbar, und die Lehre vom ungeschriebenen Gesetz hat allenfalls, wenn man sie überhaupt in die Überlegung einbeziehen darf, den Boden für diese Antithese mitvorbereitet. Das bedeutet, daß die Interpretation sich auf keine klare religionsgeschichtliche Ableitung stützen kann, ausschließlich auf den jeweiligen Kontext angewiesen bleibt und schließlich das durch die Kirchengeschichte sich hinziehende Mißverständnis eines spiritualisierenden Idealismus von vornherein abzuweisen hat.

Zwei Sachverhalte verbinden sich nach Pls mit dem Worte γράμμα. Es bezeichnet erstens das kodifiziert vorliegende Gesetz als Sammlung aller Einzelvorschriften (vgl. Schrenk, ThWb I, 747. 765; Michel, Bibel 174 ff.; Rössler, Gesetz 87 ff.). Es gehört zweitens, gerade indem es die buchstäbliche und mit Leistungen abzugeltende Verpflichtung der Tora weltweit vertritt, für den Christen zum alten Aeon und findet deshalb keine „Erfüllung". Berücksichtigt man den Zusammenhang mit der γραφή in ihrer jüdischen Auslegungstradition einerseits und die Antithese zum Geist andererseits, wird man formulieren dürfen: γράμμα ist die vom Geist und der durch ihn ermöglichten Auslegung getrennte Schrift des AT, in welcher die Tora weltweit Gehör und Gehorsam beansprucht. Von ihr her kommt es nicht zur eschatologischen Herzensbeschneidung und also auch nicht zum „wahren Juden". Ihn gibt es im empirischen, der Schrift als Tora verpflichteten Judentum überhaupt nicht, sondern nur im Bereich des Geistes als der Kraft des neuen Bundes. Trifft solche Interpretation zu, wird die Lehre von der Glaubensgerechtigkeit nicht nur der Gesetzesfrömmigkeit entgegengestellt. Sie gilt vielmehr zugleich als Kriterium für die rechte Auslegung der Schrift, wie 10,5 ff. das explizit ausspricht. Die Schrift ist Verheißung nur, sofern man sie nicht γράμμα sein läßt. Erfolgt solche Unterscheidung und Scheidung nicht, wird die at.liche γραφή stets wieder γράμμα, weil nur der durch Christus vermittelte und Glaubensgerechtigkeit verkündende Geist sie recht auslegt. Pls schließt fast doxologisch. Das verbirgt sich allerdings hinter einer hellenistischen Anschauung. Mit asketischer Energie hat der Stoiker die Sucht nach dem ἔπαινος der Zuschauer bekämpft, welche unlöslich mit dem griechischen Ideal des ἀγών verbunden ist (vgl. Fridrichsen, Der wahre Jude 46 ff.). Ihm ging es um die Wahrheit der vom Schein befreiten Existenz, um die Innerlichkeit des leidenschaftslos in die Außenwelt blickenden, in Übereinstimmung mit der Vernunft lebenden Menschen. Mark Ant. IV, 19,2 fragt deshalb: πρὸς τὸν ζῶντα τί ὁ ἔπαινος. Stolz gibt er darauf in XII,11 die Antwort: ἐξουσίαν ἔχει ἄνθρωπος μὴ ποιεῖν ἄλλο ἢ ὅπερ μέλλει ὁ θεὸς ἐπαινεῖν. Selbst wenn Pls diese Anschauung nicht gekannt hat, modifiziert er sie christlich und wie in 1.K 4,5 mit kennzeichnend eschatologischer Ausrichtung. Das Lob des wahren Juden kommt nicht von Menschen, sondern von jenem Gott, der allein τὰ κρυπτὰ τῶν ἀνθρώπων kennt und richtet. Eine lange, zunächst englische Tradition erklärt das überraschend auftauchende Motiv des ἔπαινος aus einem Wortspiel, das wie in Gen 29,35; 49,8 Juda und Lob identifiziert (zuletzt Ridderbos). Sollte Pls das wirklich im Sinne haben, dürfte es der römischen Gemeinde kaum verständlich geworden sein.

5. 3,1—8: Einwände

1 Was (bleibt) demnach der Vorzug des Juden, was der Nutzen der Beschneidung?
2 Viel in jeder Hinsicht! Erstlich: Anvertraut wurden ihnen Gottes Worte. Was liegt
3 daran, wenn einige untreu wurden? Sollte etwa ihre Untreue die Treue Gottes un-
4 gültig machen? Auf keinen Fall! Möge Gott vielmehr sich als wahr erweisen und jeder
   Mensch als Lügner! Steht doch geschrieben: Damit du Recht behältst mit deinen
5 Worten und siegst, wenn man mit dir rechtet. Wenn jedoch unser Unrecht Gottes
   Recht erweist, — was besagt das? Ist Gott, welcher den Zorn verhängt, etwa unge-
6 recht? Nach Menschenweise spreche ich. Das sei fern! Wie könnte Gott sonst die Welt
7 richten? Wenn Gottes Wahrheit aber durch meine Unzuverlässigkeit zu ihrer überschwenglichen Herrlichkeit gelangte, wozu werde ich dann auch noch als Sünder
8 gerichtet? (Gilt) vielleicht etwa, wie man es uns lästerlich nachredet und wie bestimmte Leute uns sagen lassen: Tuen wir das Böse, damit das Gute komme? Solche
   trifft zu Recht das richtende Urteil.

Literatur: J. Jeremias, Zur Gedankenführung in den paulinischen Briefen, Studia Paulina 146 bis 154. Ders., Chiasmus in den Paulusbriefen, ZNW 49 (1958), 145-156. A. Fridrichsen, Exegetisches zu den Paulusbriefen, ThStKr 102 (1930), 291-301. K. H. Fahlgreen, Sedaka nahestehende und entgegengesetzte Begriffe im Alten Testament, 1932. J. W. Doeve, Some Notes with reference to τὰ λόγια τοῦ θεοῦ in Romans III,2, Studia Paulina 111-123. T. W. Manson, Some Reflections on Apocalyptic, Aux Sources de la tradition chrétienne (Mélanges offerts à M. M. Goguel), 1950, 139-145. H. Ljungvik, Zum Römerbrief 3,7-8, ZNW 32 (1933), 207-210. G. Bornkamm, Theologie als Teufelskunst, Geschichte und Glaube II, 140-148.

Wie in einem Atemholen vor dem Abschluß gibt Pls zwei gegnerischen Einwänden Raum. Der erste fragt, ob nach 2,12—29 der heilsgeschichtliche Vorrang der Juden völlig aufgehoben ist. Die Antwort in 2—4 zeigt, daß der Apostel von diesem Problem nicht loskommt, und zwar nicht als Jude (Lietzmann; Dodd), sondern theologisch. Der zweite Einwand wendet sich gegen die paulinische Rechtfertigungslehre, weil sie nach 5 f. Gott zum ungerechten Richter zu machen und nach 7 f. in den Libertinismus zu treiben scheint

(Bornkamm, Teufelskunst 143 f. läßt 3 den zweiten, 5 den dritten Gesprächsgang beginnen). Aus 8a folgt, daß der Apostel tatsächlich an ihm geübte Kritik wiedergibt, wobei es sich um Juden oder wahrscheinlicher um Judenchristen handelt. Jedenfalls erinnert sich Pls ihrer Polemik erst über der von ihm betonten Paradoxie in 4. Er beabsichtigte also nicht von vornherein diese Auseinandersetzung und schneidet sie auch kurz mit 8c ab. Die Fragen in 1 und 3 stellt er sich dagegen im Stil der Diatribe (Bultmann, Theol. 110 f.) selbst, ohne eine Kampfsituation im Blick zu haben. Von einer Predigt vor Juden, die durch Einwände und Proteste unterbrochen wird, ist nicht zu sprechen (gegen Jeremias, Gedankenführung 147). Selbst Apostel predigen nicht nur. Es bedarf keiner dramatischen Szenerie, um paulinische Dialektik zu erklären. Ob die Argumentation schwach und dunkel ist und die Verteidigung einer so zweifelhaften Sache besser unterblieben wäre (Dodd), muß die Exegese zeigen. Das substantivierte Adjektiv τὸ περισσόν bezeichnet den Überschuß, dann den Vorzug. Gemeint ist der vorfindliche Jude. πολὺ κατὰ πάντα τρόπον ist genauso plerophor wie die Einleitungsfrage. Nach dem radikalen Abbau der jüdischen Privilegien im Vorangegangenen erstaunt der Überschwang, wenn man nicht sieht, daß sich bereits jetzt das Problem von c.9—11 anmeldet. So sollte πρῶτον wohl eine Aufzählung wie in 9,4 f. eröffnen, ist also nicht durch „vor allem" (Gutjahr) zu übersetzen. Die Lesart πρῶτοι γάρ bei Or. behebt den Anstoß, daß wie in 1,8; 1.K. 11,18 eine Fortsetzung unterbleibt. Das entscheidende „Plus" des Judentums sind die λόγια τοῦ θεοῦ. Bezeichnet dieser Ausdruck zunächst Orakelsprüche (so noch Murray), drängt sich bereits früh das Moment heiliger Überlieferung in den Vordergrund. Im Judentum hellenistischer Prägung wird damit Gottes Offenbarung in der Schrift umschrieben (Doeve gegen die Deutung „Heilsgeschehen" bei Kittel, ThWb IV, 141 ff.). Wie in 1,2; 3,21b geht es um die promissio des Evangeliums. Dann liegt es nahe, πιστεύεσθαι = „anvertraut werden" technisch aus antikem Depositalrecht zu verstehen (Ranft, Tradition 195 ff.; vgl. RAC III, 780; Ljungmann, Pistis 14 f.). Nicht einzusehen ist (gegen Stuhlmacher, Gerechtigkeit 85), daß auf die Gesetzesforderungen von 2,26 als Ausdruck des göttlichen Bundesrechtes zurückgegriffen würde (ähnlich auch Manson, Reflections 142 ff.). Die neue Frage in 3 zeigt deutlich, daß Pls sich selber Einwände macht. τί γάρ steht wie in Phil 1,18 und meint: „was liegt daran" (Bauer, Wb 1621). Aus typischem Diatribestil ist auch das häufig begegnende μὴ γένοιτο abzuleiten (Bultmann, Stil 33). Das at.lich-rabbinische חלילה, in LXX gelegentlich durch μὴ γένοιτο wiedergegeben, hat religiösen Sinn und steht nicht isoliert (Billerbeck), ist hier also nicht heranzuziehen. Die Eigenart unserer Stelle besteht in der Mischung at.lich-jüdischer Terminologie und Argumentation mit der Rhetorik der Diatribe. Unverkennbar richten sich 2b—3 auf das Thema πίστις aus, das die Bundestreue meint und der ἀπιστία als dem Abfall aus dem Bund entspricht. Sieht man von der Formel πιστὸς ὁ θεός in 1.K 1,9; 10,13; 1.Th 5,24 ab (von Ljungman, Pistis 17 ff. in den Zusammenhang synagogaler Benediktionen gestellt), wird das Motiv der Gottestreue explizit nur hier so ausgedrückt. Es bekommt jedoch ein außerordentliches Gewicht dadurch, daß es in einen Sinnzusammenhang mit den folgenden Antithesen „Wahrheit — Trug" und „Gerechtigkeit — Unrecht" gestellt wird. Relationen innerhalb des Bundes werden damit angezeigt. Gottes Wahrheit ist gut at.lich seine Zuverlässigkeit, welche Bund und Verheißung erhält, während des Menschen Trug seine Unbeständigkeit gerade auch im Bund charakterisiert. So werden nur hier von Pls πίστις und δικαιοσύνη τοῦ θεοῦ parallelisierend identifiziert, wie das vom at.lichen

Verständnis der göttlichen Gerechtigkeit als sich durchsetzender Bundestreue her möglich ist. Demgegenüber meint ἀδικία nicht primär den moralischen Defekt, sondern das Versagen gegenüber dem mit dem Bunde gesetzten Gottesrecht. Seltsamerweise ist die Tragweite dieser Feststellungen wie für die Interpretation unseres Textes, so für die paulinische Rechtfertigungslehre selten erkannt und dann zumeist unzureichend angegangen. Für die Auslegung ist nichts gewonnen, wenn man nur eine Abweichung vom Hauptstrang der Ausdrucksweise und Anschauung des Apostels konstatiert. Schief sind jene Deutungen, welche (wie etwa noch Ridderbos) von einer göttlichen Eigenschaft sprechen. Denn es geht nicht um eine Qualität seines Wesens, sondern um die Bekundung seiner sich im Bereich des Bundes forensisch auswirkenden Macht. Sieht man das jedoch (etwa Schrenk, ThWb I, 156; Braun, Gerichtsgedanke 78; Bornkamm, Teufelskunst 143 ff.), muß erklärt werden, warum dieser Sachkomplex nur hier klar hervortritt und was er für die Theologie des Apostels bedeutet. Die erste Frage läßt sich leicht beantworten. Folgt Pls seinen eigenen Intentionen, denkt er nicht im Schema des einen Bundes, sondern im Gegensatz der beiden Bünde. Seine Theologie ist universal orientiert, darum an der Antithese von Adam und Christus, erster und letzter Schöpfung ausgerichtet. Wo Tradition dem Apostel den Bundesgedanken vermittelt, verwendet er auch ihn universalistisch, also übertragen. Deshalb spricht er fast nie vom erneuerten Bunde über dem heiligen Rest, sondern in Analogie zur καινὴ κτίσις von der καινὴ διαθήκη. Diese Modifikation der at.lich-jüdischen Anschauung wird nicht nur in der Lehre vom Abendmahl und, aufs engste damit verknüpft, in der Christologie und Ekklesiologie wirksam. Sie bestimmt, wie gerade unser Text beweist, auch die paulinische Rechtfertigungslehre. Gottes Gerechtigkeit äußert sich nicht in der Wiederherstellung des alten, sondern in der Begründung des neuen Bundes. Wird dabei in 2.K 3,6 ff.; Gal 5,24 ff. der Sinaibund noch polemisch anvisiert, so zeigt die Parallelität von neuer Schöpfung und neuem Bund doch an, daß der Gedanke des Bundes vom Apostel nicht mehr auf Mose und den Sinai, sondern übertragen auf die Weltschöpfung bezogen wird. Nur so kann die Erlösung die zweite und letzte Schöpfung sein, ein ebenfalls allen Menschen geltender Bund. Die Gottesgerechtigkeit ist die Macht, welche in diesem ersten und weitesten Bunde der Schöpfung ihren Rechtstitel hat und darum in ihm als ihrem Herrschaftsbereich ihr Recht auch eschatologisch neu begründet und durchsetzt (Stuhlmacher, Gerechtigkeit 83 ff.).

Aus diesen Zusammenhängen heraus ist unser Text zu interpretieren. Zunächst wird nun klar, daß Pls überhaupt von Gottes Bundestreue und seiner sich darin bewährenden, beständig bleibenden Wahrheit sprechen kann. Der Einwand von 3, das Judentum sei doch abtrünnig geworden, verfängt demgegenüber nicht. Er ergibt sich zwar notwendig aus der gesamten Geschichte Israels, die folgerichtig in der Ablehnung des Evangeliums gipfelt (ähnlich Kuss). Doch tangiert das nicht die göttliche Bundestreue, weil sonst Gottes Gottheit selber ins Wanken geriete, seine Wahrheit nicht mehr verläßlich bliebe, wie sie es nach 11,29 konstitutiv ist. Pls liebt es, von seinen Gegnern selbst bei einer Überzahl unbestimmt als τινές zu sprechen. Das fällt hier besonders auf, weil fast das ganze Judentum damit anvisiert ist. Es würde begreiflicher, würde schon an die Botschaft von 11,25 ff. gedacht (Althaus), was jedoch sehr unwahrscheinlich ist. Näher liegt es, τινές aus der Antithese zur neuen, durch den Glaubensgehorsam bestimmten Welt zu verstehen. καταργεῖν ist ein spezifisch und häufig gebrauchter paulinischer Terminus, der gewöhnlich „zunichtemachen" im eschatologischen Sinne meint, hier jedoch emphatisch verwandt wird. Das Futur ist logisch. Das ist die erste Folgerung aus 2. Wo mit Gottes Verheißung zugleich Berufung ergangen ist, kann menschliche Untreue nicht Gottes Treue aufheben. Der Apostel begnügt sich jedoch nicht mit der Gegenfrage in 3. Seine eigentliche Antwort fällt in 4 mit den beiden Zitaten aus Ps 115,2 LXX und 50,6b LXX. Die antithetische Einleitung des ersten Schriftwortes wandelt die Sentenz in einen Gebetswunsch (Michel), der jedoch weder eine Forderung des religiösen Bewußtseins (Lietzmann; Lagrange) ausdrückt noch persönliche Erfahrung reflektiert (H. W. Schmidt). Befremdlich und zumeist unverstanden ist γινέσθω. Man kann zwar übersetzen: „es möge sich erweisen". Falsch ist aber ein Verständnis, das hinzufügen läßt: immer wieder und unter allen Umständen (Kühl), oder behauptet, die konkrete Erfahrung des Psalmisten werde jetzt grundsätzlich ausgezogen (Kuss). Das dabei zugrunde liegende Urteil, Gott könne nicht „werden", sondern nur „bestätigt werden", ist spezifisch modern, entspricht jedoch keineswegs apokalyptischer Anschauungsweise. Für sie harrt Gottes Gottheit noch ihrer endgültigen Offenbarung, und sie läßt darum bitten. Vom Ausgang der Geschichte her (Schlatter) meint γινέσθω ἀληθής wirklich: es möge wahr werden und sich so bezeugen. Von dort her erscheint jeder Mensch als dem Lug verfallen. Hier tritt unwiderleglich zutage, daß Pls die Geschichte als Prozeß Gottes mit der Welt betrachtet, der erst im letzten Gericht zum Abschluß kommt und Sieg oder Niederlage einer oder der andern Partei als einziges Resultat kennt (Gaugler; Chr. Müller, Gerechtigkeit 65 ff.; Stuhlmacher, Gerechtigkeit 85 f.). In diesem Rechtsstreit geht es darum, wer wahr und beständig oder Lügner ist, nämlich als Illusionist dem Trug anheimgegeben war. Wie es nur diese Alternative gibt, so kann alternativ auch nur Gott oder der Mensch als Repräsentant der Welt siegen (typisch für völliges Unverständnis die moralische Deutung bei Ulonska, Paulus 166 f.). Pls kennt die Entscheidung bereits und wünscht sie zugleich fast beschwörend herbei. Für ihn ist Gottes Wahrheit eben nicht metaphysisch ein religiöses Apriori, primarium axioma totius Christianae philosophiae (Calvin). Sie manifestiert sich eschatologisch, und der Streit um sie ist Inhalt, Mitte und Sinn der Weltgeschichte. Logische Konsequenz führt von da zum zweiten Zitat. Das Schuldbekenntnis des Psalmisten, der Gottes Strafgericht anerkennt, wird erneut, wie es erst der Wortlaut der LXX erlaubte, eschatologisch interpretiert. So ist der trotz SAD ursprüngliche Konjunktiv der LXX durch das Futur νικήσεις und der mediale Sinn von ἐν τῷ κρίνεσθαι durch den passivischen ersetzt, wie aus der Situation des Prozesses und der Parallele in 7 hervorgeht (Lagrange; Kuss gegen Schlatter; Ridderbos). Entsprechend bezieht sich das δικαιοῦν Gottes nicht mehr auf die kultische Exhomologese, in welcher wie etwa in Ps. Sal 2,15; 3,3. 5; 4,8; 8,7. 26; Apk. Bar 78,5 Gottes Recht anerkannt wird. Auch νικᾶν hat nicht mehr den ursprünglich kultischen Sinn des Äquivalentes זכה = rein sein, dessen Piel mit der Bedeutung „gerecht erklären" das Ergebnis eines Rechtsverfahrens bezeichnete. Das in aramäischer Zeit auftauchende Verständnis „im Prozeß siegen" wird in LXX korrekt durch νικᾶν wiedergegeben (W. Bauer, Wb 1066). Der forensische Aspekt der Verben erlaubte, wie häufig in jüdischer Apokalyptik, kultische Terminologie ins Eschatologische zu transponieren. Gott wird jetzt nicht mehr in seinem zeitlichen Urteil als gerecht erklärt, sondern siegt im Endgericht über seine irdischen Widersacher und erweist sich in den Worten seiner Offenbarung als gerechtfertigt. Pls hört aus dem Psalmzitat heraus, daß die Weltgeschichte mit dem Siege Gottes über seine Feinde und mit der Manifestation seines Rechtes über den Geschöpfen endet. Das macht die Schrift zu jener promissio, deren Erfüllung in 4a erfleht wird, und entspricht genau der apokalyptischen Erwartung von 1.K 15,24 bis 28 und Apk 15,3 f. Trifft solche Interpretation jedoch zu, ist unser Text (gegen Bornkamm, Teufelskunst 148) als Schlüsselstellung für die gesamte paulinische Rechtfertigungslehre zu betrachten, weil sie deren Zusammenhang mit der Apokalyptik bloßlegt und deren kosmische Dimension erklärt.

Es ist überaus wichtig, sich die Eigenart dieser Argumentation deutlich zu machen. Ausgangspunkt war die Frage, ob nach der Zerschlagung des jüdischen Anspruchs auf Privilegien und der Aufdeckung der Untreue Israels das einst erwählte Volk seiner heilsgeschichtlichen Bedeutung verlustig gegangen sei. Pls hat das energisch mit dem Hinweis auf die weiterhin bestehenden Verheißungen bestritten und zur weiteren Begründung dafür die Termini und Motive des Gottesbundes aufgegriffen. Das kann nur besagen, daß der vom Volk verletzte Bund von seiten Gottes festgehalten wird. Nun geht die Argumentation jedoch nicht, wie nach 15,8 durchaus möglich gewesen wäre, derart weiter, daß Christus Diener der Beschneidung geworden sei, um die an die Väter ergangenen Verheißungen und damit Gottes Bundestreue gegenüber Israel zu bestätigen. Höchst merkwürdig wird das Problem vielmehr auf jeden Menschen und Gottes Prozeß mit der ganzen Welt ausgeweitet. Das gibt allein dann Sinn, wenn die Treue Gottes Israel gegenüber ein Sonderfall der Treue gegenüber der gesamten Schöpfung ist. Der Bundesgedanke wird also, wie schon mehrfach festzustellen war, statt an Mose und dem Sinai an der Weltschöpfung orientiert. Die an Israel ergangenen Verheißungen werden darum nicht anders erfüllt als sonst und überall. Daran schließt sich als drittes Moment der Argumentation die Aussage, daß Heil immer und überall den Sieg Gottes über die mit ihm streitende Welt meint. Israel wird wieder überhaupt nicht erwähnt. Es ist jedoch in diese Feststellung einbeschlossen. Denn nur dann führt seine Untreue nicht notwendig zum Hinfall der göttlichen Verheißungen und zum Erlöschen des Bundes. Gottes Sieg vollzieht sich stets über Untreuen und, wie 11,32 zusammenfassen wird, über Rebellen. Er ist stets, um 4,5 vorwegzunehmen, Rechtfertigung der Gottlosen. Die Pointe liegt darin, daß es hier von der Kehrseite her gesagt wird: Rechtfertigung der Gottlosen meint Gottes Sieg über die Welt, die mit ihm streitet. Sie ist aus der forensischen Situation her zu sehen, die in unserm Text eine so große Rolle spielt. Sie erfolgt immer und überall derart, daß der Mensch als im Trug der Illusion über sich selbst wie über Gott befindlich herausgestellt wird, Gottes Wahrheit in seinem Wort ans Licht tritt und Gottes Recht sich an Rebellen durchsetzt, indem sie ihm Recht geben müssen. Gerade dadurch, daß Pls am Sonderfall Israel Gottes Verhalten mit aller Welt exemplifiziert, kann beides festgehalten werden, Israels Schuld und die Treue Gottes gegenüber seiner Schöpfung, also die Hoffnung auch für die Verheißungsträger. 4 ist keine rhetorische Digression (gegen J. Weiss, Beiträge 221), sondern der Schlüssel zur Lösung des Problems und darüber hinaus der paulinischen Rechtfertigungsbotschaft, die Heiden und Juden gemeinsam gilt und den ganzen Brief zusammenhält.

Weil es sich so verhält, ist in 5 ff. völlig konsequent die paulinische Rechtfertigungslehre Gegenstand des zweiten Einwands. Von abstrakter Reflexion kann keine Rede sein (gegen Bornkamm, Teufelskunst 147). Pls wird nun höchst persönlich angegriffen. Weil es im Blick auf das geschieht, was er soeben über Gottes Gerechtigkeit gesagt hat, kann diese unmöglich die justitia distributiva sein (gegen Bornkamm, ebda 145). Ein solches Mißverständnis beweist nur, daß der ganze Text unbegreiflich bleibt, wenn Gottes Ge-

rechtigkeit einzig als Gabe betrachtet wird, der apokalyptische Horizont der paulinischen Lehre zugunsten des anthropologischen eliminiert wird. Das Thema des Bundes
braucht tatsächlich nicht länger behandelt zu werden (ebd. 146). Dagegen wird die paulinische Rechtfertigungslehre, von der aus dieses Thema geklärt wurde, nun Ziel der
Polemik, und zwar in zwiefacher Hinsicht: Sie erscheint blasphemisch, weil sie unsere
Ungerechtigkeit zur Voraussetzung der göttlichen Gerechtigkeit werden läßt, und sie
führt praktisch zur Devise von 8. Pls muß sich gegen beides verteidigen, weil jetzt seine
Sache auf dem Spiele steht. Der neue Einwand in 5 knüpft also nicht bloß an das ὅπως
im letzten Zitat an, wie zumeist behauptet wird, sondern an das Argument von 4 im
ganzen. 5a resümiert 4 und spitzt weiter zu. Die Gegner haben ganz richtig verstanden,
daß mit den Zitaten die justificatio impii behauptet wurde. Sie ziehen daraus jedoch eine
falsche Konsequenz. Aus der auffälligen Antithese von ἀδικία — δικαιοσύνη τοῦ θεοῦ geht
nicht hervor, daß Pls sich fremder Ausdrucksweise bedient (gegen Jeremias, Chiasmus
155). Sie weist auf at.lichen Sprachgebrauch zurück, und obgleich die Frage durchaus in
Diskussionen mit Juden und Judenchristen aufgeworfen sein mag, kann hier anders als
in 8 der Apostel den Einwand sich noch selbst machen. Das nur von Pls im Sinn von
„erweisen" gebrauchte Verb συνιστάνειν (Bauer, Wb 1565) deutet erneut auf die vorausgesetzte rechtliche Situation (Michel). ὁ ἐπιφέρων τὴν ὀργήν reiht sich in die partizipialen Gottesprädikationen ein, die auf jüdisch-urchristliche Liturgie zurückführen. Nicht
der mindeste Grund spricht dafür, ὀργή auf etwas anderes als das eschatologische Gericht
zu beziehen (Bultmann, Theol. 288 gegen Lietzmann; Hanson, Wrath 88). Der Sinn des
Einwandes wird durch 7 präzisiert. Kann die Voraussetzung göttlicher Verherrlichung
zugleich Grund des Gerichtes über uns sein, ohne daß dabei Gott selber ungerecht wird?
Läßt man unsere Stelle von der Sünde im Dienste Gottes sprechen (Jeremias, Chiasmus
155; Leenhardt; H. W. Schmidt), trifft man genau den Einwand. Pls rückt von solcher
Frage und Deutung seiner Lehre jedoch energisch ab und bezeichnet sie als lästerlich. Nur
Menschen können auf solche Logik verfallen (Lietzmann). κατὰ ἄνθρωπον λέγω, in 6,19;
1.K 9,8; Gal 3,15 wiederkehrend, hat im Rabbinischen keine wörtliche Entsprechung
(Billerbeck). In unserm Text könnte der Apostel aber fester rabbinischer Tradition folgen, welche mit כביכול = „gewissermaßen, sit venia verbo" blasphemisch klingende Aussagen als nicht ernsthaft vertreten charakterisiert (Daube, Rabbinic Judaism 394 ff.).
Gott kann einfach schon deshalb nicht ungerecht sein, weil er der Weltenrichter ist. ἐπεί
wie 11,6 = da sonst. τὸν κόσμον κρίνειν steht formelhaft auch 1.K 6,2; Joh 3,17; 12,47;
Orac. Sib 4,184 (Billerbeck). Daß hier kein Argument, sondern ein Appell an das Wissen
um eine moralische Weltordnung vorgetragen werde (Dodd), ist nicht einmal mehr modern. Überaus wichtig sollte dagegen sein, daß hier, ohne daß es ausdrücklich gesagt
wird, Gottes Gerechtigkeit mit dem Weltgericht verbunden wird. Das ist sachlich konsequent, wenn sie stets das Handeln des Richters ist, der sein Recht noch in der Begnadigung durchsetzt, weil er stets menschliche Illusion beendet. Gottes Wahrheit ist seine
Herrschaft über das Geschöpf. Sie zerstört als solche unsere Selbstbehauptung und stellt,
wo sie angenommen wird, in die Macht der Gnade. Es gibt Gnade nur aus der Hand des
Richters.

7 konkretisiert den Einwand von 5. Was bisher allgemein erörtert wurde, wird vom
vorgestellten Gegner nun ins Persönliche gezogen. Die Präpositionalwendung in 7a ist
instrumental aufzulösen. Durch die aufgedeckte Verfallenheit des Menschen an den Trug

erfährt die göttliche Wahrheit, nämlich eben seine Herrschaft über seine Schöpfung, ihre überwältigende Verherrlichung. Das sollte Gott doch genügen. Warum besteht er darauf, den als Sünder, nämlich als Rebellen, entlarvten Menschen auch noch zu richten? κἀγώ meint nicht: auch ich außer dem Heiden. Von 1 her müßte zwar der Jude so fragen, und höchstwahrscheinlich verzerren in 8 Judenchristen die paulinische Botschaft. Doch zeigte sich seit 4, daß der Apostel keinen dialogus cum Judaeis führte und den Juden nur exemplarisch den Menschen vertreten ließ, den Bundesgedanken auf die Schöpfung ausdehnte. Laxe Stellung des καί, das zum Verb zu ziehen ist (anders Bauer, Wb 763), findet sich noch in 5,3; 1.Th 2,13; 3,5 (Lietzmanns weitere Belege sind problematisch). Es wird gegen die Gerichtsverkündigung im Zusammenhang mit der paulinischen Rechtfertigungslehre protestiert. Der Mensch ist durch die letzte genügend gedemütigt, Gott hinreichend verherrlicht. Ist dann das Gericht nicht für beide entbehrlich und für den ohnehin als Sünder zutiefst bloßgestellten Menschen sogar Grausamkeit? Zu beachten ist, daß gleichsam nebenbei Gerechtigkeit und Herrlichkeit Gottes ausgetauscht werden, wofür AT und jüdische Apokalyptik die Grundlage boten. Dieser Sachverhalt wird in 23 und 8,30 wichtig werden, beweist hier, daß in 5 nicht von der justitia distributiva die Rede war, sondern von jener Macht, welche ihr Recht auf das Geschöpf durchsetzt. Das Ärgernis gerade des Frommen an der justificatio impiorum wird laut. Wenn sie gilt, geraten nach gegnerischer Ansicht Gott wie der Mensch an einen falschen Platz, wird das zukünftige Gericht absurd, weil es bereits irdisch vorweggenommen wurde. Trifft diese Interpretation zu, kann 8 nicht in die gleiche Richtung wie 5—7 gehen und auf keinen Fall (mit Fridrichsen, Exegetisches 24 f.; Ljungvik, Römerbrief 207; Jeremias, Chiasmus 155) mit 7 zu einem einzigen, von τί in 7b abhängigen Satze verbunden werden. Jetzt wird nicht mehr bloß gegen die paulinische Rechtfertigungslehre im Namen des Frommen protestiert, weil sie die Sünde zur Voraussetzung der Gnade macht und das Gericht vorwegnimmt. Sie muß auch libertinistische Konsequenzen haben und sich so selbst ab absurdum führen. An dieser Stelle werden unverkennbar tatsächlich gegen Pls gerichtete Angriffe sichtbar, während man mindestens schwanken kann, ob der Apostel vorher nicht im Diatribenstil Selbsteinwände erhob. Er selbst beklagt sich darüber, daß man seiner Botschaft solche, von ihm als läterlich empfundene Vorwürfe macht, aber die korinthischen Enthusiasten beweisen, daß diese nicht völlig aus der Luft gegriffen waren (Schlatter; Althaus; Barrett). Von der paulinischen Rechtfertigungslehre aus konnte es wirklich zum Libertinismus kommen, und die Gegner bezeichnen diesen sogar als unumgängliche Konsequenz. Die Einwände steigern sich also von 5 ab. Bildete 5 noch eine mehr oder minder theoretische Frage, hat 7 mit seinem charakteristischen Ich-Stil konkretisiert. Wie dieser Stil auf 7 beschränkt bleibt, bringt 8 mit einem neuen Thema die Kulmination des Abschnittes mit einer Folgerung, welche die paulinische Lehre radikal diskreditiert. 8 läßt sich also nicht mit 7 parallelisieren. Es handelt sich nicht um das monströse Gebilde einer Doppelfrage in einem einzigen Satz. καὶ μή in 8a entspricht dem μή in 5b. Es koordiniert nicht, sondern ist steigernd mit „sogar" zu übersetzen. Das ὅτι nach λέγειν, aus welchem ein λέγομεν für den Hauptsatz entnommen werden muß, ist rezitativ: „Sollen wir etwa sogar sagen" oder: „Gilt etwa sogar, was man uns . . . sagen läßt?" Der Apostel nennt diese Nachrede nicht bloß verleumderisch, sondern eine Lästerung, weil sie sein Evangelium angreift. So antwortet er jetzt nicht mehr, wie er es in 6 mit dem Hinweis auf den Weltrichter getan hat, dem als solchem Ungerechtigkeit nicht zugeschrieben werden kann. Der Schluß von 8 ist zutiefst ein Fluch (Kuss), wie 4a kein religiöses Postulat, sondern beschwörendes Gebet war.

Die ganze Argumentation wird begreiflich nur, wenn man 4 die Mitte bleiben läßt. So lange fällt das heilsgeschichtliche „Plus" des Juden nicht hin, wie Gott seine Sache nicht selber aufgibt. Der Abfall des Judentums hat das nicht bewirkt. Gott verherrlicht sich stets über den Gottlosen, zu denen jetzt eben auch die Juden gehören. Nur so kann er über ihnen zu seinem Siege kommen, wird das Ende des Rechtsstreites zwischen Gott und Welt auch die Treue des Schöpfers seinen Verheißungen gegenüber erweisen. Es stimmt also nicht, daß Pls, wie gewöhnlich behauptet wird, das Ziel seiner Ausführungen von 1,18 ab aus den Augen verloren hätte. Das Problem Israels ist noch nicht in die richtige Perspektive gerückt, wo faktisch bloß die Schuld des Judentums konstatiert wurde und seine Sonderansprüche abgewiesen sind. Das Fazit des ganzen Briefteils kann erst gezogen werden, wenn auch Israel in die Gemeinschaft der Gottlosen gezogen wird. So verlangt es die paulinische Lehre von der justificatio impiorum, die darum notwendig Gegenstand der erhobenen Einwände wurde, und zwar nach 5 als Gottes Gottheit antastend, nach 7 als den Menschen unfaßbar, nach 8 als in den Libertinismus führend. Statt eine Abschweifung zu sein, sind 1—8 folgerichtig die Vorbereitung von 9—20. Vom Juden als dem Repräsentanten des frommen Menschen her kann erst die allgemeine Gottlosigkeit proklamiert werden.

6. 3,9—20: Resultat

9 Wie verhält es sich also? Sind wir im Vorteil? Nicht entscheidend! Wir haben vorher Anklage erhoben, daß alle, Juden wie Griechen, unter der Macht der Sünde
10 ständen. Darum steht geschrieben: Keiner ist gerecht, auch nicht einer. Nicht gibt
11 es den Einsichtigen, nicht den, der ernstlich nach Gott fragt. Alle sind abgewichen,
12 insgesamt unbrauchbar geworden. Keiner ist, der redlich handelt, nicht einmal ein
13 einziger. Ein geöffnetes Grab ist ihr Schlund, mit ihren Zungen betrogen sie,
14 Schlangengift ist unter ihren Lippen. Ihr Mund ist voll Fluch und Bitterkeit. Rasch
15 sind ihre Füße, um Blut zu vergießen. Verwüstung und Elend sind auf ihren
16 Wegen, und den Weg des Friedens erkannten sie nicht. Keine Gottesfurcht gilt vor
18 ihren Augen. Wir wissen aber: Was das Gesetz sagt, sagt es denen im Bereich des
19 Gesetzes, damit jeder Mund gestopft werde und schuldig sei alle Welt vor Gott. Darum: Aus Gesetzeswerken wird kein Fleisch vor ihm gerecht. Denn durch das Gesetz (entsteht nur) Erkenntnis der Sünde.

Literatur: E. Lohmeyer, Probleme paulinischer Theologie II, „Gesetzeswerke", ZNW 28 (1929), 177-207. R. Gyllenberg, Die paulinische Rechtfertigungslehre und das Alte Testament, Studia Theologica I, 1935, 35-52. J. A. Fitzmyer, The Use of explicit Old Testament Quotations in Qumran Literature and in the New Testament, NTSt 7 (1960/1), 297-333. R. A. Kraft, Barnabas Isaiah Text and the ‚Testimony Book' Hypothesis, JBL 79 (1960), 336-350. O. Kuss, Nomos bei Paulus, Münch.ThZ 17 (1966), 173-227. Ph. Vielhauer, Paulus und das Alte Testament, Studien zur Geschichte und Theologie der Reformation (Festschr. E. Bizer), 1969, 33-62. U. Wilckens, Was heißt bei Paulus: „Aus Werken des Gesetzes wird kein Mensch gerecht", EKK, Vorarbeiten 1, 1969, 51-77. J. Blank, Warum sagt Paulus: „Aus Werken des Gesetzes wird niemand gerecht"?, ebd. 79-107.

9 kehrt nicht deshalb zu 1 zurück, weil (Dodd) die Argumentation dazwischen nicht durchschlagend gewesen wäre, sondern weil wirklich alle Welt schuldig gesprochen werden kann, wenn selbst der Fromme es ist. Denn die Juden, nicht etwa (Zahn) die Judenchristen und Pls sind Subjekt der Frage in 9 und Objekt der Feststellung in 19 f., die nach 9b wie 19 f. nun verallgemeinert werden kann. Auf die Juden bezieht sich zunächst auch die Zitatenkombination 10b—18. Sie ist nicht Klageliturgie mit drei Strophen in 10—12.13—14.15—18 oder ein aus dem AT erwachsener urchristlicher Psalm (gegen Michel; Leenhardt), sondern Gerichtspredigt (Schlatter). Die Schrift nimmt christliche Erfahrung und Anklage vorweg, weil sie auf die eschatologische Zeit ausgerichtet ist. In 9a führten die Schwierigkeiten der lectio difficilior (Lietzmann) zu Varianten. Im Diatribenstil folgt die Antwort auf zwei kurze Fragen. Das medial gebrauchte Verb bedeutet klassisch (vgl. Sanday-Headlam; Ridderbos) „vorschützen", muß aber in der Koine ohne Objekt wie das Aktiv heißen: etwas voraushaben. Weil eine Selbstverteidigung des Pls nach dem Kontext nicht vorliegt, wäre der Sinn „Ausflüchte machen" (Bauer, Wb 1400) abwegig. οὐ πάντως lehnt auch in 1.K 5,10 energisch ab: überhaupt nicht (Sanday-Headlam; Gutjahr; Murray; Ridderbos). Doch ist im Blick auf 1 f. eine Einschränkung zu erwägen: nicht in jeder Hinsicht (Lietzmann; Lagrange; Huby). Der heilsgeschichtliche Vorrang begründet nicht mehr Ansprüche. Der kennzeichnend paulinische Singular ἁμαρτία meint durchweg und fast hypostasierend die Macht der Sünde. Die Realität der Welt ist dadurch bestimmt, ihr ausgeliefert zu sein und so zugleich dem göttlichen Zorn zu unterliegen. Jeder Einzelne repräsentiert sie auf seine Weise. Daß der homo religiosus davon nicht ausgenommen ist, hat bereits urchristliche Prophetie anklagend verkündigt. Deren überführende, sich dabei geradezu typisch des AT bedienende Funktion wird jetzt in die Ebene der Reflexion gehoben und literarisch abgewandelt. Die mit geläufiger Zitationsformel eingeleitete Stellenkombination ist so umfangreich, bunt und im Detail verändert, daß man sie kaum (mit Michel, Bibel 39 f.; 80) als Gedächtnisprodukt des Apostels ansehen kann. Das gilt um so mehr, als Justin c. Tryph 27,7—9 eine gekürzte, nicht ohne weiteres von unserm Text abzuleitende Parallele bietet (Hatch, Essays 203 ff.). Man mag an mündliche Überlieferung denken (Smits, Zitaten 483 f.). Viel überzeugender ist jedoch gerade hier die Annahme eines Florilegiums (Vollmer, Zitate 40). Durch die Qumranfunde wurde bewiesen, daß es das bereits in urchristlicher Zeit gab (vgl. dazu H. Chadwick, RAC VII, 1131—1160; H. Braun, Qumran II, 304 f.; Luz, Geschichtsverständnis 95 ff.). Missionarische Apologetik und Polemik speisten sich notwendig aus einem relativ festen Bestand verwendbaren at.lichen Gutes. Das Herausreißen eines Satzes aus dem Kontext, die Verflechtung von Stellen mit verschiedener Tendenz und die in das jeweilige Zitat eingeschobene Interpretation spiegeln rabbinische Bibelauslegung (vgl. jedoch Bonsirven, Exégèse 334 ff.), der die Judenchristenheit folgte. Damit wird der Beweisführung freilich vor historischer Kritik die Überzeugungskraft genommen. Eine Gliederung ist kaum möglich (gegen Sickenberger; Baulès), wenngleich Anfang und Ende zusammenfassen und in 13—14 die Wortsünden stark hervortreten. 10b—12 verkürzen und verändern durch Einfügung des entscheidenden Stichwortes δίκαιος Ps 13,1—3. Wörtlich wird in 13a—b der Text von Ps 5,10, in 13c der von Ps 139,4 zitiert. 14 verändert Ps 9,28, und 15 verkürzt außerdem Jes 59,7—8. In 18 wird Ps 35,2 fast wörtlich wiedergegeben. Jeweils liegt LXX zugrunde. Volkstümliche Anschauung des Judentums behauptete Sündlosigkeit nicht bloß für die Frommen der Vorzeit, sondern vereinzelt

auch für die Gegenwart (Billerbeck). Dem hat besonders die Apokalyptik die allgemeine Sündhaftigkeit entgegengestellt, wie es z. B. neben 1QH IV, 29 f.; VII, 17, fast wörtlich mit Pls übereinstimmend, 1QH IX, 14 f. tut: „Keiner ist gerecht nach deinem Urteil
und unschuldig in deinem Gericht." In XII, 31 f. wird bekannt: „Du bist gerecht, und
keiner besteht vor dir", woraus dann wie bei Pls das Verstummen des Menschen gefolgert wird. Angesichts von Phil 3,6 ist es aber mehr als unwahrscheinlich, daß der Apostel
hier eigene vorchristliche Erkenntnis ausspricht. Von 13 ab scheint der jüdische Haß
gegen das Evangelium im Blickfeld zu stehen (Schlatter). Die Einzelheiten sind nicht zu
strapazieren. Unverkennbar ist das rhetorische Pathos, wie es sich zumal in den betonten Negationen äußert. Der Schluß überhöht den Anfang mit einem auch rabbinisch
gebrauchten Bilde des äußersten Frevlers, der jenseits der Gottesfurcht sich jedem göttlichen Anspruch entzieht (Billerbeck).

Mit drei wuchtigen Feststellungen zieht Pls in 19 f. die Summe und nennt damit zugleich den Zweck des Briefteils. Die erste Aussage bekräftigt nochmals, daß der Jude als
Typ des homo religiosus der eigentliche Gesprächspartner der Reflexion war. Die häufige
Wendung οἴδαμεν ὅτι erinnert hier anders als zumeist kaum an in der Gemeinde vorhandene Lehrtradition, sondern betont emphatisch die Konsequenz der Argumentation.
Jüdische Zustimmung hat nur die Prämisse. Es meldet sich jetzt das Problem des Gesetzesbegriffes bei Pls (vgl. die Übersicht bei Kuss, Nomos 177 ff.), und zwar zunächst
noch in jüdischer Dialektik. Da die Kombination die eigentliche Tora nicht herangezogen
hat, ist νόμος in 19a wie etwa in 1.K 14,21 und häufig im Rabbinat (Billerbeck) die
ganze Schrift (gegen Zahn). Das AT hat jedoch seine Sachmitte in der Tora als der Kund-
gebung des göttlichen Willens im strengen Sinn. ἐν νόμῳ bezieht sich auf den Gültig-
keitsbereich des Gesetzes als heilsgeschichtlicher Größe. Das verdient deshalb Beachtung,
weil es davor warnt, ἐν in den parallelen Wendungen „in Christus, im Geist" selbstverständlich „mystisch" zu interpretieren. Heilsgeschichtliche Bedeutung ist stets zu erwägen
(Neugebauer, In Christus, gegen Deissmann und seine Schüler). Schließlich tritt heraus,
daß νόμος für Pls nicht eine allgemein gültige Norm, abstrakt „Gesetzlichkeit" als solche, ist, sondern die konkrete Tora des Mose, die nur in der Beziehung auf die israelitische Geschichte ihren Charakter behält. Nach dem Kontext gibt der ἵνα-Satz nicht nur
die Folge (Lietzmann; Ridderbos), sondern die göttliche Absicht (Kühl; Nygren; Chr.
Müller, Gerechtigkeit 67), an, die allerdings erst durch die Predigt des Apostels proklamiert und erkannt wird. Mindestens der generellen, durch 20b erläuterten Formulierung
kann der Jude nicht beipflichten (Zahn gegen Schlatter). Billerbeck vermag kennzeichnenderweise zu ihr keine Parallele zu bringen. Apk. Bar 48,40 sagt allein von den Heiden, daß sie aus dem von ihnen hochmütig verachteten Gesetz ihre Sünden hätten erkennen können. Wenn umgekehrt Hodajoth den Frommen seine wie menschliche Verlorenheit erkennen lassen, bezieht sich solche Einsicht eben nicht auf das Gesetz. Die Aussage
ist in ihrer gegen das Judentum gerichteten Spitze (Bruce; Baulès) für das spezifisch
paulinische Gesetzesverständnis charakteristisch. Im Parallelismus von πᾶν στόμα und
dem at.lichen πᾶς ὁ κόσμος treten erneut die anthropologische Dominante des Welt-
begriffs bei Pls wie der kosmische Horizont der Anthropologie als sich gegenseitig be-
dingend heraus. Dabei wird „Welt" hier nicht bloß durch die Gesamtheit der Menschen,
sondern konkret durch den Kontrast von Juden und Heiden bestimmt. Denn von „allen"
und „allem" wird gerade im Blick auf den Juden gesprochen. Das Verhältnis des Einzel-

nen zur Welt ist also komplex. Es setzt jeweils auch religiöse Gemeinschaft voraus, von der nicht abstrahiert werden darf. Wird andererseits der Gegensatz von Juden und Heiden in der übergreifenden Einheit „Welt" aufgelöst, gewinnt Pls eine dann im 4. Evangelium beherrschende Nüance: Der Kosmos wird exemplarisch durch den Juden vertreten, weil zutiefst Religiosität das Wesen der Welt kennzeichnet. Der paulinische Gesetzesbegriff setzt konstitutiv die Dialektik zwischen dem Juden als Empfänger der Offenbarung und als typischem Repräsentanten menschlicher Leistungsfrömmigkeit voraus. Das von Gott gegebene Gesetz ist nicht einfach mit dem identisch, was der Jude zu erfüllen trachtet. Spricht der Apostel polemisch vom Gesetz, meint er den jüdisch interpretierten und praktizierten Nomos. So ergibt sich ein fließender Übergang zwischen den verschiedenen Aspekten einmal der Dokumentation des göttlichen Willens in der Schrift, zweitens der Funktion des dem Juden gegebenen Gesetzes als Offenbarung und drittens dessen Unvermögen, das Heil zu wirken.

19c und 20b sprechen von der faktischen Wirkung des Gesetzes. Das vulgär hellenistische (ἐμ-)φράσσειν στόμα wird auch in Ps 107,42; Hiob 5,16; 1.Makk 9,55 aufgegriffen. Weil es die einzige Funktion des in jüdischer Tradition vorliegenden Gesetzes ist, fromme Ansprüche zum Schweigen zu bringen und den Menschen als ὑπόδικος, also im Anklagezustand ohne Möglichkeit der Verteidigung (Maurer, ThWb VIII, 557 f.) befindlich, zu erweisen, wird die Aussage von 20a notwendig. In das Zitat aus Ps 142,2 sind die entscheidenden Worte ἐξ ἔργων νόμου als Interpretament eingeschoben, und wie in Hen 81,5 wurde πᾶς ζῶν durch πᾶσα σάρξ ersetzt. Die Parallele in Gal 2,16 beweist, daß die Stelle für den Apostel in ihrer konstitutiven Bedeutung festlegt. „Fleisch" bezeichnet hier einfach das menschliche Lebewesen. Hintergrund und Sinn der Formel „Gesetzeswerke" darf als geklärt gelten (vgl. Billerbeck III, 160 ff.; IV, 559 ff.; Bertram, ThWb II, 642 ff. und Lohmeyers ebenso anregenden wie kritisch zu lesenden Artikel). Es handelt sich um solche Werke, die, ausdrücklich von der Tora gefordert, sie zugleich erfüllen. Sie sind den „guten" Werken etwa der Liebestätigkeit vorgeordnet und stehen den nach Gutdünken selbst erwählten Werken entgegen. Das technische Äquivalent dafür ist im Rabbinischen מצוות = Gebotserfüllung, wofür gelegentlich auch מעשים steht. Wenn Apk. Bar 57,2 von opera praeceptorum spricht, so bereitet Apokalyptik damit die paulinische Formel vor, belegt sie unter Umständen sogar ihre schon vorpaulinische Verwendung. Ihr Ton ruht auf dem Genetiv, der den Bereich der ermöglichenden und fordernden Macht über diesen Werken anzeigt. Der durchgängig gebrauchte Plural ἔργα und die Abbreviatur, welche in 4,2. 6; 9,11; 11,6 technisch von den „Werken" reden läßt, stellen heraus, daß an konkrete Einzeltaten gedacht ist. Umgekehrt werden die vorhandenen Möglichkeiten nie exemplarisch aufgezählt. So tritt bei Pls in 10,5; Gal 2,21; 3,11; 5,4; Phil 3,6. 9 auch das Gesetz selber an ihre Stelle. In ihnen geht es um das Bewahren und Erfüllen der gesamten Tora als einen nie zu beendenden Dienst (Lohmeyer, Gesetzeswerke 183 ff.; Rössler, Gesetz 79 ff.). Paulinisches Verständnis scheidet sich an diesem Punkte notwendig von der jüdischen Tradition. Der Apostel verzichtet nicht auf das Werk und die Werke und begreift sie nach 2,6 ff. wie das Judentum als Gehorsam gegenüber dem göttlichen Willen. Er muß jedoch bestimmen, in welchem Verhältnis der Dienst des Gesetzes zu dem andern des Christus steht. 20a stellt in schroffem Widerspruch zur jüdischen Meinung das Ergebnis solcher Unterscheidung heraus. Diese spricht in Apk. Bar 51,3 von der herrlichen Erscheinung derer, die auf Grund des Gesetzes gerecht gehandelt haben, in 67,6 von dem „Weihrauchduft der aus dem Gesetz stammenden Gerechtigkeit". Pls stellt fest: οὐ δικαιωθήσεται. Geht das primär auf die eschatologische Erklärung in Gottes Gericht, so kann diese prophetisch vorweggenommen werden. Verkündigung und Verwirklichung fallen dann zusammen, so daß das Futur gnomisch wird (Bultmann, Theol. 274). Sinnvoll ist das, wenn der Dienst des Gesetzes und der für Christus sich ausschließen, und das kann nur dann der Fall sein, wenn Pls echten Gehorsam in den Gesetzeswerken nicht realisiert sieht. Gegen solche Feststellung ist leidenschaftlich protestiert worden, um den liberalen Rückzug auf die bloße Gesinnung zu verwehren (Schlatter, Glaube 325 ff.; Theol. 281). Doch ist die Unterscheidung zwischen den Gesetzeswerken als dem Guten und dem Christuswerk als dem Besten (ebd.) völlig unpaulinisch. Sie beweist geradezu, daß die Radikalität der paulinischen Theologie entscheidend in ihrer Gesetzeslehre ruht und nur schroffe Antithetik an dieser Stelle der Christusbotschaft gerecht wird. Das faktisch vorliegende und tradierte Gesetz wirkt für den Apostel nicht echten Gehorsam, weil die Frommen sich seiner bemächtigt und es zum Grund wie ihrer Leistungen, so ihres Selbstruhms gemacht haben. Das aber ist schlechthin Frevel. Weil Pls diesen Frevel in den Gesetzeswerken unablässig im Gange sieht, kann er sie nur schroff ablehnen. Diese Pointe des Ganzen wird völlig verkannt, wenn, entsprechend zu den Aussagen in Qumran, in unserm Text nur die allgemeine Übertretung festgestellt werden soll, aber keine grundsätzliche Bestreitung der Gesetzeswerke erblickt wird (so U. Wilckens, Was heißt ... 54 ff. 72 ff.; dagegen ironischerweise der Katholik Blank, Warum sagt ... 89 ff.). Daß Pls von Gesetzeswerken statt von den Taten und Bemühungen des Frommen spricht, bleibt dann völlig unerklärt, erst recht die Polemik gegen das Gesetz im ganzen und gegen Mose. Welche Aufgabe hat jedoch unter solchen Umständen das Gesetz überhaupt noch? Die Antwort in 20b wirkt in ihrer Kürze orakelhaft. Ihr sentenziöser Charakter darf aber nicht dazu verführen, in ihr eine allgemeine Wahrheit zu erblicken, die auch vor Christus, nämlich eben durch das der Sünde überführende Gesetz erkannt werden kann (gegen Wilckens, Was heißt 75 f.; ähnlich Baulès; dagegen scharf Schlatter: „Nie hat jemand dies im Gesetz gelesen"). Pls spricht also keineswegs von einer erzieherischen Aufgabe des Gesetzes (mit Kühl gegen Nygren). Hier wird christliche Einsicht laut, wie allein praesentia Dei sie ermöglicht und Pls sie selber als Urteil über seine frühere Religiosität erfahren hat. So besagt der Satz auch nicht dasselbe wie das fast wörtlich gleiche Zitat aus Epikur bei Seneca, epist. 28: Initium est salutis notitia peccati. Es geht nicht darum, daß der Mensch aus seinen Fehlern lernt. Wohl meint ἐπίγνωσις das Wissen der Erfahrung, das zur Anerkennung eines Sachverhaltes führt (Bultmann, ThWb I, 706 f.), und diese Erfahrung wird durch den Umgang mit dem Gesetz vermittelt. Doch geschieht das nicht im Zuge eines Fortschreitens, sondern als Ende eines Weges, an dem sich ein unüberwindlicher Abgrund auftut. Wenn das Judentum vielfach wie etwa in 4.Esra 3,20; 7,46. 72; 9,36 auf faktische Verletzung des Gesetzes hinweist, verbindet es damit den Bußruf, der zur strengeren Beachtung der Gebote antreibt. Daß man nicht konnte, erscheint hier nicht als Zeichen dafür, daß man diesen Weg nicht gehen sollte (Bultmann, Theol 264; Bornkamm, Teufelskunst 147; anders Gutbrod, ThWb IV, 1043). Es treibt nur stärker in den circulus vitiosus von Forderung und Leistungsstreben, aus dem Pls ausbricht. Seine Aussage charakterisiert nicht eine jeweils vorläufige, sondern die endgültige Situation und beendet den Briefteil mit der Feststellung allgemeiner Ausweglosigkeit. Gesetzesdienst gilt ihm nach 2.K 3,6 ff. als

Dienst der Verdammnis, provoziert nach R 7,7 ff. die Sünde. Um des Skopus willen wird das hier anders formuliert. Man bekommt es nicht etwa theoretisch, sondern erfahrungsmäßig mit dem zu tun, was Sünde zutiefst und wirklich ist, nämlich der menschliche Versuch, Gott zu entmachten. Selbstverständlich wird solche Einsicht von den Dienern des Gesetzes nicht anerkannt. So verbindet sie sich notwendig mit der des göttlichen Zorns, die ebenfalls erst mit dem Evangelium möglich wird, auch wenn sie sich schattenhaft bereits vorher abzeichnete und realiter die Welt bestimmte. Erst mit falscher Religiosität wird das Wesen der Sünde nicht als Schwäche und konkretes Vergehen, sondern als Frevel deutlich. Daß mit dem Gesetz nichts anderes gegeben wird, ist entscheidend. Denn so zeigt sich, daß selbst der Weg der Frommen vor und außer Christus hoffnungslos ist. Wo sogar unter dem Gesetz und in Frömmigkeit nur Sünde Platz greift, vermag allein Christus in einen neuen Anfang zu stellen.

C) 3,21—4,25: DIE GOTTESGERECHTIGKEIT ALS GLAUBENSGERECHTIGKEIT

In scharfer Antithese zu der geschilderten Ausweglosigkeit des Menschen sprechen 3,21—31 von der Manifestation der Glaubensgerechtigkeit und ihrer Begründung. 3,21 bis 26 tragen die eigentliche These vor, 3,27—31 erläutern sie in ihrer antijüdischen Tendenz. 4,1—25 geben den Schriftbeweis dafür, daß die These der heilsgeschichtlichen Führung Gottes und seinem im AT dokumentierten Willen entspricht. Wenn man vielfach c.5 noch unserm Briefteil eingliedert, ist das aus einer falschen Gegenüberstellung von Rechtfertigung und Heiligung zu erklären und abzulehnen.

I. 3,21—26: Die These

21 Nun ist aber ohne Gesetz offenbart worden Gottes Gerechtigkeit, bezeugt von
22 dem Gesetz und den Propheten, nämlich Gottes Gerechtigkeit durch Glauben an
23 Jesus Christus für alle Glaubenden. Denn es ist kein Unterschied: Alle sündigten
24 und sind der Herrlichkeit Gottes verlustig. (So) werden sie umsonst in seiner
25 Gnade gerechtfertigt durch die Erlösung in Christus Jesus. Den hat Gott öffentlich
als Sühne herausgestellt, (die ergriffen wird) durch Glauben kraft seines Blutes.
(Das geschah) zum Erweis seiner Gerechtigkeit so, daß die in göttlicher Geduld
26 früher geschehenen Sündenschulden erlassen wurden; zum Erweis seiner Gerechtigkeit in der gegenwärtigen Schicksalsstunde, auf daß er gerecht sei und gerecht mache den, der aus Glauben an Jesus lebt.

Literatur: W. Michaelis, Zur Frage der Aeonenwende, ThBl 18 (1939), 113-118. E. Lohse, Imago Dei bei Paulus, Libertas Christiana (Festschr. F. Delekat), 1957, 122-135. E. Käsemann, Zum Verständnis von Römer 3,24-26, Ex. Vers. I, 96-100. J. Jeremias, Das Lösegeld für viele, Abba 216-229. Ed. Schweizer, Die ‚Mystik‘ des Sterbens und Auferstehens mit Christus bei Paulus, Beiträge zur Theologie 183-203. F. Grandchamp, La doctrine du sang du Christ dans les épîtres de saint Paul, RevThPh 11 (1961), 262-271. S. Lyonnet, De Iustitia Dei in Epistola ad Romanos 3,25-26, V. D. 25 (1947), 129-144. S. Schulz, Zur Rechtfertigung aus Gnaden in Qumran und bei Paulus, ZThK 56 (1959), 155-185. P. Valloton, Le Christ et la foi, 1960. G. Fitzer, Der Ort der Versöhnung nach Paulus, ThZ 22 (1966), 161-183. Ch. H. Talbert, A Non-Pauline Fragment at Romans 3,24-26?, JBL 85 (1966), 287-296. W. Schrage, Römer 3,21-26 und die Bedeutung des Todes Jesu Christi bei Paulus, Das Kreuz Jesu (Forum 12 hrsg. P. Rieger), 1969, 65-88. W. G. Kümmel, πάρεσις und ἔνδειξις, Heilsgeschehen 260-270. W. H. Cadman, Δικαιοσύνη in Romans 3,21-26, Stud. Evang. II, 532-534. D. Zeller, Sühne und Langmut. Zur Traditionsgeschichte von Röm 3,24-26, Theologie und Philosophie 43 (1968), 51-75. K. Wennemer, Ἀπολύτρωσις Römer 3,24-25a, Stud. Paul. Congr. I, 283-288. H. Rosman, Justificare est verbum causativum, VD 21 (1941), 144-147. A. Deissmann, ἱλαστήριος und ἱλαστήριον, ZNW 4 (1903), 193-212. C. Bruston, Les conséquences du vrai sens de ἱλαστήριον, ZNW 7 (1906), 77 bis 81. T. W. Manson, Ἱλαστήριον, JThSt 46 (1945), 1-10. L. Moraldi, Sensus vocis ἱλαστήριον in R 3,25, VD 26 (1948), 257-276. C. Morris, The Meaning of ἱλαστήριον in Rom III, 25, NTSt 2 (1955/6), 33-34. J. Heuschen, Rom 3,25 in het Licht van de oudtestamentische Zoenvoorstelling, Rev. Eccl. de Liège 44 (1957), 65-79. H. J. Schoeps, The Sacrifice of Isaac in Paul's Theology, JBL 65 (1946), 385-392. H. G. Meecham, Romans 3, 25 f.; 4,25 — the Meaning of διά c. acc., ET 50 (1938/9), 564. C. Blackman, Romans 3,26b: A Question of Translation, JBL 87 (1968), 203-204.

Richtig ist unser Abschnitt als einer der schwerfälligsten und undurchsichtigsten des ganzen Briefes bezeichnet worden (J. Weiss, Beiträge 222). Unklar blieb der Grund dafür. Daß der Apostel sein Thema voll hätte ausschöpfen wollen und mit neuen Gedanken noch ringe oder Mißverständnisse abwehre, ist abwegig. Bildet die Rechtfertigungslehre das Zentrum seiner Theologie und unseres Briefes, sind Abbreviaturen, nicht Unklarheiten zu erwarten, und tatsächlich läßt sich sein Anliegen kaum kürzer fassen. Fehldeutungen kommen erst mit 31 in den Blick. Das Geschiebe des Textes erklärt sich nur dann, wenn man beachtet, daß sich hier nicht spezifisch paulinische Termini und Motive liturgischer Tradition häufen, also geprägte Tradition wie in 1,3 f. die Christusbotschaft, so hier und in 4,25 die Rechtfertigungslehre einleitend wie abschließend stützt. Das Satzgebilde wird undeutlich, weil Pls wie sonst die von ihm benutzte Überlieferung nicht als solche kenntlich macht und sie außerdem mit Zusätzen interpretiert (zuerst Bultmann, Theol. 49 f.; 295 f.; J. Jeremias, ThWb V, 704; weite Zustimmung registriert Zeller, Sühne 52; anders Barret; Kuss; Fitzer, Versöhnung).

νυνὶ δέ charakterisiert zugleich die logische Antithese wie vor allem die eschatologische Wende (Stählin, ThWb IV, 1111). Der Satz entspricht bis in seine Objektivität hinein der Gegenaussage in 1,18. Mit den Kategorien vom alten und neuen Zeitalter (Nygren) läßt sich der Gegensatz jedoch nicht einfangen, und selbst die jüdische Anschauung von den beiden Aeonen wird von Pls zwar vorausgesetzt, aber nur dialektisch und nie explizit aufgegriffen (zu radikal Michaelis, Aeonenwende 116). Für ihn ist der kommende Aeon mit Christus bereits in den alten eingebrochen und breitet sich in dessen Vergehen aus. Umgekehrt gibt es weltweit Heil nur im Bereich der Herrschaft Christi für einen Kosmos unter Gottes Zorn, in den Christen zurückfallen können und dessen Realität erst mit der Parusie beendet wird. Daß Heil präsent ist, hat also die Struktur eines gleichzeitigen „nicht mehr" und „noch nicht" für Kosmologie und Anthropologie als deren Projektion. 8,22 wird deshalb von den „Wehen" sprechen, in denen sich die Schöpfung befindet. Durch das Kommen Christi ist das Gefälle der geschichtlichen Bewegung entschieden. Die Gegenwart der Christusherrschaft verleiht dem „jetzt" Endgültigkeit, und doch stellt die Anfechtung durch das Bestehende den Glauben in die Vorläufigkeit eines nicht abgeschlossenen Weges, auf welchem Bewährung verlangt wird. Paulinische Eschatologie hebt also Geschichtlichkeit und Geschichte nicht auf, sondern begründet beide aus göttlichem Heilshandeln gegenüber einer sich dagegen sperrenden Welt. Paradox wird das Letzte, wie das von dem Dauer anzeigenden Perfekt des Verbs herausgestellt wird, gegenwärtig, ohne daß damit zugleich das Gegenwärtige auch das Letzte wäre. Anders als für manche seiner modernen Ausleger erschöpft sich göttliche Gerechtigkeit für den Apostel nicht in der Heilsgewißheit des angefochtenen Glaubens. Dieser ist vielmehr wie der Geist Erstlingsgabe künftiger Vollendung. Durchaus berechtigt ist die Frage (Lütgert, Römerbrief 42 ff.), warum nicht einfach von Gnade und Vergebung gesprochen wird. Zumal katholische Interpretation drängt immer wieder in diese Richtung, wenn sie Gottes Gerechtigkeit unter Berufung auf das AT als action salvifique definiert und mehr oder minder eindeutig der Liebe subsumiert. Das verkürzt jedoch die paulinische Perspektive, nach welcher nur der Richter Heil zu setzen vermag und, wie schon der forensische Ausdruck anzeigt, mit der Macht der Gnade sein Recht auf seine Schöpfung geltend macht. Des Menschen Rechtfertigung ist die Aktualität des als Heilsmacht sich offenbarenden Rechtes Gottes auf seine Schöpfung, und dieses bleibt Grund, Kraft, den Einzelnen transzendierende, auf neue Welt gerichtete Wahrheit der Rechtfertigung. Ohne solche Unterscheidung löst sich die Rechtfertigungslehre in eine Anthropologie des Glaubens auf und kann das mit dem Christusgeschehen gegebene extra nos des Heils nicht streng gewahrt bleiben. So gewiß Rechtfertigung ihre Realität verlöre, wenn sie nicht am Einzelnen geschähe, so gewiß bleibt sie nicht eschatologisches Ereignis, wenn sie nicht gerade über den Einzelnen hin Griff des Schöpfers nach seiner Welt ist. Im Primat der Christologie über Anthropologie und Kosmologie ist beides beschlossen und trennt paulinische Eschatologie sich von der Ideologie. Deshalb darf man dem Verb φανεϱοῦν, das wie ἀποϰαλύπτειν der Offenbarungssprache angehört und mehr als nur ein Sichtbarwerden meint (gegen Cerfaux, Chrétien 385), nicht entnehmen (Zahn), die Gerechtigkeit Gottes sei verborgen schon immer vorhanden gewesen. Es manifestiert sich vielmehr jetzt Gottes endgültiger Sieg. Richtig ist weder, daß Gnade für Pls um seiner positiven Stellung zum Gesetz willen zugleich Rechtfertigung sei (so Lütgert, Römerbrief 47 f.) noch daß sie als die bleibende Regel der Beziehungen zwischen Gott und Mensch das Gesetz überhöhe (W. Manson, Notes 156). Weil Gottes eschatologisches Heil der Schöpfung gilt, schließt sie das als Aufruf zur Werkgerechtigkeit verstandene Gesetz aus und kommt es anders als bei Marcion doch nicht zum totalen Bruch mit der Heilsgeschichte, wie 21b feststellt. Die Offenbarung der Gerechtigkeit ist öffentlich und geradezu in rechtlicher Verbindlichkeit angekündigt worden. Denn das ist der Sinn des forensischen Ausdrucks μαϱτυϱεῖν (Asting, Verkündigung 458 ff.). Die von Pls nur hier verwandte rabbinische Wendung „Gesetz und Propheten" (Zahn) meint das ganze AT (Billerbeck). Dabei ist Gesetz konkret der Pentateuch als die Tora im eigentlichen Sinne (Barrett; Gutbrod, ThWb IV, 1062). Deshalb darf nicht primär, wie das wohl die Nennung der Propheten beabsichtigt, an die messianischen Weissagungen gedacht werden. Nichts deutet darauf hin, daß der Apostel hier die prophetische von der legalistischen Linie des AT scheidet (gegen Dodd), und die Erklärung, daß Pls seine Argumentation sogar auf die Tora stütze (Nygren), bleibt zu blaß. Man verkennt die Dialektik des Gesetzesbegriffes bei Pls und ihren Grund: Gerade weil der Nomos in seiner ursprünglichen Intention als Heilszeuge gilt, ist seine Interpretation als Aufruf zur Leistung ein jüdisches Mißverständnis. Umgekehrt begeg-

net das Gesetz faktisch dem Menschen nur in dieser religiösen Perversion, so daß erst
christlicher Glaube ihm den Charakter der Verheißung zurückgibt, indem er der frommen Leistung ein Ende setzt. So wird es selbst im Pentateuch Zeuge des Heils, weil es
das gehorsame Herz fordert, welches Christus schafft (ähnlich Schlatter). Der Glaubensgehorsam abrogiert das Gesetz als Heilsmittler, durchschaut die Perversion im Verständnis als Leistungsprinzip und gibt der göttlichen Gabe im eschatologischen Rückblick erneut den Charakter des ursprünglichen Gotteswillens. 22 antwortet auf die Frage, ob
mit solcher Dialektik nicht wieder der Werkfrömmigkeit Vorschub geleistet wird.

Die Gottesgerechtigkeit manifestiert sich nun als Glaubensgerechtigkeit. Der ganze
Satz ist eine einzige Wendung, welche mit erläuterndem δέ das Subjekt von 21 aufgreift
und attributiv bestimmt. Was immer es sonst um die eschatologische Gerechtigkeit Gottes sein mag, jedenfalls ist sie Gabe, welche διὰ πίστεως zum Menschen kommt. Glaube
ist grundlegend, wie aktiv er sich im Gehorsam äußert, menschliche Rezeptivität. Wenn
das wohl ursprüngliche Ἰησοῦ teilweise in der Überlieferung ausgefallen ist, wurde damit die Fehldeutung auf einen von Jesus selbst gehegten Glauben beseitigt, die von
Haussleiter (Der Glaube; Valloton, Le Christ 47) vertreten, von andern (Deissmann,
Paulus 125 ff.; O. Schmitz, Christusgemeinschaft; Asmussen; Leenhardt) mit der Annahme eines sowohl subjektiven wie objektiven Genetivs modifiziert wurde. Richtig ist
daran nur, daß für Pls mit jeder Gabe der Geber selbst auf den Plan tritt, πίστις in Gal
3,23 deshalb sogar hypostasierend gebraucht werden kann. Hier ist der gen. obj. durch
26 gesichert. Er liegt durchgängig vor, insofern die ungriechische Umschreibung des Substantivs durch Relativsätze oder ὅτι-Aussagen, die Verbindung des Verbs mit εἰς oder
selten ἐπί charakteristisch sind (Bultmann, Theol. 91 f.). Der sonderbare Pleonasmus εἰς
πάντας καὶ ἐπὶ πάντας ist offensichtlich eine Kompilation vorliegender Varianten in der
Koine und im westlichen Text (Lietzmann; anders Zahn; Kühl; Nygren u. a.). Der allgemeinen Verfallenheit in 1,18—3,20 kontrastiert, durch πάντες 22b—23 wie in 1,16 f.
unterstrichen, die Universalität der Gabe. Obgleich sie nur von den Glaubenden empfangen wird, ist sie begnadende Macht im weltweiten Raum. Die Antithese von 5,12 ff.
meldet sich an, wenn im Kontrast die Entsprechung zwischen den beiden Aeonen in ihrem
weltweiten, jeden empirischen Unterschied relativierenden Wirkungsbereich betont wird.
Pls bedient sich nicht der Terminologie jüdischer Apokalyptik, weil für ihn die zukünftige Welt bereits angebrochen ist, und nimmt doch ihre Motive auf. Höchst beachtenswert ergibt sich beides aus seiner Rechtfertigungslehre. Wo Gottes Gerechtigkeit auf den
Plan tritt, ist in gewisser, noch näher zu bestimmender Weise zugleich die Basileia präsent geworden. Sie ist es jedoch so, daß nun die Welt Adams und Christi einander ent-
gegentreten und gleichzeitig als die einzigen eschatologischen Realitäten sich korrespon-
dieren. Die Heilsgeschichte ist nicht der Überbau der Rechtfertigungslehre, sondern diese
deren Kriterium. 23 bezeichnet in der Antithese zu der mit Gottes Gerechtigkeit gegebenen Christusherrschaft wie 1,18 ff.; 7,7 ff.; 8,19 ff. aus apokalyptischer Sicht die Solidarität einer Welt in Schuld und Not als Ort des Heilsgeschehens. Das καί zwischen den Verben hat geradezu konsekutiven Sinn (Cambier, L'Évangile 73). Luthers Übersetzung
von δόξα τοῦ θεοῦ verkennt die Intention. Denn die Wendung meint nicht wie etwa in
Joh 12,43 als gen.obj. die gute Meinung (Lagrange) oder die Ehre bei Gott (W. Bauer,
Wb 404), sondern jene Lichtherrlichkeit, welche die Gerechten nach apokalyptischer Anschauung himmlisch erwartet. Unser Text blickt allerdings (gegen Kühl; Schlatter; Alt-

haus; Nygren) nicht wie 1.K 15,43 auf die zukünftige, sondern auf die verlorene δόξα, auf die schon 1,23 anspielte und von welcher Apk. Mose 20 in höchst charakteristischer Parallelisierung zur einstigen Gerechtigkeit sagt: „ich bin entfremdet meiner Herrlichkeit, mit der ich bekleidet war." Entsprechend stellt Beresch. rabb. 12,5 fest; „Adam verlor durch Sünde Herrlichkeit." Im Gegensatz zu der gängigen rabbinischen Überlieferung (vgl. dazu Kittel, ThWb II, 391; Foerster, ebd. III, 1020 ff.; Larsson, Vorbild 128 bis 169) gilt hier die Gottebenbildlichkeit seit dem Sündenfall als verloren (Jervell, Imago 44 ff.; 92; 100 ff.; 113 ff.; Schaller, Gen 1—2, S. 76; 148 ff.; anders Larsson, Vorbild 186 f.). Spiritualisiert, nämlich auf die Unsterblichkeit bezogen, erscheint dieses Motiv schon in Sap 2,23 f., und die christologische Verwendung des εἰκών-Prädikates ist nur aus solchem Seitentrieb jüdischer Tradition begreiflich (vgl. dazu Lohse, Imago 123 ff.), dem Pls konsequent folgt. An den mythologischen Zusammenhängen ist er wie in 1,23 nicht interessiert. Er kann so jedoch menschliches Elend radikal kennzeichnen und im Kontrast dazu eschatologische Verheißung scharf profilieren. Aus der Antithese des Kontextes ergibt sich die Entsprechung von δόξα und δικαιοσύνη τοῦ θεοῦ (Bardenhewer; Best). Daraus folgt weiter, daß mit der Gerechtigkeit dem Menschen in seiner Teilhabe an der Christusherrschaft die verlorene Ebenbildlichkeit zurückgegeben und insofern gefallene Welt eschatologisch in die neue Schöpfung von 2.K 5,17 verwandelt wird. Präzis formuliert: die δόξα τοῦ θεοῦ ist δικαιοσύνη im Horizont der Wiederherstellung paradiesischer Vollkommenheit, umgekehrt δικαιοσύνη die göttliche δόξα im Horizont der Auseinandersetzung mit der Welt, also der Anfechtung. Gottebenbildlichkeit wird dann vom Apostel nicht als habitus, sondern als sachgemäße Relation des Geschöpfes zum Schöpfer verstanden (vgl. dazu Jervell, Imago 180 ff.; 325 ff.). So erscheint die nova oboedientia als Frucht und Kehrseite der Rechtfertigung. Wie hier unverkennbar Rechtfertigung und Schöpfung verflochten sind, verbindet sich beides in einer heilsgeschichtlichen Perspektive, gegen die paulinische Eschatologie also nicht ausgespielt werden darf. Bemerkenswert ist, daß der Text das alles nur aufleuchten läßt, obgleich es die weitere Interpretation zutiefst bestimmt. Die Selbstverständlichkeit, mit welcher das geschieht, beweist, daß Pls hier auf die Zustimmung seiner Leser rechnen darf.

Er kann es, weil er sich auf geprägte Tradition stützt. Das zeigt sich besonders in dem jähen Abbruch der Satzkonstruktion in 24. Die antithetische Entsprechung zu 23 wird zwar in 24 ff. gegeben, jedoch nicht so, daß mit dem charakteristischen πάντες der Satz fortgeführt und der Kontrast wie etwa in 5,18 scharf herausgestellt wird (gegen Wengst, Formeln 82). Weil die Ausleger den Bruch empfinden, müssen sie 22c—23 als Parenthese behandeln, obgleich sich das Partizip in 24 weder 22b (gegen Murray) noch gar (Michel) dem Substantiv δικαιοσύνη anschließen läßt. Nicht einmal die Annahme, hier habe sich mündliche Tradition niedergeschlagen (Cambier, L'Évangile 75 ff.) löst die syntaktische Schwierigkeit. Sie erklärt sich nur dadurch, daß Pls jetzt ein hymnisches Fragment zitiert. Theologisch wichtig ist, daß er, der in 1,16 f. die christologische Aussage von 1,3 f. soteriologisch interpretierte, nun umgekehrt auf diese Weise die Glaubensgerechtigkeit christologisch begründet und bindet (Schrage, Bedeutung 71). So sehr für den Apostel die Christologie von der Rechtfertigungslehre her interpretiert und festgelegt werden muß, so sehr ist die Rechtfertigungslehre nur christologisch sinnvoll und notwendig und auf keine Weise auf dem Weg über eine Glaubenslehre anthropologisch zu verselbständigen. Sie ist und bleibt angewandte Christologie und nur insofern das Evangelium, wie auf der anderen Seite von ihr her über rechte und falsche Christologie entschieden wird. Wo immer man aus diesem Zirkel ausbricht, wird paulinische Theologie im ganzen fragwürdig und mißverstanden. Im Kontext kann δικαιοῦσθαι ungriechisch, jedoch aus dem kausativen Hiphil von צדק ableitbar, allein „gerechtgemacht werden" bedeuten (Barrett; Cambier, L'Évangile 83. 153; vgl. den Exkurs bei Lagrange). Wiedergeschenkte Ebenbildlichkeit meint, wie auch von der Taufe her sichtbar wird, eschatologisch gewandelte Existenz. Mit solcher Feststellung ist allerdings nicht, wie häufig gemeint wird, das Problem der forensischen Deutung des Verbs erledigt, wie c.4 zeigen wird. Das Argument, Rechtssprache sei dem ethischen Verhältnis von Gott und Mensch nicht angemessen und allenfalls paradox verwendbar (Dodd), ist Relikt eines nicht mehr erlaubten Liberalismus. Die Frage muß im Gegenteil verschärft werden, indem man sie umdreht: Inwiefern kann sich das unbestreitbar forensische, nämlich nicht aus dem Zusammenhang des eschatologischen Gerichts zu lösende „Gerechterklären" gegenwärtig in dem schöpferischen Handeln des „Gerechtmachens" äußern? Die präsentische Partizipialwendung in 24, welche die Vergangenheitsformen in 23 ersetzt, gibt darauf eine erste Antwort, indem sie auf die gnadenhafte Befreiung durch Christus hinweist. χάρις ist auch hier nicht göttliche Gesinnung oder (so Bultmann, Theol. 289 f.) die Gnadentat, sondern die eschatologische Macht. Das sachlich überflüssige und wie in Apk 21,6; 22,17 unpaulinisch gebrauchte (Michel) δωρεάν verstärkt. Noch immer wird ἀπολύτρωσις vom sakralen Sklavenloskauf her gedeutet (Deissmann, Licht 232 ff.; Paulus 134 ff.; Lietzmann; Althaus u. a.). Doch fehlt dafür jeder Anlaß. Nicht einmal Rechtssprache ist wahrscheinlich (gegen Stuhlmacher, Gerechtigkeit 88), wohl aber wie in 1.K 1,30; Kol 1,14; Eph 1,7 liturgischer Gebrauch, der das eschatologische Geschehen betont (Büchsel, ThWb IV, 358). Deshalb wird kein Objekt genannt, wohl aber die feierliche Formel ἐν Χριστῷ Ἰησοῦ angehängt, deren Präposition instrumental ist. Daß diese Formel „ein göttliches Geschehen hinsichtlich seiner ewigen Gültigkeit" bezeichne und sich so von den parallelen Wendungen ἐν Χριστῷ und ἐν κυρίῳ unterscheide (Schmauch, In Christus 47 und passim), wird gerade hier dadurch widerlegt, daß zwar ἀπολύτρωσις auf ein Geschehen, die Formel jedoch ausschließlich auf den Heilsmittler verweist. Die ganze Wendung bezieht sich auf die konkrete Heilstat, nicht auf die anhaltende Erlösung (Schlatter; Murray; Wennemer). Christi Tod hat ein für alle Male gewirkt, was Gnade uns fortlaufend zugute kommen läßt. Daß die Aussage sich sachlich durchaus paulinischer Theologie einfügt, ist nicht zu bestreiten. Daraus folgt jedoch nicht, daß man sie auch Pls zuzuschreiben hätte und die vom Apostel benutzte Vorlage erst mit 25 beginnt (gegen Talbert, Fragment; Schrage, Bedeutung 78; Wengst, Formeln 82; Fitzer, Versöhnung 165). Außer dem durch das einleitende Partizip veranlaßten Stilbruch spricht dagegen, daß ἀπολύτρωσις eben nicht den 1.K 6,20; 7,23; Gal 3,14; 4,5 erwähnten Loskauf bezeichnet (gegen Fitzer), in 1.K 1,30 nur im Rahmen einer mindestens liturgisierenden und wohl an Tradition sich anlehnenden Formel auf die Gegenwart bezogen wird, während Pls selber nach 8,23 den Ausdruck der eschatologischen Zukunft vorbehält. Der für hymnisches Gut charakteristische relativische Anschluß fügt sich auch ungezwungen an, wenn die Vorlage schon mit 24 beginnt (ähnlich Zeller, Sühne 52 f.; vgl. die Übersicht bei Cambier, L'Évangile 81).

25 f. sind jedenfalls, wie die Auslegungsgeschichte zeigt, ohne die Voraussetzung geprägter Tradition unbegreiflich. προέθετο geht nicht auf göttliche Vorherbestimmung (Bruston, Conséquences 77; Cambier 90 f.) oder die apostolische Verkündigung (Schrenk,

ThWb III, 322), weil dann ein weiteres Verb kaum entbehrlich wäre. Nicht glaubhaft ist auch eine at.liche Reminiszenz an Gen 22,8 (Schoeps, Sacrifice 385; kritisch Barrett, First Adam 26 ff.) oder Ex 25,17 (Smits, Zitaten 469). Näher liegt die Sachparallele in 4Q pPs 37 III,16, die den Lehrer der Gerechtigkeit von Gott „bestellt" sein läßt. Es geht um die öffentliche Manifestation (vgl. Zeller 57 f.), wobei die Präposition wie oft in der Koine das Simplex verstärkt (anders Zeller, ebd.; Fitzer, Versöhnung 166). Aufs heftigste umstritten ist, ob ἱλαστήριον sich wie in Hb 9,5 und in LXX wie bei Philo (vgl. Billerbecks Exkurs) auf die Deckplatte der Bundeslade oder deren Aufsatz bezieht. In der Sühnehandlung des großen Versöhnungstages wurde diese, nach der Zerstörung des Tempels ihre ehemalige Stelle vom Hohenpriester mit Opferblut besprengt und deshalb als Stätte göttlicher Präsenz und targumisch als Ort des Sühnens bezeichnet. In judenchristlicher Tradition ist solche Beziehung, wie Hb 9,5 zeigt, auch hier nicht einfach auszuschließen (so z. B. Kühl; Althaus; Gaugler; Nygren; Murray; Bruce; Schrenk, ThWb III, 321; H. W. Schmidt; Manson, Moraldi und Heuschen in ihren Aufsätzen; Schoeps, Paulus 133 ff.; reserviert Barrett; Kuss; abgelehnt bei Ridderbos; scharfe Kritik bei Morris, Meaning; Wengst, Formeln 83; Schrage, Bedeutung 81). Gegen die Vermutung spricht, daß die zumeist heidenchristliche Gemeinde in Rom eine so mehrdeutige Anspielung kaum verstanden hat (Kümmel, Πάρεσις 265) und judenchristliche Überlieferung sie wohl doch verdeutlicht hätte (Taylor, Forgiveness 39; Seidensticker, Lebendiges Opfer 153 f.). Jesus kann schließlich nicht gut die Opferstätte und das Opfer zugleich sein. Unbeweisbar ist ebenfalls konkrete Erinnerung an das Motiv vom Sühneopfer in Jes 53,10 (gegen Jeremias, ThWb V, 704) oder der substantivierte Gebrauch eines maskulinen Adjektivs ἱλαστήριος (schon Zahn gegen Sanday-Headlam). Man kommt durchaus mit den Bedeutungen des griechischen Wortes aus, die eine mit Sühne zusammenhängende Sache, konkret die Sühnegabe oder das Sühnemal, allgemein das Sühnemittel bezeichnen. Im letzten Sinn steht das Wort denn auch in 4.Makk 17,21 im Blick auf den Tod der Märtyrer. Kultische Sprache ist nicht zu bestreiten (richtig etwa Seidensticker 194 gegen Schrage, Bedeutung 81), wie dafür die im NT stereotype Verwendung des Wortes Blut für den Tod Jesu ebenfalls spricht (anders Grandchamp, doctrine 262 ff.; Fitzer, Versöhnung 167 ff.; 183). Allerdings ergibt sich aus dem Folgenden, daß das wie in 2.K 5,18 ff. Prämisse, nicht (gegen Leenhardt) Skopus des Textes ist. Die Satisfaktionslehre läßt sich damit keineswegs begründen (gegen Lietzmann mit Kümmel, Πάρεσις 270). Wie Blut den Bundesschluß wirksam macht, so gehört es auch zu dessen eschatologischer Erneuerung, von der alsbald gesprochen wird. Gott selber schafft diese Sühne und ermöglicht so wieder die vorher gestörte Gemeinschaft. Die Übersetzung durch „Mittel der Vergebung" (Schlatter; Dodd) bleibt also zu blaß.

Das syntaktische Verständnis des Satzes ist schwierig. Sinngemäß müßte ἐν τῷ αὐτοῦ αἵματι zu ἱλαστήριον gezogen werden, wie es 5,9 entspricht (Lietzmann; Ridderbos). Stellung wie Sinn verbieten aber, διὰ πίστεως mit dem Verb zu verbinden. Die beiden Appositionen stoßen sich. Ignatius, Smyrn 6,1 ist als Parallele nicht zu gebrauchen. Die Wendung „an das Blut Christi glauben" wäre nt.lich singulär (Zahn; Kühl), und Pls konstruiert zudem πίστις nicht mit ἐν (Schlatter; Dodd). Wenn die Interpreten vom glaubend ergriffenen und durch Blut wirksam gewordenen Sühnemittel meinen sprechen zu müssen, ist das offensichtlich ein Notbehelf, weil das bereits die Reihenfolge der Worte umdreht. Die nicht zufällig in A ausgelassene Wendung διὰ πίστεως sollte als Parenthese be-

handelt werden (Seidensticker, Opfer 161; anders Cambier, L'Évangile 120 f.), in der
sich paulinische Bearbeitung der Tradition bekundet, wie sie auch in Phil 2,8 oder in
Kol 1,18.20 vorliegt. Der Apostel hat dann recht gewaltsam in den Text eingegriffen, um
Heil und Glauben einander zuordnen zu können. Die größte Aporie ergibt sich erst jetzt.
Deutlich werden die Verse durch die beiden finalen Bestimmungen in 25b und 26a gegliedert und diese wieder durch den ebenfalls finalen Infinitivsatz 26b zusammengefaßt. Hat
man den Parallelismus im Sinne einer Steigerung oder Wiederaufnahme zu deuten (vgl.
die Übersichten bei Kümmel, Πάρεσις 263 ff.; H. W. Schmidt; Cambier, L'Évangile
124 ff.)? Im allgemeinen bevorzugt man die Steigerung. Wie schon der Wechsel der Präpositionen und der angeblich anaphorisch gebrauchte Artikel im zweiten Gliede (Zahn)
die Wendungen unterscheiden, soll δικαιοσύνη dann zunächst die göttliche Eigenschaft
oder die justitia distributiva (Ridderbos, Paulus 137 ff.; Cerfaux, Chrétien 372 f.), später das eschatologische Heilshandeln bezeichnen. 25b spricht in dieser Perspektive von
der schuldvollen Vergangenheit, 26a von der gegenwärtigen Heilszeit, wobei πάρεσις
Straffreiheit aus persönlicher Nachsicht meint, auf welche in 26 tatsächliche Rechtfertigung folgt (Kühl; Gutjahr; Bardenhewer; Huby; Murray). Eine Variation dieses Verständnisses faßt διὰ τὴν πάρεσιν ... θεοῦ als Parenthese (Lagrange; Althaus; J. Weiss,
Beiträge 222 sogar noch 26a!). Steigerung in beiden Versen muß auch die andere Annahme voraussetzen, daß 25 f. ein nicht paulinisches Fragment sei (Talbert). Die Entscheidung über Recht und Unrecht dieser Deutung hängt von der Deutung des Wortes
πάρεσις ab. Die früher fast selbstverständliche Übersetzung durch „Übersehen, Hingehen-
lassen" ist zwar möglich, jedoch fragwürdig geworden, seitdem der technisch juridische
Sinn „Straferlaß" als herrschend nachgewiesen wurde (Lietzmann; vor allem Kümmel,
Πάρεσις 262 f.). Faktisch ist ein Unterschied zu ἄφεσις im letzten Fall kaum vorhanden (Bultmann, ThWb I, 508), und die Frage, warum dann nicht dieses urchristlich so
geläufige Wort gebraucht sei (Michel; Barrett), ist nur dadurch zu beantworten, daß in
einer divergierenden Tradition die juridische Nüance stärker als durch das bereits abge-
schliffene ἄφεσις betont werden sollte. Genau diese Nüance hat auch ἔνδειξις, das zwar
die „Beweisführung" meinen kann (vgl. Michel; Kümmel, Πάρεσις 263), hier jedoch wie
2.K 8,24 der „Erweis" sein muß (Kümmel, ebd. 265 f.). Gott unterwirft sich doch nicht
menschlichem Urteil, zumal Gerechtigkeit dann seine Eigenschaft sein müßte, während es
im Kontext um sein Handeln geht. Er hat die im vorchristlichen Zeitraum aufgespei-
cherte Schuld im Tode Jesu getilgt (Schrenk, ThWb II, 206) und damit sein Heilshandeln manifestiert, wie es schon durch προέθετο angezeigt wurde. Wieder spricht die Ausdrucksweise gegen paulinische Autorschaft. Dem Apostel ist an der Entmachtung der
Sünde gelegen, von der er deshalb durchweg singularisch redet, und er gebraucht das
Wort Vergebung eben deshalb so erstaunlich selten, weil es ihm nicht bloß um den Erlaß
vorchristicher Verfehlungen geht. Unpaulinisch ist jedoch nicht nur die Terminologie
und der Gedanke unserer Stelle, sondern ebenso der an die Deuteropaulinen erinnernde
überladene Stil mit seinen vielen Genetivkonstruktionen und Präpositionalwendungen.
Vor allem gilt das aber für das Schlußglied, das von der göttlichen ἀνοχή spricht und
um des Parallelismus der Verse willen nicht zum Folgenden gezogen werden darf. Man
hat zwar auf das Motiv der Nachsicht Gottes gegenüber menschlicher Schuld in Apg 17,30
verwiesen (Murray; Leenhardt; H. W. Schmidt) oder auf die μακροθυμία in 2,4 (Ed.
Schweizer, Mystik 256). Doch nützt das hier überhaupt nicht. 1,18—3,20 haben die Ver-

gangenheit nicht unter das Thema der Nachsicht übenden Geduld, sondern der Zornes-offenbarung gestellt (schon Jülicher; Fitzer, Versöhnung 163 f. kann deshalb 25b nur als Glosse eines unverständigen Lesers verstehen), und in 2,4 sind Langmut und Geduld nicht Nachsicht, sondern wie in 9,22; Apk. Bar 59,6 das Aufhalten des vollen Zorns und insofern Rechtsgrund für das endgültige Gericht. Die hier vorliegende Motivation der Aussage widerstreitet schlechthin paulinischer Theologie. Es lassen sich also auch (gegen Talbert, Fragment) 25 f. nicht als ursprüngliche Einheit verstehen, und absolut nichts spricht für eine spätere Interpolation beider Verse, die im Gegenteil hier unentbehrlich sind, weil sie die Rechtfertigung als eschatologische Heilsgabe und als Thema des Brief-teils herausstellen.

Aus der bisherigen Analyse sind nun Konsequenzen fällig. Alles spricht dagegen, 26a als Steigerung oder Wiederaufnahme des Gedankens nach voraufgegangener Parenthese zu betrachten. Deshalb läßt sich auch nicht die Übersetzung (Lietzmanns) halten: zum Erweis seiner Gerechtigkeit, insofern er die früher in der Geduldsperiode Gottes began-genen Sünden vergibt, um seine Gerechtigkeit in der Gegenwart zu beweisen. Wie Gott nichts zu beweisen hat (Kümmel 267), so stößt sich 26a dann mit 26b und wiederholt sinnlos den Anfang von 25b. Laufen die beiden Verse jedoch parallel, liegt in 25b eine judenchristliche Anschauung vor, welche Paulus in 26 kommentiert. Die Tradition war dem Apostel wichtig, weil sie wie er selbst das Heil in der Rechtfertigung des Sünders erblickte. Richtiger noch und verschärfend, weil nicht von den Einzelnen gesprochen wird (Kümmel 267 gegen A. Schweitzer, Mystik 215; Mundle, Glaubensbegriff 88): Verge-bung und Rechtfertigung kennzeichneten schon in der Vorlage die Äonenwende (vgl. Kertelge, Rechtfertigung 48 ff.; Schrage, Bedeutung 83 f.). Denn διά c. acc. hat hier wie in 8,20; Apk 13,14 und vielfach in der Koine die Bedeutung „durch" (Bauer, Wb 328,4; Meecham, Romans 564). Die gleiche Vorstellung begegnet liturgisch noch in Kol 1,14. Ihre lange Vorgeschichte ergibt sich, wenn man (vgl. Zeller, Sühne 64 ff.) der Verbin-dung von Gottes Gerechtigkeit mit seiner Langmut und der daraus resultierenden Ver-gebung nachgeht und dabei auf die Interpretation von Ex 34,6 f. in AT und Judentum stößt. Hier wird im Bekenntnis zum Bruch des Bundes an Gottes Langmut und damit identisch an seine Gerechtigkeit als Bundeshuld appelliert, welche Sühne schafft. Zwei Stellen aus Qumran stehen am Ende der verwickelten Geschichte (vgl. Zeller, Sühne 70). In CD II,4 f. heißt es: „Langmut ist bei ihm und reiche Vergebung, um Sühne zu schaf-fen für die, die von der Sünde sich abgewandt haben." Dazu kommt die Parallele in 1QS XI,12 ff.: „Wenn ich strauchle durch die Bosheit des Fleisches, so steht meine Recht-fertigung bei der Gerechtigkeit Gottes in Ewigkeit ... Durch sein Erbarmen hat er mich nahe gebracht, und durch seine Gnadenerweise kommt meine Rechtfertigung ... Mit dem Reichtum seiner Güte sühnt er alle meine Sünden, und durch seine Gerechtigkeit reinigt er mich von aller Unreinheit des Menschen und von der Sünde der Menschenkinder." In 4.Esra 8,31—36 wird das häretisch zugespitzt: „Denn wir und unsere Väter haben in den Werken des Todes dahingelebt. Du aber bist, gerade weil wir Sünder sind, der Barm-herzige genannt. Denn gerade weil wir nicht Werke der Gerechtigkeit haben, wirst du, wenn du uns zu begnadigen einwilligst, der Gnädige heißen ... Denn dadurch wird deine Gerechtigkeit und Güte, Herr, offenbar, daß du dich derer erbarmst, die keinen Schatz von guten Werken haben."

Ist unser Text aus dieser Tradition heraus erwachsen, geht es in ihm nicht um die justitia distributiva (gegen Jülicher; Lietzmann; Gutjahr; Althaus; Brunner; Kuss; Cadman, Romans 532 ff.; Schrenk, ThWb II, 206 f.; anders Lyonnet, Iustitia 142), sondern um die Bundestreue erweisende und Vergebung bewirkende Langmut Gottes. Die Schlußwendung ἐν τῇ ἀνοχῇ τοῦ θεοῦ darf zweitens nicht auf προγεγονότων bezogen und trotz dem allerdings verführerischen antithetischen Parallelismus zu ἐν τῷ νῦν καιρῷ nicht auf eine Geduldsperiode gedeutet werden (gegen Pallis; Gutjahr; Kümmel, Πάρεσις 268; Schrage, Bedeutung 83). Asyndetisch angeschlossen, blickt die Wendung auf jene Geduld mit dem Bundespartner, welche ihre Treue durch Gottes Eingreifen im Akt des Todes Jesu konkretisierte (Zeller, Sühne 71). Auch die Griechen haben (vgl. Bauer, Wb 1395 mit dem Hinweis auf Schol. zu Apoll. Rhod. 4,411 ff. und Diod. S. 19,1,3) von προγεγενημένα ἁμαρτήματα oder ἀδικήματα sprechen können. Doch geht es in unserm Text um die Sünden des Gottesvolkes in seiner vergangenen Geschichte. Sie sind mit der in Jesu Tod erfolgten Äonenwende beseitigt worden, so daß also schon in 25b Vergangenheit und Gegenwart konträr auseinandertreten. Thematik und Einzelmotive lassen sich gut aus der Abendmahlsliturgie begreifen (so Bultmann, Theol. 295; Stuhlmacher, Gerechtigkeit 88 ff.; Michel; Zeller, Sühne 75). Jedenfalls wird hier die eschatologische Restitution des Bundes gefeiert und als Erweis der göttlichen Gerechtigkeit gekennzeichnet. Pls hat diese Aussage als mit seiner Verkündigung vereinbar und sogar sie legitimierend aufnehmen können. Sie gab ihm, wie die Wiederholung des Einsatzes von 25b in 26a zeigt, mit ihrem Stichwort das eigene Thema und stellte es wie er in den eschatologischen Horizont des durch Christi Tod vermittelten Heils. Pls unterstreicht auch dieses Motiv in einer Wiederaufnahme (Kühl). Denn ὁ νῦν καιρός meint natürlich (gegen Sasse, ThWb I, 206; richtig Kümmel 266) nicht den irdischen Äon, sondern das νυνί von 21. Pls brauchte sich mit dieser Wendung also ebensowenig von der Vorlage abzusetzen, obgleich sie auf den ersten Blick antithetisch zum Schluß von 25b formuliert zu sein scheint, wie von einer vermeintlichen Strafgerechtigkeit. Daß er gleichwohl nicht völlig zustimmte, beweist bereits die Wiederholung in 26a, die anders überflüssig wäre, und deutlich der feierlich gestaltete und sich dem hymnischen Fragment anpassende Infinitivsatz. Die partizipiale Gottesprädikation gehört wie zur biblischen Sprache, so zu den Merkmalen der Liturgie. Finale Deutung ist der konsekutiven vorzuziehen, weil mit εἰς τὸ εἶναι auf das Motiv der ἔνδειξις zurückgegriffen wird. Die Kombination von Adjektiv und Partizip ist singulär, aber nicht unbegreiflich, wenn man die doxologische Verbindung der Prädikate etwa „lebendig und lebendigmachend" oder „heilig und heiligend" für naheliegend hält. Jedenfalls darf man beides nicht auseinanderreißen, weil sonst das erste Glied nun doch von Gottes Eigenschaft statt von seiner Treue spräche. Pls faßt hier Tradition und seine eigene Interpretation zusammen. καί hat fast explikativen Sinn (Blackman, Question 203 f.; Schrage, Bedeutung 87). 1.Joh 1,9 erscheint insofern als Parallele (Zeller, Sühne 73). In der Gabe bekundet sich der Geber selbst, und zwar als der Mächtige, der in Gerechtigkeit hineinstellt. Die paulinische Korrektur der Vorlage hat vielleicht schon die kräftige Betonung des Kairos in 26b verursacht. Ihr geht es nicht bloß um die einmalige Bundeserneuerung im Tode Jesu und nicht bloß um die Vergebung vergangener Schuld, sondern um die Ausstrahlung der Gerechtigkeit im Regnum Christi. Vor allem gewinnt nun die Einfügung von διὰ πίστεως in 25a Sinn. Sie wird jetzt aufgenommen und verdeutlicht. Für den Apostel ist der Erweis der göttlichen Gerechtigkeit nicht mehr die Bundeserneuerung mit dem alten Gottesvolk, sondern universal am Glauben orientiert, wobei πίστις 'Iησοῦ natürlich nicht (gegen H. W. Schmidt) den Glauben Jesu meint. Wie in 22 ist 'Iησοῦ wohl unter marcionitischem Einfluß in Varianten getilgt oder durch Anfügung von Χριστοῦ an 22 angeglichen worden. Nicht zufällig taucht im Gegensatz zur Betrachtungsweise von 25b jetzt die Kategorie des Einzelnen auf (Zahn), welche die Kehrseite des πάντες in 22 ist. Die göttliche Gerechtigkeit übergreift das Bundesvolk, gilt jedem Glaubenden an den Jesus, welcher der Gekreuzigte ist. Indirekt besagt das, daß aus der Bundestreue Gottes seine Treue gegenüber seiner gesamten Schöpfung und sein sich dieser gegenüber durchsetzendes Recht wird. Das Stichwort der Gerechtigkeit Gottes war Pls als Anzeige der Äonenwende hochwillkommen, wird von ihm jedoch aus der eigenen Theologie heraus interpretiert. Das sola gratia ist durch das sola fide präzisiert, die Heilsgeschichte des alten Bundes weltgeschichtlich ausgeweitet. Das ὁ ἐκ πίστεως, das den Glauben als Ursprung des neuen Lebens charakterisiert, relativiert alle sonstigen Bedingungen der Existenz. Die Rechtfertigung der Gottlosen, bereits in der Vorlage ausgedrückt, wird radikalisiert, indem sie über das Judenchristentum als den heiligen Rest hinausgreift und damit eine letzte Schranke durchbricht. Die folgenden Verse werden das thematisch sagen.

II. 3,27—31: Polemische Zuspitzung

27 Wo bleibt nun die Möglichkeit, sich zu rühmen? Sie ist ausgeschlossen. Durch
   welches Gesetz? (Etwa das) der Werke? Nein, sondern durch das des Glaubens.
28 Denn wir urteilen, daß der Mensch gerecht wird ohne Gesetzeswerke (allein) durch
29 Glauben. Oder ist Gott allein der Juden? Nicht auch der Heiden? Ganz gewiß,
30 auch der Heiden! (Es gilt) doch: Einer ist der Gott, der die Beschneidung aus
31 Glauben und die Unbeschnittenheit durch Glauben rechtfertigen wird. Schaffen
   wir also das Gesetz kraft des Glaubens ab? Das sei ferne! Wir richten vielmehr den
   Gotteswillen auf.

Literatur: G. Friedrich, Das Gesetz des Glaubens. Röm 3,27, ThZ 10 (1954), 401-417. G. Delling, Zum neuen Paulusverständnis, Nov. Test. 4 (1960), 95-121. U. Wilckens, Die Rechtfertigung Abrahams nach Römer 4, Studien zur Theologie der alttestamentlichen Überlieferungen hrsg. R. Rendtorf und K. Koch, 1961, 111-127. Ders., Zu Römer 3,21-4,25, EvTh 24 (1964), 586-610. G. Klein, Römer 4 und die Idee der Heilsgeschichte, Rekonstruktion und Interpretation 145-169. Ders., Exegetische Probleme in Römer 3,21-4,25, ebd. 170-179. E. Peterson, Εἷς Θεός, 1926. L. Baeck, The Faith of Paul, J. Jew. St. 3 (1952), 93-110.

Dieser Abschnitt bringt nicht Folgerungen (Michel) wie c. 5—8, auch keine Zusammenfassung (Cambier, L'Évangile 146). Es wird nicht einmal die Frage nach der Geltung des Gesetzes für den Glaubenden erschöpfend behandelt, obgleich eine zunächst summarische Antwort notwendig ist. Anders bliebe die paulinische These unklar. Darum wird auf 9 und 20 zurückgegriffen, und zwar so, daß die Frage nach der Prärogative des Juden sich nun gleich in der spezifisch jüdischen Frage nach möglicher καύχησις konkretisiert. Wo Gottes Wille zum Leistungsprinzip pervertiert wurde, ist solche Zuspitzung (gegen den Widerspruch bei Delling, Glaubensverständnis 110) unvermeidbar. Der

Stand im sola fide ist als Stand sine lege zugleich das Ende des Selbstruhms. Die Argumentationen in 27 f. und 29 f. erläutern die These von 21—26 in letzter polemischer
Zuspitzung von ihrer Kehrseite her. Sie tuen es erneut im Diatribenstil mit sich jagenden
kurzen Fragen und Antworten. Die paulinische Rechtfertigungsverkündigung ist tatsächlich eine Kampfeslehre. Man darf das nicht im geringsten abschwächen, indem man (wie
Cambier, L'Évangile 410 ff.; 417 ff.; 421 ff.) die „polemische Färbung" nur der Unter-
streichung des sola gratia dienen läßt, wie es schon in den Pastoralen verstanden wurde.
Man darf ebensowenig (wie etwa Cerfaux, Chrétien 352) das sachliche Gewicht dieser
Polemik historisch relativieren, indem man sie der Phase höchster Auseinandersetzung
mit dem Judenchristentum zuordnet. Sie ist die unveräußerliche Spitze der Rechtfertigung, weil sie den homo religiosus angreift und nur darin den Sinn der justificatio impiorum behält. Anders wird die christliche Botschaft von der Gnade zur Spielart des
Religiösen, verflacht die paulinische Rechtfertigungslehre, wie man das quer durch die
heutige Auslegung verfolgen kann, zu einer Heilsverkündigung, die zutiefst von Gottes
Liebe spricht und darum den frommen Menschen nicht ernsthaft vor seinen Richter stellt,
wieviel sie vom zukünftigen Gericht reden mag. Daß Gnade zugleich Gericht ist, weil
sie den Menschen grundlegend eben auch in seiner faktischen Frömmigkeit auf den
Platz des Gottlosen stellt, bildet das Kriterium paulinischer Theologie und die Konsequenz seiner Christologie. Solange man δικαιοσύνη τοῦ θεοῦ bloß als action salvifique
versteht, wird man die Kampfeslehre des Apostels psychologisch oder geistesgeschichtlich
nivellieren.

καύχησις kann in der Koine für καύχημα eintreten (Bultmann, ThWb III, 649).
Hier ist jedoch die actio gemeint, nicht ihr Grund oder Gegenstand. Glaube und Selbstruhm sind unvereinbar, weil der Glaubende nicht mehr aus und für sich selbst lebt. Das
eschatologische Ende der Welt kündigt sich anthropologisch als Ende der eigenen Heils-
wege an, während das Gesetz faktisch den Menschen auf sich selber und so in die bestehende Welt der Sorge um sich, des Vertrauens auf sich, der unablässigen Selbstsiche-
rung zurückwirft. Sofern es sich im Selbstruhm auswirkt, ist es das Merkmal und die
Kraft der selbst in ihrer Religiosität ungläubigen Welt. Beendet der Glaube universal,
nämlich nach 1.K 1,29 auch bei den Heiden, den Selbstruhm, löst er damit zugleich die
Herrschaft des Gesetzes ab. Er tut es so uneingeschränkt und zwingend, daß Pls wie in
2,14 wieder mit dem Wort Nomos spielt. Natürlich ist nicht das Glaubensprinzip als
Forderung (Bläser, Gesetz 24; Bruce; Murray), sondern die Regel, Ordnung, Norm gemeint (Gutbrod, ThWb IV, 1063; Bultmann, Theol. 260). Damit wird der Übergang zur
Antithese „Gesetz der Werke" ermöglicht. Der Glaube beendet die Wirksamkeit der Tora
nicht aus dem Gutdünken des Glaubenden, sondern kraft der ihn setzenden und in ihm
erscheinenden neuen Ordnung, die paradox νόμος πίστεως genannt wird. Das Gefälle des
Kontextes betont die Antithese (Kuss). Der gen. qual. bezeichnet also weder die Überbietung der Tora (Kühl) noch das wie in 21 auf den Glauben hinweisende Gesetz Israels
(Friedrich, Gesetz 409 ff.), erst recht nicht (Zahn; Lietzmann; Sickenberger) das Gesetz,
das den Glauben fordert und ihn (Friedrich, Gesetz 407 ff.) zum frommen Werk machen
müßte. ἐξεκλείσθη in 28 schließt das alles aus. Der Vers ist die Summe der ersten Argumentation und formuliert das, was soeben „Gesetz" genannt wurde. λογίζεσθαι besagt in
diesem Zusammenhang nicht „meinen, annehmen" (Bauer, Wb 941; H. W. Schmidt),
sondern „im Disput ein Urteil fällen" (Heidland, ThWb IV, 290), wobei freilich un-

griechisch die gläubige Einsicht, nicht die Vernunft entscheidet (Heidland, Anrechnung 62). Infolgedessen hat 28 das Gepräge eines Lehrsatzes, und das artikellose ἄνθρωπος spricht nicht kategorisch, den Unterschied von Juden und Heiden aufhebend, vom Menschen (gegen Klein, Röm 4, S. 149), ist vielmehr = „man" (Wilckens, Zu Röm 3,21 ff., S. 588; Michel). 20a wird so variiert, daß πίστει das Stichwort der These von 22a einfügt und das Gewicht des Satzes auf sich zieht. Sola fide ist die allein adäquate Wiedergabe dieses Sachverhaltes. Was ist dann in unsern Versen jedoch an Neuem gewonnen? Die Antwort lautet: Hat 20a summarisch gesagt, der Mensch könne aus Gesetzeswerken nicht gerecht werden, so stellt 28 mit seinem Stichwort heraus, er solle es auf diese Weise auch nicht werden (gegen Wilckens, Was heißt . . ., EKK I, 54 ff. 72 ff.). Gottes eingreifendes Handeln in Christus hat eben das deutlich gemacht. Zugleich ist das Wesen des rechtfertigenden Glaubens insofern weiter geklärt, als mit dem Widerspruch gegen die Gesetzeswerke auch der Widerspruch zu dem mit solchen Werken notwendig intendierten Selbstruhm des frommen Menschen sich äußert. Wie dies das treibende Element der Gesetzeswerke ist, sich Gott gegenüber zu sichern (Bultmann, ThWb VI, 221 f.), so erwächst der Glaube aus der Prämisse von 19b und ist darum Hingabe an denjenigen, der allein Heil setzt und darum stets Gottlose rechtfertigt. Das Gesetz gilt eben nicht den Gottlosen, provoziert, weil es nicht wirklich die Alleinwirksamkeit Gottes zum Heil voraussetzt, die Möglichkeit des Selbstruhms, versteckt sogar noch in dessen Kehrbild, nämlich der Verzweiflung. Sofern die Gesetzeswerke dieser Provokation antworten, sind sie für Pls gegenüber der Übertretung des Gesetzes potenzierte Gottlosigkeit und deshalb mit dem Glauben unvereinbar. 27 f. verkünden das Ende des Gesetzes nach seinen Auswirkungen in anthropologischer Sicht von dem Wesen des Glaubens aus (anders Cambier, L'Évangile 153).

29 f. tuen dasselbe aus einer heilsgeschichtlichen Besinnung, die sich nicht auf einen jüdischen Einwurf bezieht (gegen Michel; Wilckens, Zu Röm 3,21 ff., S. 588). Sie wendet sich vielmehr in unerhörter Kühnheit gegen die im Rabbinat herrschende Gotteslehre (Billerbeck), die in ExR 29 (88d) sagen läßt: „Gott bin ich über alle, die in die Welt kommen, aber meinen Namen habe ich nur mit euch vereint; ich heiße nicht der Gott der Völker der Welt, sondern der Gott Israels." Hier wird vom Gedanken des Bundes her wie faktisch später bei Marcion das Heilshandeln Gottes vom Werk des Schöpfers und Richters getrennt. Der zur Leistung gerufene Mensch bindet auch Gott daran und scheidet ihn, wie die jüdische Toraverschärfung zeigt, in seinem eigentlichen Wesen von den Unfrommen (Bläser, Gesetz 108 f.). Damit wird, weil auch die Heiden sich nicht selber überlassen sind, neben Gott für die Götter und Dämonen Platz, mit der Universalität der Gnade zugleich Gottes Einzigkeit fraglich, statt der Welt ein Raum der Religiosität sein Bereich. Pls verbindet demgegenüber auch hier die Rechtfertigung als eschatologisches Heil mit der Treue des Schöpfers (von Klein, Röm 4, S. 148 f. wird diese Antithese nicht beachtet). Eben darum wird an das israelitische Sch°ma erinnert und so die Akklamation εἷς θεός (vgl. E. Petersons Buch) lehrhaft variiert. Der Apostel schlägt das Judentum von seinen eigenen Voraussetzungen aus. Der eine Gott kann nur der sein, der auf alle einen Anspruch hat und allen wie als Schöpfer, so auch heilsetzend begegnet. Das solus deus läßt sich nicht vom sola gratia trennen, eine bereits in 1QH X, 12 bis XIII, 16 f. gewonnene Einsicht (S. Schulz, Rechtfertigung 167). Pls radikalisiert das noch: Das sola gratia ist einzig im solus deus, nämlich in der Allmacht und Freiheit des

Schöpfers und Weltenrichters begründet und darf darum nicht auf den Sinaibund beschränkt werden. Das monotheistische Bekenntnis zerschlägt darum ein Verständnis des Gesetzes, welches Heil zu einem Privileg der Frommen macht. Als Schöpfer und Richter ist Gott auch der Heiden Gott und deshalb der Gottlosen Heil, während er bloß als der Juden Gott aufhören würde, allein Gott zu sein. Diese ungeheure Feststellung ist selten in ihrer Zuspitzung erkannt. Dann wird die Argumentation notwendig irrelevant, die Tora zum Exempel des Sittengesetzes und nur die Allgemeingültigkeit des Evangeliums aus den Versen herausgehört (Kirk 65. 70 f.). εἴπερ = wenn anders (Bl-D § 454,2), hier „so gewiß" (Bauer, Wb 436). δικαιώσει ist (gegen Lagrange; Schlatter) logisches Futur, weil die Rechtfertigung bereits erfolgt. Der Glaube ergreift, indem er das solus deus wahr sein läßt, Gottes Alleinwirksamkeit als seinen einzigen Grund und kann sich deshalb nicht mehr auf Gesetzeswerke stützen. Damit sind jedoch die religiösen Unterschiede zwischen περιτομή und ἀκροβυστία, welche Leben und Welt vorchristlich in letzter Tiefe bestimmten, überwunden. Juden und Heiden werden nun allein zum Glauben gerufen. Der Wechsel der Präpositionen ἐκ und διά ist ähnlich wie in 4,11 f.; 5,10; 1.K 12,8; 2.K 3,11 rhetorisch, ohne deshalb (gegen Cambier, L'Évangile 156 f.) sachlich belanglos zu sein. Die religiösen Unterschiede sind überwunden. Doch gibt es weiterhin Christen aus Juden und Heiden. Die ersten brauchen die Geschichte, aus der sie kamen, nicht zu mißachten, was eine ihnen unerträgliche Forderung wäre. Sie müssen freilich über diese Geschichte hinweg in Christus ihren Ursprung neu ergreifen. Über den Heidenchristen wird jedoch sichtbar, daß Heilsgeschichte nicht in immanenter und verrechenbarer Kontinuität verläuft. Für sie ist der Glaube die von ihnen nicht selbst aufzustoßende, wunderbar geöffnete Tür zu dieser Heilsgeschichte. Die Unterschiede werden in der Solidarität des Glaubens relativiert. Sie markieren den irdischen Weg und Platz, wo Heil erfahren wird, nicht mehr, wie der homo religiosus meint, die Heil oder Unheil setzenden Faktoren. Angesichts der in 27—30 geübten Polemik erscheinen Frage und Antwort in 31 als paradox. Die Wendungen νόμον καταργεῖν und ἱστάνειν entsprechen rabbinischem, auch in 4.Makk 5,25 vorausgesetztem Sprachgebrauch (Schlatter). Als Abschluß des Kontextes (z. B. Kühl) ist der Vers unbegreiflich. Pls gibt nicht den mindesten Hinweis darauf, daß νόμος hier der „Ausdruck der sittlichen Wahrheit" (Cremer, Rechtfertigungslehre 390), Summe des Gesetzes im nt.lichen Sinne (Schlatter; Althaus; Gaugler; Murray), etwa sogar in der Transzendierung durch das Evangelium (W. Manson, Notes 156 f.; vgl. die Kritik Bultmanns, Theol. 260 f.), oder die göttliche Ordnung (Kühl) ist. Der Satz wird nur als Überleitung zu c. 4 sinnvoll (Lagrange; H. W. Schmidt; Friedrich, Gesetz 416; vgl. die Übersicht bei Cambier, L'Évangile 157 ff.). Es wird jetzt auf die Aussage von 21b zurückgegriffen, wonach auch das Gesetz Zeuge der Glaubensgerechtigkeit ist, und νόμος ist der im AT fixierte Gotteswille (Lietzmann; Bardenhewer; Huby; Dodd; Schrenk, ThWb I, 761; Bläser, Gesetz 37; Wilckens, Rechtfertigung 120 f.; Zu Röm 3,21 ff., S. 589 ff.; dagegen Klein, Röm 4, S. 150 f.). Pls spricht also nicht bloß von der richtenden Funktion des Gesetzes (Nygren; Grundmann, ThWb VII, 648), polemisiert nicht gegen dessen gegenwärtige Gültigkeit, während er die Bedeutung für die Vergangenheit anerkennt (Baeck, Faith 106 f.). Er verteidigt schließlich nicht dialektisch das Gesetz, weil erst im Gegensatz dazu der Akt des Glaubens möglich wird (Joest, Gesetz und Freiheit 178; katholisch bei Baulès variiert). Der at.liche Gotteswille kann vielmehr erst sichtbar werden, wo der Nomos als **Leistungsprinzip** sein Ende fand (G. Bornkamm,

RGG³ V, 183). So widerspricht er nicht der Glaubensgerechtigkeit, sondern ruft in sie hinein.

III. 4,1—25: Der Schriftbeweis aus der Geschichte Abrahams

In drei Argumentationen wird vom AT her die paulinische These als berechtigt erwiesen (vgl. Schlatters Polemik!): Am Beispiel Abrahams wird dargetan, daß schon dort der Glaube gerechtfertigt wurde, daß das vor dem Vollzug der Beschneidung geschah und deshalb auch die Verheißung sich nur für den Glaubenden erfüllt. Der Griff nach Abraham als Vorbild entspricht jener jüdischen Tradition, welche die Bünde mit Mose und Abraham aufs engste verbindet und seit Jes 51,2 den Patriarchen betont „unsern Vater" nennt. Pls begegnet dem Gesprächspartner also erneut dort, wo dieser sich am stärksten und unverwundbar fühlt. Für die Art seiner Polemik höchst charakteristisch, entreißt er ihm das Berufungsrecht zugleich auf den Ahnherrn und die Schrift. Es handelt sich keineswegs um ein beliebig herausgegriffenes Beispiel (gegen Conzelmann, Grundriß 190; Ulonska, AT 170). Freilich muß die jüdische Tradition, allerdings mit Hilfe rabbinischer Methodik, zu diesem Zweck entscheidend umgedeutet werden.

1. 4,1—8: Abraham aus Glauben gerechtfertigt

1 Was sollen wir nun sagen, hat Abraham, unser Vorfahr nach dem Fleische, gefunden?
2 Wenn Abraham nämlich aus Werken gerechtfertigt wurde, hat er Anspruch auf
3 Ruhm. Doch (stimmt das) nicht vor Gott. Denn was sagt die Schrift? „Abraham
4 glaubte aber Gott, und es wurde ihm zur Gerechtigkeit angerechnet." Dem, der Werke leistet, wird der Lohn nicht gnadenweise, sondern pflichtgemäß zugestanden.
5 Dem, der nicht Werk leistet, aber an den glaubt, der den Gottlosen rechtfertigt,
6 wird hingegen sein Glaube als Gerechtigkeit angerechnet. So preist auch David den
7 Menschen selig, dem Gott Gerechtigkeit ohne Werke zugesteht: „Selig, deren
8 Frevel vergeben und deren Sünden bedeckt werden! Selig der Mann, dem der Herr Sünde nimmermehr anrechnet!"

Literatur: Vgl. zu 3,27 ff. O. Schmitz, Abraham im Spätjudentum und im Urchristentum, Schrift und Geschichte (Th. Abhandl. A. Schlatter), 1922, 99-123. A. Meyer, Das Rätsel des Jakobusbriefes, 1930. J. Jeremias, Zur Gedankenführung in den Paulinischen Briefen, Stud. Paulin. J. de Zwaan, 1953, 149-151. G. v. Rad, Die Anrechnung des Glaubens zur Gerechtigkeit, ThLZ 76 (1951), 129-132. Chr. Dietzfelbinger, Paulus und das Alte Testament, 1961. E. Jacob, Abraham et sa signification pour la foi chrétienne, Rev. d'Hist. Phil. Rel. 42 (1962), 148-156. Chr. Butler, The Object of Faith according to St. Paul's Epistles, Stud. Paul. Congr. I,15-30. H. M. Gale, The Use of Analogy in the Letters of Paul, 1964. E. Jüngel, Theologische Wissenschaft und Glaube im Blick auf die Armut Jesu, EvTh 24 (1964), 419-443. K. Berger, Abraham in den paulinischen Hauptbriefen, Münch. ThZ 17 (1966), 47-89. H. Binder, Der Glaube bei Paulus, 1968. E. Käsemann, Der Glaube Abrahams in Röm 4, Paulinische Perspektiven, 140-177.

Im Stil der Diatribe wird die Beweisführung fragend eingeleitet. Die Textverderbnis in 1 (vgl. Zahn; Lietzmann; Lagrange) ist kaum heillos zu nennen (Bultmann, ThWb

III, 649). εὑρηκέναι ist vor κατὰ σάρκα geraten und darauf bezogen worden, vielleicht weil Späteren die Aussage über Abraham als unsern Vater nach dem Fleisch nicht mehr paßte (Zahn). Weil umgekehrt aber auch die Glaubensgerechtigkeit nicht als fleischlicher Fund gelten konnte, wurde das Verb in B Or 1739 wie neuerdings ausgelassen (Zahn; Sanday-Headlam; Kühl; Schlatter; Barth). Doch gibt dann die Frage im Kontext wenig Sinn, inwiefern Abraham unser Vorfahr nach dem Fleische ist. Ihre Zerlegung (Zahn; Kühl; Luz, Geschichtsverständnis 174) hilft erst recht nicht, weil dann eine Verneinung zu erwarten wäre. Möglich ist nur die herrschende Lesart, die wohl in Erinnerung an Gen 18,3 nach Abrahams „Gewinn" fragen läßt (Michel, Bibel 57; Jeremias, Gedanken-führung 47,2; Wilckens, Rechtfertigung 116). κατὰ σάρκα wird nicht abwertend von der irdischen Wirklichkeit gesagt. 2 verdeutlicht im Rückgriff auf 3,27 ff., also das Verhält-nis von Gesetzeswerken und Ruhm. καύχημα meint jetzt allerdings den Grund und An-spruch auf Ruhm. Ein irreales Verständnis des Satzes (Bultmann, ThWb III, 649; Kuss) ist vom Folgenden her möglich, wenngleich nicht nötig, zumal dann eine andere Kon-struktion am Platze wäre (H. W. Schmidt). Hypothetisch kann Pls der Anschauung sei-ner Gegner zustimmen, um in 2b deren Prämisse abzulehnen. In diesem Fall hat 2b nicht den in der Argumentation auch unvorbereiteten einschränkenden Sinn: bei Menschen, aber nicht bei Gott. Das Zitat aus Gen 15,6 begründet. γραφή ist wie in 9,17; 10,11 nicht der konkrete Bibelspruch, sondern die Schrift im ganzen (Schrenk, ThWb I, 753). Wenn Pls sich auf Abraham als leiblichen Vorfahren beruft, so hat das seine nächste Parallele in Jos. bell. 5, 380 (W. Bauer, Wb 1406). Als Judenchrist führt der Apostel wie in Gal 3,6 ff. die Auseinandersetzung mit dem von der Synagoge bereitgestellten Material und in ihrer Methode (Schmitz, Abraham; Billerbeck; A. Meyer, Jakobusbrief 100). Der Patriarch galt im Rabbinat als der vollkommene Gerechte und besonders im hellenistischen Judentum als Vorbild des Glaubens. Auch die Reflexion auf Gen 15,6 ist alt und verbreitet (Billerbeck; Heidland, ThWb IV, 292). Der Spruch meinte ursprüng-lich in direkter oder indirekter Polemik gegenüber Opferhandlungen, daß Gott in freiem Ermessen das Vertrauen auf die Verheißung als Erfüllung des Bundesverhältnisses an-erkennt (v. Rad, Anrechnung; Heidland, Anrechnung 79 f.). Die spätere juridische Aus-legung des Bundesgedankens begreift die Aussage rechtlich. So wird חשב durch das der Kaufmannssprache entnommene λογίζεσθαι εἰς = „anrechnen als" übersetzt. Dann ist der Glaube von seinem Effekt her ein verdienstliches Tun, wie es seit 2.Makk 2,52 gilt. Als Vertrauen und existentieller Gehorsam mag er sich von den Gebotserfüllungen als deren Grund abheben. In seiner Konkretion z. B. als monotheistisches Bekenntnis wird er zu einem Werk unter andern (Billerbeck; Heidland, Anrechnung 93 ff.). Diese Kombina-tion von Glaube und Werk, welche auch die Interpretation von Gen 15,6 in Jak 2,23 bestimmt, steht der paulinischen Antithese gegenüber. Die Argumentation des Apostels ist für das Judentum also keineswegs schlüssig. Wahrscheinlich polemisiert sie sogar (A. Meyer, Jakobusbrief 99 f.) gegen dessen Auslegungstradition, und mindestens hat ein neues Verständnis des Glaubens sie veranlaßt. Philos Darstellung des Glaubenshelden darf hier gerade nicht herangezogen werden (gegen Billerbeck; Schoeps, Paulus 212 ff.; Sickenberger; vgl. den Exkurs bei Sanday-Headlam). Denn πίστις ist (anders Lagrange) nicht eine διάθεσις der Seele, welche zum festen Charakter führt (vgl. Schlatter, Glaube 60—80). Auch Philo kann freilich in quis rer. div. her. 95 sagen: δικαιοσύνης δ'αὐτὸ μόνον ἔργον und damit die im palästinischen Judentum vorherrschende Sicht des Glaubens als Tat vertreten, die Pls ebenfalls bestimmt, wenn er vom Gehorsam spricht. Doch beweist unsere Stelle, daß der Begriff Glaube bei Pls komplex ist (vgl. den Exkurs bei Kuss). Stärker als sonst, jedoch wie in 9,33; 10,11 bewirkt die Exegese von Gen 15,6, daß das Gewicht auf das Moment des Vertrauens der göttlichen Verheißung gegenüber fällt. πιστεύειν ἐπί oder mit bloßem Dativ ist für den Apostel eben nicht charakteristisch und wird von ihm auch nicht in der Formel πιστεύειν εἰς fortgebildet (Bultmann, ThWb VI, 203). Deshalb ist die Redeweise vom persönlichen Treueverhältnis (Brunner) höchst fragwürdig, von derjenigen einer Union mit Christus (für viele Katholiken exemplarisch Cambier, L'Évangile 345 ff. 379) ganz zu schweigen. Auch wenn es richtig sein sollte, daß Pls nirgends eine Definition gibt (Bornkamm, Paulus 151), darf man sich jedenfalls nicht mit einem Nebeneinander von Nüancen begnügen. Gerade die Vielfalt möglicher Aspekte läßt nach deren sachlicher Mitte und Einheit fragen und fordert scharfe Abgrenzungen.

Hat tatsächlich jüdische und christliche Mission dem Begriff seine überragende Bedeutung gegeben (Bultmann, ThWb VI, 209), so ist bei seinem spezifisch christlichen Gebrauch stets von seiner Relation zum Wort der Verkündigung auszugehen und darauf zurückzublicken. Auch als „Gläubige", die als solche „im Herrn", „in der Gnade" stehen, sind und bleiben die Glaubenden nach 10,16 Hörer der Predigt, stehen sie nach 1.K 15,1 „im Evangelium". Der Glaube läßt sich auf keine Weise, sei es als fides qua oder als fides quae creditur, dem Wort gegenüber verselbständigen. Er ist seinem Wesen nach Relation der Annahme und Bewahrung der Heilsbotschaft. Das eben tritt in der Formel πιστεύειν εἰς heraus, die nicht von ungefähr bei Pls immer wieder durch Partizipial-, Relativ-, ὅτι-Sätze aufgelöst wird. Der Glaube ist weder Tugend noch religiöse Haltung noch ein Erlebnis, sondern fides ex auditu. Er läßt sich auf die Heilszusage ein, wird ihr gehorsam. Das bedeutet, daß man sein „Objekt", das in Wirklichkeit sein „Grund" ist, nicht beliebig ausweiten darf, sei es auf das überirdische Leben (Amiot, Theologie 67), die religiöse Ordnung in Christus (Cambier, L'Évangile 347. 376) oder die Überwältigung von der Heilsgeschichte, deren Tatsachen in der Botschaft mitgeteilt und gedeutet werden (Cullmann, Heil als Geschichte 297 ff.). Weil der Glaube vom Schauen unterschieden wird, bleibt er an das Wort des Evangeliums gebunden, und zwar ausschließlich, wie die Präpositionen ἐκ und διά verdeutlichen. Das besagt umgekehrt, daß er auch nicht das dogmatische Fürwahrhalten bestimmter Heilsereignisse, sei es selbst in innerlicher Überzeugung (Weinel, Paulus 88) ist, so gewiß das Evangelium von Heilsereignissen wie in 3,24 ff. oder 1.K 15,3 ff. spricht und in Dogmatik reflektiert werden mag und muß. Die eigentliche Gefahr der theologischen Besinnung erwächst aus falschen Alternativen, zu denen paulinische Dialektik allerdings immer wieder verführt hat. Für den Apostel ist christlicher Glaube weder die Zuspitzung und Vertiefung eines allgemeinen Gottvertrauens (vgl. dazu Ridderbos, Paulus 171) und folglich auch nicht in Analogie zu einem Liebesverhältnis zu sehen (gegen Baulès 147 f. 159 f.) noch die Ausrichtung auf eine in Kirche und Welt immer weitergreifende Zahl von Heilsereignissen (gegen Butler, Object of Faith 28 ff.). Streng genommen ist die Rede vom Erlebnis oder von einer Disposition so unsachgemäß wie die vom Objekt des Glaubens oder der Annahme eines Systems von Heilswahrheiten und Heilsfaktoren. Beide Male kommt die Christologie zu kurz. Der Herr, den man erlebt, hat uns nichts zu gebieten, was wir uns nicht selber sagen können oder auf andere Weise auch erfahren. Macht man ihn als Vermittler von

Heilstatsachen oder Heilswahrheiten aber zum Objekt, so wird er zu einer verfügbaren und mindestens kirchlich verrechenbaren Größe, die sich durch ein System vertreten oder mit der Ekklesiologie und Anthropologie verschmelzen läßt. Der Glaube wird dadurch konstituiert, daß mit dem verkündigten Evangelium der das Evangelium begründende Herr auf den Plan tritt und Herrschaft über uns ergreift. Die im Evangelium berichteten Heilsereignisse qualifizieren ihn, so daß er nicht verwechselt werden kann oder unerkennbar bleibt. Darum sind Kreuz und Auferstehung ihre Mitte. Weil er als Herr sich nicht vereinnahmen läßt, sind wir ständig auf sein Wort angewiesen. Glaube ist Leben aus dem Wort, das seine Herrschaft bezeugt, nicht mehr und nicht weniger.

Von da aus sind zwei heftig umstrittene Fragen zu entscheiden. Die erste geht von den Formeln ἐκ und διὰ πίστεως aus und erörtert, ob und in welcher Weise der Glaube eine Bedingung des Heils sei. Für den Apostel besteht hier offensichtlich kein Problem, jedenfalls nicht in der Weise der Diskussion und ihrer Optik. Wenn man überhaupt so formulieren will, ist für ihn der Glaube nicht eine, sondern die Bedingung des Heils schlechthin. Das muß so sein, weil das Heil im Evangelium zu uns kommt und darin ergriffen werden muß, nur darin ergriffen werden kann. Sachlich wird das zur „Bedingung" eben nur in seiner Ausschließlichkeit, also im Gegensatz zu anderen angebotenen oder geforderten Heilsmöglichkeiten. Nach paulinischer Anthropologie lebt der Mensch davon, daß er das Entscheidende sich sagen lassen muß, und das Entscheidende ist immer der an uns gerichtete Anspruch und Zuspruch dessen, der unser Herr ist oder sein will. Man kann insofern nur in Glaube oder Aberglaube leben, weil es stets und überall darum geht, auf welches Herrn Stimme wir hören müssen, können, wollen. Glaube und Aberglaube sind gelebtes Hören und insofern, nur insofern beide auf ihre Weise Gehorsam. Die präpositionalen Formeln stellen heraus, daß allein das aus dem Evangelium gelebte Hören es mit dem Herrn zu tun bekommt, der im Unterschied von allen andern Heil ist. Sie spiegeln das solus Christus und behaupten das sola fide von der Prämisse her, daß jeder Mensch dem gehört, den er hört. „Bedingung" des Heils ist der Glaube also nicht als menschliche Vorleistung, sondern als Annahme und Bewahrung des Wortes, das uns von allen Herren und jedem Heil außer Christus trennt und darin leben läßt. Im Augenblick gefährlicher ist das zweite Problem, das sich aus dem für Pls zweifellos charakteristischen absoluten Gebrauch von Glaube und glauben ergibt. Das wird zumal von Gal 3,23. 25, wo von der Epiphanie des Glaubens als Ablösung der jüdischen Tora gesprochen wird, radikalisiert. Der Glaube soll danach kein Tun des Menschen, sondern ein Geschehen mit ihm sein (Jüngel, Wissenschaft 430), ein nicht bloß individuelles Verhalten, sondern eine über die Welt kommende Macht (Ed. Schweizer, Mystik 200), ein überindividuelles Gesamtphänomen (Stuhlmacher, Gerechtigkeit 81 f.; ähnlich wohl Wilckens, Zu Röm 3,21 ff., S. 588), eine göttliche Geschehenswirklichkeit und transsubjektive Größe (Binder, Glaube, in geradezu absurder Vereinseitigung, etwa 12. 53. 56 ff. 64 ff. 73). Inspiriert wurden diese Aussagen von der Feststellung, der Glaube sei primär die Entscheidung Gottes (Neugebauer, In Christus 165 ff.). Dies läßt sich jedoch nur halten, wenn der bei Pls singuläre at.liche Sprachgebrauch von πίστις als Treue Gottes in 3,3 herrschend wäre und das eschatologische Heilshandeln kennzeichnet (auch von Neugebauer 163 abgelehnt). Richtig an diesen Aspekten ist, daß Evangelium im Apostolat und Christus sich in den Jüngern verleiblichen und weltlich so freilich stets zweideutige Zeichen setzen wollen. Richtig ist ebenso, daß niemand allein, sondern nur in der Gemeinde glaubt und in dieser Gemeinde der neue Äon angebrochen ist. Absolut spricht Pls vom Glauben substantivisch und verbal genauso, wie er Glaube und Geist parallelisiert, weil damit das Merkmal der zum neuen Äon berufenen Glieder des Christusleibes genannt wird. Doch darf nicht übersehen werden, daß es sich stets um angefochtenen, der Gefahr des Rückfalls ausgesetzten Glauben handelt, der insofern unvertretbar ist und nicht fides implicita werden kann. So ist auch das Bekenntnis nicht „Antwort des Menschen auf den Glauben" (Neugebauer, In Christus 169), sondern nicht selten problematische, stets zu überprüfende, zu interpretierende, zu bewährende Glaubensaussage. Es gibt ein Bekenntnis, das als Dispens vom Glauben gehandhabt und verstanden wird. Wenn man die fides quae creditur auf Kosten der fides qua creditur betont und verselbständigt, verkennt man den Apostel nicht weniger als im umgekehrten Fall (Ridderbos, Paulus 171). Wird der Glaube in Gal 3,23.25 geradezu hypostasiert, so geschieht das in keinem andern Sinne als bei der Glaubensgerechtigkeit in 10,6 ff. nämlich in der Antithese zur Tora und als Äquivalent des Evangeliums als der eigentlichen fides quae creditur. Schroff ist den zitierten Äußerungen entgegenzusetzen, daß der Glaube bei Pls, auch wenn er auf die fides quae creditur, also die Homologie gerichtet ist, Tat und Entscheidung des einzelnen Menschen (Bouttier, En Christ 77 f.; Conzelmann, Grundriß 193), also ein anthropologischer, nicht primär ekklesiologischer Begriff ist (gegen Neugebauer, In Christus 167; Jüngel, Wissenschaft 429; Cerfaux, Chrétien 132 ff.). Anders erneuert man die liberale Antithese von Rechtfertigung und Christusfrömmigkeit (etwa bei Deissmann, Paulus 132), die ein Ableger der Unterscheidung der juridischen von der mystischen Theologie des Apostels ist (Lüdemann, Anthropologie; Schweitzer, Mystik). Freilich genügt es nicht, die existentiale Struktur einer Bewegung zwischen dem „nicht mehr" und „noch nicht" herauszustellen, die es auch beim Aberglauben gibt (gegen Bultmann, Theol. 323). Der Glaube existiert zwar nur im Nein zum Aberglauben, also in Versuchung und Überwindung, in Exodus und Hoffnung. Doch sind für den Apostel Gegenwart und Zukunft nicht weniger bedrohliche Dimensionen als die Vergangenheit und können nur illusionistisch von der Herrschaft der Mächte und des Todes getrennt werden. Der Schrei nach der Freiheit der Gotteskinder charakterisiert den Glauben stets, und er bleibt auch darin Annahme des Wortes, das eben selbst als Evangelium nicht aufhört, Verheißung zu sein. In der Homologie bekundet der Glaube andererseits, daß die Verheißung des Wortes bereits Wirklichkeit wurde und seine Annahme neues Leben schafft. Man kann den Glauben also durchaus definieren, selbst wenn diese Definition stets neu interpretiert werden muß. Er ist das Hören auf das Wort des Evangeliums, das nicht ein für alle Male abgetan werden kann, jedoch auch nicht zu punktualisieren ist, als wäre es noch nie geschehen und als gäbe es die Gemeinde der Glaubenden nicht. Er ist Wagnis nicht derart, wie jedes Leben Wagnis und Hingabe sein muß, sondern sofern er es auf und mit Christus wagt. Das Wort ruft nicht bloß zu ihm, so daß er zur Leistung, sei es des Fürwahrhaltens oder der Nachfolge eines Vorbildes, werden könnte (vgl. die Kritik Bultmanns, Theol. 283 f. an Mundle, Glaubensbegriff 99 f.; Schlatter, Glaube 335 ff.). Das Wort schafft auch den Glauben, weil wir stets aus einer Existenz und Welt des Aberglaubens herkommen und deshalb von uns aus zu rechtem Hören nicht fähig sind. Nur im Zuspruch der Gnade gewinnt der Glaube seine Erkenntnis, sein Vertrauen, seine Gewißheit, seine Hoffnung und seine Aufgabe. Außerhalb dieses Wortes, das ihn zugleich in den Widerspruch der Welt und die Anfechtung seiner Leiblichkeit stellt, gibt es für ihn keine Garantie des Heils.

Erst von solcher Besinnung aus läßt sich die Antithetik unseres Textes, das paulinische Verständnis der πίστις Abrahams und des Zitates Gen 15,6 verstehen. Hier wird nicht auf die Qualität oder das verdienstliche Werk des Patriarchen geblickt, sondern auf dessen Hingabe an das ergehende Wort der Verheißung, nach welcher Gott nichts anderes will und anerkennt als den Glauben. Daraus erweist sich die Absurdität eines Verlangens nach Ruhm oder des Pochens auf Werke. Hingabe an das Wort impliziert, daß man von sich selbst fortblickt und Heil allein von Gott erwartet. In 4—5 wird 3 echt paulinisch so begründet, daß das Wichtigste, nämlich der sich ausschließende Gegensatz von „glauben" und „wirken" vorausgesetzt wird. 4 argumentiert mit dem Hinweis auf eine allgemein anerkannte Regel, welche die Aussage von 2 umgreift. Die Ausdrucksweise ist hier darum untheologisch. ἐργάζεσθαι meint einfach „arbeiten", λογίζεσθαι εἰς „buchen" wie in der Geschäftssprache. Der Ton fällt auf die profane und formelhaft (vgl. Hauck, ThWb V, 565) auch bei Thucyd. II, 40,4 begegnende Antithese χάρις — ὀφείλημα. Die theologische Anwendung der Regel ist ebenfalls rabbinisch belegt (Billerbeck). 5a will offensichtlich die Analogie von 4 gegensätzlich fortführen. Doch hat der Apostel einmal mehr nicht die Geduld, seine Vergleiche und Bilder glücklich zu beenden. Die Anwendung mischt sich in den Vergleich und überdeckt ihn. Das bedeutet, daß die Terminologie, nun theologisch befrachtet, einen andern Sinn erhält (Heidland, Anrechnung 119 f.; Gale, Analogy 173 ff.). Der „nicht Wirkende" wird mit Abraham identifiziert, und ἐργάζεσθαι meint nicht mehr „arbeiten", sondern „mit Werken umgehen". Weil die Anrechnung sich jetzt auf Gottes gnädiges Handeln gegenüber dem nicht Leistenden bezieht, kann von „buchen" nur noch übertragen die Rede sein. Sachlich geht es um ein im AT fixiertes zusprechendes Urteil, also um Zuerkennung (Schlatter, Glaube 359 f.). Pls nähert sich damit wieder dem ursprünglichen Sinn von Gen 15,6 (Dietzfelbinger, Alte Testament 16. 26). Auf die Frage, warum dann überhaupt noch die technische Formel der Geschäftssprache beibehalten wird, ist zu antworten, daß dem Apostel erstens an der Dimension des Wortgeschehens, zweitens am paradoxen Charakter der Gnade liegt. Der Glaube ist nicht von sich aus Gerechtigkeit, sondern findet, indem er der Verheißung antwortet, Erfüllung im Evangelium, zwischen beidem auf der Wanderschaft. Seine Rechtfertigung ist nicht vom Akt der göttlichen Zusage ablösbar. Wir besitzen sie nicht (gegen Baulès) neben und außerhalb dieser Zusage. Insofern ist sie (gegen den Protest Lagranges 123 ff.) „forensisch" und „imputativ". Der Glaube vertritt also die Gerechtigkeit nicht per substitutionem (Cremer, Rechtfertigungslehre 341), und schon überhaupt nicht ist dem „anrechnen" zu entnehmen, Gott behandle den Glauben so, als ob er Gerechtigkeit wäre (gegen Weinel, Paulus, 89; richtig Schlatter, Glaube 348 ff.). Bedingung ist er wie die Armut und das Warten für die Seligpreisung, also als der Raum, in welchem der Schöpfer allein als solcher handeln will und kann.

Das zeigt sich schärfstens in der folgenden Charakteristik, die sich in dieser Zuspitzung nur hier findet, obgleich sie das Grundmotiv der paulinischen Soteriologie darstellt. Sie steht im schroffen Gegensatz zur jüdischen Anschauung, welche, um ein Beispiel aus Qumran zu nennen, in CD 1,19 die Rechtfertigung des Frevlers nur im Zeichen der Gottlosigkeit behaupten läßt und sich damit gegen die haeretische Aussage in 4.Esra 8,33 ff. stellt (Schrenk, ThWb II, 219; Stuhlmacher, Gerechtigkeit 226 f.). Selbst wenn die Sündhaftigkeit des Frommen radikal behauptet wird, gilt daneben die Toraverschärfung. So wird sichtbar, daß Gnade nur dem Frommen zuteil werden kann, der denn auch seine Sünde doxologisch bekennt. So hat die Auslegung sich stets an der grundsätzlichen und eindeutig polemischen Formulierung gestoßen und sie abgeschwächt, indem man die Antithetik bestritt (Cambier, L'Évangile 166), von erheblicher Übertreibung sprach (Kirk), die Beziehung auf Abraham leugnete (H. W. Schmidt; wohl auch Berger, Abraham 65 f.). Psychologisierend verlegte man die Aussage in den Bereich der Empirie (Dodd) und erklärte sie aus der strengen sittlichen Selbstbeurteilung, für welche die Unterschiede zwischen Frommen und Gottlosen relativ und schließlich irrelevant werden (Zahn; Kühl). Man hat zu beachten, daß die Formel liturgischen Gottesprädikationen nachgebildet ist und folglich das göttliche Handeln grundsätzlich charakterisiert. Deshalb darf man aus ihr auch nicht einen Entwicklungsprozeß ableiten: Der Mensch sei vor der Rechtfertigung zwar gottlos, bleibe es aber, auf den Weg der Heiligung gestellt, nicht (Taylor, Forvigeness 57 f.; Bruce). Selbst wenn Pls tatsächlich für den Christen Existenzwandel behauptet, muß doch ein Grund dafür angegeben werden, daß der Apostel das Wesen des Glaubens in unserm Kontext zutiefst durch die Rechtfertigung des Gottlosen bestimmt sein läßt. Es ist die entscheidende Frage wie der Rechtfertigungslehre und des Briefes, so der paulinischen Theologie im ganzen, ob dieser so pointierte Satz in äußerster rhetorischer Zuspitzung einen Grenzfall oder die Wahrheit christlichen Glaubens schlechthin (so Schlatter; Leenhardt) meint, der Empfang der Gnade stets das ad nihilum redigi des Menschen voraussetzt und mit sich bringt (Bultmann, Theol. 284). Es ist nicht zu bezweifeln, daß Pls es im letzten Sinne meint. Dann hilft jedoch weder die Psychologie noch die Moralisierung, die verständnislos von der Rechtfertigung des Bösen redet (Lietzmann), weiter. Vorausgesetzt wird vielmehr wie in 1,18 ff., daß das Wesen der Sünde und ein dem entsprechendes Selbstverständnis nur vom Evangelium her erkannt wird. Nach diesem Evangelium schließen Leistung von Werken und Glaube einander aus, während es in jüdischem und heidnischem Denken keine εὐσέβεια, also kein echtes Gottesverhältnis ohne menschliche Leistung gibt. Hat Abraham diese nicht erbracht, war er nicht mehr wie im Judentum an example of an outstanding religious personality (Dodd; Bruce), sondern, am Maß der Umwelt gemessen, ohne Religion, gottlos (Bornkamm, Paulus 152; Jacob, Abraham 154). Spricht Gen 15,6 vom Wesen des Glaubens als einem Nicht-Leisten, hat Glaube es infolgedessen mit dem zu tun, der die Gottlosen gerecht macht. Denn so gewiß an Abraham exemplifiziert wird, so gewiß gilt das von ihm als dem Urbild des Glaubens Gesagte generell und wird deshalb präsentisch und in einer allgemeinen Sentenz formuliert (richtig Wilckens, Rechtfertigung 113). Die antinomistische Polemik, die mit der gleichen Entschiedenheit in 3,29 vom Gott auch der Heiden sprechen ließ und ohne welche Rechtfertigungslehre nicht paulinisch bleibt, erlaubt nicht, das sola gratia positivistisch und erbaulich zu verstehen (z. B. gegen Huby). Glaube ist für Pls nicht mit Frömmigkeit identisch. Strengste Frömmigkeit und Moral können für den Apostel durchaus das Gewand der Gottlosigkeit sein. Anders als für Philo ist Glaube für ihn keine menschliche Fähigkeit und darum auch nicht vom Menschen her definierbar. Pls muß sagen, wer Gott ist, um den Glauben zu bestimmen. Das tut er in seiner Rechtfertigungslehre, indem er vom creator ex nihilo spricht. Glaube ist das Ja zur Botschaft von diesem Gott und darum das Bekenntnis, daß dieser stets und nur Gottlose gerechtmacht. Gottlos ist mehr als „unfromm" (gegen Michel). Es ist das Prädikat dessen, der es radikal mit seinem Schöpfer zu tun bekommt und erfährt, daß er in der Gnade neu geschaffen werden muß. Er hat nichts, worauf er sich berufen könnte, und will nichts vorweisen, was Gottes Schöpfertat beeinträchtigen würde. Er ist der Mensch ohne Ruhm bei Gott.

Von hier aus ist auch das Verhältnis von πίστις und δικαιοῦσθαι zu interpretieren (vgl. den Exkurs bei Kuss). Geprägt wird der Gebrauch des Verbs nicht vom profan Griechischen, sondern vom at.lich-jüdischen Denken, speziell der LXX (Stuhlmacher, Gerechtigkeit 217 ff.). Gerechtsprechung ist gemeint. Dabei geht es um ein eschatologisches Geschehen seitens des Richters vom jüngsten Tage, das in der Gegenwart proleptisch erfolgt. Festzustellen ist erneut wie bereits bei der Analyse des Substantivs, daß damit ein Heilshandeln bezeichnet wird. Obgleich der forensische Sinn zutage liegt, wird nicht wie durch κρίνειν eine Verurteilung gemeint. Die at.lich-jüdische Tradition des Bundesgedankens wirkt in der Bedeutung „Freispruch" fort. Problematisch wurde dieser Befund, der eindeutig auf ein deklaratorisches Geschehen hinweist, seit religionsgeschichtliche Forschung zumal im Blick auf die sakramentalen Äußerungen des Apostels unabweisbar herausstellte, daß δικαιοῦσθαι auch wie in 3,24 und sogar zumeist den vom Katholizismus stets behaupteten Sinn der effektiven Gerechtmachung besitzt. Das Problem ist nicht mehr (gegen H. W. Schmidt) durch Alternativen zu zerschlagen. Erneut stehen wir vor paulinischer Dialektik, welche ein zentrales Anliegen nach zwei Seiten hin gegen Mißverständnisse schützt. Gerade unser Text läßt erkennen, daß es sich so verhält. Das deklaratorische Moment wird durch das ganze Kapitel beibehalten und durch die Verbindung mit der Formel von der Anrechnung betont. Umgekehrt wurde eine Interpretation im Sinne eines Als-ob bereits abgewiesen und die Beziehung zum Schöpfungsgedanken erhellt. Gott schafft den Gottlosen zur neuen Kreatur, macht ihn wirklich gerecht. Vereinen läßt sich beides nur dann, wenn die schöpferische Kraft des göttlichen Wortes vorausgesetzt und die Bindung der Rechtfertigung an dieses Wort nicht gelockert wird. Die neue Kreatur entsteht durch das Wort und wird nur unter ihm erhalten. Christliche Existenz gibt es allein im rechten, also bleibenden Hören des Wortes, das so auch das konstitutive Merkmal des neuen Gehorsams und der Heiligung bildet. Ein solches Hören schließt ein, daß der vernommen wird, welcher als Schöpfer zugleich der letzte Richter ist und uns als Richter dorthin stellt, wo Schöpfung begann: nämlich vor sein Angesicht, wo nur Gnade gilt, weil ohne Gnade es kein Leben gibt. Rechtfertigung ist als eschatologischer Zuspruch jenes Handeln des Richters, das uns zur neuen Schöpfung freispricht (Schrenk, ThWb II, 219) und allein dazu fähig macht. Der Glaube wird als gerecht erkannt, weil er, menschlich durchaus unbegreiflich, Gott derart an sich handeln läßt, statt selber etwas sein und leisten und sich damit rühmen zu wollen. Er läßt sich durch das Wort in die facultas standi extra se coram deo per Christum stellen.

Nach dem jüdischen Grundsatz, daß zwei Zeugen für die Wahrheit einzutreten haben, und nach dem rabbinischen Brauch, neben der Tora die Propheten oder Ketubim zu zitieren (Michel), wird in 6 f. das Gesagte von dem als davidisch geltenden Ps 31,1 f. LXX bestätigt. Weil dieser Psalm ebenfalls das Stichwort „nicht anrechnen" enthält, das 9 f. betont aufgreift, verfährt Pls mindestens faktisch nach der gᵉzera schawa, der zweiten von den 7 Auslegungsnormen Hillels (J. Jeremias, Gedankenführung 149 ff.; Barrett; Cambier, L'Évangile 168). Um ihrer Analogie willen interpretieren sich gleiche Wendungen der Schrift gegenseitig. Das Zitat unterbricht die Argumentation am Beispiel

Abrahams, ohne sie zu beenden. Denn der Typos des Messiaskönigs steht als Zeuge (La-grange), nicht als zweites Exempel (Schlatter; Nygren) neben Abraham. Die höchste Autorität des Judentums, von Abraham und Mose abgesehen, stimmt dem Satz von der Glaubensgerechtigkeit zu. καθάπερ ist wie häufig begründend, nicht bloß verglei-chend. μακαρισμός wird bereits technisch gebraucht (Hauck, ThWb IV, 370) und er-scheint im Kontext als prophetischer Heilszuspruch, obgleich das dem ursprünglichen Sinn des Zitates Gewalt antut (Kuss). μακάριος bedeutet wie durchweg in den nt.lichen Makarismen nicht die Glückseligkeit, die den Himmlischen zusteht, sondern das eschato-logische Heil. Der Schluß von 6 ist die vorweggenommene paulinische Interpretation des Zitates. Sünde nicht anrechnen besagt: Gerechtigkeit zurechnen. Inhaltlich wird das als Vergebung präzisiert. Weil endlich Vergebung nur dem Sünder widerfährt, beweist also auch das Zitat, daß Gott Heil nicht auf Grund der Werke, sondern an Gottlosen schafft. Der Beweis ist damit geschlossen. Auffällig bleibt, daß Pls nie von Vergebung außer in dem übernommenen πάρεσις in 3,25 und nur hier im Zitat von vergeben spricht (anders Hauck, ThWb IV, 372; von Nygren nicht beachtet), obgleich dieses Stichwort, in Qumran wie in den Deuteropaulinen geläufig, die älteste Taufbotschaft charakterisiert und bei Mt selbst in die Abendmahlstradition eingedrungen ist. Heil ist für den Apostel, wie die Vermeidung des Plurals „Sünden" ebenfalls zeigt, primär nicht Beseitigung vergangener Schuld (gegen Kühl), sondern Freiheit von der Macht der Sünde (Bultmann, Theol. 287; Schlatter, Glaube 334; Schrenk, ThWb II, 208). Der andere theologische Horizont führt zu einer anderen Terminologie.

2. 4,9—12: Abraham vor der Beschneidung gerechtfertigt

9 (Geht) diese Seligpreisung nun (nur) auf die Beschnittenheit oder auch auf die
   Unbeschnittenheit? Denn wir zitieren: „Abraham wurde der Glaube zur Gerechtig-
10 keit angerechnet." Wie wurde also angerechnet? Im Stande der Beschnittenheit
   oder der Unbeschnittenheit? Nicht in der Beschnittenheit, sondern in Unbe-
11 schnittenheit! Das „Beschneidungszeichen" empfing er vielmehr als Siegel der Glaubensgerechtigkeit in Unbeschnittenheit. Er sollte so zum Vater aller unbe-
   schnitten Glaubenden werden, daß ihnen Gerechtigkeit zugestanden werden
12 könnte. (Zugleich sollte er sein) auch Vater der Beschnittenheit, nämlich für diejenigen, welche nicht bloß zur Beschneidung gehören, sondern auch den Spuren des
   in Unbeschnittenheit (bewährten) Glaubens unseres Vaters Abraham folgen.

Literatur: F. J. Dölger, Sphragis, Studien zur Geschichte und Kultur des Altertums V, 3-4, 1911. W. Heitmüller, Σφραγίς, Ntl. Stud. Heinrici, 1914, 40-59. E. Maass, Segnen, Weihen, Tau-fen, Arch. Rel. 21 (1922), 241-286. E. Dinkler, Jesu Wort vom Kreuztragen, Ntl. Stud. Bultmann, ²1957, 110-129. G. W. Lampe, The Seal of the Spirit, 1951.

Pls wendet gegen sich selber ein, daß der zitierte Makarismus Israel und deshalb nur im Raum der Beschneidung gilt, wie tatsächlich im Rabbinat behauptet wurde (Biller-beck). Ist dann nicht auch die Glaubensgerechtigkeit an diesen Raum zu binden? Judaisti-sche Gegner haben das wirklich gemeint. Die Frage ist also praktisch wie grundsätzlich bedeutungsvoll. Wieder wird an Abraham exemplifiziert. Jetzt erhärtet Gen 15,6 die Psalmverse, während es in 7 f. umgekehrt war. Die Annahme eines Analogieschlusses (Jeremias, Gedankenführung; H. Müller, Auslegung 143) ist nicht zwingend, jedoch wahrscheinlich (Kuss). Für rabbinische Argumentation wie für die Diatribe sind Gegenfragen typisch. Eindeutig jüdischer Auslegung entspricht der Beweis mit Hilfe der Chronologie nach der Schrift. Offizielle Berechnung der Synagoge setzt Gen 17,10 f. um 29 Jahre später als Gen 15,6 an (Billerbeck). Wieder schlägt Pls seine Gegner mit ihren eigenen Waffen. Gerade jüdische Interpretation muß zugeben, daß der judaistische Einwand unhaltbar, Beschneidung nicht unumgängliche Voraussetzung der Rechtfertigung ist. Dem Apostel genügt diese Antwort aber noch nicht. Nicht nur für den Bibelleser und Juden, sondern für den Theologen stellt sich jetzt die Frage, welchen Sinn Abrahams Beschneidung dann überhaupt gehabt hat. Daß dieses Problem zwar nur hier auftaucht, aber nicht relativiert wird (Dietzfelbinger, Alte Testament 13), ist nicht unwichtig. Die heilsgeschichtliche Betrachtungsweise führt tiefer als die aktuelle Auseinandersetzung, welche zunächst die Struktur des rechtfertigenden Glaubens herausstellte (Wilckens, Rechtfertigung 121). In Gen 17,11 wird vom Bundeszeichen gesprochen. Pls ersetzt das sinngemäß durch „Beschneidungszeichen". Epexegetisch gilt die Beschneidung als Zeichen (Zahn; Michel; Barrett; anders Lagrange). Eine Textkorrektur (Rengstorf, ThWb VII, 258) ist unnötig und unbegründet. Die Änderung hat gleichwohl sachliches Gewicht und erhebliche Konsequenzen. Der Apostel kann im Kontext den Bundesgedanken nicht gebrauchen. Dieser wird vielmehr bis an die Grenzen völliger Aufhebung eingeschränkt (Klein, Röm 4, S. 154 überspitzt: „völlig analogielose Usurpation" des Textes; Wilckens, Zu Röm 3,21 ff., S. 597 bestreitet absichtliche Auslassung des Bundesgedankens). Der paulinische Schriftbeweis wird zwar mit den Mitteln der Synagoge geführt, wird für uns jedoch wertlos, weil er sich über den historischen Sinn des Textes hinwegsetzt (Dodd; Lagrange referiert über die Schwierigkeiten der Exegese bei den Kirchenvätern). Weil σημεῖον „Siegelabdruck, Stempel" bedeuten kann (Bauer, Wb 1482), kann das Wort durch σφραγίς = „Versiegelung" aufgenommen werden (Murray). Dann folgt aus dem chronologischen Nacheinander der Stellen, daß die Beschneidung die früher empfangene Glaubensgerechtigkeit bestätigte. Daraus ergeben sich weitgehende Folgerungen. Ungeklärt und leidenschaftlich umstritten bleibt, ob die Verwendung von σφραγίς sich wie in 1.K 9,2 einfach aus dem Gedankengang erklärt oder feste, hier zu beachtende Traditionen voraussetzt. Es gibt die allerdings erst spät bezeugte rabbinische Formel „Siegel der Beschneidung" (Billerbeck, IV, 32 f.). Der Text könnte also auf einen technischen Wortgebrauch anspielen (Sanday-Headlam). Das Problem erhält Gewicht, wenn man es mit der seit Hermas eindeutig belegten Bezeichnung der Taufe als „Siegel" koppelt und diese aus der als früher postulierten Beschneidungsterminologie des Judentums ableitet. Mindestens indirekt würde dann in unserer Stelle Taufsprache einwirken (v. Stromberg, Studien 92 f.; Michel; Althaus; wahrscheinlich Maass, Segnen 53. 77 ff. 107; möglich Bultmann, Theol. 140; Klein, Röm 4, S. 154; ablehnend Fitzer, ThWb VII, 949 f.; Lampe, Seal passim).

Die Frage ist komplexer, als es zumeist erscheint. In Barn 9,6 wird zwar vorausgesetzt, daß der Gegner den Terminus kennt. Doch kommt man dort wie hier mit dem Sinn „Bestätigung" aus (Bauer, Wb 1577; Heitmüller, Σφραγίς 40 ff.; Lietzmann; Barrett; Kuss). σφραγίζειν sollte keinesfalls als Taufterminus allein aus der angenommenen Ter-

minologie der Beschneidung abgeleitet werden. Nach Apk 7,3 ff. wird damit wohl ursprünglich die Versiegelung für das letzte Gericht gemeint, also auf die Bedeutung von
σφραγίς als Schutz- und Eigentumszeichen zurückgegriffen. Diese hat eine lange Vorgeschichte und wurde bereits im AT und Judentum eschatologisch orientiert (Dinkler, Jesu
Wort 117 f.). Das Verständnis der Beschneidung und, davon allenfalls abgeleitet, der
Taufe als „Siegel" hat sich höchstens mit dieser älteren Tradition verbunden. Immerhin
ist damit ernsthaft zu rechnen, weil Kol 2,11 ff. eine traditionelle Typologie von Beschneidung und Taufe in der Urchristenheit voraussetzt, „versiegeln" in 2.K 1,22; Eph
1,13; 4,30 zur festen Terminologie der Taufe gehört. Bei der Beziehung des Substantivs
auf die Beschneidung hier wie in Barn 9,6 läßt sich kaum von der Tradition in Kol 2,11 ff.
absehen. Daß Pls at.liche Geschehnisse sakramental zu deuten vermochte, wird durch
1.K 10,1 ff. bewiesen. Läßt sich also Sicherheit nicht erreichen, so ist Aufnahme jüdischer
Beschneidungsterminologie immerhin wahrscheinlich, welche durch die Taufsprache vermittelt wurde. Jedenfalls darf die juridische Nüance (Rengstorf, ThWb VII, 257) nicht
übersehen werden. Für Pls ist Abrahams Beschneidung die Dokumentation und Legitimation der Glaubensgerechtigkeit. εἰς τὸ εἶναι zeigt nicht bloß konsekutiv (Lagrange;
H. W. Schmidt), sondern final (Kühl; Bultmann, ThWb VI, 207) den in der Beschneidung bestätigenden Gotteswillen an. Der zweite Infinitiv läuft kaum parallel, sondern ist
(gegen Kühl; Lagrange) als konsekutiv zu subordinieren. Das jüdische Theologoumenon
von Abraham als Vater aller Proselyten (Billerbeck) bildet die Folie. Es wird nicht nur
ausgeweitet, sondern im konkreten Zusammenhang umgekehrt (Klein, Röm 4, S. 155 f.).
Wie Abraham bereits vor seiner Beschneidung Gerechtigkeit empfing, so muß man nicht
erst Proselyt werden, um Gerechtigkeit zu gewinnen. Abraham ist dann Vater aller Glaubenden. Nach seinem Exempel kommt es allein auf den Glauben an. Das Proselytentum
ist dafür nicht Vorbedingung. Faktisch wird dem Judentum sowohl Abraham wie die
Beschneidung entrissen (Nygren; Chr. Müller, Gerechtigkeit 52; Dietzfelbinger, Alte
Testament 18; Wilckens, Zu Röm 3,21 ff., S. 598 f.).

12 scheint diese Schroffheit zu mildern und, wie es bei Pls nicht selten ist, eine überspitzte Aussage einzuschränken. Es wird nun doch ein bleibendes Verhältnis des Patriarchen zum Judentum anerkannt. Tatsächlich liegt dem Apostel daran, Abraham auch
Vater der Beschneidung nennen zu können, weil er anders Israel die Verheißung nähme
und dessen Heilsgeschichte bestritte (Wilckens, Zu Röm 3,21 ff., S. 599 ff.). Doch sollte
man nicht bloß die Koordination eines „Sowohl — Als auch" konstatieren. Alles hängt
an dem Akzent. Muß es dem Juden schon unerträglich sein, erst an zweiter Stelle genannt zu werden, so folgt alsbald eine weitere Reduktion in dem Partizipialsatz, in
welchem der Ton auf dem Schluß liegt. καὶ τοῖς hat die Ausleger ständig und bereits früh
verwirrt. Das ist nicht anders möglich, wenn man sich den Sinn der Antithese nicht genau
klar macht. Sie sagt wie 2,25 ff., was allein als wirkliche Beschneidung gelten und Abraham für sich beanspruchen kann. Die Faktizität und der damit begründete Anspruch
besagen nichts. Was nicht kraft des Gehorsams Herzensbeschneidung ist, verdient den
Namen nicht. Allein der Christ ist auch hier der wahre Jude, und Abraham wird Vater
der Beschneidung nur als Vater der Judenchristen genannt. Insofern kontrastiert die
Antithese die beiden Gruppen der Juden und Judenchristen (gegen Kuss). Das erklärt die
Wiederaufnahme des Artikels (Luz, Geschichtsverständnis 175; Cambier, L'Évangile
171; Michel; anders Lietzmann; Kuss). Das Stichwort der περιτομή gebührt in Wirklich-

keit dem Judentum nicht mehr. Es kommt wie die Kindschaft Abrahams allein dem Glaubenden zu, und zwar den Christen sowohl aus den Heiden wie aus den Juden. Man darf sich nicht auf ein Zeichen verlassen. Alles hängt an der Wirklichkeit des Wandels im Gehorsam. Die Metapher ist bereits rabbinisch belegt (Billerbeck) und findet sich auch in 2.K 12,18; 1.Pt 2,21. Sie meint: in der Reihe bleiben. Nochmals wird mit größtem Nachdruck betont, daß der Glaube Abrahams derjenige des Unbeschnittenen war, also auch insofern zur Rechtfertigung des Gottlosen führte. Der feierlich abschließende Titel gilt jetzt nicht mehr dem Ahnherrn nach dem Fleisch von 1, sondern dem Vater der Christenheit (Schrenk, ThWb V, 1006).

Die theologische Bedeutung des Abschnittes liegt nicht bloß darin, daß Pls hier mit jüdischer Auslegungsmethode energisch die Glaubensgerechtigkeit aus der Schrift heraus begründet und verteidigt. Über 1—8 führt hinaus, daß die paulinische Konzeption der Heilsgeschichte schärfere Kontur erhält. Denn es läßt sich zwar nicht behaupten, daß die Heilsgeschichte der Kern der paulinischen Theologie sei (gegen Cullmann, Heil als Geschichte), aber umgekehrt auch nicht (gegen G. Klein) leugnen, daß sie mit der Rechtfertigungslehre des Apostels unlöslich verknüpft ist und das hier sichtbar wird. Die „theologische Indifferenz" von Juden und Heiden (Klein, Röm 4, S. 153) ist weder in 3,29 f. noch in unserm Text der Skopus, sondern eine moderne Konsequenz aus dem sola fide. Behauptet man, die Geschichte Israels werde „radikal entheiligt und paganisiert" (ebd. 158 u. a.), so wird damit nicht nur der Schriftbeweis in seiner historisch überprüfbaren Argumentation fragwürdig, sondern die Berufung auf das AT im ganzen sinnlos. Wird die Erfahrung der Gottesgerechtigkeit auf das post Christum crucifixum beschränkt (ebd. 148) und vorher exklusiv auf Abraham bezogen (ebd. 155), ist sowohl solche Exklusivität wie überhaupt die Wahl des Abrahambeispiels absurd und für die Exegese eine unlösbare Aporie. Auf Marcions Spuren sollte man dann lieber dieses Kapitel und vieles sonst im NT streichen. Auf der andern Seite macht unser Text tatsächlich klar, daß „die Kategorie einer in chronologischer Kontinuität ablaufenden Heilsgeschichte als hermeneutisches Prinzip zur Erhellung des paulinischen Abrahamsbildes unangemessen ist" (ebd. 169). Wird hier ein bestimmtes Verständnis von Heilsgeschichte deutlich, so wird zweifellos ein anderes, nämlich das jüdische, destruiert (ebd. 164). Eine ungebrochene Kontinuität zwischen Abraham und Christus, Verheißung und Erfüllung wird durch Pls nicht gedeckt (ebd. 157 f. gegen Wilckens, Rechtfertigung 121—127). Von 9,27 ff.; 11, 13 ff. abgesehen, verwendet Pls das Motiv des heiligen Restes eben nicht. Es ist zwar richtig, daß er den Glauben nicht von der Geschichte trennt, aber ein absolutes Mißverständnis, wenn Glaube für ihn prinzipiell Vertrauen auf Geschichte sein und in ihr seinen elementaren Grund finden soll (Wilckens, Rechtfertigung 123. 127), und ebenfalls absurd, wenn behauptet wird, Abraham habe im Vorblick auf die eschatologische Ratifikation der Verheißung hin glauben müssen (ebd. 125). Die vom Apostel vertretene Heilsgeschichte ist durch Paradoxien gekennzeichnet, darum in ihrem irdischen Verlauf diskontinuierlich und nicht verrechenbar (vgl. die schöne, freilich überspitzte Sentenz Barths, ihre Helden seien eine Frage, auf die sie keine Antwort gäbe). Der nächste Abschnitt wird zeigen, daß ihre Kontinuität die Macht Gottes ist (Bornkamm, Paulus 157 f.), welche Tote auferweckt, und jener göttliche Wille, der nicht geschichtlich abgelesen, sondern aus dem Verheißungswort gehört wird. Heilsgeschichte ist bei Pls die Geschichte der göttlichen promissio, die den irdischen Möglichkeiten und Erwartungen zuwiderläuft.

Darum entsprechen sich in ihr AT und NT, während gleichzeitig jüdische und christliche Geschichte auseinandertreten. Heilsgeschichte ist Geschichte des göttlichen Wortes, das Glauben findet und Aberglauben verursacht, aber nicht Zusage an merkwürdig isolierte Individuen noch Grundlage einer spekulativen Geschichtsdeutung werden darf.

3. 4,13—25: Nur dem Glauben nach Abrahams Urbild erfüllt sich die Verheißung

13 Denn nicht in Kraft des Gesetzes (erging) die Verheißung an Abraham oder seinen
14 Samen, er solle Welterbe sein, sondern in Kraft der Glaubensgerechtigkeit. Sind nämlich die Gesetzesfrommen Erben, ist der Glaube sinnlos und die Verheißung
15 abgetan. Denn das Gesetz wirkt Zorn. Wo aber kein Gesetz ist, gibt es auch keine
16 Übertretung. Deshalb (gilt): Aus Glauben, folglich gnadenweise, auf daß die Verheißung gültig sei für die gesamte Nachkommenschaft, nicht allein für die aus dem
17 Gesetz, sondern auch für die aus Abrahams Glauben. Der ist unser aller Vater, wie geschrieben steht: Zum Vater vieler Heiden habe ich dich gesetzt. Er glaubte angesichts des Gottes, der die Toten lebendig macht und dem Nichtseienden ruft,
18 daß es sei. Er glaubte gegen (irdische) Hoffnung in Hoffnung, daß er zum Vater
19 vieler Heiden würde nach dem Spruch: So (groß) wird dein Same sein. Ohne im Glauben nachzulassen, richtete er sein Augenmerk auf seinen erstorbenen Leib —
20 war er doch fast hundertjährig! — und auf Saras erstorbenen Mutterschoß. Er zweifelte aber nicht ungläubig an Gottes Verheißung, sondern ward stark im
21 Glauben, gab Gott die Ehre und war völlig gewiß: Was er verheißen hat, vermag
22 er auch zu tun. Deshalb wurde es ihm zur Gerechtigkeit angerechnet. Dies „es
23 wurde ihm angerechnet" ist aber nicht allein um seinetwillen in der Schrift festge-
24 halten, sondern auch um unsertwillen, denen es (gleichfalls) angerechnet werden soll. Glauben wir doch an den, der auferweckt hat von den Toten unsern Herrn
25 Jesus, welcher dahingegeben wurde um unserer Übertretungen willen und auferweckt um unserer Rechtfertigung willen.

Literatur: P. L. Hammer, A comparison of kleronomia in Paul and Ephesians, JBL 79 (1960), 267-272. E. Sjöberg, Neuschöpfung in den Toten-Meer-Rollen, StTh 9 (1955), 131-136. A. Ehrhardt, Creatio ex nihilo, The Framework of the New Testament Stories, 1964, 200-233. O. Hofius, Eine altjüdische Parallele zu Röm 4,17b, NTSt 18 (1971/2), 93 f. H. M. Schenke, Aporien im Römerbrief, ThLZ 92 (1967), 881-888. R. Bultmann, Ursprung und Sinn der Typologie als hermeneutischer Methode, ThLZ 75 (1950), 205-212. L. Goppelt, Apokalyptik und Typologie bei Pls, ThLZ 89 (1964), 321-344. J. R. Mantey, The Causal Use of εἰς in the New Testament, JBL 70 (1951), 46 f. D. M. Stanley, Ad historiam exegeseos Rom 4,25, VD 29 (1951), 257-274. K. Romaniuk, L'origine des formules pauliniennes ,Le Christ s'est livré pour nous . . .', Nov. Test. 5 (1962), 55-76.

13—25 werden durch das Stichwort der Verheißung zusammengehalten. Die Argumentation gruppiert sich um drei Aussagen: 13—17a bestreiten, daß die Verheißung an das Gesetz gebunden ist. 17b—22 kennzeichnen sie dadurch, daß allein der Glaube an die Totenauferweckung ihr entspricht. 23—25 ziehen daraus die Folgerung, Abrahams Glaube ist Vorwegnahme des christlichen. Insofern bezeugt die Schrift am Urbild des

Patriarchen wirklich die paulinische These. 13—16 sind also ebensowenig ein selbständiger Abschnitt (gegen Kühl; Lagrange; Schlatter; Nygren; Wilckens, Rechtfertigung 124) wie 13—17 (gegen Barth; Michel; Kuss), weil man dabei keinen deutlichen Absatz erhält. Die Antithese von Glaubensgerechtigkeit und Gesetz bestimmte letztlich schon 1—8. Sie wird hier in der Zuspitzung auf die Verheißung als Folie des Folgenden aufgegriffen. Die Charakteristik der Verheißung in 13b ist im ganzen entscheidend. Das Thema der ἐπαγγελία hat für Pls und das von ihm beeinflußte Schrifttum des NT zentrale theologische Bedeutung. Es bezeichnet die heilsgeschichtliche, nicht verrechenbare Kontinuität des göttlichen Wortes in seiner eschatologischen Ausrichtung. Als Akt und Gegenstand des προευαγγελίζεσθαι von Gal 3,8 ist sie Komplement des Evangeliums (Schniewind, ThWb II, 575), nämlich, wie schon 1,1 f. zeigte, das Evangelium in heilsgeschichtlicher Vorgegebenheit und geschichtlicher Verborgenheit. Das Evangelium ist umgekehrt die eschatologisch sich realisierende Verheißung. Jedoch verkürzte man den paulinischen Gedanken, nähme man die Komplementarität nicht ganz ernst, indem man nämlich aus der Verheißung bloß die Ansage, aus dem Evangelium die Erfüllung als Ergebnis eines Entwicklungsprozesses machte (gegen H. W. Schmidt, der darum höchst unreformatorisch von Heilssicherheit sprechen kann). Beides ist vielmehr sachlich identisch, markiert aber jeweils einen verschiedenen Aspekt (Moltmann, Hoffnung 133). Die gegenseitige Zuordnung stellt heraus, daß eschatologisches Geschehen mit dem Wort in reale Geschichte einbricht, darum immer schon Geschichte als den Bereich göttlicher Schöpfung und Lenkung qualifiziert (Asmussen). Die Unterscheidung macht deutlich, daß Geschichte und Eschatologie nicht zusammenfallen, sondern einzig durch das Wort als göttliche Selbstzusage verbunden sind. Das Wort geht ebenso in die Geschichte Platz greifend ein, wie es sich in ihr verbirgt, wie Mißverständnis, Ärgernis und Verstockung beweisen. Das Evangelium löst anders als gegenüber dem Gesetz die Verheißung nicht ab und behält selber nur als Verheißung seinen eschatologischen Charakter und Horizont. Von einer realized eschatology darf darum nur sehr dialektisch und auch dann nicht ausschließlich unter der anthropologischen Kategorie der „Zukünftigkeit" gesprochen werden (gegen Bultmanns Grundthesen in „Geschichte und Eschatologie").

Der hellenistische Begriff ἐπαγγελία hat terminologischen Sinn erst durch die Verschmelzung mit der jüdischen, vor allem in der Apokalyptik erwachsenden (Berger, Abraham 53) Tradition von den Versprechungen und Zusicherungen Gottes bekommen (Billerbeck; Schniewind, ThWb II, 576; Moltmann, Hoffnung 130 f.). So erklärt sich insbesondere der feste eschatologische Wortgebrauch, der in Apk. Bar 14,13; 51,3; 4.Esra 7,119 die zukünftige Welt zum Verheißungsgut werden läßt. Dabei ist offensichtlich die Israel zugesprochene Landnahme wie in Hebr auf die Endzeit übertragen. Jüdisch wurde auch das für Pls so wichtige Problem des Verhältnisses von Verheißung und Gesetz erörtert. Nach 2.Makk 2,17 ist das Gesetz selber Träger der Verheißung und dank solcher Funktion nach Apk. Bar 57,2; 59,2 ungeschrieben bereits Abraham und seiner Generation bekannt gewesen. Weil dessen Erfüllung jedoch nach Apk. Bar 46,6 zugleich die Bedingung für die Verwirklichung der Verheißung darstellt, kann in 4.Esra 7,119 die Verzweiflung laut werden: quid enim nobis prodest, si promissum est nobis immortale tempus, nos vero mortalia opera egimus (Billerbeck). Pls argumentiert also im Horizont jüdischer Tradition und Problematik, mit den von ihnen vorgegebenen Mitteln und genau so konzis wie der Rabbinat. Allerdings tut er es polemisch und in entgegengesetzter Richtung.

Die Verheißung hat mit dem Gesetz positiv nichts gemeinsam. Sie steht ihm vielmehr antithetisch gegenüber. Der Gegensatz hat heilsgeschichtliche Tiefe, sofern er wie in Gal 3,6 ff. den Kontrast von Abraham und Mose als den beiden Urbildern des Konfliktes impliziert und dieser so weltweite Dimension erhält. Die Verständnislosigkeit existentialistischer Pls-Deutung gegenüber dem theologischen Gewicht dieser Zusammenhänge tritt grotesk zutage, wenn ernsthaft behauptet wird, Pls habe ganz dem Augenblick gelebt (Ulonska, Alte Testament 216), seine Zitate seien deshalb nichts als goldene Worte für eine vergangene Generation (ebd. 207 ff.).

Natürlich ist hier nicht an ein allgemeines Gesetz gedacht (gegen Zahn; Kühl; Murray). Die jüdische Tradition erlaubt, διὰ νόμου instrumental zu verstehen (Michel). Doch deutet διὰ δικαιοσύνης πίστεως mehr auf den Machtbereich, in welchem Verheißung möglich wird (Barrett). Deren Inhalt ist durch den sich auf Gen 22,17 beziehenden Infinitiv angegeben: „Dein Same wird die Städte der Feinde erben." Gut rabbinisch weitet Pls, vermutlich von dem Segen des folgenden Verses über alle Völker inspiriert, die Zusage aus. Freilich ist damit die zweifellos technische Formel vom „Welterben" noch nicht hinreichend erklärt. Sie findet sich im Blick auf Jakob-Israel in Jub 19,21; 22,14; 32,19; vgl. Philo, de vita Mos I, 155 und wird in Jub 17,3 und dem Mech. Ex 14,31 überlieferten Spruch R. Nechemjas (c. 150) auf Abraham bezogen (Berger, Abraham 69; Billerbeck): „So findest du bei Abraham, daß er diese und die zukünftige Welt als Lohn des Glaubens in Besitz genommen hat, wie es heißt: Er glaubte an Jahwe, und er rechnete es ihm zur Gerechtigkeit an." Wir können also deutlich einen Entwicklungsprozeß verfolgen, an dessen Anfang die weltweite Ausdehnung des Abrahamssegens in Sir 44,21 steht: „Sie sollten Besitz ergreifen von Meer zu Meer und vom (Euphrat-)Strom bis an das Ende der Erde." Das Motiv der Landnahme ist zuerst auf den Kosmos übertragen worden. Im hellenistischen Judentum konnte das um so leichter akzeptiert werden, als Abraham den Typos des Weisen verkörperte, dem stoisch die Weltherrschaft gebührt (vgl. Cerfaux, Chrétien 207 ff. zur Spiritualisierung bei Philo). Doch bedarf es dieser Hypothese nicht. Die irdische Verheißung wurde apokalyptisch auf die zukünftige Welt bezogen. Von dort aus kommt es zu dem in Hebr 1,2 traditionell vorgegebenen Messiasprädikat „Welterbe" einerseits, der Übernahme der jüdischen Überlieferung für die Christenheit in Mt 5,5; 1.K 6,2 andererseits. Unser Text setzt dies letzte Stadium schon voraus, wie sich noch zeigen wird, und zwar unter ausdrücklicher Berufung auf die Abrahamskindschaft.

Anders als in Gal 3,16 ist σπέρμα nicht messianisch gedeutet, wie 13c zeigt (gegen Michel). In negativ formulierten Sätzen kann ἤ koordinierend gebraucht werden (B.—D. § 446). Vom „Samen" spricht Pls zumeist und offensichtlich auch hier (Lagrange; Dietzfelbinger, Alte Testament 19 ff.) im Blick auf die Glaubenden, was dem jüdischen Anspruch schroff entgegentritt. Die Aussage läuft der Argumentation in Gal 3 nicht derart parallel, daß man die Verheißung als Gabe einem Kontrakt entgegenzustellen hätte (gegen Kühl; Nygren; Barrett; Bultmann, Theol. 282). Dann wird von der Unerfüllbarkeit des Gesetzes her die Notwendigkeit der auf Gesetzeswerke verzichtenden Verheißung betont (Lietzmann; Dodd; Althaus). Beide Male erscheint eine gegensätzliche Ansicht als absurd (Jülicher; Kuss), unser Text als eine allgemeine Erörterung (Kühl), welcher es nicht um den konkreten Inhalt der Verheißung geht (Nygren). Dem widerspricht die Aufnahme von κληρονόμοι in 14a, die Schlußfolgerung in 16b und die Fortführung des

Gedankens in 17 f. Es kommt gerade auf den Inhalt der Verheißung, nämlich ihren Universalismus an, der vom Gesetz her nicht erzielt werden konnte (Moltmann, Hoffnung 132). Auf diesen Skopus ist auch das Detail auszurichten. Die Wirklichkeit des Gesetzes entspricht nicht derjenigen der Verheißung. Erneut bestimmt das semitische οἱ ἐκ vom Ursprung her die Zugehörigkeit zu einem Herrschaftsbereich, welche durch das menschliche Handeln bestätigt wird. Man ist versucht zu übersetzen: die unter dem Prinzip des Gesetzes stehen. Doch müßte man (so Bultmann, ThWb VI, 214; H. W. Schmidt) dann irreführend auch vom Prinzip des Glaubens sprechen. Die Formel οἱ ἐκ νόμου ist nur sinnvoll, wenn es nicht mehrere Ursprünge und Zugehörigkeiten für die Existenz gibt. 14b stellt die Alternative klar heraus. καταργεῖσθαι, oft eschatologisch gebraucht, bezeichnet hier die Radikalität, jedoch nicht die Gewaltsamkeit des Geschehens (anders Michel). Verheißung und Glaube würden nichts mehr bedeuten, vermöchte das Gesetz die Erben von Gen 22 zu schaffen. Das Gesetz provoziert nach 7,8 jedoch die Übertretung und treibt damit notwendig (Michel gegen Stählin, ThWb V, 434) in den Zorn des Richters. Das ist nicht zweites Argument (gegen Kuss; Barrett; Bläser, Gesetz 168), sondern Begründung für 14 b. Der in 15a ausgelassene Zwischengedanke, daß es über die Übertretung zum Zorn kommt, wird in 15b nachgetragen. Er wird jedoch, negativ formuliert, so angewandt, daß zu 16a übergeleitet ist und an die Stelle des Zorns die Gnade treten kann. Das weiterführende δέ ist nicht bloß besser als γάρ bezeugt (Lietzmann), sondern auch sachlich vorzuziehen. Der Satz, für den es rabbinische Analogien gibt (Billerbeck), hat die Stilform einer rechtlichen Gnome (Michel) und bringt eine allgemeine Wahrheit (Zahn), so daß νόμος übertragenen Sinn hat (gegen H. W. Schmidt; Luz, Geschichtsverständnis 176), also keine genaue Parallele zu 5,13 vorliegt. Allerdings zielt die Aussage darauf hin, daß es das jüdische Gesetz, das für Pls unlösbar an Mose geknüpft ist, zur Zeit der an Abraham ergangenen Verheißung noch nicht gab. 16a zieht, typisch rabbinisch komprimiert, das Fazit. Als ausgelassenes Subjekt ist nicht allgemein Gottes Plan (Lagrange; Barrett; möglich Kuss) zu ergänzen, vielmehr das verheißene Erbe, das aus Glauben, infolgedessen gnadenweise, erlangt wird. Der Infinitiv hat nicht finalen Sinn (gegen Zahn; Michel; Oepke ThWb II, 428). Er bringt konsekutiv die conclusio. βέβαιος meint hier nicht „glaubhaft" (Zahn) oder „rechtlich gültig" (Schlier, ThWb I, 600 ff.), sondern wie in 2.K 1,7 „fest, gesichert". Der Ton ruht auf παντὶ τῷ σπέρματι. 16c—17a kreisen um den Universalismus der Heilsverheißung. Daraus folgt, daß man vom gesamten Kontext aus τῷ ἐκ τοῦ νόμου nicht auf die Juden im Gegensatz zu den Christen beziehen darf (gegen Kühl; Jülicher; Lietzmann; Dodd; Michel; Klein; Röm 4, S. 160 f.). Die Formulierung läuft der von 12b parallel und ist von da zu verstehen (H. W. Schmidt). Die Prädikation Abrahams als unseres Vaters wendet sich polemisch gegen den jüdischen Anspruch, radikalisiert die Anschauung vom Vater aller Proselyten im Sinn von Mt 3,9, wonach Gott Abraham selbst aus den Steinen Kinder erwecken kann. Dem dient auch das Zitat aus Gen 17,5, in dem ἔθνη zweifellos (gegen Zahn) die Heiden meint, so daß in 16c wie in 12 einzig auf die Christen geblickt sein kann. Strenggenommen paßt die Formulierung nur auf die Judenchristen, die allein beide genannten Merkmale aufweisen, sowohl vom Gesetz wie vom Glauben Abrahams herzukommen. Weil jedoch das Folgende die Heidenchristen einbezieht, charakterisiert die Antithese in nachlässiger Ausdrucksweise die Christen aus Juden und Heiden (Zahn; Jülicher; Barrett; Kuss; Althaus; Wilckens, Rechtfertigung 125).

Der Übergang zur Bestimmung des Glaubens Abrahams als Auferweckungsglaube in 17b ist hart. Das wird mitveranlaßt dadurch, daß eine liturgische Gottesprädikation zitiert wird und eine Attraktion diese Formel mit dem nicht als Parenthese zu verstehenden Schriftzitat verbindet (Lagrange gegen Lietzmann). Abhängigkeit des neuen Satzes vom Versschluß in 16 und die daraus abgeleitete Folgerung, Abraham sei allein vor Gott der Gläubigen Vater (Schlatter; Althaus), läßt sich dem Text nur aufzwingen. κατέναντι οὗ knüpft locker an das Subjekt in τέθεικα an: „diesem gegenübergestellt". Wie in 2.K 1,9 greift Pls (Billerbeck) die 2. Benediktion des 18-Gebetes auf: „Jahwe, der lebendig macht die Toten." Deshalb wird statt des sonst herrschenden ἐγείρειν ungewöhnlich ζωοποιεῖν verwandt. Für den Apostel ist die christologische Variation der jüdischen Prädikation kennzeichnend: der den Herrn Jesus von den Toten auferweckt hat. Traditionell vorgegeben ist auch das zweite Attribut. καλεῖν wird wie ζωοποιεῖν nicht bloß im Präsens einer allgemein gültigen Aussage (Delling, Gottesprädikationen 31), sondern des andauernden Geschehens gebraucht. Es bezeichnet wie etwa in Jes 48,13; Sap 11,25 Gottes souveränes Schaffen im Wort (K. L. Schmidt, ThWb III, 490 f.). Wie die hymnische Stilisierung und der unmittelbare Kontext sprechen auch (Lietzmann) parallele Gebetsanreden in Apk. Bar für liturgische Überlieferung. In 21,4 heißt es: „Der du von Anbeginn der Welt hervorgerufen hast, was bis dahin noch nicht war" und in 48,8: „Durch ein Wort rufst du ins Leben, was nicht da ist." Die spätere Kirche führt solche Tradition fort. 2.Clem 1,8 erklärt: „Er hat uns, die Nichtseienden, gerufen und beschlossen, daß wir aus dem Nichtseienden würden", Herm. Mand I: „Der das All aus dem Nichtsein ins Dasein rief", Ap. Konst. VIII, 12,7: „Der alles aus dem Nichtseienden ins Sein heraufführte." Fast wörtlich wird das durch Philo in de op. mundi 81 vorweggenommen, und in de spec. leg IV, 187 wird in gleicher Formel das Verb „heraufführen" wie in unserm Text durch „rufen" ersetzt. Weitere Variationen finden sich in migr. Abr 183; leg. alleg III,10; de mut. nom 46; quis rer. div. her 36. In Qumran verstehen (nach Sjöberg, Neuschöpfung 131 ff.) 1QH 3,11 ff.; 11,10 ff. den Eintritt in die Gemeinschaft als Neuschöpfung und parallelisieren damit Sündenvergebung und Auferweckung. Am nächsten kommt der paulinischen Aussage die Stelle Jos. Asen 8,9: „Du höchster, starker Gott, der du das All belebst (ζωοποιήσας!) und aus dem Dunkel es ins Licht berufst und aus dem Irrtum zu der Wahrheit und aus dem Tod zum Leben."

Der um das Thema der creatio ex nihilo gerade auch zu unserm Text geführte Streit hat nur religionsgeschichtliche Bedeutung. Nicht übersehen kann man, daß das Motiv in bestimmten Kreisen philosophischer Diskussion im Griechentum eine Rolle gespielt hat (Ehrhardt, Creatio 210 ff.; Bauer, Wb 442), das Problem im rabbinisch geleiteten Judentum ebenfalls erörtert wurde (Ehrhardt 218 f.; Weiss, Untersuchungen 100 ff.; Foerster, ThWb III, 1016 f.), man prinzipielle Spekulationen darüber jedoch als unnütz betrachtete und sich eine Schöpfung ohne die in Sap 11,17 ausdrücklich vorausgesetzte ἄμορφος ὕλη nicht vorzustellen vermochte. Die Aussage 2.Makk 7,28 ὅτι οὐκ ἐξ ὄντων (so Cod. A, Varianten: ὅτι ἐξ οὐκ ὄντων) ἐποίησεν αὐτὰ ὁ θεός polemisiert gegen diese griechische Kosmologie, und auch Philo wird vom Nicht-Seienden als der noch nicht geordneten Materie sprechen (Weiss, Untersuchungen 59 ff.; 72 f.) wie rabbinisches Judentum (ebd. 140 ff.). Umgekehrt sollte man über der sicher zutreffenden Feststellung, das Judentum sei nicht an der Frage des „Woraus", sondern des „Woher" interessiert gewesen, nicht unterschlagen, daß es die Redeweise vom Nicht-Seienden nur aus dem Griechentum übernommen haben kann, wie das bei Philo deutlich wird. Zu kurz kommt bei der bloßen Ablehnung des Einflusses griechischer Kosmogonie auch die apokalyptische Hoffnung auf eine kosmische Neuschöpfung, welche nach Qumran bereits begonnen hat und zweifellos auf den Schöpfungsglauben einwirken mußte. So wenig dem Judentum im allgemeinen die Weltanschauung an diesem Punkte wichtig war und so sehr es ihm statt dessen auf Gottes Allmacht ankam (Weiss, Untersuchungen 88 ff.; 140 ff.), so wichtig ist umgekehrt nun doch das nihil, weil es die Kehrseite dieser Allmacht darstellt (gegen Weiss), und dürfen die entsprechenden christlichen Aussagen nicht aus antignostischer Polemik erklärt werden (ebd. 167). Die apokalyptische Tradition wird auf diese Weise nicht ernst genommen. In der Auseinandersetzung mit einer philosophischen Doktrin wird eine für das früheste Christentum unhaltbare Theorie aufgestellt und die theologische Interpretation auf ein Minimum beschränkt (ebd. 178 f.). Unsere Stelle ist keineswegs undeutlich und ihre Bedeutung für die gesamte paulinische Theologie, wie auch 1.K 1,28 dartut, nicht zu überschätzen (gegen Ehrhardt, Creatio 214 ff.). Der Kontext macht das klar. Wenn hier die beiden überkommenen Formeln verbunden werden, so geschieht das nach dem Grundsatz von Barn 6,13: ποιῶ τὰ ἔσχατα ὡς τὰ πρῶτα, der jüdische und christliche Eschatologie aufs tiefste bestimmt hat (vgl. Gunkel, Schöpfung und Chaos). Es ist völlig unbegreiflich schon vom Wortlaut des Textes her, daß gegen die Verwendung des Schöpfungsgedankens polemisiert wird (Berger, Abraham 72), und andererseits eindeutig, in welchem Sinn Pls tatsächlich von einer creatio ex nihilo sprechen kann und muß. Ihm geht es um die Rechtfertigung der Gottlosen. Das ist aber nicht eine rhetorische Überspitzung des sola gratia, sondern Vorwegnahme der Auferweckung von den Toten, die wie kein anderes Ereignis creatio ex nihilo genannt zu werden verdient und die eschatologische Wiederholung der ersten Schöpfung darstellt. Wie kaum anderswo enthüllt sich hier die Radikalität der paulinischen Rechtfertigungslehre. Wo ihre Botschaft angenommen wird, verbindet sich damit unvermeidbar ein redigi ad nihilum, das den Frommen am schwersten trifft, weil es ihn faktisch den Gottlosen gesellt. Man hat dann nichts mehr vorzuweisen, so daß neue Kreatur notwendig und möglich wird. Die erbitterte Polemik des Apostels gegen die Gesetzeswerke wurzelt in diesem Sachverhalt, dem gegenüber es keinen vermittelnden Ausgleich, sondern nur die Alternative der Ablehnung der paulinischen Theologie in ihrem Kern gibt. Diese Polemik ist zwar Kampfeslehre, aber als solche eben nicht mit dem Vermerk „zeitbedingt" zu relativieren, sondern das Kriterium für Verständnis oder Unverständnis der Rechtfertigungslehre und dessen, was Pls Glauben nennt: Man muß mit dem Evangelium zugleich sich selber völlig neu und durch Christus gewandelt empfangen. Doch ist das nur die eine Seite des vorliegenden Sachverhaltes, obgleich man sie nicht stark genug gegenüber einer Interpretation betonen kann, welche Glaube als Erfahrung der Liebe Gottes und Erfülltheit mit geistlicher Kraft versteht (repräsentativ für einen gewichtigen Auslegungsstrang bis in die Gegenwart hinein: Baulès). Die andere Seite liegt darin zutage, daß hier Schöpfung, Auferweckung und Rechtfertigung faktisch dasselbe göttliche Handeln bekunden. Denn das besagt, daß Rechtfertigung als Restitution der Schöpfung und als im Stande der Anfechtung vorweggenommene Auferweckung das entscheidende Motiv paulinischer Soteriologie und Theologie ist und diese stets und ganz von ihr her interpretiert werden müssen. Es besagt weiter, daß sie nicht in der Soteriologie und erst recht nicht in der Anthropologie angesiedelt und isoliert werden darf, sondern wie in der Christologie, so

8*

in der Gotteslehre des Apostels verwurzelt ist. Wo die Allmacht Gottes auf den Plan tritt, wie sie es in der Schöpfung getan hat und in der Auferweckung tun wird, geht es auch in der Rechtfertigung stets um Welt und Geschichte. In der anthropologischen Realität bekundet sich der Griff des Schöpfers nach seiner gesamten Schöpfung. Nur wo man diese kosmische Dimension übersieht, läßt sich die heilsgeschichtliche Betrachtungsweise unseres Kapitels leugnen. Dann wird allerdings auch der Universalismus unserer Verse und das Verhältnis von Verheißung und Evangelium unverständlich. Schließlich tritt nochmals das Recht der Unterscheidung zwischen der dem Einzelnen als Gabe gewährten Rechtfertigung und der sich darin äußernden Macht der göttlichen Gerechtigkeit als dem Herrschaftsanspruch auf die Schöpfung zutage. Verbunden sind beide Aspekte dadurch, daß Gottes Alleinwirksamkeit in der Gnade und seine Auferweckung wirkende Allmacht für Pls letztlich zusammenfallen und sich eschatologisch in jedem Augenblick durch sein schöpferisches Wort vergegenwärtigen.

ὡς ὄντα, das genauso bei Philo de Jos 126 gebraucht wird, meint dann nicht (gegen Zahn; Kühl; Billerbeck; unentschieden Michel), das Nichtseiende würde behandelt, als wäre es seiend, sondern konsekutiv (Lietzmann; Barrett; H. W. Schmidt; Hofius, Parallele 93): so daß es ist. Die paradoxe Formulierung von 18a ruht darauf, daß Gott immer nur dort schafft, wo irdisch nichts vorhanden ist. Das bestimmt dann auch die Eigenart des Glaubens, der als Vertrauen auf das in der Verheißung zugesagte Wunder (Bultmann, ThWb VI, 207) Hoffnung ist und alle bloß irdische, stets mit dem Verfügbaren rechnende Hoffnung transzendiert (Bultmann, ThWb II, 528). Gemeint ist nicht das Wagnis des amor fati, der auf der Flucht nach vorn sich dem Sog der Zukünftigkeit hingibt, oder das credo quia absurdum, welches illusionär auf Mirakel wartet, sondern der Exodus aus dem Bereich des Verrechenbaren in die vom Wort her eröffneten Horizonte einer Zukunft unter Gottes Heilswillen. Pls stellt hier dem zunächst von ihm aufgenommenen griechischen Begriff der ἐλπίς einen andern gegenüber, der nur aus biblischer Tradition begreiflich ist. Die Paradoxie des Ausdrucks bezeichnet exakt die Paradoxie des geforderten Verhaltens. Der Infinitiv in 18b bezieht sich nicht (Kühl) auf Gottes Absicht oder auf den Glaubensinhalt (Bultmann, ThWb VI, 207; Kuss), weil die ἔθνη des Zitates die Heidenchristen sind. Er ist konsekutiv (Lagrange). Abraham bildet den Glauben derer vor, die sich als Heiden auf jenen Gott verlassen müssen, welcher das Nichtseiende ins Sein ruft. Sie sind der Same, den der Patriarch weder nach der Herkunft noch nach der Zahl voraussehen konnte. Das in 17b—18 grundsätzlich Herausgestellte wird in 19—21 veranschaulicht. Die Argumentation ist allein stichhaltig, wenn Gen 25, also der Bericht über die Söhne der Ketura, übersehen wird (Lietzmann). Denn es wird natürlich nicht (gegen Kuss; Gutjahr) angenommen, daß die wunderbar geschenkte Zeugungskraft Abrahams erhalten blieb. τῇ πίστει ist nicht instrumental (Sanday-Headlam), sondern Dativ der näheren Bestimmung, während τῇ ἀπιστίᾳ in 20 kausalen Sinn hat (Kühl). Mit Nachdruck ist κατενόησεν statt des voraufgehenden Partizips zum Prädikat gemacht. Die stark bezeugte Einfügung von οὐ in DGKLP u. a. verdirbt die Pointe (Bardenhewer; Bruce; Ridderbos, Paulus 174; K. A. Bauer, Leiblichkeit 146). Der Patriarch wurde nicht glaubensschwach, weil er, der irdischen Realität bewußt, auf das menschlich Unmögliche traute (Leenhardt; Franzmann). Glaube erweist sich als solcher nicht schon darin, daß er mit dem Unmöglichen rechnet. Indem er jedoch Gott traut, wird das irdisch Unmögliche, obwohl man es als solches erkennt, nicht zur Grenze der Hoffnung. Illustriert das die

Paradoxie von 18a, so tritt zugleich nun heraus, daß die Hoffnung auf die Verheißung des Tote auferweckenden Gottes das eigentliche Merkmal des Glaubens ist und dieser sich darin bereits gegenwärtig zu bewähren hat. Er erwächst stets über den Gräbern der natürlichen Möglichkeiten. νενεϰρωμένον σῶμα findet sich in der Grabinschrift IG III,2 Nr. 1355, νέϰρωσις oft in der Koine (Deissmann, Licht 75 f.). Im Folgenden liegt die Antithese zu 19, nicht eine psychologische Stufenfolge vor (Michel gegen Lagrange). ἀπιστία nimmt als Vertrauenslosigkeit (Bultmann, ThWb VI, 207) die Wendung „nicht schwach im Glauben" auf. εἰς ist (gegen Mantey, Use) natürlich nicht kausal, sondern von der Relation des Zweifels gesagt, der das Wort an den irdischen Realitäten mißt und deshalb nicht radikal durch die Verheißung gebunden wird. Bei ἐδυναμώθη ist nicht „an seinem Leibe" zu ergänzen (gegen Zahn). Das Verb geht auf τῇ πίστει. Der Glaube gilt also nicht als „Organ des Kraftempfangs" (Grundmann, Kraft 117), sondern wie im ganzen Kontext als Annahme des Wortes. Lassen wir uns allein durch dieses binden, so erfaßt uns Gottes Kraft und ermöglicht jene Doxologie, welche nach 1,21 die Heiden nicht erbracht haben. Gott wird Ehre nur dann gegeben, wenn man ihn Gott sein läßt, nämlich allmächtig und alleinwirksam. Der Glaubende steht nicht bloß kultisch, sondern ständig in solcher Doxologie, wenn er von sich selbst fortblickt und darin auf die Verheißung antwortet. πληροφορεῖν ist ein seltenes Wort der Emphase liebenden Koine, meint zunächst „füllen, erfüllt und voll sein", dann die völlige Gewißheit und feste Überzeugung (Delling, ThWb VI, 308). ὃ ἐπήγγελται umschreibt wohl wie das Passiv auch sonst das Tun Gottes. δυνατὸς ϰαὶ ποιῆσαι ist sprichwörtlich (Billerbeck) und nach Philo, Abr 112. 175; Jos 244; spec. leg I, 282; Somn II, 136 mindestens in der Diaspora Gottesprädikat. Der Glaube wird hier exemplarisch als bedingungslose und freudige Hingabe an die Verheißung der göttlichen Allmacht charakterisiert. Verbindet sich solche Aussage mit der schönen Schilderung Philos, quis rer. div. her 92 f., so kann Pls freilich nicht vom „Werk einer großen und olympischen Vernunft" sprechen. Gnosis ist für ihn der Gehorsam gegenüber dem Wort nur als Festhalten an Gottes Treue auch in der Anfechtung. 22 kehrt zum Anfang zurück und bringt das Resultat. ἐλογίσθη hat hier besonders klar den Sinn von Zuspruch. Ebenso klar wird, daß der Glaube noch nicht selber das Heil ist. Mag es gefährlich sein, von ihm als Bedingung zu sprechen (vgl. Schlatter, Glaube 174), so gebraucht der Apostel doch die Präpositionen ἐϰ und διά, um Ort und Grenzen der Heilswirklichkeit anzuzeigen. Der Glaube ist nicht vorbereitende Kondition der Gnade (so besonders oft katholische Exegese) und auch nicht la forme subjektive de l'expérience spirituelle du salut (Baulès 73), sondern Antwort der Verheißung, die freilich bewährt werden muß. Der Mensch kommt Gott nicht zuvor. Gott geht nicht über den Menschen hinweg. Die Relation von Rechtfertigung und Glaube verbindet dialektisch beide Feststellungen.

Mit 22 ist der Schriftbeweis für die paulinische These von 3,21—26 abgeschlossen. 23—25 legitimieren ihn nicht nochmals (gegen Klein, Röm 4, S. 163). Sie rufen dem Leser zu: tua res agitur. Indirekt geschah das bereits, wenn in 16 f. Abraham Vater aller, so auch der Heiden, genannt und das Schriftzitat aktualisiert wurde, wenn die liturgischen Formeln in 18 an Gottes ständiges Tun erinnerten und die Argumentation in 19 sich auf den Auferweckungsglauben zuspitzte. Die Reflexion in 23 ff. stellt jedoch die Beziehung der Schrift zur Gegenwart thematisch heraus. Die Eigenart unseres Textes wird durch einen Vergleich mit Sir 44,10—15 erhellt, wo ebenfalls die Bedeutung des

Frommen in der Bundesgeschichte für die Lebenden erörtert ist. Dort wird die Dauer ihres Erbes und Gedächtnisses in der Gemeinde gepriesen. Hier ist dagegen Abrahams Auszeichnung darin gesehen, daß seine Geschichte in der Schrift festgehalten wurde (von Klein, Röm 4, S. 163 f. trostlos mißverstanden). 23 unterstreicht nicht bloß die Antithese in 24 (gegen Kuss). Wo Verheißung und Evangelium komplementär zueinandergehören und durch diese Stichworte die Kontinuität zwischen Altem und Neuem Testament angezeigt wird, rückt die Schrift notwendig als solche in eschatologischen Horizont, hat deshalb auch das in ihr Aufgezeichnete eschatologische Bedeutung. Die Dimension historischer Tradition und Illustration (Ulonska, Altes Testament 174; Klein, Röm 4, S. 163) wird überschritten. Ihre Begebenheiten und handelnden Personen werden zwar nicht der Geschichte entnommen, bleiben darauf aber auch nicht beschränkt. Sie markieren Grundsituationen der Heilsgeschichte und können darum nicht überholt werden. Sie werden immer neu Ansage des Künftigen und Kriterien für das Verständnis der Gegenwart. Die Generation der mit dem Evangelium hereingebrochenen Endzeit findet hier ihr eigenes Geschick in seinen Möglichkeiten, Gefahren und Realitäten vorweggenommen und vorausgesagt. Umgekehrt stehen diese, sofern sie der Historizität nicht als Illustration zeitloser Wahrheit entnommen werden, trotz ihrer Aufnahme durch die Schrift in eigenartiger Verborgenheit, die erst aufhört, wenn das Licht der Endzeit auf sie fällt und sie anders als etwa im 1.Clem aus der Sphäre moralischer Vorbildlichkeit herausholt. Das Problem paulinischer Typologie rückt damit erstmalig in den Blick. Erwächst diese, religionsgeschichtlich gesehen, aus einem Denken, das mit zyklischen Weltabläufen rechnet (so Bultmanns These!), setzt ihre neutestamentliche Verwendung als Rahmen bereits das Schema der beiden Äone voraus. Folgen dabei zunächst alter und neuer Äon einander, so läßt eine Variation beide sich räumlich als das Himmlische und Irdische entgegenstehen. Jede dieser Betrachtungsweisen hat eine andere Funktion. Das Schema der Zeitfolge handelt von Vorabbildung des eschatologischen Geschehens im alten Äon, das Schema der räumlichen Schichtung von Abschattungen des Himmlischen im Irdischen. Beide Aspekte können wie im Hebr ineinander verfließen, was bei Pls in Gal 4,25 f. geschieht. Dann ist die irdische Abschattung zugleich die unvollkommene oder sogar antithetische Vorabbildung des Künftigen.

Angesichts dieses komplexen Sachverhaltes läßt sich Typologie schlechterdings nicht von der Kategorie eines bloßen Vergleichs (Galley, Heilsgeschehen 161 ff.), der Analogie (H. Müller, Auslegung 93 ff. 175 ff.), der Wiederholung (Bultmann, Typologie 205) erfassen, kommt man aber (gegen Goppelt, Typos; Fuchs, Hermeneutik 192; richtig, aber nicht konsequent H. Müller, Auslegung 175 ff. 93) auch nicht allein mit dem Stichwort „Vorabbildung" aus, weil etwa in Röm 5,12 ff. Typ und Antityp in gegenläufiger Bewegung gesehen werden können. Aus dem gleichen Grunde läßt sich Typologie im NT nicht grundsätzlich vom Moment der Steigerung zwischen Typ und Antityp hinreichend charakterisieren oder, wie 1.K 10,1—13 zeigen, dem Schema von Verheißung und Erfüllung subsumieren. Christus und Adam stehen sich wie Segen und Fluch gegenüber und entsprechen sich gerade in diesem weltweit gültigen Kontrast. Demgegenüber haben die Momente der Wiederholung und Steigerung nur sekundär Bedeutung (H. Müller, Auslegung 95). Das besagt jedoch, daß Typologie bei Pls weder einem zyklischen noch einem in strengem Sinne heilsgeschichtlichen Denken zugeordnet werden darf, so gewiß sich in ihr Heilsgeschichte bekundet (Cullmann, Heil als Geschichte 142). Nicht irgendwelche geschichtlichen Ereignisse werden in ihr verwertet, sondern nur solche, welche positiv oder negativ dem Verhältnis von Urzeit und Endzeit entsprechen (gegen Galley, Heilsgeschehen 190). Sie ist mindestens für Pls konstitutiv eine apokalyptische Aussageweise (gegen Goppelt, Apokalyptik 328; ansatzweise gesehen von Schoeps, Paulus 246; Kertelge, Rechtfertigung 140; Lutz, Geschichtsverständnis 56. 60). Sie läßt sich darum nicht systematisch ausbauen und stellt nur eine Form der Schriftdeutung (gegen Goppelt, Typos 154) neben gelegentlicher Allegorese und dem vielfach angewandten Schriftbeweis dar. Was grenzt sie von diesen andern Formen ab? Bei Pls bezieht sich Typologie noch ausschließlich auf die Schrift und interpretiert nicht so sehr Schriftworte wie ein biblisches Geschehen (Goppelt, Apokalyptik 329 f.). Weissagung wie Allegorese gehen von konkreten Texten aus, behaupten nicht bloß Entsprechung, sondern Erfüllung und sind von der gesamten Schrift aus möglich. Weist nach der Weissagung der Sinn der Schrift direkt auf die Zukunft, kann in Typologie und Allegorese die Zukunftsbezogenheit erst nachträglich durch einen Vergleich festgestellt werden, weil sie im Historischen verhüllt vorhanden ist. Erscheint in der Allegorese das Historische als verdeckendes Gewand und ist die derart verhüllte Zukunftsbeziehung das Entscheidende, hat in der Typologie das Historische durchaus eigene Realität und Bedeutung. Seine Zukunftsbeziehung gehört einer darunter verborgenen Tiefenschicht an, welche erst von eschatologischem Verständnis freigelegt wird. So erhält sie dann auch heilsgeschichtliches Gewicht. Wo Anfang und Ende sich entsprechen oder auseinandertreten, wird das Gesetz über aller Geschichte erkennbar, obgleich seine Kontinuität nicht immanent und permanent wie bei einem Entwicklungsprozeß kontrolliert werden kann. Nicht das Exemplarische, sondern das Schicksalsträchtige wird hier hervorgehoben, welches einzelne Existenz übergreift und Welt im ganzen bestimmt. Von dieser vorläufigen Analyse aus ergibt sich (Goppelt, Apokalyptik 333 f.; anders Bultmann, Typologie 210), daß die Abrahamgeschichte in unserm Kapitel typologisch behandelt wird. 23 stellt wie 1.K 10,11 die Entsprechung von Urzeit und Endzeit fest. Im Patriarchen als Urbild des Glaubens (richtig Wilckens, Rechtfertigung 114 f. 122; Asmussen; Franzmann), nicht bloß einem Exempel unter andern (Weinel, Paulus 35) oder einem heilsgeschichtlichen Vorbild (Goppelt, Typos 166) oder der Chiffre einer kontingenten historischen Gestalt (Klein, Röm 4, S. 158. 164), meldet sich das dem göttlichen Heilsplan gemäße Gesetz der Endzeit. Sofern er der Urzeit angehört, ist er als Empfänger und Zeuge der Verheißung zugleich der Anbruch des Evangeliums von der Glaubensgerechtigkeit. Gerade hier zeigt sich, daß das Moment der Wiederholung und Steigerung nicht zum Ausgangspunkt und Maß paulinischer Typologie gemacht werden darf, wohl aber die Periodisierung der Weltgeschichte, durch Adam, Abraham, Mose, Christus repräsentiert, mit ihr verbunden ist. Dabei sind Abraham und Christus parallel, Mose und Christus antithetisch, Adam und Christus dialektisch aufeinander bezogen. Die Schöpfung wird nicht aufgegeben, obgleich sie faktisch dem Fluch unterliegt und der Neuschöpfung bedarf. Die Verheißung zieht sich verborgen durch die Geschichte, ehe sie ans Tageslicht tritt, und das Gesetz bricht mit der Endzeit ab. Abraham und Christus sind durch Mose voneinander getrennt, so daß die Gemeinsamkeit und Korrespondenz ihrer Geschichte erst eschatologisch aufgedeckt, nicht an Hand eines Erwählungspostulates zeitlich verfolgt werden kann. Der einzelne Mensch wird durch seinen Standort in diesem Geschiebe bestimmt. Er kann den Ahnherrn auch seiner Geschichte nicht verleugnen. Offenbarung erinnert ihn jedoch daran, daß Verheißung und Wunder bereits vor ihm den Exodus aus der Geschichte des Verfalls in die Freiheit ermöglichen. Der Glaube hat schon stets als Hingabe an die Verheißung nicht nur die Zugehörigkeit zur himmlischen Welt, sondern auch zur Gemeinschaft des durch die irdische Geschichte wandernden Gottesvolkes verwirklicht. Christliche Existenz ist nie unweltlich, ungeschichtlich, isolierbar.

Heißt es in 23a, daß die göttliche Zurechnung nicht bloß um Abrahams willen schriftlich festgehalten wurde, so bereitet das nicht nur in negativer Umschreibung das Folgende vor (gegen Kuss). Die Abrahamsgeschichte hat ihr eigenes Recht und Gewicht, und die Aufnahme in die Schrift gibt auch der Historie Bedeutung. Wenn diese nach 15,4; 1.K 9,9 f.; 10,11 primär eschatologisch interpretiert werden muß, so zeigt sich doch, daß historische und eschatologische Betrachtungsweise nicht stets und notwendig Alternativen sind. Die letzte markiert aber den Horizont, in welchem die erste ihren Platz behält. Gottes Handeln weist auf das Ende, das jedoch eine irdische Vorgeschichte hat, von welcher nicht abstrahiert werden darf, wenn Eschatologie sich nicht spiritualistisch verflüchtigen soll. μέλλει λογίζεσθαι geht vielleicht auf die Gegenwart, welche von der Vergangenheit der Schriftaussage her logisch als Futur erscheint (Zahn; Kühl; Lagrange; Kuss; Luz, Geschichtsverständnis 113). Weil dann aber eine Vergangenheitsform des Verbs zu erwarten wäre, ist echtes, auf die Parusie bezogenes Futur vorzuziehen (Schlatter; Michel; Barrett). 24b nennt die Entsprechung, auf welcher die Typologie ruht. Wie seit 11 heraustrat, ist das Geschlecht der Endzeit durch den Glauben qualifiziert. Die voraufgegangene Argumentation ist nur sinnvoll, wenn dieser Glaube kein anderer ist als der Abrahams (Gaugler; Leenhardt; Cerfaux, Chrétien 249; Berger, Abraham 72 ff.; dagegen H. W. Schmidt; Kirk; Murray; Luz, Geschichtsverständnis 114; Huby; Bonsirven, Exégèse 269 f.). Wird die Pls übernommene Gottesprädikation christologisch abgewandelt, so erlaubt das nicht, den Glauben an die Heilstatsachen dem an die Verheißung entgegenzustellen (gegen Kühl; Schlatter), im letzten nur die Präfiguration des ersten zu sehen oder beide unter dem Gesichtspunkt von Struktur und Inhalt zu unterscheiden. Der Patriarch glaubte an den gleichen, Tote auferweckenden Gott und wurde darin bestätigt, während christlicher Glaube die Verwirklichung nur extra se, nämlich in Christus und noch nicht in eigener Auferweckung erfährt. Allerdings ist mit Christus der Inhalt der Verheißung, den Abraham verhüllt und vereinzelt vorwegnahm, öffentlich hervorgetreten, so daß er in der Gemeinde bekannt wird. Das Moment der Steigerung fehlt also auch hier nicht. Es bezieht sich jedoch auf die Umstände, unter denen geglaubt wird, nicht auf den Inhalt, den nicht grundlos bereits 17b formulierte.

Die christologische Variation der Gottesprädikation ermöglicht es, den Briefteil so mit einer liturgischen Formel zu beenden, wie er begann. Die Skepsis dagegen (Kuss) oder gegen vorpaulinische Tradition (Kramer, Christos 26 f.) ist unbegründet (Bultmann, Theol. 85; Michel; Althaus; Barrett; H. W. Schmidt; Bruce; Best). Schon die feierliche Einleitung in 24c bereitet darauf vor. Nicht ausgeschlossen ist, daß πιστεύειν ἐπί nicht dem Modell von ἐλπίζειν ἐπί folgt (Bultmann, ThWb VI, 212), sondern das Glaubensbekenntnis umschreibt (Michel). Der Wechsel von Partizip und Relativum ist liturgisch geläufig. Die kunstvolle Gestaltung bekundet sich ebenso im Parallelismus der gleich langen Zeilen wie im einzelnen. Die Verben sind semitisch wie in 1.Tim 3,16 vorangestellt, die beiden διά entsprechen sich, die Schlüsse bilden eine überlegte Antithese. Die erste Zeile ist im Kontext, der alles Gewicht auf das ἠγέρθη legt (Kühl), nicht begründet, die Verbindung zwischen Christi Auferweckung und unserer Rechtfertigung singulär, die

Aussage „um unserer Sünden willen dahingegeben" nach 8,32; 1.K 11,23 feste Formel
der Passionstradition (Schelkle, Passion 70 f. 249; anders Tödt, Menschensohn 148 f.)
und in ihrer reflexiven Form Gal 2,20; Eph 5,2. 25; Tit 2,14 vielleicht der Taufsprache
(Romaniuk, L'origine 61). Die erste Zeile ist offensichtlich im Anschluß an Jes 53,5.12
LXX gebildet. Das erklärt sowohl den absoluten Gebrauch des παρεδόθη, dessen Passiv
göttliches Handeln umschreibt, wie das begründende διά c. acc. statt des Pls vertrauten
ὑπέρ (Jeremias, ThWb V, 704; H. W. Wolff, Jes 53, S. 95). Damit ist keineswegs selbstverständlich auch die Vorstellung vom leidenden Gottesknecht auf Jesus übertragen (gegen Schweizer, Erniedrigung 73), weil „atomisierende" Zitation im NT öfter erfolgt,
als man vielfach wahrhaben will (gegen Wolff 150 f.). Ausschlaggebend ist jedenfalls die
soteriologische Funktion, nach welcher Gott wie in 3,24 durch Jesu Opfertod ohne unser
Mitwirken gnädig an uns gehandelt hat. Rechtfertigung der Gottlosen, auch hier verkündigt, hält beide Zeilen zusammen. Kreuz und Auferweckung sind ein einheitliches
Geschehen, so daß ihre Gegenüberstellung zunächst aus der Rhetorik des antithetischen
Parallelismus resultiert (Weiss, Beiträge 172; Dodd). Immerhin sind Rechtfertigung und
Verherrlichung auch in Jes 53,11 (H. W. Wolff, Jes 53, S. 95) und nt.lich Joh 16,10;
1.Tim 3,16 als Merkmal der Sieghaftigkeit des Auferstandenen verbunden. Ungeachtet
des Parallelismus darf man διά in der zweiten Zeile nicht wie in der ersten kausal
(Schlatter) verstehen. Rhetorisch wiederholt (Schrenk, ThWb II, 228; Oepke, ebd. V, 69),
hat es zweifellos finalen Sinn. Vielleicht darf man den Gedanken zuspitzen: Die Hingabe Jesu um unserer Übertretungen willen geschah einmal am Kreuz. Die Zuordnung
des Rechtfertigungsgeschehens zur Auferweckung macht deutlich, daß es in der Begegnung mit dem Auferstandenen immer neu Platz greift. So richtig es ist, daß hier wie in
1,16 f. die christologische Tradition von der Rechtfertigungslehre her interpretiert wird
(Stuhlmacher, Gerechtigkeit 207 ff.), hat man sich doch vor Übertreibung zu hüten. Denn
unverkennbar gilt ebenso das andere, daß die Christologie erst die Rechtfertigungslehre
begründet und vor Mißverständnissen schützt. Sowohl die fides historica wie Mystik
werden ausgeschlossen. Die Gnade bleibt an das Christusereignis gebunden, wird umgekehrt jedoch nicht auf einen bestimmten Zeitraum in der Vergangenheit beschränkt.
Sie ist mit dem Regnum Christi eschatologisch gegenwärtige Wirklichkeit. Christlicher
Glaube bezieht sich auf ein nicht austauschbares Geschehen. Er gewinnt jedoch den Zugang zum Kreuz nicht anders als von der Auferweckung Jesu her, während andererseits
Glaube an Jesu Auferweckung nicht Ewigkeitshoffnung, sondern Sieg und Herrschaft
des Gekreuzigten meint. Mit dieser wohl dem hellenistischen Judenchristentum entnommenen Formel (vgl. Hahn, Hoheitstitel 62 f.; Wengst, Formeln 51 ff. 94 f.) hat der Apostel, den vorhergehenden Briefteil großartig schließend, zugleich das Thema des folgenden formuliert.

D) 5,1—8,39: DIE GLAUBENSGERECHTIGKEIT ALS WIRKLICHKEIT ESCHATOLOGISCHER FREIHEIT

Die paulinische These ist herausgestellt und begründet. Wird sie aber der Lebenswirk-
lichkeit des Glaubenden gerecht? Zumal der Jude muß einwenden, daß erlangte Gerechtigkeit von Tod und Sünde befreit und mit dem Leben aus dem Geiste Gottes zusam-

menfällt. Pls stimmt dem mit der kennzeichnenden Erweiterung zu, daß sie ebenfalls vom Gesetz befreit. Die Wirklichkeit der Glaubensgerechtigkeit ist christliche Freiheit und darin Leben aus dem Geist. Eine Gliederung, welche c. 1—5 unter das Stichwort „Rechtfertigung", c. 6—8 unter das der „Heiligung" stellt (exemplarisch Huby; Prat, Théologie II, 15: die abstrakte These von der Rechtfertigung sei nach der Kontroverse vergessen!), verstellt, von allem andern abgesehen, die paulinische Grundanschauung, für welche die Rechtfertigung eben nicht (gegen Dodd; Cerfaux, Chrétien 387 ff.; Prat, Théologie I, 250) das Anfangsstadium des sittlichen Lebens der Erlösten ist. Unser Verständnis von c. 4 als Schriftbeweis erlaubt nicht, 5,1—11 noch zum vorigen Teil zu ziehen (gegen Leenhardt).

I. 5,1—21: Freiheit von der Todesmacht

Das Kapitel zerfällt deutlich in die Teile 1—11 und 12—21, welche christliche Freiheit als Stand im Gottesfrieden und als Teilhabe am Regnum Christi als des Lebensbringers beschreiben.

1. 5,1—11: Der paradoxe Stand im Gottesfrieden

1 Aus Glauben also gerechtfertigt, haben wir mit Gott Frieden durch unsern Herrn
2 Jesus Christus, durch den wir im Glauben Zugang zu diesem unsern Gnaden-
3 stande erlangt haben, und wir rühmen uns erhoffter Herrlichkeit Gottes. Nicht
aber nur das. Wir rühmen uns vielmehr auch der Drangsale. Denn wir wissen:
4 Die Drangsal bewirkt Ausdauer, die Ausdauer Bewährung, die Bewährung Hoff-
5 nung. Die Hoffnung läßt aber nicht zuschanden werden. Ist doch Gottes Liebe in
6 unsere Herzen ausgegossen durch den uns geschenkten heiligen Geist. Denn als
wir noch schwach waren, ist Christus schon damals für die Gottlosen gestorben.
7 Es wird kaum jemand für einen Gerechten sterben. Für den Guten unternimmt
8 freilich vielleicht jemand, sogar zu sterben. Gott erweist jedoch seine Liebe zu uns
9 (darin), daß Christus für uns gestorben ist, als wir noch Sünder waren. Durch
dessen Blut jetzt gerechtfertigt, werden wir um so gewisser aus dem Zornesgericht
10 durch ihn errettet werden. Wenn wir nämlich als Feinde mit Gott durch den
Tod seines Sohnes versöhnt wurden, werden wir um so gewisser als Versöhnte
11 durch dessen Lebensmacht gerettet werden. Mehr als das aber: Wir rühmen uns
Gottes durch unsern Herrn Jesus Christus, durch den wir (schon) jetzt die Versöhnung empfangen haben.

Literatur: N. A. Dahl, Two Notes on Romans 5, StTh 5 (1951), 37-48. W. S. van Leeuwen, Eirene in het Nieuwe Testament, 1940. R. Bultmann, Adam und Christus nach Rm 5, ZNW 50 (1959), 145-165. M. Dibelius, Der Brief des Jakobus, [11]1964. W. Nauck, Freude im Leiden, ZNW 46 (1955), 68-80. A. M. Festugière, Ὑπομονή dans la tradition greque, Rech. Sc. rel 21 (1931), 477-486. S. Spicq, Ὑπομονή, patientia, RevScphth 19 (1930), 95-106. 6 ff.: G. Bornkamm, Paulinische Anakoluthe, Das Ende des Gesetzes, 1952, 78-80. H. Sahlin, Einige Textemendationen zum Römerbrief, ThZ 9 (1953), 92-100. G. Delling, Der Tod Jesu in der Verkündigung des Paulus, Apophoreta, Festschr. Haenchen, 1954, 85-96. Chr. Maurer, Der Schluß a minori ad majus als Element paulinischer Theologie, TLZ 85 (1960), 149-152. 10 f.: J. Dupont, La Réconciliation dans la Théologie de Saint Paul, 1953. D. E. H. Whiteley, St. Paul's Thought on the Atonement, JThST VIII (1957), 240-255. E. Käsemann, Erwägungen zum Stichwort Versöhnungslehre im Neuen Testament, Zeit und Geschichte (Dankesgabe Bultmann), 1964, 47-59. L. Goppelt, Versöhnung durch Christus, Christologie und Ethik, 1968, 147-164. U. Luz, Zum Aufbau von Röm. 1-8, ThZ 25 (1969), 161-181.

Man kann überlegen, ob man den Briefteil durch unsern Abschnitt als Entsprechung zum Schluß in c. 8 eingeleitet werden läßt (Dahl, Notes). Die enge Verbindung von c. 7 und 8 spricht, wie später zu zeigen, dagegen, so daß unsere Verse als Auftakt zur folgenden Perikope zu verstehen sind (z. B. Kuss). Immerhin schließt sich beides nicht völlig aus, zumal die Vielzahl der angeschlagenen Motive in c. 8 wiederkehrt. Die Komposition beschreibt in 1—5 den Stand im Gottesfrieden (anders Michel), begründet ihn, mit chiastischer Reihenfolge 5a—b entfaltend, als Stand in Gottes Liebe 6—8 und in der Hoffnung 9—10 und kehrt im Schluß wieder chiastisch zu den Motiven 1—2 zurück. Während das rabbinisch geführte Judentum aufs stärkste von der Ungewißheit des Heils bestimmt wird (Billerbeck), ist der Friede das Merkmal des Christenlebens. Er ist es nicht als Ausgeglichenheit des Gemüts (Kühl; Jülicher; Schettler, Durch Christus 19; K. Müller, Rechtfertigungslehre 100; Baulès), sondern, wie die Präpositionalverbindung zeigt, als Relation zu Gott. Es gibt sie wie in 2,10 nur für den Gerechtfertigten als Stand im Triumph Gottes über seine Feinde (van Leeuwen 203, vgl. die Ausführungen zur Apokalyptik 144—179). Von guter Ordnung zu sprechen (Leenhardt), ist also zu wenig. Unter der Herrschaft Christi endet der Streit mit Gott und die Verfallenheit an die Macht des Zorns, verwirklicht sich die Fülle des Heils, die der Semit mit Frieden umschreibt, im irdischen Raum. Der Vers zieht die Summe aus dem vorangegangenen Briefteil und markiert so deutlich den neuen. Das Urteil über die glänzend bezeugte und (Lietzmann) uralte Lesart ἔχωμεν fällt schwer, und sie wird noch immer stark verteidigt (Sanday-Headlam; Lagrange; Kuss; J. Knox, Life 17; Neugebauer, In Christus 61; Dinkler, RAC VIII, 463 f.; erwägenswert: Bardenhewer; Murray). Gleichwohl spricht der Kontext mit seinen indikativischen Feststellungen wie der Skopus des Abschnittes gegen sie. Beim Diktat waren Indikativ und Konjunktiv nicht zu unterscheiden (Foerster, ThWb II, 414), und später unterstützten paränetische Interessen den letzten, der keineswegs (Kuss) sinnlos ist (gegen Lietzmann). 2a interpretiert 1 mit einem aus dem Kult stammenden Motiv (Michel). προσαγωγή, nicht transitiv für „Hinzuführung" (Schlatter, H. W. Schmidt) gebraucht, meint den ungehinderten Zugang zum Heiligtum als der Stätte der praesentia Dei (Ridderbos). Aus dem Nachsatz ergibt sich, daß χάρις hier der Stand in der Gnadenmacht ist (Lietzmann; Bultmann, Theol. 290). καί unterstreicht, ist aber (Lietzmann) nicht zu pressen. Die Auslassung von τῇ πίστει in BsaDGOr ist willkürlich (Lietzmann gegen Kühl; Dodd; Weiss, Beiträge 226). Das Stichwort der beiden letzten Kapitel wird betont wiederholt. 2b führt 1 fast provokativ und jedenfalls in paradoxer Antithese zu 3,27 weiter. Das καυχᾶσθαι gilt nun als zweites Merkmal des Heilsstandes und als Antwort des Glaubens auf die angebrochene δόξα, deren Pointe mit der Übersetzung „Lobpreis" verdorben wird. Trotz gehobener Sprache und liturgisierenden Wendungen ruft der Abschnitt nicht zur Doxologie (gegen Michel). Er bringt eine Argumentation, welche das Rühmen in den Horizont christlichen Widerstands gegen die Welt und ihre Mächte stellt. Vorausgesetzt ist dabei gut semitisch, daß der „Ruhm" ein „Existential" menschlichen Daseins bildet (Schlatter; Kuss), nämlich Ausdruck menschlicher Würde und Freiheit ist. Gerade darum unterliegt er leicht der Perversion, sei es vom Gegenstand, sei es von der Art der Bekundung her. Wird nach paulinischer Anschauung Existenz durch den jeweiligen Herrn bestimmt, so äußert sich im Ruhm das tragende Existenzverständnis. Der Mensch spricht darin aus, wem er gehört. Zumeist tut er es in der Verfallenheit sich selbst und den Mächten gegenüber. Dem gilt die Polemik des Apostels, weil dann Geschöpflichkeit verleugnet wird. Es wird hier deutlich, daß dem Menschen, Briefschreiber und Theologen Pls das Interesse der Ataraxie völlig fernliegt. Aus Jer 9,22 f. entnimmt er nicht bloß die Konzession, sondern das Recht einer καύχησις, die dem Geschöpf entspricht, und unser Text ist einer der vielen Variationen der Reflexion über das at.liche Wort. Der Herr, dessen man sich rühmen darf und soll, ist nach 3,23 ff. derjenige, welcher mit der Gabe der Gerechtigkeit die verlorene Ebenbildlichkeit des Menschen wiederherstellt. Freilich darf die Zurückhaltung des Apostels gegenüber diesem letzten Motiv nicht übersehen werden. Wie Auferweckung ist Gottebenbildlichkeit für ihn vorläufig primär christologisches Prädikat, welches, von der abweichenden Tradition in 1.K 11,7 abgesehen, nur in apokalyptischer Sicht auf den Christen übertragen wird. Die Anfechtung des Glaubens stemmt sich auch hier gegen eine ungeschützte realized eschatology. Umgekehrt ermöglicht gerade Apokalyptik, das Motiv wie in 1.K 15,49 anthropologisch aufzugreifen: Die Wehen der durch den Messias bestimmten Gegenwart gestalten die Gläubigen in das von Adam verlorene Bild nach 8,19—29; 2.K 4,7—18 zurück, so daß vom Anbruch der den Menschen ergreifenden Herrlichkeit der Kinder Gottes gesprochen wird.

Aus solchem Zusammenhang ist unser Text zu erklären. Die Tendenz der in ihm verwerteten Traditionen darf nicht die paulinische Interpretation verdecken, so daß das sittliche Wachstum des durch die Rechtfertigung nur eingeleiteten Lebens zum Skopus unserer Verse wird (gegen Jülicher; Dodd; Kirk; Lagrange; Richardson, Introduction 236). In eschatologischer Perspektive, aus welcher auch die paulinische „Ethik" gesehen werden muß, geht es gleichwohl nicht bloß um die Hoffnung auf zukünftiges Heil (gegen Mattern, Verständnis des Gerichts 88). Die δόξα τοῦ θεοῦ ist die Vollendung der bereits geschenkten Gerechtigkeit und wird in dieser derart antizipiert, daß „Hoffnung" zugleich auf ausstehende Vollendung noch wartet und ihrer doch über der empfangenen Gabe gewiß ist. ἐλπίς meint nicht mehr griechisch den Ausblick auf möglicherweise Zufallendes, sondern auf bereits Verbürgtes. Die Dialektik des christlichen Lebens wird gekennzeichnet. Es gibt den Glauben nur angesichts der Bedrohung durch die irdisch noch herrschenden Mächte, also in zeitlicher Gefährdung. Umgekehrt steht er, wo Gott heilschaffend gehandelt hat, im Zeichen des Sieges, welcher vertrauensvoll die Bedrohung als vorübergehend erkennen und, allem Augenschein zum Trotz, der Welt in der Kraft und Zuversicht der Überwinder begegnen läßt. So erklärt sich der eigenartige Sachverhalt, daß Pls überall die apokalyptische Lehre von den beiden Äonen voraussetzt und abwandelt, sie jedoch nie thematisch behandelt. Christliche Dialektik sprengt die Schemata dieser Lehre. Mit dem Anbruch des neuen Äons ist der alte nicht einfach verschwunden, strahlt vielmehr weiterhin Anfechtung und tödliche Gefahr aus. Andererseits ist gerade dies das Feld, in welchem der neue Äon Platz greift. In der mit Christus eingetretenen Zeit sind die beiden Äone nicht mehr wie in jüdischer Apokalyptik chronologisch und räumlich zu trennen. Die Erde ist ihr Kampfort geworden. Der angefochtene Glaube und die Überwindung der Mächte markieren die Stelle, wo christlicher Ruhm paradox

Frieden und Freiheit mitten im andauernden Kampf als schon gewährt bekundet. Führen 3—5 formal das Motiv von 2b weiter, sind sie sachlich seine Entfaltung. εἰδότες leitet (gegen Bultmann, Adam 147) keine Parenthese ein und spricht nicht eine allgemeine Wahrheit aus, wie die zugrunde liegende paränetische Tradition es verstanden haben mag. Christliche Erfahrung wird hier laut. Gottes sieghafte Herrlichkeit kann hoffend nur gerühmt werden, wenn man sich zugleich der Leiden als des Bereiches zu rühmen vermag, wo nach 2.K 12,9 die Wirklichkeit der χάρις sich offenbaren will. Das besagt nicht, daß καυχᾶσθαι ἐν θλίψεσιν lokal zu verstehen ist (gegen Zahn; Dodd; Harder, Gebet 34; erwägend Michel). Das nach dem Sprachgebrauch der LXX mit ἐν konstruierte Verb bezeichnet den Gegenstand des Ruhms. Nur so kommt die im Folgenden aufgelöste Paradoxie scharf zutage. Die bei Pls auch sonst verwandte und ebenso im Griechischen begegnende Ellipse οὐ μόνον δέ dient also mehr der rhetorischen als der sachlichen Steigerung. Das gilt genauso von der griechischer Klimax entsprechenden (vgl. Bauer, Wb 1674) rabbinischen Stilfigur des Kettenschlusses (Belege bei Dibelius, Jakobus 104 ff. 125—129; Billerbeck), der die Früchte der Anfechtung kausal auseinander ableitet. Abhängigkeit vom Jakobusbrief liegt (gegen Zahn) natürlich nicht vor. Beide Stellen und 1. Pt 1,6 f. verbindet jedoch eine gemeinsame paränetische Tradition (Grundmann, ThWb II, 261), welche das Thema von Test. Jos 10,1 entfaltet: πόσα κατεργάζεται ἡ ὑπομονή. Ihren Ursprung dürfte sie in der makkabäischen Verfolgungszeit haben (Nauck, Freude 72 ff.). Das Leiden wird dabei nicht (gegen H. W. Schmidt) in ein System der Weltbejahung einbezogen, aber auch nicht bloß (vgl. Billerbeck; Bultmann, ThWb III, 650) als Mittel der göttlichen Erziehung verstanden. Es spiegelt vielmehr den Schatten des Kreuzes, in welchem Gottes eschatologische Macht allein wirksam werden will. θλῖψις ist die endzeitliche Drangsal, welche dem Christen im Gefolge des Messias Jesus widerfährt. ὑπομονή, seit Plato als sich dem Übel gegenüber behauptende ἀνδρεία geltend (vgl. den Artikel von Festugière), meint auch hier die Standhaftigkeit, die jedoch at.lich-urchristlich (Spicq, Ὑπομονή 102) durch die Ausrichtung auf das erhoffte Heil bestimmt wird. δοκιμή ist ein spezifisch paulinischer Terminus für Bewährung in erlittener Prüfung. Die sich dabei äußernde Kraft ist gottgeschenkt und gibt insofern (Bultmann, Adam 147 f.) dem Leben Offenheit für die Zukunft. Der gleiche Sachverhalt wird in 1QH IX, 11—14 geschildert.

In dem aus Ps 21,6; 24,20 LXX geformten Spruch 5a bedeutet καταισχύνεσθαι nicht „sich schämen" (Zahn; Kühl), sondern in eschatologischer Situation zuschanden werden (Bultmann, ThWb I, 189). Mag die jüdische Tradition beschrieben haben, wie es im Leiden zum festen Charakter kommt (so noch Lietzmann; Baulès; Franzmann), so gewinnt sie bei Pls einen anderen Horizont. Ihm geht es um das endzeitliche Wunder der durch den gekreuzigten Christus vorgezeichneten Menschwerdung des Menschen, in welcher sich der Anbruch der neuen Welt realisiert. Apokalyptik ist anthropologisch vertieft und konkretisiert, so daß unser Text antithetisch 1,24 ff. entspricht. Fällt das Geschöpf unter dem Zorn Gottes von Stufe zu Stufe, so steigt es zwar nicht, wie Enthusiasten meinen, seit der Rechtfertigung wieder himmelwärts. Es bewährt jedoch im irdischen Stand und dessen Nöten die Berufung, Gott die Ehre zu geben. Das Recht dieser Interpretation wird durch 5b erwiesen, wo offensichtlich die voraufgehende Tradition verlassen ist. 6—8 zeigen, daß ἀγάπη τοῦ θεοῦ nicht mit Augustin als gen. obj. im Sinn der Liebe zu Gott, erst recht nicht vom Gedanken der caritas infusa her als Liebesgesinnung

(Gutjahr; Kirk) und nicht einmal, weil das Verb dagegen spricht, als Gottes Liebestat (Bultmann, Theol. 291; Ridderbos) zu deuten ist. Wie in den ähnlichen Genetivverbindungen geht es um uns ergreifende göttliche Macht, und zwar in der besonderen Ausrichtung des Daseins für uns, was 8,31 ff. eindeutig klarstellt. Wie die anthropologischen Termini des Apostels Existenz in ihren verschiedenen Relationen charakterisieren, gilt etwas Ähnliches von diesen Genetivkonstruktionen. Auch sie sprechen von einer Relation der göttlichen Macht, richtiger des mächtigen Gottes, und zwar im Verhältnis zum Geschöpf. Im Zorn offenbart sich diese Macht als Verderben gegenüber Rebellen, in der Gerechtigkeit Gottes den Rebellen Heil schaffend, in seiner Treue derart, daß der Schöpfer an seinem heilsgeschichtlichen Werk und Willen festhält. In der Liebe bekundet sie sich als jene Solidarität, welche die Widerstände zwischen Schöpfer und Geschöpf überwindet, das Wunder der neuen Existenz erhält und zugleich seiner immer neu innewerden läßt. Das letzte Moment findet im Verb seinen Ausdruck. Es entstammt (Michel) at.licher Sprache und umschließt überwältigende Fülle. Ergießt sich Gottes Liebesmacht in unsere Herzen, so ergreift sie uns im Zentrum unserer Personalität und macht uns, Jer 31,31 ff. erfüllend, sich ganz zu eigen. Das Tempus bezieht sich auf einen anhaltenden Zustand, der jedoch durch einen einmaligen Akt geschaffen wurde. Gedacht ist wohl an das Taufgeschehen, in welchem denn auch nach durchgängiger Anschauung des Urchristentums der Geist vermittelt wurde. Merkwürdig wird formuliert, Gottes Liebe komme durch das Medium des Geistes zu uns. Jedenfalls ist das nicht erbauliche Abrundung der Aussage. Mit dem ohnehin unverständlichen Etikett „mystisch-ethisch" (Dodd) ist so wenig wie mit psychologischen Erwägungen (Zahn; Kühl) etwas gewonnen. Pls stellt dreierlei heraus: Wo Gottes Liebe so zentral und total nach uns gegriffen hat, gehören wir nicht mehr uns selber, hat sich Existenzwandel vollzogen. Wir haben zweitens, wie der Geist nach 8,23; 2.K 1,22 als Angeld gilt, ein „objektives" Unterpfand dafür, daß unsere Hoffnung nicht zuschanden wird. Wo schließlich der uns gegebene Geist uns dieser Liebe stets neu vergewissert, können wir mitten in irdischer Bedrängnis wie in 8,37 ff. Gott rühmen, stehen wir im alltäglichen und zugleich eschatologischen Gottesdienst. Nicht mehr uns selber und der Welt überlassen, sind wir bereits zeitlich in das Reich der Freiheit gestellt, das nichts als die Offenheit des Zugangs zu Gott und des damit gewährten Friedens ist. Der Apostel sagt also nicht, Geist und Liebe seien identisch (Kirk) oder daß die Liebe rechtfertigt (Lagrange; Dodd; Dibelius, Vier Worte 4), Rechtfertigung sei (Kirk), schon gar nicht, daß sie als sittliches Prinzip und als Sphäre moralischer Erfahrung die Rechtfertigung ablöst (Dodd). Hinter all diesen Deutungen verbirgt sich die alte, aber in anderer Gestalt immer neu auftauchende Anschauung von der fides caritate formata, die man wenigstens in ihrem konfessionstrennenden Gewicht erkennen sollte und für die es in unserm Brief trotz aller gegenteiligen Auslegungen nicht den mindesten Anhalt gibt. Es verbirgt sich dahinter zugleich eine antiquierte Betrachtungsweise, welche für den paulinischen Begriff des Geistes die Ethisierung des Ekstatischen oder des Juridischen (Gunkel und Lüdemann) als charakteristisch empfand, beide Male sich nicht letztlich aus dem Bann idealistischer Interpretation zu befreien vermochte, die Symptome mit der Konzeption verwechselte und nach Kräften bemüht blieb, das religionsgeschichtlich entscheidende Phänomen paulinischer Eschatologie herunterzuspielen. Es ist unverständlich, daß in einer Zeit, in welcher die Bedeutung der Qumrantexte für das NT zuweilen geradezu grotesk betont wird, mit Hilfe dieser Texte die sachliche Relevanz des eschatologischen Denkens für Pls und seine Umwelt ethisch oder ekklesiologisch verwässert wird. Bestimmt der Geist das Christenleben im ganzen, nicht bloß seine außergewöhnlichen Äußerungen, rückt damit umgekehrt dieses ganze Leben in den Bereich des Wunders, wird das „Sein im Geiste" zur Bekundung des „Seins in Christus" als des Gekreuzigten sowohl als des Auferweckten, wird das Rechtfertigungsgeschehen einer drohenden Historisierung und die Liebe Gottes einer zutiefst mystischen Theorie der Aufhebung der zwischen Gott und Mensch, Christus und Kirche verbleibenden Distanz mit Hilfe des Motivs von der Union zwischen beiden entrissen, die neue Kreatur statt auf unsere Sittlichkeit auf das „Gott für und mit uns" gestellt. Die neuen religionsgeschichtlichen Einsichten dulden nicht mehr, die liberalen Schemata aufrechtzuerhalten, und überkommene dogmatische Positionen müßten von ihnen her zum mindesten überdacht und einer möglichen oder notwendigen Korrektur ausgesetzt werden. Anders kommt es zur Schizophrenie zwischen Historie und Theologie.

Wie kann man jedoch der Liebe Gottes durch den Geist gewiß werden? Es gibt doch auch, was an dieser Stelle selten reflektiert wird, den trügerischen Geist, und zwar nach nt.lichem Zeugnis mitten in der Kirche. Auf diese Frage anworten 6—8 mit dem Verweis auf Jesu Tod. Pls hat allerdings seine Gedanken nicht präzis formuliert. 6 ist ihm aus den Fugen geraten. 7a bringt eine unglückliche Analogie, die in 7b nicht sehr geschickt korrigiert wird, und erst 8 findet mit der Aufnahme von 6 und dem Anschluß an 5b zum Ziel. Warum kommt es zu diesem sonderbaren Geschiebe? Offensichtlich will der Apostel die Unbegreiflichkeit des göttlichen Handelns in Jesu Tod dartun und daraus die Größe der sich offenbarenden Liebe demonstrieren. Er mißt dieses Handeln an denen, welchen es zugute kommt, tut es aber unter dem Leitmotiv seiner Rechtfertigungslehre: für Gottlose. Dabei tritt jedoch zutage, daß Gottes Heilstat inkommensurabel ist und Gottes Liebe sich zwar verkündigen, aber selbst in schroffsten Antithesen nicht vergleichen läßt. Alte und moderne Auslegung haben sich mit Recht an dieser Argumentation gestoßen, mit ihren Änderungen freilich nichts gebessert. Weder 6—7 (Fuchs, Freiheit 16) noch 7b (Jülicher) oder 7 überhaupt (Sahlin, Emendationen 97) lassen sich triftig als Glossen erklären. Auch die These eines Abschreibversehens, das später schlecht korrigiert wurde (Sahlin 96 f.), ist wenig plausibel. Die ungeschickte Doppelung des ἔτι in 6 hat die Varianten zu dem ursprünglichen ἔτι γάρ im Anfang oder die Auslassung des zweiten ἔτι veranlaßt (Zahn; Lietzmann; Bornkamm, Anakoluthe 79; anders Sanday-Headlam). Doch entspricht diese Doppelung der anderen des gen. absol. und der Aufnahme von ἀσθενεῖς durch ἀσεβεῖς. Sonst wird von Pls ἀσθένεια auf den Christen bezogen. Wird hier damit die vorchristliche Zeit anvisiert (anders Schlatter), korrigiert der stärkere und eindeutige Ausdruck deshalb im zweiten Gliede. Darüber verwirrt sich die Satzkonstruktion, und dazu trägt noch mehr bei, daß in diesem Versteil der Zeitpunkt des Todes Christi kräftig unterstrichen wird. κατὰ καιρόν meint nicht den rechten Augenblick (so Michel; Leenhardt; ähnlich Ridderbos), sondern (Bauer, Wb 780. 903; H. W. Schmidt) „damals" und ist zum Prädikat zu ziehen (so meistens). Die Pointe liegt darin, daß Christus sein Heilswerk in einem unerwarteten und, moralisch betrachtet, sogar unangebrachten Augenblick vollbrachte. Unwürdige, richtiger Gottlose waren die Nutznießer. In solcher Argumentation werden die historischen Sachverhalte der Passion bereits völlig durch soteriologisch-dogmatische Aspekte überdeckt. Der Satz erhält dadurch zwei Akzente, daß das erste ἔτι γάρ mit dem gen. abs., das zweite ἔτι κατὰ καιρόν mit dem Verb verbunden ist. Beide sollen das gleiche Paradox herausstellen: Wir waren alles andere als stark, als Christus starb, und er ist schon damals gestorben, als wir gottlos waren. Wie in 4,5 wird das weder rhetorisch noch moralisch gesagt. Die Übersetzungen der Adjektive durch „böse" (Lietzmann) oder „geradezu gottlos" (Jülicher) sind falsch und verändern erbaulich die Rechtfertigungslehre. Die Analogie in 7 bringt den rabbinisch qal wachomer genannten Schluß a minori ad majus, der als inadäquat in 8 wieder fallen gelassen wird, nachdem 7a bereits in 7b korrigiert worden war. In Antithese zu 6 sollte der Tod selbst für Gerechte als selten bezeichnet werden. μόλις = kaum, schwerlich (Bauer, Wb 1042). Alsbald erinnert sich der Apostel jedoch, wie häufig es zum Opfertod kommt. So konzediert er recht gewunden diese Möglichkeit zugunsten der Guten, womit nicht Individuen, sondern ein Typ (Barrett), und zwar nicht (Billerbeck; Michel) der Gütigen, sondern der besonders wertvollen Menschen gemeint sein dürfte. Eine neutrische Deutung auf das Gute ist um der Parallelität und Steigerung gegenüber δίκαιος im Sinn von „rechtschaffen" willen unangebracht (Gutjahr; Ridderbos; anders Sanday-Headlam). Solche Analogie rückt Christi Tod jedoch in den Bereich des Heroischen und hilft deshalb nicht weiter. 8 faßt endlich das Ziel der unternommenen Vorstöße zusammen. Gegen die tilgenden Varianten ist ὁ θεός Subjekt, weil nur so die Aussage von 5b begründet wird. ὅτι ist explikativ, συνίστησιν hat wie in 3,5 die Bedeutung „darlegen, erweisen« (Kasch, ThWb VII, 896). Die Aussage lehnt sich, wie 1.K 8,11; 1.Th 5,10 und in unserm Brief 14,15 zeigen, an liturgischen, vielleicht eucharistischen Sprachgebrauch an. Über den Nutzen einer Rubrizierung unter dem Thema „Pistisformel" (Kramer, Christus 22 f.) oder Sterbeformel (Wengst, Formeln 72 ff. 77) mag man streiten. Jedenfalls geht es nach Gal 2,21; 2.K 5,14 um Stellvertretung, und das charakteristische ὑπὲρ ἡμῶν meint sowohl „zugunsten" wie „stellvertretend", sachlich jedenfalls „ohne uns". Gottes Liebe ist mehr als ein Handeln, das unsere Mängel auffüllt, nämlich die Heil schaffende, creatio ex nihilo herauführende und den Zorn beendende Allmacht, welche eschatologische Rechtfertigung verursacht und erhält. Vierfach schlossen Sätze, den Skopus des Abschnittes verdeutlichend, mit ἀποθνῄσκειν. Weil sich in Christi Tod für Pls die göttliche Liebe konkret manifestiert hat, liegt in ihr der Grund christlicher Gewißheit. Darum wird in 5b die Gegenwart des Geistes als die der Gottesliebe beschrieben, von der man nach Pls nicht anders sprechen kann und darf als von Jesu Passion her. Wurde diese von vornherein und konstitutiv durch die Kategorien der Rechtfertigungslehre bestimmt, so ist die Kreuzestheologie nach unserm Text zugleich der Schlüssel zur paulinischen Gotteslehre, Soteriologie, Anthropologie und Eschatologie. Wer Gott und wer der Mensch und die Welt, was Heil und Unheil sind, empfängt von da sein Kriterium.

9—10 begründen weiterführend auch die christliche Hoffnung. Der Schluß a minori ad majus, in 6 f. vorbereitet, beherrscht mit dem zweimaligen πολλῷ μᾶλλον, das rabbinische Äquivalente hat (Billerbeck), die Aussage. Trotz liturgischer Wendungen ist sie (gegen Maurer, Der Schluß 150 f.) weder doxologisch noch prophetisch, sondern wie der gesamte Abschnitt argumentativ. Der Einsatz geht dem von 1 parallel, sofern auch hier die Rechtfertigung die eschatologische Gegenwart eröffnet. Wie in 3,25 ist sie, mit der liturgischen Metapher von Jesu Blut umschrieben, durch den Tod Jesu gewirkt. Jedoch treten jetzt Gegenwart und Zukunft des jüngsten Gerichtes auseinander. Denn diese letzte Zukunft ist zweifellos mit ἡ ὀργή markiert, und wieder liegt nicht der mindeste Anlaß vor, in der Abwehr von Anthropomorphismen daraus ein objektives Prinzip

(Dodd), einen unpersönlichen Prozeß (Hanson, Wrath 89) zu machen oder sogar den Zorn und die Leiden von 3 f. miteinander zu verbinden. Gemeint ist die verzehrende Macht des Weltenrichters, die sich nach 1,18 ff. in der irdischen Geschichte noch verhüllt angekündigt hat. Demgegenüber hat σῴζειν eindeutig den Sinn eschatologischer Rettung (Foerster, ThWb VII, 992). 10 wiederholt die Aussage in teilweise anderer Terminologie und mit einer Zuspitzung am Schluß, welche nochmals 5 und das begründende γάρ am Anfang verständlich macht. Wie πολλῷ μᾶλλον und σωθησόμεθα erneut auftauchen, interpretiert διὰ τοῦ θανάτου τοῦ υἱοῦ αὐτοῦ die Wendung vom Blute Jesu, wobei die Präpositionen rhetorisch wechseln. Beide sind aber instrumental. Aus all dem folgt, daß auch „rechtfertigen" und „versöhnen" inhaltlich dasselbe bedeuten (Schlatter; Nygren; Barrett; Kuss; Bultmann, Adam 146; anders Sanday-Headlam; Büchsel, ThWb I, 255; Dupont, Reconciliation 29 ff.). Als technischer Terminus kommt „versöhnen" nur im paulinisch-deuteropaulinischen Schrifttum vor, dürfte aber aus liturgischer Tradition übernommen sein (Käsemann, Stichwort 49; anders Goppelt, Versöhnung 150 ff.). Der Begriff bezieht sich nicht (so Kühl; Leenhardt; Baulès) auf ein innerliches Geschehen, sondern auf die objektive Beendigung von Feindschaft (Bultmann, Theol. 286 ff.; Dupont, Reconciliation 19 f.; Kümmel, Theologie 182; Ridderbos), ohne der juridischen Sphäre zuzugehören oder sakrifizielle Bedeutung zu haben (gegen Dupont, Reconciliation 28 ff. 40 ff.; Richtig Fitzer, Ort der Versöhnung 180 ff.). Der Gedanke an Stellvertretung ist ihm nicht von sich aus eigen, kann sich jedoch wie hier in Präpositionalverbindungen mit ihm vereinigen (Whiteley, Atonement 240; Käsemann, Stichwort 53 f.). Pls gebraucht ihn, um das Heilsgeschehen als justificatio inimicorum (Ridderbos, Paulus 133) und die pax Christi als sein Ziel zu charakterisieren, wie der Partizipialsatz zeigt. ἐχθροί hat wie ἔχθρα in 8,7 und anders als in 11,28 aktiven Sinn und meint die Rebellen (Foerster, ThWb II, 814; Zahn; Kühl; H. W. Schmidt; passivisch Lietzmann; Gutjahr; Murray; Ridderbos; Dupont, Reconciliation 27; ambivalent Michel; Bultmann, Theol. 286; Büchsel, ThWb I, 257; Taylor, Forgiveness 74 f.; Kuss). Für die derart Versöhnten hat die Zukunft keine Schrecken mehr. Eine überraschende Wendung des Gedankens steigert den negativ formulierten Schluß 9b ins Positive mit 10b. Der Wechsel der Präpositionen ist wie in 9—10a rhetorisch. Das gilt jedoch kaum für die Aussage selber (mit Schlatter gegen Barrett; Kuss). Von ζωὴ αὐτοῦ ist wie in 2.K 4,10 ff. die Rede. Die Lebensmacht des auferweckten Herrn umfängt und bewahrt die Gemeinde. Tod und Auferweckung Jesu gehören zwar zusammen. Beides kann jedoch wie in 4,25 differenziert werden, um die verschiedenen Seiten des Heilsgeschehens, nämlich das eschatologisch Einmalige und das Permanente, zu verdeutlichen. Der für uns gestorbene Christus lebt nunmehr auch für uns und zerbricht die Drohungen der Zukunft, wie er die Unheilsmacht der Vergangenheit zerbrach. Er ist in Person das nicht mehr rückgängig zu machende „Für uns" Gottes und so die Schicksalswende von 12—21. Die nochmalige Steigerung in dem οὐ μόνον δέ, ἀλλὰ καί von 11 bezieht sich nicht bloß (gegen Lietzmann) auf 10, sondern lenkt wieder rhetorisch zum Thema der καύχησις zurück, mit dem der Abschnitt begann. Inzwischen ist klar geworden, inwiefern Christen „Rühmende" sein können. Pls liegt daran, daß sie es angesichts des ihnen widerfahrenen Heils und ungeachtet aller Drangsale bleiben. Das Partizip ist nach dem Kontext indikativisch, nicht kohortativ (gegen Kuss). Jetzt mag wirklich an das gedacht werden, was im christlichen Gottesdienst geschieht. Denn die liturgische Stilisierung von 11a ist unverkennbar (Weiss,

Beiträge 226; Bousset, Kyrios 109), und die stereotyp verwandte Formel διὰ τοῦ κυρίου ἡμῶν Ἰησοῦ Χριστοῦ (vgl. den Exkurs bei Kuss) weist eindeutig auf den erhöhten Herrn als Urheber und Mittler der inspirierten Doxologie. Fast plerophorisch gibt der Relativsatz nochmals den Grund und Gegenstand des christlichen Ruhmes an und faßt alle Motive des Abschnittes unter dem Stichwort der in eschatologischer Gegenwart bestehenden Versöhnung zusammen. Das νῦν trägt dabei wie in 3,25; 5,9 jenes Gewicht, das der Thematik des neuen Briefteils entspricht (Fuchs, Freiheit 17).

2. 5,12—21: Die Herrschaft des letzten Adams

12 Darum (gilt): Wie durch einen Menschen die Sünde in die Welt kam und durch die Sünde der Tod und so zu allen Menschen der Tod hindrang, weil alle sündigten —.
13 Denn bis zum Gesetz war Sünde (bereits) in der Welt. Doch wird Sünde ohne vor-
14 handenes Gesetz nicht (besonders) verbucht. Gleichwohl herrschte zwischen Adam und Mose der Tod auch über die, welche nicht gesündigt hatten gleichgestaltig der
15 Übertretung Adams. Der ist das Gegenbild des zukünftigen (Menschen). Freilich (geht es) beim Gnadenwerk nicht so zu wie beim Fall. Denn wenn durch den Fall des Einen die Vielen starben, strömte die Gottesgnade, nämlich die mit der Gnadenmacht des einen Menschen Jesus Christus gewährte Gabe, um so reichlicher zu den
16 Vielen. So verhielt es sich mit dem Geschenkten auch nicht wie mit dem, was der eine Sünder (bewirkte). Denn das Gericht führte von Einem her zur Verdammnis,
17 das Gnadenwerk jedoch aus vieler Übertretungen zur Rechtfertigung. Denn wenn mit der Übertretung des Einen der Tod durch den Einen Herrschaft gewann, werden um so gewisser durch den einen Jesus Christus im Bereich des Lebens herrschen,
18 welche mit der Rechtfertigungsgabe die Fülle der Gnade empfangen. Also (gilt): Wie es durch Übertretung des Einen bei allen Menschen zur Verdammnis (kam), so erst recht durch des Einen Rechtfertigungstat bei allen Menschen zu Leben in der
19 Rechtfertigung. Denn wie durch den Ungehorsam des einen Menschen die Vielen zu Sündern gemacht wurden, werden erst recht die Vielen durch des Einen Gehor-
20 sam als Gerechte dargestellt werden. Das Gesetz hat sich aber eingedrängt, damit sich die Übertretung mehre, und wo die Sünde sich ausbreitete, wurde die Gnade
21 übermächtig. Das geschah zu dem Zweck: Wie die Sünde kraft des Todes Herrschaft gewann, so muß erst recht die Gnadenmacht kraft Rechtfertigung zum ewigen Leben herrschen durch Jesus Christus, unsern Herrn.

Literatur: J. Freundorfer, Erbsünde und Erbtod beim Apostel Paulus, 1927. A. E. J. Rawlinson, The NT Doctrine of the Christ, 1926. C. H. Kraeling, Anthropos and Son of Man, 1927. B. Murmelstein, Adam, ein Beitrag zur Messiaslehre, WZKM 35 (1928), 242-275; 36 (1929), 51-86. A. Vitti, Christus-Adam, Bibl. 7 (1926), 121-145. 270-285. 348-401. E. Hirsch, Zur paulinischen Christologie, ZsystTh 7 (1930), 605-630. H. W. Robinson, The Hebrew Conception of Corporate Personality, Beih. ZAW 66 (1936), 49-62. A. Vögtle, Die Adam-Christus-Typologie, und der Menschensohn, Trier. ThZ 60 (1951), 309-328. Ders., Der Menschensohn und die paulinische Christologie, Stud. Paul. Congr. I, 199-218. M. Black, The Pauline Doctrine of the Second Adam, ScJTh 7 (1954), 170-179. F. G. Lafont, Sur l'Interprétation de Romains V, 15-21, Rech. ScRel. 35 (1957), 481-513. W. Barclay, Romans V, 12-21, ET 70 (1958/9), 132-135. 172-175. W. Grundmann, Die Übermacht der Gnade, Nov. Test. 2 (1958), 50-72. E. Schweizer, The Son of

Man, JBL 79 (1960), 119-129. A. R. Johnson, The One and the Many in the Israelite Conception of God, ²1961. S. Lyonnet, Le péché originel en Rom 5,12, Bibl. 41 (1960), 325-355. Ders., L'Universalité du Péché et son explication par le péché d'Adam, Les étapes 55-106. K. Smyth, Heavenly Man and Son of Man in St. Paul, Stud. Paul. Congr. I, 219-230. K. Barth, Christus und Adam nach Röm 5, ²1964. C. E. B. Cranfield, On some of the Problems in the Interpretation of Romans V, 12, ScJTh 22 (1969), 324-341. R. Scroggs, The Last Adam, 1966. A. Feuillet, Le règne de la mort et le règne de la vie (Rom. V, 12-21), Rev. bibl. 77 (1970), 481-521. H. Conzelmann, Der erste Brief an die Korinther, 1969. 13 ff.: G. Friedrich, Ἁμαρτία οὐκ ἐλλογεῖται Röm 5,13, ThLZ 77 (1952), 523-528. E. Jüngel, Das Gesetz zwischen Adam und Christus, ZThK 60 (1963), 42-73. 14: J. Gewiess, Das Abbild des Todes Christi (Röm 6,5), Hist. Jahrb. 77 (1958), 339-346. 15 ff.: H. Müller, Der rabbinische Qual-Wachomer-Schluß in paulinischer Typologie, ZNW 58 (1967), 73-92. L. Schottroff, Der Glaubende und die feindliche Welt, 1970.

Freiheit vom Tode kann nach dem vorigen Abschnitt nur paradox als Stand im Gottesfrieden und in gewisser Hoffnung trotz noch währender Leiden und geforderter Bewährung behauptet werden. Insofern partizipiert sie an dem ebenfalls paradoxen Sachverhalt der Rechtfertigung des Gottlosen, der sich im Dasein des Christen als lebenschaffend verwirklichen will (gegen die Grundthese Feuillets, Règne 515 f., wonach das Thema Tod—Leben das von Sünde und Rechtfertigung ablöst). Freilich genügt diese erste Feststellung nicht. Weil der Tod eine den Kosmos bestimmende Macht ist, muß Freiheit von ihm ebenso wie die sie begründende Rechtfertigung universal gelten, wenn sie ernsthaft behauptet werden soll. Eben das stellt der neue Abschnitt heraus. Er führt also den vorangehenden konsequent weiter (gegen Feuillet 481. 509 u. a., vgl. die Literaturübersicht bei Luz, Aufbau 178). Es liegt, wenn man dem Apostel nicht von vornherein die im ganzen Brief zutage tretende systematische Kraft abspricht, nicht der mindeste Anlaß vor, den Text als erratischen Block zu charakterisieren (Luz, Geschichtsverständnis 193; Kirk) oder ihn (Fuchs, Freiheit 18 ff.) wesentlich einer Vorlage zuzuschreiben. Wer freilich die paulinische Rechtfertigungslehre vorwiegend aus individualistisch-anthropologischer Perspektive und deshalb die kosmische Dimension von 1,18—3,20 nur als ihre dunkle Folie, nicht als ihre antithetische Entsprechung versteht, wird hier die logische Verbindung mit dem Kontext bestreiten müssen. Man kann das sogar dann tun, wenn man vom eigenartigsten Teil und dem Höhepunkt der Briefproblematik spricht, seine Interpretation deshalb gleichsam als Schlüsselposition der Auslegung an den Anfang stellt (Nygren). Der Abschnitt ist formal kein Exkurs (gegen Bornkamm, Anakoluthe 80 f.) oder ein heilsgeschichtlicher Rahmen der früheren Verkündigung (gegen Michel; Kuss), inhaltlich keine Philosophie (Kühl) oder Theologie der Geschichte (Jülicher; H. W. Schmidt; Luz, Geschichtsverständnis 204. 210). An dieser letzten Bezeichnung ist richtig nur, daß der Apostel Existenz nicht außerhalb des Wirklichkeitsraumes der Geschichte des Heils oder Unheils vom ersten zum letzten Adam kennt (Barrett, Adam; Asmussen). Er verliert sich dabei jedoch nicht in Geschichtsspekulation (vgl. Kuss 275 ff.). Wird mit dem Blick auf die Existenz die Tiefe des Heilsgeschehens anvisiert, so mit der geschichtlichen Perspektive die Universalität der Gnade. Gott greift konkret in jedem Einzelnen nach der Welt. Das bliebe jedoch willkürlich, ginge es dabei nicht wirklich um die Weite der Schöpfung. Beide Betrachtungsweisen wechseln ständig und komplementär in unserm Briefe (Cambier, L'Évangile 203). Nicht der isolierbare Mensch und nicht die vom Einzelnen abstrahierende Geschichte, sondern der Mensch in seiner Welt ist als Wirklichkeit der Schöpfung zugleich Gegenstand und Feld des Heils. Insofern kann man tatsächlich die nächsten Kapitel unter die Überschrift der Verifikation der theologischen These an der Wirklichkeit stellen (Luz, Aufbau 173). Geht es um Freiheit vom Tode, muß der Aspekt einer durch die Macht des Auferstandenen qualifizierten Welt sichtbar werden. Das kann nur kerygmatisch, nicht mit einem Beweis geschehen, ist aber auch nicht bloß Erläuterung und Begründung von 1—11 (gegen Bultmann, Theol. 252; Brandenburger, Adam 257; Barth; Ridderbos; H. W. Schmidt; Gibbs, Creation 49), sondern eine zweite Argumentation, welche die erste fortsetzt. Unverkennbar wird dabei auf die apokalyptische Anschauung von den beiden Äonen zurückgegriffen, die aufs schärfste die Antithese von Todverfallenheit und eschatologischem Leben in kosmischer Sicht formuliert. Umgekehrt darf man sie (gegen Nygren) nicht zum Interpretationsschlüssel des Textes machen. Es hat, wie bereits angedeutet, guten Grund, daß Pls das historisierende Schema vom Nacheinander der beiden Äone nicht aufnimmt, selbst wenn er wie in Gal 1,4 vom gegenwärtigen bösen Äon spricht, himmlische Vollendung erwartet und Urzeit und Endzeit einander entgegenstellt (H. Müller, Qal-Wachomer 76 f.). Weil für ihn die Endzeit bereits begonnen hat, ist nicht das Verhältnis der Äone zueinander, sondern die Gegenwart des Lebens sein Thema (Brandenburger, Adam 262 ff. gegen Nygren). Die Redeweise von zwei Zeitaltern oder Daseinsformen (Nygren; auch Müller, Qual 88) verwischt den konstitutiv apokalyptischen Aspekt des Textes (der Grundfehler in der Auslegung K. Barths, Christus und Adam). So ist die Darstellung des eschatologischen Heils, mindestens im Unterschied gegenüber der herrschenden jüdischen Betrachtungsweise, grundlegend messianisch bestimmt. Das Regnum Christi steht dem durch Adam heraufgeführten Regnum der Sünde und des Todes gegenüber. Das führt zu einer Fülle von Entsprechungen, welche eine für das Ganze entscheidende Bedeutung haben. Formal reicht es nicht aus, von Analogien (Barrett; Murray) zu sprechen. Denn zugleich wird die Unvergleichlichkeit der Wirkungen auf beiden Seiten festgestellt, Urzeit und Endzeit sind antithetisch steigernd einander konfrontiert (Kuss). Durch den Begriff Typos in 14 ist die streng festgehaltene Typologie klar markiert (anders Scroggs, Adam XXII), deren apokalyptische Verwurzelung bei Pls auch hier zutage tritt. Anders als in 4,17 ff. wird die Schrift nicht direkt zitiert. Fraglos erinnert der Apostel jedoch, wenngleich in haggadischer Überfremdung (Bultmann, Adam 153; Brandenburger 45 ff.; Kuss; Leenhardt gegen Freundorfer 1 ff.), an Gen 3. So ist Adam für ihn durchaus eine historische Person, nicht bloß eine mythologische Personifikation jedes Menschen (Luz, Geschichtsverständnis 201). Typologie setzt Historizität grundsätzlich voraus. Welt und Geschichte des ersten Adam stehen derjenigen des letzten gegenüber, und zwar von diesem überwunden.

Solche Feststellung bringt uns in eine Verlegenheit, deren Ausmaß sich in der nur ausschnittweise erfaßbaren Literatur spiegelt. Trotz vielfältiger Bemühung vermögen wir religionsgeschichtlich die Entstehung der Adam-Christus-Typologie nicht hinreichend zu erklären (Schottroff, Glaubende 117; anders noch Murmelstein, Adam 246 ff.). Allenfalls läßt sich ihr Milieu lokalisieren. Kaum mehr als dazu hilft die neuerdings ungewöhnlich strapazierte semitische Vorstellung der corporate personality, obgleich sie weitgehend als Patentlösung betrachtet wird (ausgelöst durch den Aufsatz von Robinson; de Fraine, Adam, exemplarisch; Dodd; Leenhardt; Hanson, Unity 68 f.; Barclay 173 f.; J. Knox, Life 41 ff.; Larsson, Vorbild 176 ff.). Im zeitgenössischen Judentum dürfte sie erheblich weniger lebendig gewesen sein als bei heutigen Auslegern, die in ihr einen Ausweg aus allzu grober Mythologie entdeckt haben. Der Rückgriff auf die Idee des Stammvaters, der potentiell das Geschick seiner Nachfolger entscheidet (vgl. z. B. auch E. Schweizer, Son 128; Scroggs, Adam 22 f. 41 ff.; Kuss 280), verfehlt die Pointe unseres Textes. Christus ist kein Patriarch, und Adam kann dann auch nicht unter diese Kategorie gebracht werden. Hier kommt es gerade auf die Einzigartigkeit beider an, welche nicht bloß Etappen, sondern Anfang und Ende der Geschichte kennzeichnet, also auf die apokalyptische Antithese von Urzeit und Endzeit. Zweifellos ist es ein gewichtiges Moment des Textes, daß das Geschick der Nachkommen im Ahnherrn festgelegt worden ist. Insofern erweist sich die Erinnerung an die Anschauung von der corporate personality als nützlich, welche tatsächlich auf die Patriarchen übertragen wurde, jedoch auf Israel bezogen blieb. Ausschlaggebend für die Interpretation unseres Textes hat aber zu sein, daß hier nicht zwei Anführer einer Generation verglichen werden, sondern in schroffem Dualismus jene beiden Gestalten, welche allein Welt in Unheil und Heil inaugurierten und deshalb sich nicht der Reihe von Stammvätern einordnen lassen (Schottroff, Glaubende 117 ff. 131; Cambier, L'Évangile 214 ff. möchte deshalb das Schema auf Adam beschränken). Der Idee kommt bestenfalls Hilfsfunktion für das Verständnis zu. Fast grotesk erscheint der Versuch, vom Begriff Anthropos her die Menschlichkeit der Person Jesu zu betonen, so etwas wie eine Anthropologie Jesu zu entwickeln und endlich über ihre sachliche Priorität gegenüber derjenigen Adams und seiner Nachfolger zu spekulieren (K. Barth, Christus 10 ff. 73 ff.; mit Einschränkungen Gibbs, Creation 50 ff.). Pls hat gerade nicht über das menschliche Wesen Christi reflektiert und daraus die Idee des wahren Menschen abgeleitet, welche die verborgene Kontinuität in der Herrschaft des Schöpfers bezeugt (richtig Bultmann, Adam 163 ff.). Christus ist nicht der ursprüngliche, der gefallene Adam nicht der abgeleitete Mensch. Die Anthropologie steht als solche überhaupt nicht zur Debatte. Kosmisches Unheil und es weltweit durchbrechende und überbietende Gnade werden jeweils auf einen Schicksalsträger als zeitlichen und sachlichen Urheber zurückgeführt. Es ist zwar theologisch üblich geworden, dem Begriff Schicksal aus dem Wege zu gehen und nach Möglichkeit die in unserm Text nicht zu leugnende Mythologie aufs äußerste einzuschränken. Die Einzelexegese wird hier zur Auseinandersetzung zwingen. Vorläufig kann nur gesagt werden, daß der Anthropos Christus für Pls zweifellos auch in unserm Text weder abstrakt die Menschheit repräsentiert noch konkret ein Einzelner neben und unter andern, sondern der Präexistente, Auferweckte und designierte Kosmokrator ist. Als solcher tritt er wie in 1.K 15,44 ff. dem Protoplasten entgegen, der insofern eine ebenfalls einzigartige Würde erhält und selbst den Patriarchen und Mose nicht vergleichbar ist. Ganz davon abgesehen, ob man in genau zu präzisierenden Einschränkungen von Kollektivpersonen sprechen muß und darf, sollte mindestens Christus gegenüber darauf nicht der ganze Ton fallen. Anders würde man ihm zwangsläufig den Charakter des Herrschers rauben, der für paulinische Christologie konstitutiv ist, und die Differenz zwischen ihm und seinem Regnum verwischen. Genau an dieser Stelle liegt der überall zu beobachtende schwache Punkt in der Anwendung der Idee von der corporate personality: Die Herrschaft Christi wird zugunsten des Gedankens der Union mit ihm erweicht. Ekklesiologie überdeckt bewußt oder unbewußt die Christologie. Das Interesse an der Anthropologie ist die protestantische Variation solcher Verschiebung. Die Weichen der Pls-Deutung werden ganz verschieden gestellt, je nachdem man von der Idee der corporate personality und dem damit verbundenen

Gedanken der Union die Christologie oder von dieser her unter schärfster Betonung der Würde des Kyrios die allenfalls notwendige und verantwortbare Aufnahme des Motivs von der corporate personality mit ihren eklesiologischen und anthropologischen Konsequenzen bestimmt sein läßt. Von Interpreten muß man mindestens jenes unumgängliche Maß an Reflexion verlangen, das diese theologische Sachfrage bedenkt und darauf eine eindeutige, notwendig in Konflikt führende Antwort gibt. Natürlich ist auch der Begriff des „Schicksalsträgers" noch keine im eigentlichen Sinn theologische Aussage. Auch sie hat Hilfsfunktion, zeigt nämlich vorläufig die Richtung an, in welcher das Theologoumenon der Herrschaft Christi präzisiert werden soll. Immerhin ist zu beachten, daß das Motiv des Schicksalhaften vom Apostel in 1.K 9,16 f. mit dem Evangelium, in 1.K 1,18 ff. mit dem Wort vom Kreuz, in 2.K 2,16 f. mit dem apostolischen Werk verbunden wird und uns noch mehrfach begegnen wird.

Zunächst ist das religionsgeschichtliche Hauptproblem unseres Textes so klar wie möglich zu fixieren. Man hat nicht bloß den Zusammenhang dafür zu ermitteln, inwiefern Adam und Christus als Archetypen je ihrer Welt in Korrelation zueinander gebracht werden können (Schottroff, Glaubende 124). Es ist vielmehr zu fragen, ob sich die Antithese zwischen Protoplasten und Messias unter dem gemeinsamen Nenner des Begriffes Anthropos aus vorpaulinischer Tradition ableiten läßt. Daß diese anzunehmen ist, ergibt sich vor allem aus den Variationen unseres Textes in 1.K 15,21 f. 45 ff. Dazu fügt sich bei Pls die Kombination der messianisch gedeuteten Stellen Ps 110,1 und Ps 8,7 in 1.K 15,25. 27, die doch wohl den Sinn hat, den Messias als eschatologischen Adam zu kennzeichnen. Schließlich wird sie im Zusammenhang der Taufparänese Kol 3,9 f.; Eph 4,24 und in antithetischer Anspielung wohl auch in dem liturgischen Fragment Eph 2,15 aufgenommen: Im endzeitlichen Himmelsmenschen vereinigt sich, was im alten Äon getrennt war. Eph 5,25 ff. variiert dieses letzte Motiv unter ausdrücklicher Berufung auf die Paradiesesgeschichte nochmals. Den Horizont markiert jeweils das auf Gen 1,27 bezogene Motiv der Eikon, das auch beim Apostel selbst eine erhebliche Rolle spielt. Es ist sehr unwahrscheinlich, das Pls und seine Schüler derart verschiedene Ausprägungen der gleichen Vorstellung und im Blick auf so verschiedene Schriftstellen ohne Bindung an vorliegende Tradition geschaffen haben sollten. Das gilt noch mehr, weil in 1.K 15,46 f. betont gegen eine Anschauung polemisiert wird, welche von einem vorzeitlichen, himmlischen Urmenschen weiß (Schottroff, Glaubende 1127 ff.; Conzelmann 1.Kor, 337 ff. mit einer hilfreichen Darbietung von Material und Literatur). Weil diese Anschauung mit der andern von Christi Präexistenz konkurriert und solche Konkurrenz nicht durch Identifikation des himmlischen Urmenschen mit dem präexistenten Christus beseitigt wird, läßt sich kaum vorstellen, daß sie zur Zeit des Pls von Christen vertreten worden ist. Die Polemik kann sich nur gegen Anschauungen aus dem hellenistischen Judentum richten, welche einer bereits von Philo umgestalteten Urmensch-Mythologie folgen. Der Rekonstruktion dieser Mythologie hat sich ein unübersehbar gewordenes Schrifttum gewidmet, dessen Problematik sich unvermeidlich mit der heftig umstrittenen Frage einer vorchristlichen Gnosis verband und dabei fast durchweg auf nachchristliches, widersprüchliches Material angewiesen war (vgl. Conzelmann a.a.O.; Schottroff, Glaubende 120 ff.; Schlier, RAC III, 445 ff.). Die Debatte ist im Augenblick religionsgeschichtlich durch zwei negative Ergebnisse gekennzeichnet: Der Mythos vom „erlösten Erlöser" bildet nicht das Zentrum einer vor- und außerchristlichen Gnosis, wie es vor allem in

Deutschland auf Grund der Arbeit R. Reitzensteins durch Jahrzehnte hin angenommen wurde. Wie immer es zweitens mit dem dadurch anvisierten, keineswegs exakt geklärten Sachverhalt stehen mag, wird die paulinisch-deuteropaulinische Adam-Christus-Typologie von da aus in ihrer zentralen Problematik nicht erfaßt, geschweige gelöst. Denn Adam und Christus bleiben hier Antipoden, die durch keinerlei ursprüngliche Konsubstantialität verbunden sind. Nicht Adam, der allein irdischer Protoplast, nicht gefallenes Himmelswesen ist, wird erlöst, sondern die von ihm in seinen Fall verstrickte Welt. Christus aber wird nicht als Adam redivivus betrachtet, sondern als der eschatologisch erscheinende Gottessohn. Kommensurabel sind beide nicht nach ihrem Wesen, sondern ausschließlich nach der Funktion, daß von beiden Welt verändert wurde. Vom Mythos des Urmenschen her ist nur zu erklären, daß beide mit dem Titel des „Anthropos" bedacht wurden, und selbst das ist bloß auf dem Wege einer komplizierten Rekonstruktion möglich.

Abzuweisen ist zunächst die Verquickung des Anthropos-Prädikates mit der jüdischurchristlichen Vorstellung vom Menschensohn. Die letzte wurde weder paulinisch (so Hirsch, Christologie 616 ff.; Cullmann, Christologie 170 ff.) noch vorpaulinisch auf hellenistischem Gebiet, wo man den aramäischen Titel nicht mehr verstand, zur Anthroposlehre umgeformt (gegen J. Jeremias, ThWb I, 143; Barrett; Michel; ablehnend Kuss: Vögtle, Adam-Christus-Typologie 310 ff.; Menschensohn 204 ff.; Black, Second Adam 174; Vitti, Christus-Adam 139; Smyth, Heavenly Man). Es ist denkbar, obgleich nicht zweifelsfrei, daß beide Konzeptionen auf die gleiche Wurzel zurückführen. Der eschatologische Weltenrichter hat jedoch weder etwas antithetisch mit Adam (richtig Kümmel, Theologie 139) noch mit der Auferweckung der Toten zu tun. Dieser Schwierigkeit entgeht man auch nicht, indem man durchaus fragwürdig aus 19 eine Anspielung auf den Gottesknecht herausliest (Jeremias, ThWb VI, 543 ff.; Cullmann, Christologie 175 ff.; Feuillet, Règne 492 u. a.) und, wie heute oftmals, die Vorstellungen vom Gottesknecht und Menschensohn koppelt, um so vom Inkarnierten sprechen zu können (dagegen Brandenburger, Adam 235). Von der Problematik dieser Kombination abgesehen, läßt sich eine Antithese von Gottesknecht und Adam nicht erweisen, wird im Text nicht ausdrücklich vom Sühnewerk Christi und im eigentlichen Sinne nicht einmal von Stellvertretung gehandelt. Die Fragen werden auf diese Weise nicht leichter. Die Verlegenheitsauskünfte der Exegeten vernebeln nur die Interpretation, die unter allen Umständen das Zentralmotiv der Herrschaft Christi zu berücksichtigen hat und nicht bei Archetypen enden darf. Umgekehrt ist festzustellen, daß sich im orthodoxen Judentum mit der Gestalt Adams zwar allerlei mythologische Spekulationen verbunden haben, es jedoch zur Bildung eines Urmensch-Mythos im strengen Sinn nicht gekommen ist. Man hat Motive eines solchen aufgegriffen und abgewandelt. Adam wurde aber anders als Abraham und Mose nicht zum Heilsmittler, und Spuren seiner eschatologischen Erlösung in der Funktion als Protoplast lassen sich kaum finden. Wohl wird in 1QS IV, 23; CD III, 20; 1QH 17,15 die Wendung „alle Herrlichkeit Adams" als endzeitliche Verheißung gebraucht. Doch meint das (Scroggs, Adam 26 f. 54 f.) die eschatologische Restitution nicht des Urmenschen, sondern, natürlich auf das gesetzesfromme Israel eingeschränkt, seiner Nachkommenschaft.

Ansätze einer andern Betrachtungsweise, aus der Umwelt in das Judentum eingedrungen, sind vorchristlich nur im Zusammenhang mit der Spekulation über die himmlische

Sophia als Schöpfungsmittlerin festzustellen (vgl. Hegermann, Schöpfungsmittler). Wie diese Sophia generell mit der Tora identifiziert wurde, so im hellenistischen Judentum mit dem Logos und wie bei Philo, de conf. ling. 146 mit dem Anthropos, nämlich dem himmlischen Urmenschen. Das geschah sehr wahrscheinlich, damit eine in häretischen Kreisen umlaufende Tradition, streng auf das vorhandene Motiv der Schöpfungsmittlerschaft bezogen, um ihre gefährliche Selbständigkeit gebracht werden könnte (Hegermann 75 f. 85 f.). Eine Parallele dazu stellt es dar, wenn in Hen 48,1 ff.; 49,3 f. Weisheit und Menschensohn verbunden werden, so daß nun sowohl die Präexistenz des Menschensohnes wie die eschatologische Wiederkehr der Weisheit sich behaupten läßt (Hegermann 80 f. 83). Zweierlei ist also zu konstatieren: In hellenistischer Zeit gerät das Judentum unter den Einfluß von Motiven des Mythos vom Urmenschen. Es adaptiert sich diese Motive, indem es sie in den Sophia-Mythos einbezieht, ohne an ihnen anders als im Blick auf den Gedanken des Schöpfungsmittlers interessiert zu sein. Immerhin eröffnet sich damit die Möglichkeit, daß unter neuen Umständen sich diese Motive wieder im Sinn der sie ursprünglich tragenden Konzeption verselbständigen. Die neuen Bedingungen sind in der Urchristenheit und erst recht im Gnostizismus gegeben. Der zweite Fall kann hier um seiner umfangreichen Problematik willen ausgeklammert werden. Es genügt, die Übertragung der Sophia-Spekulation auf die Christologie im Neuen Testament festzustellen. Sie erfolgte sowohl dem irdischen Jesus gegenüber, in welchem dann die Weisheit erneut zu Wort kommt, wie im Blick auf den präexistenten Christus, der damit die Funktion des Schöpfungsmittlers erhielt. Dieser Vorgang wird bei Pls etwa in 1.K 10,4 und in der Doxologie 1.K 8,6, in den Deuteropaulinen besonders in Kol 1,15 ff., also einem bereits vorgegebenen Hymnus, sichtbar. Man wird von da aus zu der Hypothese gedrängt, daß hellenistisches Judentum der frühen Christenheit zugleich mit der Anschauung vom Schöpfungsmittler dessen Titel Logos und Anthropos vermittelte. Akzeptiert wurde dieser Komplex christlich, weil auf diese Weise der präexistente Christus als Inaugurator einer neuen Menschheit charakterisiert werden konnte. Solche Rezeption wurde noch dadurch erleichtert, daß bereits im irdischen Jesus die Stimme der Weisheit vernommen worden war.

Damit ist freilich erst der Weg aufgezeigt, auf dem es zur Bezeichnung des präexistenten Christus als des eschatologischen Urmenschen kommt, die dann im christlichen Gnostizismus weiter ausgebaut wird. Dagegen ist die Adam-Christus-Typologie als solche bisher noch nicht geklärt. Jedenfalls muß die Übertragung des Titels „Anthropos" auf den Protoplasten als sekundär gegenüber derjenigen auf den präexistenten Christus betrachtet werden. Die paulinische Polemik in 1.K 15,45 f. bezeugt das ebenso wie die Verwendung des Motivs vom alten Menschen in der Taufparänese. Dieser neue Schritt wird erst möglich, wenn die apokalyptische Anschauung von den beiden Äonen mit ins Spiel kommt. Dann können nämlich der erste und der letzte Adam einander gegenübergestellt und zugleich in die antithetische Entsprechung von Urzeit und Endzeit gebracht werden. Ebenso ergibt sich dann die Möglichkeit, den Schöpfungsmittler als Beginn und Urheber der allgemeinen Totenauferweckung zu verstehen und schließlich solches eschatologisches Werk des letzten Adam im Taufgeschehen vorwegnehmen zu lassen. Christus und Adam sind jetzt in dualistischer Alternative die beiden Schicksalsträger jeweils für die von ihnen bestimmte Welt. Nochmals sei ausdrücklich vermerkt, daß damit eine Rekonstruktion versucht wurde, deren Hypothesen diskutiert werden müssen. Jedenfalls ist, wie schon dargetan, unwahrscheinlich, daß erst Pls selber die Typologie schuf. Wie hilfreich sie ihm gerade im vorliegenden Text war, liegt auf der Hand. Zu dessen Einzelexegese kann nun übergegangen werden.

Das Satzgefüge des Abschnittes bildet bis 17 ein riesiges Anakoluth, das wie auch sonst nicht aus dem Ungeschick des Apostels, sondern aus der Fülle der ihn treibenden Gedanken und Assoziationen, hier speziell durch den Ausgleich vorgegebener Motive und der eigenen Absicht zustande kommt. Schon um der präpositionalen Einleitung willen kann 12 nicht bloß Überschrift sein (gegen Barth, Christus 73). Nimmt man διὰ τοῦτο abschwächend als Übergangspartikel (Zahn; Lietzmann; Lagrange; Barrett; Bultmann, Adam 154), übersieht man den Gedankenbruch, der zu einer neuen Argumentation führt. Es markiert deren Einsatz und begründet zugleich das Recht von 10 f. (H. W. Schmidt; Brandenburger, Adam 258) oder von 1—11 im ganzen (Michel; Cranfield, Problems 325; Luz, Aufbau 179 f.). Im Regnum Christi ist das eschatologische Leben bereits gegenwärtig. Über den Ursprung der Sünde wird nicht etwa durch den Verweis auf Satan wie in Sap 2,24 (gegen Feuillet, Règne 482 f.) oder auf den vom Rabbinat behaupteten bösen Trieb spekuliert (Zahn; Schlatter; Bultmann, ThWb III, 15; Brandenburger, Adam 159). Überspitzt ist jedoch die im Gefolge Kierkegaards stehende Formulierung, die Sünde sei durch das Sündigen entstanden (Bultmann, Theol. 251; Bornkamm, RGG³ V, 18; Brandenburger, Adam 159). Damit wird das Gewicht Adams in der Typologie verdeckt. (E. Brunner; temperamentvoll Murray gegen Dodd). Umgekehrt ist die (von Freundorfer; Gutjahr; Sickenberger verteidigte) abendländische Theorie über „Erbsünde" und „Erbtod" viel zu rationalistisch, zumal wenn sie beides durch die Sexualität vermitteln werden läßt. Wie in 1,18—3,20 ist es Pls um die dem Glauben einsichtige Realität des irdischen Lebens zu tun, in welcher sich der Mensch seit Adams Fall immer schon vorfindet. Wie dort entzieht sich diese Realität rationaler oder spekulativer Begründung. Es wird kein Entwicklungsprozeß geschildert. Der Zusammenhang von Sünde und Tod ist zwar mit den Kategorien von Ursache und Folge behauptet, aber nicht weiter expliziert und reflektiert. So unterbleibt kennzeichnenderweise jede Differenzierung im Blick auf den Einzelnen, die Fülle der Möglichkeiten seines Verhaltens und der damit gegebenen Verschiedenheiten des konkreten Lebens und Sterbens. Alternativ, exklusiv und ultimativ werden die Bereiche Adams und Christi, des Todes und Lebens geschieden, und zwar in universaler Weite. Es geht um eine alte und eine neue Welt, in denen niemand neutral steht und für ein Drittes optieren kann. Die Redeweise ist durchaus mythologisch. So wird entscheidend nicht von persönlicher Schuld und naturnotwendigem Sterben gesprochen, sondern von den in die Welt einbrechenden Mächten Sünde und Tod (Kuss; Cambier, L'Évangile 223 ff.; Brandenburger, Adam 160. 164; anders etwa Schlatter). Kosmos meint, wie die Parallele „alle Menschen" in 12c zeigt, die Menschenwelt. Doch gilt sie weder als Summe der Einzelnen noch als Feld unserer personalen Beziehungen und Entscheidungen (gegen Bultmann, Theol. 255 f.; anders Kuss; H. W. Schmidt). Der Mensch wird primär nicht als Subjekt seiner Geschichte, sondern als ihr Objekt und ihre Projektion gesehen. Er befindet sich in Sachzwängen, welche seine Existenz übergreifen, seinen Willen und seine Verantwortung mindestens insofern bestimmen, daß er nicht beliebig wählen, sondern immer nur ein bereits Vorgegebenes ergreifen kann. 12a—c sprechen in einer für Mythologie charakteristischen Objektivität. Deshalb wird διῆλθεν in 12c nicht bloß die Vorliebe der Koine für Komposita bekunden. Anschaulich (vgl. Michel; Sasse, ThWb III, 889) läßt es den Tod gleichsam wie eine ansteckende Krankheit durch die Generationen sich verbreiten. Er ist alle Einzelnen unentrinnbar verstrickende Fluchmacht im irdischen Geflecht.

Das eigentliche Problem der Interpretation liegt in 12d, wo jäh das 12a—c beherrschende Motiv des Verhängnisses durch das andere der persönlichen Schuld aller Menschen abgelöst wird. Mit dieser Wendung des Gedankens hängt es zusammen, daß der Vers anakoluthisch endet und dann Exkurse folgen. Man hat den Anstoß schon früh und auf sehr verschiedene Weise zu beheben gesucht, ohne dabei allerdings zu überzeugenden Resultaten zu gelangen. Die Leugnung des Anakoluths (Scroggs, Adam 179; dagegen ausführlich Cranfield, Problems 326 ff.) setzt voraus, daß Pls nach einem rhetorischen Schema ABBA mit menschlicher Tat beginnt und endet, in den Zwischenzeilen aber von dem daraus folgenden Schicksal spricht. Diese These scheitert daran, daß sie καὶ οὕτως im Sinn „dem entsprechend" oder folgernd als „demnach", also wie ein οὕτως καί verstehen muß (Brandenburger, Adam 163 f.). Besonders umstritten ist die Deutung von ἐφ' ᾧ (vgl. die Übersicht bei Kuss und Cranfield, Problems 330 ff.), das bereits bei den Altlateinern, seit Augustin im Abendland dominierend, mit in quo übersetzt wurde und die Theorie von Erbsünde und Erbtod in unserm Text verankerte. Mindestens in dieser theologischen Tendenz ist sie von vornherein abzuweisen, weil der Apostel Erbfolge von Sünde und Tod im strengen Sinn des Wortes nicht kennt. Diese Deutung wird jedoch implizit in ihrem Anliegen noch heute überall dort faktisch vertreten, wo man, ohne die grammatische und lexikalische Frage der präpositionalen Wendung zu erörtern, die Typologie des Abschnittes selbstverständlich aus der Idee der corporate personality interpretiert. Seltsamerweise scheint man sich dessen im allgemeinen nicht bewußt zu sein. Pls müßte diese Idee doch, falls er sie benutzt oder wenn sie den Hintergrund seiner Aussagen bildet, korrigiert haben, wenn er nicht wirklich anthropologisch die Erbsünde und ekklesiologisch die Kirche als Mitwirkerin des Heils lehren will. Religionsgeschichtliche Erklärungen müssen auf ihre theologischen Konsequenzen hin bedacht werden, wenn es nicht zur Schizophrenie kommen soll. Die Verfechter der Idee können sich jedenfalls nur aus grammatischen, nicht aus sachlichen Gründen gegen die Übersetzung durch in quo wenden. Sollte diese Übersetzung umgekehrt grammatisch und lexikalisch falsch sein, läßt sich auch die Theorie von der corporate personality nicht mehr exklusiv für die Interpretation des Textes nützen. Konsequenter sind diejenigen, welche in 12d das Motiv des Verhängnisses festhalten. ἐφ' ᾧ soll sich dann auf den Tod beziehen oder auf den Gesamtvers und die Bedeutung „auf Grund dessen, durch den" (Zahn; Nygren; Cerfaux, Christus 149) oder „unter welchen Umständen" (Cambier, L'Évangile 238. 241; Lyonnet, Universalité 96 ff.) haben. Den gleichen Zweck erreicht ein finales Verständnis „zu welchem Ziele hin" (Stauffer, ThWb II, 435; Theol. 248 f.; Feuillet, Règne 490 ff.) oder die plusquamperfektische Deutung des Verbs „weil sie alle Erbschuld hatten" (Lagrange; Bardenhewer; Ligier, Péché 269 ff.; dagegen Brandenburger, Adam 171 ff.; Cambier, L'Évangile 236 f.; Lyonnet, Universalité 99). Die Variationen kennzeichnen diese Interpretationen als Verlegenheitslösungen, welche den Umbruch des Gedankens in 12d nicht wahrhaben wollen. Schon das dadurch aufgeworfene Problem spricht dafür, die Wendung durch „weil" wiederzugeben. Sie wird so auch in 2.K 5,4; Phil 3,12; 4,10 kausal verwandt (Bardenhewer; Huby und die meisten Ausleger). Das Verb meint dann das konkrete Sündigen, so daß es in unserm Verse zu einer Ambivalenz zwischen Verhängnis und Einzelschuld kommt (Bultmann, Theol. 251 ff.; Kümmel, Bild 36 ff.; Michel).

Nur zu begreiflich hat moderne Auslegung die Problematik der Stelle auch von der entgegengesetzten Seite her zu zerschlagen versucht. In diesem Falle mußte 12d der Interpretationsschlüssel wenn nicht des Textes im ganzen, dann wenigstens des paulinischen Anliegens werden. Existentialistische Deutung bezog dabei die radikalste Position, indem sie das Motiv des Verhängnisses der vorpaulinischen Tradition zuschob, die angeblich vom Interesse des Apostels an der konkreten Entscheidung und Verantwortung des Menschen durchbrochen wird (initiiert durch Bultmann, ThWb III, 15; Theol. 251 ff.; aufgegriffen durch Bornkamm, RGG³ V, 181; Anakoluthe 84; Fuchs, Freiheit 18 ff.; äußerste Zuspitzung bei Brandenburger, Adam, etwa 229 ff.; dagegen Jüngel, Gesetz 43 ff. 57 ff.). Wenn Pls auch keine Vorlage hat (gegen Fuchs a.a.O.), so steht er fraglos in fester jüdischer Tradition, die sich Sir 25,24; 4.Esra 3,7. 21 f. 26; Sap 1,13; 2,23; Apk. Bar 23,4 äußert und die gleiche Ambivalenz von Verhängnis und Schuld am deutlichsten in Apk. Bar 54,15 f. bezeugt: „Denn wenn Adam zuerst gesündigt und über alle den vorzeitigen Tod gebracht hat, so hat doch auch jeder von denen, die von ihm abstammen, jeder einzelne sich selbst die zukünftige Pein zugezogen. Adam ist also einzig und allein für sich selbst die Veranlassung; wir alle aber sind ein jeder für sich selbst zum Adam geworden." Offensichtlich liegt der Nachdruck hier auf der persönlichen Verantwortung, und Schabb 55a formuliert deshalb (vgl. Billerbeck) grundsätzlich: „Kein Tod ohne Sünde und keine Züchtigung ohne Schuld." Der später immer stärker sich durchsetzende Gedanke an ein Todesverhängnis (Scroggs, Adam 36), der nicht klar den eines Sündenverhängnisses impliziert, scheint zunächst von jüdischen Häretikern vertreten zu sein. Er wird deshalb in 4.Esra und Apk. Bar noch scharf bekämpft (vgl. die grundlegende Analyse von Harnisch, Verhängnis) und setzt sich im Rabbinat erst allmählich stärker durch (Brandenburger, Adam 49 ff.; 64 f.; noch unkritisch Murmelstein, Adam 253 ff.). Pls hat diese letzte Ansicht radikalisiert, indem er nun auch die Macht der Sünde sich im konkreten Sündigen aktualisieren läßt (Brandenburger, Adam 183 ff.). Auf der andern Seite ist zu beachten, daß er in 2,12 ein Sündigen außerhalb des Gesetzes ausdrücklich hervorhob und in 4,15 ebenso betont zwischen Sünde und Übertretung unterschied (Brandenburger 202 f.). Genau das geschieht auch hier und führt zum ersten Exkurs in 13 f. In 12d liegt keine Einschränkung oder Korrektur von 12a—c vor. Sonst könnten 13—14 mit dem sowohl begründenden wie weiterführenden γάρ am Anfang die Macht der Sünde nicht den Raum der Gesetzesübertretung übergreifen lassen (Murray; Cambier, L'Évangile 250 ff.; Lyonnet, Universalité 104 ff.), was die existentialistische Interpretation in die größte Verlegenheit bringt. In 12 wird dasselbe undurchdringliche Geflecht von Verhängnis und Schuld wie in 1,18 ff. festgestellt (anders Bultmann, Theol. 250 f.). In 12d geht es eben nicht primär oder sogar ausschließlich um den Übergang von einer kosmischen Betrachtungsweise in eine individuelle, aus dem Bereich mythischer Fluchmacht in den verantwortlicher Entscheidung. Dann wären die nächsten Verse allerdings unbegreiflich und wird der Tenor des ganzen Abschnitts verfehlt. Die nicht zu leugnende Individualisierung in 12d vertieft die Aussage über die Weite des Unheils, wie später die Reflexion über den einzelnen Glaubenden die existentielle Tiefe des universalen Heilsgeschehens anzeigt. Das paulinische Anliegen verbindet, was uns als logischer Widerspruch erscheint und im Judentum tatsächlich gegensätzlich aufeinanderprallt: Niemand beginnt seine eigene Geschichte, und niemand kann entlastet werden. Jeder bestätigt mit seinem eigenen Verhalten, daß er sich stets in einer von Sünde und Tod gezeichneten Welt vorfindet und ihrem lastenden Fluch unterliegt (Lafont, Interprétation 500). Die Alternative zwischen freiem Willen und Naturverhältnis ist dem Apostel fremd. Er orientiert sich nicht an Prinzipien, sondern wie in 1,20 ff. an Erfahrung, betrachtet den Menschen nicht als isolierbares Wesen, sondern als Manifestation der von ihm vertretenen Welt. Sünde ist für ihn Vergehen gegen die Gottheit Gottes, also das 1. Gebot. Darum haben sie und der aus ihr folgende Tod den Charakter universaler Mächte, denen niemand entrinnt und jeder auf seine Weise unterworfen ist, leidend und handelnd.

Stellt 13a in Aufnahme von 1,21 f. fest, daß die Macht der Sünde bereits vor dem Gesetz in der Welt herrschte, so modifiziert 13b die Aussage von 4,15, Übertretung sei dagegen erst durch das Gesetz möglich geworden. Vorhandene Sünde ist bis zu diesem Termin nicht angerechnet worden. Ob damit ein jüdischer Rechtssatz zitiert (Zahn; Friedrich, Röm. 5,13, S. 526 f.) oder wenigstens eine feste juridische Tradition erwähnt wird (dagegen Brandenburger, Adam 195), ist problematisch, während sich durchaus vermuten läßt, Pls benutze hier das jüdische Motiv vom Anschreiben der Verdienste oder Schulden in himmlischen Büchern (Friedrich, ebd. 525 ff.; Michel; Brandenburger, Adam 197 ff.). Das Verb ist dann drastisch wie in Phlm 18 durch „ankreiden" zu übersetzen. Was ist aber der Sinn dieses Arguments? Der Kontext erlaubt wohl nur die Antwort, unter dem Gesetz habe man ein Gerichtsverfahren am jüngsten Tage zu erwarten. Vor dessen Erlass sei jedoch die Strafe über begangene Schuld in jener durch 1,24 ff. beschriebenen Weise des Tat-Folge-Zusammenhangs erfolgt, in welchem die Welt von Gottes Zorn an den allgemeinen Verfall „dahingegeben" wird. Dann wird der Übergang zu 14 begreiflich. Auch der noch nicht vom Gesetz bestimmte Kosmos stand bereits im Zeichen der Verflochtenheit allgemeiner Rebellion gegen Gott und erlitt infolgedessen die entsprechende Vergeltung in der Hingabe an das Todesschicksal. 12a—c werden also nicht korrigiert, sondern erneut aufgenommen, und 12d ist dahin interpretiert, daß auch die sündige Tat der Einzelnen Manifestation der allgemeinen Schuldverfallenheit und insofern Voraussetzung des kosmischen Todesverhängnisses war. So kehrt Pls mit ἀλλά = „dennoch" zu 12a—c zurück. Der Tod, dessen Macht durch das Verb besonders deutlich charakterisiert wird, regierte uneingeschränkt auch zwischen Adam und Mose. Er vollstreckte das Gericht sogar über jener Sünde, welche anders als diejenige Adams nicht als Übertretung des Gesetzes klassifiziert werden kann. Lassen die Altlateiner und Origines das μή vor dem Partizip aus, verderben sie die Pointe (Zahn; Lietzmann). Sie konnten sich Sünde nur als Wiederholung der Tat Adams, nämlich als Übertretung des Gebots, vorstellen. Das moderne Unverständnis unserer Stelle (vgl. Bultmann, Theol. 253 f.; Kümmel, Theol. 163) wurde so vorweggenommen. Es zeigt sich jedoch nun unübersehbar die Schwäche einer Interpretation, welche Sünde auf die persönliche Schuld verantwortlicher Existenz reduziert, eine in Wahrheit nicht vorhandene Barriere zwischen 12a—c und 12d entdeckt, zwischen der Tradition und der paulinischen Meinung unterscheidet und die Kosmologie des Apostels in der individuellen Anthropologie mit ihren personalen Relationen aufgehen läßt. Der Text weist genau in die entgegengesetzte Richtung. Pls spricht nicht primär von Tat und Strafe, sondern von herrschenden Mächten, welche alle Menschen auch einzeln verstricken und überall als Verhängnis die Wirklichkeit bestimmen (Cambier, L'Évangile 272; Ridderbos). Anthropologie ist hier Projektion der Kosmologie. Individuelle Existenz wird nicht thematisch reflektiert. Selbst Adam ist als Urmensch nicht austauschbares Exempel und repräsentiert, was zu 7,7 ff. entscheidend wichtig wird, als Übertreter des Gebotes die jüdische Gemeinschaft. Sofern man überhaupt von Existenz sprechen muß, bleibt ihre Bezogenheit auf die jeweils sie bestimmende Welt ihr konstitutives Merkmal, ist sie Konkretion einer Herrschaftssphäre im personalen Bereich. Weil endlich die Welt kein neutraler Raum, sondern das Feld miteinander ringender Mächte ist, wird der Mensch als Einzelner wie in seiner Gemeinschaft zum Objekt dieses Konkurrenzkampfes und zum Exponenten der ihn beherrschenden Macht. Seine grundlegende Definition ergibt sich aus der Kategorie der Zugehörigkeit. Er ist für sich selbst so wenig neutral wie der Ort, an dem er steht. Hat bereits die Schöpfung ihm einen Herrn gesetzt, wird er im Fall keineswegs autonom. Er verfällt, obgleich der Schöpfer seinen Anspruch auf ihn festhält, anderer Herrschaft, konkret also Sünde und Tod. Eine derartige Betrachtungsweise darf weder moralisch, indem man sie in den Horizont individueller Verantwortung, Schuld und Sühne zwängt, noch kausal rationalisiert werden, indem man die Schuld mit der Erbfolge zusammenbringt und den Tod zum Naturphänomen macht. Der Exkurs 13 f. wendet sich gegen diese Interpretation. In der Gewalt von Sünde und Tod befand man sich seit Adams Fall schon immer, also auch vor und außer jenem Gesetz, welches das eschatologische Gericht über unsern Werken proklamiert und uns mit unsern Übertretungen vor den Richter des jüngsten Tages ruft.

Der Sinn von ὁμοίωμα ist, wie zu 6,4 besonders reflektiert werden muß, in allen paulinischen Belegstellen umstritten, vielleicht sogar nicht mehr eindeutig zu klären. Fast allgemein hat sich die Annahme durchgesetzt, daß das Wort nicht abstrahierend im Sinn von „Gleichheit", „Ähnlichkeit" (dagegen immerhin so gewichtige Stimmen wie Bauer, Wb 1123 f.; Lietzmann; Michel, Brandenburger, Adam 191), sondern wie in LXX konkret in der Bedeutung Abbild oder Gestalt (Schneider, ThWb V, 191 ff. 195) gebraucht wird. Das meint man weithin noch verschärfen zu dürfen, indem man von Modell oder Urbild oder zumeist, offensichtlich etymologisch beeinflußt, Gleichgestalt spricht (Zahn; H. W. Schmidt; Gewiess, Abbild 342). Die Möglichkeit dazu ist grundsätzlich insofern gegeben, als ὁμοίωμα und εἰκών seit Plato synonym sein können (Schneider, ThWb V, 191 f.; Schwanz, Imago Dei 33 f.), der letzte Begriff jedoch für verschiedene Nüancen Spielraum läßt. Hier brauchen wir uns auf die Differenz der Deutungen noch nicht einzulassen, weil der Sinn der Aussage klar ist. Sachlich geht es zweifellos um Konformität und Übereinstimmung, so daß sogar die Übersetzung „Gleichgestalt" zutrifft, obgleich aus Vorsicht die neutrale Wiedergabe „Abbild" vielleicht vorzuziehen ist. ἐπί vor dem Substantiv wird in B, wohl um die Doppelung der Präposition in kürzestem Abstand zu vermeiden, durch ἐν ersetzt (Lietzmann). Es meint ungewöhnlich, vielleicht semitisierend, nicht den Grund (Gewiess, Abbild 342 f.), sondern die Norm (Zahn). Die ganze Wendung charakterisiert diejenigen, welche nicht wie Adam durch Übertretung des konkreten Gebotes zu Sündern wurden. In einem überschießenden Versteil bringt 14c die Pointe des bisher Gesagten, welche alsbald eine zweite Digression in 15—17 veranlaßt. Der Apostel hat von Adam und dem durch ihn verursachten Unheil gesprochen, um auf solcher Folie die Wirkung der Heilstat darstellen zu können. Wie verschieden Adam und Christus immer sein mögen, selbst wenn sie beide Anthropos genannt werden, so gibt es zwischen ihnen in aller Antithetik doch eine Entsprechung. Das eben wird durch das

Wort τύπος ausgedrückt. Ursprünglich war damit nicht die Ausprägung, sondern die Hohlform gemeint (H. Müller, Auslegung 87 ff.). Anders als in 1.K 10,6 kann hier nicht das Urbild oder Modell bezeichnet sein, weil es im Kontext auf den Kontrast ankommt. Behauptet man einen spezifisch paulinischen Wortgebrauch, ist das ohnehin problematisch. Spricht man aber von der Vorabbildung einer zukünftigen, überlegenen Figur (Goppelt, ThWb VIII, 252 f.; H. Müller, Qal 89 ff.), interpretiert man weniger den Begriff als den vorliegenden Gedankengang und verlegt das Gewicht auf die Steigerung in den folgenden Versen. Der Sinn „Gegenbild" (Nygren) paßt nicht schlecht, könnte vielleicht durch τυπικῶς in 1.K 10,11 bestätigt werden, ist aber sonst nicht belegt. Wichtig ist, daß in 1.K 10,6 das Verhältnis von Urzeit und Endzeit durch das Wort bestimmt wird. Die Deutung „Urbild" wird dem am meisten gerecht. Das Partizip ὁ μέλλων ist anders als ὁ ἐρχόμενος in Mt 11,3 kaum eine geheimnisvolle Messiasprädikation (gegen Nygren: Michel; H. W. Schmidt), geht auch nicht auf die zukünftige Glorie Christi (Lafont, Interprétation 502) und sicher nicht auf Mose (Robinson, Body 35; Scroggs, Adam 81). Der Anfänger und Repräsentant des neuen Äons tritt in apokalyptischer Betrachtungsweise dem des alten entgegen, für paulinische Typologie charakteristisch. Dabei wird nicht Kontinuität behauptet, wie die Parallele 1.K 15,47 f. vollends klarmacht. Sonst ließe sich tatsächlich das Verhältnis in dem Sinne umkehren, daß Christus (Barth, Christus 79; dagegen Bultmann, Adam 163 f.; Brandenburger, Adam 267 ff.) der wahre Adam wäre. Nur so gelangt man dann auch zur Betonung der Anthropologie als des eigentlichen Gegenstandes unseres Textes (Barth, ebd. 73. 86 f.; Robinson, Body 92. 100 ff.; Scroggs, Adam XXII). So gewiß Pls die neue Menschheit zum Ziel seiner Argumentation macht, so wenig darf man die Antithese zwischen den beiden Urmenschen von dem intendierten Ergebnis her relativieren. Erst von der Christologie führt der Weg zur Anthropologie und Ekklesiologie, die ihrerseits den Stand im Regnum Christi bezeichnen.

14c ist gleichsam die Überschrift der folgenden Digression in 15—17 (Bultmann, Adam 155; anders Scroggs, Adam 81) und in bestimmter, durch diese Verse präzisierter Hinsicht das Thema des ganzen Abschnitts. Entsprechen sich die beiden Urmenschen als Inauguratoren jeweils ihrer Welt, muß nun die Differenz zwischen ihnen herausgestellt werden. Dem dient das erst jetzt, also sekundär eingeführte Motiv der eschatologischen Überbietung in dem diakritischen und scheinbar „von aller Logik verlassenen" (Jülicher) πολλῷ μᾶλλον. Pls greift damit wie auch anderswo den rabbinischen Qal-Wachomer-Schluß auf (Billerbeck III, 223 ff.), der hier anders als in 5,9 f. jedoch nicht unmittelbar verständlich wird. Höchst unterschiedliche Deutungen beweisen das. Fehl am Platz ist jedenfalls Psychologie, welche Gott in seinem Liebeswillen stärker als in dem ihm fast abgenötigten Zorn beteiligt sein läßt (Kühl; ähnlich Zahn; Dodd; Schlatter). Daß das Gute „weiträumiger" als das Gericht sei (H. W. Schmidt), wird durch den Kontext widerlegt. Darf man überhaupt das Gute realer und vitaler als das Böse nennen (Dodd; vgl. Bultmann, Adam 156; Althaus)? Man beruft sich dafür auf Sifre Levi 5,17: „Adam war nur ein Gebot befohlen als Verbot, und er übertrat es. Siehe, wieviel Todesfälle sind als Strafe über ihn und seine Geschlechter und die Geschlechter seiner Geschlechter bis zum Ende seiner Geschlechter verhängt worden. Und wie? Welches Maß ist größer? Ist das Maß der göttlichen Güte größer oder das Maß der Strafen? Sprich: das Maß der Güte..." Pls geht es jedoch nicht darum, was im kommenden Gericht den Ausschlag gibt, und eine moralisierende Verallgemeinerung des Zitates ist nicht erlaubt. Ebensowenig überzeugend ist ein Rückgriff auf 13 f. und die daraus abgeleitete These, das Gesetz habe die Analogie zwischen Adam und Christus zerbrochen, das πολλῷ μᾶλλον sei deshalb nicht qualitative, sondern logische Steigerung (Dahl, Two Notes 43 ff.; ähnlich Schrenk, Studien 96). Für Pls gehört Mose auf die Seite Adams, und 13 f. differenzieren zwischen den Übertretern des Gesetzes und der übrigen Menschheit, zerbrechen die Analogie also nicht und begründen das „um wieviel mehr" keineswegs, das seinerseits wirklich eine unendlich qualitative Überlegenheit ausdrückt. Sicher trifft zu, daß es in dem Urteil und der Logik des Glaubens gesagt wird (Althaus), auch wenn man diesen nicht reichlich unvorsichtig „sicher fundiert" nennen sollte (Brandenburger, Adam 223 f.; H. Müller, Auslegung 80 f.). Die Aussage als solche wird jedoch damit wieder ins Psychologische verlegt. Schließlich ist die Pointe auch nicht mit der spekulativen Feststellung erfaßt, Gottes Tat stelle uns in die Passivität und überwinde die auf die Sünde gerichtete Aktivität des Menschen (Jüngel, Gesetz 62). Nicht Gott und Mensch, sondern Christus und Adam stehen sich gegenüber. Auf Verhängnis, nicht auf unsere Taten wird geblickt. All diese Deutungsversuche zeigen exemplarisch, wie sehr moderne Auslegung der Apokalyptik aus dem Wege geht. Denn in deren Horizont ist die Endzeit der durch den Fall bestimmten Urzeit unendlich überlegen, wie 11,12. 15 f. und 4.Esra 4,31 f. dartun: „Ermiß du selber: Wenn schon ein Körnchen bösen Samens solche Frucht der Sünde getragen hat, wenn einst Ähren des Guten gesät werden ohne Zahl, welch große Ernte werden die geben." Man darf nicht den Schluß in 15 ff. derart betonen, daß darüber der Entsprechungsgedanke in der Typologie als unangemessen erscheint (gegen Brandenburger, Adam 276 ff.; H. Müller, Auslegung 84 f.). Umgekehrt sollte man das Motiv der Steigerung und Überbietung für die Typologie nicht ausschlaggebend sein lassen. Hier dominiert die antithetische Entsprechung, nach welcher Adam und Christus beide Schicksalsträger für die Welt sind, aber nicht das gleiche Gewicht in ihrer Funktion haben. Der eschatologische Heilsträger bildet die einzige Alternative zum urzeitlichen Adam, sofern beide — und grundlegend nur sie! — die Welt im ganzen bestimmt haben. Wer Unheil endet, ist aber dem Bringer des Unheils unendlich überlegen, weil er Verhängnis zerbricht, um sein Regnum irdisch zu bauen.

In 15a bezeichnen παράπτωμα und χάρισμα, rhetorisch entgegengestellt (Barrett), schwerlich bloß konkrete Taten, obgleich schon 15 b auf ein Handeln blickt, auf das auch 16b; 17a; 18a und das δι' ἑνὸς ἁμαρτήσαντος in 16a verweisen. χάρις τοῦ θεοῦ meint die Macht, deren Ergebnis durch ἡ δωρεὰ ἐν χάριτι 15c, δώρημα 16a, δωρεά 17b angezeigt wird. Der Zusammenhang zwischen Handeln und Wirkung wird betont, weshalb mindestens zunächst die Substantive παράβασις und παρακοή vermieden werden und in 16 juridische Terminologie Platz greift. Objektivierende Redeweise charakterisiert erneut schicksalsetzendes Geschehen (Michaelis, ThWb VI, 171 f.). 15b nimmt so 12a—c auf und leitet völlig unanschaulich den allgemeinen Tod aus Adams Fall ab. Über die Welt wird nicht durch Verantwortung und Vergehen Einzelner entschieden, als deren Repräsentant Adam gilt. Vielmehr wird er unablässig den Vielen gegenübergestellt, in seiner Einzigartigkeit als Anthropos nur dem Christus vergleichbar und selbst von seinen Nachfolgern so zu unterscheiden, wie das bei Christus im Verhältnis zu den Glaubenden ebenfalls zu behaupten ist. Um solche Einzigartigkeit geht es, wenn beide dauernd durch εἷς herausgehoben werden, das also nicht aus der semitischen Verbindung εἷς — εἷς „der eine — der andere" zu verstehen ist (richtig Cullmann, Christologie 175 gegen Héring, Royaume 155 ff.). Pls ist dieses Motiv so wichtig, daß er anders als in 1.K 15,21. 45 ff. mit der auf beide bezogenen Wendung δι' ἑνὸς ἀνθρώπου den Kontrast der Urmenschen geradezu verschleiert, was übrigens nur bei Aufnahme einer mythologischen Tradition möglich ist. Er unterstreicht noch, indem er Adam wie Christus das Gefolge der „Vielen" entgegenstellt. Diese auf Dt 12,3 verweisende, nachdrücklich in Jes 53 gebrauchte Wendung meint inklusiv zunächst die Menge, dann das Volk in seiner Gesamtheit (Billerbeck; Jeremias, ThWb VI, 536 ff.) und wird hier, wie aus der Parallele mit οἱ πάντες in 18 hervorgeht, universal ausgeweitet. Daß damit auf dem Gottesknecht angespielt würde und von dem Einen deshalb bald mit, bald ohne Artikel die Rede ist (Jeremias, ThWb VI, 543 ff.; dagegen Brandenburger, Adam 235), wurde bereits abgelehnt. Die Antithese sowohl Adams wie Christi zu den Vielen schließt eine solche Annahme sogar stringent aus. Obgleich die westliche Lesart ἁμαρτήματος in 16a das δι' ἑνός offensichtlich neutrisch versteht, spricht der Kontext und zumal der Schluß von 17 dafür, dieses sich stereotyp wiederholende δι' ἑνός durchgängig maskulin zu fassen (Schlatter; Michel; Cambier, L'Évangile 257 gegen Kuss; Barrett; Ridderbos; für 18 auch H. W. Schmidt).

Unverkennbare Rhetorik veranschaulicht die Übermacht der Gnade, wenn χάρισμα in 15a durch das Hendiadyoin χάρις καὶ ἡ δωρεὰ ἐν χάριτι aufgenommen und das ἐπερίσσευσεν dadurch illustriert wird. Die Präpositionalverbindung ersetzt semitisch den Genetiv. Der Charakter des unverdienten Geschenkes, den auch δώρημα in 16a betont, tritt scharf heraus. Unbegründet ist, δωρεά juridisch als „Ehrengabe, Legat" zu deuten (Büchsel, ThWb II, 169). Auch hier meint Gnade nicht die Gesinnung (gegen Kuss; Murray; Baulès), sondern die Macht, welche sich in der Gabe als ihrer Wirkung konkretisiert. Von da aus legt sich die Übersetzung von χάρισμα 15a durch „Gnadenwerk" nahe. Die Wiederholung der Einleitung von 15a in 16a beweist, daß 16 den vorhergehenden Vers nicht fortsetzt, sondern verschärft. Das ἐκ nennt den Bereich, nicht (Brandenburger, Adam 224 f.) den Grund. Die jetzt hervortretende juridische Terminologie macht nicht deutlich, daß 16 auf 13b und 17 auf 14 zurückblickt, also durch Erinnerung an das Gesetz veranlaßt würden (gegen Jüngel, Gesetz 64). Vielmehr wird durch sie sichtbar, daß der Apostel den Menschen nicht tragisch, sondern als Verbrecher sieht, selbst wenn er vom fortwirkenden Fluch der Schuld spricht. 1,24 ff. meldet sich erneut. Vom Gericht über der Sünde des Protoplasten kommt es zur Verdammnis der von ihm abhängigen Welt im vorweggenommenen eschatologischen Gotteszorn. Die Steigerung von κρίμα zu κατάκριμα entspricht also dem διὸ παρέδωκεν. Nicht ahnungslose oder unter Umständen sogar wie in der antiken Tragödie sittlich motivierte Eingriffe in eherne Gesetze wirken unlösliche Verstrickungen. Die Rebellion gegen das 1. Gebot läßt sich nicht individuell eingrenzen. Sie hat fortzeugende Kraft und schafft ein wie durch Krankheit verseuchtes Feld. Umgekehrt kann sich der Mensch nicht entschuldigen, er habe nicht anders gekonnt. Auch die heroische Pose wird ihm versagt. Denn wir bestätigen mit unserm Leben, daß uns eine Welt des Aufruhrs umgibt. Der Kreislauf von Sünde und Verhängnis ist nicht von der individuellen Existenz her rationalisierbar. Alles ist Frucht, und alles ist Samen. Pls bietet keine Ätiologie und beginnt deshalb sofort mit dem Gericht über Adam. Ihm geht es um die Wirklichkeit der vorhandenen Welt, in welcher persönliche Verantwortung nicht eliminiert, aber auch nicht isoliert werden kann. Wir sind nicht Träger der

Geschichte wie Figuren einer Tragödie. Gerade auch in unserm Tun sind wir Exponenten einer Macht, welche den Kosmos in ein Chaos wandelt. Vorgegeben ist uns stets der unbekannte Richter, welcher Rebellen gegen sich mit ihren eigenen Intentionen und Waffen schlägt und uns die Exekution seines Rechtsspruches an uns selbst vollstrecken läßt. Jede moralische und idealistische Sicht auf eine im Grunde heile Welt wird hier durch einen apokalyptischen Alptraum abgelöst. Die nach 3,23 verlorene Ebenbildlichkeit ging nicht bloß privat, sondern universal abhanden. Auf solchem Hintergrund nur wird klar, was Übermacht der Gnade wirklich besagt. 16c bezieht sich ausdrücklich auf den Bereich des weltweiten Verfalls in der Übertretung des göttlichen Rechtes, der die Gegenwart bestimmt. In diesen Raum ist die Gnadenmacht eingebrochen, um neue Schöpfung zu bewirken. Das Substantiv χάρισμα kann nicht wie zumeist die Individuation der Gnade, sondern wie in 6,23 nur das geschehene und grundlegende Gnadenwerk bezeichnen. Es findet sein Ergebnis im δικαίωμα, wobei zweifellos eine rhetorische Anpassung an die anderen Substantive mit der gleichen Endung vorliegt. Die Ausleger übersetzen deshalb zumeist „Rechtfertigung" (W. Bauer, Wb 392 f.; Schrenk, ThWb II, 226; Lietzmann; Schlatter; Barrett; Ridderbos). Doch geht es um die Wirkung des Charisma (Bultmann, Adam 157) und sicher nicht wie in 1,32; 2,26; 8,4 um die Rechtsforderung (gegen Kühl) oder die göttliche Rechtsordnung. Umgekehrt greift es zu weit, wenn man von der „Dimension" der Christustat redet (Nygren). Gemeint ist die objektive Realität der erfolgten Rechtfertigung. Der Satz hat große Bedeutung für die gesamte paulinische Theologie. Was der Apostel sonst Charismata nennt, sind sämtlich Ausstrahlungen und Manifestationen der Gnadenmacht, welche mit Christus auf den Plan getreten ist. Sie sind nach dem Zusammenhang jedoch zugleich Zeugnisse geschehener Rechtfertigung und verlieren ihren Charakter, wenn sie statt dessen etwa als geistverliehene Privilegien verstanden werden. Drittens schlagen sie die Brücke von der Rechtfertigung zu dem, was gewöhnlich Heiligung heißt, und zwar so, daß diese dem Rechtfertigungsgeschehen integriert wird.

Erst im dritten Anlauf von 17 gelangt Pls zum Ziel seiner Argumentation. Im Vordersatz wird auf 12; 14; 15 zurückgegriffen, im Nachsatz das πολλῷ μᾶλλον nochmals als zentrales Motiv herausgestellt und in seiner eschatologischen Unbegreiflichkeit (Barth, Christus 83) charakterisiert. Das γάρ begründet also (gegen Jüngel, Gesetz 64) nicht bloß 16b, sondern resümiert. So wird die Überleitung aus den beiden Digressionen zu der Wiederaufnahme des Anakoluthes von 12 in 18 ermöglicht. Auch hier entfalten die Genetivkonstruktionen rhetorisch die περισσεία der Gnade. Sie münden mit der Präpositionalwendung in einer äußersten Klimax. Das διὰ τοῦ ἑνός in 17a erscheint nach dem einleitenden τῷ τοῦ ἑνὸς παραπτώματι überflüssig. Es unterstreicht jedoch in der Parallelität zu διὰ τοῦ ἑνὸς Ἰησοῦ Χριστοῦ am Schluß nochmals die antithetische Entsprechung der beiden Schicksalsträger und damit die Adam-Christus-Typologie als Hauptanliegen des Abschnittes. Nur so kann die für Pls entscheidende theologische Summe gezogen werden. Spätere Abschreiber haben, um die Wiederholung in 17a zu vermeiden, am Text herumgebessert (vgl. Lietzmann). Auch hier darf Gnade nicht um der Unterscheidung zu δωρεά willen als Güte verstanden werden (gegen Kuss). Sie ist erneut die sich in der Gabe konkretisierende Macht. Mit einem gen. epex. wird dabei die Gabe als Gerechtigkeit bestimmt, die das Werk des Christus schlechthin und darum das Merkmal der neuen Welt ist. So wird nicht nur 16c verdeutlicht, sondern zugleich der Zusammenhang mit 1—11 und dem Briefthema sichtbar. Aus dem Kontext ergibt sich zwingend, daß es sich um die justificatio impii handelt. Es geht nicht bloß um Änderung eines eingeschlagenen Weges oder die Tilgung ehemaliger Schuld, sondern um den Übergang aus einem Äon in den andern und insofern um Existenzwandel. 17c spitzt das noch zu, so daß auch das konkrete Ziel der bisherigen Argumentation genannt wird. Das Plus der Gnade besteht in dem Wechsel aus dem Bereich des Todes in denjenigen des Lebens als der Auferstehungsmacht (Schrenk, ThWb II, 228). Doch genügt das dem Apostel noch nicht. In gewollter Entsprechung zur Todesherrschaft in 14a. 17a wird wie in 1.K 15,25 die Teilhabe an der Basileia verheißen, und zwar als in der Rechtfertigung vorweggenommen. c. 6 wird zeigen, daß die Spannung zwischen dem präsentischen Partizip und dem futurischen Verb sinnvoll ist (Kuss). Allein Christus ist schon auferweckt. Sein Regnum stellt jedoch die Gottesherrschaft vor ihrem endgültigen Sieg dar und äußert sich gerade in der Rechtfertigung der Gottlosen als Bereich begonnener Neuschöpfung. So partizipieren wir darin bereits gegenwärtig am Leben der zukünftigen Welt. Mit λαμβάνοντες sind fraglos die Glaubenden gemeint. Sie treten an die Stelle der vorher genannten „Vielen". Das bedeutet keine Einschränkung, weil alsbald in 18 von „allen", in 19 erneut von den „Vielen" die Rede ist. Die Pointe liegt darin, daß der Mensch auch unter der Gnade und als Glaubender von dem abhängig bleibt, welcher betont feierlich mit διὰ τοῦ ἑνὸς Ἰησοῦ Χριστοῦ nochmals als Schicksalsträger Adam entgegengestellt wird. Es ist darum zweifelhaft, ob man (mit Bultmann, Adam 158 f.; Theol. 302) das Partizip von den Kategorien der Entscheidung und Wahl her verstehen und in Christus die Möglichkeit dazu eröffnet sehen darf (richtig Jüngel, Gesetz 65). Pls läßt das Regnum Christi dasjenige Adams ablösen. Die ontologische Struktur seiner Anthropologie bleibt wie im alten Äon durch Herrschaft bestimmt. Zur Analogie zwischen Adam und Christus kann es nur kommen, weil beide Herrschaft über Existenz und Welt begründen. Freilich gilt es zu sehen, daß mit solcher Feststellung die Analogie noch strukturell bleibt (Jüngel, ebd. 60). Die Differenz in der antithetischen Entsprechung, welche die unendliche Überlegenheit Christi und seines Reiches begründet, ergibt sich aus der Realität. Von da aus wird dann auch die Grenze des bisher gebrauchten Begriffs „Schicksalsträger" mindestens für Christus sichtbar. Ihr Recht liegt ebenfalls in der analogischen Struktur. Wir stehen nie so am Anfang, daß die Alternative zwischen Adam und Christus uns nicht bereits vorgegeben wäre, und zwar derart, daß die ganze Welt durch solche Alternative bestimmt und unsere Existenz zum Ort der konkreten Auseinandersetzung zwischen ihnen wird. Sofern wir dem Regnum Christi eingegliedert werden und in ihm verbleiben, verdanken wir das nicht uns selbst, sondern der von uns Besitz ergreifenden und uns haltenden Gnade als facultas standi extra se coram deo per Christum. Wie der seit Adam sich nach Zeit und Raum weltweit verbreitende Fluch uns schon immer vorgegeben ist, so nicht weniger der ebenfalls nach Zeit und Raum weltweit durch Christus gesetzte, in seinem Reich sich ausbreitende Segen. Wir konstituieren beides nicht, sondern sind Werkzeuge des einen oder andern, empfangen insofern daraus „Schicksal" für uns und unsere Welt. Doch zerstört Christus die Verfallenheit an die Adamswelt der Sünde und des Todes, indem er die Welt wieder vor ihren Schöpfer und uns in den Stand der Geschöpflichkeit stellt. Das muß, weil die Adamwelt weiterhin vorhanden ist und dem Augenschein nach sogar dominiert, immer neu glaubend akzeptiert werden. Empfangener Segen stigmatisiert zwar, stellt uns aber zugleich in Widerspruch und Anfechtung, vor die Notwendigkeit des Bleibens und in die Möglichkeit des Rückfalls. Er beendet nicht als unwiderrufliches Schicksal die Geschichte für Existenz und Welt, sondern gibt wirklicher Geschichte freien Raum, sofern er sie statt zum Platz des Verhängnisses und der Verfallenheit zum Ort der angefochtenen Freiheit des Glaubens und der unablässig in der Absage an den alten Äon zu ergreifenden Gnade macht.

18 zieht, charakteristisch durch ἄρα οὖν eingeleitet (Kühl) und durch 19 begründet, die Summe. In dem Zusammenhang dürfte δι' ἑνός auch hier nicht neutrisch gemeint sein (gegen H. W. Schmidt; Murray). Zum letzten Male kennzeichnet der Vordersatz wie in 12; 14; 15b; 16b; 17a mit dem 12c aufnehmenden πάντες das universale Verhängnis über der Welt Adams. Im Nachsatz entspricht dem die gleiche objektivierende, den ganzen Abschnitt beherrschende Redeweise, welche die ohne unser Zutun heraufgeführte Äonenwende anzeigt. Wie in 16c kann δικαίωμα in Antithese zu παράπτωμα nicht die Rechtsforderung oder deren Erfüllung in einer Rechtsordnung (Zahn; Kühl), aber auch nicht den Rechtfertigungsanspruch (Lietzmann; Kuss; H. Schmidt) oder das gerechte Verhalten Christi in seinem Gesamtleben (Schrenk, ThWb II, 225 f.; Leenhardt; Murray) sein. Dem Fall entspricht einzig die Tat (Brandenburger, Adam 233; Ridderbos). So wird in 19 von ὑπακοή, wahrscheinlich wie in Phil 2,8 das Kreuzesgeschehen anvisierend, gesprochen. Allerdings involviert die Tat eine Auswirkung. Wurde diese in 16c durch δικαίωμα beschrieben, wird sie jetzt in Aufnahme von 17b als δικαίωσις ζωῆς entfaltet. Der Genetiv dürfte qualitativ zu verstehen sein, also nicht (gegen Bornkamm, Anakoluthe 88; Brandenburger, Adam 233; Lafont, Interprétation 492; Cambier, L'Évangile 265; Murray; Ridderbos) die Richtung angeben. Dabei kommt zweierlei zum Vorschein. Ziel der Argumentation war die Rechtfertigungslehre (Bultmann, Adam 159; Jüngel, Gesetz 66 f.; Murray). Sie war es jedoch so, daß von ihr her die eschatologische περισσεία der Gnade dargetan werden sollte, welche die universale Geltung der Auferstehungsmacht Christi aus der Zukunft schon in die Gegenwart brechen läßt. Das ist der Fortschritt gegenüber 1—11. Allerdings stellt gerade dieser Skopus vor ein Problem. Wird hier nicht die Hoffnung auf die allgemeine Apokatastasis laut (vgl. Grundmann, Übermacht 53 f.; Oepke, ThWb I, 391), wenn man das πάντες in 18b und das inklusive οἱ πολλοί von 19b in der antithetischen Entsprechung zu den Vordersätzen ernst nimmt? So gewiß die Glaubenden gemeint sind, wird doch (gegen Zahn; Murray) nicht bloß von ihnen gesprochen, und nichts rechtfertigt die Annahme (Jülicher), daß sie für Pls am Ende allein übrigblieben. Behauptet man umgekehrt (Lietzmann) rhetorische Übertreibung, muß man doch deren Sinn klarstellen. Die Parallelen in 1.K 15,22, vielleicht noch gewichtiger in 11,32 sind nicht zu übersehen. Gemeinsam ist all diesen Stellen, daß nach ihnen allmächtige Gnade ohne eschatologischen Universalismus nicht denkbar ist (Schlatter; Barrett) und Kosmologie die Anthropologie als ihre Projektion in den Schatten rückt. Wie in 18 f. die antithetische Entsprechung von Urzeit und Endzeit unwiderleglich die vorliegende Typologie bestimmt (gegen Brandenburger, Adam 238 f.; 241 ff.), erscheint in der problematischen Ausdrucksweise, die wir kaum ohne Sachkritik hinnehmen können, Christus als prädestinierter Kosmokrator. Die Intention des Apostels ist es, die Universalität des Regnum Christi in der Antithese zur Adamswelt herauszustellen. Neue Schöpfung wird verkündigt, die auf jenes Ende hinweist, in welchem nach 1.K 15,28 Gott alles in allem sein wird.

19 wiederholt begründend und erläuternd die Aussage von 18. Zweifellos wird an

Gen 3 erinnert, wenn nun vom Ungehorsam statt von Übertretung die Rede ist und umgekehrt dem Ungehorsam des ersten der Gehorsam des zweiten Anthropos kontrastiert. Mag Pls beim letzten wie in der ihm vorgegebenen Tradition von Phil 2,8 f und entsprechend von Hebr 5,8 f vor allem ans Kreuz denken, so wird die Aussage jedenfalls nicht darauf beschränkt und erst recht nicht vom Sühnetod (Brandenburger, Adam 235; Cullmann, Christologie 175 f.) gesprochen. Es besteht also nicht der mindeste Anlaß, das Motiv vom leidenden Gottesknecht in unsern Text einzutragen. Hier ist allein die Antithese zu Adams Ungehorsam und damit nochmals die gegensätzliche Entsprechung von Urzeit und Endzeit wichtig. Ungehorsam gilt als das Wesen der Sünde schlechthin, die Offenbarung der nova oboedientia in Christus als das eschatologische Heil. So eben ist er nach Phil 2,9 ff.; 1.K 15,24 zum verborgenen Weltenherrn erhöht. Als die Gehorsamen partizipieren die Seinigen vorerst an der mit ihm gesetzten Freiheit von den Mächten, dereinst nach 17b unverhüllt an der Basileia. Noch deutlicher als vorher wird hier der Anbruch der neuen Schöpfung proklamiert. καθιστάναι τινά τι meint: „jemanden zu etwas machen", im Passiv: „etwas werden" (Bauer, Wb 771; Oepke, ThWb III, 447 ff.). Nach der Vergangenheitsform im Vordersatz wird wie in 17b das Verb im Nachsatz nicht im logischen (Sanday-Headlam; Zahn; Kühl; Lagrange; Althaus; Bultmann, Theol. 274 f.), sondern im eschatologischen Futur gebraucht (Lietzmann; Kuss; Ridderbos; Schrenk, ThWb II, 193. 222). Dann liegt hier eine Parallele zu Gal 5,5 vor, wo ebenfalls die Gerechtigkeit als Gabe der Vollendung erwartet wird. Natürlich besagt das nicht, daß plötzlich die Wirklichkeit der erfolgten Rechtfertigung bezweifelt oder eingeschränkt werden soll. Es wurde bereits dargetan, daß Gerechtigkeit und Herrlichkeit Gottes mit jeweils verschiedenem Aspekt Äquivalente sind. Wird hier im eschatologischen Futur gesprochen, so ist damit die dem Glauben gewährte Gottesgerechtigkeit als das Merkmal der Endzeit und der über den „Vielen" als der neuen Welt angebrochenen Gottesherrschaft gekennzeichnet. Der Gehorsam Christi, der den Ungehorsam des ersten Urmenschen aufhob und Geschichte gleichsam nochmals beginnen läßt, steht am Anfang des Reiches der Vollendung. Überraschend greift 20 auf die in 13 gestellte Frage zurück. Es gibt durchaus (gegen Kuss) einen Anlaß zu dieser Abschweifung. Doch besteht er (gegen Michel) nicht darin, daß der Kontext juridisch argumentierte und Heilsgeschichte jüdisch vom Gesetz her verstanden wurde. Sofern Pls sich hier tatsächlich gegen eine jüdische Betrachtungsweise wendet, konstatiert er keineswegs den inneren Zusammenhang zwischen einer ersten und einer zweiten Periode (gegen Bultmann, Adam 162), läßt er nicht (gegen Barth, Christus 105 f.) die Christologie beide übergreifen, erklärt er nicht (gegen Jüngel, Gesetz 67 ff.) das Gesetz zur Struktur der Welt. Diese Spekulationen werden durch παρεισῆλθεν zerschlagen, obgleich damit nicht der Sinn des unbemerkten und feindlichen Einschleichens von Gal 2,4 verbunden ist (richtig Zahn; Cambier, L'Évangile 267). Vielmehr tritt heraus, daß das Gesetz keine Anknüpfungsmöglichkeit für die Welt des Christus darstellt. Es wird nicht einmal (anders Jüngel, Gesetz 68) darüber reflektiert, daß es die Bereiche der Sünde und des Todes zum Ort der neuen Geschichte macht. Relativierend kennzeichnet das Verb ein Zwischenspiel (Althaus; v. Dülmen, Theologie 170; dagegen Gutjahr; Murray). Der Finalsatz spricht aus, daß das Gesetz keine Bedeutung für die Antithese von Adam und Christus, sondern Gewicht nur für die Welt Adams hat. Es radikalisiert Sünde, indem es sie durch Übertretung mehren ließ. Wie das geschah, wird nicht gesagt, und es ist müßig, hier darüber Auskunft geben zu wollen (gegen Luz,

Geschichtsverständnis 202), zumal 7,7 ff. das tun wird. Jetzt geht es einzig darum, daß es zwischen Adam und Christus und den von ihnen inaugurierten Welten keine dritte Möglichkeit, nämlich der Gesetzesfrömmigkeit, gibt (Barth, Christus 100). Für den Juden blasphemisch, sieht Pls im Gesetz keine legitime Antwort auf die Frage nach dem ewigen Leben (Michel). Es kennzeichnet nicht den Heilsweg, gehört vielmehr faktisch und nach seiner Wirkung auf die Seite von Sünde und Tod. Auch die sich ihm unterstellenden Frommen stehen im Regnum Adams, das sich bei ihnen sogar noch schärfer als sonst artikuliert. Dem entspricht erneut das eschatologische Plus der Gnade in dem hyperbolischen ὑπερπερισσεύειν, für das es eine Parallele in dem superabundare 4.Esra 4,50 gibt (Hauck, ThWb VI, 59). Nachdem die letzte Möglichkeit einer Überbrückung der Antithese abgewiesen ist, stellt 21 zugleich mit dem Bruch zwischen den beiden Äonen nochmals das πολλῷ μᾶλλον von 15 ff. heraus. Hatte ἵνα in 20 finalen Sinn, liegt jetzt konsekutiver näher, weil 21a und 21b parallel laufen. ἐν τῷ θανάτῳ ist kaum instrumental gemeint (gegen Lietzmann; Kuss; Barrett; Michel; Bornkamm, Anakoluthe 87; Brandenburger, Adam 254). Es bezeichnet den Bereich. In 21b steht das Verb im logischen Futur. Gnade, Gerechtigkeit, ewiges Leben sind nicht mehr zeitlich oder kausal zu trennen. In ihnen begegnet unter verschiedenem Aspekt der gleiche Sachverhalt der Basileia Christi. Die liturgisierende Gestaltung in den gehäuften Präpositionalwendungen und der christologischen Schlußformel markiert (Bornkamm, Anakoluthe 89) wie oft bei Pls das Ende der Argumentation.

II. 6,1—23: Freiheit von der Sündenmacht

Die Logik des Zusammenhangs verbietet, die Themen der Freiheit vom Tode, von der Sünde, vom Gesetz zu trennen. Es geht nicht darum, daß hier systematisierend gewaltsam und „linear" konstruiert wird (gegen Luz, Aufbau 164). In der Wirklichkeit der Rechtfertigung gehört das alles zusammen. Deshalb läßt sich auch nicht c. 5 zum vorigen Briefteil ziehen, so daß der neue Teil erst mit c. 6 beginnt (exemplarisch Kühl; Sanday-Headlam; Lagrange; Huby; Ridderbos). Schon gar nicht sind c. 6—7 ein Exkurs (Knox, Life 49). Immerhin markiert die Unsicherheit der Exegeten ein Problem, das nicht unbeachtet bleiben sollte. Die vorgelegte Gliederung scheint in eine Anzahl von Aporien zu führen, von denen wenigstens die wichtigen aufgezählt seien. Welcher Art ist das Verhältnis von c. 8 zu c. 5—7? Warum wird die Freiheit vom Gesetz in 7,1—6 kurz abgetan, das Thema als solches jedoch durch den dann folgenden langen Abschnitt gleichsam paralysiert? Was veranlaßt Pls, in c. 6 und c. 8 eine Paränese einzubauen, selbst wenn diese sich in ihre Grundsätzlichkeit von den Mahnungen in c. 12 ff. abhebt? Welche Bedeutung hat die Adam-Christus-Typologie für das Folgende, wenn man sie nicht als Exkurs betrachten will? Die Fragen werden nicht hinreichend beantwortet und miteinander verbunden, wenn man (Kuss) die nächsten Kapitel das paradoxe Verhältnis von Indikativ und Imperativ bei Pls behandeln läßt. Immerhin ist mit solcher Feststellung wenigstens indirekt eine Einsicht gewonnen, mit welcher die Aufschlüsselung der Probleme beginnen und die Relevanz von 5,12 ff. für das Folgende derart angedeutet werden kann, daß sich tatsächlich eine thematische Überordnung dieses Abschnittes ergibt. Von der Freiheit gegenüber dem Tode wurde so universell und deshalb so mythologischobjektivierend gesprochen, daß darüber die Einzelexistenz aus dem Blick zu geraten drohte. Ist in gewisser Hinsicht Christus Schicksalsträger für die Welt wie Adam, so meint das von ihm heraufgeführte Schicksal doch nicht wie bei Adam ein Verhängnis. In welchem Sinn läßt sich dann gleichwohl noch von Schicksal sprechen? Der Apostel steht vor der Aufgabe, die in c. 5 behauptete Verwirklichung des eschatologischen Lebens in aller Welt aus der Realität des Alltags, der Gemeinde und der Einzelexistenz heraus begreiflich zu machen. Er tut das, indem er sie als Freiheit von den Mächten der Sünde und des Gesetzes charakterisiert und dabei mit innerer Notwendigkeit Christen aufruft, die geschehene Äonenwende in ihrem persönlichen Leben festzuhalten. Weder die Vorgegebenheit des Christusgeschehens vor dem Glauben noch der kosmologische Horizont des Heils werden aufgegeben. Mit den neuen Themen wird beides jedoch deutlicher in den Bereich der Anthropologie projiziert und aus dem Vorhandensein der Gemeinde zugleich verifiziert. Die andern aufgeworfenen Fragen werden von dort aus Klärung erfahren.

1. 6,1—11: Der Sünde durch die Taufe gestorben

1 Was sollen wir nun sagen? Haben wir unter der Sündenmacht zu verbleiben, damit
2 die Gnade sich mehre? Unmöglich! Wie könnten wir, die wir der Sünde doch ge-
3 storben sind, noch in ihr leben wollen? Oder wißt ihr nicht, daß wir, die auf Chri-
4 stus Jesus getauft wurden, auf seinen Tod getauft worden sind? Mit ihm sind wir
durch die Todestaufe sogar begraben. Zweck war, daß wie Christus kraft der Herrlichkeit des Vaters von den Toten auferweckt wurde, so auch wir in Neuheit des
5 Lebens wandeln sollten. Denn wenn wir verbunden und gleichgestaltet worden sind
6 seinem Tode, werden wir es nicht weniger seiner Auferstehung sein. Das gilt es zu
erkennen: Unser alter Mensch wurde mitgekreuzigt, damit der Sündenleib ver-
7 nichtet würde. Deshalb können wir der Sündenmacht nicht länger dienen. Denn
8 der Gestorbene ist von der Sünde befreit. Sind wir also mit Christus gestorben,
9 glauben wir, daß wir auch mit ihm leben werden. Wissen wir doch, daß Christus,
von den Toten auferweckt, nicht mehr stirbt. Der Tod hat keine Macht über ihn
10 mehr. Sofern er nämlich starb, starb er der Sünde ein für alle Male, und sofern er
11 lebt, lebt er Gott. So zieht auch ihr die Konsequenz, selber gegenüber der Sünde tot
zu sein, lebendig aber für Gott in Christus Jesus.

Literatur: G. Wagner, Das religionsgeschichtliche Problem von Röm 6,1-11, 1962. E. Lohmeyer, Σὺν Χριστῷ, Deissmann-Festgabe, 1927, 218-257. J. Dupont, Σὺν Χριστῷ, L'union avec le Christ suivant saint Paul I: Avec le Christ dans la vie future, 1952. G. Otto, Die mit σύν verbundenen Formulierungen im paulinischen Schrifttum, Diss. Berlin, 1952. P. Bonnard, Mourir et vivre avec Jésus Christ selon saint Paul, RHPhR 36 (1956), 101-112. H. Braun, Das „Stirb und werde" in der Antike und im Neuen Testament, Ges. Stud. 136-158. O. Kuss, Exkurs „Mit Christus", Kommentar 319-381. E. Schweizer, Die Mystik des Sterbens und Auferstehens mit Christus bei Paulus, Beiträge zur Theologie, 183-203. O. Casel, Das christliche Kultmysterium, ³1948.. S. Stricker, Der Mysteriengedanke des hl. Paulus nach Röm 6,2-11, Liturgisches Leben I, 1934, 285-296. H. G. Marsh, The Origin and Significance of the New Testament Baptism, 1941. O. Cullmann, Die Tauflehre des Neuen Testaments, 1948. H. Schwarzmann, Zur Tauftheologie des Hl. Paulus in Röm 6, 1950. M. Barth, Die Taufe — ein Sakrament?, 1951. K. H. Schelkle, Taufe und Tod. Zur

Auslegung von Römer 6,1-11, Vom christlichen Mysterium (Casel-Gedächtnis), 1951, 9-21. G. Bornkamm, Taufe und neues Leben bei Paulus, Ende des Gesetzes I, 34-50. W. F. Flemington, The New Testament Doctrine of Baptism, 1953. R. Schnackenburg, Todes- und Lebensgemeinschaft mit Christus. Neue Studien zu Röm 6,1-11, Münch. ThZ 6 (1955), 32-53. H. Schlier, Die Taufe nach dem 6. Kapitel des Römerbriefes, Die Zeit der Kirche, 47-56. Ders., Zur kirchlichen Lehre von der Taufe, ebd. 107-129. G. Delling, Die Zueignung des Heils in der Taufe, 1961. Ders., Die Taufe im Neuen Testament, 1963. G. R. Beasley-Murray, Baptism in the New Testament, 1962. W. Warnach, Taufe und Christusgeschehen nach Römer 6, Archiv für Liturgiewissenschaft III,2, 1954, 284-366. Ders., Die Tauflehre des Römerbriefs in der neueren theologischen Diskussion, ebd. V, 1958, 274-322. O. Kuss, Zur paulinischen und nachpaulinischen Tauflehre im Neuen Testament, Auslegung I, 121-150. Ders., Zu Röm 6,5a, ebd. 151-161. H. Frankemölle, Das Taufverständnis des Paulus, 1970. E. Dinkler, Die Taufaussagen des Neuen Testaments, Zu K. Barths Lehre von der Taufe, hrsg. K. Viering, 1971, 60-153. W. Bieder, Die Verheißung der Taufe im Neuen Testament, 1966. L. Fazekaš, Taufe als Tod in Röm 6,3 ff., ThZ 22 (1966), 305-318. E. Stommel, ,Begraben mit Christus' (Römer 6,4) und der Taufritus, Röm. Quartalschr. f. chr. Altertumskunde und Kirchengeschichte 49 (1954), 1-20. Ders., Das Abbild seines Todes (Römer 6,5) und der Taufritus, ebd. 50 (1955), 1-21. F. Mussner, Zusammengewachsen durch die Ähnlichkeit mit seinem Tode, Trier. ThZ 63 (1954), 257-265. J. Gewiess, Das Abbild des Todes Christi (Röm 6,5), Hist. Jahrb. 77 (1958), 339-346. K. G. Kuhn, Rm 6,7, ZNW 30 (1931), 305-310. W. Diezinger, Unter Toten freigeworden, Nov. Test. 5 (1962), 268-298. R. Scroggs, Romans 6,7, NTSt 10 (1963), 104-108. C. Kearns, The Interpretation of Romans 6,7, St. Paul. Congr. I, 301 bis 307.

Von Anfang an hat sich religionsgeschichtliche Forschung außer an der Eschatologie an der Sakramentslehre des Pls entzündet. Die Frage nach dem Einfluß der hellenistischen Mysterienreligionen auf die Tauflehre des Apostels ist bis heute umstritten, ihre bejahende oder verneinende Beantwortung hat weitreichende theologische Konsequenzen selbst im katholischen Lager gehabt. Es empfiehlt sich deshalb, dieses Problem der Exegese vorwegzunehmen. Auch hier ist man aus einem Extrem ins andere gefallen. Anfängliche Überschätzung hat zunächst der Ernüchterung und heute wenigstens weithin absoluter Skepsis Platz gemacht. Die überaus gründliche und eindrucksvolle Studie von G. Wagner kommt zu dem Ergebnis, die herangezogenen Mysterienkulte verdienten entweder nicht ihren Namen oder deckten sich in ihren tragenden Anschauungen nicht mit der paulinischen Tradition vom Sterben und Auferstehen mit dem Erlöser, seien also für das Verständnis unseres Textes belanglos. Allerdings bleibt er eine eigene Erklärung schuldig und schließt mit methodischer Sorgfalt alle Fragen aus, welche zu einem differenzierenden Urteil führen könnten. Hat der Apostel, wie zu zeigen sein wird, hier Überlieferung der Gemeinde korrigiert, muß er auf ein in der hellenistischen Gemeinde umlaufendes Verständnis zurückgreifen, weil aus dem Judentum der Gedanke des Sterbens und Auferstehens mit dem Erlöser noch weniger zu erklären ist. Daß mindestens der durch Apulejus, Metam. XI, 11 ff. 23 f. geschilderten Isisweihe nicht gebührend Rechnung getragen wird, ist offensichtlich (Gäumann, Ethik 41 ff.; Wengst, Formeln 34 f. gegen Wagner 113 ff.; vgl. schon Lietzmann). Wird eine allgemeine hellenistische Mysterienfrömmigkeit als vages Postulat abgetan, sind nicht einmal Philo oder Hermetica I und XIII in den Blick gekommen und bleibt unbegreiflich, inwiefern die Alte Kirche in den Mysterien teuflische Verzerrung ihres Kultes sah (vgl. die ausgewogenen Überlegungen bei Kuss 322. 344 ff. 369 ff.; Friedrich, RGG³ V, 1141). Weder Fisch noch Fleisch ist es für Historiker und Exegeten, wenn man (Larsson, Vorbild 22 f.) Ähnlichkeiten in Struktur und Motiven anerkennt, direkte Zusammenhänge jedoch leugnet. Unser Text läßt sich nicht isolieren. In seinem Hintergrund sind die Gruppen von Korinth und anderswo, welche zukünftige Auferweckung für überflüssig halten, weil sie sich bereits durch die Taufe in den engelgleichen Zustand versetzt wähnen. Wohl liturgisch geprägte Tradition in Kol 2,11 ff.; Eph 2,4 ff.; 5,14 erlaubt zweifellos zu konstatieren, daß mindestens in diesen Kreisen die Taufe als christliches Kultmysterium begangen wurde. Solange man nicht die Probleme eines derartigen Befundes sieht und erklärt, verfehlt man den Ausgangspunkt jeder möglichen Untersuchung des Details.

Für diesen Zusammenhang ist die Frage nach Herkunft und Sinn der Formel „mit Christus" entscheidend, die Pls auf vielfältige Weise variiert. In 1.Th 4,14; 2.K 4,14 allein auf die Auferweckung, in Gal 2,19 wie in unserm Text von der Taufe her auf die Kreuzigung mit Christus bezogen, erhält die Wendung ihre für den Apostel charakteristische Zuspitzung in den Antithesen, welche in 2.K 4,10 Partizipation am Sterben Jesu in der Gegenwart mit der an seinem Leben in der Zukunft, in R 8,17 das Leiden und das Verherrlichtwerden mit Christus verbinden. Besonders interessant ist 2.K 13,4b, weil dort dasselbe antithetisch formulierte Motiv im ersten Gliede das σὺν αὐτῷ des zweiten durch ἐν αὐτῷ ersetzt. Offensichtlich will Pls auf diese Weise den Stand irdischer Anfechtung als vom erhöhten Herrn überwunden charakterisieren. Doch wird das ebenfalls in den soeben genannten Stellen vorausgesetzt. Der Wechsel der Präpositionen zeigt, daß der Apostel nicht auf die Formel σὺν Χριστῷ angewiesen war, wenn er christliches Leiden und Sterben in Dienst und Gefolgschaft Jesu beschreiben wollte. Die Wendung „in Christus", die unvergleichlich häufiger bei ihm begegnet, reichte dafür völlig aus. Nicht anders steht es, wo es um die Lebensgemeinschaft mit dem erhöhten Herrn und die zukünftige Verherrlichung der Christen geht. 5,10; 14,8 f.: 2. K 5,15 sprechen einfach von bleibender Zugehörigkeit, die nach andern Stellen durch den Geist als Macht der Auferweckung verbürgt wird. Dieser Befund macht es höchst unwahrscheinlich, daß Pls selber die Formel „mit Christus" gebildet hat (gegen Lohmeyer, Aufsatz 257; Grundmann, ThWb VII, 767. 780 f.; Prat, Théologie II, 20 ff.; Kuss 328. 378; Schnackenburg, Heilsgeschehen 172 f.). Das gilt um so mehr, als die Formel offensichtlich mit der nach 8,29; Phil 3,21 wohl aus liturgischer Tradition stammenden, auch in Phil 3,10 aufgenommenen Anschauung vom Gleichgestaltetwerden mit Christus als Gottes Ebenbild zusammengehört und in der letzten Stelle wie in 1.Thess 4,14 ff. mit der überlieferten Anschauung der apokalyptischen ἀπάντησις verbunden wird. Hier werden dem Apostel vorgegebene, von ihm benutzte und abgewandelte Traditionskomplexe sichtbar, deren Vorgeschichte freilich noch der Aufhellung bedarf. Geht man von 1.Th 4,14—17 aus, legt sich die Vermutung nahe, daß die ursprünglich apokalyptische Anschauung, die Christen würden mit ihrem Herrn in die ewige Vollendung mit ihm entrückt, das Ausgangsstadium bildete und enthusiastischen Spekulationen gegenüber auf das irdische Sein mit Christus ausgeweitet wurde (so A. Schweitzer, Mystik 184 ff. 192 ff.; ausgeführt durch Lohmeyer, a.a.O. 219 ff.; E. Schweizer, Mystik 184 ff.; Thyen, Studien 209 f.; Kuss; Grundmann, ThWb VII, 780; Kritik an Lohmeyer bei Schnackenburg, Heilsgeschehen 170 f.; Bieder, Verheißung 199 ff.). Es wird richtig sein, daß Pls in dem ewigen Sein der Vollendung das irdische „mit Christus" gipfeln ließ, wie es besonders aus Phil 1,23 sich ergibt. Doch ist damit nicht über den Ursprung der Formel entschieden. Phil 1,23 ist gerade nicht apokalyptisch. Kennzeichnenderweise nimmt kein Substantiv die verbalen Aussagen auf, die an den entscheidenden Stellen auch nicht von einem Sein, sondern von einem Geschehen

sprechen, das antithetisch zwei Stufen einander folgen läßt. Während sich solche antithetische Stufenfolge aus einer Antizipation des künftigen himmlischen Zustandes nicht
erklären läßt, kennen wir sie aus den Christushymnen. Man wird deshalb gut tun, auf
eine einheitliche Wurzel des gesamten Komplexes zu verzichten. Zwei voneinander unab-
hängige Vorstellungen verknüpfen sich hier. Die eine beschreibt die Vollendung in der
Parusie oder nach dem Tode als Sein „bei dem Herrn". Die andere überträgt die Etappen
des Christusweges auf die Gläubigen als Nachfolger ihres Herrn (Otto, Formulierungen 86; Schnackenburg, Heilsgeschehen 173 f.; Bonnard, Mourir 101 ff.). Diese letzte hat
ihren Sitz zweifellos in Anschauungen über die Taufe, die als Initiationsritus Anteil am
Christusschicksal gibt (Schnackenburg, Heilsgeschehen 171 ff.; Dupont, L'Union 112. 181
bis 191; Prat, Théol. II, 21 f.). Die liturgischen Texte Kol 2,11 ff.; Eph 2,4 ff.; 5,14
beweisen, daß dabei ursprünglich die Taufe selber als Verwandlung in die Auferstehungs-
welt aus dem Sündenschlaf oder als Partizipation an Tod und Auferweckung Christi,
nach 8,29 an dessen Herrlichkeit verstanden wurde, wie es auch die korinthischen Schwärmer vertreten. Eine gegen solchen Enthusiasmus sich wendende Christenheit, der Pls sich
anschließt, hat demgegenüber die Taufe als Teilhabe am Sterben Christi und als Unterpfand für künftige Verherrlichung betrachtet, und der Apostel scheint diese Spannung
noch vertieft zu haben, indem er das Motiv des Mitgekreuzigtwerdens in die Taufaussagen eintrug und das Leiden in der Nachfolge zum Merkmal des irdischen Christenstandes machte (A. Schweitzer, Mystik 194).

Aus solcher Rekonstruktion ergeben sich folgende Feststellungen: In der vorpaulinischen Gemeinde außerhalb Palästinas ist die Taufe tatsächlich als Mysteriengeschehen betrachtet worden, das in das Schicksal des Kultgottes Christus einbezog. Dieser gilt dabei
als himmlische Eikon, die den Erlösungsweg voraufging und der die Gläubigen
gleichgestaltet werden müssen. Man darf das nicht modern (gegen Larson, Vorbild
25 und passim) auf das Schema des Vorbildes oder des Musters reduzieren. Anders wird
sowohl die Verbindung zum Motiv des eschatologischen Urmenschen in 5,12 ff. und damit zugleich zwischen den beiden Kapiteln wie das Verständnis der Taufe als Inkor-
poration in den Christusleib nicht berücksichtigt. Noch abwegiger ist die Interpretation
unter dem Stichwort „Gleichzeitigkeit" von Christen und Christus (Hahn, Mitsterben
90 ff.). Beide Male wird verkannt, daß die nicht konstitutiv zur paulinischen Theologie
gehörige, sich darum mit der Formel „in Christus" überschneidende Tradition des „mit
Christus" vom Apostel benutzt wird, um die Anschauung von Christus als Schicksalsträger zu präzisieren. Die von ihm heraufgeführte neue Welt ergreift in der Taufe derart Besitz auch vom Leben des einzelnen Christen, daß der irdische Weg des erhöhten
Herrn darin nachzuvollziehen ist und Christus so zum Schicksal unserer Existenz wird.
Die Taufe ist Projektion der Äonenwende in unser persönliches Dasein hinein, das seinerseits zum ständigen reditus ad baptismum wird, sofern hier das Sterben mit Christus das
Leben mit ihm begründet und die Dialektik von beidem die Signatur des Seins „in Christus" ausmacht.

Die Gliederung des Kapitels wird für die meisten Ausleger durch die parallelen Fragen
im Diatribenstil 1 und 15 bestimmt. Doch summiert 11 mit feierlicher Wendung einen
ersten Gedankengang (K. Barth; Lagrange; Kuss; Bornkamm, Taufe 44; Schnackenburg,
Heilsgeschehen 27), nach welchem die Christen in einer nur vom Sterben bewirkten Endgültigkeit der Sünde entnommen sind. Das ist eine durchaus dogmatische Aussage, der

die Kennzeichnung als „ethisch-paränetisch" (Kühl; Schnackenburg, Heilsgeschehen 27) nicht gerecht wird. Denn auch hier wird Sünde als Macht verstanden, nicht bloß als Verfehlung. Die Feststellung 5,20 b ist im Bereich Christi, wie die entrüstete Verneinung der Frage in 1 dartut, unumkehrbar. Das Problem möglicher Rückfälle in den vorchristlichen Stand kommt zwar durch die rhetorische Einkleidung von Einleitung und Schluß in den Blick, wird aber nicht grundsätzlich erörtert, wie es in einer systematischen Ausführung über das Verhältnis des Christen zur Sünde geschehen müßte. Pls verkündigt vielmehr die mit der Äonenwende und der Taufe als deren Projektion im Einzelleben geschenkte Freiheit von der Sündenmacht. 12—14 bilden das Thema des zweiten, in 15—23 breit entfalteten Abschnittes. In ihm, der nicht grundlos von Imperativen beherrscht wird, geht es um die Konsequenz solcher Botschaft in ihrer praktischen Bewährung. Dabei tritt aufs deutlichste zutage, daß die in den vorigen Kapiteln vorwiegend als Gabe beschriebene Gottesgerechtigkeit die eschatologische Manifestation ihres Gebers ist und deshalb ebenfalls wie die Sünde den Charakter einer Existenz bestimmenden Macht hat. Als solche befähigt sie dazu, den in der Taufe vollzogenen Bruch mit der Welt Adams festzuhalten und im neuen Gehorsam die Herrschaft des gehorsamen Menschen von 5,19 als irdische Wirklichkeit zu bekunden. Es kann also keine Rede davon sein, daß Pls mit c. 6—8 das Thema des Briefes verließe. Es wird (gegen Luz, Aufbau 181) streng festgehalten, wenngleich in der durch einen andern Blickwinkel verursachten Variation.

Der erste Abschnitt bringt ferner keine explizite Tauflehre des Apostels (richtig Thyen, Studien 194 ff. gegen die vielfach, z. B. durch Warnach, Tauflehre 279 vertretene Tendenz), so sehr er als locus classicus dafür gilt und Pls sich nirgends ausführlicher zu diesem Komplex äußert. Wichtige Theologoumena der urchristlichen und paulinischen Anschauung von der Taufe wie die Geistverleihung als konstitutives Merkmal und die sakramentale Eingliederung in den Christusleib fehlen (Mussner, Zusammengewachsen 260; Hegermann, Schöpfungsmittler 143 f.). Die verbreitete Meinung, die Idee der corporate personality bestimme auch unsern Text (Dodd; Nygren; Beasley-Murray, Baptism 128 ff.; Grundmann, ThWb VII, 789; Thyen 200), kann sich allenfalls auf 3 berufen, übersieht jedoch das auffällige Zurücktreten dieses Motivs im übrigen. Wir erfahren nichts über die doch wohl schon damals notwendige Vorbereitung der Taufbewerber und so gut wie nichts über den Ritus als solchen (gegen Dodd; Nygren; Sickenberger; Flemington, Doctrine 59; Schwarzmann, Tauftheologie 40; Warnach, Taufe 299; Tauflehre 295 ff. 326 f.; richtig Ridderbos; Gäumann, Ethik 74. 108; E. Schweizer, Mystik 192; Marsh, Origin 141; Stommel, Abbild 3 f.; Braun, Stirb 25). Nicht erwähnt wird, ob er an die Versammlung der Gemeinde gebunden ist, von Beauftragten vorgenommen, von einer Anrufung des Namens Jesu, Gelübden, Hymnen und Handauflegung begleitet wird, als Immersion oder Aspersion erfolgt, ob mehrere oder Familien zugleich erfaßt werden, von der Kindertaufe zu schweigen. βαπτίζειν hat bereits technischen Sinn (Larsson, Vorbild 56; Fazekaš, Taufe 307 f.; Frankemölle, Taufverständnis 48 f. 51 f.). Mindestens fragwürdig ist, daß die Bedeutung „eintauchen, untertauchen" noch mitgehört wurde. Ein Verständnis des Vorganges als eines wirksamen Symbols (z. B. Sickenberger; Huby; Cerfaux, Chrétien 304), das Casel und seine Schüler vom christlichen Kultmysterium sprechen ließ, ist vielleicht einmal vorhanden gewesen, ergibt sich aber nicht mehr zwingend aus dem Text (Murray; Ridderbos, Paulus 287; Schnackenburg, Heilsgeschehen 29 ff. 125 ff.; Dinkler, Taufaussagen 72). Die Wendung vom Mitgekreuzigtwerden läßt sich damit nicht vereinbaren, und nur fromme Phantasie kann die andere vom Begrabenwerden auf das Versinken im Wasser beziehen. Fehlen jedoch alle näheren Angaben über den Ritus, hat man kein Recht, das zweifellos damit verbundene Moment des Bekenntnisaktes in den Mittelpunkt zu rücken (gegen M. Barth, Taufe 228 ff.; Bieder, Verheißung 191 ff.) und das „Kognitive" gegen die kausative Wirkung auszuspielen (gegen Thyen, Studien 200 ff.). Anders als im Judentum handelt es sich jedenfalls nicht um Selbsttaufe, und die Aktivität der Glaubenden tritt völlig hinter dem zurück, was an ihnen geschieht.

Zu betonen ist schließlich, daß der Text uns nicht den mindesten Aufschluß über die Vorgeschichte des Sakramentes gibt. Wir erfahren nichts über den Zusammenhang mit jüdischen Taufbräuchen, speziell zu der oft herangezogenen Proselytentaufe, deren Praxis in dieser Zeit ohnehin höchst problematisch ist, nichts über die Einsetzung durch Jesus und die wahrscheinliche Verbindung zur Johannestaufe, nichts über das judenchristliche Verständnis von der eschatologischen Versiegelung und Übergabe des Täuflings an den auferstandenen Herrn. Der Stil des Textes ist keineswegs (gegen Michel) hymnisch oder bekenntnisartig, und nur Wunschdenken kann hier ein urchristliches „Credo" (Gäumann, Ethik 64) auffinden. 3 ist zwar nicht bloß höfliche Pädagogik (Lietzmann; Wagner, Problem 291 f.), erinnert aber auch nicht an durchgängig urchristliche Anschauung (gegen Larsson, Vorbild 24. 75 ff.), wohl jedoch an feste Tradition, wie sie wenigstens in der hellenistischen Gemeinde vorhanden war (Bultmann, Theol. 142). Diese hat sich allerdings in Formeln niedergeschlagen, die sich zu Bekenntnisaussagen verdichten konnten, wenn sie nicht sogar aus ihnen abzuleiten sind. Solche Formeln und Aussagen begegnen schon hier. Behauptet man mehr, verliert man den Boden unter den Füßen. Aus den Briefen des Apostels läßt sich allerlei Material zu einer Theologie der Taufe und selbst zu ihrem Vollzug zusammentragen, und es liegt auf der Hand, daß Pls sie nicht geringer als die Eucharistie gewertet hat. Eine umfassende Darstellung dazu hat er gleichwohl nicht gegeben. Das besagt, daß der Brauch und seine Bedeutung in seiner Umgebung nicht umstritten sind. So brauchen jeweils nur tragende Motive wie hier das der Schicksalsgemeinschaft mit Christus hervorgehoben zu werden.

Die Eingangsfrage ist derart rhetorisch, daß man (mit Kuss; Frankenmölle, Taufverständnis 40) einen Selbsteinwand als Mittel der Überleitung zum neuen Thema vermuten könnte. Doch ist Pls nach 3,5 ff. tatsächlich der Verführung zum Libertinismus beschuldigt worden, so daß man eher mit Verteidigung gegenüber einer Mißdeutung der Rechtfertigungslehre zu rechnen hat (schon Kühl). Der Apostel antwortet darauf in 2 mit einer einzigen, im folgenden breit entfalteten Feststellung. 2—4, 5—7 und mit einer inhaltlichen Verschiebung wenigstens formal auch 8—10 laufen einander parallel (Bornkamm, Taufe 39; Michel; Frankenmölle a.a.O. 23). In der Taufe sind die Christen der Sündenmacht durch ein Sterben entzogen worden. οἵτινες = quippe qui begründet, das Futur in 2b ist logisch, während Varianten es (so Kuss) kohortativ sein lassen. ἐν αὐτῇ weist auf den Bereich der Sünde (Kuss; Schnackenburg, Heilsgeschehen 29), demgegenüber ein dialektischer Schwebezustand a limine ausgeschlossen wird (Bornkamm, Taufe 37). Das ἢ ἀγνοεῖτε hat keinen andern Sinn als das häufigere οἴδατε und weist auf bekannte Tradition. Die Parallelität von „in Christus" und „in seinen Tod getauft" spricht wie in 1.K 12,13 für lokale Bedeutung des εἰς. Zwar hat Pls nach 1.K 1,15 die Vorstellung gekannt, welche die Übereignung an Christus durch die Formel „auf seinen Namen getauft" ausdrückt. Er greift sie hier jedoch nicht auf (mit Kuss; Leenhardt; Ridderbos, Paulus 288 gegen M. Barth, Taufe 225; Larsson, Vorbild 55; Delling, Zueignung 73 ff.) und setzt sie nicht einmal als Grundlage seiner Wendung voraus (mit Tannehill, Dying 84; Gäumann, Ethik 74; Frankemölle, Taufverständnis 43 ff. gegen Barrett; Schnackenburg, Heilsgeschehen 105; Warnach, Taufe 294; Stommel, Abbild 5). Wie nach 2.K 1,21; Gal 3,27 wird der Getaufte in den neuen Adam integriert, und das darf nicht abstrahierend (gegen Delling, Zueignung 77 ff.) auf den Nenner „Heilswirklichkeit" gebracht werden, so berechtigt die Abneigung gegen den Gedanken einer mystischen Union sein mag. Letztlich geht es, wie sich herausstellen wird und 5,12 ff. schon angekündigt hat, um Teilhabe am Regnum Christi. Dahin gelangt man jedoch nicht ohne vorheriges Sterben des alten Menschen, das durchaus kausativ und effektiv (Schlier, Taufe 48; Larsson, Vorbild 58) durch die Taufe veranlaßt wird. 3a ist die paulinisch formulierte Prämisse für die traditionelle Aussage in 3b. Die Vergangenheitsformen der Verben im Kontext weisen auf ein zurückliegendes und einmaliges Geschehen. Man darf unser Sterben mit Christus deshalb nicht psychologisierend auf die Buße (Leenhardt) oder auf ein sakramentales Nacherleben des Todes Jesu (Huby; Schnackenburg, Heilsgeschehen 33) beziehen. Sonst würde der Apostel die Freiheit von der Sündenmacht nicht als Realität verkündigen können. Umgekehrt zwingt die spekulative Behauptung zu theologisch höchst gefährlichen Konsequenzen, auf Golgatha sei die Generaltaufe erfolgt, so daß wir bereits am Kreuz mitgestorben seien (richtig Kümmel, Theol. 192 gegen Cullmann, Tauflehre 18. 27 f.; M. Barth, Taufe 229. 271 ff.; Delling, Taufe 127 ff.; Otto, Formulierungen 32 ff.; Thyen, Studien 198 f.). Während nach 1.K 15,22 alle in Adam mitgestorben sind, ist nach 2.K 5,14 Christus für alle gestorben und hat, wie der Kontext zeigt, die Christen in seinen Tod hineingerissen, was in der Taufe geschehen ist. Der Gedanke der Stellvertretung beherrscht und interpretiert hier den der Schicksalsgemeinschaft. Anders verliert das Kreuz Jesu seine fundamentale Bedeutung und wird es zur mythischen Chiffre eines kosmischen Dramas, wie es Adams Fall tatsächlich ist. Am Kreuz starb Christus allein. Nur sofern er für uns starb, werden wir auch in seinen Tod hineingezogen, kommt es zur Taufe als der Annahme seiner Tat und Teilgabe an seinem Schicksal.

4a verschärft vom Verb her 3b, weshalb man (gegen Bl-D § 269. 272; Zahn; Lagrange; Kuss; Bornkamm, Taufe 38; Ridderbos) εἰς θάνατον zu βαπτίσματος zu ziehen hat (Kühl; H. W. Schmidt; Larsson, Vorbild 56; Schnackenburg, Heilsgeschehen 30). Es leuchtet nicht ein, daß dann der Artikel vor εἰς zu wiederholen oder θάνατον durch ein αὐτοῦ zu ergänzen wäre, und die Vorstellung von einem Begrabenwerden in den Tod erscheint gezwungen. In der Taufe erfolgt so sehr ein Sterben, daß sie in Analogie zu der christologischen Überlieferung von 1.K 15,4 sogar Begräbnis wirkt (Michel; Thyen, Studien 196 f.; Stommel, Begraben 6). Das einmalige Geschehen hat definitiven Charakter (Fazekaš, Taufe 308 f.). Doch wird wie in 3a eine Prämisse, und zwar wieder in formelhafter Sprache, genannt. Man darf deshalb das Verb nicht zur Mitte des Kontextes machen (richtig Dinkler, Taufaussagen 72 gegen die Auslegung M. Barths; Otto, Formulierungen 40; Stommel, Begraben 9 f.; Thyen, Studien 202 f.). Die Verschärfung von 3b bekommt ihren Sinn von da, daß nun auch das zweite Moment der Pls überkommenen Anschauung, nämlich die Auferweckung mit Christus, in die Argumentation einbezogen werden kann. Das Motiv der Entsprechung in ὥσπερ — οὕτως hat wie in 5,12. 15 ff. sachlich begründende Bedeutung (Warnach, Taufe 300). Die feierliche Wendung „kraft der

Herrlichkeit des Vaters" dürfte ebenfalls vorpaulinisch sein, weil ohne weitere Bestimmung vom Vater gesprochen und δόξα mit δύναμις oder πνεῦμα identifiziert wird (Fuchs, Freiheit 29; Michel). Wo Gräber die Toten nicht halten, ist Gottes Gottheit am Werk (Murray). Das gilt für Christus, der wie in 1,4 schlechthin der Sohn heißt, und in der Partizipation an seinem Geschick auch für die Getauften. In der außerpalästinisch-vorpaulinischen Gemeinde ist der Glaube zentral auf diese letzte Aussage gerichtet, wie die korinthischen Enthusiasten, Kol 2,12; Eph 2,5 f. beweisen. Der Apostel befindet sich also auch hier in fester Tradition. Sie ist ihm wichtig, weil er von ihr her das neue Leben der Christen begründen kann. Umgekehrt sollte beachtet werden, wie vorsichtig er sich ausdrückt (Barrett). Es braucht nicht mehr als eine andere Nüance zu sein, wenn er statt von Auferweckung von der καινότης ζωῆς spricht und im Verb den präsentischen Indikativ meidet. καινότης meint zweifellos das eschatologisch Neue. Das Substantiv, das semitisierend ein Adjektiv vertreten kann, trägt wie in 7,6 den Ton, Die nicht rückgängig zu machende Dauer der Auferstehungsmacht wird hervorgehoben. Der aoristische Konjunktiv könnte ein logisches Futur ersetzen (Zahn; Kühl; Larsson, Vorbild 71; Schnackenburg, Heilsgeschehen 33). Dagegen sprechen jedoch die eschatologischen Futura in 5b. 8b (Lietzmann; Leenhardt; Gäumann, Ethik 48; Thüsing, Per Christum 70 f. 139 ff.). So wird man (mit Bultmann, Theol. 143; Braun, Stirb 26; Merk, Handeln 24) feststellen müssen, daß Pls seine Überlieferung modifiziert, nämlich zwischen dem bereits auferweckten Herrn und den Glaubenden differenziert. Die tatsächlich über ihnen gleichfalls wirksame Auferweckungsmacht äußert sich wie in 2.K 13,4 zunächst darin, daß sie sub contrario in den Schatten des Kreuzes stellt und das zum Merkmal des neuen Lebens in besonderer Weise werden läßt. Erstaunlich ist die Selbstverständlichkeit, mit welcher die meisten Ausleger im Gefolge der herrschenden altkirchlichen Exegese (vgl. Schelkle, Paulus 16 ff.) solchen aus der Eschatologie des Apostels notwendigen Vorbehalt überspringen (z. B. Kühl; Lagrange; Sickenberger; Kuss; Baulès; Cullmann, Tauflehre 18. 25. 29; Stricker, Mysteriengedanke 286; Warnach, Taufe 301. 313 ff.; Stommel, Abbild 10 f.; Schwarzmann, Tauftheologie 26 f.; Schlier, Taufe 48 ff.; Delling, Taufe 130 f.; etwas differenziert Huby; Cerfaux, Chrétien 171 f.; dagegen Gäumann, Ethik 75 f.; Dinkler, Taufaussagen 72). Dazu treibt zweifellos das Motiv der mystischen Union mit Christus, das (auch bei Sanday-Headlam; Murray) als zentrales Thema festgehalten wird und von seins- oder wesensmäßigem Wandel der menschlichen Physis sprechen läßt (Warnach Taufe 301; Stommel, Abbild 19 ff.; Seidensticker, Lebendiges Opfer 236 f.; Schnackenburg, Heilsgeschehen 180. 189; Otto, Formulierungen 47 ff.). Demgegenüber sollte schon das Verb περιπατεῖν darauf aufmerksam machen, daß der Apostel unsere Auferweckung erst von der Zukunft erwartet und, wie 12—23 dartun, in der nova oboedientia ihre Antizipation und das Zeugnis für die schon gegenwärtige Realität ihrer Macht erblickt.

5—11 explizieren nicht (gegen Larsson, Vorbild 51) 2—4. Noch weniger ist 5 eine Parenthese (gegen Kühl). 2—4 werden vielmehr verdeutlichend in 5—7 wiederholt (auch Gäumann, Ethik 83; Frankemölle, Taufverständnis 60 ff.). Die Schwierigkeiten der Auslegung konzentrieren sich in 5 (vgl. Schelkle, Paulus 11 ff. zur altkirchlichen Exegese, Kuss und Schnackenburg, Heilsgeschehen 40 ff. 122 ff. zur heutigen Problematik). Die Lesart ἅμα statt ἀλλά in 5b ist vom vorherrschenden Verständnis verursachte Korrektur (Lietzmann). Weitgehende Übereinstimmung besteht heute nur bei zwei Fragen. σύμφυτος, ursprünglich in organischem Denken beheimatet, verblaßte allmählich zu der Bedeutung „verbunden" und bezeichnet schließlich bloß die Klammer zwischen zwei Größen (Kuss; Gäumann, Ethik 78), die (gegen Kühl) nicht einmal eine personale Relation voraussetzt. Eine Interpretation, die sich (Schwarzmann, Tauftheologie 28 f.; dagegen Frankemölle, Taufverständnis 63) auf den in 11,17 ff. geschilderten Wachstumsprozeß beruft, ist abwegig und einzig aus einem bestimmten kultischen Interesse her begreiflich. Im allgemeinen hat sich auch die Annahme durchgesetzt, dem gängigen konkreten Verständnis von ὁμοίωμα in LXX folgen und entweder reichlich blaß „Bild, Abbild" (Schlatter; Althaus; Kuss, Bieder, Verheißung 198), „Gestalt" (Tannehill, Dying 74) oder schärfer „Ebenbild" (Michel), „Gleichgestalt" (Bornkamm, Taufe 41 f.) übersetzen zu sollen. Von „Nachbildung" (Lietzmann) läßt sich jedenfalls nur sprechen, wenn man, sehr fragwürdig, an die Taufe als solche denkt. Das Problem eines derartigen Verständnisses ist schon in 5,14 aufgetaucht. Eine abstrakte Deutung im Sinn von „Gleichheit, Ähnlichkeit" wird auch hier (außer durch Bauer, Wb 1123 f. von M. Barth, Taufe 240; Fuchs, Freiheit 30; Delling, Taufe 130; Gewiess, Abbild 340) verteidigt (ursprünglich Schnackenburg, Heilsgeschehen 44 ff., korrigiert in Todesgemeinschaft 37. 44). Die Nüancierungen und Gegenstimmen zeigen immerhin, daß der Trend noch keine Klarheit in der Sache gebracht hat. Das ist durchaus begreiflich, wenn man die Variationsbreite solcher Substantive mit der Endung -μα in der Koine bedenkt und (mit Bauer, Wb) bewußte Doppeldeutigkeit bei Pls für möglich hält. 8,3; Phil 2,7 machen jedenfalls deutlich, daß gleiche Gestalt nicht notwendig absolute Wesensgleichheit einschließen muß (Bornkamm a.a.O.; Gewiess, Abbild 344; Delling, Taufe 130; Murray; Ridderbos). Man wird deshalb gut tun, sich nicht zu sehr an die LXX zu halten und einen einhelligen Wortgebrauch zu postulieren, sondern den jeweiligen Sachzusammenhang ausschlaggebend sein zu lassen. Das ist hier freilich schwierig.

Denn die Interpretation ist davon abhängig, ob man τῷ ὁμοιώματι instrumental (Mussner, Zusammengewachsen 259; Schwarzmann, Tauftheologie 48) oder soziativ (Bornkamm, Taufe 41 f.; Kuss, R 6,5, S. 152 f.; Gewiess, Abbild 339; Beasley-Murray, Baptism 135) versteht, es mit τοῦ θανάτου verbindet (Schlier, Tauflehre 111; Schnackenburg, Todesgemeinschaft 37) oder davon trennt (Warnach, Taufe 298). Mit der letzten Annahme und einem instrumentalen Verständnis gehört auch das Postulat zusammen, sinngemäß sei ein αὐτῷ zu ergänzen, weil auf σύμφυτοι nicht ein Genitiv folgen könne (Bauer, Wb 1124; Schnackenburg, Heilsgeschehen 31. 40 f.; dagegen Lietzmann; Kuss; Schneider, ThWb V, 191 ff.; Tannehill, Dying 54 ff.). Wieder entscheidet die Gesamtinterpretation. Doch sollte man den Satz nicht verändern und den Dativ mit dem folgenden Genetiv, als von σύμφυτοι abhängig, soziativ sein lassen. Das führt zum Problemkern: Was ist genau mit ὁμοίωμα τοῦ θανάτου gemeint? Die Deutungen gehen extrem auseinander (vgl. Gewiess, Abbild 340 ff.). Eben die extremen Lösungen sind jedoch fragwürdig (Ridderbos). Das gilt, wenn man sich aus Abneigung gegen den Sakramentalismus in einen heilsgeschichtlichen Historismus flüchtet, die „Generaltaufe" auf Golgatha nachwirkend für den Glauben gegenwärtig sein läßt und das mit einem angeblichen „Raum-Zeit-Kontinuum" begründet (Wagner, Problem 306). Mysteriendenken ist solcher modernen Mythologie entschieden vorzuziehen. Das gilt aber auch gegenüber einer Anschauung, welche ὁμοίωμα mit der Taufe selber identifiziert (Stricker, Mysteriengedanke 289 f.; dagegen Bornkamm, Taufe 43) und deshalb einen Todeszustand des Christen feststellt (Stommel, Abbild 9. 20). Immerhin muß in Parallelität zur Eucharistie der Taufvorgang das Kreu-

zesgeschehen vergegenwärtigen (Bultmann, Theol. 313; Schlier, Tauflehre 111; Bornkamm, Taufe 39 ff.; Kuss; Dinkler, Taufaussagen 75 f.). Der in der Taufe erfolgende
Tod ist also nicht bloß Abbild des Kreuzestodes (gegen Gewiess, Abbild 345 f.) und
ebensowenig eine Analogie dazu (richtig Bornkamm 41 f.), umgekehrt jedoch nicht ein
„Mitvollzug" als Prämisse der Vereinigung mit Christus, wie das einem Kultmysterium
entsprechen würde (gegen Warnach, Tauflehre 281. 287. 315. 322). Das Kierkegaard ent-
lehnte Stichwort der „Gleichzeitigkeit" (Hahn, Mitsterben 97 ff.) könnte sinnvoll nur im
Blick auf die Wirkung des Geistes gebraucht werden (Hahn 119 ff. 180; Schnackenburg,
Todesgemeinschaft 44; Heilsgeschehen 156 ff.). Doch wird in unserm Text davon eben
nicht gesprochen. Nicht halten läßt sich endlich die These, ὁμοίωμα gehe unmittelbar auf
die Person Christi, weil alle Verbindungen mit σύν das täten (Bornkamm, Taufe 42; dagegen Kuss, Tauflehre 125; Michel). Pls spricht vom Tode Jesu (Kuss), der historisches
und eschatologisches Ereignis zugleich ist, nämlich nicht nur auf eine bestimmte Zeit
fixiert werden kann, sondern alle Welt betrifft. In der Taufe ergreift er den, der sich
dieser Handlung unterzieht, und tut es dokumentarisch, sichtbar, Existenz wandelnd.
ὁμοίωμα unterscheidet ebenso von dem Geschehen auf Golgatha, wie es damit verbindet
(vgl. Ridderbos, Paulus 292 ff.). Die historische und theologische Prävalenz des Kreuzes
wird nicht bestritten, die Taufe aber auch nicht zu dessen Wiederholung gemacht. Es geht
um seine Vergegenwärtigung im Taufvorgang. Der abstrakte Sinn „Gleichheit" wird
dem am ehesten gerecht. Indem die Exegeten den Modus des Gegenwärtigwerdens exakt
zu beschreiben versuchen, tuen sie etwas, was anderswo durchaus sinnvoll mit den Stichworten Geist, Wort, Herrschaft Christi getan werden kann, hier aber den Text überfordert. Solche Einsicht hat eine gewichtige Konsequenz. In unserm Zusammenhang geht es
primär um das Faktum, daß wir in der Taufe mit Christus gestorben und deshalb der
Sündenmacht entzogen sind. Sofern das allgemein anerkannt wird, bedarf es keiner weiteren Explikation. Sofern es jedoch in der hellenistischen Gemeinde bloß als Voraussetzung der Auferweckung mit Christus gilt, muß es betont werden. Das wird auch durch
den mit steigerndem ἀλλά eröffneten Nachsatz (W. Bauer, Wb 70) nicht eingeschränkt.
Zumeist ergänzt man 5b in Entsprechung zum Vordersatz durch τῷ ὁμοιώματι und vermeidet so auch, daß hier σύμφυτοι mit dem Genetiv verbunden zu sein scheint. Andererseits wäre dann zu erwarten, daß von der Auferweckung Christi, nicht allgemein von
ἀνάστασις gesprochen würde. Das Vorliegen eines gen. part. kann mindestens nicht ausgeschlossen werden (Stricker, Mysteriengedanke 292; Fuchs, Freiheit 30). Das Futur ist
eindeutig eschatologisch (gegen Thyen, Studien 206 ff.; Frankemölle 61). Der Auferwek-
kung werden wir erst teilhaftig, obgleich ihre Macht uns bereits regiert und in den neuen
Wandel stellt.

τοῦτο γινώσκοντες in 6 resümiert und regiert den Satz, einen Indikativ ersetzend (Kuss
gegen Kühl). Pls interpretiert nun in seiner eigenen Ausdrucksweise die von ihm benutzte
Tradition (Bultmann, ThWb I, 708; anders Michel; Frankemölle 73 f.). Das seine Theologie bestimmende Motiv des Gekreuzigtwerdens mit Christus rückt deshalb in den Mittelpunkt (Bornkamm, Taufe 41; Gaugler; E. Schweizer, Mystik 194). Wie in 3a. 9a wird
dem Glauben ein verstehendes Wissen um das an ihm Geschehene zugeschrieben, das hier
wie in Phil 3,10 die Teilhabe an Jesu Kreuz als Gabe und Ort der Auferweckungsmacht
charakterisiert. Obgleich der Apostel das Sakrament als Eingliederung in Christus und
seinen Leib versteht, ist ihm anders als seinen Auslegern nicht die unio mystica entschei-

dend wichtig. Ihm geht es darum, daß wir den Platz einnehmen, den der irdische Jesus inne hatte, und so die Herrschaft des Erhöhten bekunden. Sofern das nicht ausschließlich durch das Wort veranlaßt wird, ist nicht zu bezweifeln, daß Pls die Sakramente für jeden Christen konstitutiv und unersetzbar hielt. Es gibt keinen Glauben, der sich nicht dokumentarisch und sichtbar an den ihm zugewiesenen Platz stellen ließe und seine Aufgabe nicht immer neu von solchem Vorgang her begriffe. Ohne dieses sogar historische Einmal des Vorganges gibt es die Behauptung des Ein-für-alle-Male nur orientierungslos. Nur so hat die Behauptung, wir seien der Sündenmacht entzogen, Wirklichkeitsgrund. Wer vom Kreuz herkommt und darunter bleibt, hat einen Herrn, der ihn notwendig von den in der Welt herrschenden Mächten und Gewalten trennt, steht also tatsächlich in Äonenwende. So wird nicht zufällig der offensichtlich vorpaulinische, nämlich der Adam-Christus-Typologie entstammende Terminus παλαιὸς ἄνθρωπος gebraucht. Nach Eph 2,15; 4,24 ist Christus der „neue Mensch", und die Paränese Kol 3,9 f. überträgt die Antithese von altem und neuem Menschen in die Anthropologie. Der „alte Mensch" ist hier also Adam, in uns individualisiert und repräsentiert (Barrett; Murray; K. A. Bauer, Leiblichkeit 149 f.). σῶμα τῆς ἁμαρτίας meint dasselbe unter dem Aspekt der Verfallenheit. Beide Wendungen sind nicht kollektiv (richtig E. Schweizer, ThWb VII, 1063; K. A. Bauer, Leiblichkeit 152 gegen Fuchs, Freiheit 31 f.; Thyen, Studien 203 f.), sondern kennzeichnen (H. W. Schmidt) Existenz im Machtbereich der Sünde. Sachlich parallelisiert und erläutert der ἵνα-Satz das Vorhergehende. Erst der Infinitiv bringt die Folgerung. Wie zumeist hat καταργεῖν eschatologischen Sinn (W. Bauer, Wb 694). Es ist also falsch, alte und neue Existenz nebeneinander bestehen und nur geschieden sein zu lassen (gegen Zahn) oder bloß die sittlich-religiöse Änderung zu betonen (gegen Delling, ThWb I, 454; Mussner, Zusammengewachsen 262). Beendigung der Knechtschaft ist Wandlung in die Freiheit des neuen Äons und allein in der Herrschaft des Gekreuzigten möglich (Oepke, ThWb IV, 62). 7 begründet den Schluß von 6 mit einer Sentenz (Sanday-Headlam; Kühl; Lagrange; Huby; Ridderbos; Dinkler, Taufaussagen 74), die juridisch argumentiert (Althaus; Michel; skeptisch Nygren; Scroggs, Romans 6,7, S. 106 ff.). Sie dürfte (Billerbeck; Dodd; Gäumann, Ethik 66. 82) den rabbinischen Satz Schab 151b Bar. spiegeln, der auf R. Schimeon b. Gamaliel um 140 zurückgeführt wird: „Wenn ein Mensch gestorben ist, ist er frei geworden von den Gebotserfüllungen." Das erklärt die auffällige Wendung δικαιοῦσθαι ἀπό = „los sein von" (Bauer, Wb 328), zu welcher Sir 26,29; Apg 13,38; Herm. Vis. III, 9,1, aber kaum die (von Lietzmann zitierte) syrische Grabinschrift εὐνὴ δικαίων ἀφ' ἁμαρτιῶν, Parallelen bieten. Höchst unwahrscheinlich ist, daß hier an die sühnende Kraft des Todes gedacht ist (Kuhn, R. 6,7, S. 305 ff.; Schrenk, ThWb II, 222 f.), ganz davon abgesehen, ob diese Kraft im Judentum wirklich dem normalen Tode zugeschrieben wurde. Pls geht es außerdem nicht um Schuld, sondern um die Sündenmacht (Schnackenburg, Heilsgeschehen 35 f.). Vollends phantastisch ist die christologische Deutung von ἀποθανών (Kearns, Interpretation, mit guter Auslegungsgeschichte; Thyen, Studien 204 f.; Murray, Frankemölle, Taufverständnis 77 ff.) und die von da erhobene Vermutung, hier werde Ps 87,5 LXX interpretiert (Diezinger, Unter Toten 275 ff.). Manchen Theologen erscheint es offensichtlich undenkbar, daß ein Apostel eine triviale Wahrheit ausspricht. Doch wird so unterstrichen, was Pls wichtig war.

In der dritten Argumentation 8—10 verlagert sich der Schwerpunkt. Das Moment des neuen Lebens wird als Skopus des nächsten Abschnittes anvisiert (Frankemölle, Taufverständnis 81). 8 nimmt das Schema von 5 auf, 9 begründet den Nachsatz und sein (gegen Gutjahr; Murray) eschatologisches Futur. πιστεύειν bezieht sich kaum homologisch (Michel) auf die Annahme des Kerygma (Gäumann, Ethik 84), sondern meint das hoffende, auf dem „mit Christus" beruhende Vertrauen (Kuss). Um dieses „mit Christus" willen ist der Glaube, der beim Apostel immer ein Verstehen involviert (Bultmann, Theol. 318 ff.), Heilsgewißheit, wie εἰδότες zeigt. Er ist es weder als rationales Wissen noch als ekstatische Erleuchtung über die eschatologische Zukunft. Er ist es, sofern ihm im Christusgeschehen ein Unterpfand der Hoffnung gegeben ist. Nicht ganz den Sinn der Aussage träfe es, wenn man von dogmatischem Wissen spräche. Denn 9 f. betonen nicht das Faktum der Auferweckung Christi als solches, sondern das Leben des von Todesmacht nicht mehr bedrohten Herrschers. Indem er sterbend diese Gewalt hinter sich ließ, ist er ihr endgültig entzogen. Der Glaube antwortet darauf im Gehorsam. Der andere Akzent unserer Verse ergibt sich auch daraus, daß 10a mit seiner ausschließlich christologischen Aussage nur formal der Sentenz von 7 parallelläuft. Das Relativpronomen ὅ ist als Objektsakkusativ zu verstehen, die beiden Dative bezeichnen die Relation. Der Nachdruck ruht auf dem ἐφάπαξ 10a im Sinn „ein für alle Male", also unwiederholbar (Stählin, ThWb I, 382 f.). Christi Leben, als nicht mehr aufhebbar charakterisiert, wird im Schluß als Dasein für Gott und damit als allein wahres und bleibendes Leben beschrieben. 9—10 begründen also 8b derart aus dem σὺν Χριστῷ, daß das Geschick des Urbildes aufgewiesen wird, dem wir gleichgestaltet zu werden bestimmt sind. 11 ist nicht mit 10 zu verbinden (gegen Thüsing, Per Christum 74). Der Vers zieht die jetzt notwendige conclusio (Bornkamm, Taufe 44; Gäumann, Ethik 86; Merk, Handeln 25). λογίζεσθαι hat den gleichen Sinn wie κρίνειν in 2.K 5,14, meint also weder Selbstbesinnung (Kühl) noch „sich dafür halten" (Larsson, Vorbild 72) oder „denken, als wären wir es" (Knox, Life 53 ff.), sondern „urteilen" (Schlatter; Asmussen). Das in dem „mit Christus" gesetzte Heilsgeschehen ist vom Christen verbindlich für sich zu ergreifen, und zwar nicht zu wiederholen (gegen Huby), wohl aber in der Nachfolge zu bewähren. Wer der Sündenmacht gestorben ist, kann irdisch nur noch für Gott da sein, wenn er nicht seinen Herrn verleugnet. Die feierliche Schlußformel entbehrt nicht des sachlichen Gehaltes: Ein solches Dasein ist allein in Christus Jesus möglich, und das sollte nicht bloß ekklesiologisch verstanden werden (gegen Merk, Handeln 27).

2. 6,12—23: Zum Gehorsam befreit

12 Darum soll die Sünde nicht Macht haben in eurem sterblichen Leibe, daß ihr seinen
13 Begierden gehorcht. Stellt auch nicht eure Glieder der Sünde als Waffen der Ungerechtigkeit zur Verfügung, sondern bringt euch selbst Gott dar, als von den Toten
14 lebendig geworden, und eure Glieder als Waffen der Gerechtigkeit für Gott. Denn die Sünde soll nicht (mehr) über euch herrschen. Steht ihr doch nicht unter dem Ge-
15 setz, sondern unter der Gnade. Wie verhält es sich also? Dürfen wir sündigen, weil
16 wir nicht unter dem Gesetz, sondern unter der Gnade sind? Nimmermehr! Wißt ihr nicht: Wem ihr euch selbst als Knechte zum Gehorsam darbietet, Knechte seid ihr dem, welchem ihr gehorcht, entweder der Sünde zum Tode oder dem Gehorsam
17 zur Gerechtigkeit. Gott sei aber Dank, daß ihr der Sünde Knechte waret, jedoch von Herzen gehorsam geworden seid der Gestalt der Lehre, der ihr übergeben wur-

18 det. Von der Sünde befreit, seid ihr der Gerechtigkeit als Sklaven dienstbar gewor-
19 den. Auf menschliche Weise rede ich, um der Schwäche eures Fleisches willen. Denn
wie ihr eure Glieder sklavisch der Unreinheit und Gesetzlosigkeit für die Gesetzlosigkeit hingabt, so gebt eure Glieder jetzt der Gerechtigkeit dienstbar zur Heili-
20 gung hin. Solange ihr nämlich Sklaven der Sünde waret, waret ihr der Gerechtigkeit
21 gegenüber frei. Welche Frucht hattet ihr jedoch damals? Ihr müßt euch jetzt dar-
22 über schämen. Denn der Tod war dessen Ergebnis. Nun aber, von der Sünde befreit
und Gott dienstbar geworden, habt ihr eure Frucht zur Heiligung und als Ziel das
23 ewige Leben. Denn der Sünde Sold ist der Tod, die gnädige Gabe Gottes aber das
ewige Leben in Christus Jesus, unserm Herrn.

Literatur: R. Bultmann, Das Problem der Ethik bei Paulus, ZNW 23 (1924), 123-140. H. Windisch, Das Problem des paulinischen Imperativs, ebd. 265-281. W. Mundle, Religion und Sittlichkeit bei Paulus in ihrem inneren Zusammenhang, ZsystTh 4 (1927), 456-482. G. Staffelbach,
Die Vereinigung mit Christus als Prinzip der Moral bei Paulus, 1932. E. Lohse, Taufe und Rechtfertigung bei Paulus, KuD 11 (1965), 308-324. M. Müller, Freiheit. Über Autonomie und Gnade
von Paulus bis Clemens von Alexandrien, ZNW 25 (1926), 177-236. H. Jonas, Augustin und das
paulinische Freiheitsproblem, 1930. J. Ellul, Le sens de la liberté chez St. Paul, Paulus-Hellas-
Oikumene, 1951, 64-73. J. Cambier, La liberté chrétienne selon Saint Paul, Stud. Evang. II, 1964,
315-353. A. Dietzel, Beten im Geist, ThZ 9 (1953), 13-32. E. Käsemann, Zur paulinischen Anthropologie, Paulinische Perspektiven 9-60. E. Schweizer, Die Sünde in den Gliedern, Abraham
unser Vater (Festschrift O. Michel, 1963), 437-439. Zu 16 f.: J. Moffatt, The Interpretation of
Romans 6,17-18, JBL 48 (1929), 233-238. A. Fridrichsen, Exegetisches zum Neuen Testament,
Conj. Neotest. 7 (1942), 4-8. H. Greeven, Propheten, Lehrer, Vorsteher bei Paulus, ZNW 44
(1952/3), 1-43. H. Sahlin, Einige Textemendationen zum Römerbrief, ThZ 9 (1953), 92-100.
J. Kürzinger, τύπος διδαχῆς und der Sinn von Röm 6,17 f., Bibl. 39 (1958), 156-176. F. W.
Beare, On the Interpretation of Romans 6,17, NTSt 5 (1958/9), 206-210. K. Aland, Interpre-
tation, Redaktion und Komposition in der Sicht der neutestamentlichen Textkritik, Apophoreta
(Festschrift E. Haenchen, 1964), 7-31.

Exegetische und systematische Probleme überschneiden sich in unserm Kapitel noch
stärker als sonst. Das muß beim Übergang zum neuen Abschnitt grundsätzlich bedacht
werden. Durch Jahrhunderte hat man auch im Protestantismus die Rechtfertigung als
den Beginn des Christenlebens betrachtet, dem notwendig die Heiligung verifizierend zu
folgen hat. Diese Anschauung ist keineswegs überholt, wenngleich sie, vielfach abgewandelt, weithin ihre einfache Klarheit verloren hat. Auf der Hand liegt, daß unser Text sie
geradezu exemplarisch stützen konnte (vgl. Moule; Kirk; Murray; Huby; Amiot, Théol.
118; Stalder, Werk des Geistes 192 ff. 210). Sie ist gleichwohl unhaltbar, weil Pls das
Geschehen der Rechtfertigung nicht zeitlich limitiert und den neuen Wandel ebenfalls als
Werk der Gnade versteht, in welchem Auferstehungsmacht sich irdisch projiziert. Die
Unterscheidung zwischen Rechtfertigung und Heiligung und die daraus abgeleitete Stufenfolge war nur möglich, wenn man die Gabe vom Geber löste, Rechtfertigung also
nicht mehr zentral als Übergabe an die Herrschaft Christi begriff und die Anthropologie
statt dessen zu ihrem Horizont machte. Dann war fast unvermeidbar dem Gedanken
einer inneren Entwicklung im christlichen Leben Raum geschaffen, zumal Paulus von
Heiligung und Vollendung spricht. Das geistige Wachstum der Glaubenden trat an die
Stelle der Frage, wie man im Wechsel der Zeiten und Situationen, angesichts der Provokation durch Welt und ihre Mächte unter Christi Herrschaft verbleibt. Liberale Theolo-

gie systematisierte und verflachte zugleich das überkommene Schema, indem sie es im
Rückgriff auf antike Kategorien zum Problem von Religion und Sittlichkeit in ihrer
gegenseitigen Zuordnung und Unterscheidung ausweitete. Die „Ethik" des Apostels
wurde nun zum selbständigen Thema zahlreicher Untersuchungen. Die religionsgeschichtliche Forschung, welche jüdische Apokalyptik und hellenistische Mysterien wiederent-
deckte, verschärfte die Fragestellung in der Erörterung des Verhältnisses zwischen dieser
Ethik und der Eschatologie oder den sakramentalen Aussagen des Pls. Das Recht dieser
Problematik läßt sich insofern nicht bestreiten, als in paulinischer Theologie tatsächlich
Rechtfertigung, Sakrament und Eschatologie verbunden werden und der Zusammenhang
solcher Relationen bestimmt werden muß. Auf welch brüchigem Boden die Forschung
sich jedoch bewegte, kam zum Vorschein, als man sich gezwungen sah, eine juridisch-
ethische von der sakramentalen Anschauungsweise des Apostels zu trennen (Lüdemann,
Anthropologie) oder (Weinel, Paulus 93 ff.) die Ethik aus religiösem Enthusiasmus abzuleiten oder, in einer Variation der gleichen Prämisse, die Rechtfertigungslehre zum Nebenkrater der eschatologischen Mystik als der Basis auch der paulinischen Ethik zu
machen und die Beziehung zwischen beiden radikal zu bestreiten (A. Schweitzer, Mystik,
z. B. 220). Der Kreis der Möglichkeiten war damit nach allen Seiten abgesteckt, sofern
man an der Unterscheidung von Rechtfertigung und Heiligung festhielt. Welchen Preis
man dafür zahlte, ergab sich am deutlichsten aus der ebenso ernsthaft wie scharfsinnig
geführten Diskussion darüber, ob und in welchem Sinne die Getauften, als in ein neues
Leben gestellt, für den Apostel sündlos seien (vor allem P. Wernle, Der Christ und die
Sünde bei Paulus, 1897; Windisch, Problem 280 vertrat eine „Ethik der Sündlosigkeit";
vgl. Wetter, Vergeltungsgedanke 101). Die Einebnung der paulinischen Paränese in eine
allgemeine Ethik und die ihr zugrunde liegende Konzentration auf die Anthropologie
ließen die Schwerpunkte paulinischer Theologie auseinanderfallen, ihre subjektive oder
objektive Perspektive gegeneinander ausspielen, die These der Freiheit von der Sündenmacht in das Moralische wenden, so daß die einzelnen Tatsünden zum eigentlichen Gegenstand der Debatte wurden. Die Widersprüche, in die man dabei geriet, lastete man
ohne Hemmungen dem Apostel an. Historisch konnte man seine eigenen Interessen von
den Relikten seiner Vergangenheit oder den ihm zur Verfügung stehenden Ausdrucks-
weisen seiner Umwelt unterscheiden. Wenn man systematisch nicht einfach kapitulierte
und unauflösliche Gegensätze feststellte (nach Lüdemann, Anthropologie, z. B. Kirk
83 ff.), konnte man das gleiche Ergebnis aus idealistischer Sicht heraus als Antithese
zwischen „Prinzip" und „Empirie" weniger erklären als firmieren (z. B. Dodd; aber auch
Cerfaux, Chrétien 411; vgl. dazu Schrage, Einzelgebote 26 ff.). Theoretisch wird gegenwärtige Sündlosigkeit postuliert. Die sittliche Forderung bezeichnet diese dagegen als
erstrebenswertes Zukunftsziel. Unverwischbarer Antinomismus und in freiwilliger Selbstverständlichkeit geübte Sittlichkeit verbinden sich (Lietzmann). Während die Spekulation auf ihrer Höhe in 5,12 ff. das lösende Wort von der weitergreifenden sittlichen Erneuerung nicht findet, steht unverbunden und in absolutem Gegensatz daneben der Appell
an die sittliche Energie (Jülicher 263 f.). Die Antinomie wird auf zwei verschiedenen
Ebenen aufgelöst. Religionsgeschichtlich ist sie das Resultat synkretistischer Kombination
jüdischer und hellenistischer Tradition. Theologisch muß man sie mit Hilfe des Entwick-
lungsgedankens, über Paulus hinausgreifend und ihn korrigierend, überwinden: Die
metaphysische Grundanschauung des posse non peccare führt über den Kampf der Be-

währung zum Ergebnis christlicher Vollkommenheit (Lietzmann). Man hat bei der Er-
lösung sittlich mitzuwirken. Die Losung lautet deshalb nicht: „Werde, was du durch die
Taufe bereits tatsächlich geworden bist", sondern: „Werde, was du jetzt werden kannst!"
(Kühl 212 ff.).

Die folgende Diskussion steht im Zeichen der sich bereits in der letzten Aussage an-
kündigenden verschiedenen Auslegung dieser fast magischen Formel „Werde, der du
bist!" Man empfindet es nicht als störend, daß sie als solche dem idealistischen Erbe entstammt, und stößt sich ebensowenig daran, daß sie notwendig zu einer unerträglichen
Formalisierung des Problems führt. Wo Sein und Werden derart dialektisch verbunden
und einander entgegengestellt werden, genügt es fortan, von der Spannung zwischen
Indikativ und Imperativ bei Paulus zu sprechen. Völlig in den Hintergrund rückt die
Frage, warum der Apostel nicht nur grundsätzliche Feststellungen und Aufforderungen
im Blick auf das neue Leben formuliert, sondern sich so viel Mühe mit konkreter Paränese macht (Schrage, Einzelgebote). Versäumt wird schließlich mindestens die direkte
und unumgängliche Auseinandersetzung mit der immerhin längst vorliegenden und höchst
imponierenden Lehre von der fides caritate formata, obgleich man stets der Versuchung
unterliegt, in sie hinüberzugleiten. Selbst wo man den Glauben nicht psychologisch und
moralisch als sittliche Tat des Gehorsams und Vertrauens (Staffelbach, Vereinigung 51),
als neue Ordnung (ebd. 65) oder sittliche Norm gewandelter Ideale (Mundle, Religion
460 ff.) verstand, stimmte man weithin dem zugespitzten Satze zu, die Liebe sei die Vitalität des Glaubenslebens (Spicq, Agape II, 287), seine eigentliche Definition (ebd. 273),
das einzige Prinzip der Moral, von dem her das gesamte Tun des Christen umfassend
beschrieben sei (ebd. 305; vgl. Dodd, Gospel 25 ff.; Mundle, Religion 473 und kritisch
Schrage, Einzelgebote 9 ff. 59 ff. 82 f.). Vom ständigen Mitvollzug des Heilswirkens
Christi (Seidensticker, Opfer 237) oder von der mit dem rettenden Glauben zusammen-
fallenden rettenden Liebe (Spicq, Agape II, 275) als einer dem „in Christus" und „im
Geist" komplementären Beschreibung christlichen Lebens (ebd. 283) sprachen freilich nur
katholische Autoren. Immerhin zogen sie damit die Konsequenz aus der verbreiteten An-
schauung von der mystischen Union mit Christus und zeigten auf ihre Weise, wie man
das „Werde, der du bist" auch verstehen konnte (vgl. Niederwimmer, Freiheit 191 f.).
Sehr schön wird die solcher Betrachtungsweise zugrunde liegende Gemeinsamkeit in der
Aussage sichtbar, die paulinische Ethik beziehe sich auf das, was sonstige Ethik übersteigt, das religiöse Prinzip könne aber nur ethisch ausgelegt werden (Dodd, Gesetz der
Freiheit 52). Erst Bultmanns Aufsatz über das Problem der Ethik markierte mindestens
einen neuen Einsatz in der Diskussion, wie der umgehend erfolgende Protest von Windisch (Problem) unterstrich, in welchem die liberale Position nochmals vertreten wurde.

Die Charakteristika der neuen Interpretation bestehen darin, daß das Problem aus
den Bereichen bloßer Ethik und der Kombination mit der Mystik herausgehoben (126.
130 ff.) und in die Dimension paulinischer Eschatologie gestellt wird. Es geht dem Apostel nicht um Sündlosigkeit als Freiheit von Verschuldung, sondern um die von der Sündenmacht. Es geht zweitens nicht um eine Entwicklung zur Vollkommenheit, sondern um
das ständig neue Ergreifen der einmaligen eschatologischen Heilstat der Rechtfertigung,
weil der Mensch immer wieder und gänzlich auf Gnade angewiesen ist. Der Imperativ
der sittlichen Forderung setzt drittens nicht bloß den von Gottes Gabe sprechenden Indikativ voraus, sondern fällt paradoxerweise mit diesem letzten zusammen, sofern er zum

Gehorsam als Bewährung der Gabe ruft, der seinerseits ebenfalls nur geschenkt werden kann. Die Forderung ist zugleich Verheißung, weil sie letztlich nichts als Annahme der Gabe und ihre Bekundung verlangt. So verlieren weder Indikativ noch Imperativ die Ernsthaftigkeit und das Gewicht, das „Werde, was du bist" (erst Theol. 333 f. aufgenommen) erhält seinen Sinn aus der Botschaft des Briefes. Die Heilstat wird nicht durch unser Tun wirklich oder weitergeführt. Sie stellt in Verantwortung, ohne das Heil darauf zu gründen, und hat ethische Konsequenzen, welche, auch andernorts möglich und anerkannt, christlich als Bewährung der Gnade qualifiziert werden. Heiligung ist hier die im Felde des Handelns und Leidens festgehaltene Rechtfertigung. Dieses Verständnis hat sich über die Schule Bultmanns hinaus durchsetzen können (vgl. Kuss 397. 409; Kertelge, Rechtfertigung 251 ff.; Merk, Handeln 37 f.; Wendland, Ethik 49; Stalder, Werk des Geistes 192 ff.). Es bleibt gleichwohl der Tradition darin verhaftet, daß es die anthropologische Engführung nicht durchbricht, deshalb auf die idealistische Formel zurückgreifen kann und damit die Möglichkeit einer Interpretation des paulinischen Imperativs als Aufforderung zur christlichen „Selbstverwirklichung" (Kertelge 283) offenläßt. So ist denn auch die Redeweise von echter Paradoxie und Antinomie durchaus fragwürdig und nur im Rahmen der anthropologischen Grundkonzeption begreiflich. Der Argumentation von der Union mit Christus ist mindestens darin recht zu geben, daß in unserm Text die Forderung aus dem sakramental begründeten σὺν Χριστῷ, in 8,12 ff. aus dem mit ἐν πνεύματι wechselnden ἐν Χριστῷ erwächst und der Zusammenhang unserer beiden Kapitel als Gabe der eschatologischen Heilstat die Teilhabe am Regnum Christi beschreibt. Das besagt jedoch, daß in Wirklichkeit die Gabe der Geber selbst ist, wie auch das Pneuma nichts anderes als die irdische Manifestation des Erhöhten in seiner Gemeinde meint. Verselbständigt man das Heil gegenüber dem Heilsbringer, gerät man in die Nähe und Gefahr der korinthischen Enthusiasten, welche die Christologie bloß als Prämisse der Anthropologie und einer grundsätzlich verwirklichten Eschatologie verstehen, oder in die Nähe und Gefahr eines christlichen Nomismus, dem es um die Sicherung des Heils durch das menschliche Tun und die Vervollkommnung zu tun ist. Es wird nicht grundlos die Forderung aus der Taufe abgeleitet. Das hat jedenfalls nicht im herkömmlichen Sinne die Bedeutung, den Kult als das endliche Ziel des persönlichen und sittlichen Lebens herauszustellen (gegen Schelkle, Theologie III, 222 f.). Der Kyrios ergreift hier Besitz von uns. Die viel verhandelte Frage nach dem Verhältnis von Glaube und Taufe ist nicht derart mit dem Hinweis auf Komplementarität zu beantworten, daß in jeweiliger Ergänzung sonst Fehlendes dialektisch verbunden würde (gegen Schnackenburg, Heilsgeschehen 118 ff.). Der Glaube wird vielmehr durch die Aussagen über die Taufe als Annahme der Herrschaft Christi gekennzeichnet, wie andererseits die Beschreibung des Christenstandes als Glaube davor schützt, die Taufe ex opere operato (gegen Prat, Théol. I, 266 f.) wirken zu lassen, die Unangefochtenheit der Herrschaft Christi zu behaupten und diese nicht an den ständig notwendigen Ruf in ihre Gnade und ihren Dienst zu binden.

Verhält es sich jedoch so, ist die Redeweise von einer paulinischen „Ethik" höchst problematisch (vgl. Wendland, Ethik 2 f.). Natürlich hat die Herrschaft Christi Konsequenzen auf dem Felde des sittlichen Verhaltens. Unter ihr ist, wie die Einzelparänese zeigt, in konkreten Situationen eine bestimmte Praxis unter allen Umständen ausgeschlossen und eine andere ebenso absolut gefordert (Schrage, Einzelgebote; Merk, Handeln 232 ff.).

Gleichwohl entfaltet Pls weder ein System noch eine Kasuistik der Sittlichkeit und schöpft seine Paränese weitgehend aus jüdischer und hellenistischer Tradition, obgleich diese durchaus anders begründet werden kann. Als ersten christlichen Ethiker kann man ihn schlechterdings nicht bezeichnen (gegen Wendland, Ethik 49). Wie seine Paränese in urchristlicher Überlieferung wurzelt, so wird sie nicht durch ein Prinzip der Synthese oder Auswahl bestimmt. Stellt er sie wie in unserm Text grundsätzlich unter Stichworte etwa des Gehorsams oder der Freiheit, so werden damit nicht Leitideen genannt, sondern die Ganzheit und Unteilbarkeit der Verpflichtung des Christen und der Gemeinde gegenüber dem Kyrios hervorgehoben (Schrage, Einzelgebote 52 ff.), auf welche konkrete Mahnungen exemplarisch verweisen. In unserm Kapitel geht es um die Freiheit von der Macht der Sünde. 1—11 kennzeichneten die Prämisse dazu, 12—23 machen klar, daß sie, in der Heilstat und mit der Taufe als Einbruch der Äonenwende im Christenleben begründet, nur in der Praxis des Dienstes erhalten bleibt. Was man „Ethik" zu nennen pflegt, übergreift das Feld des Moralischen, so gewiß es sich auch darin äußert, weil Sünde für Pls zwar moralische Folgen hat, jedoch kein moralisches Phänomen ist. Widerstand gegen ihre Macht und deren Überwindung hängt davon ab, daß Christus der Kyrios über uns bleibt, als der er sich in der Taufe uns mitgeteilt hat. Der sogenannte Imperativ ist in den Indikativ integriert und steht keineswegs paradox neben ihm, weil der Kyrios nur für den ihm Dienenden Kyrios bleibt. Gabe und Aufgabe fallen darin zusammen, daß sie den Stand unter der Herrschaft Christi bezeichnen, der nur inadäquat, nämlich aus verkürzender anthropologischer Sicht, auf die idealistische Formel „Werde, der du bist" gebracht werden kann. Es geht darum, in der Nachfolge des Gekreuzigten die Herrschaft des Erhöhten zu bekunden. Rechtfertigung und Heiligung gehören insofern zusammen, als es in beidem gilt, dem Christus gleichgestaltet zu werden. Sie unterscheiden sich, weil das nicht ein für alle Male erfolgt, sondern in wechselnden Situationen stets neu erfahren und erlitten werden muß, seitdem es mit der Taufe begonnen hat. Paulinische „Ethik" kann weder der Dogmatik noch dem Kult gegenüber verselbständigt werden. Sie ist ein Teil seiner Eschatologie, genauer die anthropologische Kehrseite seiner Christologie.

12—14 markieren nicht bloß einen Übergang (gegen Lagrange; Tachau, Einst 116). Thematisch wird vielmehr wie in 1.Th 5,6—8 mit einer Taufparänese (Fuchs, Freiheit 39; Kertelge, Rechtfertigung 266) 11 aufgenommen. Was vorher „für Gott leben" hieß, wird nun als Gehorsam des Freien beschrieben (Murray; Ridderbos). 12 und 13 laufen parallel, wobei 13 konkretisierend steigert (Horst, ThWb IV, 565; K. A. Bauer, Leiblichkeit 154). 14 begründet die Imperative: Christlicher Gehorsam erfolgt aus der Kraft der Gnade und Auferstehung (K. Barth). Die Macht der Sünde, welcher der Christ in der Taufe entrissen wurde, herrscht weiterhin in der Welt und bedroht von da aus uns in unserer Leiblichkeit. 6,12; 8,13; 1.K 6,12 ff. sind die wichtigsten Stellen für die paulinische Anschauung vom Leibe. Noch immer hält man an der letztlich griechischen Interpretation vom Gedanken des Organismus her fest (Dodd, Meaning 60; Ridderbos, Paulus 89), offensichtlich im Blick darauf, daß der Apostel fast synonym damit von unsern Gliedern spricht. Doch ist das ebenso wie die Deutung als Prinzip der Individualität (Dodd, ebd.) oder wie zumeist als Person überholt, seit Bultmann gezeigt hat, daß alle anthropologischen Termini bei Pls die Existenz in einer bestimmten Ausrichtung meinen. Nur von 8,13 aus läßt sich erwägen, ob der Leib jenes menschliche Selbstverhältnis charakterisiert, in welchem man das Subjekt unseres Handelns und Objekt unseres Erleidens von sich selbst distanzieren und als unter der Herrschaft fremder Mächte erfahren kann (Bultmann, Theol. 197 ff. 200 ff.; Conzelmann, Grundriß 198; vgl. meine Kritik in Anthropologie 36 ff.). Unser Text rechtfertigt einzig das in dieser Definition zuletzt genannte Motiv. Leiblichkeit ist der Stand in einer Welt, um welche verschiedene Gewalten kämpfen und in deren Streit so auch jeder Einzelne gerissen wird, dem einen oder dem andern Herrn gehörig und ihn handelnd und leidend repräsentierend. Wird in solchem Zusammenhang von unsern Gliedern gesprochen oder werden sogar unsere Leiber selber als Glieder bezeichnet, tritt zutage, daß wir nie autonom sind, sondern stets an einer bestimmten Welt partizipieren und Herrschaft unterstehen (JAT Robinson, Body 29 f.; E. Schweizer, ThWb VII, 1063; Asmussen; vgl. K. A. Bauer, Leiblichkeit). So kommt es zu einem dialektischen Verständnis christlicher Existenz: Dem Machtbereich des Auferweckten gehört sie irdisch zu, also dem Zugriff der in diesem Äon herrschenden Gewalten noch ausgesetzt und stets in Anfechtung (Merk, Handeln 29 ff.), stets zur Bewahrung und Bewährung eschatologischer Freiheit im Dienst ihres wahren und einzigen Kyrios gerufen.

Pls kann deshalb zwischen dem Leib der Sünde und des Todes, dem sterblichen und dem verherrlichten Leibe unterscheiden und so Existenz in der Verfallenheit an diese Welt, in der mit irdischer Zeitlichkeit gegebenen Anfechtung oder in nicht mehr bedrohter Auferweckungswirklichkeit gegeneinander abheben. θνητὸν σῶμα meint zweifellos nicht den „Leib der Sünde", von dem das „eigentliche Ich" sich distanzieren soll (gegen Bultmann, Theol. 196 ff. 201). Ihm sind wir in der Taufe gestorben, und Paränese wäre ihm gegenüber sinnlos. Es geht um die nicht nur von außen durch die Welt, sondern auch durch ihre eigene Vergänglichkeit bedrohte Leiblichkeit des Christen, um unsere „Weltlichkeit". Gerade auf sie erhebt Gott als Schöpfer, der seine Welt in sein Recht zurückholt, Anspruch (K. A. Bauer, Leiblichkeit 154 f.). Ihre Sterblichkeit veranlaßt jedoch in ihr ἐπιθυμίαι, worunter nicht psychologisierend bloß sinnliche oder unmoralische Regungen zu verstehen sind (gegen Zahn; Jülicher; Lagrange; Huby). Der vertieften Anthropologie des Apostels entsprechend, ist vielmehr an das gedacht, was uns in unserer Wirklichkeit mit der übrigen Kreatur verbindet, zu Eigenwillen und Selbstbehauptung verführt (Bornkamm, Taufe 46). Würde man dem nachgeben, könnte erneut die Sünde über uns herrschen und unsere Glieder zu ihrem Dienst benutzen. Von der Sünde in den Gliedern wird traditionell gesprochen (E. Schweizer in seinem gleichnamigen Aufsatz). μέλη geht nicht primär auf die Teile unseres Körpers (gegen Zahn; Dodd; Murray), sondern wie in 1.K 12,12 ff. funktional auf unsere Fähigkeiten (Barrett). παριστάνειν wird kaum der Opfersprache entnommen sein, sondern den allgemeinen Sinn haben: zur Verfügung stellen (Horst, ThWb IV, 566; Reicke, ThWb V, 839 u. a.). Polyb. 3,109,9 zeigt, daß das Verb militärisch gebraucht werden kann. Das liegt auch hier am nächsten, weil ὅπλα wohl nicht „Werkzeuge" meint (W. Bauer, Wb 1140), sondern „Waffen". Wie in 13,13; 2.K 6,7; 10,4 taucht das Motiv der militia Christi auf (Kuss 405 ff.; Leenhardt; Thüsing, Per Christum 93). Man sollte darum nicht die ethische Dominante betonen, welche die at.lich-jüdische Antithese von Waffen der Gerechtigkeit oder Ungerechtigkeit hat (gegen Jülicher; Schrenk, ThWb II, 213; K. G. Kuhn, Πειρασμός 212 f.). Pls überbietet den Gegensatz von rechtschaffenem und unrechtem Handeln. Die Ungerechtigkeit ist für ihn, wie aus dem Zusammenhang hervorgeht, die Gottlosigkeit, die Gerechtigkeit aber die in

Christus und mit der Rechtfertigung auf den Plan getretene Gottesmacht, die in der Vorwegnahme der leiblichen Auferweckung neues Leben wirkt und in ihren Dienst stellt. Mit dem begründenden ὡσεὶ ἐκ νεκρῶν (Kühl; Michel; Kuss; Ridderbos; Kertelge, Rechtfertigung 268) wird auf 4 f. zurückgegriffen, ohne daß der zugleich einschränkende Sinn des ὡσεί (Zahn; Barrett; H. W. Schmidt) geleugnet werden sollte. Der eschatologische Vorbehalt, der sich früher in den Futura äußerte, wird auch hier geltend gemacht. Die Christen partizipieren vorläufig an der Auferweckung ihres Herrn nur in der Weise der nova oboedientia. Umgekehrt bekundet sich in ihrem Dienst, daß die Auferweckungsmacht von ihnen bereits Besitz ergriff und sie in neues Leben und den neuen Äon stellte. Es bestätigt sich jetzt, daß die paulinische „Ethik" Bestandteil seiner Eschatologie und, sofern sie als Taufparänese Nachfolge charakterisiert, seiner Christologie ist. Auferweckungsmacht begründet nicht bloß eine neue und bessere Moral oder einen andern Kult. Sie greift auch nicht zufällig nach unsern Leibern und Gliedern, als würden diese (so Zahn; Cerfaux, Chrétien 272) in den wesentlich inwendigen Gottesdienst einbezogen. Der leibliche Gehorsam ist als Vorwegnahme leiblicher Auferweckungswirklichkeit notwendig. Anders würde nicht deutlich, daß wir in den eschatologischen Machtkampf gerissen sind (Merk, Handeln 37 ff.), von dem schon das Judentum nicht nur in Qumran wußte (K. G. Kuhn, a.a.O. 203 ff.; Brandenburger, Adam 22 ff.). In ihm geht es zutiefst um die Frage, wem die Erde gehört. Sie kann nur beantwortet werden, wenn das Stück Welt, das wir in unserm Leibe sind, aus vermeintlicher Neutralität herausgeholt und vor die Alternative des Dienstes für die Gerechtigkeit oder das Unrecht und damit identisch für oder gegen Gott gestellt wird. Daß gerade im Bereich der Sterblichkeit die Entscheidung zugunsten Gottes, und zwar, wie der Übergang aus dem Präsens in den Aorist andeutet, dauerhaft getroffen wird, weist über die bestehende, durch die Macht der Sünde gekennzeichnete Gegenwart hinaus und ist zugleich wie nach 1.K 10,1—13 Stand in der Anfechtung wie Forderung und Verheißung der Taufe. So eben ist es irdisch bestellt, wo man nicht mehr unter der Macht der Sünde, sondern der Gnade lebt.

In 14b überrascht die Antithese zum νόμος, die zunächst aus dem Kontext nicht einleuchtet. Bekundet sich darin, daß der Apostel in Schemata denkt und aus ihnen gleichsam zwangsläufig rhetorische Gegensätze bildet? Die Aufnahme der Frage von 1 in 15 sollte vor dieser oberflächlichen Deutung warnen, obgleich wie in 1 der Stil der Diatribe und nicht bloß die Wiederholung der Frage als solcher, sondern auch der Antithese von 14b Rhetorik verraten. Eine inhaltliche Veränderung und Steigerung liegt gegenüber 1 jedenfalls nicht derart vor, daß Pls jetzt statt von der Seinsordnung vom Lebensvollzug spräche (so Schlier, Taufe 52; ähnlich Lagrange; Tachau, Einst 117; dagegen Gäumann, Ethik 92; Merk 137). Es ist auch nicht erlaubt (gegen Stalder, Werk 279 f.), statt von der deutlich mit der Gewalt der Sünde parallelisierten Macht des Gesetzes bloß von seinem Fluch zu reden. Die plötzliche Variation des Gedankens, die Rhetorik des neuen Einsatzes, die Wiederholung der Antithese von 14b in 15 bekommen vielmehr von da aus Sinn, daß Pls nun die Taufparänese 12—14a auf die Dialektik von Freiheit und Gehorsam des Christen zuspitzt. Das wird mit dem Stichwort „nicht unter dem Gesetz" eingeführt. Christlicher Gehorsam ist nicht mit demjenigen unter der Tora zu verwechseln, sofern er als Stand in der Gnade zugleich Freiheit ist. Unbegreiflicherweise ist behauptet worden, Freiheit sei kein grundlegendes Thema der paulinischen Theologie (Nestle, RAC VIII, 280 ff.; konträr dazu Ellul, Liberté 64 ff.; Cambier, Liberté 317 ff.; Niederwimmer, Freiheit 69). Allein unser Briefteil beweist das Gegenteil. Freiheit ist das anthropologische Resultat der Rechtfertigungslehre und muß es sein, wenn Rechtfertigung die Versöhnung des Schöpfers mit der rebellierenden Kreatur und Heraufführung der neuen Schöpfung besagt. Gleichwohl muß exakt bestimmt werden, in welchem Sinn das gilt. Aus dem Horizont der Autonomie und Emanzipation wird das Problem von vornherein mißverstanden (M. Müller, Freiheit 187 ff.). Jene Unabhängigkeit, welche Stoa und Popularphilosophie als Selbstverwirklichung des Menschen verheißen, darf trotz aller Berührungspunkte (vgl. dazu Jonas, Augustin 13 ff.) nicht in die paulinischen Aussagen hineingelesen werden. Wenn man sich weithin angewöhnt hat, zwischen „Freiheit von" und „Freiheit zu", reichlich formelhaft und verschiedener Interpretation fähig, zu unterscheiden (vgl. M. Müller, Freiheit 183 ff.), soll das Gewicht der positiven Formulierung nicht im mindesten verringert werden. Dennoch hat man (mit Schlier, ThWb II, 492 ff. gegen Bultmann, Theol. 333 f.; Jonas, Augustin 13 ff.) von der negativen auszugehen, wenn man die gemeinte Sache nicht existentialistisch durch „Offenheit für echte Zukunft", „Eigentlichkeit des Daseins", moralisch als Erfüllung des vom Naturrecht Geforderten (J. Fuchs, Lex Naturae 37), mystisch als Überhöhung menschlicher Freiheit ins Übernatürliche, als im christlichen Wesen eingewurzelte und auf kirchliche Einheit tendierende Qualität (Cambier, Liberté 315 ff. 326 ff. 340 ff.) einengen oder verfälschen will. Ihre mythologische Einkleidung, wonach sie dem Zwang der abergläubisch mit den Gestirnen verbundenen Elemente der Welt entzieht, ist durchaus in den Vordergrund zu rücken, wie es in den Deuteropaulinen noch deutlicher als bei dem Apostel geschieht. Das gilt sogar, wenn man ihrer engen Verbindung mit der παρρησία bewußt bleibt und deshalb mit ihr ein neues Selbstverständnis des Christen gesetzt sieht. Denn dieses Selbstverständnis kann nicht einfach wie zumeist als innere oder religiöse Freiheit charakterisiert werden. Es bezieht sich auf ein anderes Verhältnis zur Welt, deren Dämonien durchschaut und als durch Christus überwunden erkannt werden. Der Sachverhalt, um den es letztlich hier geht, ist die Lösung vom idealistischen Erbe. Im Gegensatz zu diesem wird von Pls Gehorsam nicht als Möglichkeit, Ausdruck und Variation der Freiheit, sondern umgekehrt diese als die bestimmende Relation christlichen Gehorsams gegenüber der Welt betrachtet. Vorausgesetzt ist wie sonst, daß der Mensch konstitutiv einer Welt angehört und Herrschaft unterliegt, mit der Taufe also Herrschaftswechsel erfolgte und der neue Kyrios den an ihn Gebundenen in die Freiheit von den Mächten und Zwängen stellt. 1.K 8,6 spricht das deutlich aus und nimmt in christologischer Zuspitzung das 1. Gebot als Forderung wie als Verheißung auf. Dreht man das Verhältnis zwischen Gehorsam und Freiheit um, wird der Unterschied zwischen Christus und seinen Jüngern verwischt. Er ist der Freie, der gehorsam wurde, während wir unsere Freiheit in der Bindung an ihn und als Konsequenz des von Gott gnädig über uns aufgerichteten Herrenrechtes erhalten. Freiheit ist die weltbezogene Realität der Rechtfertigung. Deshalb wird von ihr erst nach 3,21 ff. gesprochen. Der dem wahren Kosmokrator Gehörige bewegt sich aufrechten Ganges durch dessen Machtbereich, bricht durch die dort willkürlich aufgerichteten Sperren und Tabus, darum auch durch die Sphäre der Tora, und bezeugt damit, dem Augenschein zum Trotz, mitten im irdischen Kampffelde den Frieden Gottes und die Offenheit für den Bruder als Wahrheit des Regnum Christi und als Ankündigung der Auferweckungswelt. Das Futur in 14a identifiziert Gebot und promissio dauerhaft.

Das Urteil, nirgendwo im Briefe würden ohne erkennbaren Fortschritt des Gedankens so viel Worte um die gleiche Sache gemacht (Jülicher), berücksichtigt nicht, daß es dem Apostel hier um das Zentrum christlicher Lebensführung geht, die aufgewiesene Dialektik sich unablässig neu und konkret als Frage an uns stellt und in eschatologischer Radikalität ein rigoroses Entweder—Oder uns abverlangt (K. Barth; Fuchs, Freiheit 41; Merk, Handeln 31 f.). Gerade der Stand in der Gnade hat eine nicht abzuschwächende Härte. Er wird deshalb nun verschärfend als Dasein des Sklaven charakterisiert. Nichts veranlaßt (gegen Lietzmann; Kürzinger, Τύπος 162 ff.), dabei an die antike Sitte des Sklavenloskaufes zu denken. Vorder- und Nachsatz in 16 sind tautologisch (Kuss). Dann bezeichnet δοῦλος auch nicht (gegen Barrett; Leenhardt) zunächst den Diener, der sich freiwillig in den Dienst begibt, und erst zum Schluß den Sklaven. Allerdings verlagert sich der Akzent vom Verb im Vordersatz zum Substantiv im Nachsatz. Pls kommt es darauf an, die Möglichkeit der Neutralität auszuschließen. Mit οὐκ οἴδατε wird an die allgemeine Erfahrung appelliert. Sie wird als Aussage über menschliche Existenz vorausgeschickt, um christlich in der Alternative des Schlusses zugespitzt zu werden. Man kann sich in Hörigkeit begeben, die uns, wie das sachlich überflüssige εἰς ὑπακοήν und der Relativsatz ᾧ ὑπακούετε unterstreichen, total bestimmt. Vom christlichen Dasein her wird sichtbar, daß das Exempel nicht bloß eine Möglichkeit unter andern, sondern die Grundverfassung des Menschen schlechthin anzeigt. Für den Getauften besagt das, daß er aus dem Regnum Christi nur in das 5,12 ff. beschriebene Regnum Adae zurückfallen kann. Logisch sollte man am Ende des Verses aus der Antithese heraus die Wendung erwarten: ἢ δικαιοσύνης εἰς ζωήν (J. Weiss, Beiträge 181). Pls liebt jedoch die Nüance. 5,18 ff. hat bereits dargetan, daß ewiges Leben in der Gerechtigkeit antizipiert und gegenwärtig wird. ὑπακοή hat hier nicht mehr wie im Vordersatz die allgemeine Bedeutung von Abhängigkeit, sondern wird, wie 17 zeigt, christlich konkretisiert. Wie in 1,5 ist Gehorsam der Glaube (Schlatter), der die promissio des Evangeliums ergreift und handelnd bewährt. Die stets vorhandene Anfechtung wird nur von dem überwunden, der das Wort hört und ihm dabei hörig wird. Das kann immer neu geschehen, wie und weil es in der Taufe geschehen ist. Die Danksagung resümiert in der scharfen Antithese von 17a und 18 die dort gesetzte Realität. Sündenherrschaft wurde beendet. Die Befreiung von ihr versetzt jedoch nicht in Ungebundenheit. Sie stellt in den Dienst der Gerechtigkeit. Die Verbindung der Worte wie der Kontext und die Parallele in 13 verbieten, an die moralische Norm der Rechtschaffenheit als neues Ideal zu denken (gegen Cerfaux, Chrétien 375). Der Sündenmacht tritt vielmehr die eschatologisch offenbarte Gerechtigkeit ebenfalls als Macht gegenüber (Ridderbos; Quell, ThWb II, 213; auch Ziessler, Meaning 201). Hier wird besonders deutlich, daß für Pls Gerechtigkeit nicht von Gottes Selbstoffenbarung ablösbar ist. Ihr zu dienen, läuft in 13 und 22 dem Dienste Gottes parallel. Sie bezeichnet die Wirklichkeit des gnädig nach uns greifenden Gottes, die sich in unserer Rechtfertigung aktualisiert. Gott gibt uns eschatologisch nicht bloß eine Gabe neben andern und nicht einmal die höchste und letzte seiner Gaben. Er gibt sich selbst, indem er uns in sein Recht als unser Schöpfer hineinzieht. Anders ist der Zusammenhang mit dem Regnum Christi, der unsere Kapitel beherrscht, überhaupt nicht zu begreifen. Die Gabe ist der Herr selbst, sofern man nicht Rechtfertigungslehre und Christologie auseinanderreißt. Rechtfertigung meint, daß Gott für uns da ist. Von ihr wird statt von Liebe gesprochen, weil es um Gottes Recht auch und gerade über den Gottlosen geht und darum, daß wir als solche in seine Herrschaft gestellt werden. Der Stand vor und unter

Gott allein ist Freiheit. Er entzieht uns unserer eigenen Verfügung wie den Mächten der Welt und öffnet den Raum, aus dem Adam fiel.

Problematisch bleibt das parenthetische Zwischenglied 17b, das zweifellos die schöne Antithese 17a 18 empfindlich stört (J. Weiss, Beiträge 229) und deshalb häufig als Glosse betrachtet worden ist (Bultmann, Glossen 202; Fuchs, Freiheit 44; Gäumann, Ethik 94 ff.; Tachau, Einst 117; möglich Bornkamm, Taufe 48; Leenhardt; ablehnend Kuss; Goppelt, ThWb VIII, 251; Aland, Interpretation 29; Greeven, Propheten 20 ff.; auf den Kontext ausgedehnt bei Sahlin, Textemendationen 98). Die Hypothese wird durch die Argumentation nicht glaubwürdiger, ἐκ καρδίας und τύπος διδαχῆς seien unpaulinisch, die letzte Wendung bezeichne aus dem Blickwinkel eines Glossators die paulinische Lehre (dagegen schon Lietzmann; Gutjahr; Murray) und Gehorsam diesem Typos gegenüber bliebe im Kontext trivial. Was soll einen Glossator veranlassen, jene Lehre bereits in Rom vorauszusetzen, die unser Brief erst vermittelt? In einer Taufparänese sind formelhafte Ausdrücke aus der Tradition nicht überraschend. Ohne das Zwischenglied würde die feierliche Aussage 16b wiederholen und die Danksagung rhetorisch überlagern. Auf dem harmlosen ἐκ καρδίας läßt sich wenig aufbauen. Der Schluß von 16 hat schon eine Definition des christlichen Gehorsams im Sinne des Hörens auf die Botschaft gefordert. Das wird jetzt bestätigt und gibt allein 17 weiterführenden Charakter. So spitzt sich alles auf die eine Frage zu, was konkret mit τύπος διδαχῆς gemeint ist. Denkt man an das „Christentum" im allgemeinen und ohne Anhalt im Text als Antithese zur Tora (Lietzmann), klingt die Formel unerträglich gespreizt. Das gilt ebenso, wenn nichts anderes als die christliche Lehre im ganzen, das Evangelium in seiner mündlichen Überlieferung gemeint wäre (gegen Sickenberger; Baulès; Schrage, Einzelgebote 130; Delling, Gottesdienst 92). Umgekehrt kann man nicht gut annehmen, die paulinische Botschaft würde hier von andern Lehrformen abgehoben (richtig Sanday-Headlam; Schlatter gegen Jülicher; Kühl), weil die Römer davon nicht betroffen würden. Unmöglich ist auch eine Verengung auf die moralische Unterweisung (Lagrange; Huby; Bruce; Murray; Beare, Interpretation 209 f.). Selbst die „gesunde Lehre" der Pastoralen bezieht sich auf die Glaubenstradition, und τύπος meint zudem (gegen Althaus) nicht die Norm, sondern die spezifische Ausprägung, übertragen das Modell. Die Taufhymnen des Neuen Testaments, die katechetische Überlieferung von 1.K 15,3 ff. und die spätere Bildung des römischen Symbolum (von Gutjahr und Kürzinger, Sinn 173 ff. schon hier vorausgesetzt) sprechen dafür, daß bei der Taufe ein Summarium des Evangeliums (Sanday-Headlam) weitergegeben wurde. Pls beruft sich selber unter Verwendung technischer Ausdrücke in 1.K 11,23; 15,2 auf grundlegende Überlieferung (Ridderbos). Wenn wir leider auch keinen eindeutigen Beleg dafür haben, ist jedenfalls nicht auszuschließen, daß der Apostel die ihm fremde Gemeinde an so etwas wie ein Credo beim Taufvorgang erinnert (zuerst Norden, Agnostos Theos 270 f.; dann P. Feine, Die Gestalt des apostolischen Glaubensbekenntnisses, 1925, 76; Schlier, ThWb II, 496; Taufe 53; Bornkamm, Taufe 48; Kürzinger, Sinn 169 ff.; Kertelge, Rechtfertigung 270; kritisch Kuss). Von da bekommt es auch guten Sinn, daß nicht die Übergabe der Tradition an den Täufling, sondern dieses an die Tradition festgestellt wird. Die durch τῷ τύπῳ ... εἰς aufzulösende Attraktion weist vielleicht auf eine jüdische Redeweise zurück, die von der Übergabe eines Schülers in die Lehre eines Rabbi spricht (Fridrichsen, Exegetisches 6 f.; Oepke, ThWb II, 424). Trifft das nicht zu, ist zu bedenken, daß Glaube mehr als persönliches Engagement meint. Eph 4,5 beweist mit seiner dreifachen, wohl aus der Taufhandlung stammenden Akklamation, daß man sich schon früh gegen häretische Heilsverkündigung abzusetzen hatte. Der Römerbrief im ganzen kennzeichnet den Vorgang, die Verkündigung mit einer klaren Interpretation des Evangeliums zu verbinden, und setzt noch nicht einheitlich festgelegte, aber christologisch zentrierte Bekenntnisse voraus, die dem gleichen Zwecke dienen. Der τύπος διδαχῆς entspricht in antithetischer Parallele der jüdischen μόρφωσις τῆς γνώσεως καὶ ἀληθείας von 2,20, die ebenfalls auf eine bestimmte Lehre verpflichten will. Indem der Täufling dem Herrn übergeben wird, wird er zugleich einem Credo übereignet, das die Bedeutung dieses Herrn verbindlich herausstellt.

Der Kontext erhält damit eine vorher noch nicht scharf konturierte Perspektive. Christlicher Gehorsam ist mehr als ein moralisches Verhalten. Er orientiert sich bleibend an der fides ex auditu, auf die man in der Taufe verpflichtet wurde und die man zugleich von Herzen, also radikal und freiwillig, angenommen hat. Vom Zwang der Mächte erlöst, unterwarf man sich in Freiheit neuer Dienstbarkeit. Daran kann und muß immer wieder appelliert werden. Verhält es sich aber so, läßt sich die sakramentale Aussage nicht mehr von der Verkündigung der Rechtfertigung scheiden. Nur grobe Verkennung des Wortes bezieht seine Wirkung auf die moralisch-rechtliche Seite des sakramentalen Geschehens (Schlier, Taufe 53). In nicht auflösbarer Komplementarität stellen Taufe wie Verkündigung in den Bereich der göttlichen Gerechtigkeit (Merk, Handeln 19 ff.; Lohse, Taufe 321 ff.). Wie das Sakrament die Externität des Offenbarungshandelns bekundet und vor Spiritualisierung schützt, so betont das Wort, daß Relationen gesetzt werden, und schützt vor Verdinglichung der Offenbarung. Zentrales Anliegen ist beide Male nicht das Individuum, sondern die Herrschaft Christi, welche objektiv über dem Einzelnen aufgerichtet und subjektiv ergriffen und festgehalten werden will. Eben deshalb ist δουλεία das Stichwort des Abschnittes. Die Auslegung wird dadurch irritiert, weil der Apostel in 8,15 ausdrücklich Knechtschaft für den Christen bestreitet (Zahn; Dodd; Althaus; Michel u. a.). Pls erwartet diesen Einwand. Doch schränkt 19a seine Feststellung nicht entschuldigend ein (so zumeist), sondern begründet sie (Sand, Fleisch 139 f.). Indem er die Strukturen des Standes unter der Sünde und in der Gerechtigkeit mit dem Begriff der Sklaverei parallelisierte, hat er auf Menschenweise gesprochen, nämlich, dem κατὰ ἄνθρωπον von 3,5 entsprechend, so, wie Menschen es sehen müssen. Die erläuternde Präpositionalwendung visiert weder sittliche (Kühl; Bardenhewer; Gutjahr; Stählin, ThWb I, 489 f.) noch intellektuelle Schwachheit (Bauer, Wb 229; Lietzmann; Michel; Kuss; E. Schweizer, ThWb VII, 125) oder Unmündigkeit (Sand, Fleisch 139 f.) an. ἀσθένεια meint bei Pls nicht irgendwelche Hinfälligkeit, sondern die Anfechtung des Christen durch die Regungen des Fleisches. Zugegeben wird, daß die Beschreibung des Christenstandes durch Sklaverei nicht adäquat ist und nur unter irdischem Aspekt gilt (Ridderbos). Durch die sonst überflüssige Wendung des Schlusses wird das jedoch sofort dialektisch ausbalanciert: Es war notwendig, so zu sprechen (richtig Wetter, Vergeltungsgedanke 99), weil das Fleisch Autonomie begehrt und darum die Redeweise vom Sklavendienst als unzumutbar ablehnt. So gewiß Kindschaft und Freiheit des Christen zu betonen sind, so wenig darf man enthusiastisch darauf pochen und die Abhängigkeit vom Herrn leugnen. ἀσθένεια ist nach dieser Interpretation gerade nicht die Ohnmacht der Schwachen, denen mit dem Hinweis auf die Forderung des radikalen Gehorsams tatsächlich nicht geholfen würde, sondern der Trotz der Starken, welche alle Fesseln los sein möchten und deshalb gegen die Ausführung des Apostels protestieren. Ihnen wird gesagt, daß das Vorherige allerdings nur den irdischen Aspekt beschrieb, jedoch nicht zurückgenommen oder eingeschränkt werden kann, um nicht dem Fleisch Auftrieb zu geben. Pls nennt sich selbst einen Sklaven Christi. Die Wahrheit der Kindschaft im Glauben setzt irdisch die Wirklichkeit des Sklavendienstes. Damit entfernt sich Pls in gleicher Weise von jüdischer Anschauung, welche Knechtschaft als notwendige, aber drückende irdische Realität anerkennt, wie von der Schwärmerei, welche sie schon irdisch für abgelöst hält. Gnade begründet den leiblichen Gehorsam so radikal, daß der Vergleich mit dem Sklaven gerechtfertigt ist, dessen Stand nach Phil 2,7 auch Christus angenommen hat. Es geht um die totale und exklusive Bindung des 1. Gebotes, die nach ihren beiden Seiten hin entfaltet werden muß. Sofern sie total ist, meint sie Sklavendienst. In ihrer Exklusivität schafft sie Freiheit. Ins Licht rückt dabei nochmals das Verhältnis von Sakrament und „Ethik". Der Apostel denkt so wenig im üblichen Sinne „sakramental", daß für ihn nur der Gehorsam als Frucht der Taufe zählt. Er denkt umgekehrt so „sakramental", daß dieser Gehorsam allein durch die Zuwendung göttlicher Liebe und die Aufrichtung der Gnadenherrschaft ermöglicht wird. Der Geliebte entäußert sich und wird niedrig. Nur er kann es.

Das führt zum dritten Unterabschnitt, der unter dem Stichwort ἁγιασμός steht. Die früher angedeutete Geschichte der Auslegung hat bereits die Gefährlichkeit dieses Themas gekennzeichnet, die hier noch dadurch gesteigert wird, daß es als Ziel des christlichen Lebens erscheint (Grundmann, ThWb I, 317; Kertelge, Rechtfertigung 272; Thüsing, Per Christum 94). Gängige Anschauung läßt die forensisch gedachte Rechtfertigung den Grund sittlicher Bewährung sein. Diese äußert sich in fortschreitender Vervollkommnung (Dodd, Meaning 125 f.; Taylor; Cerfaux, Christus 199 ff.) und ermöglicht schließlich den Zustand der Heiligkeit oder läßt ihn wenigstens in den Blick kommen (Sanday-Headlam; Kühl; Sickenberger; Lagrange; Schlier, Taufe 54; dagegen Stalder, Werk 227; Kertelge, Rechtfertigung 272). Man hat sich jedoch zunächst klarzumachen, daß das Stichwort in die Taufterminologie gehört (Tachau, Einst 105). Die Getauften sind nach 1.Th 4,7 zur Heiligung berufen und werden als zur eschatologischen Welt gehörig ἅγιοι genannt. Die Taufformel 1.K 6,11 parallelisiert den Stand in der Rechtfertigung und in der Heiligung. Das besagt, daß wie auch sonst ein ursprünglich kultischer Begriff schon im Judentum sowohl in den ethischen wie in den eschatologischen Sprachbereich übernommen wurde (vgl. die Parallelen aus Qumran bei Dietzel, Beten 23). In der Urchristenheit überwiegt das Zweite. Wird in unserm Text scheinbar eine Entwicklung dargestellt, so beschreibt das in Wirklichkeit die Heiligung als tägliche Aufgabe gelebter Rechtfertigung (Gaugler; Merk, Handeln 33). Nicht zufällig wird das auf die Glieder bezogen. Es geht um jenen leiblichen Gehorsam, der in 12,1 f. als Gottesdienst im Alltag der Welt charakterisiert werden wird (Thüsing, Per Christum 94 f.). So scheint παριστάνειν nun anders als in 13 tatsächlich auf Opfersprache zu verweisen. Man verfehlt den Skopus und Horizont des Textes, wenn man die ihn bestimmenden Gegensatzpaare nicht beachtet: in 15 Gesetz—Gnade, in 16 Sünde—Gehorsam, in 18 und 20 Sünde—Gerechtigkeit, in 22 f. Tod—Leben. Dem fügt sich die Antithese ἀνομία — ἁγιασμός ein. Vorausgesetzt wird dabei der in Gal 5,17 ff. beschriebene Machtkampf zwischen Fleisch und Geist, in welchem die beiden Äone aufeinanderprallen. In der Anthropologie ist er ständig im Gange und wird er unablässig neu entschieden. Der Christ darf sich nicht zur ἀνομία als Bindungslosigkeit verführen lassen. Heiligung meint in der Profanität der Welt und angesichts unserer Anfechtung leiblich sich bekundendes Dasein für Gott, weil Gott in Christus gnädig uns in seine Herrschaft stellte und für uns da ist. Rechtfertigung beansprucht den ganzen Menschen in all seinen Möglichkeiten und Beziehungen, also in unserer eigenen Weltlichkeit, weil Gott neue Welt will und schafft. In der Heiligung geht es um diese Intention und Dimension der Rechtfertigung, welche individuell und exemplarisch vertreten werden müssen.

Wie immer es um die religionsgeschichtliche Herkunft und den formgeschichtlichen Sitz im Leben der Kontrastformel „Einst—Jetzt" bestellt sein mag (vgl. dazu die Monographie von Tachau), so begegnet sie unbestritten hier und an gewichtigen andern Stellen im Zusammenhang der Taufparänese (Tachau 80. 119). Stellt sie die Gegenwart der Gläubigen ihrem vorchristlichen Leben gegenüber, so beschreibt sie schon damit eine bestimmte, nämlich durch einen Bruch gekennzeichnete Geschichte, genauer die Spiegelung der Äonenwende in der Taufe und der Existenz des Getauften (gegen Tachau 109 f.). Der Kontrast der Zeiten ist dabei konstitutiv für denjenigen der antithetischen Aussagen, und diese Aussagen dienen hier unzweideutig nicht der Vergewisserung des Heils, sondern dem Ruf zum Kampf und Widerstand (gegen Tachau 109 f. 112 f. 115 f.; verklausuliert anerkannt in 120 ff.). Die Vergangenheit der Leser wird aus spezifisch jüdischer Sicht und deren Abscheu als typisch heidnisch charakterisiert. Was vorher Sünde hieß, ist jetzt darum in ἀκαθαρσία und ἀνομία aufgelöst. Wie nach 1,24 ff. treiben wilde Sexualität und Zuchtlosigkeit, in denen der Mensch sich mit seinen Lüsten zum Maß seines Tuns macht und autonom gebärdet, in Anarchie (Schlier, ThWb II, 492). Erst der Christ erkennt, daß er gerade so in Knechtschaft lebte. δοῦλα ist biblisch noch in Sap. Sal 15,7 gebraucht. εἰς τὴν ἀνομίαν stößt sich hart mit dem voraufgehenden Dativ, ist deshalb in einer Reihe von Handschriften ausgelassen und gelegentlich (Sahlin, Textemendationen 99) als Glosse betrachtet. Es soll zum Ausdruck kommen, daß willkürliche und trügerische Freiheit ansteckend wirkt und sich einen irdischen Raum schafft. Auf solcher Folie wird dasselbe antithetisch für den Dienst der Gerechtigkeit behauptet. Auch er wirkt um sich ein Feld von Beziehungen, in welchem die Herrschaft des heiligen Gottes zutage tritt. Zugehörigkeit zu Gott soll sich irdisch manifestieren. Sie kann das nur, wenn wir sie mit unsern Gliedern, also in unserer gesamten leiblichen Existenz, bezeugen. Allein dann kommt es zu jener Frucht, die nach jüdischer Terminologie (vgl. Delling, ThWb VIII, 56; Kuss 404 f.) den Ertrag eines Lebens darstellt. Scheinbar ersetzt Pls das Motiv der militia Christi und das andere der Heiligung, das dem kultischen Bereich entstammt, jetzt durch ein Bild aus dem Prozeß des organischen Wachstums. Doch wurde der Entwicklungsgedanke bereits abgelehnt. Leben darf nicht vergeblich geführt werden und leer bleiben. Tat und Wirkung sind seine Zeichen. Solche Redeweise ist nicht ungefährlich, weil sie Leistungsdenken begünstigen kann. Für den Apostel sind jedoch Tat, Wirkung, Frucht und sogar eine sich nicht selbst rechtfertigende καύχησις unverzichtbar, weil der Mensch nicht Monade ist und Spuren in der Gemeinschaft hinterläßt, wenn er nicht bloß sich selber lebte. Freilich steht auch das Fruchttragen unter apokalyptischer Alternative: Es kann ebenfalls zugunsten der Sünde und des Todes geschehen. Mit beiden Feststellungen rückt Pls das Stichwort Heiligung aus dem Horizont individueller Vervollkommnung weit hinaus, nämlich in die Relationen eines Daseins in der Welt. Heilig ist der von Gott Angeblickte, im Angesicht Christi Stehende. Seine Heiligung meint aber, daß seine Umwelt in seinen leiblich, also in der Gemeinschaft erfolgenden Lebensäußerungen wie in einem Spiegel Gottesdienst in der Profanität der Erde gewahrt und jenes Gottes ansichtig wird, der sein Geschöpf angeblickt hat. Die Welt wird ihrem wahren Herrn durch seine Diener konfrontiert, und damit ist die Fragwürdigkeit der kosmischen Mächte herausgestellt.

20 macht dasselbe von der entgegengesetzten Seite aus klar, wenn ganz formal von Freiheit gegenüber der Gerechtigkeit gesprochen und so die grundlegende Antithetik unseres Abschnittes festgehalten wird. Auf solche Weise wird Gerechtigkeit nämlich, wie es schon in Qumran geschah (vgl. Becker, Heil Gottes 87 ff.), als Bereich einer Herrschaft anvisiert, den Gottes Geschöpf irdisch repräsentieren soll, heidnisch jedoch zugunsten der Sündenherrschaft verließ. ἐφ' οἷς ist nicht (gegen Zahn) an 21 anzuschließen, sondern Antwort auf die dort gestellte Frage. ἐπαισχύνομαι stammt hier nicht aus der Bekenntnissprache (anders Gäumann, Ethik 101), richtet sich vielmehr auf objektiv vorhandene Schande. 21c gibt die Begründung. Dabei zeigt sich, daß καρπός das Ergebnis des Sündendienstes meinte, nicht das durch τέλος bezeichnete Ziel. Es besteht ein Zirkel: Treiben Unreinheit und Zuchtlosigkeit in kosmische Anarchie, sind sie umgekehrt immer schon Folge und Manifestation bereits vorhandener Sündenmacht. Es liegt also das gleiche dialektische Verhältnis von Schuld und Verhängnis wie in 1,24 ff.; 5,12 ff. vor. Alles ist in weltweiter Verflechtung zugleich Frucht und Same, der Tod nicht bloß Ende, sondern heimliches Ziel des nicht durch Christus bestimmten, darum der Sünde verfallenen Lebens. In genauer Entsprechung zu 20b von Freiheit formal sprechend, formuliert 22 zum letzten Male die Antithetik von Vergangenheit und Heilsgegenwart, wobei das eschatologische νυνὶ δέ wieder wie in 3,21 die Wende bezeichnet. Daß der Apostel so formal von Freiheit reden kann, ergibt sich von da aus, daß der Begriff inhaltlich primär die Entnommenheit aus dem Zwang der Mächte anzeigt. Tritt erneut Gott an die Stelle der Gerechtigkeit (Murray; Tachau, Einst 105), ist die Folgerung unabweisbar, daß Gerechtigkeit bei Pls nicht auf das Rechtfertigungsurteil und nicht einmal auf die Gabe der Glaubensgerechtigkeit beschränkt werden darf. Regnum Dei im Zeichen der Gnade ist ihre Sachmitte, Rechtfertigung die Partizipation daran, in der man in das Regnum Christi als des gehorsamen Adam und in die nova oboedientia gestellt wird. Auch hier bleibt der Dienst nicht ohne Ertrag. An die Stelle der ἀνομία tritt der ἁγιασμός, nämlich ein Leben in dem offenen Zugang zur praesentia Dei von 5,2 und darum in irdischer Unbefangenheit, die als Wahrzeichen für die Welt den Kyrios Christus bezeugt. Solches Leben hat ebenfalls ein Ende und Ziel, das im Dienst vorweggenommen wird. Wird es als ewiges Leben beschrieben, kommt nochmals zum Vorschein, daß christliche „Ethik" in Wirklichkeit gelebte Eschatologie ist. Der Apostel teilt nicht das moderne Interesse an der Kontinuität des Daseins und an sittlicher Entwicklung des Charakters. Der Bruch zwischen Vergangenheit und Gegenwart und die damit verbundenen, scheidenden Alternativen unseres Abschnittes sind symptomatisch. Wir sind zwar zu einem Ziel unterwegs. Doch ist dieses in Christi Werk bereits vorgegeben und in unserm Dienst präsent. Umgekehrt haben wir uns stets neu die mit der Taufe gewährte Freiheit schenken zu lassen, welche erst in der Auferweckung uns unangefochten zuteil wird. 23 begründet mit einem Summarium nicht nur 22, sondern die ganze voraufgegangene Paränese. Feierlich wird so stilisiert, daß 23a sich auf 21, 23b auf 22 bezieht. ὀψώνιον ist militärisch nicht Entgelt (gegen Bauer, Wb 1194), sondern Sold (Heidland, ThWb V, 592), der folgende

Genetiv ein gen. auct.: Die Sünde zahlt schon heute mit dem Tode. Vom schenkenden Gott läßt sich dieses Bild nicht gebrauchen, so daß ein Verständnis von χάρισμα als Ehrengabe (Zahn u. a.) recht fragwürdig bleibt. Wie in 5,15 ist nicht (gegen Kühl; Gutjahr; Michel; Kuss; Gaugler; H. W. Schmidt) die außerordentliche, sondern (Barrett; Thüsing, Per Christum 96) die umfassende Heilsgabe als schon gewährt gemeint, aus der sich alle spezifischen Charismen als Konkretionen ableiten. Empfangen wurde sie von denen, welche in der Taufe Christus als Herrn erhielten. Die überschießende Klausel nach dem symmetrischen Parallelismus endet auch sonst bei Pls einen Gedankengang (J. Weiss, Beiträge 189,1).

III. 7,1—8,39: Das Ende des Gesetzes in der Macht des Geistes

Die Verbindung der beiden folgenden Kapitel kann erst aus der Einzelexegese als zwingend erwiesen werden. Das gilt ebenfalls für den Aufbau von c. 7. Ob die Abschnitte 1—6, 7—13, 14—25 einer inneren Logik unterliegen, bleibt vorläufig offen.

1. 7,1—6: Frei vom Gesetz

1 Verkennt ihr aber, Brüder, — ich spreche zu solchen, die im Recht Bescheid wis-
2 sen! —, daß das Gesetz über den Menschen gebietet, solange er lebt? Denn die verheiratete Frau ist durch Gesetz an den lebenden Mann gebunden. Wenn der Mann
3 jedoch stirbt, ist sie von dem Gesetz des Mannes gelöst. Bei Lebzeiten des Mannes wird sie Ehebrecherin genannt, wenn sie sich einem andern Manne hingibt. Stirbt der Mann aber, ist sie vom Gesetz frei, also nicht Ehebrecherin, wenn sie einem an-
4 dern Mann zu eigen wird. So seid auch ihr, meine Brüder, dem Gesetz kraft des Leibes Christi abgetötet, daß ihr eines andern eigen werden solltet, (nämlich) des von
5 den Toten Auferweckten, und deshalb haben wir Frucht für Gott zu bringen. Denn als wir noch im Fleische waren, wirkten die sündigen Leidenschaften, durch das Ge-
6 setz erregt, in unsern Gliedern, dem Tode Frucht zu bringen. Jetzt sind wir jedoch endgültig vom Gesetz getrennt, dem gestorben, worin wir gefangen lagen. Wir können also im neuen Wesen des Geistes dienen, nicht (mehr) im alten des Buchstabens.

Literatur: W. G. Kümmel, Römer 7 und die Bekehrung des Paulus, 1929. E. Lohmeyer, Probleme paulinischer Theologie III., Sünde, Fleisch und Tod, ZNW 29 (1930), 1-59. E. v. Dobschütz, Wir und Ich bei Paulus, ZsystTh 10 (1933), 251-277. G. Bornkamm, Sünde, Gesetz und Tod, Das Ende des Gesetzes I, 51-69. E. Ellwein, Das Rätsel von Römer VII, KuD 1 (1955), 247-268. E. Giese, Römer 7, neu gesehen im Zusammenhang des gesamten Briefes, Diss. Marburg, 1959. H. Hommel, Das 7. Kapitel des Römerbriefs im Licht antiker Überlieferung, Theologia Viatorum 8 (1961/2), 90-116. K. Prümm, Röm 1-11 und 2.Kor 3, Bibl. 31 (1950), 164-203. S. Schulz, Die Decke des Moses, ZNW 49 (1958), 1-30. S. Zedda, L'uso di gar in alcuni testi di San Paolo, Stud. Paul. Congr. II, 445-451. H. Hübner, Anthropologischer Dualismus in den Hodayoth?, NTSt 18 (1971/2), 268-284.

Die Angriffsspitze der paulinischen Rechtfertigungslehre liegt darin, daß sie mit Sünde und Tod auch das Gesetz dem alten Äon zurechnet. Erkennt man das nicht, wird die

Anschauung des Apostels erbaulich domestiziert. Besonders 2.K 3 zeigt, daß Pls das Gesetz als weltweit wirkende Macht versteht, die darum das Leben des Christen von außen weiter bedroht, selbst wenn sie keinen Anspruch darauf mehr hat. Zu bedenken ist schließlich, daß der Apostel durch sie wie nichts sonst seiner eigenen Vergangenheit konfrontiert wurde. Den Ausweg späterer Christenheit, zwischen kultischer und ethischer Tora zu unterscheiden, fand er als ehemaliger Pharisäer nicht, weil diesem das Gesetz unteilbar war. So gibt es kaum ein Thema, das ihn stärker bewegt und leidenschaftlicher von ihm reflektiert wird. Das Gesetz ist der eigentliche Gegenspieler des Evangeliums, die radikale Torakritik das unverwechselbare Merkmal paulinischer Theologie (Eichholz, Theol. passim). Es wundert darum nicht, daß die Darstellung christlicher Freiheit in der These der Freiheit vom Gesetz mündet. Überraschend ist jedoch die Vorsicht, Umständlichkeit und zumal auch die captatio benevolentiae, mit denen unser Abschnitt einsetzt. Vielleicht darf man vermuten, daß der Apostel sich bewußt war, hier der römischen Gemeinde oder wichtigen Gruppen in ihr gegenüber sehr gefährlichen Boden zu betreten. Jedenfalls sind unsere Verse nicht mehr zu c. 6 zu ziehen und nicht einmal als Überleitungsstück zu betrachten (gegen Best; Tachau, Einst 126 f.). Sie markieren einen neuen Einsatz.

Er beginnt wie in 6,3 mit einer Frage und dem der Diatribe entnommenen ἢ ἀγνοεῖτε, das hier jedoch nicht auf Tradition, sondern auf allgemeine Erfahrung verweist und so einen Vergleich nach sich zieht. Die Leser werden als gesetzeskundig angeredet. Sofern die römische Gemeinde im wesentlichen aus Heidenchristen besteht, können selbst eine aktive judenchristliche Minorität und die gottesdienstliche Berührung mit dem Alten Testament schwerlich die Beziehung dieser Prädikation auf die Tora rechtfertigen (gegen Zahn; Schlatter; Murray; van Dülmen, Theologie 101). Der Kontext behandelt auch nicht deren Eherecht (gegen Schlatter; Gaugler; Bläser, Gesetz 221; Chr. Maurer, Gesetzeslehre 42 f.; Schoeps, Paulus, 178 f. 202). Die juridische, nicht speziell religiöse Argumentation der Bildrede kann vom Juden zwar aus seiner Tradition heraus anerkannt werden, muß jedoch nicht (gegen Lietzmann; Huby; Althaus; Leenhardt; H. W. Schmidt; Bläser, Gesetz 88 ff.; richtig Ridderbos) an die Tora erinnern. νόμος ist hier die gesetzlich geregelte Ordnung (Sanday-Headlam; Bultmann, Theol. 260), auf welche die Bürger der Welthauptstadt ansprechbar sind, ohne daß ihre Gesetzeskunde strapaziert werden sollte. Sie sind keine Barbaren. Das γάρ begründet nicht so sehr, wie es einleitet (Zedda, L'uso 445 f.). Der folgende Vergleich hat wie die Sentenz in 6,7 pädagogische Funktion. Schon im gesellschaftlichen Bereich beendet, wie der Spezialfall der Ehe exemplifiziert, der Tod Abhängigkeiten (Kümmel, Roe 7, S. 37). Das gilt für den Christen auch im Blick auf das Gesetz des Mose. Um der Analogie willen wird schillernd vom νόμος gesprochen. Es liegt nicht der mindeste Grund vor, deswegen, wie es häufig geschieht (Sanday-Headlam; Pallis; Althaus; Bornkamm, Sünde 52; Hommel 93 f.; richtig Zahn; Nygren; Kümmel, Roe 7, S. 38 f.), allegorisierend schon hier die Sache von 4—6 einzutragen. Das wird auch nicht dadurch nahegelegt, daß der Vergleich wie zumeist bei Pls hinkt (Lietzmann; Dodd; Gale, Use 192 ff.). Die Zugehörigkeit zu Christus setzt nicht das Ende der Gesetzesbindung voraus, sondern schafft es. Anders als die geschilderte Frau bekommt der Christ keine Verfügung über sich selbst, sondern einen neuen Herrn, der den alten ablöst. Der Mann im Vergleich ist also nicht die Tora. Das tertium comparationis liegt allein darin, daß Sterben sonst lebenslang gültige Bindungen aufhebt.

1b bringt den Grundsatz. κυριεύειν dürfte eher juridisch „rechtsgültig sein" als herrschen meinen. 2—3 sind die konkrete Anwendung des Satzes auf die Ehe. Der hellenistische Ausdruck ὕπανδρος entspricht (Billerbeck) rabbinischem Äquivalent. καταργεῖν bezeichnet hier nicht eschatologisch die radikale Lösung, χρηματίζειν, ursprünglich (Bauer, Wb 1751; Lagrange; Michel) „Geschäfte führen", hat, sofern das in bestimmtem Auftrag geschieht, die Bedeutung bekommen: einen Namen führen, heißen. Der Infinitiv am Schluß ist konsekutiv (Lagrange).

4 zieht die Konsequenz, wobei der Aorist des Verbs wie der gesamte Kontext unverkennbar wieder auf das Taufgeschehen blicken und das 6,4 ff. gegenüber der Macht der Sünde Gesagte ganz selbstverständlich auf das Verhältnis zum Gesetz übertragen wird. Die Herrschaft des Auferstandenen begründet wie in 6,11 die neue. Existenz. Wie in 6,22 äußert sie sich im Fruchttragen für Gott, was wie dort nicht Leistung, sondern Weitergabe des Segens meint und durch ἵνα als göttlicher Wille erscheint. Der Wechsel aus der 3. in die 1. Person markiert dauernde Bestimmung. Auch 5 wiederholt Motive des vorigen Kapitels. Was in 6,12 ἐπιθυμίαι hieß, wird nun παθήματα τῶν ἁμαρτιῶν genannt. Das Wort vom alten Menschen in 6,6 ist durch ἐν σαρκί umschrieben. Die Glieder sind wie dort Träger jener Handlungen, in welchen die uns beherrschende Macht sich bekundet und in die Welt der Leiblichkeit greift. Allerdings ist die Nüancierung zu beachten. An die Stelle des alten Menschen in uns, der mitgekreuzigt werden muß, tritt die weltweite Dimension des Fleisches, welche durch den ersten Adam eingeleitet wurde, von unserer dem Irdischen verfallenen Existenz repräsentiert, aber nicht umgrenzt wird. Wir stoßen hier zum ersten Male auf die für paulinische Anthropologie charakteristische, technisch verwandte Formel ἐν σαρκί (zur Interpretationsgeschichte Sand, Fleisch 3—121; Exkurs bei Kuss; Brandenburger, Fleisch und Geist 42 ff.). Eine völlig adäquate Parallele dazu gibt es nicht. Vom klassischen Griechentum her ist sie unbegreiflich. Fleisch ist dort ein Stoff, den man leiblich hat, ohne „in ihm" zu sein. Im Alten Testament und Judentum wird damit das Wesen der Kreatur in der Differenz zum schaffenden Gott sowohl nach ihrer Schwachheit wie nach ihrer Auflehnung gegen den Schöpfer gekennzeichnet. Der Bereich des Individuellen wird so überschritten, kreatürliche Gemeinschaft in Verwandtschaft, Volk und sogar Welt vorausgesetzt. Grundsätzlich könnte man also ein „im Fleisch" behaupten. Doch mußte es offensichtlich erst zum Einbruch eines gewissen dualistischen Denkens kommen, ehe in metaphysischem Kontrast „Fleisch" und „Geist" als die Wirklichkeiten des alten und neuen Äons auseinandertraten, durch die kennzeichnenden Präpositionalverbindungen mit κατά als Mächte und durch die parallelen mit ἐν als Herrschaftsbereiche bestimmt wurden. Zweifellos tendieren eine Anzahl von Qumran-Stellen in diese Richtung, so daß man aus ihnen eine Anschauung vom „dämonisierten Fleisch" (Kuhn, Πειρασμός 209 ff.) herauslesen konnte. Sie tuen das jedoch nicht in dem technisch absoluten Gebrauch, sondern mit einem qualifizierenden Genetiv wie Fleisch der Bosheit (Kuss, Exkurs). Erst recht kommt es nicht zu der technischen, absolut formulierten Antithese von Fleisch und Geist, und eine eindeutige Lehre vom Geist ist nicht ausgebildet (Davies, Paul 176 ff.; Brandenburger, Fleisch 96 f.; Hübner, Dualismus 268 ff.). Sollte die Toraverschärfung nicht sinnlos werden, war das unmöglich, ließ sich nicht wie in unserer Stelle das Sein im Fleisch als abgetane Vergangenheit erklären. Die unverkennbare Verschärfung des Gegensatzes gegenüber den alttestamentlichen Aussagen erreicht, selbst wo sie aus dem ethischen Kontrast bis an die Grenzen eines metaphysi-

schen vorzustoßen scheint, nicht die paulinische Radikalität. Der Übergang zu einem kosmischen Dualismus vollzieht sich wohl erst bei Philo (Brandenburger, Fleisch 86 ff. 140 ff.), allerdings noch nicht in paulinischer Antithetik fest geprägter Aussagen, sondern in einer Fülle von Analogien (ebd. 115 ff. 197 ff.), die immerhin die beiden Machtbereiche unterscheiden. Die religionsgeschichtliche Ableitung der technisch und absolut gebrauchten paulinischen Formeln ist also bisher nicht völlig gelungen, so unwahrscheinlich es ist, daß man sie auf den Apostel selber zurückzuführen hat. Vielleicht darf man vermuten, daß er in seinem Kampf mit dem Enthusiasmus auf sie stieß und sie sich dann nutzbar machte.

Dabei ist die Breite der Variationsmöglichkeiten nicht zu übersehen (vgl. Bultmann, Theol. 232 ff.), die von der Körperlichkeit zur Bezeichnung des Persönlichen und seiner Gemeinschaftsbindungen zur Kreatürlichkeit in Schwachheit und Anfechtung bis hin zur Antithetik der Machtbereiche des alten und neuen Äons führt. Verständlich wird solche Skala, sofern sich mit dem irdischen Stand außerhalb des Regnum Christi faktisch die Verfallenheit an die Welt und ihre Mächte verbindet. Auch die technischen Formulierungen liegen noch nicht ganz fest. Während in 2.K 10,2 f. das Verfallensein an die Macht der Welt durch κατὰ σάρκα von der angefochtenen kreatürlichen Existenz ἐν σαρκί abgehoben wird, meint in unserm Text ἐν σαρκί deutlich das Wesen des alten Äons, ist also mit dem identisch, was gewöhnlich κατὰ σάρκα heißt. Die qualitative Genetivkonstruktion τὰ παθήματα τῶν ἁμαρτιῶν nennt die Energien jenes Fleisches, das weltverfallen mit mannigfacher Differenzierung, wie der Plural anzeigt, im Aufruhr gegen Gott steht. Dahingestellt muß bleiben, ob παθήματα statt ἐπιθυμίαι darauf aufmerksam macht, daß auch diese Regungen nicht von uns zu steuern sind, uns vielmehr als Wirkfeld benutzen und im Grunde von uns erlitten werden (Schlatter; Horst, ThWb IV, 566; Kühl deutet wohl deshalb das Verb medial „wirksamer werden"). Doch spricht der Wortgebrauch des Apostels nicht für solche Nüance, und der Kontext macht sie noch unwahrscheinlicher. Danach werden die sündlichen Leidenschaften durch das Gesetz aktiviert, wie 5,20a bereits andeutete, 1.K 15,56 es ausdrücklich bestätigt und die hier schon anvisierte Ausführung 7,7 ff. entfalten wird. Pls begründet jetzt den Skopus des Abschnittes. Es kann keine Rede davon sein, daß das Gesetz nun wieder seinen ursprünglichen Sinn bekommen hat, eine Hilfe zur Gerechtigkeit zu sein (gegen Beare, BHH III, 1612). Das καταργηθῆναι, welches das ἐθανατώθητε von 4 radikalisiert, spricht nicht von neuem Verständnis und Gebrauch der Tora, sondern ohne Einschränkung von ihrem Ende für den Christen seit der Taufe (Thüsing, Per Christum 96 ff.). Eingliederung in die Herrschaft Christi und totale Trennung von der des Gesetzes fallen zusammen. Die Heilsgegenwart, durch νυνὶ δέ auch hier markiert, hat ihr Charakteristikum gerade darin. Warum das gilt, will der bisher nicht erörterte und sehr enigmatische Ausdruck διὰ τοῦ σώματος τοῦ Χριστοῦ in 4 offensichtlich herausstellen. Von unserm Anteil am getöteten Leibe Jesu ist (gegen Nygren; JAT Robinson, Body 47) nicht die Rede. Vom Kontext her ist es willkürlich, σῶμα Χριστοῦ wie in 12,4; 1.K. 12,12 ff. auf den Leib des Erhöhten in der Kirche zu beziehen (A. Schweitzer, Mystik 186,1; Prat, Théol. II, 269; Dodd; Kümmel, Theol. 190 f.; erwogen bei Barrett; ablehnend Kuss). Das hätte nicht nur klarer, sondern doch wohl auch durch ein Präsens des Verbs gesagt sein müssen. Am nächsten liegt es (E. Schweizer, ThWb VII, 1064), die Wendung formelhaft zu verstehen. 1.K 10,16 zeigt, daß sie in wahrscheinlich vorpaulinischer eucharistischer Sprache den Kreuzesleib bezeichnete (Bultmann, Theol. 149). Durch ihn sind wir kraft des Mediums der Taufe wie von der Sünde, so vom Gesetz endgültig gelöst, nämlich ihm getötet, und die Sentenz von 6,7 trifft auch für uns zu. 6 unterstreicht. Nicht nur die Fluchgewalt des Gesetzes (gegen Stalder, Werk 288 f.) oder die Tyrannei einer Idee der Legalität und moralischen Vergeltungsordnung (Dodd, Meaning 71 ff.) sind abgeschafft, sondern die Tora als solche. Nach der Parallele in 4a kann der Relativsatz sich nur auf das Gesetz beziehen (Schlatter; Kuss; Gaugler; Ridderbos; Bläser, Gesetz 224; Giese, Römer 7, S. 61; wahrscheinlich Michel). ἐν ᾧ ist also nicht neutrisch gemeint (gegen Zahn; Kühl; Lagrange; unentschieden Lietzmann; Leenhardt) oder auf das Fleisch zu beziehen (gegen Jülicher). Damit wird auch der Sinn von Gal 3,23 f. eindeutig festgelegt: Der Pädagoge ist hier der Kerkermeister (Ridderbos; Brandenburger, Fleisch 56). Faktisch gibt es eben nicht den Übergang vom Gesetz zum Evangelium und umgekehrt, an welchem anderer Auslegungstradition so sehr gelegen ist.

Pls hat damit die These aufgestellt, die folgerichtig an die beiden vorhergehenden Kapitel anknüpft, nämlich die Freiheit des Christen von der Macht der Tora proklamiert. Merkwürdigerweise bemerkt man kaum, wie seltsam er es tut. Nach der Theologie des Apostels müßte die Argumentation des Briefteils hier ihren Höhepunkt erreichen, also auch wie in Gal sich mit einer ausführlichen Darlegung verbinden. Die captatio benevolentiae am Anfang und der folgende Vergleich sind tatsächlich nur sinnvoll, wenn Pls sich der Wichtigkeit und Problematik des neuen Themas durchaus bewußt war. Um so überraschender wirkt schon die Kürze, mit der es abgehandelt wird, noch unbegreiflicher die scheinbare Lieblosigkeit der Sache gegenüber. Der Vergleich hinkt nicht bloß. Er führt über eine einfache Festellung inhaltlich nicht hinaus. Sowohl 4 wie 6ab würden dafür genügen und machen ihn im Grunde überflüssig. 4—6 bringen außer der These als solcher ebenfalls nichts Neues. Formal wie sachlich wird die Argumentation über die Freiheit von der Sünde wiederholt und auf das Verhältnis zum Gesetz übertragen, wobei die Taufparänese auch hier ausschlaggebend bleibt (Nygren; Michel; Kuss; Leenhardt; Luz, Aufbau 170. 176 f.) und das demonstrandum weniger beweist als ohnehin einsichtig voraussetzt. Es wundert nicht, daß viele Ausleger unsern Abschnitt als Appendix zum Vorhergehenden ziehen, zumal der Schluß des Kapitels den Gedankengang nicht fortzuführen scheint. Ist etwa nach Meinung des Apostels in 2,1—3,20 alles Notwendige zu diesem Thema schon gesagt, so daß die These allein ausreicht und früher Erörtertes bloß zusammenfaßt? Von einem Höhepunkt könnte dann freilich nicht mehr gesprochen werden. Wenn zudem mit 7 eine neue Fragestellung Platz greift und in c. 8 der Kurs nochmals gewechselt wird, gibt es auch keinen logischen Aufbau des Briefteils, von einer strengen theologischen Systematik ganz zu schweigen. Man hat diese Überlegungen anzustellen, wenn man die Bedeutung des Schlusses in 6 erfassen will. Zunächst scheint die Paränese von 4 f. nur mit der Betonung der Dienstbarkeit des Befreiten im Sinn von 6,12 ff. zugespitzt und mit der Wiederholung der formelhaften Antithese von 2,29 rhetorisch gekrönt zu werden. Die Antithese ist bereits interpretiert worden. Hier tritt nur klar heraus, daß sie den Christenstand nach der erfolgten Äonenwende charakterisiert, was in 2,29 umstritten war. Die Substantiva καινότης und παλαιότης verdeutlichen, was implizit dort intendiert war. Sie könnten wie oft im Semitischen Adjektiva ersetzen, werden jedoch wahrscheinlich die beiden sich gegenüberstehenden Epochen markieren, die durch den alten und neuen Bund gekennzeichnet sind (Conzelmann, Grundriß 191).

Dann haben „Geist" und „Buchstabe" allerdings gerade nicht den Charakter einer zeitlosen Begrifflichkeit (gegen Conzelmann). Die entscheidende Frage ist, warum Pls die Formel in unserm Kontext wiederholt. Mit Recht ist oft konstatiert worden, daß sie so etwas wie eine Zusammenfassung der Thematik von c. 7—8 bringt (Prümm, Röm 1—11, S. 187 f.; Luz, Aufbau 166; Schunack, Problem 125; Conzelmann, Grundriß 253; auf den Kontext bis 8,11 eingeschränkt durch Bornkamm, Sünde 52; Michel; Kuss). Allerdings hat man daraus keine Konsequenzen gezogen. Sie liegen auf der Hand, wenn man die Seltsamkeit des Abschnittes erkannt hat. Er hat in seiner Kürze, mit seiner Übertragung der Taufparänese auf das neue Thema, aber ebenso mit der captatio benevolentiae und dem vorbereitenden Vergleich die Aufgabe einer Einleitung, in welcher zunächst nur die These als solche heraustritt. Mit der vielleicht aus der Auseinandersetzung mit den Gegnern des 2. Kor. erwachsenen (so Duchrow, Christenheit 104 nach D. Georgi, Die Gegner des Paulus im 2. Korintherbrief, 1964, 168 ff. 257. 272) Formel am Ende von 6 wird das Thema der nun folgenden Argumentation stichwortartig angegeben. Hatte sich Pls mit der Anlehnung an die Taufparänese noch einer Tradition bedient, die seinen Lesern vertraut war, entfaltet er seine These nunmehr aus der eigenen Theologie heraus. War bisher nur festgestellt, daß die Christen kraft des Todes ihres Herrn vom Gesetz getrennt, ihm gestorben sind, lautet die zentrale Aussage jetzt: Allein unter der Herrschaft des nach gängiger Anschauung in der Taufe verliehenen Geistes wird die Herrschaft des Gesetzes abgelöst und überwunden. c. 7—8 bilden also eine Einheit. In ihnen gipfelt der Briefteil. Die unverhältnismäßige Länge der Ausführung entspricht der Bedeutung, welche dieser Problematik in der paulinischen Theologie zukommt. Freiheit von den Gewalten des Todes und der Sünde konkretisiert sich in der Freiheit vom Gesetz, die, durch den Geist ermöglicht, auch nur „im Geiste" festgehalten werden kann. Das Christentum ist etwas anderes als eine an den Messias Jesus glaubende jüdische Sekte. Es ist Anbruch der neuen, durch die Herrschaft des Geistes charakterisierten Welt Gottes. Jede Verschärfung der Tora, wie sie das Judentum zur Zeit des Apostels bestimmte, ist für Paulus auch in Gestalt einer Verinnerlichung des Gesetzes unmöglich. Er hat keine nova lex aufgerichtet wie seine Interpreten, welche der Buchreligion die lebendige entgegenstellen (Weinel, Paulus 79), den statutarischen Geboten Gottes lebendigen Willen (Schrenk, ThWb I, 766; Seesemann, ThWb V, 717; Stalder, Werk 283 f.), ein gesäubertes Gesetz (Knox, Life 63 f.), die ethische Aktivität (Dodd, Gesetz 77 ff. 86), die innere moralische Kraft (vgl. Huby; Sickenberger). Das alles würde voraussetzen, daß Gott es doch primär mit den Frommen zu tun hat, nicht, wie die paulinische Rechtfertigungslehre behauptet, mit den Gottlosen. Für Pls ist die Antithese von Buchstabe und Geist mit dem von Fleisch und Geist identisch. Die Präsenz des auferweckten Herrn in der Macht des Geiste tritt für ihn an die Stelle der Tora des Mose und heiligt die anders selbst in ihrer Frömmigkeit und Ethik unheilige Welt. Der Bruch mit dem Gesetz muß dort verkündigt werden, wo die Rechtfertigung der Gottlosen die theologische Prämisse bleibt. Darum geht es in diesen beiden Kapiteln. Darauf baut sich sowohl die Erörterung der Problematik des ungläubigen Israels in c. 9—11 wie die Paränese in c. 12—15 auf. Die nächste Frage ist freilich, was in solchem Zusammenhang 7—25 sollen.

a) 7,7—13: Das Werk des Gesetzes.

7 Was ist demnach zu sagen? Ist das Gesetz selber Sünde? Nimmermehr! Doch hätte
ich die Sünde nicht kennengelernt wenn nicht durch das Gesetz. Auch wüßte ich
nicht um die Begierde, hätte nicht das Gesetz gesagt: „Du sollst nicht begehren!"
8 Die Sünde erhielt aber durch das Gesetz Anstoß und bewirkte in mir alles Begeh-
9 ren. Denn ohne das Gesetz war die Sünde tot. Ich war jedoch einst lebendig — ohne
10 Gesetz. Als aber das Gebot kam, erwachte die Sünde. Ich starb dagegen. So erwies
11 sich mir eben dies zum Leben (gegebene) Gesetz als zum Tode (führend). Denn die
Sünde, die durch das Gebot zum Angriff überging, betrog und tötete mich dadurch.
13 Das Gesetz ist daher heilig und heilig, gerecht und gut das Gebot. Wurde mir das
Gute also Tod? Keinesfalls! Vielmehr bewirkte die Sünde, damit sie als Sünde in
Erscheinung träte, mir durch das Gute den Tod (Sie tat es), damit die Sünde durch
das Gebot im Übermaß sündig würde.

Literatur: G. de los Rios, Peccatum et Lex, VD 11 (1931), 23-28. R. Bultmann, Römer 7 und
die Anthropologie des Paulus, Imago Dei (Festschr. G. Krüger), 1932, 53-62. H. Braun, Römer
7,7-25 und das Selbstverständnis des Qumran-Frommen, Studien 100-119. P. Bénoit, La Loi et
la Croix d'après St. Paul, Exégèse II, 9-40. S. Lyonnet, L'histoire du salut selon le ch. 7 de
l'épître aux Romains, Biblica 43 (1962), 117-151. Ders., Quaestiones ad Rom 7,7-13, VD 40
(1962), 163-183. Ders., „Tu ne convoiteras pas" (Rom. VII,7), Neotestamentica et Patristica
(Freundesgabe O. Cullmann), 1962, 157-165. E. Fuchs, Existentiale Interpretation von Römer
7,7-12 und 21-23, ZThK 59 (1962), 285-314. K. Kertelge, Exegetische Überlegungen zum Verständnis der paulinischen Anthropologie nach Römer 7, ZNW 62 (1971), 105-114.

Fast durchweg betrachtet man 7—25 als einen Exkurs im Kontext. Das läßt sich im-
merhin insofern begreifen, als ein direkter Anschluß von c. 8 an 7,6 als möglich und
sinnvoll erscheint. Doch muß man von solcher Prämisse aus fragen, welches Anliegen
Pls zur Abschweifung veranlaßt. Mindestens im deutschsprachigen Raum antwortet man
darauf gewöhnlich, es gehe um eine „Apologie des Gesetzes" (Kümmel, Röm 7, S. 9 ff.;
Bultmann, Röm 7, S. 58 f.; Bornkamm, Sünde 53 f.; Braun, Selbstverständnis 101;
Hommel, Kapitel 101; Brandenburger, Adam 206; Friedrich, RGG³ V, 1141; Lagrange;
Kuss; H. W. Schmidt). Tatsächlich ist das apologetische Motiv in 7a. 12. 13a. 14 deutlich,
so daß allenfalls unser Abschnitt so überschrieben werden kann (so Fuchs, Freiheit 55;
Kertelge, Überlegungen 109; Luz, Geschichtsverständnis 155). Doch ist schwerlich zu bestreiten, daß selbst hier die Wirksamkeit der Sünde stärker betont ist (Luz, Aufbau
166 f.; kritisch auch Kirk; Stalder, Werk 290; Giese, Römer 7, S. 52), und von da der
Übergang zu 14—25 leichter sich gewinnen läßt. Denn dort tritt die Tora, von 14a abgesehen, völlig in den Hintergrund und konzentriert sich alles auf die Anthropologie, die
ihrerseits für 7—13 nicht weniger wichtig ist als die Frage des Gesetzes. Es ist also zu
bezweifeln, daß die Absicht des Apostels mit der genannten Überschrift getroffen wird.
Erst die Einzelexegese kann eine Alternative bieten. Geklärt scheint dagegen die andere
Frage, welche die Auslegung stets beschäftigt hat, nämlich nach dem Subjekt des hier
redenden „Ich" (vgl. Schelkle, Paulus 232 ff.; Übersichten bei Kümmel, Röm 7; Kuss;
Ellwein, Rätsel; Giese, Röm 7, S. 64 ff.). Ein bestimmter Aspekt christlicher Existenz
kann unmöglich dargestellt sein (gegen Althaus; Nygren: Giese 53 ff.), wenn 7 ff. statt

von gegenwärtiger Erfahrung von einem einmaligen, vergangenen Geschehen sprechen, 14c das Ich fleischlich und unter die Sünde verkauft nennt und die Antithese zu c. 8 beachtet wird. Pls beschreibt vorchristliches Sein aus christlicher Sicht (so zumeist seit Kümmels Monographie). Man muß diese Einsicht jedoch noch weiter abgrenzen. Es liegt auch keine autobiographische Rückschau vor (gegen Zahn; Kühl; Dodd, Komm. und Meaning 76 ff.; Bruce; Knox, Church 99; Gutjahr; Sickenberger; Bardenhewer; Hommel, Kapitel 99 f.). Das wird schon durch Phil 3,6 widerlegt. So wird auch nicht auf die Erfahrung des frommen Juden rekurriert. Kein frommer Jude hat prinzipiell das Gesetz als unerfüllbar oder als Stachel zur Sünde verstanden (gegen Bläser, Gesetz 115 f.). Deshalb ist auch die Erinnerung an die jüdische Pflicht des sogenannten bar-mizwa wertlos, die den Knaben mit 12 Jahren zur Beachtung der Tora anhielt (gegen Billerbeck; Deissmann, Paulus 64 f.; Davies, Paul 24 f.; Franzmann; Best; erwogen bei Kuss; Michel; Bruce; abgelehnt durch Schlatter; Bornkamm, Sünde 58; Leenhardt; Bénoit, Loi 12; Lyonnet, Étapes 115; Conzelmann, Grundriß 256). Trotz solcher Verpflichtung fand jeder Jude das Gesetz bereits vor. An kindliche Unschuld zu denken (Dodd; Baulès; Prat, Théol. I, 277), ist schlechterdings unbiblisch und moderne Mythologie. Aus all dem ergibt sich mindestens, daß jede psychologische Interpretation unangebracht ist, ob sie sich auf die Person des Apostels (charakteristisch Weinel, Paulus 55 ff.) oder auf die Entstehung der Sünde bezieht (gegen Lietzmann; Althaus; Baulès; J. Knox, Life 65 ff.; Kirk; selbst Kuss; Cerfaux, Christus 146; Murray) und (Sanday-Headlam) ein zugleich psychologisches wie heilsgeschichtliches Drama konstatiert. Eine solche Betrachtungsweise steht nicht in Komplementarität, sondern in unüberwindlichem Widerspruch zu 5,12 ff. Hier wird nicht weniger objektiv als dort gesprochen, also, wenn man den Ausdruck nicht scheut, heilsgeschichtlich.

Für die Aussagen in der Ich-Form besagt das Anwendung einer, formal gesehen, rhetorischen Stilfigur mit genereller Bedeutung, die wie im Griechentum, so besonders auch in den alttestamentlichen Dankpsalmen dann begegnet, wenn göttliche Errettung aus Todesgefahr und Schuld bekannt wird (Kümmel, Röm 7, S. 118 ff.; Stauffer, ThWb II, 355 ff.; Bornkamm, Sünde 51. 54; Leenhardt; H. W. Schmidt u. a.). Die Hodajoth Qumrans bieten dafür eindrucksvolle Belege (H. Braun, Selbstverständnis 103 ff. 112; S. Schulz, Rechtfertigung 160 ff.; Michel). Freilich darf man sich mit dieser Feststellung nicht begnügen. Warum verwendet Pls solche Stilfigur hier (Dodd; Kuss; Ridderbos; Schunack, Problem 110; Kertelge, Überlegungen 106 f.), obgleich eine christliche Rückschau auf überwundene Vergangenheit wie in 1,18—3,20 und 5,12 ff. auch anders gegeben werden konnte? Keinesfalls läßt sich das Moment des Bekenntnisses derart strapazieren, daß (mit Michel) von einem Rhythmus im Text oder gar von Strophen zu sprechen ist. Auch hier ist das Problem offensichtlich noch nicht ausdiskutiert. Die Exegese beginnt mit offenen Fragen.

Versucht man 7—13 unter ein umfassendes Thema zu stellen, wird man die ursprüngliche Intention und die faktische Funktion des Gesetzes einander gegenübersetzen müssen. Die wieder im Diatribenstil gehaltene Frage und deren entrüstete Ablehnung in 7a reflektieren wie 3,5; 6.1. 15 judenchristliche Einwände. Gehört der mosaische Nomos wie Sünde und Tod zum alten Äon, könnte er wie später bei Marcion als Manifestation der Sünde betrachtet werden. Die Antwort ist, sofern sie an 3,20; 5,20 anschließt, dialektisch. Das Gesetz ist nicht als solches und ursprünglich sündig, läßt aber faktisch Sünde erfahren. Es beendet die Naivität nicht bloß des Frevels, sondern ebenso einer Gottes Willen mißverstehenden Religiosität und schafft einsehbare Übertretung. ἀλλά in 1b ist wohl adversativ, nicht einschränkend. οὐκ ἔγνων und οὐκ ᾔδειν weisen trotz irreal gebrauchtem Verb auf tatsächlich gewonnene Erkenntnis (Maurer, Gesetzeslehre 46). 7b und 7c laufen nur formal parallel. Das überschießende Satzglied des Zitates zeigt, daß 7c das Vorhergehende begründet (Brandenburger, Adam 206; Schunack, Problem 126). Sünde, nun als Macht und Realität der Begierde definiert, wird durch das Gesetz als göttliches Gebot ebenso hervorgerufen wie entlarvt. Offensichtlich bezieht sich Pls auf den Dekalog. Kennzeichnenderweise läßt er die positiven Gebote aus, grenzt anders als der Rabbinat (Billerbeck) auch nicht das letzte Gebot von den übrigen ab, so daß die Begierde eine unter vielen Sünden wird oder die Absicht zur Übertretung darstellt. Der Apostel folgt, wenn er das Verbot der Begier als Kern und Summe des Gesetzes versteht, einer jüdischen Tradition. In 4.Makk 2,6 heißt es: ὅτε μὴ ἐπιθυμεῖν εἴρηκεν ἡμᾶς ὁ νόμος (Büchsel, ThWb III, 171; Bornkamm, Sünde 55). In der Vita Adae et Evae 19 (Kautzsch, Apokryphen 521) wird wie bei Philo, de decal 142. 150. 173 die Begierde als Anfang aller Sünde beschrieben, und Jak 1,15 greift das psychologisierend auf (Michel; H. W. Schmidt; Mauser, Gottesbild 156 f.). Der Talmud kennt die gleiche Anschauung (Lyonnet, Röm VII, 7, S. 159 ff.). Damit wird nicht bloß alle weitere Sünde von der Begier abgeleitet, geschweige daß an die Sexualität gedacht wäre (gegen Lohmeyer, Sünde 33 ff.; von Kuss erwogen). Sie ist vielmehr die Grundsünde schlechthin (Lagrange), gegen welche sich das ganze Gesetz ebenso wendet, wie es sie faktisch hervorlockt. So erscheint sie auch in 1.K 10,5 ff. als Oberbegriff des Abschnittes (Mauser, Gottesbild 156; Lyonnet, Röm VII, 7, S. 160). ἐπιθυμεῖν ist für Pls primär nicht ein psychologisches Phänomen und nicht einmal zunächst die Intention frevlerischer Übertretung, sondern die Sucht der Selbstbehauptung gegenüber Gott und dem Nächsten (Grundmann, ThWb I, 314; Schlier, ThWb II, 492 ff.; Bultmann, Theol. 264 f. u. a.). Als solche kann sie sich religiös im Leistungsstreben äußern (Bornkamm, Sünde 55). Der Satz steht also in einem umfassenden Zusammenhang paulinischer Theologie. 8 erläutert. ἀφορμὴν λαμβάνειν ist eine geläufige Wendung (Bauer, Wb 253). ἐντολή sollte nicht mit dem Gesetz einfach identifiziert werden (gegen Kümmel, Röm 7, passim; Schrenk, ThWb II, 547; van Dülmen, Theologie 130 f.). Auf das Zitat bezogen, meint das Wort in unserm Kontext wie auch sonst das konkrete Gebot. πᾶσαν ἐπιθυμίαν betont nicht nur die Vielfalt, sondern bezieht wohl auch paulinisch bereits die Form religiöser Perversion ein, wofür 10b—11 sprechen. Der Sinn von 8c ist umstritten. Zweifellos sagt 5,13, wo von vorhandener, aber nicht angerechneter Sünde die Rede ist, nicht dasselbe (Kümmel, Röm 7, S. 48 f.). Umgekehrt wird schon durch die Partizipialwendung die Sündenmacht als bereits auf der Lauer liegend und vorhanden auch hier charakterisiert (Lohmeyer, Sünde 11; anders Kümmel 51). „Tot" wird sie im Vorgriff auf 9 genannt, so daß „latent" (Kuss), „kraftlos" (Kühl; Huby; Ridderbos) gemeint ist. Sie hatte noch nicht die Gestalt der Übertretung. Die also 4,15 weiterführende Wendung ist zu orakelhaft (Brandenburger, Adam 209 ff.), um nicht der Konkretion in 9—11 zu bedürfen (Kuss). Dem Totsein der Sünde korrespondiert in 9 ἔζων. Dabei ist nicht, wie ἀπέθανον in 10 beweist, bloß relative Lebendigkeit (Zahn; Huby; Ridderbos; Bénoit, Loi 16), ein Leben in Selbstgefälligkeit (Murray) gemeint. Man lebte, dem Nomos noch nicht konfrontiert, wirklich. Das ποτέ zeigt allerdings den Verlust dieses Status an, von dem das Folgende ausdrücklich und beinahe dramatisch (Sanday-Headlam) in der Form eines Berichtes erzählt. Dies letzte Moment darf nicht übersehen werden. Es ist nicht grundsätzlich über das Verhältnis von Sünde und Gesetz reflektiert (gegen Brandenburger, Adam 207 ff.). Es darf auch nicht (gegen Bénoit, Loi 13 ff.) die ἀφορμή in 8 als sekundäre Funktion der primären einer Information entgegengestellt werden, um so allen Ton auf die Unfähigkeit des Gesetzes, die Sünde zu überwinden, fallen zu lassen und seine verdammende Rolle hervorzuheben (ebd. 33 ff.). Ein Geschehen wird memoriert, das vom Gebot ausgelöst wurde.

Solcher Einsicht geht man aus dem Wege, wenn man die Form der Bekenntnisrede im generellen Ich-Stil so formal bleiben läßt, daß ganz vage jedermann in Betracht kommt. Damit überdeckt man die Verlegenheit, in welcher man steckt, die jedoch im Dissens und in den unexakten Auskünften der Auslegung zutage tritt. Illustriert wird das durch die Behauptung, Erfahrung und Übertreibung mischten sich hier (Dodd, Meaning 88 ff.), oder die summarische Erklärung, es ginge weder um Adam noch um Pls oder das Kollektiv des jüdischen Volkes oder der Menschheit (Schunack, Problem 136). Was bleibt dann übrig? Zweierlei kann weiterführen. Unter allen Umständen ist festzuhalten, daß der Apostel vom Menschen unter dem Gesetz, konkret also vom frommen Juden spricht. Hierin liegt der Unterschied zu 14 ff., wo diese Perspektive mindestens ausgeweitet wird. Allerdings muß sogleich die Problematik dieser Feststellung mitgesehen werden. Kein Jude hat die hier geschilderte Situation einer Zeit ohne Gesetz und eines Augenblickes, in welchem es zu ihm kam, erfahren (richtig Gaugler gegen Bardenhewer; vgl. Braun, Selbstverständnis 105 ff.). Immer fand er wenigstens seit Mose nach 5,12 ff. das Gesetz wie Sünde und Tod bereits vor. Er konnte solche Vorgegebenheit nur durch eigene Übertretung bestätigen. Zudem wäre es ihm lästerlich erschienen, das Gesetz als Stachel der Sünde und als Mittel des Betruges zum Tode zu bezeichnen. Selbst wenn Pls die Vergangenheit als Christ in anderm Licht erblickte, konnte er unmöglich Behauptungen aufstellen, welche einen fiktiven Juden schilderten. Ihre Realität und Adäquatheit mußte, wenn nicht anerkannt, dann mindestens erkennbar sein. Zweitens ist ebenso strikt die Verbindung der verbalen Vergangenheitsformen mit einem bestimmten Augenblick zu beachten, in welchem es vom „Totsein" der Sünde zu ihrem Erwachen, vom Leben des Menschen zu seinem Sterben, kurz zum Sündenfall kam. Nicht zufällig wird in 9 vom Kommen des Gebotes in genauer Analogie zum Kommen des Glaubens in Gal 3,25 gesprochen. Wer dieses sogar „chronologisch" fixierbare Datum in ständige Gegenwart transponiert, vergeht sich am Text und gerät in unüberwindliche Aporien. Das zeigt sich besonders deutlich, wenn man das zeitliche Moment zu berücksichtigen sucht und, wie man das weithin tut, sich durch die Redeweise an Adams Fall erinnert fühlt (etwa Bultmann, Theol. 250; Bornkamm, Sünde 58 f.; Goppelt, Typos 157; Brandenburger, Adam 214 ff.; Kühl; Kuss; Michel; H. W. Schmidt). Denn dann kommt es zum Konflikt der beiden Tendenzen unseres Textes. Der Blick auf Adam erklärt das zeitliche Moment, scheint aber die Realität des Gesetzesfrommen nicht zu treffen, während umgekehrt diese Realität nicht die Datierung auf einen konkreten Vorgang erlaubt. Man hilft sich auf verschiedenste Weise aus dieser Sackgasse. Im Grunde läuft freilich die Interpretation stets darauf heraus, Adams Fall paradigmatisch zu verstehen (Kuss). Er lebt merkwürdig fort in „je meiner Wirklichkeit", die weder heilsgeschichtlich noch mythologisch adäquat zu beschreiben ist (Bornkamm, Sünde 58 f.). Die „Urgeschichte des Ich" soll erzählt werden (Brandenburger, Adam 206. 214) oder die Begegnung des adamitischen Menschen mit dem Gesetz als seiner wesenhaften Herkunft (Goppelt, Christentum 104 f.). Es wird (Kuss mit guter Übersicht über die Literatur) an die Wiedergabe eines sich so oder ähnlich wiederholenden psychologischen Vorgangs in der Adamswelt gedacht oder eine schillernde Vermengung jedes Menschen mit Pls und Adam für möglich gehalten (Luz, Geschichtsverständnis 166 f.), wenn nicht sogar eine universale Erfahrung in der Konfrontation mit der sittlichen Forderung behauptet wird (Jülicher; Bénoit, Loi 18 ff.). Wäre es angesichts der Vielfalt der Deutungen und der vorherrschenden unklaren Ausdrucksweise dann nicht besser, Resignation zu äußern (mit Luz, Geschichtsverständnis 163)? Damit fiele freilich jedes Verständnis des Textes hin, der für Pls offensichtlich von höchster Bedeutung war.

Methodisch ist er zunächst einmal von da aus anzugehen, daß in 9—11 erzählt wird und der geschilderte Vorgang allein auf Adam wirklich zutrifft. Daß das im Stil der Bekenntnisrede und wie in Gal 2,20 eines überindividuellen „Ich" (Kertelge, Überlegungen 108) geschieht, besagt (gegen Conzelmann, Grundriß 191. 256 f.) nicht, daß die Geschichte Adams als diejenige des Ich in die Gegenwart projiziert wird, dessen Horizont bildet, sondern allenfalls umgekehrt, daß wir in die Geschichte Adams verflochten sind. Nur Adam lebte im vollen Sinn vor Erlaß des Gebotes, nur ihm wurde das Kommen des göttlichen Willens im Gebot zum Anlaß der Sünde, indem er sich ihr begehrend auslieferte und insofern „starb". Selbst das Motiv des Betruges gehört zur Paradieseserzählung. Wenn es dort wie 2.K 11,3 auf Eva bezogen ist, ist die Variation unseres Textes aus der Annahme verschiedener Traditionsformen leicht erklärbar. Es gibt nichts in unsern Versen, was nicht auf Adam paßt, und alles paßt nur auf Adam (Lyonnet, L'histoire 130 ff.; Quaestiones 179 ff.; Étapes 118 ff. gegen Kümmel, Röm 7, S. 54 f. 86 f.; Brandenburger, Adam 216 f.; Ridderbos, Paulus 110). Wird in der Genesis nicht vom Verbot der Begier gesprochen, so ist sie in jüdischer Überlieferung doch daraufhin interpretiert worden (Lyonnet, Röm VII, 7, S. 163 ff.), und diese Überlieferung hat (vgl. Lyonnet, Étapes 129 ff.) Adam mit dem ihm gegebenen Gebot zugleich das ganze Gesetz empfangen lassen. Damit fällt der erste Haupteinwand, unser Text rede von der mosaischen Tora und zitiere den Dekalog, dürfe also nicht auf die Paradiesesgeschichte bezogen werden (Kümmel, Röm 7, S. 86 f.; Bornkamm, Sünde 58 f. 63; Brandenburger, Adam 214; Bénoit, Loi 11; Gaugler). Ein Zweig jüdischer Auslegung, dem Pls sich anschließt, hat Adam urbildlich zum Empfänger der Tora gemacht, also sachlich seine Geschichte mit der des Mose verknüpft. Gerade hier liegt das zentrale Interesse des Apostels. Ihm geht es darum, die ursprüngliche Intention des Gesetzes als der Bekundung des Gotteswillen von seiner faktischen Wirkung zu unterscheiden, andererseits jedoch das Erwachen der Sündenmacht mit all seinen Folgen aus der faktischen Tora abzuleiten. Weder autobiographisch noch im Blick auf den Juden im allgemeinen und aus dessen Erfahrung ließ sich diese Absicht verwirklichen, weil Sünde in ihrem eigentlichen Wesen als Begier nach Selbstbehauptung gegenüber Gott und Menschen auch beim Frommen überhaupt nicht erfahrbar ist, sondern vom Evangelium her aufgedeckt wird. Nur an Adam ließ sich demonstrieren, was es um das Werk des Gesetzes als Stachel der Sünde ist, und jüdische Tradition bot die Mittel dazu.

Wehrt man sich zweitens dagegen, daß 5,12 ff. und unser Text harmonisiert werden (Kümmel, Röm 7, S. 86 f.; Brandenburger, Adam 209. 212 ff.), läuft das auf eine petitio principii hinaus. Näher liegt, daß beides parallelisiert, als daß es kontrastiert wird. Der

Protest setzt ein vorgefaßtes Verständnis von 14 ff. voraus, betrachtet nämlich die persönliche Verantwortung des Menschen vor und unter dem Gesetz (Bénoit, Loi 13 ff. 17) und die Erfahrung des moralischen Unvermögens als zentralen Skopus (Brandenburger, Adam 217). Kann man dem nicht zustimmen, fragt man sich, ob die angebliche Harmonisierung nicht in Wirklichkeit des Rätsels Lösung ist. Heilsgeschichtlich und universal wird hier wie dort argumentiert. Zu überlegen bleibt nur, warum Pls Adam nicht nennt, sondern „Ich" sagt. Die Einsicht in den Charakter der confessio genügt nicht, solange dadurch bloß die Möglichkeit der verwendeten Stilform, nicht ihre innere Notwendigkeit begründet wird. Religionsgeschichtlich wie vom Sinn des Bekenntnisses her auch theologisch kann man das durchaus. Gerade hier, wo es merkwürdigerweise nicht geschieht, sollte man an die Konzeption der corporate personality erinnern und von da aus die Kontinuität und Konsequenz zwischen 5,12 ff. und 7,7 festhalten. Es liegt nicht der mindeste Anlaß vor, sie zu bezweifeln und zu zerschlagen. Nach Adam ist jeder Mensch in das Geschick des Protoplasten verflochten, wurde sein Geschick in diesem vorweggenommen, verlor er mit der göttlichen Herrlichkeit von 3,23 auch Leben und Gerechtigkeit. Vor Christus wird ständig Adam wiederholt. Der Unterschied zu 5,12 ff. besteht darin, daß in 7—13 primär auf den Menschen unter der Tora geblickt und Adam als dessen Prototyp gezeichnet wird. Das ist notwendig, weil der Apostel das Werk des Gesetzes in seiner Faktizität am Gesetzesempfänger und an jüdischer Frömmigkeit darstellen will und das allein am ersten Gesetzesempfänger exemplifizieren kann. Er kann es freilich nur als Christ. Der Jude will diese Sicht nicht wahrhaben, und nur häretische Kreise haben, wie früher gezeigt, Sünde radikal als Verhängnis zu denken gewagt. Pls hat jedoch gerade das schon in 5,12 ff. behauptet. Für ihn gibt es die Überwindung des Gesetzes im täglichen Leben nur durch den Geist, wie die Antithese von 6 herausstellte. So gewahrt auch einzig der „Pneumatiker", daß der Stand unter dem Gesetz Adams Situation wiederholt, nämlich durch das Gebot zur Begier der Selbstbehauptung, des Selbstruhms und frommer Gottlosigkeit getrieben wird. Nicht die Erfahrungen des Juden, der seine Verfehlungen durchaus zu sehen und sein Leben als Kampf mit der Sünde zu verstehen vermag, decken solche Wiederholung und das daraus resultierende Verhängnis auf. Nur das Evangelium läßt beides erkennen. In der Rückschau auf die eigene Vergangenheit unter dem Gesetz erfährt der Pneumatiker die Wahrheit über sein „Einst" und die noch von seinem weltlichen Dasein her gegebene religiöse Bedrohung seines „Jetzt" in der Kontinuität Adams. So kann er in der Stilform der Bekenntnisrede sich selbst mit Adam identifizieren (Mauser, Gottesbild 154), der allerdings durch Christus das „zwischenhineingekommen" von 5,20a und die Ablösung der Tora in apokalyptischer Wende kennenlernte.

Die Interpretation des Details von 9—11 ist weithin bereits erfolgt. ἀνέζησεν in 9a meint natürlich „erwachen", nicht „wiederaufleben". Das Kompositum verstärkt das Simplex (Lyonnet, Röm VII, 7, S. 157). Der Fall des Sünders ist ein Sterben, in dem sich leiblicher wie ewiger Tod ankünden. Weil der Apostel im Gottesverhältnis die Quelle des Lebens erblickt, wird auch der Tod von da begriffen. Leben und Sterben sind die damit gesetzte Alternative des menschlichen Daseins, die umgekehrt nach 14,7 f. gerade deshalb „in Christus" überholt und relativiert wird. εὑρέθη μοι bedeutet: es ergab sich für mich. Die Wendung darf also nicht (gegen Huby) psychologisiert und auf Aufklärung durch das Gesetz bezogen werden. Die paradoxe Feststellung in 10b gibt die Konsequenz des Falles an. Die Intention des Gesetzes war die promissio von 3,21: Es wollte im Leben halten. Das darf (gegen Bläser, Gesetz 196 f.) nicht dahin abgeschwächt werden, als würde es nur aus Gnade derart wirksam. Die Pointe ist, daß ursprünglich im Gesetz sich Gnade bekundete. Das wurde pervertiert, als das Gesetz als Leistungsforderung mißverstanden wurde. In dieser Perversion wirkt es jedoch den Tod, wie jede pervertierte Gabe sich am Menschen rächt. 11 erklärt den Widerspruch zwischen Intention und faktischer Funktion durch den Rückgriff auf 8 (Bornkamm, Sünde 56). διὰ τῆς ἐντολῆς ist (gegen Kühl; H. W. Schmidt) zum Verb zu ziehen. Die überflüssige Wiederholung δι' αὐτῆς unterstreicht, spricht also nicht für eine Verbindung mit ἀφορμήν. Auch hier gilt Sünde als Macht, die wie in 5,13 aus dem Adamsverhängnis heraus bereits vor dem Erlaß der Mosetora vorhanden ist. Sie hat dämonischen Charakter (Grundmann, ThWb I, 314; Michel). Wie nach 2.K 11,14 Satan sich in einen Lichtengel wandelt, tarnt sie sich und vermag deshalb zu betrügen (anders Bénoit, Loi 17, der von einer Demaskierung des Menschen spricht). Es geht nicht bloß um subjektiven Irrtum, sondern um objektiven Trug wie in der Paradiesesgeschichte: Die promissio wird usurpiert und deshalb pervertiert. Sünde schafft Illusion (Bornkamm, Sünde 56). Zutiefst sterben die Menschen in und aus der Illusion über sich selbst und Gott, während Leben letztlich als Gottesgabe Freiheit von der Illusion menschlicher Selbstbehauptung schafft und ist. 12—13 summieren. 10b wird feierlich wiederholt. Das Gesetz bekommt dabei gut jüdisch die Prädikate göttlicher Weisheit und himmlischer Kraft. Obgleich Gesetz und Gebot hier identisch zu sein scheinen, läßt sich das Nebeneinander auch differenzierend begreifen. Im Gebot als der Konkretion und Summe des Gesetzes (Leenhardt) wird der Gotteswille als Intention des Gesetzes betont. Es geht nicht um das objektive sittliche Ideal (gegen Dodd) und die sittlichen Forderungen (gegen Bultmann, Theol. 342). Heilig, gerecht und gut kennzeichnen in rhetorischem Pleonasmus (Althaus) weniger Herkunft und Natur (Leenhardt; kritisch Kuss) als die Auswirkung auf den Menschen, welche die nicht durch Illusion verstellte Macht des göttlichen Willens hat. 13 knüpft nochmals an die Frage in 7 an und weitet sie aus. Pls war kein Antinomist (gegen Lietzmann). Das Gesetz in seiner Wahrheit gehört nicht mit Sünde und Tod zusammen. Es ist jedoch von der Macht der Sünde, die stets das Gute verkehrt, mißbraucht worden und wirkt nun das Gegenteil des Intendierten. Die beiden ἵνα-Sätze in 13a und 13b sind nicht konsekutiv, sondern final (Kümmel, Röm 7, S. 57). Der zweite enthüllt in rhetorischer Steigerung den Sinn des ersten. Gerade am Gesetz und durch es kommt zutage, was es um die Sünde ist. In der konkreten Begegnung mit ihm bekundet sie ihre jedes vorstellbare Maß übersteigende Gewalt, die sich verblendend des Guten zu ihrem Todeswerk bedient. Darin liegt ihre ὑπερβολή. Sie ist nach Pls eben nicht moralisch zu sehen. Sie wirkt vielmehr, selbst den Frommen verführend, das Verlangen nach Autarkie als Merkmal der Gottlosigkeit schlechthin (Bultmann, ThWb III, 16; Bornkamm, Sünde 61). Damit wird jedoch, wie das Folgende zeigt, Gottes Zorn beschworen, der den das Gesetz pervertierenden Menschen an den Tod dahingibt.

b) 7,14—25: Die Klage der Versklavten

14 Wir wissen freilich, daß das Gesetz heilig ist. Ich bin dagegen fleischlich, unter die
15 Sündenmacht verkauft. Denn nicht erkenne ich, was ich vollbringe. Ich tue eben

16 nicht, was ich will, sondern das tue ich, was ich hasse. Wenn ich nun aber gerade
das, was ich nicht will, tue, gestehe ich (damit) dem Gesetz zu, daß es gut ist.
17 Dann wirke jedoch nicht ich es mehr, sondern die in mir wohnende Sünde. Denn
18 ich weiß, daß in mir, also in meinem Fleische, das Gute nicht wohnt. Liegt mir
19 nämlich das Wollen nahe, so nicht, das Gute zu wirken. Denn nicht das Gute, das ich
20 will, tue ich, sondern das Böse tue ich, das ich nicht will. Wenn ich aber gerade das
tue, was ich nicht will, dann wirke nicht mehr ich es, sondern die in mir wohnende
21 Sünde. Ich stelle also für mich, der ich das Gute tun will, das Gesetz fest, daß das
22 Böse mir anhängt. Denn nach dem inneren Menschen habe ich Freude an dem Ge-
23 setz Gottes. Ein anderes Gesetz gewahre ich aber in meinen Gliedern. Das liegt im
Streit mit dem Gesetz meiner Vernunft und nimmt mich im Gesetz der Sünde
24 gefangen, das in meinen Gliedern ist. Ich armseliger Mensch! Wer wird mich diesem
25 Todesleib entreißen? Dank sei Gott durch Jesus Christus, unsern Herrn! So diene
ich also mit meiner Vernunft dem Gesetz Gottes, mit dem Fleisch jedoch dem Gesetz der Sünde.

Literatur: J. Blank, Der gespaltene Mensch, Bibel und Leben 9 (1968), 10-20. J. I. Packer, ,The
Wretched Man' in Romans VII, Stud. Evang. II (1964), 621-627. F. Müller, Zwei Marginalien
im Brief des Paulus an die Römer, ZNW 40 (1941), 249-254. O. J. F. Seitz, Two Spirits in Man:
an Essay in Biblical Exegesis, NTSt 6 (1960), 82-95. W. Keuck, Dienst des Geistes und des Fleisches, Tübing. ThQu 141 (1961), 257-280. J. Kürzinger, Der Schlüssel zum Verständnis von
Röm. 7, Bibl. Z., N. F. 7 (1963), 270-274. E. W. Smith, The Form and Religious Background of
Romans 7,24-25a, Nov. Test. 13 (1971), 127-135.

Der neue Abschnitt hebt sich vom vorigen durch die präsentischen Verbformen ab. Daraus darf nicht gefolgert werden, jetzt gehe es um die christliche Gegenwart (gegen Nygren; Packer, Wretched Man 626; Franzmann; Assmussen; ähnlich Bruce; Murray; richtig Kertelge, Überlegungen 108). So liegt auch kein neuer Exkurs (gegen Hommel, Kapitel 102; van Dülmen, Theologie 112), Beweis (Jülicher; Lietzmann; Dodd) oder ein
Kommentar (Fuchs, Interpretation 293) und eine Begründung des letzten Abschnittes
(Kühl) vor. Vielmehr wird in kosmischer Weite das Resultat von 7b—11 aufgezeigt
(Bornkamm, Sünde 61). Die Aussagen laufen denen von 1,18—3,20 und 5,12 ff. über
die vorchristliche Welt parallel. Dem entspricht, daß das Thema der Tora nur im Rückblick von 14a. 16b und in der schon variierenden Formel ὁ νόμος τοῦ θεοῦ 22 aufgegriffen wird (gegen Kümmel, Röm 7, S. 57 f. 61). Das Spiel mit dem Begriff in übertrage-
ner Bedeutung 20 ff. erinnert zwar noch daran, hat jedoch bereits einen anderen Skopus,
nämlich das über aller Menschheit gerade auch in ihrer Frömmigkeit lastende Unheil. Es
wird in 14—20 durch den Widerspruch von Wollen und Handeln, in 21—24 als völlige
Selbstentfremdung des Geschöpfs beschrieben. Die Lesart οἶδα μέν 14 ist nicht ursprünglich (gegen Zahn), vielmehr Angleichung an den Kontext. Sie legt den Ton auf das Wissen, während Pls mit 14a nochmals 12 summierend aufgreift, um in 14b den Kontrast
herausstellen zu können. Dem dient es ebenso, wenn das mit ἐπουράνιος identische πνευματικός die Prädikate von 12 überbietet. Der ursprünglich im Gesetz dokumentierte Gotteswille gibt der Bekundung himmlische Herkunft und Art. 14c zeigt, daß σάρκινος nicht
nur den Menschen von Fleisch und Blut (Zahn; Dodd; Nygren) in seiner Versuchlichkeit
wie in 1.K 3,1 (Murray), die physische Grundlage unserer ethischen Beschaffenheit (Kühl)

charakterisiert, sondern, mit σαρκικός von 2.K 10,3 synonym, den Menschen in seiner Weltverfallenheit qualifiziert (Schweizer, ThWb VII, 145). Mehr als fragwürdig ist die Ableitung der bildlichen Redeweise in 14c aus 1.Kg 21,25 (Schlatter) oder andern Stellen des Alten Testaments (Michel). Keinesfalls erlaubt sie eine Diskussion darüber, wer an die Sünde verkaufte. ἐγώ meint den Menschen im Schatten Adams, umschließt also nicht die christliche Existenz in ihrer ständigen Versuchung (gegen Zahn; Nygren; Murray, Ellwein, Rätsel 266 f.; Maurer, Gesetzeslehre 46; Stalder 306; vgl. dazu Kümmel, Bild 28 ff.; Ridderbos). Was hier ausgesagt wird, ist nach c. 6 und 8 für den Christen überholt und nicht einmal als Inhalt der Bekehrungserfahrung des Apostels gekennzeichnet.

Nennt 14c das Thema des Unterabschnittes, so ist damit auch von vornherein die Ebene des Moralischen und psychologisch Erfahrbaren überschritten (gegen Kümmel, Röm 7, S. 132 ff.; Althaus; Kirk; Gutjahr; Ridderbos, Paulus 95 ff.; richtig Kertelge, Rechtfertigung 110 ff.; Schrage, Einzelgebote 195 ff.). 1,24 ff. hat zwar dargetan, daß Sünde auch moralische Konsequenzen hat, und man kann durchaus zugestehen, daß sie sich notwendig dort äußert, sollte jedoch nicht sagen, daß sie primär dort wirksam sei (gegen Schrage a.a.O.). Was es um Sünde wirklich ist und wie es sich mit ihrer Herrschaft verhält, entzieht sich der Kategorie der Erfahrbarkeit selbst im Stande unter dem Gesetz (gegen Gaugler), wird erst vom Evangelium aufgedeckt und nur dem Pneumatiker einsichtig. Die gesamte paulinische Theologie steht und fällt mit dieser Feststellung, weil Rechtfertigung des Gottlosen ihre Mitte ist. Für sie wird gerade der moralische Mensch aufs tiefste von der Macht der Sünde verstrickt, ohne nach 9,31 oder 10,3 es erkennen zu können (H. W. Schmidt). Anders wäre die Auseinandersetzung mit dem gesetzestreuen Judentum sinnlos und diejenige mit heidnischem Idealismus notwendig. Hat man 14c als Obersatz der folgenden Argumentation anzuerkennen, braucht der sittliche Zwiespalt zwischen Wille und Tat, Wunsch und Realität nicht übersehen zu werden. Mehr als Indiz für das von Pls Anvisierte ist er nicht. Eine bloß oder primär moralische Interpretation des Textes läßt sich weder mit 14c noch mit dem dann überflüssigen Rekurs auf Adams Fall in 9—11 vereinen. Sie bestimmt allerdings noch immer die Auslegung, weil sich fraglos von 15—20 her die Erinnerung an den allgemein erfahrbaren sittlichen Konflikt aufdrängt, zumal wenn man dem Apostel hier emphatische Übertreibung zuschreibt. Umgekehrt wird nicht nur im Alten Testament und Judentum, sondern auch von Heiden die moralische Anfälligkeit des Menschen so willig zugestanden, daß dann nur die Radikalität der paulinischen Aussagen hervorgehoben zu werden verdient. Selbst sie ist jedoch nicht neu. Mit Recht hat man immer wieder als besonders repräsentativ Ovid, Met. VIII, 19 f. zitiert: aliudque cupido, mens aliud suadet: video meliora proboque, deteriora sequor. Die Aussage steht (vgl. Hommel, Kapitel 113 f.) in einem festen Überlieferungsstrang, der auf die Kritik des Euripides an der sokratischen Lehre von der Paideia zur Tugend zurückgeht, sich in zahlreichen antiken Variationen äußert (vgl. Hommel 106 ff.; Lietzmann; Dodd) und durch die abendländische Geschichte verfolgt werden kann (Huby). Einfluß dieser Tradition auf den Apostel läßt sich um so leichter annehmen, als auch die jüdische Diaspora davon berührt wurde und Pls, wie noch zu zeigen ist, unbestreitbar in unserm Text bestimmte Ausdrücke und Motive aus ihrer Argumentation aufnimmt (Duchrow, Weltverantwortung 92 ff. 96 ff.). Mindestens ebenso nahe scheinen ihm Grundanschauungen Qumrans zu stehen, in denen die rabbinische Lehre vom bösen Trieb radikalisiert wird. Dort geht es um mehr als den

Widerstreit der Pflicht oder des Wunsches zur Vervollkommnung mit der Leidenschaft des Individuums, nämlich um den Schrei des Frommen, der ins Heil gestellt, sich zugleich der Kreatürlichkeit und der sie verstrickenden Sündenmacht ausgesetzt sieht (vgl. K. G. Kuhn, Πειρασμός 210 ff.; Braun, Selbstverständnis 102 ff.; Schulz, Rechtfertigung 162 ff.). In dem exemplarischen Text 1QS XI, 7 ff. findet sich mit dem charakteristischen Ich-Stil die Aussage XI,9: Ich gehöre zur ruchlosen Menschheit, zur Menge des frevelnden Fleisches. Die Unterschiede zwischen beiden Traditionen liegen auf der Hand. Während die erste den Gegensatz von Absicht und tatsächlichem Handeln im Leben des Einzelnen betont, überschreitet die zweite den Bereich des Individuellen in dualistischer Kosmologie, in welcher zwei Machtsphären sich gegenübertreten und nicht nur die faktische Tat, sondern auch das kreatürliche Sein des Frommen dem Regiment der Sünde unterworfen ist (Braun, Selbstverständnis 105 ff.). Noch mehr sind die Unterschiede beider Traditionen gegenüber paulinischer Anthropologie zu beachten. Man macht sich die Auslegung zu leicht, wenn man in unserm Text eine Psychologie der Sünde prinzipiell entwickelt findet (Kümmel, Röm 7, S. 125 ff.; Hommel, Kapitel 96. 105; Schrenk, ThWb II, 548; III, 50 f.; Nygren; Althaus). Von der unglücklichen Formulierung abgesehen, ist dem Apostel nach 2,12 ff. 26 f. doch nicht ein Pessimismus zuzuschreiben, welcher für die gute Tat und die Aufforderung dazu im Menschlichen keinen Raum läßt, mit pauschalen Feststellungen die differenzierte Wirklichkeit verdeckt und bloß die Erbärmlichkeit unserer Existenz ins Auge faßt. Er hat die Starken, nicht die Schwachen angegriffen. Hätte er allein über uns fehlende Willenskraft lamentiert, müßte man ihm im Namen des Menschen energisch widersprechen, so wenig der Aspekt des Kläglichen übersehen werden kann. Die Trostlosigkeit einer Theologie, für welche im Finstern alle Katzen grau sind, wird mit der unsinnigen Formel „Psychologie der Sünde" kaschiert. In ihr würde nicht einmal das Niveau von Qumran erreicht. Doch steht man auch dort in einem andern Horizont als Pls. Wo äußerste Verschärfung der Tora praktiziert wird und Gnade den Weg dazu öffnet, ist die Klage des Frommen über seine Zugehörigkeit zur Welt der Bosheit Ausdruck dessen, daß er zur Erfüllung des Gesetzes auf Gnade angewiesen bleibt. Das enthebt ihn jedoch nicht des geforderten und möglichen Gehorsams gegenüber der Tora, sondern ruft ihn zu einem irdisch nie beendeten, aber rigoros zu führenden Kampf mit der Sünde. Beides steht nebeneinander (Braun, Selbstverständnis 114 ff.) in einem anthropologischen Dualismus, der den kosmischen Machtkampf konkretisiert. Es ist die Aufgabe des Frommen, solchen Widerstreit auszuhalten und mit seinem Tun immer von neuem zu überwinden. Für Pls ist die vorhandene Tora weder Gnade noch Hilfe, ihre Erfüllung nicht das Ziel, sondern der religiöse Modus menschlicher Selbstbehauptung, weshalb unser Text vom gefallenen und verlorenen Menschen, nicht vom Heilsstand spricht.

Macht man sich das klar, heben sich 15—20 von der verglichenen Tradition des Griechentums wie Qumrans so scharf ab, daß in ihnen unmöglich nur vom ethischen Konflikt die Rede sein kann, den die Ausleger hier zumeist finden. Leitfaden der Interpretation dieser Verse hat zu sein, daß sie den Obersatz in 14c illustrieren. Der ethische Konflikt als solcher demonstriert jedoch, wie gerade Qumran zu zeigen vermag, keineswegs das „unter die Sünde verkauft". In ihm mag es zur Resignation oder zu intensivierter Anstrengung des Willens, verschärfter Beachtung der Forderung kommen. Was Sünde als Auflehnung gegen das Recht des Schöpfers ist, läßt sich daraus nicht entnehmen. Es spiegelt sich auf einer unteren Ebene nur insofern wieder, als der Mensch mit sich selber nicht fertig wird. Begnügt sich der Apostel hier mit solcher allerdings erfahrbaren Binsenweisheit, arbeitet er mit verfehlten Mitteln und betreibt eine schlechte oder richtiger überhaupt keine Theologie, sondern tatsächlich eine am ethischen Problem orientierte Psychologie. Natürlich ist nicht auszuschließen, daß das der Fall ist. Doch sollte das erst dann vermutet werden, wenn keine andere Lösung übrigbleibt. Diese andere Möglichkeit hat sich bereits mit 9—11 angeboten. Die Terminologie wechselt in unserm Text, nicht die Sache. Was dort als Konfrontation mit dem Gebot beschrieben wurde, ist hier als Ausrichtung auf das Gute bezeichnet, in welcher man dem göttlichen Willen entspricht und zustimmt. Was dort Betrug der Sünde hieß und illusionäres Handeln anzeigte, bekundet sich jetzt als die Realität aller Illusion, die nie das intendierte Ziel erreicht. Der Wechsel der Terminologie und die darin sich bekundende Veränderung der Perspektive ergibt sich aus der Differenz unserer Situation gegenüber derjenigen Adams. Wir finden den Sündenfall immer schon als Verhängnis der Sündenmacht uns vorgegeben, bestätigen ihn jedoch mit unserm Verhalten, das uns als in der Illusion stehend erweist. Auch wir wollen mit all unserm Tun das Leben, bewirken uns faktisch aber gerade mit solcher Intention stets den Tod, den Adam, dem Gesetz konfrontiert, zuerst starb. Dieses (von Bultmann in seinem Aufsatz zu Röm 7 begründete) Verständnis des Textes muß sich in der Auslegung der Grundaussage 15a und deren Variation in 15b bewähren, welche durch die Wiederholungen in 16a. 18c. 19. 20a aufs stärkste unterstrichen und durch die übrigen Ausführungen erläutert wird. Die Variation der Verben κατεργάζομαι, ποιῶ und πράσσω ist zweifellos rhetorisch (Ridderbos), so daß die intensivierende Deutung „erwirken" angesichts der Parallelen sich für das erste kaum halten läßt (gegen Bultmann, Theol. 248 f.). Anders als in 13 ist der Effekt nicht als solcher herausgestellt, wenngleich man umgekehrt auch nicht Akt und Wirkung trennen kann (Schlatter; H. W. Schmidt). Jedes Handeln zeitigt ein Ergebnis, das freilich nicht das intendierte zu sein braucht. Daß hier der Tod dieses Ergebnis sei, läßt sich dem Text jedenfalls nicht direkt entnehmen (wieder gegen Bultmann, Theol. 248 f.). Das αὐτό in 17. 20b entspricht dem τοῦτο in 15b. 16a. 20a und hebt ganz formal Wollen und Tun gegeneinander ab. Der Ton ruht auf dem οὐ γινώσκω, das sich gleichsam in der unbestimmten Redeweise äußert. Wird es auf das θέλειν in 15b. 16a. 18c. 19 f. und den Kontrastbegriff μισεῖν 15b bezogen, geht es bei solchem Erkennen wie zumeist bei Pls nicht um theoretisches Wissen (gegen Hommel, Kapitel 96 f.), sondern um praktische Erfahrung, die sich über Motive und Resultat ihres Handelns Rechenschaft gibt. Existenz ist in der Antithese von Wollen und Hassen auf etwas ausgerichtet und anderm gegenüber ablehnend. 15a stellt fest, daß der ins Auge gefaßte Mensch nicht direktionslos ist, aber den Verlauf, den seine Intentionen beim Versuch ihrer Verwirklichung nehmen, nicht begreift. Das Gegenteil seiner Wünsche, Vorhaben und Erwartungen ergibt sich, und zwar durchweg, wann immer er sie handelnd realisieren will. Das bedeutet jedenfalls, daß hier nicht von menschlicher Praxis im allgemeinen die Rede ist, deren viele Möglichkeiten sich nicht auf eine Alternative einschränken lassen und die erst recht nicht stets zu Fehlschlägen führt. Das läßt sich selbst vom Ethischen nicht behaupten, in dessen Feld es immerhin Kompromisse und neben häufigen Niederlagen auch unbestreitbare Siege, also die Einheit von Intendiertem und Bewirktem, die Realisation des Guten gibt.

16b zeigt, auf welchen Bereich geblickt wird: Wo es den durch das Gesetz bekundeten

Gotteswillen zu erfüllen gilt, stehen sich Bewährung und Verfehlung, das „Gute" und das „Böse" in schroffer Alternative gegenüber (Goppelt, Christentum 105). Die von Pls anvisierte Erfahrung besteht darin, daß es dem hier allein in Betracht kommenden Frommen nicht gelingt, den göttlichen Willen als das wahrhaft Gute zu verwirklichen, solange ihm der Geist Christi nicht gegeben ist. Gerade in seinem Handeln schafft er vielmehr dem Bösen Platz und Realität, obgleich das nicht seine Absicht war. Seine Ratlosigkeit angesichts dieser Verkehrung seiner Absichten beweist, daß er tatsächlich auf das Gute ausgerichtet war, sich dem Gotteswillen verpflichtet fühlte und ihm als Maß seiner Existenz zustimmte. Offensichtlich wird damit primär die Situation des gesetzestreuen Juden geschildert, die nur in der Abschattung von 2,14 ff. auch beim Heiden vorliegen mag. Sie wird im Bekenntnis-Stil von 7 ff., also genau wie dort in christlichem Rückblick auf die eigene Vergangenheit geschildert. Die verwandten Bekenntnisse Qumrans enden eben nicht in der Ratlosigkeit, sondern gewinnen aus der Einsicht, der Welt des frevelnden Fleisches anzugehören, den Impuls, nun erst recht einer dazu noch verschärften Tora zu folgen, und die Hoffnung, daß radikaler Gehorsam möglich sei und endlich sieghaft bleibe. Der Christ verbindet solche Hoffnung nicht mehr mit dem Stande unter dem Gesetz. Er sieht die Situation des Frommen vor und außer Christus als hoffnungslos und darum auch als undurchdringliches Rätsel, weil sie, wie 17 f. 20 ausführen, unter einem lastenden Verhängnis steht. Im Fall eines ethischen Konfliktes weiß man, was man tut, weshalb es geschieht und welche Konsequenzen es hat, wenn die Leidenschaft stärker ist als die Pflicht. In Qumran weiß der Fromme, daß es infolge seiner Zugehörigkeit zur Welt des Fleisches immer wieder zur Übertretung kommt, verzweifelt darüber aber nicht, sondern bindet den Helm für den weiteren Kampf im Zeichen der Tora nur fester. Pls schildert die Lage des Frommen demgegenüber als objektiv verzweifelt. Er kann vor und außer Christus dem Unheil nie entrinnen, schafft es sich vielmehr in allen seinen Taten ständig neu, ohne diesen Sachzwang begreifen zu können, wie der Christ es kann, der um das Verhängnis der Sündenmacht, die darunter erfolgende Perversion des Gesetzes, die Erfüllung des Gotteswillens allein in Christus und kraft des Geistes weiß. Die soteriologische, nicht die ethische Erfahrung führt zu den Aussagen unseres Textes und veranlaßt deren Bekenntnis-Stil. Was der Mensch will, ist Heil. Was er schafft, ist Unheil. Eben darum geht es auch und gerade beim gesetzestreuen Frommen. Das ist mit „gut" und böse" in unsern Versen gemeint. Man glaubt zu wissen, was man tut und daraufhin zu erwarten hat. Man lebt jedoch aus der Illusion, weil man Gottes Willen die eigene fromme Selbstbehauptung begründen läßt und eben so das eigene Unheil heraufführt. 9,31 f.; 10,3 bieten den Schlüssel zum Verständnis unseres Textes. Die Firmierung des Konfliktes als „transsubjektiv" (Bultmann, Römer 7, S. 53. 56) hat heftige Kritik ausgelöst, weil sie angeblich dem subjektiven Element (Kuss; Ellwein, Rätsel 259 f.; Bläser, Gesetz 122 ff.) und der Konkretion auch im ethischen Bereich (Schrenk, ThWb III, 51; Giese, Römer 7, S. 33; Schrage, Einzelgebote 195 ff.) nicht genügend Rechnung trägt. Sie ist zweifellos mißverständlich, führte jedoch bahnbrechend über eine rein psychologische und ethische Interpretation hinaus und war keineswegs so abstrakt, wie sie klang. Sie ging durchaus vom konkreten Wollen und Tun des Menschen, also vom Felde des „Subjektiven" aus. Wenn sie sich nicht stärker auf die ethischen Probleme einließ und in diesen den hier anvisierten Grundkonflikt gespiegelt fand (vgl. Grundmann, ThWb III, 481 f.; Braun, ThWb VI, 479 f.; Blank, Mensch 13 f.), folgte sie den Spuren des Apostels, der ebenfalls nicht exemplifiziert. Ihr ging es darum, daß die Aussagen des Textes die Sphäre konkreter Ereignisse genauso wie die einer allgemeinen Erfahrung transzendieren. Sie hätte besser vom Menschen unter dem Verhängnis und in der Illusion gesprochen. Wo wir unser Geschick, sei es auch im Zeichen einer bestimmten Ethik oder Religion, selbst in die Hand nehmen, erkennt man in Gott nicht mehr den Schöpfer, muß der Mensch sich mehr zutrauen, als er zu halten vermag, und wird er weniger werden, als ihm zugedacht war. Sogar im ethischen Felde wird er sich immer wieder als Gefangener seiner Arroganz oder seiner Leidenschaften, Willkür und Dummheit erweisen.

Pls hat die Sprache und Motivation seiner Umwelt in unendlicher Vertiefung aufgegriffen. Er konstatiert nicht bloß die Widersprüchlichkeit der Existenz selbst beim Frommen, sondern die Verstrickung einer gefallenen Schöpfung in allen ihren Äußerungen an die Macht der Sünde und braucht deshalb nicht, wie man es unter ethischen und psychologischen Gesichtspunkten tun müßte, zu differenzieren. Nicht einmal die Möglichkeit des noch unentschiedenen Kampfes wird von ihm offen gehalten, so daß adäquat wie zumeist (exemplarisch Blank) vom gespaltenen oder zerrissenen Menschen gesprochen werden dürfte. Nur wo die Argumentation von 1,18—3,20; 5,12 ff.; 6,3 ff. vergessen wird, kann man einen vermittelnden Zustand zwischen dem gefallenen und dem erretteten Menschen postulieren. Unser Text steht unter dem Thema „verkauft unter die Sünde", charakterisiert den verlorenen Menschen und sieht das Sterben Adams von 7b bis 11 sich gegenwärtig fortsetzen. Mit aller Deutlichkeit tritt das in 17 f. zutage. νυνὶ δέ hat nicht zeitlichen, sondern logischen Sinn (gegen Zahn; Nygren). 17b gibt den Grund für den in 15 f. beschriebenen, in der Antithese 17a zusammengefaßten Sachverhalt an. Dabei wird Ausdrucksweise gebraucht, wie sie sonst ekstatische Inspiration motiviert oder Besessenheit kennzeichnet (Grundmann, ThWb I, 315; Lagrange; Kuss; Schoeps, Paulus 193 ff.). Nach Test. Napth 8,6 bewohnt so Satan den Sünder wie sein eigenes Gefäß. Ein dämonologischer Tatbestand kommt also zur Sprache, welcher dem Schluß von 14 entspricht. Mindestens jetzt müßte klar werden, daß das Feld ethischer Konflikte weit übergriffen wird. Der Schwachheit nachzugeben, ist nicht dämonisch, sondern menschlich, und niemals kann der, welcher von seiner Leidenschaft übermannt wird, Verantwortung für sein Tun von sich abwälzen und behaupten, im Grunde wäre er nicht schuldig. Er wäre krank, feige oder kindisch, wollte er so davonkommen. Selbst in der größten Sinnesverwirrung bleibt er mindestens der Wollende, kann ihm nachträglich dargetan werden, daß er das Falsche gewollt und herbeigeführt hat. Pls meint jedoch wirklich, daß jenes hier sprechende Ich, dämonisch versklavt (auch Gaugler; Blank, Mensch 17 f.), den Effekt seines Tuns nicht wollte und nicht begriff. 18 f. führen das weiter aus. Erneut wird die zwangsmäßige Vertauschung des erstrebten Guten mit dem nicht gewollten Bösen, mehr noch die totale Unfähigkeit zum Guten aus Besessenheit abgeleitet. οἶδα γάρ hat den gleichen Sinn wie οἴδαμεν in 14 und formuliert christliche, vielleicht bereits dogmatisch anerkannte Einsicht. Inwiefern diese schon dem natürlichen Menschen zugestanden werden kann, bildet ein erst von 22 f. her zu lösendes Problem. Das Gute ist jedenfalls das Gottgewollte, das als solches Heil einbeschließt. Es auf das Sittliche einzuschränken (vgl. dazu Schrage, Einzelgebote 196 f.), erscheint vom Kontext her bedenklich, weil dämonische Sündenmacht über diesen Bereich hinausgreift. Neu ist, daß das Wohnen der Sünde in mir mit der Feststellung begründet wird, ich sei σάρξ.

Denn die Parenthese hat natürlich nicht limitierenden Sinn (gegen Zahn; Sanday-Headlam; Kühl; Jülicher; Pallis; Huby; Lietzmann; Schlatter; Althaus; H. W. Schmidt;
Kümmel, Römer 7, S. 61; möglich Bultmann, Theol. 245). Das ἐν ἐμοί wird dadurch
nicht korrigiert (van Dülmen, Theologie 153), sondern identifiziert (K. Barth; Bornkamm, Sünde 64; Leenhardt; Michel; Gaugler; Ridderbos; Braun, Römer 7, S. 101; Ellwein, Rätsel 249; Kertelge, Überlegungen 109; Sand, Fleisch 190). Fleisch ist, terminologisch gebraucht, der Wirkraum der Sünde, der ganze Mensch in seiner Weltverfallenheit
und Gottabgewandtheit, insofern Existenz im Modus der Besessenheit. παράκειταί μοι,
schon in LXX profan benutzt (Giese, Römer 7, S. 35), besagt: bereit liegen; vorhanden
sein (Büchsel, ThWb III, 656). 19—20 resümieren. Ein Gedankenfortschritt ist nicht zu
bemerken. Pls liegt alles daran, das Faktum der Besessenheit zu unterstreichen und damit den Schluß von 14. Hervorzuheben ist nochmals die generelle Redeweise, welche
„gut" und „böse" nicht auf einen Einzelfall und eine konkrete Pflicht ausrichtet. So wird
der Mensch auch nicht als der gesehen, der gegen sein Verhängnis ankämpfen und sein
Schicksal wenden könnte, wie der moralische Wille es versucht. Ist das jedoch nicht möglich, führt die Formel vom Zwiespalt der Existenz irre, wenn sie etwas anderes und mehr
als den ohnmächtigen Zuschauer einer an ihm sich vollziehenden Tragödie meint (Schweizer, ThWb VII, 133 f.).

21—25 verschärfen 15—20 derart, daß nun der ohnmächtige Zuschauer seiner selbst
zum zentralen Gegenstand der Aussage wird, das Problem des ἐγώ in unserm Abschnitt
nochmals sich besonders drängend stellt. Die neue Terminologie in 22 und das Spiel mit
dem Begriff des Gesetzes in 22 f. weisen darauf hin, daß das Ergebnis der bisherigen Argumentation mit einer letzten radikalen Steigerung erreicht wird. 21 markiert als Zusammenfassung der vorigen Verse (Kümmel, Römer 7, S. 61 f.) den neuen Einsatz,
εὑρίσκω leitet die folgende Sentenz (J. Weiss, Beiträge 231; van Dülmen, Theologie 115)
und damit das Fazit der Beweisführung ein. Auf die Tora als solche wird nicht mehr
ausdrücklich reflektiert. Denn νόμος meint in 21 übertragen die Regel oder den Zwang,
die Genetivkonstruktion νόμος τοῦ θεοῦ in 22 nicht das fixierte Gesetz, sondern den
Gotteswillen in einer generellen Weise, welche die Antithese zu dem Gesetz in meinen
Gliedern erlaubt. In 23 wird die Wendung darum durch νόμος τοῦ νοός aufgenommen
und dem kosmischen νόμος τῆς ἁμαρτίας entgegengestellt. Die Aussage hat also universale Weite und betrifft jede Existenz im Gefolge Adams. Die vierfache Variation des
Begriffes Gesetz umkreist differenzierend einen Grundgegensatz (Kuss; anders Kühl;
van Dülmen, Theologie 116). Wie in 6,11 ff. stehen sich Gott und Sündenmacht als Kontrahenten gegenüber, welche beide Anspruch auf den Menschen erheben und beide in
der Existenz so etwas wie einen Stützpunkt haben, nämlich den ἔσω ἄνθρωπος oder
νοῦς einerseits, die Glieder andererseits. Anders als in 6,11 ff. hat jedoch nicht der ver-
nommene Gotteswille die Oberhand. Die Glieder haben sich ihm gegenüber selbständig
gemacht, so daß die Sünde mit ihnen operieren und triumphieren kann. Deutlich wird
hier vom unerlösten Menschen gesprochen. Dabei wird nicht mehr wie in den vorigen
Abschnitten primär an den frommen Juden gedacht. Sofern er noch nicht aus dem Blickfeld verschwunden ist, repräsentiert er den frommen Menschen, wird das Problem der
Tora durch die Problematik menschlicher Existenz abgelöst. Jeder ist wie nach 1,20 durch
den Willen Gottes angesprochen, jeder wie nach 3,20; 5,12 ff. zur Erfüllung dieses Willens als unfähig charakterisiert. Thema unseres Verses ist in Abwandlung der Ausfüh-

rungen von 1,18—3,20 — und darin für das Verständnis unseres Kapitels und seine Stellung in der Gesamtkomposition höchst bedeutungsvoll! — die Menschheit unter dem Fluch des Adamfalles, jetzt aus dem Blickwinkel des Einzelnen gesehen. Ein logischer Fortschritt führt konsequent von der Geschichte Adams in 9—11 zu der des durch den Juden repräsentierten frommen Menschen in 14—20 und der Kennzeichnung jeder Existenz in unsern Versen. Als zentrales Problem des Schlusses hat die merkwürdige Anthropologie zu gelten, die sich in einer vom sonstigen Sprachgebrauch des Apostels abweichenden Terminologie äußert. νοῦς ist durchweg das diakritische Vermögen des Menschen, in einer konkreten Situation sich anbietende, verschiedene Mittel und Zwecke zu beurteilen (Bultmann, Theol. 211 f.). Selbst rhetorisch und übertragen kann man es nicht recht, wie das hier geschieht, mit einem νόμος im Sinn von Ordnung verbinden. So ist sein Gegensatz die Urteilslosigkeit, nicht wie in unserm Text ein anderer Nomos. Wie das Gewissen kann die Vernunft vom Geist her größere Klarheit über das Notwendige und Zweckmäßige gewinnen, so daß 12,2 von erneuerter Vernunft zu sprechen vermag. Organ auch der Offenbarung (Ridderbos, Paulus 90 f.) ist sie deshalb nicht, nicht einmal sittliches Bewußtsein (Sanday-Headlam; Behm, ThWb IV, 957), schon gar nicht das Selbstbewußtsein (Kühl) als das höhere, geistige Wesen des Menschen (Dodd; H. W. Schmidt; Cerfaux, Chrétien 278 ff.; Prat, Théol. I, 280 f. II, 58 f.; Cambier, L'Évangile I, 292). Dafür kann man sich auch nicht auf 1.K 2,16 berufen. Denn der νοῦς Χριστοῦ ist dort mit πνεῦμα Χριστοῦ synonym, deshalb wie in 1.K 12,10 zur Unterscheidung der Geister fähig und ein christlich charismatisches Spezifikum, während es in unserm Vers um die Vernunft des Unerlösten geht. Auf der Hand liegt, daß Pls hier hellenistischer Tradition folgt.

Das wird vollends aus der Identifikation mit dem ἔσω ἄνθρωπος klar. Nur 2.K 4,16 gebraucht diese Wendung noch in der Antithese zum äußeren Menschen als vergänglichem Wesen. Das darf jedoch (vgl. J. Jeremias, ThWb I, 366) nicht dazu verführen, wieder an die geistige Existenz zu denken, zumal diese nicht weniger als der Leib nach paulinischer Anschauung dem Verfall ausgesetzt ist. Gemeint ist der Pneumatiker, der durch Leiden und Sterben gehen und darin wachsen muß. Der innere Mensch von 2.K 4,16 ist also das Gegenbild des alten Anthropos von 6,6; Kol 3,9 f.; Eph 4,22 ff. und in dualistischem Zusammenhang mit jenem „neuen Menschen" identisch, als dessen Urbild in Eph 2,15 Christus selbst erscheint. Unbestreitbar stammt solche Anschauung aus der Überlieferung vom Menschen im Menschen als unserer eigentlichen Existenz, welche abgeschattet an der göttlichen Vernunft partizipiert und darum in ihrer Vernünftigkeit auch konstitutiv gegenüber dem göttlichen Willen aufgeschlossen ist. Aus dem Erbe Platos hat Philo sie aufgegriffen und ihren Dualismus weiter verschärft (vgl. Brandenburger, Fleisch 155 f. 172; Duchrow, Weltverantwortung 92 ff.) und sie unter dem Thema der Gottebenbildlichkeit behandelt (vgl. Jervell, Imago 58 ff.; Eltester, Eikon 43 ff.). Bei Pls und seinen Schülern wurde sie, wie schon 3,23 zeigte, durch die eschatologische Antithese zwischen altem und neuem Äon variiert. Daß im Griechentum νοῦς und πνεῦμα synonym sein konnten, war dabei besonders hilfreich. Der Pneumatiker ist, als vom himmlischen Wesen bestimmt und der neuen Welt zugehörig, der wahre Mensch und ist es in der Teilhabe an Christus als seinem Urbild, in welchem sich Gottebenbildlichkeit an dem Ende der Zeiten wieder manifestiert hat. Er hat eben im Pneuma den νοῦς Χριστοῦ. Die Rede vom ἔσω ἄνθρωπος ist in diesem eschatologischen Zusammenhang inadäquat, verrät noch die religionsgeschichtlichen Wurzeln der Anschauung, konnte jedoch im andern Horizont sinnvoll darauf aufmerksam machen, daß das himmlische Wesen in dieser Welt und unserer Leiblichkeit nur verborgen angefangen hat und der Vollendung bedarf. Es genügt, den Prozeß der Aneignung und Umprägung dieser Überlieferung zu skizzieren, weil erst jetzt die Problematik unseres Textes angegangen werden kann. Denn nun ergibt sich das Dilemma, daß die von paulinischer Anthropologie her ganz ungewöhnlich zu nennende Terminologie und Motivation unserer Verse (Packer, Man 625) nur aus solcher Tradition begreiflich wird, andererseits jedoch ihre Projektion in das Leben des Unerlösten gerade dann ein Rätsel aufgibt, wenn sie sonst allein, und dazu selten, dem Pneumatiker gegenüber stattfindet. Das Rätsel wird noch größer, wenn man die Verben bedenkt, welche hier Vernunft und inneren Menschen charakterisieren. σύμφημι τῷ νόμῳ in 16 ergab sich aus einem logischen Schluß gleichsam via negationis. Spricht 22 aber davon, daß ich nach dem inneren Menschen an Gottes Willen Gefallen habe, zeigt das, daß auch σύμφημι die positive Zustimmung meint, welche dem Menschen nicht nur abgezwungen wird. Vernunft und innerer Mensch haben hier also die Fähigkeit, welche ihnen die griechische Überlieferung beimißt, nämlich den göttlichen Willen zu vernehmen und anzuerkennen. Das sagt Pls so uneingeschränkt nicht einmal vom Gewissen als der menschlichen Möglichkeit zur Selbstkritik angesichts einer letzten richtenden Instanz. Denn er weiß, daß Gewissen irren und vergewaltigt werden können, ihre Norm sich verschieben läßt. Die freudige Zustimmung zum Willen Gottes behält er erst recht überall dem Pneumatiker vor. Es ist erstaunlich, daß das vorliegende Problem kaum scharf fixiert wird. Wie können dem unerlösten Menschen Prädikate und Fähigkeiten des erlösten beigemessen werden? Denn es kann nicht bestritten werden, daß für Pls auch die Vernunft der Macht des Fleisches unterliegt (richtig Kümmel, Bild 31 f.), der „innere Mensch" hier nur ein Aspekt des „äußeren Menschen" von 2.K 4,16 ist. Durchweg interpretiert man im Sinne der griechischen Tradition. Konstatiert man nicht einfach in grober Verkennung der paulinischen Anthropologie, der Mensch bestehe aus zwei Teilen (Lietzmann), und versteigt man sich nicht zu der Rede von dem „unvergänglich Edlen" und dem „unbewußten Christentum" wenigstens bei einer nach Erlösung verlangenden Auslese (Jülicher), so wird nirgendwo der Schatten einer dualistischen Anthropologie übersprungen. Besonders sublimiert tritt das entgegen in der Feststellung, νοῦς habe in unserm Vers anders als sonst den „Vollsinn" des „eigentlichen Ich" im Unterschied zu „dem sich gegenständlich gewordenen Ich" der Leiblichkeit (Bultmann, Theol. 213). Denn zutiefst ist damit nur der Kontrast von Natur und Geist variiert (vgl. auch Lietzmann; Lagrange; Althaus; Leenhardt; Kuss; Hommel, Kapitel 105 f.; Behm, ThWb II, 696). Von da aus muß man notwendig zum Thema des „gespaltenen Ich" kommen (Bultmann, Theol. 201 f. 245 f.; Braun, Selbstverständnis 102. 114; Blank, Mensch 19 f.; Eichholz, Theol. 257).

Wird solche Betrachtungsweise aber nicht durch die Antithese von 23 unabweisbar? Das läßt sich nur bejahen, wenn man die Parallelität der Aussage zu 6,11 ff. und den dort zugrunde liegenden Anschauungen nicht hinreichend beachtet. Beide Male begegnen nicht zufällig militärische Bilder, die menschliches Dasein als Ort und Instrument im Kampf der Mächte kennzeichnen und damit die über ethische Konflikte hinausgreifende, „transsubjektive" Deutung von 14—20 bestätigen. Was im vorigen Abschnitt geschildert wurde, spiegelt kosmische Auseinandersetzung, in die Existenz projiziert. Deshalb wird hier wie dort von den „Gliedern" gesprochen und damit dreierlei anvisiert: Es gibt menschliche Realität nur im Bereich der Leiblichkeit, also der welthaften Kommunikation. Der Streit um Weltherrschaft konkretisiert sich notwendig als Streit um Existenz in ihrer Weltbezogenheit, also nicht bloß um Individuen und ihre „Eigentlichkeit". Sofern statt vom Leibe von unsern Gliedern die Rede ist, kommt zum Ausdruck, daß wir handelnd und leidend nicht selbständig, sondern nur als einem Herrn und seinem Regnum Gehörige an dieser Auseinandersetzung teilhaben. Wer dort anders interpretiert, muß es konsequenterweise auch hier tun, gerät dann jedoch unvermeidlich schon zu 14—20 und erst recht hier in die Probleme des antiken und modernen Idealismus mit seiner Kontrastierung von Wille und Tat, Geist und Natur, Ich und Ich in der Zuwendung zu Gott oder der Rebellion gegen ihn. Daß Pls sich idealistischer Termini und Motive griechischer Tradition bediente, ist unbestritten. Das bedeutet jedoch keineswegs, daß er ihren ursprünglichen Skopus mitübernahm. Sieht man (Kümmel, Bild 34), daß in gewisser Weise hier die christliche Situation von Gal 5,16 ff. in vorchristliches Dasein übertragen wird, muß man nach den Gründen dafür fragen. Darauf läßt sich nur antworten, wenn man die antithetische Entsprechung unseres Textes zu 6,11 ff. mitbedenkt und nach dem gemeinsamen Anliegen in beiden Stellen sucht. Entgegen der gängigen Auslegung, welche einen anthropologischen Dualismus gerade aus unserm Abschnitt herausliest, geht es Pls hier wie dort um die Ganzheit der Existenz. Sie läßt sich in ihrer leiblichen Realität eben nicht aufspalten (vgl. Bornkamm, Sünde 64 ff.), weil Leiblichkeit Dienstbarkeit bedeutet und Dienstbarkeit ausschließt, daß man zwei Herren zugleich gehört. Nochmals ist zu betonen, daß 14c alles Folgende unter das Thema stellte: An die Macht der Sünde verkauft. Man darf diese Verfallenheit nicht derart paralysieren, daß man ihr im guten Willen ein Gegengewicht zuordnet. Alles kommt darauf an, daß der Wille nicht zu seinem Ziel gelangt, sich also als Ohnmacht erweist. In 23 wird das Thema abschließend bekräftigt. Die hier geschilderte Existenz ist in ihrer leiblichen Weltbezogenheit mit allen ihren Fähigkeiten Operationsbasis der Sündenmacht, die sich unserer Glieder als ihrer Werkzeuge bedient. Mehr noch: wir sind ihre Kriegsbeute und als solche in ihrer Sklaverei. Die an sich überflüssige Wendung τῷ ὄντι ἐν τοῖς μέλεσίν μου am Schluß des Verses ist nicht bloß eine rhetorische Wiederholung des Anfangs, sondern macht klar, daß der Zwang der Sünde nicht außerhalb von uns bleibt und uns wenigstens einen gewissen persönlichen Spielraum beläßt. Er konkretisiert sich als Zwang in unsern Gliedern und erfaßt uns deshalb total. Können wir nach 15 ff. ihm gegenüber nicht siegen, so nach unsern Versen nicht einmal hinhaltend kämpfen und widerstehen. Gleichwohl bleiben wir auch in der Fremdherrschaft Geschöpfe Gottes. Diesen Charakter zu löschen, steht weder in unserer noch in der Sünde Macht. Er bekundet sich, wenn wir sonst in Weltverfallenheit versinken, mindestens noch darin, daß wir nicht aufhören können zu klagen, wie es in 24 geschieht.

Niemand wird behaupten wollen, diese Klage und der damit zusammenfallende Erlösungsschrei sei bloß schematisch vorpaulinischer Tradition entnommen. Umgekehrt gibt es eine solche Tradition, in deren Kette sich der Apostel, vielleicht ohne es zu wissen, einfügt. Die nächsten Parallelen, welche über gängige Klagen und Hilferufe im Gebet (vgl. Michel) hinausgreifen, finden sich im hermetischen Traktat Kore Kosmou § 34—37 und in der hellenistisch-jüdischen Erzählung Joseph und Asenath 6,2 ff. (Smith, Background 128 ff.). Verzweiflung über die Gefangenschaft in irdischer Leiblichkeit und der mit ihr verbundenen Verblendung läßt die Frage nach der Erlösung auch dort laut werden. Das Schicksal der Seele spiegelt ein kosmisches Drama, das in der Gleichung σῶμα — σῆμα auf die kürzeste Formel gebracht wird. Pls bedient sich wie des dort vorliegenden Redestils auch verwandter Terminologie. Rhetorisch wirkungsvoll wird das Adjektiv vom Substantiv getrennt und vorangestellt. ταλαίπωρος meint mehr als geplagt (so Schlatter), nämlich: elend und in jeder Hinsicht vom Unglück geschlagen (Bauer, Wb 1590). τοῦ σώματος τοῦ θανάτου τούτου dürfte eine einzige Wendung „dieser Todesleib" sein, das Demonstrativum sich also nicht bloß auf θανάτου beziehen (Kühl; Lietzmann; Lagrange; Kuss gegen Schlatter; Bardenhewer; Gaugler; Murray; Kümmel, Römer 7, S. 64; H. W. Schmidt). Wo die Sünde herrscht, qualifiziert Todesmacht unsere leibliche Existenz wie nach 5,12 ff. in ihrer gesamten Weltbezogenheit. Heil kann hier nur in der Errettung aus dieser Leiblichkeit und wie in den Parallelen durch Befreiung von ihr erblickt werden. Damit wird vollends deutlich, daß es in dem Gegensatz von Wille und Tat von 14—20 nicht primär um Widersprüchlichkeit auf moralischer Ebene ging. Der immer wieder scheiternde Wille ist auch in seinem konkreten Tun letztlich darauf aus, Heil und Leben zu erlangen, so daß nicht der Frevler, sondern der Fromme sein Geschick repräsentiert. Wie sich bei ihm die Intention am reinsten zeigt, so wird das Verhängnis über ihm besonders rätselhaft. Das ist aber paulinische Lehre in ihrem Kern, daß nicht bloß das Geschöpf nach dem Fall immer wieder auf seine Grenzen stößt, sondern gerade der Fromme scheitert und der Weg unter der Mosetora ihn wie Adam verblendet und der Sünde preisgibt. Er stimmt dem Willen Gottes, der auf das Heil des Geschöpfes gerichtet ist, zu und hat sein Gefallen daran, sofern er ebenfalls das Heil begehrt und es in der Verwirklichung der Gebote zu erlangen trachtet. Eben dabei verstrickt er sich jedoch in die eigene Lebensgier, welche an sich zu reißen sucht, was nur gegeben werden kann, und so den Mächten der Welt verfällt. Dieser Fromme exemplifiziert wie niemand sonst das Wesen der eigenwilligen, rebellischen, pervertierten und verlorenen Schöpfung. Von da aus ist auch die Aufnahme der Termini νοῦς und ἔσω ἄνθρωπος in 22 f. zu begreifen. Der Apostel greift in 21—24 über den Bereich der Tora hinaus. Den homo in se incurvatus, der Adams Schicksal erfährt, gibt es überall. Es gibt jene Analogie zum Gesetz, in welcher nach 2,13 ff. der Mensch sich selbst Gesetz wird. Was früher Gewissen hieß, wird jetzt unter den Stichworten „Vernunft" und „innerer Mensch" anvisiert, weil es in unserm Text um die Ahnung des göttlichen Willens von 1,19 ff., nicht um die Konfrontation mit dem Richter geht. Auch das Spiel mit dem Begriff νόμος wird sinnvoll. Pls knüpft damit ebenso an den Skopus der vorigen Abschnitte an, wie er zugleich davon abhebt. Wie es den Bereich der Tora gibt, so gibt es jenen Bereich der Analogie dazu, von dem 1,19 ff.; 2,13 ff. sprachen, jene Ordnung der Geschöpflichkeit, welche auch das gefallene Geschöpf nicht gänzlich zu zerstören vermag. Vom Willen Gottes ist niemand völlig verlassen. Unser Inneres bezeugt ihn, wie schattenhaft auch immer, und sei es bloß in unserm Verlangen nach Heil und Leben. Daß jedoch die Konfrontation mit dem Willen Gottes allein nicht genügt, ist am Beispiel Adams gezeigt worden, bekundet sich ständig wie im Leben des jüdischen Frommen, so in jeder menschlichen Existenz. Diese Konfrontation macht nach Adam nur unsere Ohnmacht und das über uns waltende Verhängnis der Preisgabe von 1,24 ff. deutlich, unsere Besessenheit und unsere Gefangenschaft unter den Mächten der Welt. Übrig bleibt letztlich allein die Klage und der Schrei nach Erlösung. Darauf ist unsere Geschöpflichkeit gleichsam zusammengeschrumpft. Darin tritt

nicht so sehr unsere Gottzugewandtheit als die Tiefe unseres Falls zutage. Wir werden
von uns aus mit uns selbst nicht fertig, und einzig der Schrei nach dem Erretter und seiner Hilfe wird dieser Lage gerecht. Er markiert zugleich paradoxerweise die Möglichkeit des Umschwungs, die sich in hartem Bruch selbst des Stils mit der Responsion von
25a auf die Klage von 24 ergibt. Genauso wird 8,19 ff. an das Seufzen der Kreatur, die
unablässig nach ihrer Erlösung schreit, die Hoffnung und Verheißung der herrlichen Freiheit der Kinder Gottes knüpfen. Wo der Mensch an seinem Ende angelangt ist, kann
creatio ex nihilo erfolgen, das Pneuma Schatten mit neuer Leiblichkeit bekleiden, Be-
sessene der Welt zu Gottes eschatologischen Freigelassenen machen. Die Angst der Kreatur, in welcher sich ihre Hilfsbedürftigkeit äußert, erlaubt eine christliche Deutung der
vorchristlichen Existenz. Daß sie in Frömmigkeit und Übertretung wenigstens noch schreit,
ist in aller dämonischen Verstrickung und Besessenheit ein Zeichen des Menschlichen jenes
„inneren Menschen", dessen Frage nach dem Retter Gott beantwortet hat.

Von hier aus wird der Sinn unseres Kapitels erhellt. 1—6a sind als Einleitung zu dem
Thema in 6b erkannt. Was von 7 an folgt, ist kein Exkurs, sondern wirklich Ausführung dieses Themas, das alten und neuen Äon in der Antithese von Gesetz und Geist
scheidet, um Freiheit vom Gesetz verkünden zu können. Verhält es sich jedoch so, kann
die Argumentation von 7—24 nicht eine Apologie des Gesetzes sein wollen. Wohl muß das
Gesetz nach der Intention seines Gebers von der Rezeption durch seinen Empfänger unterschieden werden. Es ist Bekundung des göttlichen Willens, die vom Menschen aber
pervertiert und zum Stachel der Sünde wurde. Wie das möglich war, wird exemplarisch
am ersten Gesetzesempfänger Adam aufgedeckt. 15—20 sollte man nicht mit der Überschrift „Mensch im Widerspruch" oder „gespaltener Mensch" versehen. Besessenheit und
Verhängnis, nicht ein Unentschieden von Fleisch und Geist in ihrem Streit miteinander
werden behandelt. Es geht um jenen Menschen, der aus der Illusion lebt, sich selber helfen zu können und zu sollen und der damit Adams Geschichte wiederholt, gerade wenn
er fromm und ethisch handelt. 21—25 stellen schließlich heraus, daß dieser Mensch notwendig und objektiv gesehen der Verzweifelte ist und das die wahre Signatur aller
Kreatur nach Adams Fall bildet. Pls erlaubt sich keine Abschweifungen. Seine Argumentation hat Konsequenz und entfaltet sich in drei weitergreifenden Kreisen. Das
Ganze macht sichtbar, was es um den Menschen im Zeichen des Gesetzes ist. Damit wird
die Folie für das geschaffen, was c. 8 als Existenz im Zeichen und Bereich des Geistes
beschreibt. Der Apostel folgt so einem Schema, das bereits seine Botschaft von 3,21 ff. auf
dem Hintergrund von 1,18—3,20 darbot und das nochmals seine Verheißung für Israel
in c. 11 mit der Antithetik zu den Ausführungen in c. 9—10 herausstellt. Immer geht es
um den eschatologischen Bruch und jenes Wunder, in welchem das Nichtseiende ins Sein
gerufen wird. Dieses Schema ist hier besonders angebracht. Die Freiheit von Tod und
Sünde konnten relativ kurz erörtert werden. Geht es jedoch um die Freiheit vom Gesetz,
steht die paulinische Rechtfertigungslehre in ihrer Angriffsspitze zur Debatte. Die christliche Taufbotschaft erlaubte bereits, in 4—6a das Ende des Gesetzes zu proklamieren.
Das ist für den Apostel aber nur Vorbereitung auf die eigene Argumentation, die um
der Wichtigkeit der Sache willen nochmals im Schema der Gegenüberstellung von Einst
und Jetzt erfolgt. Der Geist hat das Gesetz beim Christen abgelöst. Seine Freiheit steht
der Knechtschaft unter dem Nomos entgegen. Der Befreite blickt auf seine Vergangenheit zurück, die ihn aus der Welt heraus noch immer bedroht, weshalb er nur „im Geiste"

ihr entnommen bleibt. Die Figur des Bekenntnisses im Ich-Stil ist der angemessene Ausdruck dieses Sachverhaltes. Der Rückgriff auf die Geschichte Adams verdeutlicht nicht bloß die verhängnisvolle Rolle, die das Gesetz für Mensch und Welt im ganzen spielt, sondern bereitet zugleich wie in 5,12 ff. die Geschichte des Christus vor, deren Gegenwärtigkeit durch den Geist bestimmt wird. Die Klage und der Erlösungsschrei von 24 bestätigen das „unter die Sünde verkauft" von 14. Der Christ begreift sie als Ausdruck des Seufzens aller Kreatur, als die Wahrheit des wirklichen Menschen, auf welche der wahre Gott antwortet, indem er Freiheit der Unfreien, Rettung aus dem Zwang der kosmischen Gewalten, Rechtfertigung der Gottlosen wirkt. Nur der Christ vermag es so zu sehen, weil er der Macht der Illusion entzogen wurde, welche die Welt unter Adam und Mose beherrscht.

Liturgische Hintergründe für 24—25a anzunehmen (Smith, Background 133 ff.), hat keine durchschlagenden Argumente für sich. Die Eulogie in 25a ist gut paulinisch. Man hat sie später, verbal abgewandelt, der Umgangssprache angepaßt und noch deutlicher c. 8 einleiten lassen, damit freilich ihre Paradoxie zerstört (schon Zahn; Kühl; Lietzmann; Lagrange; Übersicht bei Sanday-Headlam). 25b bereitete der Auslegung mit Recht unendliche Mühe (vgl. Keuck, Dienst 257 ff.). Man kann der Aussage nur dann eine Schlüsselstellung in unsern Kapiteln zuweisen (Kürzinger, Schlüssel 271) und sie als Summarium von c. 7 betrachten (Lagrange; Gutjahr; Bardenhewer; Schlatter; Kümmel, Römer 7, S. 65 ff.; Giese, Römer 7, S. 40; Barrett; Murray), wenn man 14 ff. vom ethischen Konflikt aus interpretiert und hier (Huby) einen Prozeß des Kampfes um die Vervollkommnung beschrieben findet. Der Hinweis darauf, daß die Logik des Apostels auch sonst zu wünschen übrigläßt (Kühl; Lietzmann; Schlatter; dagegen Packer, Man 626 f.), ist durchaus verfehlt. Es wäre zwar unlogisch, wenn nach 25a nochmals hinter die Äonenwende zurückgeblendet würde. Doch zerbricht dann nicht nur die Logik, sondern zugleich die Anthropologie und die ganze Theologie des Apostels. Der Satz würde tatsächlich beweisen, daß die Tora für Pls nicht abgeschafft ist (Cranfield, Law 158) und daß eine Sachdialektik den homo sub lege mit dem homo sub gratia verbindet (Jonas, Augustin 48 f.; ähnlich für den Fall der Echtheit Bornkamm, Sünde 66 ff.). Ein anthropologischer Dualismus würde genau wie in Qumran (Kuhn, Πειρασμός 215 ff.; Braun, Selbstverständnis 113) ein zweifach orientiertes δουλεύειν der gleichen Existenz zuschreiben. Wie mißlich es ist, gegen die gesamte Textüberlieferung bloß aus Sachgründen eine Glosse zu behaupten, läßt sich nicht im geringsten schmälern. Man hat dafür keinerlei historischen Beweis. Umgekehrt sollte man den für die Annahme der Echtheit zu zahlenden Preis nicht abschwächen. Nicht nur die gegebene Interpretation des Kontextes fällt dann hin. Man muß vielmehr alles, was Pls über Taufe, Gesetz und Rechtfertigung des Gottlosen, nämlich über den Bruch zwischen den Äonen sagt, anders verstehen. Jener νοῦς, welcher das Fleisch, hier als Körperlichkeit verstanden, der Sünde unterworfen sieht, gleichwohl jedoch seinerseits Gottes Willen dient, ist noch nicht am Ende seiner Möglichkeiten angelangt. Seine Klage bekundet nicht Verhängnis und Besessenheit, sondern Unzulänglichkeit der Kreatur. Er ist überzeugt, Gott dienen zu können und bleibt trotz aller Niederlagen im Kampf. Dabei wird zweifellos nicht bloß auf den Juden (H. W. Schmidt) oder das sich der Gnade gegenüber verselbständigende Ich (Zahn; J. Weiss, Beiträge 232; Keuck, Dienst 278; dagegen Packer, Man 625) geblickt. αὐτὸς ἐγώ meint das eigentliche Ich, das sich vom Fleisch unpaulinisch abzugrenzen vermag. Mit einer Umstellung hinter 23 (Jülicher; Dodd; F. Müller, Marginalien 251; Michel) ist das Sachproblem nicht gelöst. Wenn irgendwo, liegt hier die Glosse eines späteren Lesers vor (Bultmann, Glossen 199; Fuchs, Freiheit 82 f.; Luz, Geschichtsverständnis 160; Bauer, Leiblichkeit 159; wahrscheinlich Bornkamm, Sünde 66), welche die erste interpretatio christiana von 7—24 bringt.

2. 8,1—39: Der Mensch in der Freiheit des Geistes

Das Kapitel ist klar gegliedert. 1—11 behandeln christliches Leben als Sein im Geist, 12—17 erläutern das als Stand in der Kindschaft, 18—30 als Hoffnung eschatologischer Freiheit, 31—39 als Überwindung. Die Realität der Gesetzesherrschaft wird mit allem dem weit überboten. Die paulinische Anschauung vom göttlichen Geist spiegelt mancherlei Traditionen wider und ist deshalb höchst kompliziert (vgl. meinen Artikel über Geist und Geistesgaben RGG[3] II, 1272—1279). Von der johanneischen abgesehen, ist sie die profilierteste des Neuen Testaments. Noch fortwirkende idealistische Interpretation verstand, auf die singuläre Stelle 1.K 2,11 gestützt, Gottes Geist als sein Selbstbewußtsein, die Geistmitteilung darum als Teilgabe daran im Selbstverständnis eines zum Himmel gehörigen Wesens. Solche Orientierung am klassischen Griechentum wurde religionsgeschichtlich durch die Entdeckung der hellenistischen Welt durchbrochen, in welcher Pneuma die Macht des Wunders und der Ekstase ist. Hatten bereits AT und jüdische Apokalyptik die Gabe des Geistes mit der Endzeit verbunden, so verknüpft die Urchristenheit sie mit Jesu Auferweckung und dem Wirken des Erhöhten in seiner Gemeinde und sieht darin den Anbruch des neuen Äons. Die Taufe vermittelt den Geist jedem Gläubigen und vergewissert ihn damit seines Anteils an der Auferweckungswelt (unbegreiflicherweise von Stalder, Werk 429 bestritten). Urchristlicher Enthusiasmus, der aus dieser Erfahrung resultiert, betrachtete die Gemeinde als den Bereich, in welchem sich unaufhörlich die Kräfte der übernatürlichen Welt manifestieren. Sofern man das zu demonstrieren suchte, wurde der Geist zu einer Art metaphysischer Vitalität, welche Wundertäter und Ekstatiker besonders verkörpern. Auch dieses Verständnis hat sich bis heute erhalten und muß wohl sogar als vorherrschend bezeichnet werden. Es liegt überall dort zugrunde, wo man vom „Lebensprinzip" spricht (etwa Amiot, Théologie 139; Knox, Life passim). Gegen die Gefahren des religiösen Individualismus schützt man sich wie schon in nachpaulinischer Zeit, indem man die Gabe kirchlich domestiziert und durch das Gegengewicht fester Ämter reguliert. Der Apostel hat seine Lehre vom Geist gegenüber dieser Position nicht systematisch, aber doch mit erstaunlicher Klarheit praxisbezogen entfaltet (z. B. Schrage, Einzelgebote 63 u. a.). Überlieferte Anschauungen werden adaptiert. Der Geist, von dem er charakteristisch absolut sprechen kann, ist sowohl in jedem Getauften wirkende wie zu Ekstase und Wunder befähigende Kraft. Sie erscheint gelegentlich sogar, weil Antike Energie nicht ohne Substrat kennt, substantiell als Lichtherrlichkeit, wie die Vorstellung vom Auferweckungsleib unwiderleglich bezeugt (anders etwa Stalder, Werk 28 ff.; Delling, Paulusverständnis 102 f.). Die für die Theologie des Apostels so wichtige Verbindung von Gabe und Macht tritt hier aufs deutlichste zutage. Der Geist schließt die Gemeinde zum Christusleibe zusammen und schafft sich so durchaus räumlich ein irdisches Wirkungsfeld, eine antithetisch dem Herrschaftsbereich des Fleisches oder des „Buchstabens" entsprechende Machtsphäre. Der kosmische Dualismus, zu dem sich schon hellenistisches Judentum hinbewegte (vgl. Brandenburger, Fleisch und Geist), wird apokalyptisch abgewandelt: Die Kraft der Auferweckungswelt bricht in den alten Äon ein und verursacht dabei einen weltweiten Konflikt, in den nach Gal 5,16 ff. jeder Gläubige als Kampfplatz wie als Instrument seines Herrn einbezogen ist.

Religionsgeschichtliche Forschung hat (seit Gunkel, Wirkungen des Geistes) die Ethisierung als paulinisches Spezifikum betrachtet. Doch ist das bereits für das Judentum kennzeichnend, und sofern es für den Apostel zutrifft, hat man den dialektischen Sachverhalt zu berücksichtigen, daß das „Ethische" für Pls mindestens im Christenleben eschatologische Möglichkeit ist und darum vom Wirken des Geistes abgeleitet und mit ekstatischen oder kybernetischen Fähigkeiten parallelisiert werden kann. Die vermeintliche Antithese ist modern und verfolgt gewöhnlich das pastorale Interesse, die Liebe als höchste christliche Tugend herauszustellen (Dodd; Kühl; Kirk; Knox, Life 72 ff.), was ebenfalls ein Mißverständnis ist. Konstitutiv wird die paulinische Geistlehre dadurch bestimmt, daß der Apostel, so weit wir zu sehen vermögen, als erster sie unlöslich mit der Christologie verband. Im Geist bekundet der erhöhte Herr seine Gegenwart und Herrschaft auf der Erde. Umgekehrt ist dies das Kriterium des göttlichen Geistes schlechthin, daß er die Gemeinde und ihre Glieder in die Nachfolge des Gekreuzigten und den dadurch begründeten wechselseitigen Dienst, zugleich aber in den Angriff der Gnade auf die Welt und in die Sphäre der Leiblichkeit stellt. Anders als im Enthusiasmus ist der Geist von der Christologie her zu prüfen, rückt die Christologie nicht in den Schatten der Ekklesiologie. Damit wird eine neue Phase in der urchristlichen Geschichte eingeleitet. Theologische Reflexion beginnt, traditionelle Anschauungen kritisch zu durchdenken, ohne daß dieser Prozeß allerdings grundsätzlich schon abgeschlossen würde. Man mag die Bindung an die Christologie als ersten Schritt zur späteren Trinitätslehre betrachten, sollte diese jedoch nicht einmal embryonal in den Paulinen vorfinden wollen (gegen Lagrange; Amiot, Théologie 146; Bonsirven, Theologie 261 u. a.; vgl. den Exkurs bei Kuss 580 ff.). Rhetorische und vielleicht liturgisierende Texte, in denen Gott, Christus, Geist zusammenrücken, besagen dafür nichts. Daß Mächte antik in gewisser Weise personifiziert dargestellt werden, zeigt auch die Verwendung der Begriffe Fleisch und Gesetz, Sünde und Tod. Pls ist nicht einmal so weit wie Johannes gegangen, welcher Pneuma und Paraklet identifiziert. Wohl rücken schon bei ihm Geist und Evangelium nach 7,6; 10,6 ff. und besonders 2.K 3—4 aufs engste zusammen, entsprechen Geist und Glaube einander, wie Christus oder die Gerechtigkeit auf den Glauben bezogen sind. Doch sind die Relationen nicht logisch geklärt. Weil dem Apostel an dem Angriff der Gnade auf die Welt der Leiblichkeit lag, konnte er nicht von den ekstatischen und thaumaturgischen Geistesgaben absehen, mußte er die charismatischen Dienste betonen, war ihm eine Reduktion der Geisteswirkung auf den Bereich des Wortes nicht möglich. Die Auseinandersetzung mit Nomismus und Enthusiasmus verhinderte an dieser Stelle eine in sich geschlossene Systematik, stellte umgekehrt aber in eine große Offenheit gegenüber der Wirklichkeit und setzte unaufhebbare Schwerpunkte.

a) 8,1—11: Christliches Leben als Sein im Geiste

2 Es gibt also keine Verdammnis für die in Christus Jesus mehr. Denn das mit dem Geist gegebene Gesetz des Lebens in Christus Jesus hat dich vom Gesetz der Sünde
3 und des Todes befreit. (Verwirklicht wurde) das dem Gesetz Unmögliche, in dem es

sich um des Fleisches willen als schwach erwies: Gott sandte seinen eigenen Sohn, dem sündlichen Fleisch gleichgestaltet und als Sühnopfer, die Sünde im Fleisch so
4 verdammend. Der Rechtsanspruch des Gesetzes sollte bei uns damit erfüllt werden,
5 die wir nicht dem Fleisch, sondern dem Geist entsprechend wandeln. Denn die vom Fleisch bestimmt sind, richten sich aus auf die Dinge des Fleisches, die durch den
6 Geist Bestimmten aber auf die Dinge des Geistes. Denn des Fleisches Tendenz ist
7 Tod, das Anliegen des Geistes jedoch Leben und Frieden. Feindschaft gegen Gott ist darum des Fleisches Intention. Denn es ordnet sich dem Gesetz Gottes nicht unter,
8 vermag es sogar nicht einmal. Welche der Sphäre des Fleisches verhaftet sind, kön-
9 nen Gott nicht gefallen. Ihr seid aber nicht (mehr) in der Macht des Fleisches, son- dern des Geistes, wenn anders Gottes Geist in euch wohnt. Hat jemand Christi
10 Geist nicht, der ist nicht sein eigen. Wenn Christus jedoch in euch (ist), ist der Leib im Blick auf Sünde zwar tot, der Geist aber Leben im Blick auf Gerechtigkeit.
11 Wohnt in euch der Geist dessen, der Jesus von den Toten auferweckt hat, wird er, der Christus Jesus von den Toten auferweckte, auch eure sterblichen Leiber durch seinen in euch wohnenden Geist lebendig machen.

Literatur: W. Schmauch, In Christus, 1935. F. Büchsel, ,In Christus' bei Paulus, ZNW 42 (1949), 141-158. C. H. Dodd, Ἔννομος τοῦ Χριστοῦ, Studia Paulina, 96-110. F. Gerritzen, Le sens et l'origine de l' ἐν Χριστῷ paulinien, Stud. Paul. Congr. II, 323-331. J. Beck, Altes und neues Gesetz, Münch. ThZ 15 (1964), 127-142. P. Bénoit, La Loi et la Croix, vgl. zu 7,7 ff. S. Lyonnet, Gratuité de la justification et gratuité du salut, vgl. zu 2,6 ff. Ders., Le Nouveau Testament à la lumière de l'Ancien, Nouv. Rev. Théol. 87 (1965), 561-587. E. Schweizer, Jesus Christus im vielfältigen Zeugnis des Neuen Testamentes, 1968. Ders., Zum religionsgeschichtlichen Hinter- grund der ,Sendungsformel' Gal 4,4 f. Rm 8,3 f. Joh. 3,16 f. 1.Joh 4,9, ZNW 57 (1966), 199 bis 210. K. Becker, Zum traditionsgeschichtlichen Hintergrund christologischer Hoheitstitel, Nov. Test. 17 (1971), 391-425.

Wie 7,25b ist 8,1 eine dogmatische Sentenz, die zweifellos (gegen Zahn) nicht als Frage, sondern nach dem folgenden ἄρα νῦν, der Parallele zu dem ἄρα οὖν in 7,25b, als Begründung verstanden werden muß. Als solche paßt sie aber weder (gegen Kühl; H. W. Schmidt) zur Darstellung der existentiellen Zerrissenheit in 7,25a noch zu der Klage in 7,24 noch zur Danksagung in 7,25a, die statt einer Begründung einer Erläuterung be- darf und in 8,2 auch erhält. Es wird auch nicht wie dort und in 8,2 Rettung aus dem Todesleib, sondern aus dem eschatologischen Gericht festgestellt. Eine Beziehung auf den ganzen Abschnitt 7,7 ff. (Lagrange) läßt sich nur annehmen, wenn man einen antitheti- schen und das Folgende zusammenfassenden neuen Einsatz konstatiert (Bornkamm, Sünde 67; Hoppe, Heilsgeschichte 117 f.; Mattern, Gericht 91 f.; Kuss). Dagegen spricht jedoch die folgernde Einleitung des Satzes. Gegen eine Umstellung von 1 und 2 (Müller, Marginalien 251; Michel) steht nicht nur die Textüberlieferung, sondern auch der enge Zusammenhang von 2 und 3. Notgedrungen wird man auch hier mit einer Glosse zu rechnen haben (Bultmann, Glossen 199 f.; Fuchs, Freiheit 83), die in der späteren Zeit noch erweitert wurde. In hartem Bruch zu 7,7—24, aber in Erläuterung zu 7,25a charak- terisieren 2—4 das neue Leben des Christen als in der Heilstat gegründet und in dem Bereich des Geistes stehend, in welchem anders als unter der Herrschaft des Gesetzes Gottes Wille tatsächlich erfüllt wird. Das besagt nicht (gegen Cranfield, Law 166 f.;

Fuchs, Freiheit 85; H. W. Schmidt), daß das Gesetz als solches durch den Geist restituiert wird, und völlig abwegig ist es anzunehmen, daß das Gesetz durch eine christliche Variation des Naturrechts abgelöst würde (gegen F. Fuchs, Lex naturae 32. 40). Es geht vielmehr um den in 2,26 ff. beschriebenen Sachverhalt. Die aus der abendländischen und faktisch aus der heidenchristlichen Tradition herkommende Auslegung macht sich gewöhnlich nicht klar, daß für den Apostel Sitten- und Zeremonialgesetz in der Tora des Mose noch untrennbar verbunden waren. Erst wo man diese auf ein Sittengesetz reduziert, kann man ihre fortdauernde Gültigkeit in der Kirche postulieren und dafür Jesu Worte (Dodd, Ἔννομος 99 ff. 110), Gal 6,2 (Jüngel, Jesus 54 ff. 65) und die Paränese im allgemeinen als Beweis heranziehen. Dann wird jedoch nicht bloß das Gesetz, sondern auch der Geist anders als bei Pls verstanden. 5—8 sind keine Abschweifung. 4 wird vorwiegend via negationis begründet. Dem Fleisch war noch nicht möglich, was seit der Äonenwende von den Geistträgern verwirklicht wird. Erneut tritt dabei heraus, daß Pls Gesetz und Geist nicht abstrakt konfrontiert. Was es um beide ist, kann man, weil es sich um Mächte handelt, angemessen nur aus ihrer Relation zu den von ihnen Beherrschten bestimmen. Die Anthropologie des Apostels hat verifizierende Funktion, wie schon in c. 7 deutlich wurde. 9—11 entsprechen 5—8 als Position. Der Geist wirkt eschatologisches Leben in der Gerechtigkeit und vergewissert zugleich der leiblichen Auferweckung, welche in dem von ihm ermöglichten neuen Gehorsam antizipiert wird. Er ist die Macht endzeitlicher Neuschöpfung und verknüpft als solche die Gegenwart des Glaubens mit der zukünftigen Vollendung. Er tut es, indem er leibliche Existenz für Gott beschlagnahmt.

Nach dem Kontext von c. 7 stellt 2 nicht zufällig alles Folgende unter das Stichwort der Befreiung. Geradezu provozierend wirkt die in 9 aufgenommene Anrede in der zweiten Person, die hervorragende Lesarten offensichtlich im Blick auf den vorangegangenen Ich-Stil meinten ändern zu müssen (Lietzmann; Ridderbos etwa gegen Sanday-Headlam; H. W. Schmidt). Das Bekenntnis geht in evangelischen Zuspruch über. Das rechtfertigt auch die Feierlichkeit des überhäuften und als eine einzige Genetivkonstruktion zu betrachtenden Eingangs. Die Genetive haben wie die angehängte Präpositionalwendung qualifizierende Bedeutung. Das besagt, daß vom „Gesetz" hier wie in 3,27 übertragen gesprochen wird (so zumeist). Zweifellos soll dabei an die Tora erinnert werden (Schweizer, ThWb VI, 427). Jedoch wird so der Kontrast verschärft, nicht eine Brücke geschlagen. Der tertius usus legis ist dem Apostel, der aus der apokalyptischen Konzeption der Äonenwende heraus dachte, noch unvorstellbar. Gerade unser Vers steht in der Alternative von 2.K 3,6 ff. Das Gesetz des Geistes ist nichts anderes als der Geist selbst nach seiner Herrschaftsfunktion im Bereich Christi. Er schafft Leben und trennt wie von Sünde und Tod, so auch von deren Instrument, dem irreparabel pervertierten Mosegesetz. Pls ist sich darin mit den Enthusiasten einig. Gottes Wille wird allein durch den Geist erfahren. Es ist ein wesentliches Stück christlicher Freiheit, daß sie nicht unter einer nova lex steht, ihr Gehorsam sich nicht an der Tora, sondern letztlich allein am Kyrios orientiert. Anspielungen auf Texte aus Jeremia und Hesekiel sind (gegen Lyonnet, Testament 563 ff.) dem Vers nicht zu entnehmen, selbst wenn man ihn nachträglich als Echo darauf verstehen mag. 3 verdeutlicht. Für das Anakoluth des Satzes gibt es historische und sachliche Gründe. 3a—b müßten enden: Das hat Gott nun durch die Macht des Geistes bei uns verwirklicht. Die Prämisse resümiert 7,7 ff. Trotz der Verbindung mit dem Genetiv meint διά nicht „durch", sondern wie in 7,10; 2.K 9,13 „wegen, vermöge" (Bauer, Wb 359; Lietzmann; Kuss), und ἀδύνατον ist sowohl „unvermögend" wie „unmöglich" (Bauer, Wb 37), wobei hier um der Antithese willen der zweite Sinn besser paßt (Zahn; Lagrange; Leenhardt; anders H. W. Schmidt). Das Verb des Relativsatzes zeigt jedoch, daß faktisches Unvermögen das Urteil „unmöglich" bilden läßt. ἐν ᾧ ist kaum kausal (Zahn; Lagrange; Ridderbos), sondern modal = „worin" (Sanday-Headlam; Kuss). Pls lehnt schroff jüdische Anschauung ab, welche im Gesetz die Stärke des Frommen erblickt (Grundmann, ThWb II, 298 f. 309). Das Anakoluth schärft das „allein aus Gnaden" ein und stellt jenes Paradox von 5,15 ff.; 1.K 1,21 heraus, nach welchem Gott dort beginnt, wo das Irdische zu seinem Ende kam. Das betont vorangestellte ὁ θεός in 3c zeigt, daß es keine Brücke vom einen zum andern gibt. Eschatologisches Handeln setzte mit dem Christusgeschehen eine andere Wirklichkeit, in welcher der Geist nicht bloß ein besseres oder ursprüngliches Verständnis des Gesetzes ermöglicht, sondern dieses ablöst. Der Bruch im Vers und das Anakoluth kommen, traditionsgeschichtlich gesehen, so zustande, daß Pls wie in 3,24 auf geprägtes Verkündigungsgut zurückgreift (Schweizer, Sendungsformel 107 ff.; Mauser, Gottesbild 168; Kramer, Christos 111 f.; Eichholz, Theologie 156).

Der Vergleich mit Gal 4,4; Joh 3,16 f.; 1. Joh 4,9 läßt eine liturgische Aussage erkennen, welche die Inkarnation des präexistenten Gottessohnes als Heil der Welt beschrieb. Das christologisch angewandte Motiv der Sendung des präexistenten Sohnes ist typisch johanneisch, begegnet auch im Hymnus Phil 2,6 ff., ist bei Pls jedoch ungewöhnlich. Verlockend wäre es, dürfte man die Präpositionalwendungen ebenfalls der Tradition zuschreiben, die sicher nicht ad hoc-Bildungen sind. Besagte die zweite bloß „um der Sünde willen", wäre das plerophorisch und nähme 4 teilweise vorweg (Lietzmann; Fuchs, Freiheit 90; Jülicher erwägt sogar eine Glosse). Guten und weiterführenden Sinn hat die Wendung jedoch, wenn περὶ ἁμαρτίας, wie in Lev 16; Hebr. 10,6. 8; 13,11 technisch gebraucht, das Sühnopfer bezeichnet (Moule; Schweizer, ThWb VIII, 386; Sendungsformel 210; Riesenfeld, ThWb VI, 55; Bruce; zumeist anders). Dann würde hier eine Brücke zu 3d geschlagen, wo nicht von Überwindung (Michel; Lyonnet, Étapes 168 ff.), sondern von Verurteilung der Sünde die Rede ist (Stalder, Werk 398 ff.). Die erste Präpositionalwendung erhielte zwischen zwei traditionellen Formeln ebenfalls einen festen Platz in vorpaulinischer Überlieferung, ob sie nun ursprünglich zu dem Kontext gehört oder nicht. Für solche Vermutung spricht Phil 2,7b als zweifellos nächste Parallele. Letzte Gewißheit darüber kann man nicht haben. Eine gewisse Wahrscheinlichkeit sollte anerkannt werden. Das ergibt dann als mindestens erwägenswert die Frage, ob Pls nicht den so heftig umstrittenen Begriff ὁμοίωμα in seiner christologischen Relation aus der in Phil 2,7 vorliegenden Tradition aufgegriffen und sich nutzbar gemacht hat, so daß der Wortgebrauch gerade in den problematischen Texten nicht länger ausschließlich von LXX her zu klären ist. Man kann sich hier dem dogmatischen Disput nicht entziehen, ob die Inkarnation das uneingeschränkte Eingehen in menschliches Wesen bis in die Kenose (vgl. Pallis) bedeutet. Wird doch ausdrücklich die Sendung des Sohnes in das Fleisch der Sünde betont, was der Formel „Fleisch des Frevels" in 1QS 11,9; 1QM 4,3; 12,12 u. a. entspricht (Brandenburger, Fleisch 101). Sofern die Ausleger den harten Ausdruck ernst nehmen, sprechen sie deshalb von Anfälligkeit gegenüber der Sündenmacht und betonen, was der Vers nicht erlaubt, den überwindenden Gehorsam. Dem steht die gängige, sicher bereits vorpaulinische Anschauung entgegen, daß bereits der irdische Jesus Gottes Sohn war und als solcher der Anfechtung durch die Sünde nicht unterliegen konnte (Wrede, Paulus 55). Das Interesse am wahren Menschen prallt mit dem am wahren Gott aufeinander, bezieht sich jedoch auf eine dogmengeschichtliche Phase, die zur Zeit des Apostels noch nicht erreicht ist, deren Problematik sich aber abzuzeichnen beginnt. Liegt unserm Vers eine auch in Phil 2,7 erscheinende Tradition zugrunde, ist es methodisch geboten, ihn von dieser Stelle her zu interpretieren. Dort werden zwei Akzente gesetzt. Christus hat die präexistente Gottheit aufgegeben, als er menschliche μορφή annahm, was hellenistisch das „Wesen" meint. Gleichzeitig schränkt der Schluß von Phil 2,7 die Aussage durch ὡς ἄνθρωπος kennzeichnend ein. Das kann nur heißen, daß Jesus zwar irdisch sterben konnte und mußte, der Sünde aber nicht unterlag. Der Begriff ὁμοίωμα hat in diesem Zusammenhang die Funktion, solche Dialektik zu wahren. Die gleiche Funktion wäre ihm dann auch hier beizumessen, zumal unser Vers die Aussage von Phil 2,7 noch zuspitzt. Gott sandte seinen Sohn so tief in den Bereich des sündigen Fleisches, daß er ihn von vornherein zum Sühnopfer bestimmte. Der Begriff ὁμοίωμα kennzeichnet jedoch eine Grenze. Jesus kam, dem Sündenfleisch gleichgestaltet und der Sünde passiv ausgeliefert, sich ihr anders als wir aber nicht aktiv öffnend. Für solche Perspektive ist entscheidend nicht die Anfälligkeit gegenüber der Sündenmacht, sondern die Realität des für uns dargebrachten und uns repräsentierenden Sühnopfers. ὁμοίωμα wird dann eben wegen seines schwebenden Sinnes gebraucht, den man weder durch das Abstraktum „Identität" noch das andere „Ähnlichkeit" festlegen darf. Übersetzt man mit „Gleichgestalt", deutet man an, daß es nach beiden Richtungen tendieren kann (so Bauer, Wb 1124 unter Verweis auf Hen 31,2; anders zuletzt Mauser, Gottesbild 168 ff.).

Pls hat die Tradition der Sendungsformel, in welcher es um die Inkarnation des Präexistenten ging, abgewandelt, um auf die Heilstat hinzuweisen, auf welche der ganze Ton in 3d fällt (Schweizer, ThWb VIII, 385 f.; Sendungsformel 209; Mauser, Gottesbild 174). Ihm ging es nicht mehr um die Menschwerdung als solche (gegen Zahn; Kühl; Lagrange), sondern um das Kreuzesgeschehen (so zumeist; repräsentativ Bénoit, Loi 21 ff.). Das könnte freilich bereits in seiner Tradition der Fall gewesen sein, wenn bis 4a eine zusammenhängende Überlieferung vorliegt und nicht bloß Einzelmotive aufgenommen werden. Die merkwürdig mythische Vorstellung von einer Verurteilung der Sünde im Fleisch des Gekreuzigten hat ihre nächste Parallele in der Sentenz 2.K 5,21 und steht der Aussage von Kol 2,14 f. nicht fern. Der Beginn des Finalsatzes in 4 beschreibt die christliche Erfüllung des Gesetzes als Frucht der Heilstat, was über 12,8—10 noch hinausgreift und an die judenchristliche Anschauung in Mt 5,17 ff. erinnert. δικαίωμα τοῦ νόμου meint wie in 1,32 den Rechtsanspruch und πληροῦν entsprechend die Erfüllung einer Norm (Delling, ThWb VI, 292). Es wäre mehr als seltsam, hätte Pls nach 7,1—6 von einem solchen Anspruch des Gesetzes an den Christen gesprochen. Übernimmt er aber eine vorgegebene Formulierung, konnte er sie auf die Verwirklichung des Gotteswillen beziehen, von dem auch in 12,8 ff. die Rede ist. Die Auslegung beweist jedenfalls, wie gefährlich und mißverständlich die Aussage ist. Findet man hier das göttliche Ideal der Sittlichkeit proklamiert (Gutjahr; Bardenhewer) oder die neue Sittlichkeit ausdrücklich mit der Rechtfertigung verbunden (Dibelius, Vier Worte 8 f.) oder das Tun der Liebe mit der Führung des Geistes identifiziert (etwa Kühl), wird faktisch das Evangelium zum Mittel der Gesetzeserfüllung. Der Hinweis auf den Rechtsanspruch des Gesetzes legt zweifellos nahe, wie in Mt 5,17 ff. die Liebe als Radikalisierung aller Gebote und als nova lex zu betrachten. Das käme auf die Anschauung der fides caritate formata hinaus. Vom Wortlaut aus ist tatsächlich eine klare Entscheidung kaum möglich. Immerhin sollte beachtet werden, daß eben nicht von Liebe die Rede ist, statt dessen ein starker Ton auf dem Passiv des Verbs und der abschließenden Partizipialwendung ruht. Das entspricht dem Skopus von 3. Es geht nicht primär um das, was wir tun, sondern um das, was Gott getan und ermöglicht hat, als er Christus sterben ließ. Deshalb kommt es zum Anakoluth, das die Logik des Gedankenganges empfindlich stört, und wird fragmentarisch vorpaulinische Tradition zitiert, welche die Christologie in den Vordergrund rückt.

Im Gegensatz zu seinen Auslegern stellt Pls unüberhörbar das opus alienum heraus und nimmt dafür in Kauf, daß seine Argumentation durch Motive aus einem andern Zusammenhang überfremdet wird. Seine Intention ist klar. Freiheit von den Mächten der Sünde und des Todes schenkt allein der Geist. Weil die Tora durch das Fleisch pervertiert wurde, machte sie nicht zur Erfüllung des Gotteswillens fähig, ohne die es solche Freiheit nicht gibt. Der Geist führt, wie er vom Bann der Mächte löst, auch den neuen Gehorsam herauf und verhilft damit dem im Gesetz ursprünglich sich bekundenden Gotteswillen zu seinem Recht. Der christologische Einschub stellt sich jedoch der naheliegenden Annahme in den Weg, der Geist sei nichts anderes als das kraft Erleuchtung richtig interpretierte und in seinem ursprünglichen Sinn wiederhergestellte Gesetz, also Prinzip christlicher Lebensführung und Sittlichkeit. Er ist übernatürliche, auf der Heilstat gegründete und stets neu darauf ausrichtende Macht der Gnade. Gott allein realisiert, was er fordert. Er tut es paradox am Kreuz mit der Sendung des Sohnes als Sühnopfer, also ohne und gegen unsere Mitwirkung (charakteristisch konträr Asmussen; Lyonnet, Gratuité 108 f.). Von da aus muß auch das bei Pls allerdings verwunderliche (Lyonnet, Testament 573 ff.) κατέκρινεν τὴν ἁμαρτίαν verstanden werden, das sich nicht einfach auf ein Strafleiden Christi beziehen läßt (gegen E. Brunner). Wenn Gott am Kreuz repräsentativ die Sünde im Bereich des Fleischlichen gerichtet und verdammt hat, ist der Geist für den Apostel jene Macht, welche uns unter dieses Kreuz und das dort ergehende Gericht stellt. Er nimmt uns so unsern Eigenwillen und unsere Illusionen, manifestiert den Gekreuzigten als das Ende unserer eigenen und als Anfang wunderbar göttlicher Möglichkeiten, aus denen wir begnadet fortan leben. Er tut das nicht in Fortsetzung der selbst im alten Äon möglichen und vom Buchstaben geforderten Religiosität und Sittlichkeit, sondern indem er neue Kreatur im Zeichen der Erfüllung des göttlichen Willens schafft. Denn das ist der Sinn des betonten, nicht nur die Partizipialwendung einleitenden ἐν ἡμῖν, das Gal 2,20 variiert und Röm 2,28 f. bestätigt. Gemeint ist nicht instrumental „durch" oder modal „bei oder an uns" (Kühl; Bardenhewer), sondern wie in Gal 2,20 lokal „in uns", wobei anthropologisch die einzelnen Christen, ekklesiologisch die ganze Gemeinde anvisiert werden (Stalder, Werk 406). Die Realität des neuen Lebens wird dadurch gekennzeichnet, dessen sich Christus kraft des Geistes bemächtigt. Die Gemeinde und ihre Glieder sind der Raum seines Lebens und Wirkens, also seine Herrschaftssphäre (Brandenburger, Fleisch 26 ff.; 54 ff.; 186 ff.; 203 ff.), die den Mächten der Welt entrissen ist und, wie das charakteristische κατά anzeigt, in Antithese zu ihnen steht. Daß damit dauernder Kampf gesetzt ist, geht aus dem περιπατεῖν hervor, das gut semitisch Lebendigkeit als Unterwegssein beschreibt. Trifft diese Interpretation zu, wird das Motiv der Rechtfertigung der Gottlosen wie in 4,17 ff. durch das andere der Schöpfung neuer Kreatur aufgenommen und festgehalten. Von mystischen Relationen, auf welche sich das vielberufene, aber ebenso unklare wie gefährliche Schlagwort von der Union mit Christus als dem eigentlichen Werk des Geistes zumeist bezieht, kann keine Rede sein. Indem der Geist uns auf das Kreuz des Christus als den Ort des Heils zurückweist und so Rechtfertigung fortdauernd aktualisiert, stellt er uns unablässig in den Machtbereich des Gekreuzigten und ist er (Eichholz, Theologie 274 f.) die irdische Präsenz des erhöhten Herrn. Will man das Motiv der Unio überhaupt verwenden, hat man es präzis als Eingliederung in die Herrschaft des Gekreuzigten zu interpretieren.

Die vielen negativen Aussagen von 5—8 wollen gerade das herausstellen. Das Stichwort φρονεῖν bezeichnet die Ausrichtung nicht bloß des Denkens, sondern der gesamten Existenz, die nach semitischer Anschauung stets bewußt oder unbewußt auf ein Ziel tendiert. Der paulinischen Eschatologie entspricht die im Schluß von 4 schon genannte dualistische Alternative, welche das Reich dieser Welt von dem mit Christus angebrochenen scheidet. Auch hier ist das Axiom paulinischer Anthropologie vorausgesetzt, daß der Mensch nicht aus sich selbst zu leben vermag. Von seinem Herrn und dessen Macht her ist er, was er ist, und verrät das in seinem Handeln. Wo alle andern Unterschiede und Grenzen eschatologisch relativiert werden, markiert Hingabe an das Fleisch oder den Geist und deren Möglichkeiten und Notwendigkeiten letzte und bleibende Differenz. 6 präzisiert die eschatologische Alternative im Sinn dessen, was seit c. 5 ausgeführt wurde, und bestätigt die zu 7,14 ff. gegebene Auslegung. Es geht immer um den Gegensatz von wirklichem, ewigem Leben oder Tod. Natürlich will der Mensch das Leben. Als Fleisch kann er jedoch nur den Tod wirken. Leben und Frieden sind nicht innere Harmonie (Sanday-Headlam; Dodd), sondern nach 14,7 die Basileia (Foerster, ThWb II, 411), auf welche der Makarismus 2,7 ff. verwies, also das vollkommene Heil. Es wird nicht allmählich und stufenweise (Zahn) gegeben, sondern in der durch die Taufe angezeigten neuen Geburt, also durch den Geist. 7—8 sind explikativ mit διότι eingeleitet (Lagrange). Sie begründen, warum das Fleisch auf den Tod gerichtet sein muß. Sofern es der Welt verfallen ist, kann es nicht anders, als in aktiver Feindschaft (Kühl) gegen Gott leben. Denn es kann und will, wie 10,3 an den Juden demonstriert, sich nicht dem Willen Gottes unterordnen, den νόμος hier meint. ὑποτάσσεσθαι charakterisiert den der Kreatur gebührenden Stand, aus dem Rebellen, ihre Gottfeindschaft bekundend, herausfallen, während der Geist dahin und deshalb in Gottes Wohlgefallen zurückbringt. Das zweimalige οὐ δύνανται markiert die Tiefe des Bruchs, der sich durch die ganze Menschheit hindurchzieht und als Gegensatz von Fleisch und Geist 4b—8 bestimmt. Das „im Fleisch" und „im Geist" löst nun die Formulierungen mit κατά ab. Religionsgeschichtlich kann das nur aus dem Zusammenhang eines metaphysischen Dualismus erklärt werden, so häufig man sich gegen solche Feststellung sträubt. Sie genügt freilich nicht, weil sie der Interpretation aus dem Ganzen paulinischer Theologie bedarf. Mindestens ist zu sehen, daß der Apostel zu dieser Betrachtungsweise von seiner Eschatologie her gedrängt wird und sich dabei auf den Spuren der jüdischen Lehre von den beiden Äonen bewegt. In der Endzeit enthüllt sich, daß weltbeherrschende Mächte um jeden einzelnen Menschen kämpfen, um ihn zu ihrem irdischen Exponenten zu machen. Sie tuen es in einer Ausschließlichkeit, welche totale Hingabe verlangt, wie das alternative κατά anzeigt. Mit der Präposition ἐν wird das Resultat gekennzeichnet. Die Hingabe an die eine oder andere Macht stellt zugleich in die Zugehörigkeit zu einem weltweiten Bereich, der bald durch die Alternative Gerechtigkeit und Gottlosigkeit, bald durch die von Christus und Adam, bald durch die von Geist und Fleisch oder Geist und Gesetz bestimmt ist.

3b—4a haben herausgestellt, daß dieser Sachverhalt von der Christologie her angegangen werden muß. So ist es jetzt notwendig, sich auf die vielumstrittene Formel „in Christus" mit ihren Variationen einzulassen. Sie begegnete feierlich in 2 und wird in 10 reziprok durch Χριστὸς ἐν ὑμῖν aufgenommen, ist also aufs engste mit der Antithese von Geist und Fleisch in unserm Abschnitt verbunden. Die moderne Auseinandersetzung um diese Formel begann mit Deissmanns Monographie von 1892, in welcher entschlossen das ἐν lokal verstanden und mystisch vom Gedanken der Vereinigung mit dem erhöhten Christus her gedeutet wurde. Das hatte den Vorzug, die Reziprozität der Formel ohne weiteres begreiflich zu machen. Die Hypothese konnte sich sowohl vom Siegeszug der religionsgeschichtlichen Forschung wie von ihrer Aufnahme des dogmatisch so wichtigen Motivs der Unio mystica weitgehend durchsetzen und behauptet mindestens im Blick auf das attraktive Ergebnis noch immer einen unerschütterten Platz. Sie ist in neuerer Zeit ebenso entschlossen bestritten worden (Büchsel; Schmauch; Delling; Neugebauer), wobei offensichtlich Abneigung gegen die Annahme einer paulinischen Mystik und deren Ableitung aus dem Hellenismus ausschlaggebend war. Hinter der religionsgeschichtlichen Auseinandersetzung steht zweifellos ein typisch protestantisches Sachanliegen, nämlich die Betonung des Glaubens und des Primates der Christologie, die sich gegen das ekklesiologische Motiv der Unio wendet, wie es zumal im katholischen und angelsächsischen Bereich vertreten wird. Kennzeichnenderweise stürzt man dabei in einen historisierenden Liberalismus. Das ἐν wird als Äquivalent des hebräischen ב, also wesentlich instrumental verstanden, und an die Stelle der Unio tritt die Einbeziehung der Glaubenden in das, was man recht vage als fortwirkendes Christusgeschehen beschreibt. Faktisch meint das den Zusammenhang zwischen dem einmaligen Ereignis und seiner historischen Ausstrahlung, wobei unverkennbar mindestens nach der Tendenz Geist und Tradition zusammenfallen. Beide Deutungen sind im Grunde nicht so weit voneinander entfernt, wie es zunächst den Anschein hat. Denn beide betonen die Eingliederung des Christen und der Gemeinde in ein übergreifendes Wirkungsfeld und unterscheiden sich hauptsächlich dadurch, daß einerseits von einem metaphysischen Verhältnis der wechselseitigen Einigung zwischen Christus und den Seinigen, andererseits von einem geschichtlichen, durch den Glauben ergriffenen Wirkzusammenhang gesprochen wird. Beide haben offensichtlich auch die gleiche Krankheit, daß ihre Stichworte merkwürdig formal und unklar bleiben. Mystik ist zu vielschichtig, als daß man unpräzisiert davon sprechen dürfte. Die Neigung, Pls als Mystiker zu bezeichnen (repräsentativ Bousset, Kyrios Christos) ist im gleichen Maße geschwunden, wie man seiner Eschatologie bewußt wurde. Der Versuch, unter der Chiffre „eschatologische Mystik" (A. Schweitzer, Mystik) eine Brücke vom einen zum andern zu schlagen, blieb unfruchtbar und mußte es als contradictio in adjecto auch sein. Umgekehrt ist der Glaube bei Pls nicht die Annahme eines heilsgeschichtlichen Ereignisses, wie dessen Fortwirkung sich denn auch nicht grundsätzlich und theologisch hinreichend von andern geistesgeschichtlichen Prozessen unterscheiden läßt. Das wichtigste Ergebnis der Kontroverse liegt im Negativen. Sie spiegelt die

Konfrontation zwischen Metaphysik und Historismus und zeigt, daß auf beiden Seiten die Prämissen theologisch nicht genügend reflektiert wurden.

Immerhin haben die Spezialuntersuchungen herausgestellt, daß der paulinische Befund komplizierter und nüancenreicher ist, als es anfangs erschien (Kümmel, Theol. 195; Schrage, Einzelgebote 80 ff.). Zweifellos wird „in Christus" häufig abgeblaßt gebraucht und meint dann nicht mehr als „christlich". Zweitens läuft der Formel die andere „im Herrn" parallel, nicht ein „in Jesus", das sich auf die Gemeinschaft mit dem Irdischen bezieht. Man wird also durch den Gekreuzigten und Auferstandenen bestimmt, wenn man in Christus ist. Die nicht reziprok verwandte Formel ἐν κυρίῳ, die erst von Pls dem ἐν Χριστῷ nachgebildet sein dürfte, findet sich besonders in der Paränese, läßt sich jedoch darauf nicht beschränken (gegen Neugebauer richtig Bouttier, En Christ 59 ff.; 68 f.; Kramer, Christos 137 ff.; 167 ff.). Sie hebt den Herrn deutlich von seinen Jüngern ab, wie das bei Mahnungen natürlich ist, und spricht also gegen eine undifferenzierte Anschauung von der Unio mit Christus. Offensichtlich macht sich gegenwärtig die Tendenz geltend, von extremen und einseitigen Lösungsversuchen abzurücken. Lokaler Sinn der Präposition kann weder durchweg behauptet noch geleugnet werden. Jeder Text muß daraufhin befragt werden, ob lokale, instrumentale oder modale Bedeutung vorliegt (Oepke, ThWb II, 534 ff.; Schweizer, Jesus Christus 108 f.; Bouttier, En Christ 65 ff.; Gerritzen, Sens 330 f.; Merk, Handeln 17 ff.). Einverständnis zeichnet sich auch darüber ab, daß die Firmierung der Stellen mit lokalem Sinn durch das Stichwort „mystisch" unangemessen ist, weil sie nicht weniger als die andern eschatologisch orientiert sind, also die Realität des angebrochenen neuen Äon kennzeichnen. Nun stellt sich freilich erneut die Frage nach der religionsgeschichtlichen Einordnung der lokal gemeinten Formel, und die Antworten darauf gehen nach wie vor weit auseinander. Man kann die Frage mit Hilfe der These überspielen, die Formel sei konstitutiv instrumental auf das fortwährende Christusgeschehen bezogen. Dann hat man das Problem auf den Sinn der Präposition als solcher reduziert und kann mit alttestamentlichen Analogien (Berger, Hoheitstitel 403 ff.; Gerritzen, Sens 330 f.) und dem Hinweis auf die Wendung „im Gesetz" (Schmauch, In Christus 163 f.) die Formel als Kontrastbildung zu dieser letzten Wendung erklären. Naivität und Sucht, alles und jedes aus dem Judentum ableiten zu müssen, sind hier in gleicher Weise bemerkenswert. Das Argument, man dürfe nicht von den Parallelen „im Geist" und „im Fleisch" ausgehen, weil die erste gewöhnlich Inspiration bezeichne (Gerritzen, Sens 328 ff.), ist absurd. Sie berücksichtigt weder den Kontrast beider Wendungen noch den dadurch beschriebenen Charakter weltweiter Mächte noch den Hintergrund der jüdischen Äonenlehre und gleitet elegant über den Kontext hinweg, in welchem gerade diese Formeln aufs engste mit dem „in Christus" verbunden sind und „im Geist" mit dem „in Christus" wechselt. Manchmal verrät Exegese mehr, was man nicht sehen will, als was man gesehen hat. Trifft es wirklich zu, daß die Bindung der Pneumatologie an die Christologie ein entscheidendes Merkmal und vielleicht sogar eine ursprüngliche Einsicht paulinischer Theologie ist, liegt hier der Ausgangspunkt auch für die Interpretation der vorliegenden Formeln. Wahrscheinlich ist die Vermutung zu kühn, daß erst der Apostel die ihm aus dem Enthusiasmus überkommene Anschauung des „im Geiste" durch das „in Christus" abgewandelt und zugespitzt hat. Jedenfalls ist die Reziprozität bei der Verwendung der Formeln nur verständlich, wenn man sie aus der Pneumatologie ableitet und begreift. Durch den Geist ergreift Christus Macht in uns, wie wir umgekehrt durch den Geist Christus eingegliedert werden. Der jüdischen wie der heidnischen Umwelt des Urchristentums war durchaus vertraut, daß der Geist ekstatisch in den Menschen eingeht und ihn andererseits dem bloß Menschlichen entzieht und der himmlischen Welt zuordnet. Wurde solche Anschauung variiert auf Christus übertragen, war zugleich die dualistische Perspektive mitgegeben und ihre eschatologische Abwandlung möglich. Christus und Geist trennen alte und neue Welt.

Fragt man nun nach dem Sinn der Formel „in Christus" bei Pls selbst, wird man weithin darin eine Abbreviatur für das Theologumenon vom Leibe Christi sehen dürfen (Bultmann, Theol. 312. 328 f.; Dodd, Gesetz 43; schon A. Schweitzer, Mystik 123; Cerfaux L'Église 160 f.; Christus 216; Richardson, Theology 249; Schrage, Einzelgebote 80). Die Kirche ist für den Apostel der Anbruch der neuen Welt und das Feld, in dem sich die Macht des Geistes bekundet, Herrschaft Christi die Glaubenden verbindet wie von der Sphäre Adams trennt. Gleichwohl darf man die Formel kaum auf diese Bedeutung einschränken. Nur enthusiastisch abstrahiert man von Mißständen und Verirrungen in der Gemeinde, die für Pls kein Mysterienverband ist. Die Parallele des ἐν κυρίῳ sorgt dafür, daß, selbst wo man so etwas wie Unio mit Christus feststellen möchte, der Primat der Christologie auch gegenüber der Kirche festgehalten wird. Die Gemeinde ist nicht der Christus prolongatus, Christus nicht ihre sie beseelende Vitalität. Von der religionsgeschichtlichen Entwicklung wie von dem theologischen Zentrum her ist es schlechthin irreführend, das Sein in Christus vom Sein im Geist aus zu interpretieren. Allein das Umgekehrte ist richtig und notwendig, wenn Christus nicht eine auswechselbare Macht unter andern, die Kirche nicht ein Verband von Enthusiasten, die sich der Integration in die übernatürliche Welt rühmen, werden sollen. Die Formel σὺν Χριστῷ zeigte die Schicksalsgemeinschaft der Nachfolger mit dem Initiator an, auf welche die Verfechter eines instrumentalen Verständnisses faktisch auch das ἐν Χριστῷ reduzieren. Doch übergreift die letzte Wendung die erste im Sinne der spezifischen Kyrios-Christólogie des Apostels. Natürlich ist es Zeichen seiner Herrschaft, daß man seinen irdischen Weg fortsetzt, und die Taufe hat uns in diesen Traditionszusammenhang gestellt. Dieser Prozeß darf aber nicht in die Nähe geistesgeschichtlicher Analogien rücken, wie die Repräsentanten einer Lehre von der Unio mit Recht geltend machen. Der Kyrios war nicht nur in der Vergangenheit da, so daß es nun um die Auswirkungen seiner Offenbarung geht. Er ist im Medium seines Geistes präsent, und zwar in der Gemeinde wie im Leben des einzelnen Glaubenden und durch beide im weltweitem Horizont. Pls kennt keinen unsichtbaren Christus, den man nur im Himmel lokalisieren kann. Er sieht ihn irdisch am Werk und konstatiert einen Machtbereich, in welchem man ihn finden kann. Er scheut nicht vor der äußersten Konkretion zurück. Die Taufe hat den Geist gegeben und so seine Herrschaft aufgerichtet. Die Glaubenden haben dort nach Gal 3,27 ff. Christus wie ein Gewand angezogen, das man nicht einfach abstreifen kann. Existenzwandel hat sich derart vollzogen, daß darüber irdische Unterschiede und Kontraste relativiert werden. Zweifellos ist auch für den Apostel die Kirche ein corpus permixtum mit falschen Zeugen, unwürdigen Gliedern und vielen Gebrechen. Sie ist jedoch nicht ecclesia invisibilis, weil das Evangelium mehr ist als eine Idee, die Sakramente mehr sind als religiöse Riten, der Gottesdienst die Versammlung der Heiligen und jeder Christ ein irdischer Platzhalter seines erhöhten Herrn bleibt. Die Heiden akklamieren nach 1.K 14,24 f.: Gott ist wahrhaftig unter euch! Kein Jünger kann offenhalten, ob auch für ihn zutrifft, was der Apostel Gal 2,20 in scheinbarer Vermessenheit, aus aller modern so beliebten Anonymität heraustretend, bekennt: „Ich lebe, doch nicht ich, Christus lebt in mir." Das eben ist der Sinn der reziproken Formel. Es gibt nicht nur den Herrschaftsbereich Christi mitten in der Welt. Pls hat sich der Sprachmittel des Enthusiasmus bedient (Conzelmann, Grundriß 232 ff.), um in äußerster Konkretion (Schrage, Einzelgebote 84 ff.) aussagen zu können, daß Christus sich auch unseres eigenen Lebens total bemächtigt hat. Das ἐν Χριστῷ meint tatsächlich weitgehend den Stand in einem Kraftfeld (Grundmann, ThWb IX, 544; Ridderbos; Kuss, Paulus 371; Becker, Heil Gottes 248 ff.). Alles wird jedoch verdorben, wenn das (Cerfaux, Christus 216 ff.) primär auf die Teilhabe an einem übernatürlichen Leben statt auf das Regnum Christi bezogen wird.

9—11 sind von da aus zu interpretieren. Als Reich Christi steht die Gemeinde im Kampf mit dem Fleisch als der Sphäre der Weltverfallenheit, hat sie wie nach 14,17 f. Gottes Wohlgefallen über sich und kann auf das ihr geschenkte Pneuma als ihr Spezifikum angesprochen werden. εἴπερ hat nicht konditionalen (Sanday-Headlam; Fuchs, Freiheit 96) und limitierenden, sondern affirmativen Sinn (vgl. Übersicht bei Kuss). Wird von Einwohnung des Geistes wie in 7,17 ff. von der der Sünde gesprochen, zeigt das hier wie dort radikale Besitznahme an, von welcher nach 5,5 auch unser Wille betroffen wird. Nicht ein bewundernswertes Ideal (Lagrange) ist aufgestellt. 9c ist wie 1.K 2,16 geradezu Definition christlicher Existenz in ihrer gesamten Ausrichtung, also nicht (gegen Hansen, ThWb II, 819) ethisch einzuschränken. Christen werden als solche nicht anerkannt, wenn sie den Geist nicht haben. Das läßt sich derart eindeutig nur sagen, wenn der Geist der Stand unter dem präsenten Herrn ist. Der Anspruch der Enthusiasten auf eine Sonderstellung ist damit verneint. Auch Ekstatiker und Thaumaturgen sind nichts als Exponenten einer Gemeinde, in welcher jeder alles nur durch seinen Herrn, darum stets im Dienst mit einem besonderen Charisma ist. Denn dieser Herr gibt jedem mit der Zugehörigkeit zu sich eine spezifische Gabe als Möglichkeit eines spezifischen Dienstes, weil er die Welt in ihrer Weite wie in der Tiefe ihrer Schlupfwinkel durchdringen will. Der Angriff der Gnade kann nicht allein mit Ekstatikern erfolgen. Er setzt die Aktivität jedes Gliedes der Gemeinde an seinem Platz, mit seinen Fähigkeiten und Schwächen im Siegeszug des Erhöhten von 2.K 2,14 ff. voraus. Ob 9c eine vorpaulinische „Scheideformel" wie 1. K. 16,22; Did 10,6 ist (Michel), bleibt zweifelhaft, obgleich der Satz die Struktur der Feststellungen heiligen Rechtes besitzt, die in apostolischer Autorität proklamiert werden. Jedenfalls handelt es sich um eine der wichtigsten Aussagen paulinischer Theologie und die Grundlage ihrer Paränese. Zugleich wird jene für Pls kennzeichnende Dialektik sichtbar, welche ein enthusiastisches Postulat aufgreift, um es zur selben Zeit einem exaltierten Enthusiasmus zu entreißen. Interpretiert das „in Christus" das „im Geist", wird aus der übernatürlichen himmlischen Kraft die Macht der Gnade, treten an die Stelle der sich isolierenden Pneumatika als Demonstrationen des neuen Äons die Charismen als Konkretionen und Modifikationen des allgemeinen Priestertums. Niemand in der Gemeinde darf das besondere, ihm verliehene Mandat seines Herrn verleugnen oder vernachlässigen. Man kann dem Herrn nicht angehören, ohne mit der eigenen Existenz seine Herrschaft zu bekunden. Das vergrabene Talent ist Sünde wider den Geist und Verrat am Herrn. Der Dienst der Gnade ist jedem anvertraut und erfolgt darum konkret im irdischen Alltag. Das läßt in 10—11 auf die Leiblichkeit blicken.

Dienst, der den Leib nicht einbezieht, ist imaginär. Als Realität unserer Kommunikation mit der Erde kann der Leib das Werkzeug der Weltverfallenheit des Fleisches sein. Der Stand im Geist stellt uns gerade in unserer Bezogenheit auf die Erde und nicht bloß in unserer Individualität unter Christi Herrschaft, weil diese sonst illusionär bliebe. Das Anliegen des Apostels ist klar, schwer verständlich jedoch die Ausdrucksweise. Die antithetische Parallelität der beiden Satzglieder ist offensichtlich rhetorisch, ohne daß man sich wie zumeist mit dieser Feststellung begnügen darf. Die Rhetorik hat bei Pls durchweg eine sachliche Funktion und weist hier erneut auf den stattgefundenen Äonenwechsel und Existenzwandel hin. Nicht zufällig wird jetzt das „Christus in uns" unterstrichen. Es wäre ein grobes Mißverständnis, wenn die Pneumatiker sich als beati possidentes betrachteten. Nicht sie haben das Himmlische, Christus hat sie im Griff. 10bc erläutern, was das besagt. Im Kontext ist durchweg vom gottgegebenen Geist die Rede (anders Ziessler, Meaning 204). Im Gegensatz dazu kann σῶμα, als νεκρόν bezeichnet, nur der Leib der Sünde von 6,6, des Todes von 7,24, also die σάρξ sein (Bultmann, Theol. 201; Jervell, Imago 193 f.; K. A. Bauer, Leiblichkeit 162 f.; Ridderbos). Wie nicht vom menschlichen Innenleben gesprochen wird (gegen Sanday-Headlam; Kühl; Bardenhewer; Gutjahr; Zahn; Lagrange; Schlatter; Gaugler), meint νεκρόν unmöglich „sterblich" (Zahn; Lagrange), „an den Tod hingegeben" (Grundmann, ThWb I, 317; Sickenberger; Jülicher), „in Gottes Augen tot" (Michel). Psychologisiert man nicht, kommt nur der in der Taufe erfolgte Tod des Sündenleibes in Betracht (Bultmann, ThWb IV, 898; Barrett; Leenhardt; Kuss). Die Hauptschwierigkeit liegt in dem wiederholten διά. Wer an die Todeswirkung der Sünde denkt, muß es zunächst kausal, dann final verstehen (schon Weiss, Beiträge 181), präzis auf eine Formel gebracht: propter peccatum commissum, propter justitiam exercendam (Lietzmann; Lagrange; dagegen Stalder, Werk 449). Kann man solche Prämisse nicht teilen, meint διά c. acc. „im Hinblick auf" (Dibelius, Vier Worte 8 f.): Der Leib ist tot seit der Taufe, sofern die Sünde in Frage steht, der uns geschenkte göttliche Geist dagegen lebendigmachend, was Gerechtigkeit angeht. Er wirkt jenes in 6,14 ff. beschriebene Leben in Gerechtigkeit. Denn δικαιοσύνη kann im Zusammenhang der Antithese nicht das Rechtfertigungsurteil bezeichnen (gegen Schrenk, ThWb II, 213), ist vielmehr der gottwohlgefällige Wandel aus dem Geist in leiblicher Dienstbarkeit. Das gilt wie in 6,11 als Antizipation der Auferweckung, und zwar auch hier unter dem charakteristisch eschatologischen Vorbehalt. Christus ist bereits auferstanden, wir stehen auf dem Wege dorthin, wobei die nova oboedientia irdisch die künftige Herrlichkeit spiegelt. Daß Pls sich hier an geprägte Tradition anschließt (Wengst, Formeln 25 ff.), ist nicht unwahrscheinlich, wenn τὸν Ἰησοῦν als ursprüngliches Objekt der Prädikation anzunehmen ist. Die Gottesprädikation entspricht der von 4,17. Doch wird hier offensichtlich der Geist als die eigentliche Energie der Auferweckung betrachtet, wie das in Eph 1,19 f. klar zutage tritt. Für uns ist er das Unterpfand, das wir dem auferweckten Christus gleichgestaltet werden (Asmussen), und zwar in neuer Leiblichkeit als der Signatur einer nicht mehr der Anfechtung unterworfenen Schöpfung. Die Verheißung bezieht sich also nicht auf das gegenwärtige Leben (gegen Lietzmann; Leenhardt; richtig Schweizer, ThWb VI, 419; K. A. Bauer, Leiblichkeit 165 f.). Die locker angefügte Schlußwendung verbindet bei B und andern beachtenswerten Lesarten διά mit dem Akkusativ (akzeptiert von Zahn; Kühl; Gutjahr; Pallis; Schweizer, ThWb VI, 419). Das ist nicht notwendig lectio difficilior, weil der Geist nur in 1.K 15,45 noch als Schöpfermacht erscheint, sondern erklärt sich durchaus von der Vorliebe für den Gebrauch des Akkusativs nach

Präpositionen in der späteren Zeit (Sanday-Headlam; Lietzmann; Leenhardt; Übersicht bei Kuss). Sachlich trägt es nichts aus.

b) 8,12—17: Das Sein im Geiste als Stand in der Kindschaft

12 Wir sind also, Brüder, verpflichtet nicht für das Fleisch, unter der Macht des Flei-
13 sches zu leben. Denn wenn ihr dem Fleisch gemäß lebt, müßt ihr sterben. Tötet ihr
14 aber durch die Kraft des Geistes die Werke des Leibes, werdet ihr leben. Denn
15 welche von Gottes Geist getrieben werden, die sind Gottes Söhne. Ihr habt doch
   nicht knechtischen Geist empfangen, (der) wieder in Furcht (stellt). Vielmehr habt
16 ihr den Geist der Sohnschaft empfangen, in welchem wir rufen: Abba, Vater! Der
17 Geist selbst bezeugt unserm Geist, daß wir Gottes Kinder sind. Wenn jedoch Kinder,
   dann auch Erben, nämlich Erben Gottes und Miterben Christi, wenn anders wir
   mitleiden, um auch mitverherrlicht zu werden.

Literatur: C. Fabricius, Urbekenntnisse der Christenheit (R. Seeberg-Festschrift, 1929), 21-41. W. Twisselmann, Die Gotteskindschaft der Christen nach dem Neuen Testament, 1939. W. Bieder, Gebetswirklichkeit und Gebetsmöglichkeit bei Paulus, ThZ 4 (1948), 22-40. S. V. Casland, Abba, Father, JBL 72 (1953), 79-91. M. Taylor, Abba, Father and Baptism, ScJTh 11 (1958), 62-71. W. Marchel, Abba Pater: Oratio Christi et christianorum, Bibl. 42 (1961), 240-247. K. Romaniuk, Spiritus clamans, Bibl. 43 (1962), 190-198. E. Haenchen, Der Weg Jesu, 1966. J. Bekker, Quid locutio πάλιν εἰς φόβον in Rom 8,15 proprie valeat, VD 45 (1967), 162-167.

Die christologische Bindung des Geistes äußert sich im neuen Abschnitt darin, daß Christus als Urbild wie in Hebr 2,10 ff. die Gottessöhne schafft, als welche die Geistträger nun erscheinen. Die antithetischen Parallelismen in 12—13 greifen paränetisch die von 5—8 auf und leiten zum neuen Thema über. ἄρα οὖν zieht die Folgerung aus dem Vorhergehenden. Der Christ steht notwendig im Kampf mit der Macht des Fleisches, wenn er nicht dem durch es bewirkten Todesschicksal erliegen soll. ὀφειλέται ἐσμέν meint: verpflichtet sein. Nicht das Verhältnis von Idee und Wirklichkeit (richtig Michel gegen Lietzmann), sondern die Behauptung des neuen Lebens gegenüber der Versuchung steht zur Debatte. Der Infinitiv in 12 ist final, μέλλετε in 13a hat den Sinn: ihr müßt (Bauer, Wb 991). πράξεις geht nicht abstrakt auf die Handlungsweise (gegen Maurer, ThWb VI, 44) und noch weniger auf den bösen Trieb, zu dessen Bekämpfung der Rabbinat aufruft (Billerbeck). Es geht um die eigenmächtigen Aktionen der irdischen Existenz, die sich nicht bloß (gegen Zahn; Dodd; Michel) im moralischen Bereich fixieren lassen, zumal ganz objektiv gesprochen und jedes Adjektiv vermieden wird. Die eigentliche, bereits durch die abweichenden Lesarten angezeigte Schwierigkeit liegt in der Interpretation des zweifellos ursprünglichen Begriffes σῶμα. Sicher nicht gemeint ist die sich durch alle Veränderungen durchhaltende organische Individualität (Dodd), deren sittliche Erneuerung (Jülicher) befohlen wird. Abzulehnen ist wie zu 6,12 ein Verständnis, nach welchem das „eigentliche" Ich sich von seinen Werken distanziert, als deren Subjekt der Leib hier gesehen würde (Bultmann, Theol. 197 f. 201). Die eschatologische Differenz zwischen Pneumatiker und irdischem Menschen darf nicht durch eine anthropologische Ontologie überspielt werden, deren Interesse auf der Kontinuität der Existenz ruht. Ist der Leib die Realität menschlicher Kommunikation, so kann diese, vom Schöpfer isoliert, aus der 13,14 genannten πρόνοια heraus eigenwillig agieren. Sie ist noch nicht mit der σάρξ als Weltverfallenheit identisch (gegen Zahn; Lietzmann; Kuss), aber von ihr bedroht, weil die Macht des Fleisches in unserm, dem Irdischen noch verhafteten Leibe eine Angriffsfläche besitzt (Schweizer, ThWb VII, 131 f.; K. A. Bauer, Leiblichkeit 168 f.). Soll es nicht zu Spiegelfechterei kommen, sind wie nach 1.K 9,27 im Kampf mit dem Fleisch auch die auf Autonomie gerichteten Strebungen unseres Leibes abzutöten. Der Genetiv ersetzt wohl ein Adjektiv. Der Ton liegt auf dem instrumentalen Dativ und dem Verb. Bewährung des pneumatischen Lebens gibt es also vorläufig nur in der Überwindung der Anfechtung, nicht als unverlierbaren Besitz. Wie in 6,11 ff. triumphiert einzig entschlossener Dienst über unsere ständige Gefährdung.

Die Wendung „vom Geist getrieben werden" in 14 stammt nach 1.K 12,2 aus enthusiastischer Sprache. Sie sollte deshalb nicht zu „geführt werden" abgeschwächt werden (Dodd; Brunner; Gaugler; Ridderbos), um die freie sittliche Entscheidung (Sanday-Headlam; Kühl; Gutjahr; Lagrange; Dodd; Kuss; Stalder, Werk 470 f.; aber auch Bultmann, Theol. 338; Schrage, Einzelgebote 73 f.) festzuhalten, von welcher hier eben nicht die Rede ist (richtig Wetter, Vergeltungsgedanke 100). Pls war nicht so ängstlich wie seine Ausleger. Er konnte sich enthusiastische Terminologie aneignen, weil er das „Christus in uns" wie in Gal 2,20 ernstnahm und den Geist als fremde Macht betrachtete. Er hielt selbst über unserm Handeln das extra nos der Gnade fest, weil allein dadurch unsere Bewährung und die Fähigkeit des Überwindens verbürgt werden. Ein anderes als ein irdisch gegenständliches Ich hat er nicht gekannt. Der Leib ist für ihn nie Subjekt in echtem Sinn, sondern Kampfplatz, auf dem letztlich nicht wir entscheiden. Verantwortung tragen wir allein in dem Sinn, daß wir die uns geschenkten Gaben und Möglichkeiten nicht mißbrauchen oder unbenutzt lassen. Das meint jedoch, daß wir unsern Herrn durch uns wirken lassen, statt uns auf unser „eigentliches Ich" zu besinnen, wie es moderne Ideologie verlangt. Ob Rechtfertigung der Gottlosen radikal begriffen und festgehalten wird, erweist sich an der Gretchenfrage der Christologie, der man nicht anthropologisch ausweichen kann. Jene Lehre vom Geist, die selbst das Stichwort „hingerissen werden" nicht scheut, ist die Kehrseite der Rechtfertigung der Gottlosen, weil sie diese an das Verbleiben im Regnum Christi bindet, in welchem wir als die ständig Empfangenden die ständig Geforderten sind. Betrachtet man Gottes Gerechtigkeit einzig oder primär von der Rechtfertigung als Gabe her, kommt man auch mit der paulinischen „Ethik" nicht zurecht. Die Auseinandersetzung zwischen Geist und Fleisch geht dann nicht mehr zutiefst wie in 1.K 15,25 darum, daß Christus herrsche, sondern darum, daß ich zu mir selbst finde. Das muß recht verstanden nicht alternativ sein, wird aber notwendig zu verschiedener Interpretation führen, wenn man dieses unumkehrbare Gefälle nicht beachtet. Die Sohnschaft Gottes ist und bleibt eine eschatologische Realität, welche Schöpfung zwar wieder in den Blick kommen läßt, jedoch an deren Kontinuität nur im Blick auf Gottes Wort verweist, wie gerade 15—16 herausstellen.

Der ursprüngliche Sinn von „Adoption" schwingt hier bei υἱοθεσία kaum noch mit (richtig Zahn; anders etwa Schlatter; Leenhardt). Kindschaft war nicht schon immer vorhanden (gegen Knox, Life 14), so daß der Geist sie bestätigte (Kühl; Lagrange), sondern ist, durch die Taufe vermittelt, Anwartschaft und gegenwärtige Partizipation an der Basileia (Schlatter). Der Titel „Gottessohn", zunächst im Alten Testament dem Volk und seinem königlichen Repräsentanten vorbehalten, wurde erst spät und dann selten auf den einzelnen Frommen übertragen. Im hellenistischen Bereich fällt er dagegen dem θεῖος ἀνήρ, in den Mysterien dem Eingeweihten, in der Gnosis dem Gläubigen als Glied der Himmelswelt zu. Die eschatologische Orientierung trennt die Urchristenheit von dieser Umwelt, und Enthusiasmus läßt die Pneumatiker so bezeichnen. ὅσοι hat sowohl exklusiven wie den extensiven Sinn: alle (Bauer, Wb 1162; Lagrange). 15—16 sind nicht (gegen Lagrange) eine Parenthese, die sich (Lietzmann) an Zweifelnde wendet, vielmehr Beweis für 14. In geläufig paulinischem Topos, der auch Gal 4,6 f. begegnet, wird die Kindschaft dem Sklavendienst kontrastiert. Der Apostel scheut nicht den formalen Widerspruch zu 6,12 ff. Seine Aussagen richten sich jeweils auf die Situation und die Leser. Radikaler Gehorsam wird pointiert als Sklavendienst bestimmt. Sofern dieser jedoch dem gnädigen Herrn nach 1.K 9,17 als freudiges Opfer dargebracht wird, markiert er zugleich echte Freiheit und Kindschaft. Paulinische Dialektik kämpft stets auf zwei Fronten und kommt deshalb ohne Paradoxien nicht aus. So kann Phil 2,12 zu Furcht und Zittern rufen, während hier der φόβος als Konsequenz der Knechtschaft und Merkmal der unerlösten Schöpfung mit der Kindschaft unvereinbar erscheint (Becker, locutio 163 versteht die Antithese rein rhetorisch). Die Ambivalenz des Begriffes entspringt ebenfalls der Sachdialektik. Der Dienende lebt in der Gottesfurcht, die selbst das tremendum kennt. Wie aber dieser Gott nicht Despot ist, sein Heilswille offenbar wurde, sein Dienst von aller andern Herrschaft frei macht, so wird der Christ gerade, weil er Gott fürchtet, der Angst der übrigen Kreatur entnommen, in welche die Unberechenbarkeit eines ungewissen Schicksals treibt (Bultmann, ThWb VI, 223; Balz, ThWb IX, 210). Die Heilsgewißheit trennt die beiden Arten der Furcht, wie schon der Rabbinat die Freude Israels dem Zittern der Heiden konfrontierte (Billerbeck). 15 f. beziehen sich zweifellos auf gottesdienstliches Geschehen (Zahn; Kuss; Delling, Gottesdienst 73; Nielen, Gebet 113). Der Plural weist auf die Gemeinde. Die Aoriste in 15a—b meinen den Geistempfang bei der Taufe. κράζειν ist zunächst das laute Schreien etwa bei Beschwörungen (Grundmann, ThWb III, 898 ff.), dann die inspirierte Verkündigung der Schriftzeugen (Romaniuk, Spiritus 197) oder der ekstatische Schrei (Bultmann, Theol. 164; Michel). In einer gottfeindlichen Welt gewährt der Geist der Gemeinde die Möglichkeit des Rufes Abba, in dem sich der offene Zugang zum Frieden Gottes von 5,1 bekundet. Immer wieder wurde hier fortwirkende Jesustradition gefunden, weil sich in Mk 14,36 das gleiche 'Αββὰ ὁ πατήρ erhalten hat. Tatsächlich ist Jesu Verkündigung durch den Zuspruch eschatologischer Gotteskindschaft und das Motiv des himmlischen Vaters bestimmt. Unglaubhaft ist jedoch die Ansicht, Jesus habe mit Abba die in der Familie und besonders von Kindern gebrauchte vertrauliche Anrede aufgenommen (Kittel, ThWb I, 5 f.; J. Jeremias, Central Message 22 ff.; ausführliche Kritik bei Haenchen, Weg 492 ff.) und damit liebende Hingabe spezifisch zum Ausdruck gebracht (Thüsing, Per Christum 120; Twisselmann, Gotteskindschaft 65). Es ist nicht einmal sicher, daß hier und Gal 4,6 überhaupt Jesustradition vorliegt (Delling, Gottesdienst 73), und schlechterdings ausgeschlossen bleibt die verbreitete Annahme, hier würde der Anfang des Vaterunsers zitiert (gegen Kittel, ThWb I, 5; Grundmann, ThWb VIII, 903 f.; Zahn; Dodd; Lietzmann; Cullmann, Christologie 215). Natürlich hat Jesus nicht Gott zweisprachig angeredet. Mk 14,36 ist Übertragung aus späterer Gemeindepraxis, und das Vaterunser ist ebenfalls nicht zweisprachig begonnen worden. In die Irre führte, daß man κράζειν in Analogie zu den Anrufen im Psalter selbstverständlich und primär auf das Gebet bezog (Grundmann, ThWb VIII, 899 f.;

Marchel, Abba 245; Ridderbos; richtig Greeven, Gebet 144 ff.), statt es als technischen Terminus der Akklamation zu erkennen. Denn eine Akklamation liegt in Ἀββὰ ὁ πατήρ ebenso wie in den Rufen κύριος Ἰησοῦς und μαραναθά vor, die als solche im ekstatischen Schrei der Gemeindeversammlung der Heilsbotschaft antwortet. Es ist also weder an ein christliches Urbekenntnis (Fabricius, Aufsatz 22 f.) noch an eine Taufformel (Taylor, Abba 2), geschweige an Glossolalie, zu denken, so gewiß Akklamationen Bekenntnischarakter haben und bei der Taufe erfolgen konnten. Wie sie im Maranatha oder Amen aramäische Rufe bewahrten, dürften sie im hellenistisch zweisprachigen Bereich mit griechischer Übersetzung verbunden sein. Der ursprüngliche Vokativ wandelte sich dabei in den status emphaticus (Bauer, Wb 1). Die Richtigkeit dieses Verständnisses ergibt sich aus 16.

Gegen fast die allgemeine Meinung ist das von αὐτὸ τὸ πνεῦμα unterschiedene πνεῦμα ἡμῶν keineswegs unser mit der Vernunft identisches Innenleben (gegen Bauer, Wb 1340; Strathmann, ThWb IV, 515, Greeven, Gebet 154; Bultmann, Theol. 208; Lietzmann; Althaus; Kuss; richtig Schweizer, ThWb IV, 434). Was sollte Pls veranlassen, die Vereinigung des göttlichen Geistes mit unserer Einsicht zu betonen, die zudem als solche der Gotteskindschaft überhaupt nicht innewerden kann? Pls hat die gottesdienstliche Situation, nicht einen seelischen Vorgang vor Augen (gegen Ridderbos). Schließlich ist der juridische Charakter des Verbs zu beachten. Die Akklamation gilt wie als inspiriert, so als Akt heiligen Rechtes. Indem sie erfolgt, bekundet der in der Gemeindeversammlung waltende Geist ganz objektiv jedem einzelnen Christen, was der diesem persönlich geschenkte Geist ihm ebenfalls sagt. Wie der Heide von 1.K 14,25 erfährt die Gemeinde durch die Akklamation der Ekstatiker, daß Gott in ihrer Mitte präsent ist und ihr im ganzen wie individuell die Kindschaft als Teilhabe an der Basileia vergewissert. Die Schar der Angefochtenen bedarf der stets neuen Offenbarung und Tröstung. Das Kompositum des Verbs ersetzt wie häufig in der Koine das Simplex (Strathmann, ThWb V, 516; Leenhardt; H. W. Schmidt; Übersicht bei Kuss). Doch gibt es guten Sinn auch dann, wenn man die Präposition betont und emphatisch versteht (Schlatter; Barrett): Der gottesdienstlich sich äußernde Geist bezeugt, was der in uns wohnende anerkennen muß. 16 ist demnach Interpretation von 15c (Kuss). Offensichtlich sind die Wendungen υἱοί und τέκνα θεοῦ austauschbar. Die Aussage wird wie in Gal 4,7 kettenartig und im Blick auf ein Rechtsverhältnis ausgeweitet. Denn wenngleich κληρονομία übertragen die eschatologische Landnahme, nämlich die Teilhabe an der Basileia meint, ist die Verbindung der Substantive nur in juridischem Horizont möglich. Die Konsequenzen der Kindschaft werden erwähnt, um deren Unumstößlichkeit darzutun. Erbe Gottes ist, wer wie in 5,17 an seinem Regnum partizipiert. Das kann man allein als Miterbe Christi, des künftigen Kosmokrator, der als Erhöhter bereits heute verborgen herrscht. Um des Stichwortes „Erbe" willen muß im eschatologischen Futur gesprochen werden, das sich auch im Finalsatz 17 äußert. Umgekehrt erfolgt mit dem Zuspruch Qualifikation bereits der Gegenwart, wie es dem Tenor des Abschnittes entspricht. In aller Angefochtenheit wird kommende Herrlichkeit doch schon antizipiert. Der Doppelaspekt zeigt sich im überraschenden Schluß von 17, der deutlich zum folgenden Unterteil überleitet und das sub contrario hervorhebt. Anteil an kommender Herrlichkeit gibt es für die gesamte paulinische Theologie nicht am Kreuz vorbei. Diese Sachdialektik spiegelt sich jedoch in einer für den Apostel charakteristischen Argumentationsweise. Mit unverkennbarem Pathos sind unsere Verse von enthusiastischen Anschauungen ausgegangen und haben demgemäß nicht zufällig auf ekstatisches Geschehen im Gottesdienst verwiesen. Auch für Pls ist der Geist die Wundermacht der himmlischen Welt, welche in den irdischen Raum einbricht, um neue Kreatur zu schaffen. Werden die Enthusiasten insofern durchaus bestätigt, setzt Pls sich von ihnen ab, wenn sie aus den von ihm geteilten Prämissen die Konsequenz ziehen, der weltlichen Gefährdung entnommen zu sein. Dann begegnet er ihnen mit der theologica crucis und erinnert sie daran, daß gerade jener Geist, der Christus irdisch präsent werden läßt, in die theologia viatorum führt. So geht es im abschließenden Satz nicht bloß wie in jüdischer Frömmigkeit (Billerbeck) darum, daß die Anwartschaft auf die Basileia irdisches Leiden voraussetzt, so wenig das bestritten wird. Die Präposition σύν in beiden Verben stellt in Christi Gefolgschaft und nennt deren promissio. An der Herrlichkeit des Kyrios partizipiert allein, wer irdisch an seiner Passion partizipiert hat. Gerade das Mitleiden ist wie in 2.K 13,4 die paradoxe Garantie für die Teilhabe an der Basileia. εἴπερ könnte auf die Realität des Christenstandes und seiner Erfahrungen verweisen (Leenhardt; Michel). Der folgende Finalsatz und der harte Bruch im Gedanken legen jedoch ein paränetisches und konditionales Verständnis näher (Michaelis, ThWb V, 925), womit dann zu 12 f. zurückgelenkt wird (Kuss). Überwinden können nur, welche dem Fleisch leidend widerstehen. Wo Christus im Geist präsent wird, kann man sich auf keine Weise der Nachfolge des Gekreuzigten entziehen. Die enthusiastischen Prämissen des Abschnittes enden bemerkenswert antienthusiastisch.

c) 8,18—30: Das Sein im Geiste als Stand in der Hoffnung

18 Denn ich urteile: Nicht gleiches Gewicht haben die Leiden der gegenwärtigen Zeit
19 mit der künftigen Herrlichkeit, die an uns offenbart werden soll. Späht doch das sehnsüchtige Harren der Schöpfung danach aus, daß Offenbarung der Kinder Gottes
20 erfolgt. Denn der Nichtigkeit wurde die Schöpfung unterworfen, ungewollt, aber
21 in Hoffnung (belassen), auf den blickend, der sie unterworfen hat. Darum wird sogar die Schöpfung als solche befreit werden von der Knechtschaft der Vergänglichkeit
22 zur herrlichen Freiheit der Kinder Gottes. Denn wir wissen, daß die gesamte Schöp-
23 fung bis in die Gegenwart hinein ungemein seufzt und in Wehen liegt. Doch nicht bloß das. Auch wir selbst vielmehr, welche den Geist als Erstlingsgabe erhielten, auch wir seufzen noch miteinander, die (volle) Kindschaft erwartend, die Erlösung
24 unseres Leibes. Denn gerettet wurden wir im Horizont der Hoffnung. Geschaute Hoffnung bleibt aber nicht Hoffnung. Denn was braucht jemand noch zu dulden,
25 wenn er doch schon sieht? Wenn wir aber erhoffen, was wir nicht sehen, strecken
26 wir uns in Geduld wartend aus. In gleicher Weise kommt auch der Geist unserer Schwachheit zur Hilfe. Denn wir wissen nicht, was wir beten sollen, wie es sich gebührt. Der Geist selber tritt jedoch mit unaussprechlichen Seufzern für uns ein.
27 So weiß, der die Herzen erforscht, was das Anliegen des Geistes ist, weil er Gottes
28 Willen gemäß für die Heiligen eintritt. Wir aber sind uns bewußt, daß denen, die Gott lieben, alles zum Guten mitwirkt, nämlich denen, die der Erwählung ent-
29 sprechend berufen sind. Denn welche er zuvor erwählt hat, die hat er auch vorher-bestimmt, gleichförmig zu sein dem Urbilde seines Sohnes, auf daß er werde Erst-

30 geborener unter vielen Brüdern. Die er aber vorherbestimmte, eben die hat er auch berufen, und welche er berufen hat, diese hat er auch gerechtfertigt. Endlich hat er, die er rechtfertigte, auch verherrlicht.

Literatur: E. Käsemann, Der gottesdienstliche Schrei nach der Freiheit, Perspektiven 211-236. U. Gerber, Röm VIII, 18 ff. als exegetisches Problem der Dogmatik, Nov. Test. 8 (1966), 58-81. G. W. H. Lampe, The New Testament Doctrine of Ktisis, ScJTh 17 (1964), 449-461. H. Hommel, Das Harren der Kreatur, Schöpfer 7-23. W. D. Stacey, God's Purpose in Creation — Romans VIII, 22-23, ET 69 (1957/8), 178-181. B. R. Brinkmann, Creation and Creature, 1958, 27-35. S. Lyonnet, Redemptio cosmica secundum Rom 8,19-23, VD 44 (1966), 225-242. A. Debrunner, Über einige Lesarten der Chester-Beatty Papyri des Neuen Testaments, Conj. Neotest. X (1947), 33-49. H. Schlier, Das, worauf alles wartet. Eine Auslegung von Römer 8,18-30, Interpretation der Welt (Festschr. Guardini 1965), 599-616. G. Bertram, ἀποκαραδοκία, ZNW 49 (1958), 264-270. P. Bénoit, Nous gémissons, attendant la délivrance de notre corps (Rom. VIII, 23), Exégèse II, 41-52. J. Swetnam, On Romans 8,23 and the Expectation of Sonship, Bibl. 48 (1967), 102-107. J. Cambier, L'Espérance et le salut dans Rom 8,24, Message et Mission, Recueil Commémoratif du X⁰ Anniversaire de la Faculté de Théologie Kinhasa, 1968, 77-107. Zu 26 ff.: J. Schniewind, Das Seufzen des Geistes, Reden 81-103. R. Zorn, Die Fürbitte im Spätjudentum und im Neuen Testament, Diss. Göttingen 1957. A. Dietzel, Beten im Geist, ThZ 13 (1957), 12-32. E. Gaugler, Der Geist und das Gebet der schwachen Gemeinde, IKZ 51 (1961), 67-94. K. Niederwimmer, Das Gebet des Geistes, Röm 8,26 f. ThZ 20 (1964), 252-265. Zu 28 ff.: B. Allo, Encore Rom. VIII, 28-30, RSPhTh 13 (1924), 503-505. W. Michaelis, Die biblische Vorstellung von Christus als dem Erstgeborenen, ZsystTh 23 (1954), 137-157. J. B. Bauer, Τοῖς ἀγαπῶσιν τὸν θεόν, Rm 8,28; I.Cor 2,9; I.Cor 8,3, ZNW 50 (1959), 106-112. M. Black, The Interpretation of Romans VIII, 28, Neotestamentica et Patristica (Freundesgabe Cullmann, 1962), 166-172. K. Grayston, The Doctrine of Election in Romans 8,28-30, Stud. Ev. II (1963), 574-583. Cassien, Le Fils et les Fils, le frère et les frères (Paulus-Hellas), 35-43. J. Kürzinger, συμμόρφους τῆς εἰκόνος τοῦ υἱοῦ αὐτοῦ (Rm 8,29), BZ 2 (1959), 294-299. A. R. C. Leaney, Conformed to the Image of his Son (Rom VIII, 29), NTSt 10 (1963), 470-479. C. E. B. Cranfield, Romans VIII, 28, ScJTh 19 (1966), 204-215.

Grundeinsicht für das Verständnis unseres Abschnittes ist, daß der Besitz des Geistes hier als Stand in der Hoffnung beschrieben und damit die festgestellte antienthusiastische Tendenz von 17c sehr deutlich herausgestellt wird. Die Gegenwart des Heils ist für Pls undiskutierbar. Wie sie jedoch im Rahmen einer theologia crucis behauptet wird, so unterscheidet der Apostel auch nicht von ungefähr in 1.K 15,24 ff. die Herrschaft Christi von der vollendeten Gottesherrschaft. Die letzte ist vorerst nur in Gestalt der ersten präsent und infolgedessen der Geist nur als Angeld und Unterpfand des Kommenden. Gegenwärtige Eschatologie meint die Zeit des Evangeliums im Doppelsinn von promissio als Zuspruch und Verheißung. Das wird für das enthusiastische Christentum im hellenistischen Bereich unerhört provokatorisch zugespitzt, wenn Pneumatikertum als Stand in der Hoffnung definiert wird, wie es das nachösterliche Judenchristentum bereits getan hatte (Gerber, Problem 59). Man muß sich das vor Augen halten, wenn man die Stellung des Abschnittes im Kontext, sein inneres Gefälle und sogar seine Gliederung verstehen will. Heilsgewißheit bestimmt sowohl 14—17b wie 28—30. Auch der Obersatz in 18, welcher 2.K 4,17 pointiert (Vögtle, Zukunft 191), fügt sich dem noch ein. Psychologisierende Interpretation hat darin nicht ganz grundlos „Siegesstimmung" vernommen und Pls im folgenden poetisch reden lassen (Kühl; Dodd), obgleich man den harten Kontrast von 19—27 hätte bemerken müssen. Hier dominieren die Stichworte der unruhigen Erwartung und des Stöhnens. Das Thema der Hoffnung wird offensichtlich vom Charakter der Anfechtung her angegangen. 19—27 können also nicht Begründung von 18 sein, als würden hier „Bürgschaften" und „Stützen" der Heilsgewißheit angeboten (gegen Jülicher; Gaugler; Murray; Vögtle, Zukunft 191 f.; Balz, Heilsvertrauen 101; faktisch auch Kuss) oder sogar, von 28 her geurteilt, eine Rechtfertigung des Leidens (H. W. Schmidt). Daß begründete Hoffnung laut wird, ist nicht zu bestreiten. Doch wird die Spannung zum Kontext, der unverkennbare Bruch zwischen 18 und 19, der Sinn des triumphierenden Abgesangs in 28—30, der eben nicht sofort an 18 anschließt, relativiert, wenn man in 19—27 nicht genügend die Gegenströmung zu 18 und 28 ff. markiert. Man mißachtet dann auch leicht die Gliederung des Ganzen, welche durch die konzentrischen Ausführungen in 19—22.23—25.26—27 bestimmt ist, klare Einleitungen und eine sachliche Klimax aufweist (Zahn; J. Schneider, ThWb VII, 601; Balz, Heilsvertrauen 33 f.). In 28 markiert οἴδαμεν einen Neuansatz, und 28—30 sind durch hymnischen Stil von 31 getrennt. So können 20 f. 24 f. keinesfalls als Parenthesen gelten, und 23 ist nicht abschließende Pointe eines ersten Teils, an den sich 25 f. anfügt (gegen Vögtle, Zukunft 196 f. 199. 202). Ebensowenig ist 24 ein Resümee, dem eine Entfaltung folgt (Cambier, L' espérance 77), und es liegt auch keine Zweiteilung vor, in welcher Schöpfung und Christen getrennt würden (Luz, Geschichtsverständnis 377 ff.; dagegen Balz, Heilsvertrauen 34). Der Gedankengang wird hier vereinfacht und die rhetorische Kunst des Ganzen bagatellisiert. Mindestens die Überleitung von 22 zu 23 erlaubt auch nicht, überall das Schema von Aussage, Begründung, Zusammenfassung vorzufinden (gegen Balz, Heilsvertrauen 33 f.). In einer für Pls charakteristischen Paradoxie wird wie in 2.K 4,10—13 das Nacheinander von Leiden und Verherrlichung mit Christus, wie 17c es bot, in den Modus der Gleichzeitigkeit gestellt (gegen Cambier, L' espérance 84 f.). In Aufnahme wie Umkehrung der 1. Seligpreisung sind die bereits in die Kindschaft Versetzten, die darin himmlische Herrlichkeit vorwegnehmen, zugleich die Wartenden, Leidenden, mit aller Kreatur Stöhnenden. Anders würde ihr Stigma durch das Christusschicksal nicht sichtbar, wie es nach 17c und 28—30 geschehen muß. Gnade bezieht tiefer ins Irdische ein, weil sie die Gemeinde im ganzen wie jedes ihrer Glieder unter das Kreuz weist, wo äußerste Anfechtung und Überwindung zusammenfallen. Pls konnte das dem Schwärmertum gegenüber nur im Rückgriff auf jüdische Apokalyptik dartun. Die verbreitete Abneigung gegen diese Tradition ist das Haupthindernis für die Interpretation des Textes, wobei man notwendig der Charybdis verfällt, um der Szylla zu entgehen. Die heidenchristliche Schwärmerei der radikal präsentischen Eschatologie hat schließlich auch in der kirchlichen Orthodoxie die Oberhand behalten und die theologia crucis verdunkelt.

18 ist nicht bloß Eingang und Überleitung (gegen Lagrange; Gaugler), sondern Thema. Der Vers beginnt wuchtig mit λογίζομαι, das feststellendes Urteil (Gaugler; Murray; Cambier, L'espérance 84), nicht Überzeugung (Gutjahr; Bardenhewer) ausdrückt. ἄξια ... πρός schließt an rabbinische Schulsprache an (Billerbeck; Rössler, Gesetz 88 ff.; Balz, Heilsvertrauen 95 ff.), zumal wie dort das Problem des Leidens des Frommen erörtert wird. ἄξιος ist „gleichgewichtig" (Foerster, ThWb I, 378) und gleitet dann in die Bedeutung „wert" und bei Akklamationen „würdig" über. πρός = im Hinblick auf. ὁ νῦν καιρός ist nicht bloß die irdische Gegenwart, aber auch nicht der böse αἰὼν οὗτος oder mit der Heilzeit von 3,21 identisch. Die Wendung bleibt eigenartig schwebend, was sich aus der folgenden Präpositionalverbindung erklärt. Es handelt sich um den schick-

salträchtigen Augenblick, welcher der Offenbarung künftiger Herrlichkeit vorangeht, und zwar in jener Kürze des παραυτίκα τῆς θλίψεως von 2.K 4,17. Die Konstruktion läßt den aoristischen Infinitiv von μέλλουσα abhängig sein. Das ist nach Gal 3,23; 1.Pt 5,1 nicht ungewöhnlich (B-D. § 474,5), scheint hier jedoch ebenfalls die unmittelbare Nähe des erwarteten Geschehens anzuzeigen (Bauer, Wb 990). Gedacht ist an die Parusie. Sie qualifiziert den Augenblick nach dem Verb συνωδίνειν in 22 als die Zeit messianischer Wehen (Bruce; Kirk; Michel; Vögtle, Zukunft 191 f.; 198; 206; Gerber, Problem 61; Balz, Heilsvertrauen 52; Schlier, Worauf 600. 606). Diese Anschauung jüdischer Apokalyptik wird breit in Mk 13,5 ff. entfaltet, hat aber auch eine heidnische Parallele in der 4. Ekloge Vergils (Hommel, Harren 19 f.). Sie wird von Pls variiert, sofern sie nun nicht mehr dem Kommen des Messias vorangeht, sondern die Zeit zwischen erster und zweiter Ankunft charakterisiert, deshalb kosmisches und christliches Leiden mit der Hilfe des Geistes für die angefochtenen Zeugen verbindet. In Gal 4,19 ist sie auf den apostolischen Dienst bezogen, welcher die Gestaltung zur neuen Kreatur bewirkt. Faßt man das zusammen, ergibt sich als Sinn der Aussage in 18 nicht bloß die Heilsgewißheit angesichts der bestehenden und in Christi Nachfolge unvermeidlichen Bedrängnisse, und diese werden keineswegs (gegen Vögtle, Zukunft 208) bagatellisiert. Das Umgekehrte ist wie nach 4,19 bei Abraham der Fall. Die durchaus ernst genommenen Leiden fallen jedoch wie in 2.K 4,17 kaum noch ins Gewicht, weil ihr Ende unmittelbar bevorsteht. Naherwartung äußert sich hier. Damit ist die Überleitung zu 19—22 gegeben.

Im allgemeinen hat sich die Auslegung dieser Verse auf die Frage konzentriert, was unter κτίσις zu verstehen sei (vgl. Gerber, Problem 64 ff.). Offensichtlich hebt die Steigerung in 23 von den Christen ab. Leidenschaftlich ist für die Menschenwelt plädiert worden (Schlatter; Pallis; Grundmann, Übermacht 60 f.), und man hat sich dafür auf die personifizierenden Verben des Kontextes berufen. Tatsächlich wird der Kosmos von Pls zumeist in diesem Sinne verstanden, und es erscheint absurd, wenn man in Antithese zu dieser Sicht ausgiebig über die Pflanzen, Tiere oder sogar Geistermächte spekuliert (vgl. die Übersicht bei K. A. Bauer, Leiblichkeit 171 f.). Daß die Nichtchristen einbezogen sind, ist nicht zweifelhaft (Vögtle, Zukunft 184 ff.). Der Nenner „vernunftlose Schöpfung" (etwa Bardenhewer) trifft also nicht, und auch der Begriff „Natur" sollte nicht so selbstverständlich angewandt werden, wie das der Moderne naheliegt. Sie spielt für den Apostel eine bemerkenswert geringe Rolle, während er allen Nachdruck auf die Schöpfung als geschichtliches Phänomen legt und so das Weltall als Rahmen der Menschheitsgeschichte betrachtet (Dahl, Volk Gottes 250 f.; Schlier, Worauf 601). Gleichwohl wird mit Recht heute zumeist primär an die außermenschliche Kreatur gedacht (vgl. die Übersicht bei Kuss) und die Wendung πᾶσα ἡ κτίσις 22 dafür geltend gemacht. Auf diese Weise gewinnt nicht bloß der Kontrast zu 23 ff. seine Schärfe. Pls wurzelt damit auch in einer festen, schon at.lichen Tradition (Billerbeck; Lietzmann; Balz, Heilsvertrauen 42 ff.). Wenige Beispiele mögen dartun, wie sehr dort Fall und Erlösung des Menschen in kosmischem Horizont gesehen werden. In 4.Esra 7,11 f. heißt es: „Als aber Adam meine Gebote übertrat, ward die Schöpfung gerichtet. Da sind die Wege in diesem Äon schmal und traurig und mühselig geworden." Apk. Bar 15,32 f. stellt fest: „Sofern du von den Gerechten gesagt hast, daß um ihretwillen diese Welt gekommen sei, so wird auch wiederum die zukünftige um ihretwillen kommen." Dem entspricht der Spruch, der R. Schemuel (260) zugeschrieben wird: „Obwohl die Dinge in ihrer Fülle geschaffen wurden, so wurden sie, nachdem der erste Mensch gesündigt hatte, verdorben, und sie werden nicht eher zu ihrer Ordnung zurückkehren, bis der Ben Perez (der Messias) kommen wird." Man kann also nicht (gegen Jülicher; Bultmann, Theol. 230) von den dunklen Worten unseres Textes sprechen (Gerber, Problem 62 f.). Wie der Mensch für den Apostel die Welt repräsentiert, ist er andererseits ihr Exponent. Leben hat stets kosmische Dimension, weil es immer in Schöpfung integriert ist. Man wird von 22 her κτίσις als die gesamte Kreatur unter Einschluß des Menschen verstehen, ohne scharfe Grenzen zu ziehen. Das geschichtliche Schicksal qualifiziert wie in der jüdischen Apokalyptik stärker als die Naturhaftigkeit als solche. Anders als in ihr wird jedoch nicht ausdrücklich von der Teilhabe der Schöpfung am Fall und entsprechend auch nicht direkt von allgemeiner Erlösung gesprochen. Die Eigenart unserer Stelle kommt nicht hinreichend zum Vorschein, wenn man zu schnell das Gegenteil einträgt (richtig Vögtle, Zukunft 187 ff. 194). Die Schöpfung ist in 19 f. nicht Objekt verheißender Offenbarung, sondern wird es erst in 21, wenngleich auch dort noch sehr zurückhaltend nicht von einem neuen Himmel und einer neuen Erde, vielmehr allein von Partizipation an der eschatologischen Freiheit die Rede ist. So hat sie nach 20 an den Folgen des menschlichen Falles zu leiden. Es geht also nicht an, in unsern Versen den Blick auf die Urgeschichte zu leugnen und darin bloß Weissagung auf das endzeitliche Christusgeschehen zu finden (gegen H. W. Schmidt). Umgekehrt wird in ihnen nicht das eschatologisch wiedererlangte dominium mundi für die Christen verkündigt (gegen Leenhardt). Erst von solchen Abgrenzungen her erkennt man den entscheidenden Punkt der Argumentation.

Pls setzt zweifellos hier nicht gnostische Mythologie (gegen Bultmann, Theol. 177), sondern jüdisch-apokalyptische Tradition mit ihrer Anschauung vom Verlust der Gottebenbildlichkeit im Sündenfall voraus. 3,23; 5,2.12 ff. kommen damit erneut in den Blick. Mit ihr erwartet auch Pls deren Wiederherstellung in eschatologischer Verherrlichung, auf welche 4,25; 6,4 ff. und die Verbindung von Rechtfertigung, Neuschöpfung und Auferweckung in 4,17 ff. verwiesen. Beides stellt er in jenen Horizont, in welchem Mensch und Welt unlöslich verflochten sind (Gibbs, Creation 40 f.). Es unterbleibt jedoch die in jüdischer Apokalyptik übliche Ausmalung. Alles konzentriert sich in äußerster Reduktion auf die Mitte, die mit dem einen Wort „Freiheit" bezeichnet ist (Balz, Heilsvertrauen 49 f.). Diesem Interesse dient der ganze Kontext, und die emphatische Genetivkonstruktion am Ende von 21 krönt nicht zufällig die Argumentation. Unwichtig ist, ob τῆς δόξης semitisch ein Adjektiv vertritt oder selbständige nähere Beschreibung ist. Sachlich fallen ἐλευθερία und δόξα zusammen, so daß man also das letzte Wort nicht auf die absolute Transzendenz Gottes beziehen sollte (gegen Schlier, Worauf 600; richtig dagegen 604 ff.; Gerber, Problem 72 f.). Eschatologische Herrlichkeit ist vollendete Freiheit und diese ihrerseits der Inhalt endzeitlicher Verherrlichung der Gotteskinder. Seine Zuspitzung erfährt das darin, daß es hier die eigentliche Offenbarung der Parusie darstellt. Der Vergleich etwa mit 1.K 15,24 ff. zeigt, wie singulär solche Reduktion im Rahmen paulinischer Eschatologie ist. So gewiß Christen in der Parusie ihr Heil erwarten, weil das „mit Christus" sich dann vollendet, so wenig wird die Parusie sonst unter ausschließlich anthropologischem Aspekt, nämlich als Manifestation der Gotteskinder, anvisiert (Vögtle, Zukunft 187 ff.). Erinnern kann man höchstens an die alttestamentliche Anschauung vom neuen Zion mit der Völkerwallfahrt dorthin und an die Schilderung vom Einzug der Gläubigen in die ewige Basileia 2.Pt 1,11. Beide Male fehlt jedoch das entscheidende Stichwort der Freiheit, welche die eigentliche Epiphanie des jüngsten Tages ist, wenngleich der Gedanke hintergründig mitschwingt. Ein vorläufiges Summarium ist jetzt angebracht. Die in ihrer Schwere nicht verkannten Leiden der messianischen Zeit wiegen dem Apostel gering, weil er in der Naherwartung der endzeitlichen Freiheit steht und deren Herrlichkeit in der Gotteskindschaft vorwegnimmt. Das Nacheinander von 17c ist nicht aufgegeben, und der eschatologische Vorbehalt der Futura von 6,4 ff. bleibt erhalten. Allein Christus ist erhöht. Die Jünger werden noch durch sein Kreuz stigmatisiert und müssen den irdischen Platz einnehmen, den er verlassen hat. Das Leiden wird umgekehrt von der Gewißheit unmittelbar bevorstehenden Heils so durchdrungen, daß das Nacheinander von 17c sich dialektisch in ein Zugleich wandelt, wie es 2.K 3,18; 4,16 entspricht. Der Geist vollzieht gerade, indem er Gottes Kinder mit Christus leiden läßt, die Wandlung der alten Kreatur in die Anwartschaft auf Verherrlichung und erste Teilhabe daran. Damit bricht Hoffnung weit über die Glaubenden hinaus, nämlich für die gesamte Schöpfung, an. Denn der Welt fehlt seit Adams Fall nichts mehr als eschatologische Freiheit, welche allein Heil auch für sie bedeutet. Weil Pls eschatologische Freiheit als Heil in kosmischer Dimension versteht, beschreibt er hier singulär das Geschehen der Parusie von der Anthropologie aus. Er konnte nicht sagen, die Welt sei zu Christus unterwegs, obgleich er diesen als designierten Kosmokrator betrachtete und die Weltgeschichte auf ihn ausgerichtet sein ließ. Ihm lag jedoch daran, daß mitten in der Welt in merkwürdiger Verbindung mit ekstatischem Geschehen während der christlichen Gottesdienste und sub contrario in der mit Christus leidenden Gemeinde sich eschatologische Freiheit als Heil für alle Schöpfung abzeichnet. So erschien ihm die Christenheit, welche Kindschaft bezeugt und in der Leidensgemeinschaft auf Christus als kommenden Weltherrn hinweist, als die große Verheißung für alle Kreatur bis in die außermenschlichen Bereiche hinein. Das darf nicht bloß wie bei Calvin paränetisch ausgewertet werden. In aller mythischen Aussageform geht es hier vielmehr um das Zentrum der paulinischen Botschaft. Sie ließ ihn notwendig Weltmissionar werden. Die Rechtfertigung der Gottlosen wird in unsern Versen kosmologisch als Heil für die gefallene und stöhnende Welt variiert.

Die mythischen Züge dieser Botschaft sind nicht zu übersehen. Noch weniger sollte man jedoch verkennen, wie nahe sie der modernen Deutung der Welt in ihrer tiefen Verfremdung kommt. Entmythologisierung hat sich mindestens vor der Elle des vorigen Jahrhunderts zu hüten und gegenwärtige Erfahrung nicht weniger ernst zu nehmen als die der Aufklärung. Pls hat uns mehr zu sagen, als die theologische Zunft weithin wahrhaben will, selbst wo er sich antiker Mythologie bedient. Schon die Terminologie der folgenden Verse unterscheidet sich vom geläufigen Sprachgut. Das Stichwort ἀποκαραδοκία, nur Phil 1,20 noch gebraucht, wird durch ἀπεκδέχεσθαι interpretiert (Delling, ThWb I, 392; Bertram a.a.O. 266 f.) und hat nach der vorhergehenden Interpretation weniger den Sinn ungewisser Erwartung als den des sehnsüchtigen und ungestümen Verlangens aus dem Zustand des Geängstetseins (Schlier, Worauf 601 f.). Das Verb charakterisiert das sich ungeduldig ausstreckende Spähen nach einem Hoffnungsschimmer. Pls war weder Stoiker noch Gnostiker. Er fand sich deshalb mit den in der Welt bestehenden Verhältnissen nicht resignierend oder verächtlich ab, begehrte vielmehr leidenschaftlich neue Welt. Umgekehrt verlor er sich nicht in Illusionen über die Zukunft, sondern behielt irdische Realität fest im Auge, jener Hoffnung gegen Hoffnung getreu, welche er in 4,17 ff. am Urbilde

Abrahams als Verharren in der promissio dargestellt hat. ἀποκαραδοκία erkennt den irdischen Status quo nicht an und ist darin bewußt und gewollt oder nicht auf der Suche nach eschatologischer Freiheit. Das kann nicht anders sein, wenn Gott an seiner Schöpfung festhält. Der Status quo der gefallenen Schöpfung ist die ματαιότης, von der schon 1,21 als der Folge menschlicher Schuld sprach und welche das Verb hier als dauerndes Verhängnis kennzeichnet. Es ist nicht präzis, findet man darin vor allem geistige Leere (Bauernfeind, ThWb IV, 529; Delling, ThWb VIII, 41; Vögtle, Zukunft 194; ähnlich Lyonnet, Étapes 199 f.; Cambier, L'espérance 87 f.). Es geht um Existenz aus und für Illusionen (Schlier, Worauf 603; Gerber, Problem 68). Mit dem Verb, das den spezifischen Sinn von „unterworfen sein" hat, wird nach apokalyptischer Tradition auf die Konsequenzen des Sündenfalls verwiesen. Deshalb ist keineswegs unklar, wer der ὑποτάξας ist (gegen Bultmann, Theol. 230). Das οὐχ ἑκοῦσα, das später erleichternd in οὐ θέλουσα korrigiert wurde, deutet an, daß die Schöpfung anders als der Mensch sich nicht selber schuldig machte, und das Verb bezieht sich wie in 1.K 15,27 ff. auf die göttliche Allmacht. διά c. acc. meint nicht ausschließlich den Beweggrund (gegen Balz, Heilsvertrauen 41), sondern den Urheber (Bauer, Wb 359 f.). Weder Satan (Pallis) noch Adam (Foerster, ThWb III, 1030; Delling, ThWb VIII, 41; Fuchs, Freiheit 109; Lampe, Doctrine 458; Lyonnet, Redemptio 228) haben die Schöpfung geradezu schicksalsmäßig in den menschlichen Fall verwickelt (Michel; Gaugler; vgl. Übersicht bei Vögtle, Zukunft 194 f.). Gott hat sie ohne ihr eigenes Zutun zugleich mit dem Menschen der Nichtigkeit unterworfen (zumeist). Die Knechtschaft unter der Vergänglichkeit, also die Todesherrschaft, ist nicht bloß ihre Folge (Ridderbos; Cambier, L'espérance 88), sondern ihre Wirklichkeit (Harder, ThWb IX, 105). Hier wird sowohl auf das παρέδωκεν von 1,24 wie auf die Schilderung von 5,12 ff. zurückgeblickt. Der Aorist des Verbs weist auf die konkrete Verfluchung, nicht auf eine richterliche Entscheidung hin (gegen Michel; Gaugler). Es geht um die Übergabe an die immament wirkende Fluchmacht.

Die Differenz zu 1,24; 5,12 ff. äußert sich in dem locker angefügten ἐφ' ἐλπίδι, das offensichtlich die ἀποκαραδοκία in 19 christlich interpretiert. Was 7,21 ff. vom νοῦς und ἔσω ἄνθρωπος ausgesagt, 7,24 als Schrei der Versklavten laut wurde, gilt für die Schöpfung insgesamt. Indem sie nach Befreiung aus den sie vergewaltigenden Zwängen ausschaut, bekundet sie für christliches Verständnis jene Hoffnung inmitten der Hoffnungslosigkeit, die erst dem Glauben sinnvoll wird. 7,14 ff. wird hier nicht mythologisch ausgeweitet, sondern kosmisch begründet. Der unerlöste Mensch ist der Sprecher seiner Welt. Unser Text ist also keineswegs extravagant und steht in einem ihn erläuternden Kontext. Neu ist an unserer Stelle allein, daß sie, der Lehre von der Rechtfertigung der Gottlosen entsprechend, die Verheißung des Heils mit der Beschreibung des äußersten Unheils verknüpft und den Grund zur Hoffnung verwegen dem Stöhnen der versklavten Kreatur entnimmt. Doch ist das im Willen des Schöpfers verankert (Schlier, Worauf 604). Hier wird variiert vorweggenommen, was in 11,32 als Summe gezogen wird: Alle wurden unter den Ungehorsam beschlossen, damit allen Erbarmung zuteil würde. Wo es sich so verhält, ist die Befreiung der Kinder Gottes die Antwort auf den Schrei der Unerlösten, nämlich Anbruch und Verwirklichung der neuen Welt. Das ist die Herrlichkeit des Christenstandes, die sich gegenwärtig noch im Leiden mit Christus verbirgt. Welt wird als Schöpfung nur sinnvoll, wenn sie konstitutiv auf die libertas christiana ausgerichtet ist, die nicht mit Autonomie verwechselt werden darf (gegen Rengstorf, ThWb II, 278). In dieser ist das Unterpfand auch für ihre Teilhabe an der eschatologischen Befreiung zu erblicken. Wenn Marcion 18—22 mit innerer Notwendigkeit um seiner Theologie willen strich, folgt ihm heute ein Existentialismus, der Heil individualisiert und darin die paulinische Botschaft verkürzt, indem er Freiheit formal als Offenheit für die Zukunft beschreibt. Sie ist jedoch das Stichwort für die irdische Realität der Christusherrschaft (Schlier, Worauf 604). Richtig ist an der existentialistischen Interpretation dagegen, daß sie superbia und desperatio als die den Menschen zutiefst versklavenden Mächte erkennt. Ihre theologische Reduktion entstammt ihrer Weltanschauung, welche mit paulinischer Apokalyptik nichts mehr anzufangen weiß, anthropologisch Geschichtlichkeit den Blick auf die Geschichte der Welt verdecken läßt, den Gegensatz der Äone in 1,20 ff. durch eine theologia naturalis, hier durch die Behauptung von Mythologie vernebelt und deshalb nicht mehr adäquat vom Regnum Christi in seinem weltweiten Anbruch sprechen kann.

22 resümiert mit einleitendem, vom Glauben gesagtem (Schlier, Worauf 606) οἴδαμεν. 20 hat begründet, daß jetzt das Stichwort auch der nächsten Unterteile στενάζειν die früheren der Erwartung ablöst. Die Komposita der Verben beziehen sich (gegen H. W. Schmidt) nicht auf das bisher noch nicht erwähnte Verhalten der Christen. Bereits Theodor von Mopsuestia erkannte, daß sie ein συμφώνως ersetzen. Der Chor der Tiefe erfüllt das Weltall. συνωδίνει, offensichtlich in Anpassung an συστενάζει in ὀδυνεῖ = wehklagen korrigiert, ist auch in 4.Esra 10,9 ff. mit dem ersten Verb verbunden (Luz, Geschichtsverständnis 378), freilich in anderm Sinn. Denn συνωδίνειν konkretisiert das Seufzen im Blick auf die besonders eindrucksvoll 1QH 3,7 ff. beschriebenen messianischen Wehen. ἄχρι τοῦ νῦν, auf dem gewollt das Achtergewicht ruht (Vögtle, Zukunft 198), ist deshalb mehr als chronologische Datierung (gegen Lagrange), nämlich Aufnahme von ὁ νῦν καιρός in 18. Gemeint ist der eschatologische Augenblick (Stählin, ThWb IV, 1103; Balz, Heilsvertrauen 52), welcher der Parusie vorangeht, also dem Ende von Apk 21,4, wo mit der ersten Schöpfung auch Leid, Geschrei und Mühsal vergehen. 23—25 lassen das in einem neuen Abschnitt zugleich die Vollendung der Glaubenden von 21 sein. Die Steigerung der Argumentation bekundet sich in dem einleitenden οὐ μόνον δέ, ἀλλά. Die Satzkonstruktion würde einfacher, wenn man (Debrunner, Lesarten 34 f.) die Dublette καὶ αὐτοί mit P⁴⁶ streichen dürfte. Sie ist jedoch in vielen Variationen so überwältigend bezeugt und hat aus der inhaltlichen Paradoxie der Aussage so viel für sich, daß die Streichung als Korrektur um der Übersichtlichkeit willen zu betrachten ist (Lietzmann). Die Wiederholung ist wohl wie in SAC und, stilistisch glättend, KLP durch ἡμεῖς ursprünglich unterstrichen. Die Partizipialwendung am Anfang hat konzessiven, nicht kausalen Sinn und bekundet die thematisch in 18 herausgestellte Paradoxie des Christenstandes. Im Detail bietet der Vers weitere Schwierigkeiten. ἀπαρχή, mit ἀρραβών in 2.K 1,22; 5,5 synonym, entstammt kaum (gegen Michel) der Opfersprache des Alten Testaments. Die seltene Bedeutung von birth-certificate (vgl. Balz, Heilsvertrauen 56) ist ganz unwahrscheinlich. Es geht um das Angeld eines Kaufpreises. Die Genetivkonstruktion ist nicht (gegen Sanday-Headlam; Lietzmann; Murray; Delling, ThWb I, 484; Larsson, Vorbild 293) partitiv, sondern epexegetisch (zumeist). Die Christen seufzen nicht, weil sie den Geist noch nicht ganz besitzen, sondern obgleich sie ihn haben, und die Wiederholung des „auch wir selbst" dient diesem Skopus. Abzuwehren ist ebenso ein Verständnis, das ἐν ἑαυτοῖς auf die Innerlichkeit bezieht und damit erneut das Moment der Un-

vollständigkeit ins Spiel bringt (gegen Bardenhewer; Althaus, Leenhardt; H. W. Schmidt). Nach dem Kontext erfolgt das Stöhnen bis in den Gottesdienst hinein, also mit der ganzen Existenz. ἐν ἑαυτοῖς könnte (Vögtle, Zukunft 202) „im Blick auf uns" bedeuten, wird jedoch wahrscheinlich „bei" oder „unter uns" meinen. Lassen spätere Lesarten υἱοθεσίαν fort, ist das keineswegs als ursprünglich zu betrachten (gegen Grundmann, Übermacht 61; Bénoit, Nous gémissons 43 ff.; anders Swetnam, Expectation 103 ff.). Tendenzkritik vermied den scheinbaren Widerspruch zu 14 ff. und glättete die lectio difflior. So liegt auch kein wirklicher Widerspruch vor, weil Pls die Heilsgabe nie als unanfechtbaren Besitz versteht. Immer charakterisiert er sie dialektisch bald präsentisch, bald futurisch, um ihre Realität mit ihrer irdischen Gefährdung auszugleichen. Unangreifbar und vollendet gibt es Kindschaft erst in der ἀπολύτρωσις τοῦ σώματος. Das variiert zweifellos das Motiv von der künftigen Offenbarung der herrlichen Freiheit und nimmt das andere des Wartens der Schöpfung auf Befreiung von der Vergänglichkeit auf. Im irdischen Leibe sind wir bleibend dem Zugriff der Knechtschaft ausgesetzt. So ist die Wendung bloß in ihrem Wortlaut mißverständlich. Der Streit, ob ein gen. obj. oder (z. B. Jervell, Imago 279) ein gen. separationis vorliegt, erübrigt sich. Erlösung geschieht endgültig natürlich, wenn der Erdenleib abgestreift wird, umgekehrt jedoch in Verleihung neuer Leiblichkeit. Die Annahme einer Unsterblichkeit (Baulès) oder der Auferweckung des Fleisches (Sickenberger) ist unpaulinisch. Leidenschaftlich verlangt der Apostel nach Befreiung der Existenz aus Anfechtung und Vergänglichkeit zugunsten der Daseinsweise in einer allein Gott gehörenden Welt. Gerade darauf geht das Stöhnen der Christen im Warten auf die Parusie (Schlier, Worauf 608). Von da aus ist die nicht zu verdrängende Erinnerung daran, daß ἀπολύτρωσις konkret den Sklavenloskauf meint, hier geradezu absurd.

Pls hat den angefochtenen Glauben nicht das letzte Wort christlicher Verkündigung sein lassen. Mit seiner theologia crucis hat er gegenüber Schwärmerei der irdischen Realität den schuldigen Tribut gezollt und uns in die Gefolgschaft des leidenden Christus gestellt. Zugleich hat er jedoch, gerade weil er um die Härte und Not der Anfechtung wußte, glühend den vollkommenen Sieg Gottes über alle Gewalten des Kosmos ersehnt. Auferweckung der Toten war für ihn nicht bloß Symbol des Offenseins für die Zukunft, sondern Ende irdischer Qual. Deshalb ist für ihn das Evangelium mehr als Ideologie, nämlich promissio, und weiß er sich unter ihr mit der unerlösten Schöpfung im Schrei nach vollkommener Freiheit solidarisch. 24 begründet und bestätigt das, indem Glaube jetzt mit stärkstem Nachdruck als Hoffnung beschrieben wird. Der erste Satz scheint jeglicher präsentischen Eschatologie zu widersprechen. Besonders die Auslegung von τῇ ἐλπίδι war schon stets problematisch (Schelkle, Paulus 305; Cambier, L' espérance 78 f.). Instrumentaler Sinn (Schlatter) ist ausgeschlossen, weil der Aorist des Verbs nur auf das in der Taufe vermittelte Christusgeschehen gehen kann. Ein dat. commodi (Kühl) wäre allein möglich, wenn man hier eine Entsprechung zu ἐφ' ἐλπίδι in 21 findet (Lietzmann; Gaugler; dagegen Schlier, Worauf 609). Daß Rettung, wie ein dat. comm. ernst genommen besagt, bloß zur Hoffnung führt, ist schlechthin unpaulinisch. Der Kontext schließt freilich nicht völlig aus, daß unsere Rettung auf gewisse Hoffnung hin erfolgt. Doch würde sie dann zur Vorstufe des vollkommenen Heils, was sich wieder kaum mit der Theologie des Apostels vereinbaren läßt. Am einfachsten und wahrscheinlichsten ist deshalb die zumeist vertretene Annahme eines modalen Dativs: Hoffnung ist die Situation, in der wir auch nach 12,11 als Gerettete leben. Mit der Voranstellung des Dativs und seiner Verbindung zum aoristischen Verb wird allerdings pointiert gegen Enthusiasmus polemisiert. Die Sehnsucht der Schöpfung empfängt zwar von christlicher Hoffnung her ihre Interpretation. Umgekehrt sind die Christen mit ihrer Heilsgewißheit wie nach 2.K 4,18; 5,7 keineswegs in den Bereich des Schauens (Bultmann, ThWb II, 527 f.; VI, 223) und nicht einmal (gegen Cambier, L'espérance 96 f.) in einen Entwicklungsprozeß gestellt. Paradoxerweise teilen sie die ἀποκαραδοκία der Schöpfung bis in das Stöhnen über die Vergänglichkeit hinein. Als Geistträger transzendieren sie das Irdische nicht. Ihre antizipierende Teilhabe an himmlischer Herrlichkeit äußert sich in der Zeit der messianischen Wehen vielmehr in ταπεινοφροσύνη. Gerettet, weil Christus Heil brachte, sind sie es doch nicht anders als in Hoffnung darauf, daß ihnen von seiten Christi durch den Geist das Heil stets neu zuteil wird. Sie sind es in der facultas standi extra se coram deo per Christum, in welcher es nicht um Selbstverwirklichung, sondern um das Bleiben unter dem Wort geht. Mit einer Sentenz, welche an die Rationalität der Leser appelliert und den griechischen Sinn von ἐλπίς als ungewisser Erwartung zugleich voraussetzt wie überbietet, wird in 24b—c das Wesen christlicher Hoffnung geradezu definiert (Michel; Vögtle, Zukunft 204). Nicht deutlich ist, ob βλεπομένη passivisch oder medial gebraucht wird, also das Hoffnungsgut (so zumeist) oder, wie Vorder- und Nachsatz nahelegen, den Akt des Hoffens meint. Inhaltlich spielt das keine große Rolle, weil es in beiden Fällen darum geht, daß wir noch nicht Schauende sind. Heilsgewißheit ist nicht Heilssicherheit. Der Glaube bleibt stets Hoffnung, wo irdisch nichts hoffnungsvoll erscheint. Wie 23 wirft der Nachsatz textkritische Probleme auf. Gewichtige Lesarten bieten überraschend ὑπομένει als Verb. Das könnte Angleichung an δι' ὑπομονῆς in 25b sein, obgleich diese Wendung reichlich entfernt steht. Umgekehrt ist vom Kontext her die Korrektur eines ursprünglichen und unerwarteten ὑπομένει durch ἐλπίζει so naheliegend, daß die lectio difficilior gegen sie spricht (Lietzmann; Gaugler; Debrunner, Lesarten 35 f.; Cambier, L'espérance 101 ff.; dagegen die meisten wie zuletzt Balz, Heilsvertrauen 61). Entscheidet man sich für ὑπομένει, ist die von A u. a. gebotene Variante τίς, τί καί wohl die klarste. Um des überraschenden Verbs willen wird steigernd τί καί gesagt, um der Abhebung willen im Vordersatz ausdrücklich ein Subjekt genannt. Beim Gegensatz von βλέπειν und ἐλπίζειν waren solche Verdeutlichungen nicht erforderlich, so daß P[46] das Schema rein darstellt, die übrigen Lesarten die Unsicherheit der Tradition oder das Bemühen der Abschreiber um Klarheit anzeigen. ὑπομένει ist zu bevorzugen, weil es den Gedanken fortführt und 25b vorbereitet. Zur Hoffnung, die nicht schaut, gehört das standhafte Warten. Das Stöhnen der Christen nach endgültiger Erlösung und ihre Solidarität mit der unerlösten Schöpfung (Cambier, L'espérance 105 ff.) werden so noch begreiflicher. 25 zieht wieder das Fazit. δι' ὑπομονῆς nennt den begleitenden Umstand (Murray; Balz, Heilsvertrauen 68). ἀπεκδέχεσθαι greift das Stichwort von 19. 23 auf. Von der Schau des Himmlischen ist die Hoffnung durch die Geduld getrennt, welche sich aus dem Irdischen noch auf ihr Ziel ausrichtet. Pls argumentiert so, weil für ihn das Ziel die Überwindung der Anfechtung in der leiblichen Auferweckung ist. Er tut es polemisch der Selbstüberhebung von Pneumatikern gegenüber, welche ihren Platz nicht mehr unter dem Kreuz erblicken, und schafft so der Liebe und dem Dienst nicht bloß in der Gemeinde, sondern auch gegenüber der gequälten Schöpfung Raum. Sind Jünger nicht mehr unterwegs, so haben sie einander wie der Welt nichts mehr zu sagen und zu geben. Sie können dann nur als Vertreter einer Ideologie unter vielen betrachtet werden. Die mit der Kreatur Stöhnenden, und zwar nicht bloß in glühendem Gebet (so Pallis), sind in Wahrheit mögliche und berufene Werkzeuge des Geistes.

Der dritte Unterteil in 26—27 treibt solche Paradoxie auf die Spitze. Er hat keine neutestamentlichen Parallelen und wirkt selbst bei Pls wie ein Fremdkörper (Niederwimmer, Gebet 252). So häufen sich hier die Mißverständnisse der Auslegung. Der Einsatz wird bereits verfehlt, wenn man von der in der Antike wie heute verbreiteten „Gebetsaporie" ausgeht und Pls darin einbezieht (Harder, Gebet 130 ff.; 138 ff.; 161 f.; Ridderbos). Solche Aporie macht sich im Neuen Testament kaum bemerkbar. So ist der Skopus des Textes auch nicht das rechte Gebet, zu dem eine Anleitung gegeben werden muß. Der wichtigste Satz lautet, für das Urchristentum völlig unerhört, wir wüßten nicht, was zu beten sich gebührt. Überall wird fleißig gebetet, und das Vaterunser darf als allgemein bekannt und, in liturgischen Formularen überliefert, als fest im Gottesdienst verankert gelten. Vielfache Formen der Bitte, Fürbitte, des Dankes, der Lobpreisung, hymnischer Anbetung und glossolalischen Gebetes widerlegen die Meinung, an dieser Stelle habe es für die erste Kirche ein Problem gegeben. Begreiflicherweise wird die Aussage darum mannigfach entschärft (vgl. Übersicht bei Niederwimmer, Gebet 257 ff.). Beachtet man die Parallelität von κατὰ θεόν in 27 nicht, zieht man καθὸ δεῖ zu οἴδαμεν (Zahn; Kühl) und übersetzt: Wir wissen nicht im nötigen Maße, was zu beten ist. Andere verlegen den Ton von τί auf ein untergeschobenes πῶς (Kühl; Lagrange; Sanday-Headlam; faktisch Michel; Schlier, Worauf 610), als ginge es statt um den Inhalt um die rechte Weise des Gebets. Beliebt ist die Auskunft, Pls denke an Ausnahmezustände in auch von ihm erfahrenen Situationen (Jülicher; Gutjahr; Althaus; Asmussen; Brunner; Murray; H. W. Schmidt). Früher half man sich gern, indem man die Frage der Gebetserhörung einschob (Luther; Calvin). Heute radikalisiert man mit der Behauptung, der Mensch verstehe sich überhaupt nicht auf rechtes Beten (Gaugler; Knox, Life 107; Niederwimmer, Gebet 255 ff.), oder mit der pauschalen Feststellung, das Gebet sei die eigentliche Tat des Geistes (Schweizer, ThWb VI, 428 f.), die so nicht begründbar ist. Voraussetzung für all diese Auskünfte ist, daß ἀσθένεια in 26a ein inneres Unvermögen (Sanday-Headlam; Schlatter; H. W. Schmidt), Unvollkommenheit (Dodd), Gebetsschwäche (Nygren) sei. Doch bezeichnet der Apostel damit nicht einen psychologischen oder moralischen Sachverhalt, sondern die äußere Anfechtung der christlichen Existenz. Das Interesse der Exegeten verlagert sich fast überall von 25a auf den Fortgang des Verses, und unser Abschnitt wird vom Kontext isoliert oder als Anhang zu 23—25 betrachtet (Vögtle, Zukunft 192. 202). Doch stößt die Argumentation hier am weitesten vor, wie das nicht vergleichende (Asmussen), sondern auch Mk 14,31; 1.Tim 5,25 abschließende ὡσαύτως anzeigt (Balz, Heilsvertrauen 69). Primär geht es nicht um das, was wir tun oder nicht können, sondern um das Werk des Geistes, und er nimmt uns nicht einen Teil der Arbeit ab (Zahn), sondern kommt mit göttlicher Kraft den irdisch Angefochtenen zur Hilfe. Präzisiert wird das durch das ebenfalls seltene zweite Verb ὑπερεντυγχάνειν, das wie in 8,34; Hebr 7,25 Interzession bezeichnet (Schniewind, Seufzen 83. 92; Barrett; Kirk; Murray; Franzmann; Sickenberger; Balz, Heilsvertrauen 75 f.). Das Motiv des Fürsprechers ist verbreitet, und im Judentum üben viele Gestalten dessen Funktion aus (vgl. Balz 83 ff.). Im Neuen Testament bleibt sie, weil der Paraklet des 4. Evangeliums eine andere Aufgabe hat (Niederwimmer, Gebet 261), außer in unserm Text Christus vorbehalten. Es muß also mit der Interzession des Geistes eine besondere Bewandtnis haben, zumal sie anders als die des erhöhten Christus in στεναγμοῖς ἀλαλήτοις erfolgt. Moderne Deutung bezieht das erbaulich auf wortlose Seufzer (Sanday-Headlam; Schlatter; Dodd; Nygren; Asmussen; Greven, Gebet 153; Schlier, Worauf 611; Taylor; dagegen Ridderbos; Balz, Heilsvertrauen 81). obgleich davon in der Urchristenheit keine Rede sein kann (Schniewind, Seufzen 86; Gaugler 71 f. 74). Es kann sich vielmehr nur um ekstatische Schreie handeln (Gaugler; Murray; Kirk). In 1.K 14,15 vermerkt der Apostel ausdrücklich ein Beten im Geist während des Gottesdienstes, und dieses rabbinisch noch nicht bezeugte, in den Hodajoth Qumrans jedoch vorausgesetzte Phänomen (vgl. Billerbeck und Dietzel, Beten 24 ff.) wird durch Eph 6,18; Jud 20; Apk 22,17 bestätigt. Natürlich gibt es auch private Ekstase. Doch sind die hier genannten Seufzer als sichtbare Bekundungen des Geistes betrachtet, und sie werden mit dem Rechtsakt der in ihnen erfolgenden Interzession des Geistes zusammengebracht. Das ist sinnvoll nur bei gottesdienstlichen Vorgängen (Zahn; Althaus; Fuchs, Freiheit 112; Balz, Heilsvertrauen 91; ablehnend Gutjahr; Bardenhewer; Leenhardt; Michel; Murray; Delling, Gottesdienst 32). 15 hat aus einem derart ekstatischen Schrei im Gottesdienst weitgreifende Folgerungen gezogen, und hier wie in 16 wird die Formel αὐτὸ τὸ πνεῦμα gebraucht, welche den in der Versammlung objektiv handelnden Geist bezeichnete und vom Pneuma im Einzelnen unterschied.

26b bekommt nun klaren Sinn. Es geht dem Apostel nicht um das Problem und die Methodik des Gebetes, nicht einmal primär um mystische oratio infusa (gegen Lietzmann; Dodd). Vielmehr trifft er seine Feststellung im Blick auf bestimmte Vorgänge im Gemeindeleben, die mißverständlich sind und faktisch mißverstanden werden (Gaugler, Geist 67. 70 ff. 76), nämlich die unaussprechlichen Seufzer. Das kann sich kaum wie in 15 auf Akklamationen beziehen, die durchaus verständlich sind. Wohl gibt es jedoch guten Sinn, wenn an glossolalisches Gebet wie in 1.K 14,15 gedacht wird (Zahn; Althaus; Hamilton, Spirit 36; Cullmann, Heil 233; Balz, Heilsvertrauen 79 f.; möglich Delling, ThWb I, 376; Harder, Gebet 169 f.; unwahrscheinlich Barrett; abgelehnt bei Sikkenberger; Huby; Schlatter; Gaugler; Michel; Greeven, Gebet 155). Der Einwand, Zungenrede erfolge seitens einzelner Christen, nicht von der Gemeinde (Schlatter; Gaugler; Leenhardt), verfängt nicht. Denn in 1.K 14 ist das glossolalische Gebet für den Gottesdienst im ganzen repräsentativ. Wie dort akzeptiert Pls die Glossolalie als himmlische Rede und als Äußerung endzeitlichen Geschehens. Zu fragen ist höchstens, warum er statt vom Beten im Geist von στεναγμοὶ ἀλάλητοι spricht. Die Antwort ergibt sich von 2.K 12,4 her. Bei seiner Entrückung hat Pls ἄρρητα ῥήματα gehört, was nach dem Zusammenhang wieder nicht „wortlos", sondern nur „in irdischer Sprache nicht auszudrücken, unaussprechlich" bedeuten kann. Pls ist gewürdigt worden, Engelsprache zu vernehmen und vermag sie nicht wiederzugeben. Eben darum haben jedoch auch die Korinther die Glossolalie höher als alle andern Charismen geschätzt, weil sie ihnen als die Sprache der Engel von 1.K 13,1 gilt, also die Teilhabe der Pneumatiker am himmlischen Wesen demonstriert. Der Apostel hat sich mit solcher Betrachtungsweise auseinandersetzen müssen und tut es, indem er dem gottesdienstlichen Vorgang der Glossolalie einen andern Sinn als die Korinther beimißt. Er, der sich in 1.K 14,18 selber glossolalischer Begabung rühmt, leugnet nicht, daß sich der Geist in himmlischer Sprache äußert, und erblickt darin ein Zeichen der Endzeit, in welcher sich die Weissagungen von Jes 28,11 f.; Dt 28,49 erfüllen. Um die Glossolalie in dieser Weise zu kennzeichnen, wird in unserm Text von „unaussprechlichen Seufzern" gesprochen. Himmlische Sprache wird im christlichen Gottesdienst als Wirkung des Geistes vernehmbar. Was die Enthusiasten jedoch als Erweis ihrer Verherrlichung betrachten, wird vom Apostel als Zeichen eines Defizits gedeutet. Das glossolalische Gebet offenbart nicht die Kraft und den Reichtum der christlichen Versammlung, sondern ihre ἀσϑένεια. Der Geist selber muß eingreifen, wenn unser Beten den gottgefälligen Inhalt erhalten soll. Er greift so ein, daß er uns sogar im Gottesdienst zu jenem Stöhnen bringt, von dem die unerlöste Schöpfung voll ist und aus dem die Sehnsucht nach Erlösung des Leibes seitens der Angefochtenen spricht. In gottesdienstlicher Glossolalie ertönt auf seltsame Weise und derart, daß wir das Anliegen des Geistes, der uns zum Gebet treibt, selber nicht begreifen, der Schrei nach eschatologischer Freiheit, in welchem die Christen zu Repräsentanten aller gequälten Kreatur werden. Darin bekundet sich der Geist als Interzessor der Gemeinde vor Gott und reißt sie in seine Interzession mit hinein. Durch ihre ekstatischen Schreie wird Fürbitte für alle gebundene und vergewaltigte Schöpfung eingelegt. Die Interzession des erhöhten Christus findet zur Rechten Gottes statt. Der Geist ist jedoch die irdische Präsenz des erhöhten Herrn und treibt dessen Werk im Raum und durch den Dienst der Gemeinde, also auch die Interzession. Hält man diese nur im himmlischen Bereich für möglich (Michel; J. Schneider, ThWb VII, 602; Zorn, Fürbitte 117), versteht man nicht, daß hier von der Interzession des Geistes gesprochen wird und daß sie mit den Schreien der Glossolalen zusammenfällt. Sinnvoll ist das jedoch, wenn sie die irdische Spiegelung dessen ist, was der himmlische Hohepriester vor Gottes Thron tut.

27 zieht die conclusio. Gott erhält das traditionell alttestamentlich-jüdische Prädikat des Herzenskündigers (Balz, Heilsvertrauen 81), weil er die Menschen durchschaut und selbst das begreift, was sie bei sich nicht zu erkennen vermögen. Er versteht darum auch das φϱόνημα des Geistes, das sich in den unverständlichen Schreien der Ekstatiker bekundet. Der ὅτι-Satz ist (gegen Sanday-Headlam; Gaugler, Geist 90; Balz, Heilsvertrauen 80 f.) nicht explikativ gemeint, sondern kausal (zumeist). Anders müßte der Inhalt des φϱόνημα, nämlich der Ruf nach der Freiheit, angegeben werden. Statt dessen wird der Vordersatz damit begründet, daß der Geist interzessorisch wirklich vor Gott dringt und seinem Willen gemäß (Gaugler, Geist 75 kaum richtig: nach seiner Art) betet. Er tut es für jene Gemeinde, welche mit dem urchristlichen Selbstprädikat der Heiligen bedacht wird und diesen Namen als vom Pneuma regiert auch verdient. Damit ist der Höhepunkt der Argumentation erreicht, in welcher dreifach die Herrlichkeit der Gotteskinder paradox mit dem Stand in der Anfechtung verbunden wurde. Diese Herrlichkeit ist so groß, daß alle Schöpfung auf ihre noch ausstehende endgültige Offenbarung wartet. Sie verbirgt sich selbst im christlichen Dasein sub contrario, nämlich in dem angefochtenen Glauben als standhafter, heilsgewisser Hoffnung. Sie äußert sich endlich in den ekstatischen Vorgängen des Gottesdienstes so, daß nicht einmal die Gemeinde deren eigentlichen Sinn erkennt und vom Geist vertreten wird. Weil es immer um die eschatologische Freiheit geht, sind die Teile konzentrisch aufgebaut. Die christliche Gemeinde ist als Trägerin und Erbin der Verheißung Anbruch der neuen Schöpfung und Repräsentantin aller Kreatur, ist es aber im Sinn der 1. Seligpreisung, in der Solidarität mit der Schar der Wartenden, Leidenden, Stöhnenden, noch nicht eindeutig Ausgewiesenen, kurz der Hoffenden. Das muß so sein, weil sie gegenwärtig noch im Schatten des Kreuzes steht, um

sich als Gemeinde dessen zu erweisen, der sich von allen sonstigen Herren durch das Kreuz abhebt. Gerade der Geist als die sich irdisch manifestierende Macht des Erhöhten stellt sie jedoch auf diesen Platz. Nur dort ist sie wirklich „mit Christus" und „in Christus", weil nur dort Jesu Geschick von ihr aufgenommen und er sichtbarlich als Herr bekannt wird. So steht sie auch in der Gemeinschaft mit der von Gott nicht preisgegebenen Schöpfung, welche die Schwärmer immer wieder um der eigenen Seligkeit willen, den Gekreuzigten verleugnend, zerbrechen. Die Enthusiasten werden aus den erträumten Himmeln radikal präsentischer Eschatologie in die messianischen Wehen zurückgerufen, die sogar den christlichen Gottesdienst noch bestimmen sollen. Wo es um justificatio impiorum geht, will Gott nicht bloß eine neue Religiosität, sondern erneute Schöpfung unter dem Kosmokrator Christus. Darum kann rechte Theologie nicht theologia gloriae sein. Sie muß theologia viatorum unter der Botschaft des Evangeliums als promissio für alle Welt, Theologie der Hoffnung bleiben. Ist eschatologische Freiheit ihr Inhalt, kann nur Auferweckung von den Toten sie vollkommen verwirklichen. Die neue oboedientia und die liturgischen Geschehnisse deuten zeichenhaft auf diese Zukunft. Glaube bleibt nicht Glaube, wenn er aufhört, Geduld zu sein, Liebe zu ermöglichen, Hoffnung zu begründen, uns tiefer in die Solidarität mit aller Kreatur zu ziehen, statt uns über sie zu erheben. Die nicht bloß individuelle, sondern konstitutiv kosmische Dimension der justificatio impiorum muß bis in die gottesdienstliche Liturgie hinein sichtbar werden (Schniewind, Seufzen 91 ff.; Eichholz, Theol. 278).

Mit 27 ist die in 19 begonnene Gegenbewegung abgeschlossen. 28 kehrt mit deutlich abhebendem, die Glaubenserfahrung wiedergebendem (Grayston, Election 575 f.) οἴδαμεν zur Ausgangsposition von 18 zurück. Die Leiden der gegenwärtigen Zeit können nicht geleugnet werden. Hieß es früher, sie ständen in keinem Gewicht, verglichen mit künftiger Herrlichkeit, wird solche Aussage jetzt noch überboten. Alles, also eben auch die genannten Leiden, muß dem Glaubenden zum Guten ausschlagen. Die Klimax des Abschnittes setzt sich fort und erreicht in 29 f. einen neuen Höhepunkt. 28 ist im Stil eines Lehrsatzes gehalten (Michel; J. B. Bauer a.a.O. 106) und greift auf einen verbreiteten antiken Topos zurück (W. Bauer, Wb 1559; Billerbeck; Lietzmann; Cranfield, Rom 8,28, S. 212 f.; J. B. Baur 106 ff.). R. Akiba (Ber 60b) lehrt: „Man soll sich gewöhnen, immer zu sagen: alles, was die Barmherzigkeit (Gottes) tut, tut sie zum Guten." Entscheidend ist, ob und wie weit der Apostel diese Tradition präzisiert oder sich von ihr abgrenzt. Die stark bezeugte und weithin angenommene Lesart mit ὁ θεός als Subjekt (Kühl; Pallis; Dodd; Lagrange; Huby; Kirk; Barth; Bertram, ThWb VII, 873; wahrscheinlich Gaugler; Schlier, Worauf 612) ist wohl eine erbauliche Korrektur (Lietzmann; Michel; Ridderbos; ausführliche Erörterung bei Cranfield a.a.O. 206 ff.). Ein Grund für die Annahme, πάντα sei Verschreibung eines ursprünglichen πνεῦμα (Black, Interpretation 166 ff.; dagegen Cranfield 207; Balz, Heilsvertrauen 103 f.), liegt wohl nur in der Sorge vor vermeintlichem Synergismus. συνεργεῖν, auf das Subjekt πάντα bezogen, meint „gemeinsam wirken" und hat vielleicht die hellenistische Sonderbedeutung „förderlich sein" (Cranfield 211; J. B. Baur 107; Balz 106), die in Test. Is 3,8; Gad 4,7; Benj 4,5 aufgegriffen ist. Alttestamentlich-jüdischer Tradition entstammt auch die z. B. in Ps. Sal 4,25; 6,6; 10,3; 14,1 erhaltene und in 1.K 2,9; 8,3 begegnende Bezeichnung der Frommen als derer, die Gott lieben (Cranfield 205; Larsson, Vorbild 294; Balz 104 f.). Wenn Pls selber diese Formel aufgreift, grenzt er sich damit unter Umständen vom jüdischen Gerechtigkeitsideal ab (Baur a.a.O. 108 ff.). Für ihn ist charakteristisch, daß er sie sonst umkehrt, also von Gottes Liebe zu uns spricht und darunter keine Emotion, sondern das „Dasein für" begreift. So wird sie hier durch die erläuternde und kausale (Ridderbos) Apposition am Satzschluß im Sinn von 1.K 8,3 interpretiert. Gott kann man nur lieben, wenn man von ihm erwählend „erkannt" ist. Das wird durch κατὰ πρόθεσιν κλητοί ausgedrückt, das man nicht ausschließlich (gegen Huby) auf die Gemeinde beziehen sollte. πρόθεσις ist in hellenistischer Sprache so viel wie die öffentliche Feststellung, das amtliche Dekret, in unserm Verse wie geläufig in Qumran der göttliche Heilsratschluß (Michel; Maurer, ThWb VIII, 165 ff.). Weil man sich häufig an der Prädestinationslehre stößt, wird (etwa bei Luz, Geschichtsverständnis 251 f.) das Scheinproblem aufgeworfen, ob es sich wie in Eph 3,11; 2.Tim 1,9 um den vorweltlichen Ratschluß handelt oder nicht. Nach 29 f. als Erläuterung zu 28b (Balz 102) ist die Frage, wie es dem Schöpfer gebührt, offensichtlich zu bejahen. Doch zeigt sich in 1.K 1,18 ff.; 2.K 2,15 f., daß der Heilsratschluß uns im berufenden Wort begegnet, und das kommt hier in dem κλητοί zum Vorschein. Zu bestimmen bleibt nun nur noch εἰς ἀγαθόν, das in der zugrunde liegenden antiken Tradition den guten Ausgang seltsamer irdischer Wege meint und so auch im Judentum verwandt wird (Billerbeck). In unserm Kontext kann es wie 10,15 allein das eschatologische Heil bezeichnen, das gegenwärtige Erfahrung freilich nicht ausschließt. 28 ist also aus Bruchstücken jüdischer Überlieferung zusammengefügt, die erst insgesamt sich paulinischem Denken einpassen. 18 wird damit variiert, 29 f. vorbereitet. Die irdischen Bedrängnisse werden in den Schatten des göttlichen Heilsratschlusses gestellt, der ihnen zum Trotz und durch sie hindurch sein Ziel an uns verwirklicht (Dupont, Gnosis 100 f.), ohne daß deshalb von einem Entwicklungsprozeß (Sanday-Headlam) die Rede wäre. Sie bilden eine Etappe unseres irdischen Weges, auf welche von göttlicher Vergangenheit und Zukunft her Licht fällt.

Sorgfältig rhetorische Stilisierung der kettenartig verbundenen und sich steigernden Versglieder wie für den Apostel nicht typische Wortwahl sprechen dafür, in 29 f. ein liturgisches Traditionsstück zu erblicken (Jervell, Imago 272 ff.; Cassien, Fils 38 ff.). Vom Inhalt her liegt so etwas wie Bekenntnis vor (H. W. Schmidt). Reserviert man dieses Stichwort für die Christushymnen, welche die Kettenform nicht aufweisen, und liegt der Nachdruck hier auf der Aufzählung erfahrenen Heils seitens der Gemeinde, wird man eher die Verwandtschaft zu einem Text wie Eph 2,5 herausstellen. 29b und 30b—f sprechen für einen Sitz im Leben beim Taufgeschehen. Die Konjunktionen und der Finalsatz 29c könnten paulinisch sein. Schwierig ist die Differenzierung der beiden ersten Verben, die man früher oft auf Präscienz und Prädestination bezog (Bardenhewer; Gutjahr: Huby; Lagrange; Murray; unklar Gaugler). Pls oder die von ihm zitierte Vorlage bieten einen Verständnisschlüssel, indem sie das zweite Verb mit einer Angabe des Zieles verbinden (Michel; Schlier, Worauf 613), wie es auch Eph 1,5 geschieht. προγινώσκειν geht auf ewige Erwählung, die schon in κατὰ πρόθεσιν 28c genannt wurde. προορίζειν präzisiert. Die ewige Erwählung ist zugleich Vorherbestimmung zur Christusgemeinschaft, in welcher Gottes Heilsratschluß sich konkretisiert. Stellen wie 1.K 15,49; 2.K 3,18; Kol 1,18; Phil 3,10 f. haben dazu verführt, an den auferstandenen Christus und wie in Phil 3,21 an die Teilhabe an seiner Auferstehungsleiblichkeit zu denken (Sanday-Headlam; Lietzmann; Gutjahr; Huby; Gaugler; Larsson, Vorbild 303 f.; Schlier, Worauf 613). Dann mußte man σύμμορφους abschwächen und mit Verbundenheit wiedergeben (Kürzinger, Rm 8,29, S. 296 ff.; Thüsing, Per Christum 121 ff.). Dagegen ist einzuwenden, daß Pls in unserm Text durchweg aoristisch die Gegenwart des Heils begründet und keineswegs bloß vom erhöhten Christus spricht (Balz, Heilsvertrauen 110 ff.). Vielmehr ist Christus als Manifestation der eschatologischen Gottebenbildlichkeit hier die göttliche Eikon schlechthin wie in 2.K 4,4; Hebr 1,3 (Jervell, Imago 205. 287; Eltester, Eikon 133 ff.), also der Schöpfungsmittler von Kol 1,15 und das Urbild jener Kreatur, das Philo ἀρχηγέτης νεᾶς σπορᾶς nennt (vgl. Eltester 34—42). Ihm werden wir in jener Geburt gleichgestaltet, von welcher Gal 4,19 in Taufsprache redet und die nach Phil 3,10 zur Teilnahme an seinem Sterben führt. So stellt der Finalsatz unmißverständlich heraus, daß das bereits in unserer irdischen Existenz geschieht. Wie in dem Hymnus Kol 1,15 ff. wird das Prädikat εἰκών von dem andern des πρωτότοκος abgelöst, das ursprünglich Israel (Michaelis, Vorstellung 137 ff.) galt, dann auf die Tora, parallel dazu auf die Sophia, auf Adam, Jakob und bei Philo auf den Logos übertragen wurde (Billerbeck; Eltester, Eikon 34 ff.) und so Messiasprädikat werden konnte. Es geht dabei nicht bloß um das selbstverständliche Verhältnis zu Gott (so Michaelis, ThWb VI, 878), sondern ebenso um den Primat in der Gemeinschaft des Gottesvolkes, weshalb hier von den vielen Brüdern die Rede ist. Die Erläuterung dazu gibt Hebr 2,11 ff., wonach der Sohn die Söhne schafft und sie als Brüder anerkennt. Hier liegt deutlich feste Tradition vom eschatologischen Adam als dem Urbild der Gottessöhne vor, die am besten der Taufparadossis zuzuordnen ist (Schille, Hymnen 89 f.; Jervell, Imago 275 ff.; Luz, Geschichtsverständnis 251 ff.). Dafür spricht auch die auffallende Verwendung von δικαιοῦν, die wie in der Taufaussage 1.K 6,11 jene Gerechtigkeit anvisiert, wie sie in der hellenistischen Gemeinde (vgl. Reitzenstein, Mysterienreligionen 257 ff.) die Schar der Geweihten charakterisiert (Schlier, Worauf 614). In solchen Zusammenhang paßt auch das aoristische ἐδόξασεν, das die Exegeten stets verwirrte, weil Pls sonst himmlische δόξα erst von der Parusie erwartet. Man hat deshalb das Verb anders als die vorhergehenden antizipierend verstanden (Lietzmann; Kühl; Gutjahr; Lagrange; Bardenhewer; Leenhardt; Gaugler; Michel; Larsson, Vorbild 306 f.; Bultmann, Theol. 350; Thüsing, Per Christum 123 ff. 130). Das ist innerhalb einer enthusiastischen Tauftradition wie in Eph 2,5 f. nicht mehr nötig. Sie sprach von Verwandlung ins himmlische Wesen (Kittel, ThWb II, 395 f.; Behm, ThWb IV, 766; Eltester, Eikon 24 f. 165; Schwanz, Imago 18; Cassien 42; Balz, Heilsvertrauen 113). In der Taufe ist uns die nach 3,23 verlorene Gottebenbildlichkeit in der Gleichgestaltung mit dem Sohne zurückgegeben worden. Pls hat diese seinem eschatologischen Vorbehalt widersprechende Aussage wie in 2.K 3,18; 4,6 aufgenommen, um im Kontext von 19—27 paradox die Verbindung zwischen dem Leiden mit Christus und der Herrlichkeit der Gotteskindschaft herauszustellen. So gewinnt er zugleich den Übergang zum folgenden Thema der Überwindung.

d) 8,31—39: Das Sein im Geiste als Wirklichkeit der Überwindung

31 Was sollen wir dazu nun sagen? Wenn Gott für uns (ist), wer (kann dann) gegen
32 uns (sein)? Er hat nicht einmal seinen eigenen Sohn verschont, sondern ihn für uns
   alle dahingegeben. Wie sollte er nicht erst recht zugleich mit ihm uns alles schenken?
33 Wer kann gegen Gottes Auserwählte Anklage erheben? Gott sprach gerecht. Wer
34 will verdammen? Christus Jesus, der Gestorbene, mehr: der Auferweckte, ist zur

35 Rechten Gottes, gewiß unser Fürsprecher. Wer sollte uns von der Liebe des Christus trennen können? Anfechtung, Bedrängnis, Verfolgung, Hunger, Blöße, Gefahr
36 oder Schwert? Freilich steht geschrieben: „Deinetwillen werden wir täglich in den
37 Tod gegeben, wie Schlachtschafe sind wir gesehen." Dennoch: In all dem trium-
38 phieren wir aus der Kraft dessen, der uns geliebt hat. Denn ich bin völlig gewiß:
Weder Tod noch Leben, weder Engel noch Herrschaften, weder Gegenwärtiges noch
39 Zukünftiges noch Gewalten, weder Höhe noch Tiefe noch irgendeine andere Kreatur
können uns trennen von der Gottesliebe in Christus Jesus, unserm Herrn.

Literatur: H. Schlier, Mächte und Gewalten im Neuen Testament, ThBl 9 (1930), 289-297.
Ders., Mächte und Gewalten im Neuen Testament, Quaestiones Disputatae 3, 1958. K. L. Schmidt,
Die Natur- und Geistkräfte im paulinischen Erkennen und Glauben, Eranos-Jahrbuch 1946, 87
bis 143. J. Schoeps, The Sacrifice of Isaac in Paul's Theology, JBL 65 (1946), 385-392. K. Romaniuk, L'origine des formules pauliniennes ,Le Christ s'est livré pour nous', ,Le Christ nous a
aimés et s'est livré pour nous', Nov. Test. 5 (1962), 55-76. G. Münderlein, Interpretation einer Tradition. Bemerkungen zu Römer 8,35 f., KuD 11 (1965), 136-142. G. Schille, Die Liebe Gottes in
Christus. Beobachtungen zu Rm 8,31-39, ZNW 59 (1968), 230-244. N. A. Dahl, The Atonement
— an adequate Reward for the Akedah? (Roe 8,32), Neotestamentica et Semitica (Festschrift M.
Black), 1969, 15-20.

Man hat stets empfunden, daß sich hier paulinisches Pathos aufs stärkste bekundet.
Die Tradition von 29 f. hat darauf vorbereitet. Doch geht es nicht bloß um eine weitere
Entfaltung des Vorhergehenden oder in Anknüpfung an 28 um einen Kontrast zu 19—27
(Schille, Liebe 231). Zweifellos wird letzte Steigerung der bisherigen Argumentation des
Kapitels erreicht, auch wenn das Thema des „im Geist" nicht mehr explizit erscheint.
Ist dieses Thema bei Pls jedoch eine Variation des „in Christus", hat es guten Sinn, daß
es jetzt auf diese seine letzte Wirklichkeit gebracht wird. Gegen ein verbreitetes Urteil
hat der Apostel gerade unsern Brief sehr sorgfältig komponiert und systematisch geglie-
dert. Unser Abschnitt übergreift den Kontext und bildet den Abschluß des Gesamtteils
von c. 5—8. Freiheit von Tod, Sünde, Gesetz ist Freiheit der Angefochtenen, sofern die
Christen auf sich selbst blicken. Sie ist Freiheit der Überwinder, sofern der Herr seine
Macht an ihnen und durch sie offenbart. Von da aus sind Pathos und Rhetorik des
Stückes zu begreifen. Das moderne Urteil über „dichterische Schönheit" (Kühl; Jülicher;
Dodd; H. W. Schmidt) ist zwar verständlich, gleichwohl jedoch völlig unangebracht, zumal wenn es sich mit der Warnung vor allzu kritischer Analyse verband (Jülicher). Es
geht nicht einmal an, 31 ff. als Doxologie (Balz, Heilsvertrauen 116) oder als Hymnus
zu kennzeichnen (Huby; der Tendenz nach auch J. Weiss, Beiträge 195 f.), so gewiß
hymnisierender Stil und Anlehnung an Bekenntnisformulierungen vorliegen. Das Spiel
von Frage und Antwort, Einwänden und deren Abweisung beweist, daß wieder christliche Diatribe mit einer Annäherung an antike Kunstprosa geboten wird. Die Wirkung
auf den heutigen Leser sollte nicht den traditionsgeschichtlichen Ort und Charakter des
Abschnittes verdecken. Von da aus ist auch die Gliederung zu erörtern. Die Klimax der
Ausführungen ist nicht zu verkennen. Doch entspräche es eher einem Hymnus als einer
diatribischen Argumentation, ließe sich von Strophen reden (J. Weiss, Beiträge 195 f.;
Lagrange; Leenhardt). Nimmt man zumeist 4 kleinere Einheiten oder (Balz, Heilsvertrauen 117 ff.) vom Stichwort „trennen" her zwei an, wird es der steigernden Gedanken-

führung am besten gerecht, wenn man auf die typische Einleitungsfrage 31a einen ersten Gesprächsgang in 31—32, einen zweiten in 33—34, einen dritten in 35—39 findet (Leenhardt; Schille, Liebe 232). 38—39 geben freilich nicht bloß Antwort auf 35, sondern bilden einen Abschluß des Ganzen (Michel). Inhaltlich überschneiden sich die Kreise ähnlich wie in 19—27. Psychologie trifft auch hier (gegen Leenhardt) die Klimax nicht, weil hinter der diatribischen Form der Sachverhalt der Auseinandersetzung mit den Weltmächten und wenigstens indirekt der Gedanke des Rechtsstreites Gottes mit ihnen im Blick auf die Herrschaft über die Christen steht (Chr. Müller, Gottes Volk 72).

Die rhetorische Einleitungsfrage bereitet nicht nur das unmittelbar Folgende vor. Sie stellt die Summe von c. 5—8 zur Debatte. Schon zu 5,5 trat heraus, daß die göttliche Liebe nicht als Affekt verstanden werden darf (gegen Kühl u. a.). Hier zeigt sich deutlich, daß sie die Relation des „Daseins für" bezeichnet und so das prädestinierende Geschehen von 28—30 umgreift. Pls kennt weder die eigenständige Existenz des Menschen und der Welt noch einen für sich selbst seienden Gott, bietet darum einer Metaphysik im herkömmlichen Sinn keinen Anhalt. Die nicht zu bestreitende Mythologie dient der eschatologischen Perspektive. Denn den festgestellten Motiven der Prädestination zum Trotz wird das Verhältnis von Schöpfer und Welt nicht aus einer Protologie her behandelt. Gerade unser Abschnitt beweist, daß das Heilsereignis des Todes und der Erhöhung Christi die Mitte bildet und von da aus Beginn und Ende der Geschichte in den Blick rücken. Nicht ein Gottesgedanke, sondern die in Jesu Tod zentrierende Heilstat charakterisiert den Gott für uns (Luz, Geschichtsverständnis 371; Balz, Heilsvertrauen 118), von dem auch 1.K 8,5 f. spricht. Allein vom Kreuz her wird er nach 1.K 1,21 in seiner Wahrheit erkannt, bekommt die Welt ihr Gesicht, werden Welt und Gemeinde sowohl verbunden wie kontrastiert. Von dort gewinnt die Christenheit ihren Stand in der Überwindung. Denn das Kreuz ist der Ort, wo göttliche Macht sich als von vornherein auf Auferweckung zielend, deshalb als Allmacht bekundet und wo das Evangelium als Gotteskraft seinen Ursprung hat. Stellt Rechtfertigung der Gottlosen den θεὸς ὑπὲρ ἡμῶν als den Schöpfer aus dem Nichtseienden heraus, so seine Liebe als den, welcher die neue Schöpfung mit der Kraft der Auferweckung schützt und sie zum Widerstande gegen himmlische und irdische Mächte befähigt. So gehen hier tatsächlich Geist und Liebe Gottes ineinander über. Der Geist klärt, daß es sich in der Liebe nicht um eine allgemeine Eigenschaft Gottes handelt, sondern um das sich durchsetzende Tun des Heilschaffenden auf der Erde. Der alte Äon ist rebellisch, drohend und pervertiert noch vorhanden, so daß Christen die Angefochtenen sind. Umgekehrt vermag keine Kreatur etwas gegen ihren Herrn und die sich zu ihm Haltenden, von ihm Gehaltenen. Daß im Geist sich Gott nicht bloß sein Recht holt, sondern gnädig heimholt und bewahrt, also sich als Liebe des Schöpfers manifestiert, ist der Triumph der Angefochtenen. Er äußert sich, wie heute fast durchweg anerkannt wird, mindestens in 32—34 mit Bekenntnisfragmenten.

Diese Einsicht ist (gegen Schille, Liebe 233) allerdings nicht zu übertreiben, als läge hier geläufiges Kerygma in paulinischer Prägung vor. Der Stil des Ganzen ist durchaus prosaisch. Als paulinisch sind anzusprechen die Verben φείδεσθαι und das eschatologisch gemeinte χαρίζειν im Sinn „gnädig schenken", die Antithese 32ab, die Frage 32c, das τὰ πάντα, das nicht (gegen Zahn) das All, sondern emphatisch „alles" bedeutet, das abgeblaßte σὺν αὐτῷ = „zugleich mit" (Gutjahr), nicht technisch „in Gemeinschaft mit" (Michel). Das ὅς γε = quippe qui versichert, ist also nicht das hymnisch einleitende Relativ. Fraglos liturgischen Charakter hat die Wendung „für alle dahingegebenen", das sich jedoch mindestens von hier aus nicht auf das Taufbekenntnis oder auf eucharistische Rede zurückführen läßt (gegen Schille. Liebe 232 f.; Romaniuk, L'origine 61). Es mag aus katechetischer Tradition aufgenommen sein. Eine Reminiszenz an Formelgut liegt wohl auch in der Redeweise vom eigenen Sohn vor, welche in der Taufparänese Kol 1,12 auf die vom geliebten Sohn zugespitzt wird. Es ist mindestens nicht ausgeschlossen, das 32a an das typologische Urbild Abrahams in Gen 22,16 LXX denkt (Zahn; Schoeps, Sacrifice 390; Paulus 149 f.; Michel; H. W. Schmidt; Ridderbos), obgleich das keineswegs sicher genannt werden kann (vgl. Dahl, Atonement 16 ff.). Trotz einiger geprägter Formeln ist in 31b—32 also nicht von einem vorpaulinischen oder vom Apostel stilisierten Bekenntnis zu sprechen. Die Quintessenz der rhetorisch wirkungsvollen Argumentation ist die Erläuterung des „Gott für uns" und der Appell an die Ratio der Leser anzuerkennen, daß der den eigenen Sohn dahingebende Gott uns nichts versagen wird, was zu unserm Heil notwendig ist. Anders steht es um 33—34. Diatribischer Stil setzt sich zwar fort, wenn auf eine kurze und rein hypothetische Frage in 33a und 34a Antworten folgen, welche die Sinnlosigkeit der Fragen herausstellen. Unmöglich sind sämtliche Aussagen als Fragen zu verstehen und durch „etwa" einzuleiten (gegen Lietzmann; richtig Ridderbos). 34b wird durch die folgende Apposition so ausgeweitet, daß eine Behauptung vorliegt, und das muß dann auch für 33b gelten. Nicht zu fragen ist, wer der Ankläger in 33a sei, und an Satan zu denken (möglich Barrett; Leenhardt). Die Rhetorik des Apostels wird dabei nicht genügend beachtet, die Unmögliches fragen läßt und das in den Antworten klarstellt. Das Futur ist nicht eschatologisch (Gaugler; Schille, Liebe 233), sondern logisch. Deshalb wird in den Nachsätzen die Vergangenheitsform gebraucht. Der Prozeß, auf welchen die juridische Terminologie hinweist, ist durch das Heilsgeschehen abgeschlossen (Balz, Heilsvertrauen 119), und von sittlichen Sorgen (Jülicher; Dodd) kann keine Rede sein. Richtig dürfte sein, daß das Gottesprädikat ὁ δικαιῶν aus Jes 50,8 stammt und die Fragen des Textes in gewisser Analogie zu der Situation von Jes 50,7—9 stehen. Ernsthaft von einer Paraphrase des Liedes vom Gottesknecht zu sprechen (Michel; Romaniuk, L'origine 72. 75; vgl. auch J. Jeremias, ThWb V, 707), geht jedoch zu weit. Ein aufgegriffenes Einzelmotiv drückt nicht mehr Erwartung aus, sondern weist mit eschatologischem Gottesprädikat auf erfüllte Verheißung. Vom Gottesknecht ist eben nicht die Rede, und es ist durchaus nicht wahrscheinlich, daß die Frage 34a das κρίνειν in Jes 50,8 f. weiterführt.

Anders steht es mit 34b, das nicht grundlos durch die folgenden, jeweils die vorhergehende Zeile überhöhenden Aussagen ausgeweitet wird. Erneut ist allerdings recht zweifelhaft, ob man von einem in sich geschlossenen Hymnenfragment sprechen darf. Das steigernde μᾶλλον δέ in 34c ist doch wohl paulinisch. Es bereitet die beiden Relativsätze vor, wobei der erste den entscheidenden zweiten begründet und aus Ps 110 ergänzt. Macht man sich dieses logische Gefüge deutlich, ergibt sich nicht mehr, als daß Pls hier christologische und liturgisch verwendete Grundaussagen verbindet. Ihm selber kommt es zunächst auf Jesu Tod an, mit dem alle Verdammnis beseitigt wurde. Dieses Geschehen gehört zwar der Vergangenheit an, wird jedoch wie nach 4,25; 5,10 nicht überholt. Denn der für uns Gestorbene ist jetzt der Auferweckte und sitzt nach geläufiger urchristlicher Deutung der messianischen Weissagung als Erhöhter zur Rechten Gottes. Er kann darum wie der Hohepriester von Hebr 7,25 und nach der Aussage über den Parakleten in 1.Joh 2,1 unaufhörlich als Interzessor für uns eintreten (Behm, ThWb V, 807 ff.) und Anklage auch in Zukunft von uns abwehren. Der Partizipial- und Relativ-Stil ist typisch hymnisch (Norden, Agnostos Theos 201 ff.), und die Motive der Relativsätze sind nicht spezifisch paulinisch. Das die Feierlichkeit der Feststellung verstärkende 'Iησοῦς dürfte ursprünglich sein (Kühl; Michel; Ridderbos). Die eschatologische Freiheit der Gotteskinder wird gut paulinisch aus dem solus Christus gewonnen. Der Schluß von 34 gibt dem Apostel die Möglichkeit zu einer neuen Klimax in einem dritten Vorstoß. Der Ton ruht auf dem Verb χωρίσει, das nicht mehr juridischen Charakter hat und auch inhaltlich nicht weiterführt (gegen Balz, Heilsvertrauen 121). Doch gleitet das Christus solus nun in das technisch verwandte Motiv des σὺν αὐτῷ über, freilich durch das Stichwort von der Liebe Christi umschrieben. In sehr alten Lesarten wird statt dessen in Angleichung an den Kontext (Lietzmann) von der Liebe Gottes gesprochen. Die Pointe liegt aber gerade darin, daß das „Gott für uns" nun als Dasein Christi für uns, nämlich als unauflösliche Verbundenheit der Gemeinde mit ihrem Herrn entfaltet wird. Anders als die Fragen von 31b. 33a. 34a wird die von 35a nicht mehr bloß rhetorisch gestellt, wie der 7gliedrige Peristasenkatalog 35b zeigt. Es gibt die vielfältige und schreckliche Anfechtung, welcher wir nach dem Schriftwort unausweichlich unterworfen sind. Der Katalog, der anders als in der Popularphilosophie keine glücklichen Umstände mitaufführt, ist christianisiert, nämlich auf die Christusleiden bezogen. In ihm geht es nicht um den Menschen, der den unberechenbaren Launen des Zufalls ausgesetzt ist, sondern um den durch das Kreuz stigmatisierten Nachfolger Jesu. Exemplarisch steht der Apostel mit seinen eigenen Erfahrungen für die Christen insgesamt, den Unterschied zwischen weltbürgerlicher und apokalyptischer Existenz verdeutlichend. Das darf nicht (gegen Jülicher) banalisiert als Hyperbolie verstanden werden, wir seien keinen Augenblick unseres Lebens sicher, und vom Stolz auf diese Leiden ist schlechterdings nichts zu bemerken.

θλῖψις ist wieder die eschatologische Drangsal. στενοχωρία meint, weil alle andern Substantive äußere Widerfahrnisse schildern, objektiv nicht Raumnot (gegen Asmussen; Schille, Liebe 239), sondern versperrte Auswege, μάχαιρα vielleicht konkret die Hinrichtung (Michaelis, ThWb IV, 531). Das Zitat aus Ps 43,23 LXX wurde bereits im Rabbinat häufig auf das Martyrium des Frommen, gelegentlich allerdings auch übertragen verwandt (Billerbeck). Es unterstreicht nicht bloß. Vielmehr dokumentiert die Schrift wie Apokalyptik, daß gewaltsamer Tod das Los des Glaubenden auf Erden ist und Gottes Willen und Ankündigung entspricht. Die hier zweifellos christologische Einleitung ἕνεκεν σοῦ (Zahn; Kühl; Lagrange; Althaus u. a.) besagt, daß gerade die uns von der Welt scheidende Christusliebe der Grund für die Verfolgung durch die Mächte bis hin zum Martyrium ist. Auch ὅλην τὴν ἡμέραν, das gut semitisch die Tagesdauer vom Morgen bis zum Abend umschreibt (Michel), ist betont. Das ganze Leben wird umgriffen. Versöhnung mit Gott bedeutet notwendig nach dem Gesetz aller Apokalyptik Feindschaft der Welt. Beachtet man das nicht, ist nicht zu begreifen, daß 19—27 als Kehrseite mit unserm Text zusammengehört. Die Solidarität der Glaubenden mit der Welt ist mehr als bloß Verständnis und Bereitschaft für den Mitmenschen, weil sie an das Kreuz gebunden bleibt. Wie dort wird der Kontrast hier zugleich offenkundig und aufgehoben. Jede Verbrüderung ist als Nivellierung der irdisch fortdauernden Differenz ausgeschlossen. In der Konfrontation verlieren neue und alte Welt nicht ihren Charakter. Nicht vom Menschen her wird die Brücke zueinander geschlagen. Die ἀποκαραδοκία der unerlösten Schöpfung ist ein höchst zwielichtiges Phänomen. Der Schrei nach der Freiheit äußert sich zugleich als Mordschrei, wie umgekehrt die ἐλπίς der Christen nicht bloß gewisse Zuversicht, sondern auch die Geduld der Märtyrer und so Kriterium des Christenstandes ist. Gehorsam und Rebellion stehen sich in kosmischer Weite gegenüber. Was vorher rhetorisch als Prozeß geschildert wurde, setzt den wirklichen Kampf in eschatologischer Härte voraus. Allein der Tod Christi und die daraus resultierende Interzession des Erhöhten sind unser Schutz gegenüber einer irdischen Übermacht. Sie ersparen uns aber nicht das Sterben im Gefolge des Gekreuzigten. Wie alles Handeln Gottes bekundet sich auch die Liebe Christi zeitlich sub contrario. Allein Apokalyptik vermag das auszudrükken und uns vor der üblichen erbaulichen Interpretation des Textes zu bewahren.

Angesichts der als Ruf zum Leiden und Sterben verstandenen Schrift und einer von Ideologie und Enthusiasmus geschiedenen Wirklichkeit kehrt Pls zu dem Summarium von 31b—34 zurück. Er überbietet es mit dem ἀλλ’ ἐν τούτοις πᾶσιν, das sowohl 28 wie πολλῷ μᾶλλον 5,15 ff. aufgreift, und mit dem singulären, triumphal Sieg anzeigenden ὑπερνικᾶν. Wie in 11 haben, späterem Griechisch entsprechend, Lesarten διά mit dem Akkusativ des Urhebers verbunden (Lietzmann). Der ἀγαπήσας ist zweifellos Christus (Eichholz, Theol. 169 f.), wobei das Partizip sowohl die Heilstat am Kreuz wie die Interzession des Erhöhten umfaßt. Der Grund für die Feindschaft der Welt ist zugleich nicht nur Ursache der irdischen Bewährung, sondern auch der eschatologischen Überwindung, die jetzt als Stichwort des ganzen Abschnittes heraustritt. Erneut sollte man sich klarmachen, wie sehr der Apostel sich damit von der Botschaft der Autarkie und Emanzipation in der Popularphilosophie trennt. Nochmals tritt die Prämisse seiner Anthropologie hervor. Der Mensch ist durch seinen jeweiligen Herrn bestimmt. Das eben erzeugt die Dialektik des Kapitels. Paradox steht der Augenschein, welcher den Ausgestoßenen der Welt von 1.K 4,13 in seinem Kampf und der irdischen Auswegslosigkeit darstellt, gegen die Wahrheit. Dialektisch verbinden sich Kreuz und Herrlichkeit, wo der Geist regiert. Der Stand unter dem Kreuz kennzeichnet die Position der Überwinder. Ihr Herr trägt sie durch die messianischen Wehen. Er allein ist ihr Heil, ihre Hoffnung und ihr Sieg, wie seine Nachfolge die Voraussetzung ihrer Trübsal. Das Folgende ist so wenig wie 37 ein von Pls aufgefüllter, bereits vorliegender, dazu noch sogar täuferischer Hymnus (gegen Schille, Liebe 237 ff.). Kunstprosa bedient sich wie in 1.K 3,21 f. und in diatribischen Aufzählungen geprägter Antithesen wie Tod und Leben, Höhe und Tiefe und fester Verbindungen wie Engel und Herrschaften, um ein Universum im Widerstand gegen den Schöpfer zu charakterisieren. Das οὔτε — οὔτε entstammt diesem Zusammenhang und kann von da aus auch hymnisch verwandt werden, um die gegensätzlichen und polaren Kräfte des Kosmos zu kennzeichnen. Wie in 14,14; 15,14 bekundet πέπεισμαι γάρ, das keineswegs bloß apostolische Überzeugung meint (gegen Schille, Liebe 236 f.), völlige Gewißheit. Gegen einen Hymnus spricht nicht nur diese Einleitung und der folgende ὅτι-Satz, das wohl vom Apostel gebildete Gegensatzpaar ἐνεστῶτα — μέλλοντα, welches die Dimensionen der Zeit des alten Äon umspannt, sondern auch das nachklappende δυνάμεις, das nach ἀρχαί zu erwarten wäre, schließlich die umgreifende Formel οὔτε τις κτίσις ἑτέρα und die Aufnahme von 35 im Schluß. Immerhin sieht man, wie sehr sich paulinische Prosa hymnischer Stilisierung zu nähern vermag. Wie in stoischer Überlieferung erscheint der Kosmos hier als σύστημα von Göttern und Menschen und des um ihretwillen Geschaffenen, also nicht wie gewöhnlich als Menschenwelt. Charakteristisch ist er es jedoch als der gegenwärtige Äon, der von einer Vielzahl sich gegenseitig befehdender Mächte beherrscht wird und so zum Chaos gesunken ist. Anders als in sonstigen Teilen des Neuen Testaments gehören die wie in jüdischen Texten hierarchisch geordneten Engelmächte (zur Vorgeschichte Grundmann, Kraft 39—55) der gefallenen Schöpfung zu und sind deshalb wie anderswo den Christen feindlich (gegen Sanday-Headlam; Schlatter; Murray; H. W. Schmidt; richtig Kittel, ThWb I, 85; Michel). Als Gestirngeister (vgl. Bauer, Wb 258 f.) können sie Gal 4,3. 8 f. στοιχεῖα τοῦ κόσμου genannt werden, was sie jedoch nicht als Hüter des Gesetzes kennzeichnet. Als solche üben sie Einfluß auf das menschliche Geschick aus und haben sie besondere Machtbereiche (Schlier, ThWb I, 515). Kaum zufällig werden deshalb in diesem Zusammenhang ὕψωμα und βάθος erwähnt. Damit sind astrologische Termini aufgegriffen, welche die größte Nähe oder Entfernung eines Sterns vom Zenit bezeichnen (Lietzmann u. a.; dagegen Ridderbos). Hier sind personifizierte siderische Mächte gemeint. Personifikation der Mächte fanden wir bereits bei Sünde, Tod, Geist und Fleisch vor. In der religionsgeschichtlichen Umwelt des Apostels wurde das Göttliche und Dämonische konstitutiv durch Machtausübung bestimmt, weshalb sachlich die Macht und ihre Sphäre zusammenfallen. Wird am Schluß von sonstiger Kreatur gesprochen, zeigt sich die Tendenz zu personifizierender Unterscheidung. Im Zusammenhang steht jedoch das Motiv der Mächte im Vordergrund, und mindestens ἐνεστῶτα und μέλλοντα weisen auf die zeitliche und räumliche Erstreckung dieser Gewalten. Auf keinen Fall darf man bei ἄγγελοι, ἀρχαί und δυνάμεις abstrahieren und übertragen von Berechtigung, Äußerung und Würden der Macht reden (gegen K. L. Schmidt, Natur- und Geisteskräfte 135) oder sie auf Zeit und Raum entmythologisieren (Lagrange). In diesen dämonischen Zirkel gehören auch die Kräfte und Bereiche, welche die Menschen Leben und Tod nennen und von Gott isolieren, und ebenso die Gegenwart und Zukunft als Räume, in denen das Schicksal als Heil oder Unheil wirkend erfahren oder illusionär erträumt wird. Die Zehnergruppe weist auf ältere Zusammenstellungen hin, ohne daß Pls sich dessen bewußt wäre. Eine systematische Gliederung ist nicht zu erkennen. Das Unterschiedlichste wird verbunden. Das von Gott gelöste Universum wird mit all seinen Dimensionen und Auswirkungen in der Geschichte als undurchdringlich und überall den Menschen begrenzend dargestellt (Schlier, Mächte 1930, S. 291; 1958, S. 14—32). Die Situationen des Peristasenkatalogs in 35 sind durch die sie heraufführenden Weltherrscher abgelöst, so daß das Chaos sich in ein Inferno wandelt.

Nur apokalyptische Weltanschauung kann die Wirklichkeit so beschreiben, wie nur sie aus ihr den Schrei einer versklavten Schöpfung zu vernehmen vermag und in ihr die messianischen Wehen stattfinden läßt. Bei Pls führt Apokalyptik eben nicht zum Enthusiasmus, sondern zu einer Welterfahrung, die vom Grauen beherrscht wird. Auf solchem Hintergrund gewinnt das Bekenntnis zum praedestinierten Kosmokrator Christus, zur Libertas christiana als Vorwegnahme der Auferweckung und der Jubel der Überwinder Profil. Der Christ ist, auch wo das Inferno ihm von allen Seiten droht, durch den für ihn daseienden Herrn stigmatisiert und in die παρρησία gestellt. Auf andere Weise als bei Philo ist seine Wanderschaft als Weg im Frieden Gottes eine ὁδὸς βασιλική, und anders als der Stoiker gewahrt er mitten im leidvollen Erfahren, daß der Herrschaftsanspruch der Mächte illusionär ist. Gerade der angefochtene Glaube repräsentiert, indem er der Liebe Christi gegen allen Augenschein traut und sich in der Nachfolge nicht hindern läßt, die irdische Herrschaft der Wahrheit, die nach 1,18 ff. dämonisch niedergehalten wird, und eschatologische Zukunft. In der Gemeinde zeigt sich, daß Gottes Gerechtigkeit sich inmitten ihrer Feinde offenbart und im alten Äon neue Welt schafft. So wird der Schluß, der nachdrücklich am Ende von 39 nochmals in liturgischer Christusprädikation das wahre Heil benennt, als Zusammenfassung der vorangegangenen Kapitel zugleich zur Summe paulinischer Theologie.

E) 9,1—11,36: DIE GOTTESGERECHTIGKEIT UND DAS PROBLEM ISRAELS

Von c. 16 abgesehen, ist kein Briefteil so in sich geschlossen und deshalb so leicht und, wie es scheint, so risikolos aus dem Ganzen zu lösen. Man hat ihn denn auch als von c. 1—8 zu trennenden, selbständigen Abschnitt betrachtet (z. B. Feuillet, Citation 67), etwa als Einschub einer früheren paulinischen Abhandlung (Dodd). Wahrscheinlich gibt es keinen größeren Zusammenhang in der Hinterlassenschaft des Apostels, dessen Auslegungsgeschichte mehr ein Leidensweg von Unverständnis, Gewalttat und Experimenten mit wechselnden Methoden und Themata ist (vgl. E. Weber, Problem 10 ff.; Chr. Müller, Gottes Volk 5 ff.). Hatte man sich seit der Reformation angewöhnt, den Brief als Kompendium paulinischer Theologie zu lesen, und infolgedessen in unsern Kapiteln die Frage der Prädestination ungebührlich in den Vordergrund geschoben, so brach auch hier F. C. Baur die Bahn für ein historisches Verständnis. Er machte unsern Briefteil zum hermeneutischen Zentrum des Ganzen, das er auf die Auseinandersetzung mit den Judenchristen ausgerichtet sein ließ. Der christliche Universalismus behauptet sich hier gegen jüdischen Partikularismus. Baur hat damit einen noch immer unabgeschlossenen Prozeß eingeleitet. Indem er entschlossen die Frage nach dem Sitz im Leben der Urchristenheit unserm Brief gegenüber aufwarf, rückte er ihn zugleich in die Relativität alles Historischen. Über der Auslegung von c. 9—11 wurde Pls als Kronzeuge der protestantischen Kirchen zunächst zum auslösenden Faktor einer radikalen Tendenzkritik am Neuen Testament, dann zur janusköpfigen Figur für die Religionsgeschichte, die ihn einerseits von der Eschatologie her zum Apokalyptiker, auf der andern Seite von hellenistischer Kultfrömmigkeit her zum Mystiker werden ließ. Es rächte sich nun, daß die Reformation c. 9—11 nicht thematisch in ihre Rechtfertigungsbotschaft einbezogen hatte. Baur erkannte die schwächste Stelle der überkommenen Tradition. Indem er dem Römerbrief einen historischen Sitz im Leben der Urchristenheit gab, hob er zugleich, wie die Folgezeit zeigte, die herkömmliche Rechtfertigungslehre des Protestantismus mindestens im deutschen Bereich aus den Angeln. Die dogmatische Aussage wurde in die dogmengeschichtliche Entwicklung überführt. Was bis dahin Kriterium paulinischer Theologie gewesen war, verlor seine unmittelbare und allgemeine Verbindlichkeit, wurde, in die Strudel des Historismus gerissen, zu einem mehr oder weniger gewichtigen Teilstück und zwei Generationen später zu einer jüdisch-antijudaistischen Kampfeslehre (Wrede; A. Schweitzer). Theologische Reflexion mußte in der Zukunft über die Rechtfertigungsbotschaft hinaus oder hinter sie zurückgreifen, wenn sie nicht diese auf die verborgene Innenseite paulinischer Verkündigung reduzierte. Es gehört zu den bestürzendsten Einsichten in die Fragwürdigkeit normaler exegetischer Tätigkeit, daß man im allgemeinen die von Baur ausgegangene Provokation nicht einmal auf dem von ihm umrissenen

Platze aufgriff, also R 9—11 zum Zentrum der fälligen Auseinandersetzung machte. Hier waren die Weichen umgestellt worden. Hier hätte man sich auch über die weitere Fahrt schlüssig werden müssen. Wer sich der Botschaft dieser Kapitel öffnete, konnte nicht mehr den Spuren der überlieferten Dogmatik folgen. Wer ihnen treu zu bleiben suchte, mußte in den Konflikt zwischen Theologie und Praxis des Apostels geraten und in der Theologie wieder zwischen Zentralem und Peripherem, Bleibendem und Zeitbedingtem, persönlicher Erfahrung und ihrer Verfremdung durch die Einkleidung in jüdische oder hellenistische Gewänder unterscheiden. Statt dessen übersprang man diese Schlüsselposition. Das wurde durch den unwiderlegbaren Nachweis erleichtert, daß Baur sich geirrt hatte, als er den Judenchristen in Rom die beherrschende Rolle beigemessen hatte. Die historische Korrektur des Entwurfes ließ, im Zeitalter des Historismus nicht unbegreiflich, zumeist die theologische Sachfrage nach der Bedeutung von R 9—11 für die Paulusinterpretation im ganzen, die Rechtfertigungslehre im besonderen zu einem Detailproblem werden, dessen sich die Apologetik oder die Spekulation über eine angebliche Theodizee annehmen mochte.

Faktisch wurde die Paulusforschung dadurch schizophren. Sie ist es im Grunde geblieben, obgleich zumal A. Schlatter und die dialektische Theologie den aufgebrochenen Zwiespalt zu überwinden trachteten. Die Fronten des vorigen Jahrhunderts haben sich allerdings verschoben. Die religionsgeschichtliche Alternative verlor immer stärker ihre ursprüngliche Faszination, je stärker sich das jüdische Erbe des Apostels als Mutterboden und die Eschatologie als Horizont der paulinischen Theologie erwiesen. Erhalten hat sie sich in der noch nicht erledigten Frage, wie stark Pls sich vom Enthusiasmus seiner Gemeinden beeinflussen ließ. Durchgängigen synkretistischen Dualismus konnte man ihm mindestens grundsätzlich nicht mehr anlasten, seitdem seine Anthropologie als Hauptgegenstand dieses Streites weitgehend entfiel. Die Rechtfertigungslehre gewann wenigstens im deutschsprachigen Bereich verlorenes Terrain in erheblichem Maße zurück. Ihre volle Anerkennung wird, wie dargestellt, außerhalb dieses Bereiches dadurch blockiert, daß man sie nur das Anfangsstadium eines christlichen Entwicklungsganges charakterisieren läßt. Innerhalb des deutschsprechenden Bereiches und zunehmend darüber hinaus wird sie durch die heilsgeschichtliche Interpretation der Paulinen als Gegengewicht paralysiert. Auch das hat seine Vorgeschichte im vorigen Jahrhundert, und wieder war es, wenn nicht alles täuscht, die Auslegung von R 9—11, welche mit W. Beyschlags Büchlein „Die paulinische Theodizee Römer 9—11" von 1868 die Exegese des Apostels in diese Bahn lenkte. Hier wurde der Versuch unternommen, die Antithese von Prädestination und Indeterminismus zu überwinden, indem das Postulat einer innergeschichtlichen Entwicklung dank göttlicher Pädagogik als ihre versöhnende Überbrückung aufgestellt wurde. Die weltanschaulichen Bindungen dieser Thematik an die Anschauungen ihrer Entstehungszeit liegen auf der Hand. Um so erstaunlicher ist, daß sie sich ebenfalls nicht wirklich durchzusetzen vermochte. Das hing wohl damit zusammen, daß sie eine dogmatische oder pseudodogmatische Lösung in einer Phase anstrebte, die, von den Lagern eines starren Konfessionalismus abgesehen, durch den historischen Positivismus bestimmt wurde. Sie teilte zwar in liberalistischer Verflachung etwas von dem eigentlichen Anliegen F. C. Baurs, Geschichte in ihrer dialektischen Bewegung zu begreifen, wurde jedoch wie Baurs weitergreifende Intentionen vom historischen Sog überspült, wenngleich sie in ihrer Reduktion gegenüber Baurs Programm attraktiver blieb und sich besser mit den

vorherrschenden Interessen vereinbaren ließ. Zweifellos im Wege stand ihr auch ihr Ausgangspunkt bei R 9—11. Mit diesen Kapiteln wußte man nur noch wenig anzufangen
und hatte nach den früheren dogmatischen Auseinandersetzungen auch wenig Lust, ihnen
sich zu stellen. Sofern das Thema der Heilsgeschichte unterschwellig weiterwirkte oder
gar aufs Panier geschrieben wurde, wich man ins Allgemeine aus, machte sie zum Interpretationsschlüssel wie der Paulinen, so des Neuen Testamentes und der Bibel im ganzen.
Recht und Unrecht der damit entfachten Debatte sind hier nicht zu erörtern. Auf jene
Untersuchungen, welche das Problem strikt im Blick auf die Auslegung von R 9—11
lebendig erhielten, wird alsbald und in Einzelargumentation eingegangen werden. Der
summarische Überblick sollte nur zeigen, daß unsere Kapitel zweimal im vorigen Jahrhundert theologiegeschichtlich bedeutungsvoll wurden, ohne daß es dabei ihnen gegenüber
zu klarer Entscheidung kam oder mindestens ihre Wichtigkeit für die Paulusinterpretation im ganzen allgemein begriffen wurde.

Die anstehende Grundfrage wird heute tatsächlich dem Verhältnis von Rechtfertigungslehre und Heilsgeschichte zu gelten haben. Die bisherige Auslegung ist ad absurdum
geführt, falls hier eine Alternative vorliegt. Sie hat jedoch zwei Einsichten gezeigt, welche nun hilfreich werden können. So gewiß die paulinische Botschaft von der Gerechtigkeit Gottes sich in der Rechtfertigung des Einzelnen konkretisiert, so wenig darf sie darauf reduziert werden. Gottes Gnade will selbst im Einzelnen noch Welt. Anders endet
man bei einer christlichen Mysterienreligion. Nach der Interpretation von c. 4 ist, um
das Problem darauf zu beschränken, es zweitens unmöglich, die heilsgeschichtliche Dimension der Rechtfertigungsbotschaft des Apostels zu leugnen. Über den Terminus als
solchen zu streiten und sich darüber in weiter Systematik zu verlieren, hat im Augenblick wenig Sinn. Die Fronten sind hier so verhärtet, daß man sich in einem Kommentar
damit begnügen muß, so scharf wie möglich exegetisch zu klären, was damit gemeint sein
soll und weshalb man vorläufig darauf nicht verzichten kann. Tut man das nicht, sollte
man, wie das mindestens in einem der beiden Lager zu geschehen pflegt, von vornherein
einen großen Bogen um die Auslegung von c. 9—11 schlagen oder sie als unlösliche Aufgabe bezeichnen. Man wird jedoch einer Theologie ein nichtpaulinisches und vielleicht
sogar unbiblisches Verständnis vôm Worte Gottes vorwerfen müssen, welche dadurch
einzig Existenz bestimmen werden läßt. Ist Gottes Wort mehr als eine Idee, welche ihrerseits ohne Kerygma sich in ein Hirngespinst auflösen würde, und schafft es die Realität
neuer Kreatur, ohne welche das Christsein eine religiöse Chiffre bliebe, hat es die Funktion, sich irdisch zu verleiblichen. Es tut das nicht bloß im Apostel als Träger des Evangeliums, sondern ebenso in der Gemeinde als dem Leibe Christi und jedem seiner Glieder.
Gottes Wort ist ohne weltlichen Ausstrahlungsbereich also nicht zu denken. Es manifestiert sich in Zeit und Raum. Heilsgeschichte ist, wenn dieser Ausdruck hier gebraucht
wird, der Bereich, in welchem Gottes Wort als promissio und Evangelium vernehmbar
wird, Glauben oder Unglauben weckt und in den Kampf zwischen Bewährung und Verleugnung stellt. Das deckt sich nicht mit der Dimension der Welt und überschreitet denjenigen der Kirche, obgleich sich in dieser die Auseinandersetzung um das Wort konzentriert. Sofern es Gottes Wort gegenüber auch immer zu Unglaube und Verleugnung
kommt, gibt es in der Heilsgeschichte keine immanente Kontinuität, hat sie als solche den
Gegenaspekt einer Unheilsgeschichte, offenbart sie sich stets neu über Gräbern. Die Treue
Gottes, der die Schöpfung nicht ohne seine Anrede und Verheißung läßt, ist ihr wahres

Kontinuum, dem irdisch die Erfahrung entspricht, daß es stets eine Schar der Hörenden gegeben hat und gibt und stets den in 1.K 1,18 ff. beschriebenen Skandal der sich Ärgernden. Nur wo das Gewicht vom wirkenden Wort auf den Kontrast von Glaube und Unglaube, also in die Anthropologie, verlegt wird, ist die Rede von Heilsgeschichte sinnlos. Da zerfällt dann notwendig die sachliche Verbindung zwischen Altem und Neuem Testament, wird die Welt bloß noch zum Schauplatz individueller Entscheidungen, gibt es nicht mehr den Griff des Schöpfers nach seiner Welt und infolgedessen auch nicht Apokalyptik.

Wird Heilsgeschichte so verstanden, ist Gottes Gerechtigkeit ihre Mitte, ist sie deren weltweite Dimension. An die Stelle einer Alternative tritt die unauflöslich aus der Sache her gegebene Verbundenheit. In diesem Rahmen muß allerdings das Problem Israels erörtert werden, und zwar als Problem der Treue Gottes zu seinem ergangenen Wort. Es kann nur dialektisch erörtert werden, weil hier exemplarisch Gottes Treue und menschliche Untreue miteinander im Kampfe liegen, und es wird schließlich so erörtert, daß dabei der Begriff des Volkes Gottes ins Zentrum rückt. Pls hat diese Selbstprädikation der nachösterlichen Gemeinde nicht für seinen eigenen Kirchengedanken konstitutiv sein lassen und sie nicht, wie das heute vielfach behauptet wird, durch das Motiv vom Christusleibe nur abgewandelt. Er benutzt sie vielmehr durchweg dann, wenn er polemisch oder typologisch das Verhältnis von Kirche und Israel, altem und neuem Bunde zu erörtern hat, also in ausgesprochen dialektischen Zusammenhängen. Man mag sagen, daß mit ihr der heilsgeschichtliche Aspekt der Kirche anvisiert wird, die zu Israel als der Gemeinde unter der Verheißung in einer besonderen Affinität steht, gleichzeitig jedoch an Israel die besondere Gefährdung aller Empfänger der Verheißung und des Evangeliums wahrzunehmen hat und in solcher Gefährdung nur bewahrt bleibt, wenn sie das die Gemeinde Gottes konstituierende Wort auf Christus bezogen sein läßt und von der Rechtfertigungsbotschaft her interpretiert. Das muß jedoch durch die Einzelexegese präzis verdeutlicht werden.

Literatur: D. M. Stanley, Theologia ‚Promissionis' apud S. Paulum, VD 30 (1952), 129-142. G. Schrenk, Der Römerbrief als Missionsdokument, Studien 81-106. C. Muller-Duvernoy, L'Apôtre Paul et le problème juif, Judaica 15 (1959), 65-91. J. Gnilka, Die Verstockung Israels, 1961. Chr. Senft, L'élection d'Israel et la justification, L'Evangile hier et aujourd'hui (Mélanges offerts au F. J. Leenhardt), 1968, 131-142. M. Zerwick, Drama populi Israel secundum Rom 9-11, VD. 46 (1968), 321-338. J. M. Oesterreicher, Israel's Misteps and her Rise. The Dialectic of God's Design in Romans 9-11, St. Paul. Congr. I, 317-327. E. Güttgemanns, Heilsgeschichte bei Paulus oder Dynamik des Evangeliums, Stud. linguist. Neotest. 1971, 34-58. H. Schlier, Das Mysterium Israels, Zeit der Kirche 232-244.

I. 9,1—5: Die Klage des Apostels

1 Wahrheit rede ich in Christus, nicht lüge ich, und mein Gewissen bezeugt es mir
2 auch im heiligen Geiste: Tiefe Trauer und unablässigen Schmerz habe ich in meinem
3 Herzen. Denn ich wünschte, selbst verflucht und von Christus geschieden zu sein um
4 meiner Brüder willen, meiner Verwandten nach dem Fleisch. Sie sind ja doch die
Israeliten. Ihrer sind die Kindschaft und die Herrlichkeit und die Bündnisse und die

5 Gesetzgebung und der Gottesdienst und die Verheißungen, ihrer die Väter, und aus
ihnen (stammt) der Christus nach dem Fleisch. Der über allem waltende Gott sei gepriesen in Ewigkeit. Amen.

Literatur: G. Stählin, Zum Gebrauch von Beteuerungsformeln im Neuen Testament, Nov.Test. 5
(1962), 115-143. O. Michel, Opferbereitschaft für Israel, In Memoriam E. Lohmeyer, 1951, 94 bis
100. L. Cerfaux, Le privilège d'Israel selon Saint Paul, Eph. Th. Louv. 17 (1940), 5-26. L. G.
da Fonseca, Διαθήκη — Foedus an Testamentum?, Bibl. 8 (1927), 31-50. 160-181. 290-319. 418
bis 441. C. Strömman, Römer 9,5, ZNW 8 (1907), 319-320. O. Kuss, Die Rolle des Apostels Paulus in der theologischen Entwicklung der Urkirche, Münch. ThZ 14 (1963), 1-59. 109-187. E.
Kamlah, Wie beurteilte Paulus sein Leiden?, ZNW 54 (1963), 217-232. W. L. Lorimer, Romans
IX, 3-5, NTSt 13 (1967), 385 f.

Unverkennbares Pathos bestimmt auch diesen Abschnitt. Schon um seiner rhetorischen
Stilisierung willen (Michel) sollte man in ihm das einleitende Gegenstück zum Ausklang
in 11,33—36 erkennen. Verhält es sich jedoch wirklich so, wird man kaum behaupten
dürfen, Pls wisse am Anfang noch nicht um das Ziel seiner Argumentation (Senft,
L'élection 131 f.). Vielmehr sind die drei Kapitel deutlich in die Teile 9,6—29. 9,30—10,
21. 11,1—36 gegliedert und dem entspricht ein durchaus logisch-systematischer Gedankengang. Dem entspricht ebenso, daß die angeschnittene Problematik an dieser
Stelle fällig ist, nachdem die letzten Kapitel das Verhältnis von Gesetz und Geist abgehandelt haben. Es ist einfach nicht richtig, wenn man hier so etwas wie einen vom
Aufbau des Briefes her nicht begründeten Exkurs findet oder das Grundthema nicht
fortgeführt sieht (gegen Hoppe, Heilsgeschichte 138; Beare, BHH III, 1612; richtig
Dupont, Problème 392; Goppelt, Christentum 112 f.; Eichholz, Theologie 284 ff.). Dafür kann man den abrupten Einsatz und gegenüber dem Vorangegangenen veränderten
Ton (Luz, Geschichtsverständnis 19) nicht ins Feld führen. Sie markieren nur das neue
Thema. Selbst 1,9—15 und 15,14—33 sind nicht derart gefühlsbetont. Es ist absurd, das
auf das Konto der römischen Leser setzen zu wollen (Ulonska, Altes Testament 182).
Daß völkisches Empfinden mitschwingt, sagt Pls nachdrücklich. Er hat sein Judentum
nie verleugnet. Doch sollte man (gegen Dodd; Windisch, Judentum 32 ff.) dieses Moment
nicht überbetonen. Der Christ und Heidenapostel spricht hier, dem man oft genug Feind-
seligkeit gegen Israel vorgeworfen haben mag (Kühl; Lietzmann; Barrett). Er beteuert
darum in ungewöhnlicher Feierlichkeit und geradezu schwurartig (Maurer, ThWb VII,
915) die Solidarität mit seinem Volke (Nygren). Ähnliche Versicherungen (vgl. Bauer,
Wb 1762) finden sich noch in 1,9; 2.K 1,23; 11,31; 12,19; Gal 1,20 im Blick auf die
1.Tim 2,7 festgestellte Apostolizität (Stählin, Beteuerungsformeln 133). Wie die antithetische Negation und der Partizipialsatz unterstreichen die Zusätze ἐν Χριστῷ und ἐν
πνεύματι, welche darauf hinweisen, daß das Verhalten göttlicher Überprüfung unterliegt. Das besagt, daß „in Christus" nicht abgeblaßt meint „als Christ vom Heilsgeschehen bestimmt" (Neugebauer, In Christus 126), sondern: in der Präsenz Christi. Das
selbstkritische Vermögen des Apostels, dem gleichsam die Rolle des Eideshelfers beigemessen wird, ist vom Geist geleitet und gerechtfertigt (Strathmann, ThWb IV, 515;
Bultmann, Theol. 219). Die damit angedeutete forensische Situation wird in 3 festgehalten. Wieder sollte man sich vor Überinterpretation hüten. Die feste und teilweise kon-

ventionelle jüdische Formel: „Ich will eine Sühne sein für" (Billerbeck) kennzeichnet den Hintergrund, jedoch nicht präzis den Inhalt der Aussage, die weder direkt von Sühne noch von einem „Vertilgungsopfer" spricht (gegen Billerbeck; Michel, Opferbereitschaft). ηὐχόμην drückt wie ἤθελον Gal 4,20 einen zweifellos ernst gemeinten, aber unrealisierbaren Wunsch aus, kein Gelübde und Angebot. Der Gedanke der Stellvertretung äußert sich in dem ὑπέρ, und es liegt nahe, hier mit den meisten Auslegern eine Analogie zu Ex 32,32 zu finden. Doch verrät nichts, daß Pls dort ein Vorbild sah, sich mit dem Gottesknecht (Kamlah, Leiden 228 f.) oder als Heilsmittler mit Christus vergleicht (Windisch, Judentum 32; vorsichtiger Muller-Duvernoy, Problème 68), Mose an die Seite stellt (Munck, Christus 27; Paulus 300 f.). Das Gewicht der Aussage liegt in dem ἀπὸ τοῦ Χριστοῦ. Bei der Suche nach alttestamentlich-jüdischen Analogien kommt das zu kurz, fällt jedoch aus ihrem Bereich heraus. Es ist nicht an jenseitige Vergeltungsqualen (Lietzmann) oder eschatologisches Gericht (Michel), schon überhaupt nicht an zeitweilige Trennung (Zahn; richtig Gaugler) zu denken. Die Koineform von ἀνάθημα hat wie häufig in LXX und im Hellenismus den adjektivischen Sinn „verflucht", während ursprünglich die als tabu geltende Weihegabe, dann das Gebannte gemeint war. ἀπὸ τοῦ Χριστοῦ spricht davon, daß die in der Taufe gesetzte Eingliederung in Christus rückgängig gemacht wird. Wie in 1.K 16,22 hebt der Fluch sakramental begründete Gemeinschaft in gleichfalls sakramental gedachter, auch 1.K 5,5 vorausgesetzter Gegenwirkung auf. Wenn Gott ihn verhängt, ist man endgültig aus dem Christusleibe ausgegliedert.

Dazu bereit zu sein, ist für den Christen der äußerste Beweis seiner Liebe zu Israel. So wird hier auch nicht von ungefähr der Brudertitel auf die Juden übertragen, was allerdings zu der präzisierenden Apposition nötigt (Michaelis, ThWb VII, 741). Der hellenistische Terminus συγγενεῖς bezeichnet den Verwandten oder Stammesangehörigen. κατὰ σάρκα geht wie in 5 und 8 auf den menschlich-irdischen Bereich (Schweizer, ThWb VII, 126). Merkwürdigerweise gibt Pls keinen Grund für seine Trauer an, und unter der Hand verwandelt sich die Klage in einen Preis der schon 3,2 angedeuteten, jetzt rhetorisch breit entfalteten heilsgeschichtlichen Vorzüge Israels. οἵτινες begründet zugleich. Die Juden stehen dem Apostel nicht bloß leiblich nahe. Sie sind und bleiben das von Gott erwählte, mit seinen Gaben ausgezeichnete Volk (K. L. Schmidt, Judenfrage 25 f.). Ihnen gebührt der Ehrenname Ἰσραηλῖται, der jetzt an die Stelle der bisherigen Rede von den Juden tritt (Luz, Geschichtsverständnis 26 f.) und die Kontinuität zu den alsbald genannten πατέρες, den Patriarchen als Verheißungsträgern, feststellt. Auf Grund alttestamentlicher Texte wie Ex 4,22 wird ihre υἱοθεσία anerkannt, die als eschatologische Gabe sonst allein den Christen gilt. Die Relation der Christenheit auf Abraham wird im Widerspruch zum Kontext von c. 4 auf ganz Israel ausgedehnt. Offensichtlich versteht Pls das Phänomen Israel nicht weniger dialektisch als das des Gesetzes. Machte die Erwählung es zum Verheißungsträger, kann es wie nach 1.K 10,1—13 unter der Gesetzesherrschaft aus der Verheißung fallen. Umgekehrt hat die Verheißung nicht bloß eine eschatologische Ausrichtung, sondern auch einen, hier durch das Volk markierten geschichtlichen Raum, für den nach 11,29 besondere Gnadenzeichen charakteristisch sind. Die Plerophorie der folgenden Aufzählung (vgl. Cerfaux, Church 19—44) betont in sorgfältigem Aufbau (Luz, Geschichtsverständnis 270) die Fülle des erfahrenen Segens unter sich ergänzenden und überschneidenden Gesichtspunkten. ἡ δόξα, absolut gebraucht ohne rabbinisches Äquivalent (Billerbeck), meint wie in 2.K 3,7 ff. die Epiphanie der Schechina im geschichtlichen und kultischen Bereich (Schlier, Doxa 45 ff.; Cerfaux, L'Eglise 24). Der seit Sir 44, 12.18; 45,17; Sap 18,22; II. Makk 8,15 begegnende Plural διαθῆκαι ist in P⁴⁶ und folgenden Lesarten dem singularischen Kontext angeglichen worden (Munck, Christus 29; Bruce; gegen Cerfaux, Privilège 13; möglich Barrett). Er geht auf die den Vätern gegebenen Zusagen (Fonseca, Foedus 26 ff.). νομοθεσία bezieht sich kaum auf den Besitz des Gesetzes (Gutbrod, ThWb IV, 1082), sondern auf den Akt der Gesetzgebung (Luz, Geschichtsverständnis 272). λατρεία denkt an den Kult, von dem es Aboth 1,2 heißt: „Auf drei Dingen beruht die Welt: auf der Tora und auf dem Kult und auf der Ausübung von Wohltaten." ἐπαγγελίαι weist wohl besonders auf die messianischen Verheißungen (Lietzmann; Lagrange). Die Klimax mündet in dem stark abgehobenen und eindeutig den Messias bezeichnenden ὁ Χριστός, wobei τὸ κατὰ σάρκα auf die Menschlichkeit einschränkt. Erinnerung an die Parallele in 1,3 (Michel) ist fraglich und erst recht die Folgerung, daß sich wie dort ein Hinweis auf Christi Gottheit anschließen müsse (Zahn).

Die Prärogative Israels beschränkt sich also nicht auf die Gaben der Urzeit (gegen Munck, Christus 28) und ist keineswegs vorübergehend (gegen Cerfaux, Privilège 25). Heilsgeschichte darf bei Pls nicht immanent gesehen werden. In Gottes Erwählung gründend, geschichtlich durch die promissio bestimmt, ist das von ihr erfaßte Volk geradezu sakramental stigmatisiert (Schlier, Mysterium 235 ff.). Von da aus ist der leidenschaftlich umstrittene Schluß zu verstehen. Die Interpretation sollte davon ausgehen, daß εὐλογητὸς εἰς τοὺς αἰῶνας, ἀμήν unbestreitbar eine doppelte Akklamation bildet. Weil kein Anlaß besteht, sie vom Vordersatz zu trennen, verleiht sie dem Ganzen, was immer zum Detail zu sagen sein mag, den Charakter einer Doxologie (Ridderbos; Maier, Israel 9). Streiten kann man nicht wie eine noch nicht stilkritisch arbeitende Auslegung über ihr Vorliegen, sondern nur über ihre Beziehung. Sie läßt sich nicht als letztes Glied in die Aufzählung einreihen, wie die Konjektur des relativischen Anschlusses ὧν ὁ versucht (nach Bauer, Wb 705 seit dem Sozinianer J. Schlichting; Barth; Lorrimer, Romans IX, 3—5; vgl. die Erörterung bei Sanday-Headlam; Murray 245 ff.; Michel). Es bleibt also bei der seit dem Arianismus umkämpften Alternative (vgl. Schelkle, Paulus 331 ff.): christologische Apposition zu 5a oder in selbständigem Satz auf 4—5a zurückschauender Lobpreis Gottes. Dogmatisch läßt sich das Problem nicht lösen, obgleich man das ständig versucht hat. Der Apostel hat zwar Christus nie direkt Gott, geschweige emphatisch ὁ ἐπὶ πάντων θεός genannt, was angesichts des unverkennbaren Subordinatianismus in 1.K 15,27 f. schwer vorstellbar ist. So läßt sich auch kaum annehmen, daß er, in äußerster Paradoxie die spätere Lehre von den beiden Naturen antizipierend, gerade den irdischen, Israel zugehörigen Messias so tituliert haben sollte. Umgekehrt hat er wie die hellenistische Christenheit überhaupt in Christus selbstverständlich das präexistente Himmelswesen erblickt, von welchem das ἴσα θεῷ Phil 2,6 gilt. Die Interpretation wird sich theologisch stets nach dem jeweiligen Gesamtverständnis der Christologie auf den einen oder den andern Sachverhalt stützen und Gegengründe nicht gelten lassen. Der Streit kann heute nur auf dem Felde der Stilkritik ausgetragen werden. Zuzugeben ist, daß die Form der Doxologie ungewöhnlich ist, weil sonst das Prädikat, mit dem Vorhergehenden eng verknüpft, voransteht (Zahn; Kühl: Lagrange; Prat, Théologie II, 151; Cullmann, Christologie 321; Ridderbos). Noch ungewöhnlicher wäre jedoch eine Christus-Doxologie, welcher die Akklamationen des Kyrios in 1.K 8,6; 12,3; Phil 2,11 bei Pls und die δόξα-Akklamation Apk 1,6; 2.Pt 3,18 erst den Weg bereiten, während sie im

Neuen Testament sich nicht findet. Dem entspricht die Singularität einer direkten Gottes-prädikation Christi, welche zudem das Gewicht des Kontextes verdecken würde. Hier kommt alles auf die Segnungen Israels an. Eine Doxologie des Gottes ist angebracht, der sie gegeben hat und sich darin wie über der Segnung der christlichen Gemeinde in Eph 4,6 als ὁ ὢν ἐπὶ πάντων erweist, nämlich die Geschichte lenkt (Luz, Geschichtsver-ständnis 27; Berger, Abraham 79; Cerfaux, Christus 316 f.; Taylor; Jülicher; Lietz-mann; Dodd; Kuss, Rolle 129). Sie hat ihre Parallele in der Doxologie 11,33—36 und bekundet eindringlich die Solidarität des Heidenapostels mit seinem Volk. Einfügungen zwischen Artikel und θεός sind auch sonst nachweisbar (Champion, Benedictions 124 f.). Die herrschende christologische Deutung ist zu verwerfen.

II. 9,6—29: Das Recht und vorläufige Ziel der göttlichen Erwählung

Pls tritt nun in die eigentliche Argumentation ein, welche in drei Etappen Gottes Frei-heit, Israels Schuld und seine endliche Errettung so behandelt, daß damit Rechtfertigung der Gottlosen auch hier als geheimes Thema der angeschnittenen Problematik erscheint.

1. 9,6—13: Wer ist Träger der Verheißung?

6 Nicht als wäre das Gotteswort hingefallen. Es sind doch nicht alle aus Israel wirklich
7 Israel. Nicht einmal sind alle Kinder, weil sie Abrahams Same sind. Vielmehr (gilt):
8 (Nur) in Isaak wird Same dir berufen werden. Das bedeutet: Nicht die Fleisches-
  kinder sind Gotteskinder, sondern als Same werden (allein) die Kinder der Ver-
9 heißung anerkannt. Denn der Verheißung (Stimme) ist dieses Wort: Nach dieser
10 Zeit will ich kommen, und Sara wird einen Sohn haben. Nicht nur (hier verhielt
  es sich so), sondern auch bei Rebekka, die von einem (Manne) schwanger ward,
11 unserm Vater Isaak. Denn als (die Kinder) noch nicht geboren waren und nichts
  Gutes oder Schlimmes getan hatten, wurde ihr gesagt, damit der erwählende Rat-
12 schluß Gottes bestehen bliebe — nicht den Werken, sondern dem entsprechend, der
13 beruft: Der Größere wird dem Kleineren dienen. Dem gemäß steht geschrieben:
  Jakob habe ich geliebt, Esau aber gehaßt.

Literatur: J. Jeremias, Zur Gedankenführung in den Paulinischen Briefen, vgl. zu 3,1. E. v. Dobschütz, Prädestination, ThStKr 106 (1934), 9-19. S. Lyonnet, De doctrina praedestinationis et reprobationis in Rom 9, VD 34 (1956), 193-201. 257-271. E. Dinkler, Prädestination bei Pau-lus, Festschr. G. Dehn, 1957, 81-102. K. Stendahl, The Apostle Paul and the introspective Con-science of the West, Harv. Th. Rev. 56 (1963), 199-215.

Die wuchtigen Feststellungen der lebhaften Auseinandersetzung heben sich von dem gehobenen Stil der Eingangsverse deutlich ab. Trotz der vielen alttestamentlichen Zitate liegt jedoch weder ein dialogus cum Judaeis (Dodd; Jeremias, Gedankenführung 149) noch Abwehr eines beginnenden Antisemitismus in der Heidenchristenheit (Muller-Duver-noy 65 ff.) vor. Sollten sich hier Erfahrungen der Mission niederschlagen (Jeremias 148;

Cerfaux, L'Eglise 35), gibt Pls das nicht zu erkennen. Von Apologetik oder Polemik konkreten Gegnern gegenüber kann nicht gesprochen werden. Das Ganze ist eine theologische Reflexion, die im Stil der Diatribe durch fiktive Einwände und deren Beantwortung aufgelockert wird. Zeigt schon der Stilbruch, daß 1—13 nicht eine Einheit bilden (gegen Dupont, Problème 388), geht es in 6—29 noch weniger um eine durch Mißverständnisse hervorgerufene Vorfrage (gegen Hoppe, Heilsgeschichte 128 f.). Vielmehr wird in 6a das Problem des ganzen Briefteils formuliert (Luz, Geschichtsverständnis 28; Berger, Abraham 79; Goppelt, Christentum 113; schon Kühl). Unser Abschnitt gibt eine erste Antwort darauf. Die Unterteile 6b—9, 10—13 laufen parallel und erfahren in 14—23 eine äußerste Steigerung. In ihnen geht es um Tatsache und Recht der göttlichen ἐκλογή, worauf dann 24—29 vom Ziel dieser gerade auch Israel treffenden Auswahl sprechen. Die verschiedenen Anläufe stehen also in klarer Ausrichtung. 6a antwortet auf eine Aporie und benennt indirekt den Grund der Klage in 1 f. Der Verheißungsträger Israel hat sich der Christusbotschaft, also der Erfüllung der Verheißung, gegenüber ungläubig verschlossen. Ist damit nicht die Verheißung als solche sinnlos geworden? Diese Frage hat ihre theologische Tiefe schon in 3,5 aufgedeckt: Trügt nicht Gott selber, wenn seine Verheißungen leer bleiben? Wie dort wird der Einwand entrüstet abgewehrt, das Problem jedoch offengehalten. Die Theologie wie die geschichtliche Situation des Apostels lassen ihn sich nicht mit der Auskunft der späteren Heidenkirche begnügen, die Verheißung sei geistlich, nämlich in der Kirche erfüllt (richtig Maier, Israel 17; Munck, Christus 31 f.; Gaugler). Auf diese Aussage wird nicht verzichtet. Doch reicht sie nicht aus, weil die Kirche für Pls nicht Israel einfach ablöst und so zu einem Novum ohne geschichtliche Tiefendimension wird, das dann selber zu einer bloß historischen Größe würde. Das dialektische Verhältnis von Verheißung und Evangelium verlöre damit seinen Ernst (deutlich bei Ulonska, Altes Testament; Conzelmann, Grundriß 188 ff.). Das Problem des Israels nach dem Fleisch kann nicht beiseite geschoben werden, wenn man nicht bei Marcion landen will. Deshalb durchdringen und überschneiden sich im folgenden drei Fragen unlöslich: die nach dem Sinn der Geschichte Israels, die zweite nach der Gültigkeit der Verheißung und die dritte nach der Treue und Wahrheit Gottes. Entscheidend ist, daß man die mittlere im Zentrum beläßt. Sonst verliert man sich entweder in einer Geschichtstheologie oder in einer Theodizee oder existentialistisch in einer Erörterung des Verhältnisses von Wort und Glaube, wie sich an der Auslegungsgeschichte studieren läßt. Einzelfragen werden so dem Grundproblem gegenüber verselbständigt, und das Ganze kommt schief in den Blick. Es geht nicht nur um den Schöpfungsglauben (gegen Müller, Gottes Volk 100) noch um das Volk (Huby) noch um die Konfrontation von Glaube und Wirklichkeit (Luz, Geschichtsverständnis 21). Gott und Volk und Glaube kommen von da aus ins Spiel und sind insofern nicht zu trennen, als das erwählende und absondernde Wort Gottes an dieses Volk in spezifischer Weise ergangen ist. Nur so wird die Frage nach der Prädestination überhaupt sinnvoll, nämlich konkret, während anders abstrakt über göttliche Treue und Barmherzigkeit angesichts menschlichen Versagens zu reden gewesen wäre. Hat die an die Juden ergangene Verheißung ihre Gültigkeit verloren, vermag auch das Evangelium nicht mehr letzte Gewißheit zu geben (Vischer, Geheimnis 82), läuft alles auf den persönlichen Glauben hinaus, der keinen ihm vorgegebenen Grund mehr hat. Scheinbare Geschichtstheologie (Kühl; Jülicher; E. Weber, Problem; Hoppe, Heilsgeschichte 163; Schoeps, Paulus 249) enthüllt sich hier zutiefst als Theologie des Wortes (Vischer, Geheimnis 91 f.) und hat deshalb Platz in unserm Brief.

οὐχ οἷον δὲ ὅτι vermischt οὐχ οἷον und οὐχ ὅτι (Bauer, Wb 1114). ὁ λόγος τοῦ θεοῦ darf hier gerade nicht allgemein auf die Absicht und den Willen Gottes (gegen Zahn; Michel) als Prinzip seiner Herrschaft (Cerfaux, L'Eglise 38) bezogen werden. Nach dem Kontext geht es wie bei den λόγια τοῦ θεοῦ 3,2 um die Israel konkret gewährten Zusagen. ἐκπίπτειν, nur außerbiblisch belegt (Michaelis, ThWb VI, 169) meint: hinfällig werden, Kraft und Berechtigung verlieren. Mit 6b beginnt die Antwort auf die in 6a versteckte Frage (gegen Sanday-Headlam), deren Ablehnung jetzt begründet wird. Der Begriff Israel wird wie in 2,28 f. der des Juden dialektisch gebraucht und hat in den beiden Satzhälften verschiedenen Sinn. Spätere Handschriften haben deshalb im Nachsatz durch Ἰσραηλῖται verdeutlicht. οἱ ἐξ Ἰσραήλ geht nicht auf den Stammvater (Schlatter), sondern auf das Volk (Kühl). Pls bestreitet die herrschende Ansicht, wonach die Herkunft das Wesen bestimmt. Er tut es nicht unter dem rechtlichen Aspekt der Legitimität (gegen Michel), der erst mit den Zitaten 7b. 9b in die Argumentation eindringt, sondern aus der dualistischen Antithese von Geist oder Verheißung und Fleisch. Das erlaubt ihm, den Gedanken des wahren Israels einzuführen und entsprechend auch wie in 4,11 ff. das Motiv des Abrahamsamens zu variieren. οὐδ' ὅτι = neque qui (Lagrange gegen Jülicher). Paradoxerweise sind noch nicht diejenigen Abrahams Kinder, welche von Abraham abstammen. Die Aussage wird von Gen 21,12 her bekräftigt, sofern dort die Verheißung allein an Isaak geknüpft wird. Pls reißt aber auseinander, was alttestamentlich noch verknüpft war, wenn dort auch die Legitimität mit ins Spiel kommt, auf welche sich die Juden durchaus berufen können. Die Pointe seiner Argumentation liegt darin, daß Legitimität die Erfüllung der Verheißung nicht garantiert. 8 erläutert wieder mit einer dualistischen Antithese. Das Auftauchen des Begriffes ἐπαγγελία ist keineswegs befremdlich und unmotiviert (gegen Lietzmann; vgl. Stanley, Theologia 130 ff.). 6a wie das Zitat 7b haben sich der Sache nach bereits darauf bezogen, und die gesamte Argumentation erfordert ihn hier nicht weniger als in Gal 4,21 ff. Pls läßt als wirkliche Abrahamskinder nur die Gotteskinder gelten. Leibliche Abstammung und rechtliche Legitimität können das nicht verbürgen. Allein für die Empfänger der Verheißung gilt das nach 8b. Die Aussage hat eine polemische Spitze gegen die im Judentum herrschenden Anschauungen (Oepke, Gottesvolk 144). Sie greift auch weiter als die rabbinische Feststellung, welche sich freilich gegen die landläufige Meinung nicht durchsetzte, die Gotteskindschaft sei an die Erfüllung des Gesetzes gebunden (Billerbeck). Denn darin äußerte sich eine paränetische Absicht, nicht der paulinische Dualismus von Fleisch und Verheißung, zu welchem sich die Antithese von Fleisch und Geist abwandelt. Auch von einer Spiritualisierung der Bundesvorstellung sollte nicht gesprochen werden (gegen Schoeps, Paulus 252; Peterson, Kirche 18 ff.; richtig Müller, Gottes Volk 90). Dem Apostel kommt es darauf an, daß Verheißung nicht immanent weitergegeben und gleichsam leiblich fortgepflanzt werden kann, sondern immer neu zugesprochen und bewährt werden muß (Müller, Gottes Volk 97 ff.). Allerdings stellt er sich damit einer Problematik, welche schon die Propheten des Alten Testamentes, dann jüdische Apokalyptik und zumal die Gemeinde von Qumran beschäftigt hat (Dietzel, Beten im Geist 27; Gnilka, Verstockung 155 ff. mit vielen Beispielen). Volk und treue Gemeinde waren längst auseinandergefallen, die Frage nach dem wahren Israel wurde immer dringlicher und in Qumran schließlich radikal beantwortet, wenn man sich dort allein als die Gemeinde des Neuen Bundes verstand. Mit der Problematik nimmt Pls jedoch nicht die jüdische Antwort auf, welche nur in der Forderung verschärfter Torabeachtung bestehen konnte.

Man hat zu sehen, daß die prädestinatianischen Aussagen unseres Abschnittes aus dem Widerspruch zu dieser Forderung erwachsen. Der Apostel bezieht wohl schon das κληθή-σεται 7b auf die Berufung durch das Wort des Schöpfers (Maier, Israel 21; Müller, Volk 28; Luz, Geschichtsverständnis 65; Berger, Abraham 81). Darum greift er in 8b erneut auf das Verb λογίζειν zurück, das ungriechisch die göttliche Freiheit betont (Barrett) und die Geltung in Gottes Urteil meint (Heidland, Anrechnung 65). 9 spitzt zu: allein kraft göttlicher Zusage kam es zu Isaaks Geburt. Das Zitat ist aus Gen 18,10. 14 zusammen-gesetzt. Überblickt man die bisherige Argumentation, bleiben zwei Schwierigkeiten. 8 sprach von einem qualitativen Unterschied zwischen fleischlicher Nachkommenschaft und den Kindern der Verheißung. Die Konsequenz müßte sein, daß es auch im Bereich Israels auf leibliche Abstammung nicht ankommt (Kühl; Lagrange; Chr. Müller, Volk 29; Dink-ler, Prädestination 88). Dem widerspricht, daß Pls in 6b—7 betont „nicht alle" sagte, für eine Auswahl also die Kontinuität zwischen dem historischen und dem wahren Israel festhält. Man muß hervorheben, daß solche Spannung nicht (gegen H. Müller, Aus-legung 142; Ulonska 188) mit dem Gedanken des heiligen Restes überbrückt wird, den der Apostel anders als das zeitgenössische Judentum erstaunlich selten, nämlich nur in dem Zitat 9,29 und in c. 11 verwendet. Der Kontext zwingt dazu, das Vorhandensein eines wahren Israels inmitten des Judentums wie in 4,11 ff.; Gal 4,21 ff. allein auf das göttliche Erwählungshandeln zurückzuführen (Müller, Volk 95). Dann meldet sich je-doch noch dringlicher die zweite Frage: Welchen Sinn hat es von hier aus, daß in 4 f. gerade das Israel nach dem Fleisch als Träger der Verheißung und Empfänger der Kind-schaft bezeichnet wurde? Denn damit wird eine Kontinuität im irdischen Raum behaup-tet (Asmussen), die in 6b—7 teilweise, in 8 grundsätzlich bestritten wird. Jede Harmo-nisierung des Gegensatzes verdirbt eine adäquate Lösung des Grundproblems, die ange-sichts dieser Widersprüche nur dialektisch und paradox sein kann. Voreilige Auskünfte nützen nicht. Jedenfalls geht es nicht um ein „ideales Israel" (Jülicher). Wird das Volk als Verheißungsträger von der Gesamtheit seiner Glieder unterschieden (Gutbrod, ThWb III, 389), ist zu fragen, wo und wie dieses Volk erscheint. Gibt es tatsächlich eine Kon-tinuität der Verheißung im irdischen Israel, die jedoch nicht vom Volksverband getragen und garantiert wird, sondern ausschließlich vom handelnden Gott? Dann wäre er in Wahrheit diese Kontinuität und Israel nur der von ihm erwählte irdische Raum. Das würde den Spannungen des Textes am ehesten gerecht. Doch muß zunächst die Exegese weitergetrieben werden.

Noch schärfer als 6b—9 begründet der zweite Beweisgang in 10—13 den Segen in Gottes Tun und Wort. Die Ellipse οὐ μόνον δέ, ἀλλά ist aus 5,3. 11; 8,23 bekannt. Anders als bei Isaak und Ismael handelt es sich bei Jakob und Esau um legitime Söhne, die zudem als Zwillinge keinen Anhalt für unterschiedliche Behandlung bieten. Das Rät-sel göttlicher Erwählung tritt auf solchem Hintergrund um so greller heraus. Dabei ver-wirrt sich die Satzkonstruktion. 10 bleibt ein Anakoluth, auf das in 11—12a eine Paren-these folgt. Erst 12b nimmt das Subjekt von 10 im Dativ wieder auf. κοίτην ἔχειν ist euphemistisch der Geschlechtsverkehr, nicht wie Lev 18,20. 23; Num 5,20 der Samen-erguß (gegen Zahn; Lietzmann; Lagrange; Billerbeck). ἐξ ἑνός weist auf die Apposition voraus, die judenchristlich Isaak „unsern Vater" nennt. Wie häufig bei Pls zeigt das Anakoluth eine Aussage von großem theologischen Gewicht an. Der eigentliche Skopus des Abschnittes steckt in der Parenthese. Als Subjekt des gen. abs. ist υἱῶν zu ergänzen. Mindestens faktisch, wenngleich vielleicht nicht bewußt, lehnt der Apostel die haggadische Überlieferung ab, welche die Feindschaft zwischen den Söhnen in die Zeit vor ihrer Geburt projiziert (vgl. Billerbeck). Gott handelte an beiden bereits, als sie zum Guten und Schlechten überhaupt nicht fähig waren. Er wollte damit nicht nur die πρόθεσις, also wie 8,28 seinen Heilsratschluß, bekunden, sondern ihm auch bleibende Geltung verschaffen (Maier, Israel 27). Die Apposition κατ' ἐκλογήν besagt, daß sich das in Auswahl und Erwählung konkretisierte. Es liegt wie in 11,21 eine Qualitätsbestimmung vor (Maier 26). Im Kontext hätte solche Feststellung genügt. Doch wird die Parenthese nochmals durch den Zusatz erweitert: nicht aus Werken, sondern seitens des Berufenden. Der Apostel bringt damit nicht maniert und unnötig die Schemata seiner Rechtfertigungslehre an (gegen Dodd; völlig verständnislos Sanday-Headlam). Zunächst wird mit dem aus 4,17 bekannten Gottesprädikat ὁ καλῶν nochmals das Motiv der Verheißung betont. Gott handelt wie in der Schöpfung auch geschichtlich als Rufender und Berufender am Menschen. Die Antithese verdeutlicht, daß er es als der Alleinwirksame tut, wenn es um Heil geht. Werden so tatsächlich die Schemata der Rechtfertigungslehre recht gewaltsam in den Kontext eingetragen, beweist das, wie wenig Pls das Thema von c. 9—11 im Briefganzen isoliert wissen will. Auch das Problem Israels und damit das der Heilsgeschichte steht unter den Kriterien der Rechtfertigungslehre (Luz, Geschichtsverständnis 29; Bornkamm, Paulus 160). Gott handelt stets und überall als derselbe. Die Heilsgeschichte ist für den Apostel offensichtlich nicht ein immanenter Entwicklungsprozeß, dem sich an einer bestimmten historischen Stelle die Rechtfertigung einordnet (gegen Stendahl, Conscience 205 ff.). Vielmehr behält diese ihre Dominanz auch gegenüber und in dem heilsgeschichtlichen Entwurf. Von da aus kommt es in den folgenden Versen zu Aussagen über die göttliche Erwählung, die in ihrer Schroffheit alle andern Äußerungen dazu weit übertreffen.

12b—13 begründen die Parenthese mit zwei Zitaten aus Gen 25,23 und Mal 1,2 f., also, rabbinischer Tradition entsprechend (Michel, Bibel 83), mit einer Kombination von Tora und Propheten. Die Zitate sind aus ihrem Kontext herausgerissen und mißachten dessen Sinn. Denn Pls geht es nicht mehr um zwei Völker und deren Geschick (Maier, Israel 28; Michel, Bibel 83; Lietzmann), sondern zeitlos (gegen Gaugler) um Erwählung und Verwerfung zweier Personen, die zu Typen erhoben werden (anders Huby; Lagrange; Asmussen). Ungriechisch wird vom größeren und kleineren Sohn gesprochen, um den älteren vom jüngeren zu unterscheiden (Barrett). Auch 4.Esra 3,16 zitiert Mal 1,2 f.: „Du erkorst dir Israel, Esau aber verschmähtest du." Das bezieht sich aber auf das Verhältnis von Judentum und Rom, unterstützt also nicht die paulinische Deutung, deren Typologie wieder die Entsprechung von Urzeit und Endzeit voraussetzt. Genauso gilt das im folgenden für das Beispiel Pharaos. Eschatologische Betrachtungsweise benutzt die Beispiele, um das eschatologische Problem Israels zu erhellen, und bereitet so den Übergang zur eschatologischen Verkündigung in 22 ff. vor. Doch muß jetzt zunächst das Motiv der Prädestination geklärt werden. Die Auslegung hat häufig versucht, diese Frage zu umgehen oder sie abzuschwächen, als läge nur eine Hypothese vor (charakteristisch Kirk 123 ff.). So darf man auch nicht schon hier von c. 11 her die Verwerfung als geschichtlich begrenzt erklären (Schrenk, ThWb IV, 216; vgl. 180 ff.; Kühl; Munck, Christus 49; Dobschütz, Prädestination 15; richtig H. E. Weber, Problem 29 ff.; Hoppe Heilsgeschichte 122 f.). Faktisch trifft das zu. Doch bedeutet das eben nicht, daß unsere Verse nur eine propädeutische Aufgabe hätten (gegen Weber, Problem 36 ff.). Hier wird grundsätzlich gesprochen, 10—13 sind in 14 ff. noch gesteigert, und die vorliegende Typologie wird anders verkannt. Eine Erweichung bedeutet es ebenfalls, wenn man, den zitierten Texten in ihrem ursprünglichen Sinn folgend, nicht von Einzelpersonen, sondern von Völkern geredet sieht (Sanday-Headlam; Lagrange; Lyonnet, Doctrina; Munck, Christus 36 f.; Peterson, Kirche 252; Leenhardt; dagegen Murray). In Wirklichkeit würde die Aussage dadurch nur schlimmer, nicht besser, und aus der Typologie, welche historische Realität nicht aufhebt (gegen Müller, Gottes Volk 75) würde eine Allegorie. So läßt das Beispiel Pharaos ein solches Verständnis auch schlechterdings nicht zu (Kühl; Dobschütz, Prädestination 12; Dinkler, Prädestination 88). Durch den Text werden drittens (Weber, Problem 17 ff.; Murray) die Postulate widerlegt, der Erwählung stände keine Verwerfung gegenüber, die Antithese „lieben — hassen" gäbe nur den Wortlaut des Urtextes wieder, während der Apostel damit wie in 18 nicht mehr als Erbarmung und Verhärtung ausdrücke (Sanday-Headlam; Huby; Zerwick, Drama 325 ff.). Deutlich möchten die Ausleger mit diesen Auskünften die menschliche Verantwortung retten und ebenso, wenn sie 12b—13 allein auf die Führerschaft gegenüber menschlichen Aufgaben gehen lassen (Huby; Schrenk, ThWb IV, 180 f. 184). Dann ist der schlichte Protest gegen die hier vorgetragene Theorie und der Vorwurf der Inkonsequenz angesichts der paulinischen Praxis viel angebrachter (Jülicher). Schließlich ist es zwar richtig, daß unser Abschnitt von der Freiheit und Allmacht des Schöpfers handelt (Müller, Gottes Volk 27 ff.; Ridderbos). Doch sollte man sich damit nicht begnügen, weil hier mehr geschieht.

Das Vorliegen eines strengen Prädestinationsgedankens läßt sich nicht leugnen (Dobschütz, Prädestination 9; Oepke, Gottesvolk 214), obgleich Pls nur hier die praedestinatio gemina vertritt (Dinkler, Prädestination 92). Erst wo das rückhaltlos zugestanden worden ist, kann man nötige Abgrenzungen vornehmen und fragen, welchen Sinn das im Rahmen der Theologie des Apostels hat. Zweifellos ist Pls nicht spekulativ an vorzeitlicher Prädestination interessiert (Ridderbos). Gegen dogmatisches Vorurteil ist zu beachten, daß die prädestinatianischen Aussagen hier und anderswo ihren Ort nicht in der Gotteslehre als solcher haben (gegen Nygren; Weber, Problem 105 ff.; Maier, Israel 13). Beim Thema Israel geht es um die Soteriologie (Asmussen). Aus 12a folgt noch präziser, daß die Lehre von der justificatio impiorum in der souveränen Freiheit des Schöpfers verankert wird. Man hätte gut getan, sich an Texte wie 4,17 ff.; 1.K 1,18 ff. 26 ff.; 2.K 2,15 f. zu erinnern, um zu erkennen, daß Prädestination bei Pls an Gottes Wort gebunden ist und dessen Allwirksamkeit bekundet. Der Ruf Gottes konstituiert im Raum der Geschichte Annahme wie Ablehnung, sei es der Verheißung, sei es des Evangeliums. In ihm erweist sich Gott als Schöpfer (Müller, Gottes Volk 78 f.) und Richter. Deshalb kann der Apostel umgekehrt wie hier aus der biblischen Geschichte exemplifizieren und deduzieren. Prädestination hat für Pls gerade nicht die Funktion, die Präscienz Gottes und die Determination der Welt herauszustellen. Durch sie wird nicht eine ewige Ordnung planmäßig festgelegt. Gottes Wort tritt als stigmatisierende Anrede auf den Plan, mit welcher Heil und Unheil für den Menschen sich ereignet. Die Kategorie des „vor uns" dieses Wortes entfaltet sich in dem „für uns" und „gegen uns". Dabei wird sichtbar, daß die Rechtfertigungslehre nicht auf den einzelnen Menschen und die gegenwärtige Situation beschränkt werden darf, so gewiß sie sich in der Anthropologie geschichtlich konkretisiert. 1,18—3,20; 5,12 ff.; 8,18 ff. stellen sie nicht grundlos in einem kosmischen Rahmen, und nicht zufällig wird sie in der Lehre von der Taufe als der Eingliederung in den weltweiten Christusleib aufgenommen. Soteriologie und Heilsgeschichte im früher definierten Sinn lassen sich nicht trennen. So kann und muß nun offensichtlich nach paulinischer Meinung das Problem Israels aus diesem Zusammenhang heraus angefaßt werden. In der Rechtfertigung geht es eben nicht primär um die Gewissen (vgl. Stendahls Aufsatz über Conscience), sondern um Gottes Herrschaft über die Welt und deshalb konkret über den Einzelnen. Gottes Recht auf die Welt ist notwendig auch Gottes Recht auf Israel, wenn anders Erwählung und Verheißung an dieses Volk nicht sinnlos werden sollen. Dieses Recht wird jedoch bestritten, solange der Mensch, wie das in Israel exemplarisch geschieht, noch Rechte und Privilegien Gott gegenüber geltend macht. Nicht bloß als Jude, sondern als Theologe und Heidenapostel hat Pls die Fülle der promissio über Israel anerkannt. Dem darauf begründeten Anspruch, als Abrahamssame die Kontinuität des Heils zu besitzen, wird zunächst die Dialektik von wahrem und bloß fleischlichem Israel entgegengesetzt und dann die Aussage über die Prädestination, welche die göttliche Freiheit und Alleinwirksamkeit schützt. Beides wird unter der Thematik des Wortes Gottes zusammengehalten, das allein Kontinuität schenkt. Das Wort setzt Heilsgeschichte, die deshalb immer wieder abbrechen und sich gerade auch im Bereich des irdisch legitimen und aus der Geschichte der Verheißung herkommenden Israels — wie nach 1.K 10,1—13 der Kirche! — in Unheilsgeschichte verwandeln kann. Die paulinische Lehre von der Heilsgeschichte ist eine Variation seiner Lehre von der Rechtfertigung der Gottlosen. Die Menschen und das Irdische sichern nicht ihren Bestand. Empfangenes Heil verbürgt als solches keineswegs seine Dauer. Das hängt vielmehr daran, daß Berufung stets neu empfangen und angenommen wird. Allerdings begnügte sich der Apostel nicht mit solcher Feststellung. Der Blick auf die Weite und Tiefe des Rechtfertigungsgeschehens nötigte ihn, mit der Erwählung zugleich Verwerfung zu konstatieren und auch diese aus dem uns vorauflaufenden Wort abzuleiten. Freilich droht damit die Gefahr, daß die Botschaft von der Rechtfertigung aus dem Glauben sinnlos wird und Determination durch den unbegründbaren Gotteswillen an ihre Stelle tritt. Das Folgende zeigt mindestens, daß Pls diese Gefahr erkannt hat.

2. 9,14—23: Gottes freie Macht

15 Was werden wir nun sagen? Gibt es etwa Unrecht bei Gott? Das sei fern! Denn zu
   Mose spricht er: „Erbarmen werde ich mich, dessen ich mich erbarme, und Mitleid
16 haben, mit dem ich Mitleid habe." Also liegt es nicht an dem, der strebt und läuft,
17 sondern an Gott, dem Erbarmer. Denn die Schrift sagt zu Pharao: „Eben dazu
   habe ich dich aufgerichtet, daß ich an dir meine Macht erweisen könnte und daß
18 mein Name auf der ganzen Erde verkündigt werde." Er erbarmt sich also, wessen er
19 will, und verstockt, wen er will. Wirst du mir nun sagen: Warum schilt er (dann)
20 noch? Denn wer widerstand je seinem Willen? O Mensch, wer bist du eigentlich,
   daß du Gott zu widersprechen wagst? Kann etwa das Werk dem Meister vorhalten:

21 Wozu hast du mich so geschaffen? Hat nicht der Töpfer freie Verfügung über den
   Ton, aus demselben Teig das eine Gefäß zum Schmuck, das andere zu unansehnlichem
22 Gebrauch herzustellen? Sein gutes Recht ist es (also), wenn Gott den Zorn erweisen
   und seine Kraft kundtun wollte (und deshalb) in großer Langmut die zum Verder-
23 ben bereiteten Gefäße des Zorns ertrug und (wenn er vorhatte), zu bekunden die
   reiche Fülle seiner Majestät über den Gefäßen der Barmherzigkeit, die er zur Herrlichkeit vorherbestimmt hatte, —

Literatur: R. Bultmann, Gnade und Freiheit, Glaube und Geschichte (Festschr. F. Gogarten),
1948, 7-20. G. Bornkamm, Paulinische Anakoluthe, Das Ende des Gesetzes 90-92. V. C. Pfitzner,
Paul and the Agon Motif, 1967. Chr. Plag, Israels Wege zum Heil, Arbeiten zur Theologie I, 40,
1969.

Der Stil der Diatribe tritt hier besonders deutlich hervor. Von konkreten Gegnern
und selbst Missionserfahrungen ist nichts zu spüren. Theologische Problematik beherrscht
das Feld, und die gemachten Aussagen werden nicht gemildert, sondern verschärft. Wie
die Antwort zeigt, geht die Frage in 14 nicht auf Gottes Eigenschaft, vielmehr auf sein
Verhalten (Müller, Gottes Volk 31). ἀδικία meint richterliche Ungerechtigkeit, nicht das
Abweichen von einer Norm (gegen Kühl) oder das Gott durch die vorigen Ausführungen
angetane Unrecht (gegen Ridderbos). Es ist begreiflich, daß die Auslegung hier Theodizee fand. Doch wird damit abstrahiert und ein Gottesbegriff verhandelt, während Pls
alles auf das Recht des Schöpfers in seinem konkreten Tun ankommt (Müller, ebd. 83 ff.).
Das aus Ex 33,19 entnommene Zitat redet von Mose nicht als Offenbarungsmittler (gegen
Kühl; Jülicher; Gaugler; richtig Michel; Lagrange; Schrenk, ThWb II, 55), sondern als
Gegenspieler Pharaos. Die Antithesen von Isaak-Ismael und Jakob-Esau setzen sich so
fort und charakterisieren die paulinische Sicht von der Heilsgeschichte, die stets durch
den Widerstreit von Erwählten und Verworfenen bestimmt wird. In der Schrift wird
das nach beiden Seiten hin belegt. 15 f. und 17 f. bilden demnach einen antithetischen
Parallelismus, in welchem auf die Zitate die gleiche grundsätzliche Einsicht geradezu in
Gestalt eines dogmatischen Urteils folgt. Pls begründet also nicht eigentlich die Ablehnung der von ihm aufgeworfenen Frage. Er liest vielmehr aus der Schrift ab, daß Gottes
Handeln sich nicht ändert (Althaus). Vom Inhalt her ist Gottes Recht unvergleichbar.
Es besteht darin, daß er der Schöpfer bleibt (Schlatter; Michel). So ist auch sein Heilshandeln an seinen freien Willen gebunden. Das kontrastiert der rabbinischen Auslegung,
welche Erbarmenswürdigkeit verlangt (Billerbeck). Jede menschliche Mitwirkung beim
Heil ist ausgeschlossen, wo man sich wirklich an die Macht und den Willen seines Schöpfers binden läßt. τρέχειν, wie in 1.K 9,24. 26; Gal 2,2; 5,7; Phil 2,16 aus der Diatribe
übernommen, meint den Kampf in der Arena (Pfitzner, Agon 135 f.), θέλειν das Erstre-
ben eines Zieles. ὁ ἐλεῶν ist wohl bereits festes jüdisches Gottesprädikat (Billerbeck). Wieder verbindet sich die Prädestinationsaussage mit dem Schema der Rechtfertigungslehre,
wenn die Freiheit Gottes das Wesen der Gnade herausstellt (Müller, Volk 31; Barrett)
und das Erbarmen den Vorrang vor dem Verstocken hat. Umgekehrt würde die Rechtfertigungsbotschaft ohne die Tiefe der prädestinatianischen Aussage nicht sein, was sie ist,
weil es in ihr nicht bloß um die Auseinandersetzung mit dem Judentum geht. Weil sie
jeden menschlichen Eigenwillen und darum auch das fromme Leistungsstreben zerbricht,

holt sich in ihr der Schöpfer sein Recht am Geschöpf, deckt Gottes Gottheit des Menschen Menschsein begründend auf. Das Beispiel Pharaos zeigt, daß das auch dort gilt, wo Gott der Glaube versagt wird. In 17 ist ἡ γραφή die personifizierte Gottesstimme, wie sie der spätere Leser vernimmt. Das Zitat aus Ex 9,16 nimmt nicht den LXX-Text auf (Michel, Bibel 76). Pls ersetzt, wohl im Anschluß an eine dem Urtext nähere Vorlage, διατηρεῖσθαι = „bestehen lassen" durch ἐξεγείρειν „aufstellen, auftreten lassen", also nicht: ins Dasein rufen (Oepke, ThWb II, 337) oder „in Langmut aufrichten" (Ridderbos; vgl. Übersicht bei Sanday-Headlam). Der prädestinierende Gotteswille tritt mit der 1. Person des Aktivs statt wie in LXX mit der 2. Person des Passivs noch stärker heraus, und εἰς αὐτὸ τοῦτο unterstreicht das. Hier ist δύναμις die Macht des Schöpfers im Gericht. Die Finalsätze sind nach LXX koordiniert, wobei der zweite sachlich die Folge und das Ziel des ersten anzeigt. διαγγέλλειν hat den Sinn „proklamieren" (Schniewind, ThWb I, 97). δύναμις und ὄνομα gehen fast ineinander über, sofern die epiphane Wundermacht den durch sie Wirkenden zu erkennen gibt (Bietenhard, ThWb V, 276). Pharaos Trotz dient der weltweiten Verherrlichung dessen, der ihn zerschlägt, und ist gerade deshalb von Gott gewollt. Parallel zu 16, aber auf 15 nochmals zurückblickend, wird daraus in 18 der Schluß gezogen, dessen Pointe in dem zweimaligen ὃν θέλει liegt. σκληρύνειν = „verhärten" ist aus der Tradition von Ex 4,21 u. a. zu erklären, weil es sonst im Neuen Testament die andere Bedeutung hat: dem Wort widerstehen (Michel). Das Verb hat keinen schwächeren Sinn als „verwerfen" (gegen Kühl; Gutjahr). Erst recht darf nicht darüber reflektiert werden, daß damit vorhandene Bosheit vorausgesetzt wird (Zahn; Lagrange; Leenhardt; Bardenhewer; Munck, Christus 38 ff.; richtig Weber, Problem 18 f.). Nach dem Kontext und in der Antithese ist Verstockung zum Gericht gemeint. Insofern setzt die paulinische Betrachtungsweise der Heilsgeschichte konstitutiv die gemina praedestinatio voraus, weil sie sich am Rechtfertigungsgeschehen orientiert (gegen Brunner). Das verbindet unsern Text mit jenen Aussagen, nach welchen wie in 1,24 ff. Gottes Zorn den Sünder an sich selbst preisgibt, das mißdeutete Gesetz wie in 3,19; 5,20; 7,8 ff. allgemeine Schuld heraufführt, Adams Sünde nach 5,12 ff. die gesamte Menschheit bestimmt (Schlatter). Genauso gehört in solchen Zusammenhang, daß die Taufe gratia praeveniens und justificatio impii aufzeigt. Leugnet man die Prädestinationslehre des Apostels oder schwächt sie ab, trifft man nicht bloß die Radikalität der Rechtfertigungslehre. Man verkennt auch die Eigenart seiner Heilsgeschichte, die dann den Charakter eines Entwicklungsprozesses mit sittlich unterschiedlichen Stufen bekommt (besonders kraß Dodd). Selbst die paulinische „Ethik" wird dann mißverstanden, weil die Begründung des Imperativs in dem unumkehrbaren Indikativ als das Nebeneinander einer religiösen und sittlichen Betrachtungsweise erklärt werden muß (Dobschütz, Prädestination 19) und die nova oboedientia nicht mehr als geistgewirkt erscheint.

Erst dann kann man schließlich die paulinische Theologie derart am Individuum ausrichten, daß die Heilsgeschichte auf die Summe der Entscheidungssituationen zusammenschrumpft und Geschichtlichkeit ihr bestimmender Aspekt wird (Bultmann, Theol. 330; Gnade und Freiheit 15). Daß Erwählung sich im Glauben vollziehe, nicht dahinter und nicht davor (Bultmann ebda), widerstreitet zweifellos der Meinung des Apostels (Müller, Gottes Volk 80 f.). Hier wie anderswo wird das „Davor" betont und darum Erwählung mit Verwerfung koordiniert. Wohl manifestiert sich Erwählung im Glauben, und im allgemeinen ist Prädestination nicht als vorzeitliches Geschehen beschrieben. Redet man jedoch von vorübergehender Verwerfung, muß man auch Erwählung unter die Kategorie des Vorübergehenden stellen. Weil Prädestination vom Apostel zumeist der Verkündigung zugeordnet wird, bekommt sie einen merkwürdig geschichtlichen Charakter. Gottes Wort prädestiniert zu Heil und Unheil. Deshalb fällt umgekehrt die Rechtfertigungslehre nicht einfach mit einer Glaubenslehre zusammen, wird geschichtliche Existenz eigenartig transzendiert (Dinkler, Prädestination 97). Die Auslegung ist sich fast durchweg darüber einig, daß dieser Sachverhalt nicht legitim auf den Nenner des Determinismus gebracht werden darf. Dann sollte sie konsequenterweise ihn jedoch auch nicht (etwa gegen Sickenberger; richtig Müller, Volk 79 ff.) mit einer Anschauung vom freien Willen und freier Entscheidung verbinden. Anders wird beide Male eine bestimmte, wahrscheinlich bereits überholte Anthropologie zum Maß der Interpretation, welche die Aussage, daß Gott in seiner Gerechtigkeit sich sein Recht an seiner Schöpfung holt, mythologisch und spekulativ nennen, die Rechtfertigung unerlaubt individualisieren und von der Heilsgeschichte trennen muß.

Die Argumentation in 15—18 ist nicht über die Position von 13 hinausgekommen. 19 wiederholt darum die Frage von 14 im Namen der gekränkten Verantwortlichkeit des Menschen (Lagrange; Nygren; Brunner; Barrett). Ist die Gegenfrage ein beliebtes Stilmittel der Diatribe, so mag ihre Formulierung an alttestamentliche Tradition wie in Hi 9,12b. 19b und näher noch an Sap 12,12; 11,21 anknüpfen, die sich in 1QS 11,22 fortsetzt (Lietzmann; Müller, Gottes Volk 30). βούλημα in der Bedeutung „Belieben, Gutdünken, Laune" (Schrenk, ThWb I, 635) und ἀνθιστάναι stammen wohl aus der Sprache der LXX und weisen auf eine forensische Situation hin. Unbegründet ist, in μέμφεσθαι einen besonders milden Ausdruck zu finden, der auf die Pharaogeschichte blicke (Zahn). Auch kommt hier nicht (gegen Peterson, Kirche 259) der Jude zu Wort, weil die Anrede jeden Menschen in seine Schranken weist. ἀνθέστηκεν ist gnomisches Perfekt. μενοῦν γε steigert μὲν οὖν = „eigentlich" (Bauer, Wb 995) und steht, klassischem Gebrauch entgegen, wie in 10,18; Lk 11,28; Phil 3,18 am Satzanfang. ἀνταποκρίνεσθαι meint: rechten mit. Auch der Grieche kann feststellen, daß man mit Gott nicht streiten dürfe (vgl. Bauer, Wb 145). Pls schlägt den Einwand einfach nieder. Der Mensch kann nicht Gottes Ankläger werden, weil es Recht für die Kreatur nicht als neutrale Norm, sondern nur durch Gott gibt und dessen Recht mit seiner schöpferischen Freiheit zusammenfällt (Schlatter; Michel; Vischer, Geheimnis 97). 20b—21 unterstreichen die Aussage mit einem Doppelgleichnis, das nicht allegorisiert werden darf und breiter alttestamentlicher Tradition entstammt, wie Jes 29,16; 45,9; 64,7; Jer 18,3—6; Hi 10,9; 33,6 und daran anschließende jüdische Texte (Luz, Geschichtsverständnis 238) zeigen. Pls hat die Überlieferung selbständig verarbeitet, scheint sich aber in 20b an Jes 29,16 anzulehnen und kommt in 21b der Aussage Sap 15,7 sehr nahe. Die Frage in 20b erinnert an Jes 45,9, ist aber kaum von dort entlehnt. Die Zuspitzung in μɛ und dem nicht auf die Art (Zahn), sondern das Ergebnis (Kühl) blickenden οὕτως fehlt in allen alttestamentlichen Texten. πλάσσειν und ποιεῖν werden schon in LXX parallelisiert (Braun, ThWb VI, 261). φύραμα meint die Masse (Bauer, Wb 1718). τοῦ πηλοῦ ist zu ἐξουσίαν zu ziehen. Im Schluß wird nicht von Gefäßen höheren und minderen Wertes (Sanday-Headlam; Gutjahr; Huby; Schlatter), sondern vom unterschiedlichen Gebrauch gesprochen (Ridderbos). σκεῦος kann im Griechischen (Bauer, Wb 1319) wie כלי im Rabbinischen (Billerbeck) sich auf Menschen beziehen, und in Qumran ist deren Bezeichnung als „Lehmgebilde" stereotyp (Braun,

Selbstverständnis 105 ff.). Modernes Empfinden nennt Sach- und Bildhälfte unvergleichbar: Der Mensch ist kein Topf (Dodd; Leenhardt; Huby; vgl. Gale, Analogy 200). Für
jüdisches Selbstverständnis gab es hier keine Schwierigkeiten, so daß Allegorie (Luz, Geschichtsverständnis 239) ausscheidet. Während Philo die Schöpfung auf Gottes ἀγαθότης
zurückführt und davon die ἐξουσία als Herrschaft über das Geschaffene trennt (Foerster,
ThWb II, 564), hängt für den Apostel alles wie in 1,20; 4,17 an der Allmacht des Schöpfers, die sich als solche auch Langmut gestatten kann. Ihr gegenüber gibt es keinen Rechts-
appell, wie denn auch die libertas christiana nicht Selbständigkeit ist.

19—21 sind eine „Episode" (Kühl; K. Barth). Sie haben die Argumentation nicht gefördert, wohl aber gegen Einwände gesichert. In 22—23 wird nun die Summe gezogen
und die konkrete Anwendung vorbereitet. Der Wechsel macht sich durch den Übergang
aus dem Stil der Diatribe und den Motiven der Weisheitsrede in eschatologische Terminologie und Gedanken bemerkbar (Munck, Christus 50 f.; Peterson, Kirche 260; Barrett).
Von Gefäßen des Zorns oder der Barmherzigkeit wird im Blick auf bestimmte Gruppen
gesprochen, obgleich die Aussage allgemein gehalten ist. In konkreter Anwendung werden zunächst die ungläubigen Juden gemeint sein, auch wenn Heiden sachlich mitbetroffen sind (so zumeist; anders Munck, Christus 54; Michel). Von σκεύη ὀργῆς ist als Gegen-
ständen, nicht qualifizierend (gegen Schlatter; Maurer, ThWb VII, 364) als Instrumen-
ten des Zorns die Rede, obgleich die Formel in Jes 13,5 Symm; Jer 27,25 LXX von „Zor-
neswaffen" spricht. Natürlich ist erst recht nicht ein unpersönlicher Prozeß des Zorns gemeint, welchen die σκεύη weitertragen (gegen Hanson, Wrath 90 ff.), sondern wie in
1,18—3,20 die sich schon gegenwärtig bekundende Macht des letzten Richters. ἐνδείξασ-
θαι hat den gleichen Sinn wie das Substantiv in 3,25 f., und auch γνωρίζειν ist Offen-
barungsterminus. Deutlich nimmt der Satz 17 auf und stellt damit, allerdings in umgekehrter Reihenfolge (Maier, Israel 39), die Typologie zwischen den Gottessprüchen an
Mose und Pharao zum eschatologischen Geschehen heraus. Von dieser Einsicht muß das
komplizierte Problem der Satzkonstruktion angegangen werden. Das Anakoluth bildet
wieder einmal das formale Indiz eines entscheidenden Gedankenfortschritts. Der fehlende
Schluß ist aus 21 zu entnehmen: Es ist sein gutes Recht. Häufig hat die enge Verbindung
von Zorn und Langmut verwirrt, so daß eine überholte Auslegung antithetisch im Sinn
von 2,4 erklärte. Auch nach Apk. Bar 59,6 äußert sich das große Maß von Langmut im
Zurückhalten des Zorns, und in 4.Esra 7,74 geht die Periode der Langmut dem Gericht
vorauf. Verstand man demgemäß, mußte εἰ θέλων konzessiv heißen: obgleich er beabsichtigte (Sanday-Headlam; Zahn; Gutjahr; Leenhardt; Kirk; Lyonnet, Doctrina
263 ff.). Dann ist die Gegenwart letzte Frist zur Buße (Brunner; Stählin, ThWb V, 426;
abgelehnt schon durch Weber, Problem 60). Der gleiche Sinn wird erreicht, wenn 22 dem
ἵνα-Satz 23 untergeordnet wird (Zahn; Schlatter), und von da begreift sich wohl
die Streichung des zweifellos ursprünglichen καί in 23 durch B69vgOr. Diese Interpretation fällt jedoch hin, wenn in 22 die endzeitliche Entsprechung zur Ankündigung in
17 vorliegt (Bornkamm, Anakoluthe 90 f.; Maier, Israel 44). Schon darin vollzieht sich
Gottes Gericht über den Gefäßen des Zorns, daß sie wie nach 1,24 ff. ihrem Trotz und
ihrer Schuld anheimgegeben werden. Nach dem Kontext meint τὸ δυνατὸν αὐτοῦ Gottes
Allmacht. Geheimnisvoll bekundet sie sich gerade dann, wenn sie ihren Feinden in Langmut gegenübertritt. Das ἤνεγκεν ... entspricht sinngemäß also dem ἐξήγειρά σε in 17
und dem παρέδωκεν in 1,24 ff. Die Perspektive ist apokalyptisch, und das gilt nach den

jüdischen Parallelen auch für den Gebrauch von μαϰροϑυμία (Müller, Gottes Volk 32). εἰ δὲ ϑέλων muß dann kausal (Kühl; Michel; Barrett; H. W. Schmidt; Murray) oder besser modal durch „in der Absicht" (Zahn; Bornkamm a.a.O.; Maurer, ThWb VII, 363; Luz, Geschichtsverständnis 243 f.: final) übersetzt werden. ϰαὶ ἵνα bezieht sich elliptisch auf ϑέλων (Kühl), wobei ϰαί nicht steigert (Maurer, ThWb VII, 364) sondern die parallelen Verse 22 und 23 koordiniert (Lietzmann; Lagrange; Michel; Barrett; H. W. Schmidt; Vischer, Geheimnis 97 ff.; anders Plag, Wege 15 ff. 23).

Pls endet nicht zufällig, die Folge von 15—18 umkehrend, mit 23. Auch die plerophorische, nach Eph. 1,18; 3,16 vielleicht liturgische Wendung πλοῦτος τῆς δόξης (Michel) hat guten Sinn: Unheil und Heil liegen nicht, wie es zunächst erscheinen mag, im Gleichgewicht. c. 11 wird explizit dartun, daß das Unheil dem Heil dient. Bezeichnet δόξα in 23a die göttliche Majestät (Bauer, Wb 403), so in 23b die eschatologische Verherrlichung (Zahn). Beides steht sich nicht beziehungslos gegenüber. Gottes πλοῦτος ist paulinisch und deuteropaulinisch nicht die Fülle seines Wesens, sondern seiner Gnade, welche σϰεύη ἐλέους schafft. Die eschatologische Verherrlichung verwirklicht sich schon jetzt so, daß der göttliche Herrschaftsanspruch auf die Welt (v. Rad, ThWb II, 245) sich an den Geschöpfen durchsetzt und ihre nach 3,23 verlorene Ebenbildlichkeit wie in 8,30 wiederherstellt. Damit bekommen sie nicht, wie später 2.Pt 1,4 behauptet, Anteil am Göttlichen. Sie werden vielmehr Herrschaftsbereich der Gnade wie vorher des Zorns. Erneut erscheint also die paulinische Rechtfertigungslehre, die nicht nur individuelle Vergebung und Errettung, sondern Aufrichtung des göttlichen Rechtes über seinem Eigentum besagt. Von da aus müssen schließlich die beiden Appositionen verstanden werden, die jeweils am Versschluß nochmals das Motiv der Prädestination aufgreifen. Es ist zwar unrichtig, daß nur hier klar von Vorherbestimmung zu Heil und Unheil gesprochen wird. Doch deuten die beiden Partizipien nicht mehr auf geschichtliche Erwählung und Verwerfung, sondern auf ewigen Ratschluß (Jülicher; Lagrange; Dobschütz, Prädestination 13). Dem darf man sich nicht so entziehen, daß man ϰατηρτισμένα die Nüance gibt: reif sein für (Zahn; Sanday-Headlam; Lagrange; Gutjahr; Kirk; Murray; Franzmann; Leenhardt; Ridderbos; Maier, Israel 47; dagegen schon Weber, Problem 30). Das deutlich auf den Heilsplan verweisende προητοίμασεν schließt das aus. Wohl sind jedoch die rabbinischen Äquivalente zu beachten, welche von der Heilsgeschichte apokalyptisch sprechen (Billerbeck I, 981 f.). Daß Pls hier in fester Tradition steht, ergibt sich vor allem daraus, daß für Qumran doppelte Prädestination die Gemeinde sogar vom übrigen Israel schied (Gnilka, Verstockung 181 f.; Braun, Qumran II, 243 ff.; Larsson, Vorbild 297 f.). So wird grundsätzlich in 1QS 3,15—17 gesagt: „Vom Gott der Erkenntnis kommt alles Sein und Geschehen. Ehe sie sind, hat er ihren ganzen Plan festgesetzt. Und wenn sie da sind zu ihrer Bestimmung, so erfüllen sie nach seinem herrlichen Plan ihr Werk, und keine Änderung gibt es. In seiner Hand liegen die Satzungen für alles." Für diese Anschauung gab es Anknüpfungspunkte im Judentum (vgl. Bousset-Gressmann, Religion ³373 f.; F. Moore, Judaism I, 455 ff.). Als solche ist sie aber von außen eingedrungen, weil der Rabbinat die Verantwortlichkeit des Menschen und darum auch seinen freien Willen stets verteidigt hat.

Die prädestinatianischen Aussagen des Apostels erwachsen auf dem Boden der durch Qumran vertretenen Apokalyptik (Müller, Gottes Volk 77 ff.; Luz, Geschichtsverständnis 228 ff.). Das gilt besonders für die beiden über 11—13 noch hinausgreifenden Appositionen in 22—23. Freilich ist zu bedenken, daß unsere Verse Zorn wie Gnade sich schon gegenwärtig offenbaren lassen und das Motiv der göttlichen Langmut gegenüber den Gefäßen des Zorns verwenden. Das Interesse ruht also nicht auf ewiger Bestimmung und endzeitlichem Gericht, sondern auf der durch Verheißung begründeten Heilsgeschichte (Michel). Das προητοίμασεν verwirklicht sich darum in dem καλεῖν von 24, das schon in 7 und 11 Stichwort war. Man wird deshalb fragen, ob der Apostel die ihm vorgegebene Tradition nicht anders verstand, nämlich wie in 2. K 2,14ff. auch κατηρτισμένα auf die mit der Heilsbotschaft ergehende doppelte Qualifikation der Hörer der Botschaft bezog. Von da aus würde die Dialektik in unsern Kapiteln, die zu c. 11 hinführt, verständlicher. Eng mit dieser Frage ist die andere verbunden, ob Pls hier von einzelnen Menschen (Dinkler, Prädestination 88) spricht oder nicht. Für die Typologien in 9—18 wurde daran festgehalten, und die grundsätzliche Erwägung in 21 ist nicht anders zu begreifen. Umgekehrt wird 22 f. in 24—29 durch die Antithese von Kirche und Synagoge interpretiert. Das erlaubt den Schluß, daß auch bei den Gefäßen des Zorns und der Erbarmung bereits an diese „Völker" gedacht ist (gegen Dinkler 88, der das erst von 30 ab zugesteht). Dann könnte man freilich nicht mehr (Dinkler 97; anders Munck, Christus 56; Peterson, Kirche 261) sagen, Pls ringe hier primär um das anthropologische Problem. Die Einheit des Briefes ist ohnehin nicht unter solchem Aspekt zu behaupten. Doch lassen sich vorläufig diese Fragen nur anmelden. Der Satz bricht jäh ab. Pls springt aus dem Felde scheinbar abstrakter Möglichkeiten und, wie es sogar in 22 f. noch aussieht, hypothetischer Erwägungen in die Realität (Bornkamm, Anakoluthe 91). Er tut es allerdings so, daß jetzt heraustritt, in Wahrheit seien die Möglichkeiten nicht abstrakt, die Erwägungen nicht hypothetisch gewesen (Luz, Geschichtsverständnis 245 ff.). Gottes Recht hat ein konkretes Ziel.

3. 9,24—29: Das vorläufige Ziel göttlicher Erwählung

24 Sie hat er auch berufen, (nämlich) uns, nicht nur aus Juden, sondern auch aus
25 Heiden. So sagt er auch bei Hosea: Rufen werde ich, was nicht mein Volk war,
26 „mein Volk" und die Nichtgeliebten „Geliebte". So wird es geschehen an dem
   Orte, wo ihnen gesagt wurde: „Nicht mein Volk seid ihr." Da werden sie Söhne
27 des lebendigen Gottes genannt werden. Über Israel schreit aber Jesaja: Wenn die
   Zahl der Kinder Israels wie der Sand am Meer wäre, — (nur) der Rest wird
28 gerettet werden. Denn Abrechnung wird vollendend und einschränkend der Herr
29 auf Erden halten. Wie auch Jesaja vorausverkündigt hat: Wenn nicht der Herr
   Zebaoth uns Samen gelassen hätte, wir wären wie Sodom geworden und glichen
   Gomorrha.

Literatur: J. Jeremias, Der Gedanke des Heiligen Restes im Spätjudentum und in der Verkündigung Jesu, ZNW 42 (1949), 184-194. J. A. Fitzmyer, The Use of explicit Old Testament Quotations in Qumran Literature and in the New Testament, NTSt 7 (1960/1), 297-333. G. Maier, Mensch und freier Wille nach den spätjüdischen Religionsparteien, Diss. Tübingen, 1969.

Weil Gottes Gottheit nicht bloß ein Gedanke für Pls ist, sprachen 6b—23 nicht (Dodd) abstrakte und akademische Erwägungen aus, beschrieben vielmehr, was wirklich war und bleibt (Schlatter). Vergleiche und Typologie heben anders als Allegorie die Geschichte nicht auf, sondern verdeutlichen Gottes Handeln. 24—27 nennen das vorläufig erreichte Ziel. 24 stellt es thematisch als die Kirche aus Juden und Heiden heraus. Um seinetwillen hat der Apostel prädestinatianisch argumentiert. Die eschatologische Wirklichkeit ist kein historisch kontingentes Geschehen, wie diejenigen behaupten müssen, die mit dem Heilsratschluß auch die Heilsgeschichte leugnen. Umgekehrt ist Prädestination nicht despotische Willkür, wenn sie Heilsgeschichte setzt. Ihre soteriologische Funktion ist ebenso konstitutiv wie ihre Bindung an das schöpferisch wirkende und sie heraufführende Wort Gottes. Das erklärt die unsere Kapitel beherrschende Dialektik (Dinkler, Prädestination 98). Die an Israel ergangene Verheißung und das gegenwärtig erkennbare Ziel des Heilsratschlusses klaffen auseinander. Pls muß deshalb zeigen, daß göttliche Verheißung nicht verrechenbar oder menschliches Privileg ist, Heilsgeschichte kein kontinuierlicher Entwicklungsprozeß, sondern Geschichte des stets neu ergehenden, Erwählung und Verwerfung wirkenden Wortes. Auf diese Weise wird der jüdische Erwählungsglaube transzendiert (Peterson, Kirche 262). Dem οὐ πάντες von 6 ff. entspricht nun das οὐ μόνον, ἀλλὰ δέ, der Einschränkung dort die Erweiterung hier, wobei (ebda 262 ff.) beides qualitativen, nicht bloß quantitativen Charakter hat. Unterstreicht καί das ἡμᾶς (Lietzmann und zumeist), wofür die Attraktion des Relativs zu sprechen scheint, oder wird in einer Steigerung zu dem voraufgehenden προητοίμασεν, ähnlich wie in 8,30, ἐκάλεσεν betont (Kühl; Maier, Israel 50)? Daß überhaupt relativisch fortgefahren wird, spricht für das letztere. Dann überrascht ἡμᾶς noch mehr. Der Epheserbrief betrachtet die Vereinigung von Christen aus Juden und Heiden zur Kirche als das eschatologische Mysterium schlechthin und läßt paulinische Theologie darin münden. Der Apostel bahnt mindestens den Weg zu solchem Verständnis. Denn „nicht nur aus Juden, sondern auch aus Heiden" besagt, daß sich die Kirche weder mit einem jüdischen noch mit einem heidnischen Verband vergleichen läßt. In der Kontinuität zum alten Gottesvolk ist sie das wahre Israel, in der Antithese zu ihm das neue Gottesvolk und der neue Bund. Sofern Juden und Heiden in dem jüdischen, von Pls beibehaltenen Aspekt die Welt in ihrer Einheit wie in ihrer Widersprüchlichkeit kennzeichnen, ist die Kirche, in welcher sich beide zusammenfinden, mehr als eine religiöse Gruppe oder sogar ein Volk, nämlich neue Welt. Darf man das ἐξ auf ἐκάλεσεν beziehen, ist sie tatsächlich aus den Völkern des alten Äons herausgerufen. Die landläufige Etymologie des Wortes ἐκκλησία ist philologisch unrichtig, jedoch von hier aus bemerkt Bengel sinnvoll: Etymon verbi ecclesiae.

Die folgende Zitatenkollektion bestätigt dem Apostel, daß die Verbindung von Juden und Heiden eschatologisches Geschehen ist. Die Schrift hat solche Wirklichkeit vorausverkündigt und damit dem προητοίμασεν Ausdruck verliehen. Daß ähnliche Zusammenstellungen bereits der vorpaulinischen Mission dienten, ist sicher richtig (Sanday-Headlam), unbeweisbar dagegen, daß sie liturgisch verwandt wurden. Die Kombination führt (gegen Michel) auf Pls zurück. Er gibt den Zitaten aus Hos 2,25; 2,1 LXX, als gehörten sie zusammen, eine gemeinsame Einleitung, ersetzt im ersten Wort ἐρῶ durch das ihm so wichtige Stichwort καλέσω, das wieder auf die göttliche Schöpfermacht weist, und stellt die Zeilen um, so den Gedanken des Gottesvolkes betonend. ἐν τῷ Ὡσηέ geht auf das Buch. Die Propheten werden hier als Mittler der Gottesrede betrachtet, wie es auch rabbinische (Billerbeck) und qumranische Texte (Fitzmyer, Use 302) tun. Anders als bei Philo schließt deren Inspiration nicht die Eigenverantwortung aus (Schrenk, ThWb I,

757; verzerrt bei Ulonska, Altes Testament 189). ὡς καί soll natürlich keinen Vergleich mit der alttestamentlichen Historie einleiten (gegen Sanday-Headlam; Zahn). Wie üblich versteht der Apostel die Sprüche als eschatologisch ausgerichtete Orakel, ohne über ihren ursprünglichen Sinn zu reflektieren (Kühl; Lagrange; Maier, Israel 55). Der Reihenfolge in 24 chiastisch entgegengestellt, sind die Heidenchristen die Empfänger der Verheißung, welche sie aus dem Chaos herausgeholt und zu Geliebten, also zu Kindern und zum eschatologischen Gottesvolk gemacht hat. Die Provokation dieser Aussage (gegen Sanday-Headlam; Huby; Ridderbos) wird sichtbar, wenn man Jub 2,19 dagegenhält: „Siehe, ich werde mir ein Volk aussondern aus allen Völkern; sie aber werden Sabbath halten, und ich werde sie mir zu meinem Volke heiligen und werde sie segnen . . ., und sie werden mir mein Volk sein, und ich werde ihnen Gott sein." Wie hier das fromme Werk in die Verheißung einbezogen ist, so auch in der rabbinischen Auslegung des Hoseawortes (Billerbeck; Schoeps, Paulus 254). Pls kommt dagegen alles auf das Wunder der Gnade an, welche die Gottlosen wandelt. Mit den Worten von Hos 2,1 wird das Gesagte wiederholt. Selbstverständlich ist mit ἐκεῖ, ob es nun schon in LXX stand oder erst von Pls eingefügt wurde (vgl. Munck, Christus 18. 58; Paulus 301), nicht Palästina als die Stätte gemeint, wo sich eschatologisch und „hoffentlich schon am Ende der 3. Missionsreise" (Munck; vgl. Sanday-Headlam; Michel) die Heiden sammeln. ἐν τῷ τόπῳ wie ἐκεῖ stehen emphatisch für ein „anstatt von". Pls denkt wohl an sein Missionswerk (Strathmann, ThWb IV, 53 f.) und bezieht mit vergewaltigender Kühnheit die Israel geltenden Weissagungen auf die Heidenchristen.. Das steht in schroffer Antithese zu den Aussagen etwa in 4.Esra 6,55; 6,59; 7,11, nach denen die Welt um der Juden willen erschaffen wurde und die Heidenvölker als nichts erklärt sind. Daß der Apostel so einsetzt, obgleich er nach dem Gefälle seiner Argumentation die bleibende Erwählung Israels betonen müßte, weist auf das hervorstechendste Merkmal der eschatologischen Gegenwart: Das ᾿Ιουδαίῳ πρῶτον von 1,16 ist paradox umgekehrt, was gewöhnlich (Sanday-Headlam; Huby; Munck, Christus 59; Best) überhaupt nicht bemerkt wird. Im gleichen Brief findet sich beides, und das charakterisiert die paulinische Anschauung von der Heilsgeschichte, deren Kontinuität eben nicht logisch ist. Sie hat Platz für den Satz, daß die Ersten die Letzten sein werden, und für die eschatologische Umschichtung der Werte von 1.K 1,26 ff. Sie denkt nicht von einem Entwicklungsschema her, sondern stellt die Freiheit des Schöpfers und die Unbegreiflichkeit seiner geschichtlichen, durch Wunder bestimmten Führung heraus, wobei die in der Schrift dokumentierte Urgeschichte auf die Realität der Endgeschichte verweist.

Das heben 27 ff. noch schärfer hervor. Erst jetzt wird mit zwei Zitaten aus Jesaja von Israel gesprochen. κράζειν meint im Griechentum (Bauer, Wb 885) wie in rabbinischen Äquivalenten (Billerbeck) die inspirierte und proklamierende Rede. ὑπέρ ist wie περί verwandt. In den Bedingungssatz Jes 10,22 fügen sich aus der gerade zitierten Aussage Hos 2,1 die Worte ὁ ἀριθμὸς τῶν υἱῶν ein. Schafft also Assoziation den Übergang vom Vorangegangenen, wird inhaltlich eine Antithese gegeben. Erneut wird anders, als nach 24 zu erwarten wäre, nicht Verheißung und Trost laut (E. Weber, Problem 61 f.; Zerwick, Drama 330 f.), sondern Unheilsverkündigung (Kühl; Gutjahr). Nur ein Rest wird gerettet. Die Hyperbolie des Vordersatzes unterstreicht. Von da aus ist auch das folgende Zitat aus Jes 10,23 zu verstehen, obgleich seine Verstümmelung eine sichere Deutung nicht mehr zuläßt und sogar das Versehen eines Abschreibers vermutet werden konnte (Kühl). συντελεῖν und συντέμνειν scheinen seit Dan 5,27 LXX; 9,24 Theod. eine apokalyptische Formel geworden zu sein, welche das für Pls in Jes 10,23 Entscheidende angibt. Der Sinn muß dann drohend sein (vgl. zu den Möglichkeiten Bauer, Wb 1568 f.) und verträgt jedenfalls nicht die Ergänzung durch den ausgelassenen LXX-Text in der Koine. Die Partizipien sind nicht zu trennen. Dann geht das unartikulierte λόγον nicht auf Gottes Wort, von dessen Verkürzung (gegen die meisten Ausleger) Pls auch kaum sprechen wird. Meint λόγος also das Geschehen (Ridderbos) und technisch die Abrechnung (Zahn; Gutjahr; Vischer, Geheimnis 102)? Das mögliche Verständnis der Formel „durchführen und abgekürzt handeln" (Bauer, Wb 1568 f.; Delling, ThWb VIII, 65) würde das erlauben, wobei allerdings hier an die gerichtliche Liquidation zu denken wäre (Nygren; Vischer, Geheimnis 102). Doch entspricht eine Beziehung auf das Weltgericht nicht dem Kontext, der von der eschatologischen Gegenwart redet (Maier, Problem 59). Vor allem kann unmöglich eine Anspielung auf den Gedanken des Restes entbehrt werden, die sich nur in συντέμνων finden läßt (Jülicher; Sickenberger; Michel). Das Partizip müßte also „einschränkend" bedeuten (Sickenberger; Maier, Problem 58 f.). Hat die gewählte Übersetzung nur den Wert einer Hypothese, so paßt sie jedoch auch zum Zitat Jes 1,9, dessen Einleitung zu ergänzen ist: es wurde erfüllt. Wie in Apk 11,8 ist für den Apostel eschatologisch Wirklichkeit geworden, was alttestamentlich ein Vergleich war. Apokalyptische Sicht der Gegenwart treibt dazu, das über Israels Unglauben hereingebrochene Gericht so düster zu malen, daß darüber der Skopus von 24 fast verloren geht (Michel). Die Linie von 6b—22 wird in diesen letzten Versen festgehalten, nicht durch Verheißung ersetzt (gegen Maier, Problem 61). Das Kapitel endet, alle bisherigen Aussagen überbietend, damit, Sodom und Gomorrha als Typen des gegenwärtigen Zustandes von Gesamtisrael zu sehen.

Nur auf diesem Hintergrund wird konstatiert, die Verheißung sei nicht hinfällig und Auswahl wie Berufung auch an Juden erfolgt. Dies letzte ist nicht weniger göttliches Wunder. Während sich jedoch die freie Macht des Schöpfers den Heiden gegenüber in der Fülle der Herrlichkeit äußert, tut sie es Israel gegenüber in der Bewahrung eines Restes. Damit wird ein alttestamentliches Motiv aufgegriffen, das bereits weite Kreise des Judentums bestimmt hatte und für die älteste Judenchristenheit von größter Bedeutung wurde (vgl. Jeremias, Rest 184 ff.; Herntrich-Schrenk, ThWb IV, 200—221; Munck, Christus 85 zur Literatur). Urchristliche Apokalyptik verstand sich von da als Gottesvolk des erneuerten Bundes und ihre Aufgabe als die endzeitliche Sammlung Israels (Oepke, Gottesvolk 105 ff. 148 ff.; Becker, Heil Gottes 62 ff.; Dahl, Volk 84). Die Gemeinde Qumrans hatte das gleiche Selbstverständnis, suchte es jedoch im Unterschied zur Christenheit auf dem Wege der Toraverschärfung zu verwirklichen (Gnilka, Verstockung 159 ff.). Für Jesus (vgl. Jeremias, Rest 191 f.) wie Pls ist ein kritisches Verhältnis dieser Anschauung gegenüber kennzeichnend, weil sie nicht die Gemeinde der radikal Gesetzestreuen sammeln wollen. Die weltweit Mission treibende Kirche hat sich bald davon getrennt. Pls nimmt das Motiv hier und in 11,4 ff. auf, begründet damit aber nicht mehr Ekklesiologie im ganzen, sondern visiert ein ekklesiologisches Teilproblem, nämlich die Beziehung der Judenchristenheit wie zum Judentum, so zum neuen Gottesvolk, an. Diese Problematik, mit welcher er aufs äußerste ringt, kann ohne das vorgegebene Theologoumenon von ihm nicht bewältigt werden. Hier bildet es die das ganze Kapitel krönende erste Auskunft auf die ihn bewegende Frage (Schrenk, ThWb IV, 216 f.). So läßt sich apokalyptisch feststellen, daß mitten in Gericht und Verwüstung das Heil über Israel einen festen Platz behält und die vom Alten Testament her vorgezeichnete Heilsgeschichte nicht völlig abgerissen ist (gegen Ulonska, Altes Testament 188). Von hier aus kann auf das zurückgeblickt werden, was in 7 ff. über den echten Abrahamssamen gesagt ist, und das Stichwort „Same" im Zitat erinnert daran (Maier, Problem 60; Munck, Christus 59). Allerdings wird das nicht die letzte Antwort bleiben, was die Auslegung in erhebliche Verlegenheit bringt (vgl. z. B. Sanday-Headlam). Gleichwohl markiert es den Ausgangspunkt für c. 11, wie 11,4 ff. zeigt, und insofern eine Schlüsselposition. Gottes Recht kann mit Gottes Heilswillen über Israel dialektisch ausgeglichen werden. Israels Verwerfung wird nicht bagatellisiert und die ihm gegebene Verheißung gleichwohl festgehalten. Dem göttlichen Wort wie der irdischen Wirklichkeit ist damit Rechnung getragen.

III. 9,30—10,21: Israels Schuld und Fall

Es sieht so aus, als wäre im vorhergehenden Kapitel die menschliche Verantwortung zerschlagen. Was in 14 und 19 brüsk beiseitegeschoben wurde, wird jetzt jedoch als echtes Problem aufgenommen. Israel ist nicht bloß in seinem Unglauben verstockt, sondern auch schuldig (Sanday-Headlam; Huby; Ridderbos; anders Munck, Christus 61 f.; Luz, Geschichtsverständnis 30). Das heißt nicht, daß auf die religiöse Aussage die ethische folgt (Gaugler richtig gegen Althaus). Nicht vom „Urgeheimnis des menschlichen Daseins", in welchem sich Gottes Werk und unsere Verantwortung spannungsvoll und ergänzend verbinden (Althaus; vgl. schon Weber, Problem 53 ff. 63), ist hier gesprochen. Die Betrachtung bleibt heilsgeschichtlich an Israels Geschick orientiert. Prädestination und menschliche Freiheit sind nicht korrelat (richtig Weber, Problem 44 ff. gegen Murray). Vielmehr erwächst Israels Schuld, wie sich noch zeigen wird, gerade aus seiner Prädestination. Trotz der neuen Einleitung in 10,1 f. dürfen 9,30—33 nicht als Abschluß zu 26—29 gezogen werden (richtig Gutjahr; Bardenhewer gegen Lagrange). Sie sind auch nicht bloße Überleitung (Michel; Gaugler), sondern geben die in c. 10 entfaltete und begründete These (J. Weiss, Beiträge 239; Barrett; Müller, Gottes Volk 37). 10,1—4 spricht vom Ende des Gesetzes, das Israel nicht wahrgenommen hat. 10,5—13 erbringen dafür den Schriftbeweis. 10,14—21 zeigen Israels selbstverschuldete Verstockung auf.

1. 9,30—33: Das Thema

30 Was sollen wir nun folgern? Heiden, welche nicht nach Gerechtigkeit strebten,
31 haben Gerechtigkeit erlangt, nämlich die Glaubensgerechtigkeit. Israel, das dem
  Gerechtigkeit (verheißenden) Gesetz nachlief, drang jedoch zu (solchem) Gesetz
32 nicht vor. Warum? Weil es nicht aus Glauben, sondern im Wahn aus Werken
33 (lebte). Gefallen sind sie über den Stein des Anstoßes. (Das geschah) gemäß der
  Schrift: Siehe, ich lege in Zion einen Stein des Anstoßes und Felsen des Ärgernisses. Nicht wird aber zuschanden werden, wer an ihn glaubt.

Literatur: R. Harris, Testimonies I, 1916. E. G. Selwyn, The First Epistle of St. Peter, 1952, 268-277. O Betz, Felsenmann und Felsengemeinde, ZNW 48 (1957), 49-77. R. A. Kraft, Barnabas, Isaiah Text and the ‚Testimony Book‘ Hypothesis, JBL 79 (1960), 336—350. K. H. Müller, Anstoß und Gericht. Eine Studie zum jüdischen Hintergrund des paulinischen Skandalon-Begriffes, 1968.

Wie in 8,31 leitet die neue Frage eine zusammenfassende Feststellung ein (Sanday-Headlam; Lagrange). Die Paradoxie eines für Pls unfaßlichen Geschehens wird in 30 f. durch unverkennbare Rhetorik unterstrichen. Wie in 16 liegt das Bild vom Wettlauf den Motiven διώκειν, καταλαμβάνειν im Sinn „endgültig habhaft werden" (Delling, ThWb IV, 10) und φϑάνειν = „durchdringen" zugrunde. Dt 16,20; Prov 15,9; Sir 27,8 erweisen alttestamentliche Herkunft der Wendung „der Gerechtigkeit nachjagen". Die Partizipien sind nicht kausal (gegen Kühl), sondern adversativ aufzulösen. 30 und 31 bilden einen antithetischen Parallelismus, wenngleich in 31 der Begriff νόμος den der δικαιοσύνη störend in seinen Schatten rückt, und zwar nicht aus rhetorischen Gründen (gegen Lietzmann), sondern um die jüdische Frömmigkeit zu charakterisieren. Weil zugleich damit festgehalten wird, daß es in dieser Frömmigkeit um Gerechtigkeit ging, wird vom „Gesetz" dialektisch gesprochen und kommt es zu der eigenartigen Formel νόμος δικαιοσύνης. Der qualitative Genetiv kann in paulinischer Theologie nicht die Wirkung (gegen Kühl), sondern allenfalls die Forderung (Zahn; Jülicher) bezeichnen, dem Kontext nach besser die Verheißung (Michel; Bläser, Gesetz 173 ff.; Stuhlmacher, Gerechtigkeit 92; Stalder, Werk 350). Das Gesetz wird dann wie in 3,21 als Zeuge der Gerechtigkeit betrachtet. Von da aus wird die von späteren Lesarten schon erläuterte seltsame Aussage begreiflich, Israel sei nicht zum Gesetz vorgedrungen. Sie meint nicht, das Ererbte müsse stets neu gewonnen werden (Lagrange). Vielmehr ist der zur Gerechtigkeit rufende Wille Gottes im Gesetz unzugänglich geworden, als dieses mißverstanden und zum Leistungsruf gemacht wurde. Das ergibt die Paradoxie, daß die Juden, gerade indem sie der Gerechtigkeit nachjagten, das Ziel in falscher Interpretation verschoben und verfehlten. Der Gedanke, das Gesetz sei nicht zu erfüllen (Muller-Duvernoy, Problème 75), liegt dem Text völlig fern und widerspricht der jüdischen Meinung. Geht man unsere Stelle von einem ethischen Idealismus an, kommt es notwendig zum Widerspruch. So lockt denn auch die Aussage, daß die Heiden die Gerechtigkeit nicht gesucht hätten, den Protest des klassischen Philologen (Bonhöffer, Epiktet 152 f.) wie theologische Apologetik heraus: Gott hätte gerechtes Streben nicht unbelohnt gelassen, den Heidenchristen hätten jedoch früher sittliche Ideale gefehlt (Jülicher), sie wären diesen nicht mit dem nötigen Ernst gefolgt (Dodd; Althaus), mindestens hätten die Juden ihnen gegenüber religiöse und ethische Vorzüge gehabt (Zahn; Huby; Michel). Doch spricht der Text nicht vom sittlichen Vermögen oder von der Gerechtigkeit als Tugend, sondern als Heilsgabe. Diese war den Heiden tatsächlich unbekannt und wurde von den Juden mißverstanden. Das Problem der guten Tat wird anders als in 2,13 f. nicht erörtert. Es geht um den unfaßlichen Gott, der Wunder tut (K. Barth).

Das leitet zu 32 f. Die Frage, wie es zu der geschilderten Lage kommen konnte, wurde indirekt bereits in 30c beantwortet: Gottesgerechtigkeit gibt es nur als Glaubensgerechtigkeit. In 32a wird das mit der geläufigen Antithetik der Rechtfertigungslehre wiederholt. Auffällig ist das ὡς im Nachsatz, das in einer von uns nur zu umschreibenden Kürze gut griechisch (Radermacher, Grammatik 26 f.; Sanday-Headlam) die subjektive Annahme, hier den trügenden Wahn bezeichnet (Maier, Israel 66; Bläser, Gesetz 176 u. a.). Die Juden handeln aus einer Illusion. Dabei täuschen sie sich nicht bloß über das Ziel, sondern kommen auf dem eingeschlagenen Wege auch zu Fall. Hier wird evident, daß der Gedanke des Restes in 27 nicht Heilsgewißheit begründen sollte. Er begründete primär das Ausmaß des Unheils. Fast das gesamte Israel nach dem Fleisch steht unter dem Gericht, wie jetzt betont wird. Zum ersten Male zeigt sich klar, was die Klage in 1 ff., das Thema von 6a und die dann folgende Argumentation veranlaßt. Über dem Christusereignis ist das jüdische Volk so gut wie völlig schuldig geworden und in eschatologisches Verderben geraten. Denn an Christus entschied sich Israels Schicksal in jener Notwendigkeit, welche für den Apostel die erfüllte Weissagung als Ausdruck des göttlichen Heilsplanes hat. In 33 wird Jes 28,16 zitiert, allerdings die Mitte des Verses, welche die Kostbarkeit des Steines beschreibt, ausgelassen. Ein Fragment aus Jes 8,14 tritt dafür ein und kennzeichnet den Stein als Möglichkeit des Anstoßes und Ärgernisses. Beide Stellen weichen erheblich von der Überlieferung der LXX ab und nähern sich wieder dem durch sie veränderten Urtext. Der paulinischen Version dürfte eine gegenüber der LXX jüngere Übersetzung zugrunde liegen (vgl. Stählin, Skandalon 192), deren Merkmale in der gleichen Zitatkombination auch 1.Pt 2,6 f. erscheinen (Stählin, ThWb VI, 751 f.). τίθημι ersetzt ἐγὼ ἐμβάλλω, ἐν Σιών das εἰς τὰ θεμέλια Σειών der LXX, ἐπ᾽ αὐτῷ ist nach ὁ πιστεύων eingefügt. Eigentümlich wie die Übersetzung ist die Verbindung der Zitate, welche den Sinn von Jes 28,16a ins Gegenteil verkehrt, die Verheißung des Schlusses jedoch unangetastet läßt. Solche Modifikation war nur einem Christen möglich, der Jes 28,16 messianisch verstand, zugleich aber Israel wegen seines Unglaubens Christus gegenüber als verworfen betrachtete und dafür eine Bestätigung in Jes 8,14 fand. Die messianische Deutung der ersten Stelle scheint vorchristlich zu sein (Jeremias, ThWb IV, 276 f.; Stählin, ebd. VI, 755; Michel; Cerfaux, Church 54 f.). 1QH 6,26 f bezieht die Aussage auf die eschatologische Gemeinde (O. Betz, Felsenmann 61 ff.). Werden beide Sprüche im Rabbinat selten benutzt (Billerbeck), ist mindestens die Vermutung erlaubt, daß solches Schweigen der christlichen Deutung antwortet. Diese hat sich genauso auch des Wortes Ps 117,22 LXX bemächtigt und dessen Formel κεφαλὴ γωνίας mit dem Prädikat ἀκρογωνιαῖος in Jes 28,16 LXX identifiziert (Selwyn, Epistle 268 ff.; Cullmann, ThWb VI, 97). In 1.Pt 2,6 f. folgen deshalb all diese Texte einander, und zwar gegenüber unserer Stelle in selbständiger Überlieferung, weil der Psalmvers die Jesajazitate trennt. Die gleiche Tradition tritt zutage, wenn Barn 6,2—4 die Worte Jes 28,16 und Ps 117,22 LXX verbindet. Wird damit eine von den christlichen Autoren benutzte Testimoniensammlung sichtbar (so Vollmer, Zitate 38 ff.; Harris, Testimonies 18 f.; 26 ff.; Stählin, Skandalon 193; Kraft, Barnabas 345; Luz, Geschichtsverständnis 96 f.)? Die Variationen sprechen mindestens gegen eine schriftlich fixierte Quelle. Völlig unbeweisbar ist die abenteuerliche These (Selwyn, Epistle 273 ff.), die genannten Schriftsteller benutzten auf verschiedene Weise einen die alttestamentlichen Stellen verbindenden urchristlichen Hymnus. Umgekehrt wird man sagen dürfen, daß diese Texte für die Urchristenheit bedeutungsvoll waren und unter dem Stichwort „Stein" kombiniert, meditiert und wenigstens in der Missionsüberlieferung zur Auseinandersetzung mit dem Judentum stereotyp verwandt wurden (Michel, Bibel 40 ff.; Dodd, According 35 f.; 41 ff.; Stählin, ThWb VII, 353). Mündliche Tradition, die zu Testimoniensammlungen führen konnte, ist also anzunehmen.

Selbst wenn die gewalttätige und geistvolle Einfügung von Jes 8,14 in Jes 28,16 paulinisch sein sollte, erklärt sie sich leichter bei der Annahme, daß dem Apostel eine Kombination wie in 1. Pt 2,6 f. bereits vertraut war. Ihre christologische Ausrichtung ist auch das paulinische Interesse (gegen Selwyn, Epistle 272). Der Nachdruck liegt dabei keineswegs primär auf Jesu Tod oder dem historischen Jesus (gegen Munck, Christus 63), sondern darauf, daß Israel an dem ihm von Gott gegebenen Messias, folglich an der Erfüllung der Verheißung scheiterte und nach Gottes Plan scheitern mußte. In Zion wurde jener Stein von Gott selbst aufgerichtet, der von vornherein dazu bestimmt war, Anstoß und Ärgernis zu wirken (Stählin, Skandalon 197). πρόσκομμα und σκάνδαλον meinen, inhaltlich kaum noch zu unterscheiden (Stählin, Skandalon 95 ff.; 261 ff.), den Anlaß des Verderbens. Der Schluß des Zitates hat exklusiven Sinn. πιστεύειν ἐπί c. dat. bedeutet in seiner alttestamentlichen Konstruktion „vertrauen auf" (Jeremias, ThWb IV, 275; Bultmann, ebd. VI, 217). Pls dürfte jedoch nach dem Kontext dieser für ihn zentralen Stelle „glauben an" verstehen. καταισχύνεσθαι drückt natürlich nicht die „Enttäuschung" (Jülicher) aus, sondern wie in 5,5 das eschatologische Zuschandenwerden. Im Gericht, welchem das Judentum ungläubig verfiel, besteht nur der an Christus Glaubende. Wie in 1.K 1,22 ff. scheiden sich an der Christusbotschaft die Glaubenden von den sich Ärgernden, enthüllen sich die einen als σῳζόμενοι, die andern als ἀπολλύμενοι. Das Judentum muß sich an Christus ärgern, sofern die Glaubensforderung den Bruch mit seiner religiösen Vergangenheit verlangt (Maier, Israel 67 f.). Es vermag nicht zu sehen, daß es gerade so zu der ihm gegebenen Verheißung zurückgerufen wird. Die Kontinuität des Fleischlichen verdeckt die in der Schrift festgehaltene Kontinuität des göttlichen Wortes und darum das eschatologische Ziel. Wo Christus auf den Plan tritt, wird der Konflikt zwischen wahrem und falschem Glauben akut. Die Geschichte Israels bekundet das exemplarisch, wie das nächste Kapitel zeigt.

2. 10,1—4: Das Ende des Gesetzes

Brüder, meines Herzens ganze Zuneigung und Bitten zu Gott (geht) auf Heil für sie. Ich muß ihnen bezeugen, daß sie um Gottes willen eifern, aber nicht in rechter Einsicht. Indem sie nämlich Gottes Gerechtigkeit verkannten und die eigene aufzurichten suchten, wurden sie der Gottesgerechtigkeit gegenüber ungehorsam. Denn Christus ist des Gesetzes Ende zur Gerechtigkeit für jeden, der glaubt.

Literatur: M. Hengel, Die Zeloten 1961. K. Sullivan, Epignosis in the Epistles of St. Paul, Stud. Paul. Congr. II, 405-416. H. Hellbardt, Christus, das Telos des Gesetzes, Ev. Th. 3 (1936), 331-346. R. Bultmann-H. Schlier, Christus, des Gesetzes Ende, Beitr. Ev. Th. 1 (1940). F. Flückiger, Christus, des Gesetzes Telos, ThZ 11 (1955), 153—157. R. Bring, Die Erfüllung des Gesetzes durch Christus, KuD 5 (1959), 1-22. Ders., Die Gerechtigkeit Gottes und das Alttestamentliche Gesetz, Christus und das Gesetz, 35-72. G. E. Howard, Christ the End of the Law, JBL LXXXVIII (1969), 331—337.

Der durch die Anrede und den Rückgriff auf 9,1 f. gekennzeichnete Einsatz bringt kein neues Thema, sondern erläutert in seiner Terminologie und Motivation 9,31 f. (Maier, Israel 69). Die Beteuerung zeigt, wie schwer das folgende Urteil dem Apostel fällt, der sich nun klar an die christliche Gemeinde wendet. Die drei Begründungssätze nehmen jeweils den Schluß des Vorhergehenden auf. Israels Fall ist verhängnisvoll, je-

doch nicht unverständlich. Das μέν solitarium in 1 unterstreicht. Der nur aus jüdisch beeinflußter Koinesprache bekannte Begriff εὐδοκία meint (Schrenk, ThWb II, 743) das
Wohlgefallen, das sich huldvoll äußert, oder wie in Sir 18,31 das sich darauf richtende
Verlangen (Bauer, Wb 632), hier wie in Phil 1,15 die Zuneigung (Lagrange). Sie bekundet sich in der Fürbitte, die aber nicht überinterpretiert als apostolisches Gebet der Kirche (Peterson, Kirche 266) charakterisiert werden darf. Offensichtlich hält Pls die Verwerfung Israels nicht für unaufhebbar (Bengel; Maier, Israel 69; anders Jülicher). ὑπὲρ
αὐτῶν gehört zum Prädikat. Auch vor Menschen ist der Apostel zu bezeugen, also aus unmittelbarer Kenntnis des Sachverhaltes zu bestätigen (Strathmann, ThWb IV, 500) bereit, was sich zugunsten seines Volkes geltend machen läßt. Obgleich das Verb juridischen
Sinn hat, sollte man ihm (gegen Müller, Gottes Volk 69; Jüngel, Paulus 51) nicht den
Gedanken des Rechtsstreites entnehmen. Es geht einfach um öffentlich abgegebene Feststellung eines Tatbestandes. Der gen. obj. ζῆλος θεοῦ charakterisiert mit einem terminus
technicus jene Frömmigkeit, die sich bei den Makkabäern und Zeloten, in Qumran und
weiten rabbinischen Kreisen am Vorbild des Pinehas und Elia ausrichtet (Hengel, Zeloten 152 ff.). Hier wird also nicht psychologisiert (gegen Lagrange; Maier, Israel 72), sondern einer der wichtigsten Aspekte jüdischer Geschichte hervorgehoben. Die Behauptung,
daß solcher Eifer in die Irre gehe, lehnt nicht (gegen Hengel, Zeloten 231) die Anwendung von Gewalt etwa bei den Zeloten ab, wie das Folgende zeigt. Denn 3 interpretiert
οὐ κατ᾽ ἐπίγνωσιν. Dabei ist ἐπίγνωσις allerdings kein theoretisches Verhalten, sondern das
einsichtige Ergreifen der Wirklichkeit (Bultmann, ThWb I, 707; Sullivan, Epignosis 407).
Entsprechend meint das jüdisch-christlich auf die Gotteserkenntnis bezogene ἀγνοεῖν nicht
Verständnislosigkeit (gegen Sanday-Headlam; Jülicher; Huby; Gutjahr; Bardenhewer;
E. Weber, Problem 47 f.), sondern, wie die Aufnahme durch οὐχ ὑπετάγησαν beweist, die
mangelnde und, wenn man den Unterschied des Verbs zu ὑπακούειν berücksichtigt, die
schicksalhaft verfehlte Gotteserkenntnis (Stuhlmacher, Gerechtigkeit 93). Es geht also
nicht um ein abstraktes Wissen darüber, daß Gott Liebe sei und Gegenliebe fordere (gegen Vischer, Geheimnis 105 f.). „Um Gott wissen" heißt für Pls: sein Recht annehmen.
Deshalb wird von dem Gehorsam gesprochen, den man kraft eines Verhältnisses der
Unterordnung schuldet und dessen Verweigerung Rebellion bedeutet. Die Formulierung
erinnert an Apk. Bar 54,5: „Du erhellst die Dunkelheiten und offenbarst das Verborgene denen, die sich im Glauben dir und deinem Gesetz unterworfen haben." Auch der
Jude verbindet wie in 4.Esra 8,56 Gottesleugnung mit der Ungerechtigkeit und bestimmt
deren Wesen als Ablehnung, nämlich wie in Apk. Bar 54,14 als unterlassene Unterwerfung unter Gottes Herrschaft (Rössler, Gesetz 77 ff.). Glaube und Gehorsam werden wie
hier bei Pls identifiziert. Die Differenz tritt erst heraus, wenn man das Gemeinsame gesehen und den jüdischen Hintergrund der paulinischen Aussage betont hat. Nach Apk.
Bar 51,3 handelt man nur auf Grund des Gesetzes gerecht, und nach 67,6 stammt die Gerechtigkeit aus dem Gesetz. Sünde ist Verachtung und Verkehrung des Gesetzes (Rössler
78 ff.). Gerade diese Betrachtungsweise wird vom Apostel als „eigene Gerechtigkeit" bezeichnet, weil sie an den Werken der Leistungsfrömmigkeit orientiert ist und in Wahrheit
vom Glauben trennt. Die gleichen Formulierungen decken also auf beiden Seiten Gegensätzliches. Selbstverständlich wird dabei nicht bloß auf die Juden zur Zeit Jesu geblickt
(gegen Munck, Christus 64 f.). Es geht um die typisch jüdische, im ζῆλος begründete, objektiv vorliegende Verfehlung. ζητεῖν meint das mühevolle Handeln (Maier, Israel 70),

nicht den vergeblichen Versuch (Lagrange). Die Hinzufügung von διχαιοσύνην zu ἰδίαν schon in P[46] bringt ein überflüssiges Interpretament.

Inwiefern ist jedoch der christliche Gehorsam, den Pls unentwegt rühmt und fordert, etwas anderes als „eigene Gerechtigkeit"? Darauf antworten sowohl die Antithese in 3 wie die apodiktische Feststellung in 4. Weil die gleiche Antithese in Phil 3,9 gebildet wird, hat man auch hier die Gottesgerechtigkeit nach der dort gegebenen Definition als von Gott gegebene Gerechtigkeit verstanden (Bultmann, Ende 10 ff.; Theol. 285; Cambier, L'Evangile 186 f.; vgl. die Erörterung zu 1,17). Das ist nicht falsch, trifft aber die Nüance des Textes nicht genau. Faßt man „unterworfen sein" nicht bloß rhetorisch, muß Gottesgerechtigkeit als Macht betrachtet werden (Chr. Müller, Gottes Volk 73 f.; Stuhlmacher, Gerechtigkeit 93; Ziessler, Meaning 206), und zwar nicht abstrakt im Sinn einer objektiven Größe (gegen Kühl) oder göttlichen Eigenschaft, an welcher der Mensch in rätselhaftem Geschehen Anteil bekommt (gegen Lietzmann). Bei Pls ist Macht stets Epiphanie eines sich durchsetzenden Willens im Rahmen einer vorhandenen Relation. In der eschatologischen Gabe der Rechtfertigung tritt der Geber als Herr und Schöpfer auf den Plan. In seiner Segnung ist sein Rechtsanspruch auf Welt konstitutiv. Eben deshalb wird die Gabe nicht zu unserm verfügbaren Besitz, entreißt sie uns wie dem Eigenwillen und Eigenruhm, so auch der Sorge und Angst um uns selbst. Wir können nun in der Freiheit gelöster Liebe handeln, ohne damit unser Heil schaffen zu müssen. Glaube wird dann echter Gehorsam, wenn es in seinem Tun statt um uns um Dankbarkeit und Bekundung gewonnener Freiheit in der Offenheit gegenüber der Erde geht. Gehorsam ist hier nicht, wie der Jude es versteht, Werk des Gesetzes. Denn er muß nicht die eigene Gerechtigkeit wirken und lebt aus der justitia aliena, nämlich der Präsenz des sich selber gebenden und vom Glauben stets neu ergriffenen Herrn. Gottesgerechtigkeit stellt in die Alleinwirksamkeit des Schöpfers, der an und durch uns Heil wirkt, ohne uns Verdienst zuzuerkennen. Bloß als Gabe verstanden, wäre sie nicht davor geschützt, zum vergrabenen oder mißbrauchten Talent, nämlich zum Mittel unseres Willens zu werden. Der Glaube ist deshalb nicht mit ihr identisch, sondern ihr Werk und ihre Manifestation, die sich unserm Willen nicht ausliefert. So nennt 4 nicht den Glauben oder das Heil, Gottes Erbarmen, unsere Rechtfertigung des Gesetzes Ende, obgleich das zweifellos auch gesagt werden könnte. Was wir geworden sind und erhalten haben, bleibt angefochten und unterliegt deshalb der Dialektik von Zuspruch und Mahnung. Anders als die Reformation hat Pls eine Dialektik von Gesetz und Evangelium noch nicht entwickelt, weil für ihn „Gesetz" auf die Mosetora bezogen blieb. Sofern diese als Mittel der Pervertierung des Gotteswillens durch Leistungsfrömmigkeit gesehen wurde, konnte man später das Gesetz zur Gesetzlichkeit ausweiten und an die Stelle der Antithese eine Dialektik treten lassen. Der Apostel bietet die Grundlage einer derartigen Verallgemeinerung von seiner Interpretation des Nomos her, hat sie als Judenchrist jedoch seinerseits noch nicht vollzogen. Für ihn sind Gesetz und Evangelium ganz undialektisch sich ausschließende Gegensätze, ist der Sieg der Gnade anders als deren Bewährung durch den Glaubenden nicht problematisch. Er konstatiert geschehenen Herrschaftswechsel und argumentiert deshalb nicht primär von der Anthropologie und Ekklesiologie, sondern von der Christologie her. In Christus begegnet uns die vorgegebene, überwindende Macht der Gottesgerechtigkeit, die nicht durch unsere Bewährung realisiert wird, vielmehr umgekehrt diese ermöglicht. Christus ist nach 2.K 1,19 Gottes Ja zu uns, das eindeutig und unwiderruflich bleibt und nicht in das Spiel von Ja und Nein gezogen werden kann, wie es gegenüber der gerechtfertigten Existenz oder der Kirche als corpus permixtum geschehen mag und aus der Perspektive einer pädagogisch an ihren Gliedern handelnden Gemeinschaft geschehen muß.

Die spätere Heidenchristenheit stand nicht mehr in der Situation des Apostels. Sie begriff nicht die Wichtigkeit, welche für ihn die Auseinandersetzung mit dem Judentum hatte und bei ihr durch innerkirchlichen Streit ersetzt wurde. Der Konflikt um die Tora des Mose wurde darum von ihr ethisiert und allein in solcher Verkürzung festgehalten. Dann ließ sich die Paränese als verhülltes Wort des Gesetzes (Asmussen) begreifen, und die Ethisierung in Richtung auf ein allgemeines Sittengesetz war notwendig von einer Individualisierung ˙begleitet. Die Problematik christlicher Existenz und Gemeinschaft drängten sich derart in den Vordergrund, daß die zutiefst apokalyptische Argumentation unseres Textes verkannt wird, welche Christus und Gesetz wie nach 5,12 ff. Christus und Adam in den kontradiktorischen Gegensatz von altem und neuem Äon stellt. Seinen charakteristischen Ausdruck findet solche Verschiebung in dem wahrscheinlich nie endenden Streit um die Bedeutung von τέλος in unserm Vers, der die Auslegung schon stets beschäftigt hat, heute mindestens nicht mehr konfessionell präjudiziert wird. Verhängnisvoll wirkte das bereits zu 7,6 widerlegte „pädagogische" Verständnis von Gal 3,24 ein. Denn der παιδαγωγός ist nicht Erzieher in unserm Sinn, sondern Zuchtmeister, und das εἰς Χριστόν hat dort eindeutig temporalen, nicht finalen Sinn (gegen Cerfaux, Christus 146 f. u. a.): Bei erreichter Mündigkeit wird der Aufseher abgelöst. Während die heutige Exegese im allgemeinen τέλος durch „Ende" übersetzt (anders zuletzt Howard, The End 336 f.), wendet Systematik aller Schattierungen ein, daß auch „Ziel" (etwa Cranfield, Law 152 ff.) oder „Sinn, Erfüllung" gemeint sein könnte (Gutjahr; Bardenhewer; Asmussen; Baulès; Bring, Gerechtigkeit 35; Bläser, Gesetz 177; vermittelnd Luz, Geschichtsverständnis 139 ff. 157). Lexikalisch sind all diese Bedeutungen möglich (Stalder, Werk 351 ff.). Doch würde die Botschaft des Neuen Testamentes bald nicht mehr zu erkennen sein, wäre der Auslegung erlaubt, vorhandene sprachliche Möglichkeiten durchzuspielen, und Pls hat nicht den mindesten Raum für solche Versuche freigelassen. Der unmittelbare Kontext von 9,31 ff. und 10,5 ff. zeigt das ebenso wie der Brief in 3,21; 5,20; 7,1 ff.; 8,2 f. und die Theologie des Apostels in Gal; 2.K 3; Phil 3 (vgl. Gaugler). Die dagegen (bei Hellbardt, Christus 345; Bring, Gerechtigkeit 10; Joest, Gesetz 138 und besonders Flückiger, Christus 154 ff.) erhobenen Einwände erwachsen aus der modernen Frage nach dem Verhältnis von Altem und Neuem Testament und einer unpaulinischen Auffassung von der Heilsgeschichte. Es ist absurd, den logischen Zusammenhang mit dem Bild des Laufes in 9,31 f. zu betonen und dabei 9,32 f. zu übersehen (gegen Flückiger 154; Joest 138). εἰς δικαιοσύνην in 4 bezieht sich nicht auf τέλος, sondern wie ἐκ πίστεως ... 1,17 auf das Vorangegangene überhaupt und gehört grammatisch zum folgenden Partizip (gegen Flückiger 155). Natürlich wird der Satz nur von den Glaubenden anerkannt. Doch verleiht die christologische Begründung seiner Proklamation weltweite Gültigkeit. Gerechtigkeit gibt es grundsätzlich nur im Bereich des Glaubens, nicht des Gesetzes (vgl. dazu Schoeps, Paulus 179 ff.). Israel, das selbst den Glauben als Gesetzeswerk verstand, konnte nicht ans Ziel gelangen, weil erst Christus den wirklichen Gotteswillen erkennen und der Geist ihn erfüllen läßt. Die Tora des Mose kommt mit Christus zu ihrem Ende, weil nun der Mensch auf sein Recht verzichtet, um nach 3,4 Gott Recht zu lassen. In der eschatologischen Wende tritt an die Stelle des rechthaberischen Geschöpfes der rechthabende Schöpfer, der in der ὑποταγή des Glaubens anerkannt wird. Eine andere Heilsmöglichkeit besteht auch für Israel nicht, das auf Grund des mißverstandenen Gesetzes in die Illusion getrieben wurde und zu Fall kam. Christus deckt die Illusionen auf. Wo man ihn und sein Werk nicht annimmt, verstockt man sich, wie die nächsten Abschnitte dartun.

3. 10,5—13: Das nahe Wort

5 Denn Mose schreibt: Der Mensch, der die Gerechtigkeit aus dem Gesetz wirkt,
6 wird durch sie leben. Die Glaubensgerechtigkeit spricht aber so: Denke nicht in deinem Herzen: Wer wird in den Himmel hinaufsteigen — nämlich um Christus
7 herabzuholen — oder: Wer wird in den Abgrund hinabsteigen — nämlich um Chri-
8 stus von den Toten heraufzuholen? Was sagt sie stattdessen? Nahe ist dir das Wort, in deinem Munde und in deinem Herzen — nämlich das Wort des Glaubens, das
9 wir predigen. Denn: Wenn du mit deinem Munde den Herrn Jesus bekennst und mit deinem Herzen glaubst, daß Gott ihn von den Toten auferweckt hat, wirst du
10 gerettet werden. Denn mit dem Herzen glaubt man und wird gerecht, und mit
11 dem Munde bekennt man und wird gerettet. Spricht doch die Schrift: Jeder an
12 ihn Glaubende wird nicht zuschanden werden. Darum ist kein Unerschied zwischen Jude und Grieche. Derselbe ist nämlich aller Herr und macht alle gerecht, die ihn
13 anrufen. Denn jeder, wer den Namen des Herrn anrufen wird, wird gerettet werden.

Literatur: G. Bornkamm, Das Bekenntnis im Hebräerbrief, ThBl 20 (1941), 56-66. W. Bieder, Die Vorstellung von der Höllenfahrt Jesu Christi, 1949. E. Schweizer, Zur Herkunft der Präexistenzvorstellung bei Paulus, EvTh 19 (1959), 65-70. P. Démann, Moses und das Gesetz bei Paulus, Moses in Schrift und Überlieferung, 1963, 205-264. E. Kamlah, Buchstabe und Geist, EvTh 14 (1954), 276-282. Ph. Vielhauer, Paulus und das Alte Testament, Studien zur Geschichte und Theologie der Reformation, Festschr. E. Bizer, 1969, 33-62. H. Conzelmann, Paulus und die Weisheit, NTSt 12 (1966), 231-244. E. Käsemann, Geist und Buchstabe, Paulinische Perspektiven, 237-285. G. E. Ladd, Paul and the Law, Soli Deo Gloria, New Testament Studies in Honor of W. Ch. Robinson, 1968, 50-67. M. Black, The Christological Use of the Old Testament in the New Testament, NTSt 18 (1971/2), 1-14.

Der Abschnitt ist ein Schriftbeweis für 4, weshalb die Auslegung nicht selten diesen Vers die Argumentation eröffnen läßt (H. W. Schmidt; Stalder, Werk 353 f.; Plag, Israels Wege 19). Hart werden in 5 ff. zwei Zitate aus Lev 18,5 und Dt 30,11—14 kontrastiert, wobei der Vordersatz der ersten Stelle und in der zweiten alles ausgelassen wird, was von Gebot und Werk spricht. Schon Calvin nahm an der Veränderung von Dt 30, zu welcher auch drei Interpretamente gehören, solchen Anstoß, daß er ein wirkliches Zitat nicht mehr anerkannte. Rhetorisch ausgestaltete Paraphrase des alttestamentlichen Textes behaupten Exegeten auch heute noch (Zahn; Sanday-Headlam; Gutjahr; Billerbeck; Barrett; Franzmann; Ulonska, Paulus 191). Doch ist das dreifache interpretierende τουτ' ἔστιν nur in regelrechter Auslegung sinnvoll (Kühl; Lietzmann; Michel; Bläser, Gesetz 179; Munck, Christus 67; Bonsirven, Exégèse 307). Pls folgt dabei der besonders kennzeichnend in 1QHab 12,2 ff.; CD 7,14 ff. vorliegenden Pescherform

(Bruce), für welche die oft gewaltsame Deutung der Schrift in der Aktualisierung ihres verborgenen eschatologischen Gehaltes charakteristisch ist. Dabei werden längere Interpretamente eingefügt, die Interpretation knüpft an einzelne Stichworte oder Sentenzen an und wird durch ein bloßes Demonstativ eingeleitet (Black, Use 1). Die Untergliederung des Abschnittes ist dadurch bestimmt, daß in 8. 11. 13 ein Schriftwort jeweils den Gedanken abschließt. 6—8 geben die Verheißung des nahen Wortes, 9—13 behandeln die eschatologische Verwirklichung der Zusage, und zwar nach 9—11 in Glaube und Bekenntnis, nach 12—13 im gottesdienstlichen Anruf des Herrn sich bekundend.

Was besagt solcher Skopus für die Beweisführung? Man steht hier vor einer Alternative. Versteht man τέλος in 4 als Ziel, wird man einen kontradiktorischen Gegensatz zwischen 5 und 6 bestreiten, im Glaubensgehorsam die Erfüllung des Gesetzes und in diesem wie nach 3,21 dessen Verheißung erblicken (Bläser, Gesetz 179 f.; Flückiger, Christus 155 f.; Bring, Gerechtigkeit 55; Cranfield, Law 153. 157). Ist in 4 jedoch von des Gesetzes Ende die Rede, bilden 5 und 6 (auch gegen Ridderbos; Luz, Geschichtsverständnis 92) eine schroffe, bis in die Einzelheiten der Formulierung hinein festgehaltene Antithese. Der Gesetzgeber Mose tritt der personifizierten Glaubensgerechtigkeit gegenüber. Er fordert die als Leistung verstandene Tat, sie das Annehmen des Wortes. Während er kennzeichnenderweise schreibt, äußert sie sich in der viva vox evangelii, womit zweifellos auf das in 2,27 ff.; 7,6; 2.K 3,6 ff. behandelte Verhältnis von πνεῦμα und γράμμα angespielt wird. Schon das stellt den Gegensatz klar heraus (Kamlah, Buchstabe 281) und sichert die Bedeutung „Ende des Gesetzes" in 4. Von da will auch die Personifikation der Glaubensgerechtigkeit verstanden werden, welche formgeschichtlich interessante Parallelen in der Diatribe hat (Bultmann, Stil 87 f.; Thyen, Stil 42). Das konventionelle Stilmittel bekommt hier theologische Bedeutung, wenn in der Glaubensgerechtigkeit sich die Macht des Geistes, also des erhöhten Christus und des von ihm inaugurierten neuen Äons, offenbart und wie in 3 von der Nachfolge im Mosebereich trennt. Schließlich rückt dann das Thema des nahen Wortes in den Blick, sofern der Geist den neuen Bund mit sich bringt und wie nach 2.K 3,14 ff. in Erfüllung von Jer 38,31 ff. LXX die Decke zwischen Schöpfer und Geschöpf beseitigt. An die Stelle der distanzierenden und pervertierbaren Tradition tritt die praesentia Dei, die tötende Forderung wird von der Freiheit des Evangeliums und der Kindschaft abgelöst, die Synagoge mit ihren Dienern von der Kirche und der apostolischen Sendung ersetzt. Es geht in unserm Text also um weit mehr als eine Theodizee und die Beseitigung des Vorwurfs, Gott habe Israel nicht hinreichend auf die eschatologischen Ereignisse vorbereitet (gegen Maier, Israel 72 f.; Munck, Christus 66). Das Ende des Gesetzes hat als Kehrseite die Prärogative der Kirche vor der sich dem nahen Wort verschließenden Synagoge.

Wie wichtig Pls Lev 18,5 war, beweisen die korrekte Wiedergabe des LXX-Textes in Gal 3,12 und die summierende Paraphrase in R 2,13. Weil seine Theologie der Stelle einen festen Sinn gegeben hatte, wird die Wendung τὴν δικαιοσύνην τὴν ἐκ νόμου vorangestellt und in den ὅτι-Satz einbezogen. P⁴⁶ und andere Zeugen haben die Konstruktion erleichtert, indem sie ὅτι unmittelbar vor das Zitat rückten (angenommen durch H. W. Schmidt; Stalder, Werk 355 f.). Nun konnte die Wendung τὴν δικαιοσύνην ... als Beziehungsakkusativ zu γράφει gezogen werden. Zur weiteren Verdeutlichung wurde αὐτά in das Zitat eingefügt und entsprechend αὐτῇ am Ende in αὐτοῖς geändert. Damit wird jedoch die suavissima parodia (Bengel) des Textes getroffen. Um des Kontrastes willen ist die Wendung von der Gesetzesgerechtigkeit, welche den Vordersatz von Lev 18,5 zusammenfaßt, betont als Objekt zu ὁ ποιήσας nach vorn gezogen worden, und zwar nach den Regeln rabbinischer Hermeneutik durchaus statthaft. Die durch Mose repräsentierte Gesetzesgerechtigkeit (dagegen Ridderbos, Paulus 117) fordert die Leistung und verheißt zeitliches und ewiges Leben einzig ihrem Täter (Billerbeck; ein unhaltbares Verständnis der Aussage bei Bring, Gerechtigkeit 44 f. 49 f. 51 ff.). Nach 2,17—3,19; Gal 3,10—12 steht für Pls fest, daß auf diese Weise niemand Heil erlangen kann und soll. Mose, auf den auch Philo Tora-Zitate zurückführt (Thyen, Stil 70), hat als Gesetzesmittler selber mit seiner Formulierung bereits auf diesen Sachverhalt hingewiesen (ähnlich Maier, Israel 75) und vor solchem Wege gewarnt. Gegen diese Exegese kann (anders Schoeps, Paulus 210 ff. 264) auf jüdischem Boden nicht protestiert werden. Das zeigt die der Pescher-Auslegung analoge Interpretation in 6 ff. Was unserm Denken höchst gewaltsam und phantastisch erscheint, ergibt sich konsequent aus dem Grundsatz, die Schrift müsse von der Eschatologie her verstanden werden (Munck, Christus 67) und verkündige die christologischen Ereignisse im voraus. Der Grundsatz ist jüdisch, die daraus gezogenen Folgerungen sind es freilich nicht mehr. Das ist weder abzuschwächen (Nygren; Leenhardt) noch unter modernem Aspekt als extravagant abzutun (Pallis; Kirk). Für eine historisch-kritische Betrachtungsweise ist die Vergewaltigung des buchstäblichen Schriftsinnes in der Einleitung von 6 tatsächlich kaum zu überbieten. Die Aussage wird dem soeben erst zitierten Mose einfach fortgenommen, so daß das Wort der ἐντολή nun der Glaubensgerechtigkeit zugeschrieben werden kann. Gleichwohl ist auch das bei den hermeneutischen Prämissen des Apostels durchaus statthaft. Vom nahen Wort spricht nur die Verheißung, die das Evangelium vorwegnimmt und dem γράμμα kontradiktorisch gegenübersteht, während das Gesetz das Werk der Leistung fordert. Mögen Lev 18,5 und Dt 30,11 ff. der gleichen Tora zugehören, so sind sie für Pls vom Inhalt her zu trennen, wie der Same Abrahams nach dem Fleisch von demjenigen nach der Wahrheit in 9,6 ff. getrennt wurde. Der Apostel scheut sich nicht, die in 1.K 12,10; 14,29 ff. vom Propheten geforderte Unterscheidung der Geister auch der Schrift gegenüber zu üben. Sein Kriterium ist dabei der Gegensatz von altem und neuem Äon im Zeichen des Gesetzes oder der Verheißung und des Evangeliums, kurz: seine Rechtfertigungslehre. Von da aus wird die dialektische Unterscheidung zwischen dem Gesetz als dokumentiertem Gotteswillen und Hinweis auf das Evangelium und seiner Perversion in der Leistungsforderung unvermeidlich. Ist die Verheißung Abraham als dem Empfänger der unmittelbaren göttlichen Zusage, das γράμμα jedoch Mose als dem Mittler des vom Judentum mißverstandenen Gesetzes zugeordnet, kann in 6 ff. nicht mehr „Mose", sondern nur die Glaubensgerechtigkeit sprechen. Die Logik der Schlußfolgerung ist unangreifbar.

Eingewandt wird aber (Schoeps, Paulus 210. 225 ff.), Pls habe die Tora aus der übergreifenden Wirklichkeit des Bundes gelöst und auf den ethischen Bereich reduziert, so daß ihm nur das Theologoumenon der Gerechtigkeit übriggeblieben sei. Diese Behauptung ist falsch. So gewiß die ethische Forderung des Gesetzes bei ihm wie schon im Alten Testament und Rabbinat weithin die Sicht bestimmt, so wenig wird anders als im späteren Christentum die Tora darauf eingeschränkt, wie die Auseinandersetzung um die Beschneidungsfrage zeigt. Auch Bund und Gesetz werden von ihm nicht auseinandergerissen (dazu nicht scharf genug Ladd, Law 54 f. 63 ff.) Sonst könnte er nicht den alten und neuen Bund miteinander konfrontieren und wie in 1.K 10 das alte Gottesvolk Typos des neuen sein lassen. Allerdings spricht er nicht wie das Judenchristentum vor ihm vom erneuerten Bund und Gottesvolk (Chr. Müller, Gottes Volk 101 f.), weil er den alten Bund primär vom Gesetz und mindestens nicht primär das Gesetz vom Bund her versteht. Er tut das jedoch gerade deshalb, weil ihm der Gegenseitigkeitscharakter des alttestamentlichen Bundesverhältnisses vor Augen steht (gegen Schoeps, Paulus 226). Dabei muß der menschliche Partner den Bund auch seinerseits mit seinen Werken bewahren. Selbst wo der Glaube als Grund und tragende Einheit aller Werke erscheint, hat er sich wie nach Jak 2,14 ff. pflichtmäßig in guten Werken zu erweisen. Die Alternative von Glaube und Werken gibt es jüdisch nicht (Schoeps, ebd. 212 ff. 217 f.), mag auch der Glaube betont und mangelndes Verdienst zugegeben werden. Das sola fide ist christlich und in seiner theologischen Reflexion paulinisch. Es aus eschatologisch-christologischem Dogmatismus ableiten zu wollen (Schoeps 177 ff.), ist absurd und versucht, den Sinn der Formel durch die religionsgeschichtliche Aufhellung ihres Horizontes zu ersetzen. Nicht beachtet wird dann, daß Rechtfertigung ohne Gesetzeswerke konstitutiv Rechtfertigung der Gottlosen meint. Das geschieht schließlich, um unser Heil allein an Gott zu binden, Gnade also radikal zu fassen. Wenn Pls das Heil im gekreuzigten Christus erblickt und den Heiden Rechtfertigung verkündigt, abstrahiert er nicht vom Gedanken des Bundes. Er zerbricht ihn vielmehr, sofern er seine ausschließliche Bindung an Israel bestreitet, und begreift ihn neu, sofern er seine gültige Wahrheit aus der Schöpfung ableitet. Er nimmt diesem Gedanken den Charakter des Privilegs, weil die Allmacht des Schöpfers sogar durch Verheißung und Gnade nicht eingegrenzt wird, sondern gerade dort nach 9,6 ff. unbegrenzt erhalten bleibt. Die Allmacht des Schöpfers muß von dem Apostel aber soteriologisch festgehalten werden, weil er mit dem gekreuzigten Christus die justificatio impiorum, die resurrectio mortuorum und die creatio ex nihilo, also Gnade für die Bedürftigen, sie nicht Verdienenden proklamiert. Der durch seine Bundespartnerschaft gebundene Gott kann nicht der Gott des Kreuzes und der Gottlosen sein, sondern nur der Gott der Frommen und des Gesetzes, welches den Frommen zur pflichtmäßigen Bewahrung des Bundes auf Grund frommer Werke ruft. Ist wirklich in diesem theologischen Horizont das Gesetz von Pls mißverstanden? Angesichts der Toraverschärfung in Rabbinat, Pharisäismus und der Qumrangemeinde und im Blick auf Philos Ethik läßt sich das schlechterdings nicht behaupten. Als solcher schützt der Bundesgedanke genau wie Sündenbekenntnisse nicht vor Leistungsfrömmigkeit. Nur die Interpretation des sola gratia durch das sola fide und die Berufung auf die Allmacht des unablässig handelnden Schöpfers zerschlagen Privilegien. Darum geht es in den prädestinatianischen Aussagen des Apostels, welche seine Rechtfertigungslehre radikalisieren (Chr. Müller, Gottes Volk 87). Hier dienen die Werke nicht mehr dem eigenen Heil, weicht der Frommen Frömmigkeit dem eschatologischen Aspekt der an den Namen Jesu geknüpften Auferweckung von den Toten, kommen sowohl Gottes Gottheit wie des Menschen Menschlichkeit zum Recht.

Ist der Kontrast von Gerechtigkeit unter dem Gesetz und im Glauben also sinnvoll und notwendig, muß doch noch geklärt werden, inwiefern damit konkret der Gegensatz von γράφει und λέγει verbunden werden kann. Denn das Zitat aus Dt 30,11 ff. ist nicht weniger als das aus Lev 18 „geschrieben". Unterscheidet Pls hier gleichwohl, so bekundet er damit ein dialektisches Verständnis auch der Schrift. „Buchstabe" ist etwas nicht, weil es schriftlich fixiert wurde, sondern erst, wenn es die Leistungsforderung erhebt.

Umgekehrt kann das schriftlich Fixierte „sprechen", wenn es Verheißung der Gnade ist. Zwischen γραφή und γράμμα ist also zu differenzieren. Die Schrift kann Zeugnis sowohl des γράμμα wie des πνεῦμα sein, wird jedoch notwendig „Buchstabe", wenn sie nicht vom Geist ausgelegt wird, nämlich eschatologisch auf die Glaubensgerechtigkeit ausgerichtet bleibt. Der Gegensatz von Geist und Buchstabe deckt sich demnach nicht mit dem von Geist und Tradition, sondern überschneidet sich damit. Tradition, welche dem Gesetz als Leistungsforderung dient, ist durch Christus mit dem Gesetz beendet. Das erklärt, warum große Teile des Alten Testamentes von Pls nicht mehr erwähnt werden. Umgekehrt greift der Geist immer wieder Tradition auf, wie der Schriftbeweis des Apostels am deutlichsten herausstellt. Dann beginnt die Schrift zu „sprechen" und wird sichtbar, daß der Geist nicht das unerhört Neue ist, wie Schwärmer annehmen, sondern ein mit der Urzeit beginnendes heilsgeschichtliches Feld besitzt, dessen man vom Evangelium her ansichtig wird. Wir stehen hier vor den Anfängen einer theologisch reflektierten christlichen Hermeneutik. Ihr Kennzeichen ist, daß sie sich nicht mit dem „Es steht geschrieben" abfindet, sondern kritische Auslegung fordert, wobei die Rechtfertigungsbotschaft das entscheidende Kriterium bildet. Nur wo diese Botschaft zutage tritt, wird die Schrift zum nahen Wort (nicht erkannt von Luz, Geschichtsverständnis 92. 110. 133 ff.). Die eschatologische Perspektive zeigt, daß es dabei nicht um eine Spiritualisierung der Schrift wie bei Philo geht. Nicht die größere „Innerlichkeit" (Dodd) läßt Dt 30,11 ff. aufgreifen, sondern der articulus stantis et cadentis ecclesiae, der die gesamte Theologie des Apostels bestimmt und an dem von ihm alle Verkündigung gemessen wird. Weil es bei diesem Artikel nicht bloß um das Heil der Individuen, sondern um Gottes Herrschaft über die Welt geht, wird auch Israels Geschichte von da gesehen.

Die Einleitung in 6b scheint aus Dt 9,4 übernommen zu sein, um die hinter den folgenden Fragen stehende Ratlosigkeit zu charakterisieren. λέγειν ἐν τῇ καρδίᾳ = bei sich denken (Bauer, Wb 449). Der Rabbinat hat sich oft mit Dt 30,11 ff. beschäftigt und leitet daraus die leichte Vernehmbarkeit des göttlichen Wortes in der Tora, in Israel, bei den Rabbinen und in den Lehrhäusern ab (Billerbeck). Das letzte Motiv bereitet das paulinische Verständnis vor, ohne daß jedoch paulinische Polemik gegen solche Meinung oder sogar rabbinische Polemik gegen die christliche Predigt ersichtlich wird (gegen Michel). Im Zitat wird auch nicht der auf den Messias hoffende, sich aber dem Christentum verschließende Jude angesprochen (gegen Zahn). Die Glaubensgerechtigkeit spricht zu aller Welt, und der Jude wird davon mitbetroffen. Sie ist mit der Gottesgerechtigkeit von 3 identisch, charakterisiert aber zugleich deren Verwirklichungsfeld (etwas anders Chr. Müller, Gottes Volk 71; Stuhlmacher, Gerechtigkeit 94), wie Macht und Machtbereich beim Apostel und in seiner Umwelt immer wieder verbunden werden. In 7 ist der Text von Dt 30,13, der von vergeblicher Fahrt über das Meer handelt und christologisch nicht zu verwenden war, durch eine Reminiszenz an Ps 106,26 LXX ersetzt, wo auf das Herauffahren in die Himmel das Herabfahren in die ἄβυσσος folgt. Diese letzten Wendungen scheinen nach Prov 30,4; 4.Esra 4,8; Philo, de virt. 183 sprichwörtlich übermenschliche Anstrengungen zu bezeichnen, welche etwas Unmögliches verwirklichen sollen (vgl. Billerbeck; Lietzmann; Maier, Israel 76; Jeremias, ThWb I, 9; Schneider, ebd. I, 519; Michel). Die paulinische Deutung interpretiert im Sinn der Aussagen Ps 70,20 LXX; Sap 16,13 und orientiert diese Tradition am christologischen Bekenntnis. Zum ersten Male wird hier im Neuen Testament die Botschaft von der Himmelfahrt Christi mit der von seiner Hadesfahrt, also dem Abstieg ins Totenreich, verbunden (Sanday-Headlam; Pallis; Gutjahr; Michel; Bieder Höllenfahrt 72 f.). Denn die Deutung am Ende von 7 erlaubt nicht (gegen Nygren; Barrett), an die Menschwerdung zu denken (Traub, ThWb V, 525; Schweizer, Präexistenzvorstellung 67 f.). Die Fragen des Zitates bekommen so einen nur Christen verständlichen Sinn. Sie kennzeichnen nicht mehr Ausflüchte der Ratlosigkeit, sondern nennen Christus rhetorisch die einzige Hilfe in allen Nöten. Der Himmel ist für den Apostel der Ort des erhöhten Herrn. Die Frage besagt für ihn, daß man Christus auf die Erde zurückzuholen wünscht. Entsprechend denkt er beim Herabfahren in den Hades daran, daß Christus gestorben und dann bis zur Auferweckung in das Totenreich eingegangen ist. Auch von dort hat man ihn nicht auf die Erde zurückzuholen. Denn er ist nicht mehr bei den Toten und braucht nicht mehr auf die Erde zurückzukehren. Die Argumentation spitzt sich auf die von Pls nun gestellte Frage nach dem Grund der letzten Aussage zu. Warum sind die vorher erwogenen Versuche töricht und überflüssig? Das aus Dt 30,14 übernommene Fragment antwortet darauf im Namen der Glaubensgerechtigkeit: Das Wort ist nahe. Im Gefälle des Kontextes kann das nur bedeuten, daß Christus seit seiner Erhöhung im Wort gesucht und gefunden werden muß. Pointiert ausgedrückt: Die Menschwerdung braucht nicht verlängert und wiederholt zu werden, weil die Gegenwart des Erhöhten sich jetzt im Wort der christlichen Predigt ereignet. Genauso beantworten die johanneischen Abschiedsreden die gleiche Frage und weisen damit jede primär am „historischen" Jesus ausgerichtete Theologie ab. Pls denkt nicht anders, wie 2.K 5,16 zeigt.

Nach 1.K 1,18 ff.; 2.K 2,14 ff. 4,5 f. ist das Evangelium, das deshalb in 1,16 f. die Gottes Gerechtigkeit offenbarende Macht genannt wurde, die Manifestation des erhöhten Christus auf Erden. Diese Grundaussage der paulinischen Theologie erwächst hier jedoch aus einer Problemstellung und in einer Antithese, welche überraschend das Thema der johanneischen Abschiedsreden vorwegnehmen. Auch dort wird gefragt: Wie können die Jünger nach dem Weggang ihres Herrn bei ihm bleiben? Wo und wie erlangen die Zurückgelassenen Heil, Hilfe, Trost? Wo und wie wird er präsent? Auch Johannes weist die Frage nach der Verbindung mit der irdisch bekannten Person in historisierender Erinnerung ab und betont statt dessen die Gegenwart und das ständig neue Ereignis des Wortes in christlicher Verkündigung. Wir stoßen also in unserm Text auf eine der verborgenen Wurzeln des 4. Evangeliums. Doch kann man religionsgeschichtlich noch weiter kommen. Man hat Berührung unserer Stelle mit Phil 2,8 ff. behauptet (Munck, Christus 68 f.). Bei exaktem Vergleich gilt das nur für das Schema der Erniedrigung und Erhöhung des Erlösers und das Bekenntnis zum Kyrios. Immerhin ist dieser Hinweis insofern wichtig, als Pls im allgemeinen nicht von Erniedrigung und Erhöhung, sondern von Kreuz und Auferweckung Christi spricht, während hymnisch-liturgische Texte das erste Schema bewahren. Solche Beobachtung läßt fragen, ob das Dt-Zitat vom Apostel nicht aus der Sicht einer ihm überkommenen Tradition interpretiert wird. Dafür spricht auch die Kombination der Termini ἀναβαίνειν und καταβαίνειν, welche christologisch Joh 1,51; 3,13 und sinngemäß 6,62 erscheint. Noch mehr wird diese Vermutung durch die Pls sonst fremde Antithese von Himmel- und Hadesfahrt nahegelegt, die ausdrücklich bloß in 1.Pt 3,19 überliefert wird, sich aber in Eph 4,8 spiegelt. In dieser letzten Stelle sind wie hier beide Motive, und zwar ebenfalls in der midraschhaften Auslegung eines alttestamentlichen Textes, verbunden, und auch dort wird damit die kosmische Herrschaft Christi und die

Einsetzung charismatischer Wortverkündigung in der Gemeinde begründet. Die Parallelität reicht so weit, daß eine gemeinsam vorliegende judenchristliche Anschauung anzunehmen ist. Sie läßt sich auch von einer jüdischen Tradition her wahrscheinlich machen. Schon oft hat man Bar 3,29 f. als Parallele zu unserer Stelle genannt (Lietzmann; Lagrange; Barrett; Maier, Israel 76; Luz, Geschichtsverständnis 92): „Wer stieg zum Himmel hinauf und holte sie und brachte sie aus den Wolken herab? Wer fuhr über das Meer und fand sie?" Dt 30,13 ist dabei auf die göttliche Weisheit bezogen, von der es Bar 3,36 f. weiter heißt: „Er hat erkundet jeglichen Weg zur Weisheit und hat sie verliehen Jakob, seinem Knecht, und Israel, seinem Liebling." Das aus dem Urtext erhaltene Motiv des Naheseins steht nun im Zusammenhang einer nur für Israel nicht vorhandenen Unzugänglichkeit. Was zunächst rhetorisch und antithetisch die Unnötigkeit langen Suchens ausmalte, ist also zu einer mythologischen Aussage über die Verborgenheit der Sophia geworden, die allein Offenbarung beseitigt (Stuhlmacher, Gerechtigkeit 94). Kam dort alles auf das Halten des Gebotes an, dem sämtliche Glieder unterworfen werden müssen, so ist jetzt die Weisheit mit der Tora identisch, in dieser zugänglich und mit ihr zu bewahren. Unüberhörbar wird das Moment göttlicher Schenkung unterstrichen. Die Annahme dieser Gabe kennzeichnet die jüdische Gemeinde. Schließlich wird die Tora-Weisheit als mythisches Wesen beschrieben und personifiziert, besser gesagt: die zugrunde liegende mythische Anschauungsweise ist nicht völlig abgestreift. Wird das im Rahmen einer Homilie vorgetragen, so berührt sich auch das mit unserm Text. Die jüdische Überlieferung bietet also ein Zwischenglied zwischen alttestamentlichem Wort und paulinischer Auslegung, das zugleich die Zusammenhänge mit der Tradition des 4. Evangelisten und mit Eph 4,8 begreiflich macht. Übertragungen von Motiven der Weisheitsspekulation auf die Christologie finden sich beim Apostel nicht selten, wobei hier besonders auf 1.K 2,9 hinzuweisen ist. Daß solche Übertragung auch im Judentum konkreten Erlösergestalten gegenüber stattfand, läßt sich einem Fragmententargum entnehmen, welches zugleich das Motiv der Tiefe betont (vgl. dazu Luz, Geschichtsverständnis 92 f.; Black, Use 9, die beide das Fragment auf Targum Neofiti zurückführen): „Können wir jemanden haben wie den Propheten Mose, der in den Himmel steigt ... Könnten wir jemanden haben wie den Propheten Jona, der in die Tiefe des Meeres hinabsteigt." Jüdische Meditation über Dt 30,11 ff. ist offensichtlich vom Judenchristentum in der Auseinandersetzung von Kirche und Synagoge antijüdisch verwandt worden und in dieser Gestalt zu Paulus gelangt.

Der unverwechselbare Beitrag des Apostels in diesem Überlieferungsprozeß liegt darin, daß er die vor ihm getroffene Feststellung, der mit der Sophia identifizierte Christus sei die wirkliche praesentia Dei auf der Erde, seiner Theologie vom offenbarenden Worte dienstbar macht und damit Dt 30,14 wieder näher kommt: Der erhöhte Christus wird nur in der christlichen Verkündigung gegenwärtig (anders Stuhlmacher, Gerechtigkeit 97). Damit setzt Pls sich von der Synagoge ab, widerspricht indirekt aber auch jeder Theologie der sogenannten Heilstatsachen. Allein das Evangelium, das nach dem Kontext mit der Rechtfertigungsbotschaft zusammenfällt, rettet. Der Akzent des ganzen Abschnittes ruht auf 8 und der folgenden Interpretation dieses Verses (Michel; Kamlah, Buchstabe 281). Charakteristischerweise wird nicht mehr wie in Dt 30,14 vom Tun und den Händen als Werkzeug dazu gesprochen. Der Kontrast zu 5 ist unübersehbar. Luther paraphrasiert: Justitia illa stat in opere facto, ista autem in verbo credito ... hoc faciamus, ex verbo pensantes opus, non ex opere verbum (Ficker, Scholien 240. 243). Doch trifft das nur halb. So wird nicht berücksichtigt, daß Pls antithetisch 6—7a entnahm, Mose müsse seine Nachfolger, um sein Gebot zu verwirklichen, in die Unruhe unablässigen Suchens stellen. Die Glaubensgerechtigkeit beendet nicht bloß die Leistungsfrömmigkeit, sondern auch die Verzweiflung, von welcher Bengel sagt: Infidelitas autem fluctuat. Vult semper nec scit, quid velit. Quaerit semper necque invenit quicquam. Der Glaube wirkt sein Heil nicht, braucht es aber auch nicht zu suchen. Er braucht nicht einmal Christus ausfindig zu machen, weil dieser schon stets vor uns im Wort der Predigt auf dem Plane ist. Weil das der Skopus ist, wird die Wendung ἐν τῷ στόματί σου καὶ ἐν τῇ καρδίᾳ σου aus dem sonst verkürzten Zitat beibehalten, allerdings in seiner ursprünglichen Meinung völlig verändert. Nicht darum geht es, daß wir mit der ganzen Person und allen Gliedern zum Dienst bereitstehen, vielmehr darum, daß gepredigt und bekannt wird. Von dort aus erklärt sich das Interpretament τὸ ῥῆμα τῆς πίστεως, das nicht das mit dem Glauben verbundene (Kühl) oder das Wesen im Glauben findende Wort (Schniewind, Wort 48 f.) ist. Die Deutung in 9 stellt heraus, daß die fides quae creditur, das uns stets vorgegebene Evangelium in Gestalt der ὁμολογία gemeint wird (Bultmann, ThWb VI, 210; Theol. 318; Michel; Luz, Geschichtsverständnis 93). Das gilt, obgleich in 9 ὁμολογεῖν und πιστεύειν unterschieden zu werden scheinen. Beide Verben beziehen sich auf den im Bekenntnis fixierten Inhalt des Glaubens und sind sachlich deshalb nicht zu trennen. Als juridischer Terminus bezeichnet ὁμολογεῖν die verbindliche, öffentliche Erklärung, die ein Verhältnis mit rechtlicher Kraft endgültig ordnet. Dieser Sinn bleibt auch in der religiösen Homologie als der Antwort auf die Epiphanie der Gottheit erhalten (Bornkamm, Bekenntnis 58 f.; Chr. Müller, Gottes Volk 69). Hier läßt sich geradezu mit „proklamieren" übersetzen (Barrett; Kramer, Christus 67 ff. 74 f.). Daß an ein Bekenntnis vor der Obrigkeit gedacht sei (Pallis; Munck, Christus 69), wird durch nichts angedeutet (Lagrange). Auch das κύριος Ἰησοῦς ist nicht antithetisch zu dem κύριος Καῖσαρ erwachsen oder hat allmählich solchen polemischen Nebensinn bekommen (gegen Cullmann, Glaubensbekenntnisse 22; Lietzmann; möglich Michel; ablehnend Kühl; Barrett; Kramer, Christus 61). Primär ist die Wendung nicht, was wir Bekenntnis nennen, sondern Akklamation (Wengst, Formeln 22), die freilich das Moment des Bekenntnishaften einschließt. Ihr Sitz im Leben ist der Gottesdienst.

Zur eigentlichen Bekenntnisaussage wird der Satz erst dadurch, daß der Hinweis auf die Auferweckung Christi die Akklamation formal parallelisiert, sachlich begründet. Nur der Auferweckte ist Kyrios jener Gemeinde, welche, zur Totenauferweckung unterwegs, die neue eschatologische Welt repräsentiert. Er ist zugleich der Kyrios der Welt, welche durch das Geschehen der Auferweckung sowohl ihr Ziel wie ihre Krisis erhält. Der Vers hat die Struktur eines Lehrsatzes mit den Merkmalen des heiligen Rechtes. Die Bedingungssätze beschreiben die Voraussetzung des Heils, das im lapidaren Schluß mit einem einzigen Verb im Futur zugesagt wird. Es liegt nahe, das ὅτι rezitativ zu verstehen. Dann würde hier eine vorpaulinische Formel aufgegriffen (Dinkler, Prädestination 89; Kramer, Christus 16 f. 61 f.), in welche der Apostel die Anspielungen auf Dt 30,14 eingetragen hat. Die merkwürdige Vorordnung von ὁμολογεῖν vor πιστεύειν läßt sich dann besser verstehen. Sie folgt nicht einfach dem Zitat, während 10 die natürliche Folge wiederherstellt (so zumeist), und πιστεύειν in 9 meint keineswegs, wie durchweg angenommen wird, den „Herzensglauben", sondern das Festhalten des Bekenntnisses, das sei-

nerseits nicht bloß Ausdruck des Glaubens (Bultmann, Theol. 318 f.), sondern wie in 1.K
15,3—5 lehrhaftes und lernbares Summarium des Evangeliums ist. Die Folge der Verben
hat also sachliche Berechtigung. Das tritt noch deutlicher zutage, wenn man die Akklamation in den Rahmen des Taufvorganges stellt (Dodd; Michel), was freilich nur die
dreifache Akklamation in Eph 4,5 zu belegen vermag, oder die ganze Aussage wie etwa
Mk 16,16 als Zusammenfassung der Taufunterweisung begreift (Bultmann, Theol. 83.
313; Chr. Müller, Gottes Volk 70). Der Apostel wiederholt dann in 10 die ihm vorgegebene Aussage, welche Christi Auferweckung wie 1.K 15,3 ff. als das eschatologische Ereignis schlechthin betrachtet, mit seiner Terminologie und in der ihm gemäßen Reihenfolge von Glaube und Bekenntnis, das jetzt die Zusammenfassung des Glaubens ist. Das
noch immer leitende Begriffspaar καρδία und στόμα führt zu einem syntaktischen Parallelismus, in welchem 10a und 10b identische Feststellungen treffen. Die präpositionalen
Bestimmungen geben (anders Plag, Wege 28) das intendierte Ziel an. Das eschatologische
Heil besteht in der Rechtfertigung. Auch hier darf Glaube nicht bloß als innerliches Verstehen interpretiert werden. Denn das Herz meint als Zentrum der Personalität die Existenz im ganzen. Sie wird als solche durch den Glauben bestimmt und bekundet das in
der Homologie. Erst recht problematisch ist es, wenn man betont, es handle sich um den
individuellen Glauben (Dinkler, Prädestination 89. 92 ff.). Die Sätze sind so allgemein
gehalten und dienen so offensichtlich der Antithese von Kirche und Synagoge, daß der
ekklesiologische Aspekt hervorgehoben werden muß. 11 bestätigt das. Das 9—10 erhär-
tende, auf 9,33b zurückgreifende Zitat aus Jes 28,16 wird durch πᾶς in der Bedeutung
„jeder beliebige" (Bl.-D. § 275,3.6) eingeleitet. Es kommt Pls auf Universalität, nicht
Individualität an (Lagrange; Michel; Müller, Gottes Volk 35). Überall unter der Herrschaft des Wortes ist einzig der Glaube wichtig.

Ermöglicht wird solche Universalität der Feststellung durch die in 11—13 unter-
strichene Exklusivität, welche 3,22 unter anderm Vorzeichen aufgreift. Der Allgemein-
heit von Schuld und Verhängnis entspricht nunmehr diejenige Gnade. Eph 2,14 begründet das auch im Sinn unseres Textes damit, daß der Zaun des Gesetzes niedergerissen
wurde. Der Apostel blickt hier allerdings nicht auf ein einzelnes Heilsereignis, sondern
auf die bestehende Herrschaft Christi. Wird dieser mit dem ungewöhnlichen, jedoch auch
in Apg 10,36 gebrauchten Prädikat κύριος πάντων gekennzeichnet, meint das im Kontext seine Macht über die Glaubenden. Immerhin ist zu erwägen, ob damit nicht die hellenistische, vom Judentum aufgenommene Gottesprädikation des Kosmokrators (vgl.
Bauer, Wb 910) abgewandelt und konkretisiert wird, die auch in Phil 2,11 in Sicht
kommt (Peterson, Kirche 270). Der Partizipialsatz macht das noch wahrscheinlicher. Vom
Reichtum als der eschatologischen Gnadenfülle spricht Pls häufig (Chr. Müller, Gottes
Volk 35; Hauck-Kasch, ThWb VI, 327; Murray). Die in aller Welt erwachsende Gemeinde ist in diese über sich hinausweisende Fülle gestellt. Wird sie mit alttestamentlicher
Wendung und Israels Würdetitel wie in 1.K 1,2 als die Schar der ἐπικαλούμενοι charakterisiert (Bultmann, Theol. 128; Dahl, Volk Gottes 206). so ist das nicht auf das Gebet
zu verengen. Erst recht läßt sich nicht aus unserer Stelle schließen, Jesu Anrufung im Gebet sei schon der ältesten Christenheit selbstverständlich gewesen (gegen Zahn; Althaus;
Maier, Israel 85). Tatsächlich ist stets „im Namen" Jesu gebetet worden. Doch ist neutestamentlich nicht auszumachen, seit wann das Gebet sich direkt auch an Christus
wandte. Zunächst besagt ἐπικαλεῖσθαι wohl die Akklamation, dann den Anruf dessen, der

beim Vater himmlische Interzession für die Seinigen übt, also als Mittler das Gebet unterstützt. Die Anrufung des Namens rückt hier neben die Predigt in 8 und die Homologie in 9 f. und muß deshalb auf den Gottesdienst bezogen werden. Das nahe Wort wird epiphan, wo die Gemeinde sich versammelt, und zwar in vielfacher Variation. So spricht die Stimme der Glaubensgerechtigkeit durch die sich von der Synagoge abhebende Kirche. Das Wort ist auch darin nahe, daß es einen festen irdischen Raum und konkrete Träger hat. Die Verheißung von Joel 3,5 LXX ist so erfüllt. Die Zitate in 11 und 13 interpretieren sich gegenseitig. Das Heil wird in der christlichen Gemeinde gefunden. Als Schar der Glaubenden bekennt sie das Wort, das nach 2.K 3,6 ff. in der Synagoge verhüllt und verschlossen war und das nunmehr an die Gegenwart des Erhöhten in der Kirche als seinem Herrschaftsbereich gebunden ist. Das Alte Testament hat darauf vorausgewiesen. Es ist Kronzeuge für die Ablösung der Synagoge durch die sich aus Juden und Heiden sammelnde Schar unter dem nahen Wort des Glaubens.

4. 10,14—21: Israels Schuld

14 Wie soll man nun anrufen, an den man nicht gläubig geworden ist? Wie soll man
15 weiter dem glauben, den man nicht gehört hat? Wie hören ohne Prediger? Wie aber predigen, wenn man nicht gesandt ist? Denn so steht geschrieben: Wie sehr zu rechten
16 Zeit (kommen) die Füße derer, welche die gute Botschaft bringen. Doch nicht alle sind dem Evangelium gehorsam geworden. Jesaja sagt (schon): Herr, wer hat unserer Bot-
17 schaft geglaubt? Also: Der Glaube kommt aus gehörter Botschaft, die Botschaft (er-
18 folgt) aber in der Kraft des Wortes Christi. Ich wende jedoch ein: Haben sie etwa nicht gehört? Im Gegenteil. In alle Welt ist ausgegangen ihr Schall, und an die Enden
19 der bewohnten Erde (drangen) ihre Worte. (Wieder) wende ich ein: Hat Israel etwa nicht verstanden? Zuerst antwortet Mose: Ich will euch eifersüchtig machen auf das, was nicht Volk ist. Über ein unverständiges Volk will ich euch ergrimmen lassen.
20 Jesaja erkühnt sich sogar und sagt: Gefunden wurde ich von denen, die mich nicht
21 suchten. Offenbar wurde ich denen, die nicht nach mir forschten. Zu Israel spricht er jedoch: Den ganzen Tag habe ich meine Hände ausgebreitet nach einem ungehorsamen und widerspenstigen Volk.

Literatur: Chr. Butler, The Object of Faith according to St. Paul's Epistles, Stud. Paul, Congr. I, 15-30. F. Rehkopf, Grammatisches zum Griechischen des Neuen Testamentes, Der Ruf Jesu und die Antwort der Gemeinde (Festschr. J. Jeremias), 1970, 213-225. F. Müller, Zwei Marginalien im Brief des Paulus an die Römer, ZNW 40 (1941), 249-254. J. Roloff, Apostolat-Verkündigung-Kirche, 1965.

Die gängige Anschauung, c. 10 behandle die Schuld Israels, ist gelegentlich heftig kritisiert und durch die andere ersetzt worden, das Kapitel schildere Gottes vergebliches Mühen um das Judentum (H. E. Weber, Problem 43 ff.; Maier, Israel 99 ff.; Munck, Christus 70 ff.; H. W. Schmidt). Beides schließt sich nicht aus. Nach 18 ff. besteht die Schuld eben in verweigerter Gnade. Es geht also weniger um einen ernsthaften Widerspruch als um den richtigen Akzent, nämlich um die Frage, ob c. 10 als Vorbereitung oder als paradoxe Antithese zu c. 11 zu betrachten ist. Gewicht bekommt das insofern, als im ersten Fall der heilsgeschichtliche Prozeß, im zweiten die Rechtfertigungslehre zum Auslegungsschlüssel wird. Die Kontroverse um das Grundsätzliche spiegelt sich in der Einzelinterpretation und bestimmt bereits die Gliederung unseres Abschnittes. Jedenfalls gehören 14 f. nicht zum Vorangegangenen, sondern begründen indirekt 16, indem sie die Voraussetzungen des Heilsempfanges benennen. Glaube und Unglaube sind nicht willkürliche Entscheidungen des Menschen. Als Gehorsam oder Ungehorsam antworten sie auf Gottes vorauslaufende Gnade. Das nahegekommene Wort setzt zugleich die Möglichkeit des Unheils. Die kunstvolle Stilform des rückläufigen Kettenschlusses ist Indiz für die Bedeutung unserer Verse. Denn für Pls ist Rhetorik nicht die Sache verdeckender Redeschmuck, sondern Mittel der Sachargumentation. Hier geht es nicht (gegen Munck, Paulus 272. 295; Christus 17) um die Bilanz abgeschlossener und nach 18 weltweiter Judenmission, ebensowenig aber um den Aufweis, daß von Gott alles getan wurde, während Israel an entscheidender Stelle, nämlich beim Glauben, versagte (Dodd; Barrett). Das ist bereits in 9,31 ff. und mit der Antithese 10,5 f. gesagt, und die emphatische Wiederholung dieses Gedankens müßte allerdings langweilen (Dodd). Die parallelen Fragen fordern sämtlich die Antwort: Es ist nicht möglich. Sie besagen notwendig, wenn 14 f. auf Israel gehen, daß dieses nicht anrufen, glauben, hören, predigen konnte, weil ihm die Sendung fehlte. Eine solche Feststellung widerspricht jedoch dem Zitat, das keineswegs ornamentales Lob des Evangelistenberufes (Lietzmann), Abschweifung (H. W. Schmidt), Glosse (Pallis) ist. Es konstatiert vielmehr die eschatologische Sendung als geschehen. Die Fragen ersetzen dann apodiktische Aussagen, in denen (Bl.-D. § 130,2) die 3. Pers. Plur. das Subjekt „man" umschreibt und kein Subjektswechsel stattfindet (gegen Maier, Israel 88). Grundsätzlich wird das Nahekommen des Wortes von der gottesdienstlich versammelten Gemeinde über den Beginn des Christenstandes zur apostolischen Sendung zurückverfolgt.

Die Pointe des Ganzen liegt nicht im ersten, sondern im letzten Gliede der Kette (H. E. Weber, Problem 64; Leenhardt; Murray). Das folgende Zitat bestätigt, daß die Sendung, auf die alles andere sich gründet, geschehen ist und geschieht. Erst mit 16 wird auf Israel geblickt (H. E. Weber, Problem 45), das sich im allgemeinen der Sendung versagte. Haben 6—13 die Nähe des Wortes behauptet und aus dem Vorhandensein einer bekennenden, glaubenden und anrufenden Gemeinde heraus dargetan, so wird jetzt der Weg aufgewiesen, auf dem es dahin kam. Der Glaube ist dabei eindeutig als Annahme des Kerygmas beschrieben (Bultmann, ThWb VI, 209) und insofern — nur insofern! — als Gehorsam gekennzeichnet (Schlatter). οὗ in 14b ist nicht wie oft örtlich gemeint, ersetzt auch kein περὶ οὗ, sondern bezieht sich auf den Verkündiger. Nach dem generell sprechenden Kontext kann das unmöglich der historische Jesus sein (gegen Maier, Israel 88 f.; Munck, Christus 71; Ridderbos). Offensichtlich wird zwischen κηρύσσειν und εὐαγγελίζεσθαι nicht unterschieden (Friedrich, ThWb III, 711). Beide Verben meinen die christliche Predigt, wobei das Moment der Proklamation mitschwingt. So gehört zu ihr die durch ἀποστέλλειν herausgestellte Bevollmächtigung in der Sendung (Friedrich, ebd. 712). Die Interpretation des Zitates wird zeigen, daß konkret an den apostolischen Auftrag gedacht wird (Sass, Kirche 28 f.; Bultmann, Theol. 308; Butler, Object 18 ff.). 2.K 5,18—20 entfaltet den anvisierten Sachverhalt präzis. Das Zitat aus Jes 52,7 wurde rabbinisch fast stets auf die messianische Zeit bezogen (Billerbeck; Roloff, Apostolat 83). In seiner ver

kürzten Form und in der pluralischen Aussage weicht es sowohl von MS wie von LXX
ab (Smits, Oud-Testamentische Citaten 493 f.) und wird in der Koine und in abendländischen Textzeugen nach LXX aufgefüllt (Lietzmann). Der Plural mag bereits durch den
alttestamentlichen Kontext veranlaßt sein und begegnet so auch im Midrasch zu Ps 147,1.
Durch die Beziehung auf die Evangeliumsboten wird er sinnvoll (Schniewind-Friedrich,
ThWb II, 713 ff.; Stuhlmacher, Gerechtigkeit 77; Roloff, Apostolat 83. 142). Die Botschaft wird in fremder Sendung gebracht (Maier, Israel 89). So wird orakelhaft von
den πόδες ὡραῖοι gesprochen, was man im allgemeinen nach der Parallele Sir 26,18 „wohl-
gebildete Füße" versteht. Doch dürfte das Adjektiv hier „rechtzeitig" bedeuten (Bauer,
Wb 1772; Bultmann, Glossen 199). Gedacht ist an den Augenblick eschatologischer Verwirklichung der Verheißung (Lagrange), den das Partizip ebenfalls betont. καθάπερ hat
begründenden, nicht bloß vergleichenden Sinn. Die Schrift stellt mit der Ansage zugleich
die Notwendigkeit der eschatologischen Sendung heraus. Ihr Heilsruf ist in der Gegenwart erfüllt. Ihre Beziehung auf den Zion ist kaum zufällig weggebrochen. Die kosmische Dimension des anvisierten Geschehens tritt auch in 18 zutage (Sass, Apostelamt 28 f.).
Die Herolde proklamieren den Einzug des Weltherrschers. Von dieser Wirklichkeit her
wird in 16 auf Israel geblickt.

Die Sendung ist auch ihm zuteil geworden. Als Volk hat es sie und deshalb das Evangelium jedoch nicht angenommen, so daß die ganze Kettenfolge von 14 f. ihm nicht gilt
(Plag, Wege 30). Der von der Glaubensgerechtigkeit beanspruchte Platz war bereits durch
die Tradition des Gesetzes besetzt. Erneut wird der Glaube als gehorsame Annahme des
Wortes gekennzeichnet. οὐ πάντες greift betont 9,6 und das Restmotiv in 9,27 ff. auf, wobei die Litotes „nur ganz wenige" meint (Rehkopf, Grammatisches 224). Das Zitat aus
Jes 53,1 erhält durch das aus LXX übernommene, im Urtext nicht stehende κύριε den
Charakter einer Klage (Maier, Israel 90 f.; Munck, Christus 72), in welcher Israels Geschick prophetisch vorausgesehen wird. ἀκοή besagt nicht das Hören (gegen Schlatter;
Brunner; Ridderbos), sondern wie in LXX und etwa 1.Th 2,13 das Gehörte, also die Botschaft der Predigt (Billerbeck). Damit ist das Ziel der Argumentation von 5 an erreicht.
9,32 f. und 10,3 sind bestätigt (Hoppe, Idee 125): Israel ist dem Evangelium gegenüber
schuldig geworden. Seltsam mutet die Zusammenfassung von 14 f. in 17 an. Sie scheint
unmotiviert nachzuklappen und ist (F. Müller, Marginalien 253; Bultmann, Glossen 199;
Michel; Luz, Geschichtsverständnis 32) deshalb als Randglosse eines Lesers betrachtet
worden. Doch sollte man beachten, daß in Wirklichkeit das Ergebnis von 14 resümiert,
15 jedoch variiert wird und das Stichwort ἀκοή 16b und 18a verknüpft. Der Satz hat
also überleitende Funktion (H. W. Schmidt) und paßt jedenfalls nicht nach 15. Zunächst
muß aber die merkwürdige Formel ῥῆμα Χριστοῦ erörtert werden. ῥῆμα bezeichnet ursprünglich den Einzelspruch. Joh und Apg verwenden darum durchweg den Plural, wenn
sie von der Botschaft im ganzen sprechen. Erst in Eph 6,17; Hb 6,5; 11,3; 1.Pt 1,25 wird,
offensichtlich feierlich, vom ῥῆμα θεοῦ gesprochen und das in Hb 1,3 wie hier christologisch variiert. Weil Hb 1,3 sich aber auf das Wort des präexistenten Schöpfungsmittlers bezieht, ist der Gebrauch der Formel an unserer Stelle singulär, wenn man von 8c
absieht. Gerade 8c ist jedoch für die Interpretation hier wichtig, weil nichts im Kontext
an den Befehl des historischen Jesus, der seine Jünger aussendet, erinnert (gegen Maier,
Israel 89 ff.; Munck, Christus 71 ff.; Kittel, ThWb IV, 109; Michel). Es bleibt nur die
Deutung auf das Wort des erhöhten Herrn übrig (Schniewind, Wort 15), das sich in der

apostolischen Predigt manifestiert und diese umgekehrt zum Mittel der Selbstoffenbarung Christi macht. Auf die Autorität der Augenzeugen (Butler, Object 19 f.) wird also gerade nicht geblickt. So läßt sich die Genetivkonstruktion nicht derart auflösen, daß man hier einen gen. obj. oder auct. findet. Die Ambivalenz, die sich vielleicht schon in der Wahl von διά statt ἐκ bekundet, ergibt die theologische Nüance. Ist die Formel jedoch nur aus dem paulinischen Kontext, und zwar als präzisierende Variation von 15, zu erklären, kann man nicht mehr eine Glosse annehmen. Eben um dieser Formel willen wird 17 nachgetragen. Die Sendung wird auf den erhöhten Herrn zurückgeführt, was vor dem Zitat nicht möglich war (Maier, Israel 93; Plag, Wege 29).

Zwei parallele Fragen in 18 und 19 rauben Israel jeden Grund zur Entschuldigung. Es hat die christliche Predigt vernommen. ἀκούειν besagt jetzt: eine Mitteilung zur Kenntnis nehmen. μενοῦν γε ist anders als in 9,20 adversativ gebraucht (Bl.-D. § 450,4): ganz im Gegenteil. Die Auslegung hat sich oft daran gestoßen, daß die weltweite Dimension christlicher Predigt durch Ps 18,5 LXX belegt wird, und deshalb bestritten, daß Pls das Psalmwort als Prophetie verstanden habe, zumal die Einleitungsformel fehlt. Doch ist die Auskunft komisch, die Worte sollten nur die Sicht des Apostels decken (Zahn; Lagrange). Die exegetische Verlegenheit müßte dann generell allen paulinischen Zitaten gegenüber eingestanden werden, die fast stets den historischen Sinn verfehlen. Es wird auch nicht bloß auf die Missionserfolge verwiesen (gegen Althaus), schon gar nicht nur auf diejenigen im Diasporajudentum (gegen Pallis; Gutjahr; Leenhardt; Munck, Paulus 272. 295; Christus 17. 73 f.). Das würde dem kosmisch-universalen Aspekt (H. W. Schmidt) und der Hyperbolie in der Verwendung dieser Psalmstelle nicht gerecht, welche den Ton auf die Zeilenanfänge legt. Es geht darum, daß die eschatologisch interpretierte Schrift den weltweiten Erfolg christlicher Predigt weissagt. Das wird als Argument contra Judaeos benutzt. Sie können weder die Prophetie überhören noch an dem vorbeisehen, was alle Welt bewegt. Aufs deutlichste tritt das apokalyptische Selbstverständnis des Apostels darin zutage, daß er diesen Psalm heranzieht (vgl. Schoeps, Paulus 243 f.). Er sieht tatsächlich die ganze Welt bereits von der christlichen Verkündigung erfüllt und denkt dabei zweifellos vor allem an sein eigenes Werk (Asmussen), obgleich er von der apostolischen Tätigkeit im allgemeinen spricht. So nahe sieht er sich also dem in Mk 13,10 anvisierten Ziel und damit der Parusie. Das ist von allen Problemen, die er uns aufgibt, wohl das schwerste: Wie konnte er sich derart über die Unendlichkeit der von ihm angefangenen Aufgabe täuschen? Je weiter er in Asien und Europa vorstieß, desto deutlicher hätte sich ihm doch der Zwiespalt zwischen seiner apokalyptischen Hoffnung und der irdischen Realität dartun müssen. Das Problem hat nicht nur eine psychologische Seite. Wenn irgendwo, wird hier sichtbar, daß Wirken und Denken des Apostels nicht um die Anthropologie, sondern um die Eroberung der Welt kreisen. Die Anthropologie ist ein wichtiger Aspekt, nicht die beherrschende Mitte seiner Theologie. Die Rechtfertigungslehre erschöpft sich dann schließlich nicht im anthropologischen Bereich, proklamiert vielmehr Gottes heilsetzendes Recht über der ganzen Welt. Verhält es sich aber so, tangiert die Selbsttäuschung des Apostels auch seine Verkündigung und wird verständlich, warum die Späteren seine Theologie nicht mehr einfach übernehmen konnten. Ihm war es möglich, seine nicht bloße forensische und individualistische, sondern ökumenisch ausgerichtete (Asmussen) Rechtfertigungslehre zum zentralen Thema einer Heilsgeschichte zu machen. Er ließ diese Konzeption jedoch nicht ein theologisches Postulat bleiben, sondern meinte, ihre Erfüllung aus der Geschichte verifizieren zu können, während sie gerade deren Realität nicht standzuhalten vermag. Die Heilsgeschichte des Apostels ist die verwundbarste Stelle der paulinischen Theologie. Denn sie wird eben nicht durch den Gedanken eines allmählich weitergreifenden Entwicklungsprozesses bestimmt. Maßgeblich ist für sie das Verständnis des Evangeliums als der Bezeugung und Vorwegnahme der Totenauferweckung. In deren Macht ergreift Gott bereits vor der Parusie von der Welt derart Besitz, daß neue Schöpfung und ins Chaos zurückfallende alte Schöpfung auseinandertreten. In der Folgezeit lösen sich der heilsgeschichtliche Aspekt, der durch den Entwicklungsgedanken modifiziert wird, und die Rechtfertigungsbotschaft, die sich immer stärker an der Anthropologie orientiert, nicht zufällig voneinander, weil Apokalyptik beides nicht mehr zusammenhält. Pls hat ein theologisches Konzept hinterlassen, das als Einheit nicht festzuhalten war, dessen Teile aber selbst auseinanderfallend die Weltgeschichte stets neu bewegt haben.

Nur hier, in einem Zitat begegnet der Terminus οἰκουμένη. Bezeichnet wird damit die Ordnung der bewohnten Erde. 19 spitzt die Frage von 18 noch zu. γινώσκειν ist anders als gewöhnlich (gegen Bultmann, ThWb I, 704; Lagrange) das intelligere (Kühl; Munck, Christus 76 f.). Der Name Israel wird jetzt emphatisch gebraucht (Maier, Israel 97). Die Entschuldigung verfängt nicht, zwar gehört, jedoch nicht richtig den Sinn der Botschaft begriffen zu haben. Mose und die wieder durch Jesaja vertretenen Propheten treten als Zeugen gegen solche Ausflucht auf. Sie haben die Heidenbekehrung geweissagt, so daß Israel an erfüllter Prophetie den Anbruch der eschatologischen Zeit erkennen konnte. Denn darauf liegt der Ton in den beiden folgenden Zitaten. Die Charakteristik der Heiden als unverständiges Volk, das vor seiner Berufung den Namen Volk nicht verdiente, und als Schar derer, die Gott nicht suchten und nach ihm nicht fragten, nimmt die Schilderung in 9,25. 30 auf. Doch bleibt das hier Nebenmotiv (gegen Lagrange; Althaus; Maier, Israel 97; Munck, Christus 78 f.). Paradoxerweise haben diejenigen, welche nicht durch die Schrift vorbereitet waren, die eschatologische Stunde erkannt, die von Israel versäumt wurde. Das letzte Zitat stellt das ausdrücklich fest. Die Frage von 19, rhetorisch auf Verneinung hin formuliert, wird damit beantwortet, daß Israel hätte erkennen können, es aber nicht getan hat. Dabei handelt die Antwort nicht mehr wie die Frage vom bloßen Begreifen der Botschaft, versteht vielmehr γινώσκειν wieder im Sinn von „anerkennen". Wie in der These von 9,30 ff. und 10,2 f. wird Schuld festgestellt, womit sich der Kreis der Argumentation schließt. πρῶτος in 19 ist natürlich (gegen Zahn; Plag, Wege 31) nicht zur Frage zu ziehen, sondern blickt auf die folgenden Zitate voraus: schon Mose. Dt 32,21 ist dadurch verändert, daß das anredende Personalpronomen das Demonstrativ ersetzt. In 11,11 ff. wird Pls auf das Motiv unserer Stelle zurückgreifen. Von ihm her versteht er die Aufgabe seines Apostolates und sich selbst als Vollstrecker der eschatologischen Verheißung. Gott kehrt in der Endzeit das Bestehende um: Die nach 2 im ζῆλος θεοῦ stehen, müssen Gottes Eifer über sich darin gewahren, daß er sie auf Heiden eifersüchtig zu machen sucht (anders Senft, L'élection 137). Die Steigerung des vorher Gesagten in 20 wird durch ἀποτολμᾶν angezeigt. Bereits die Aussage von Jes 65,1 sollte solche Eifersucht wecken. Die Anfangsworte aus MS sind umgestellt und damit, im Widerspruch zum Urtext, auf die Heidenmission bezogen (Billerbeck; anders Lagrange). ἐμφανὴς ἐγενόμην meint jene Offenbarung, welche in 8 unter dem Stichwort ἐγγύς stand. Der Parallelismus in Jes 65,1 f. wird, durch die Einleitung von 21 scharf herausgehoben, vom Apostel in eine Antithese umgewandelt. Betont ist dabei ὅλην τὴν ἡμέραν vorangestellt. Die Wendung ist ein Semitismus und meint (Michel) wie in 8,36 „täglich". Im Widerspruch äußert sich ἀπείθεια, nach paulinischer Theologie die Grundsünde. Ihr blieb Israel auch eschatologisch, nämlich dem Evangelium gegenüber, verfallen, obgleich Gott wie der Vater in Lk 15,11 ff. seine Arme täglich nach ihm ausstreckte. Pls zieht, 9,25 ff. entsprechend, mit Hilfe der Schrift die Summe seiner Argumentation. Die Auswahl und Interpretation der Zitate, die keiner vorliegenden Sammlung entnommen sind (Michel, Bibel 48 f.), erfolgen in einer Weise, welche die Urchristenheit prophetischem Charisma zuschrieb, also aus Person und Vernunft nicht ausschaltender Inspiration (Michel, ebd. 69). Der überwältigende Schluß besagt nicht, daß es bei Gott nur Gnade und keine Verstockung gäbe (gegen Ulonska, Alte Testament 194). Die prädestinatianischen Aussagen von c. 9 werden in unserm ganzen Kapitel durchaus nicht aufgehoben, vielmehr unentwegt in der Berufung auf die Schrift aufgenommen. Denn für Pls ist die Schrift nicht Dokumentation des göttlichen Vorauswissens um die kommende Geschichte. Sie leitet diese letzte vielmehr ein und setzt sie gleichsam in Bewegung. Das verkündigte Wort ruft sie hervor, indem es Gehorsam und Widerspenstigkeit erweckt. Es erweist sich darin nach 2.K 2,15 f. als Verlorene und Errettete unterscheidend und qualifizierend. Destruktion und Neugründung des Gottesvolkes werden deshalb in unserm Kapitel aus der Verkündigung abgeleitet (Chr. Müller, Gottes Volk 37). Israels Schuld ist nicht bloß ein Versagen, sondern Ablehnung des nahen Wortes. Prädestination charakterisiert in diesem Zusammenhang nicht Gottes Wesen und Eigenschaften, sondern sein Handeln mit seiner Schöpfung, über dem es für Menschen zu Heil und Unheil kommt. Denn beide gibt es nur in der Begegnung mit dem Wort, nicht als von uns selbst zu verwirklichende Möglichkeiten.

IV. 11,1—36: Das Geheimnis der Heilsgeschichte

Die Darlegung des göttlichen Rechtes und der Schuld Israels scheint Hoffnung für das alte Gottesvolk auszuschließen, sofern es sich nicht als „Rest" zu Christus bekehrt hat. Doch trügt dieser Schein. Von Gottes Recht und Israels Schuld ist genauso gesprochen worden, wie das in 1,18—3,20 der Menschheit gegenüber geschah. Das besagt, daß damit die Prämisse, nicht das Ziel der Argumentation festgestellt wurde. Darum wird im Folgenden die bisherige Dialektik nicht aufgegeben (gegen Maier, Israel 102). Sie erreicht vielmehr nun ihren Höhepunkt. Das kann nicht anders sein, wenn die justificatio impiorum als creatio ex nihilo und resurrectio mortuorum die Perspektive auch der Heilsgeschichte bildet. Die Desillusionierung ist Voraussetzung des Heilszuspruches, den der Apostel nicht als Geschichtstheologe (gegen Leenhardt; H. W. Schmidt), sondern prophetisch (Maier, Israel 102), nämlich als Künder der Gottesgerechtigkeit an das „ganze Israel" wie an die Welt ergehen läßt. Das Kapitel zerfällt in drei Unterteile. 11,1—10 führen aus, daß Israels Verstockung nicht total erfolgte. 11,11—24 zeigen, daß Israels Verstockung das Heil der Heiden ermöglichte. 11,25—32 verkünden Israels Erlösung. Insgesamt wird dargetan, daß die Geschichte der Verheißung über Israel nicht abgerissen ist.

1. 11,1—10: Israels Verstockung ist nicht total

1 Ich frage nun: Hat etwa Gott sein Volk verstoßen? Unmöglich! Denn auch ich bin
2 Israelit, aus Abrahams Samen, aus Benjamins Stamm. Nicht hat Gott verstoßen
sein Volk, das er zuvor erwählte. Oder wißt ihr nicht, was die Schrift erzählt in
3 (der Geschichte) Elias, als er Klage führt vor Gott wider Israel: Herr, deine Propheten haben sie getötet, deine Altäre zertrümmert, und ich bin allein übrig-
4 geblieben, und sie trachten nach meinem Leben. Was sagt ihm indes der Gottesspruch? Übriggelassen habe ich mir 7000 Mann, welche das Knie nicht vor Baal
5 beugten. Genau so ist auch im gegenwärtigen Augenblick ein Rest vorhanden,
6 durch Gnadenwahl gewirkt. (Geschah das) aber durch Gnade, dann folglich nicht
7 aus Werken, weil anders Gnade nicht mehr Gnade bliebe. Was (meint das) nun?
Wonach Israel verlangt, das hat es nicht erlangt. Vielmehr hat die Auswahl es
8 erlangt. Die Übrigen wurden jedoch verstockt. So steht denn geschrieben: Einge-
geben hat ihnen Gott einen Geist der Betäubung, Augen, daß sie nicht sehen,
9 Ohren, daß sie nicht hören können bis auf den heutigen Tag. Und David spricht:
Es werde ihnen ihr Altar zur Schlinge und zum Netz und zum Fallstrick und zum
10 Anlaß der Vergeltung. Finster mögen werden ihre Augen, daß sie nicht sehen
können, beuge ihren Rücken immerdar!

Literatur: A. Dillmann, Über Baal mit dem weiblichen Artikel, Monatsbericht der königl.-preuß. Akad. d. Wiss. 1881, 601-620. E. v. Dobschütz, Zum paulinischen Schriftbeweis, ZNW 24 (1925), 306 f. K. L. Schmidt, Die Verstockung des Menschen durch Gott, ThZ 1 (1945), 1-17. K. H. Rengstorf, Paulus und die älteste römische Christenheit, Stud. Ev. II, 1964, 447-464. C. E. B. Cranfield, The Significance of διὰ παντός in Romans 11,10, Stud. Ev. II, 1964, 546-550.

Rhetorische Fragen gliedern in 1, 2b und 7 den Abschnitt. Der Anfang blickt auf c. 9—10, nicht bloß auf den Schluß von c. 10 zurück und formuliert zugleich das Thema des folgenden Kapitels mit den Worten von 1.Reg 12,22; Ps 93,14. Das Futur des Verbs wird dabei in die Vergangenheitsform umgewandelt. 9,6a wird so aufgegriffen, von der Schrift her beantwortet und durch den Blick auf Israel konkretisiert. Es geht natürlich nicht um ein ideelles Israel (Kühl gegen Zahn), sondern um das jüdische Volk, das später πᾶς Ἰσραήλ genannt wird. Dessen endgültige Verwerfung soll bestritten werden, wie schon die Frage mit dem folgenden Ausruf in 1 und die ausdrückliche Versicherung in 2a dartun. Mit Recht ist häufig festgestellt, die Argumentation wie die Formulierung in 1 weise auf vorwiegend heidenchristliche Leser. Zu Beginn des neuen Gesprächsganges bekundet Pls wie in c. 9 und 10 seine Solidarität mit seinem Volke. Er tut es auch hier nicht aus Patriotismus (gegen Jülicher). Seine These wird dadurch bewiesen. Er selbst ist als Israelit und Abrahamssame ein lebendiges Exempel für Gottes Heilswillen. Wie in 2.K 11,22; Phil 3,5 spricht Stolz aus solcher Selbstprädikation und zumal der Stammesbezeichnung. Nach rabbinischer Tradition stieg Benjamin zuerst ins Rote Meer (Billerbeck). Die Hoffnung der Wiedervereinigung des Gottesvolkes knüpfte sich an diesen Stamm (Vischer, Israel 112), dem Saul und Jeremia angehörten. Pls ist also qualifizierter Jude und bis in die ehemalige Verfolgung der Christen hinein Repräsentant seines Volkes. Mit seiner Bekehrung wurde ein Zeichen dafür gesetzt, daß keineswegs ganz Israel verworfen ist. Das letzte Glied des Kettenschlusses in 2a begründet das als unmöglich (Maier, Israel 107). Auch das ungläubige Israel bleibt unter der einmal erfolgten Erwählung. Denn das meint wie in 8,29 προέγνω hier, wobei kaum an einen vorzeitlichen Ratschluß Gottes gedacht zu werden braucht (Munck, Christus 82). Erwählung und Verwerfung ereignen sich gleicherweise im geschichtlichen Raum und treffen hier aufeinander (Asmussen). Deshalb kann und muß gefragt werden, wie beides sich zueinander verhält, und Pls antwortet, das letzte mache jedenfalls das erste nicht ungeschehen. Gottes einmal an uns geschehenes Handeln stigmatisiert für immer. Es begründet nicht menschliche Ansprüche, entläßt aber nicht mehr aus dem mit ihm erhobenen göttlichen Anspruch. Die Aussage erscheint als außerordentlich kühn. Darf man wirklich aus dem Geschick des Einzelnen auf das des Volkes schließen? Der Schriftbeweis aus 3.Reg 19,10. 18 gibt darauf Antwort. Der LXX-Text ist auch hier nicht unerheblich geändert. Die Gottesanrede begreift sich vom Kontext her. Der Prophetenmord wird als fester Topos antijüdischer Polemik (Chr. Müller, Gottes Volk 45) und um der über dem Apostel hängenden Gefahr willen vorangestellt. Von kleineren Auslassungen abgesehen, ist bemerkenswert, daß in 4 das Verb aus dem Futur in den Aorist, aus der 2. Pers. sing. in die erste umgewandelt und durch ἐμαυτῷ unterstrichen wird. Ob eine andere LXX-Lesart einwirkt oder Pls selbst ändert, läßt sich kaum entscheiden (vgl. Michel, Bibel 77). Im Diatribenstil erinnert ἢ οὐκ οἴδατε an bereits Gewußtes. Nach rabbinischer Manier bezeichnet ἐν Ἠλίᾳ die alttestamentliche Perikope der Elia-Erzählung (Billerbeck). ἐντυγχάνειν τινὶ κατά meint technisch die Anklage vor Gericht (Lietzmann), deren Gegenstück wie in 8,26 f. 34 die Interzession ist. χρηματισμός heißt das Orakel, der Gottesspruch. Der feminine Artikel vor Βάαλ erklärt sich von da, daß der fromme Jude den Götzennamen nicht ausspricht und durch בֹּשֶׁת bzw. αἰσχύνη ersetzt (Dillmann; Billerbeck; Bauer, Wb 257). Der Kniefall ist kultischer Gestus (Schlier, ThWb I, 738 f.).

5 zieht aus der offensichtlich typologisch verstandenen Stelle die Folgerung für die Gegenwart, die wie in 3,26 mit ἐν τῷ νῦν καιρῷ als eschatologisch charakterisiert wird. Der Vergleichspunkt ist das Übrigbleiben eines Restes, und dieses Motiv wird alsbald thematisiert. Ursprünglich sollte die Zahl einfach die Größe der treu Gebliebenen anzeigen. Sie steht darum noch bei Pls im Gegensatz zu dem sich einsam wähnenden Propheten. Doch führt der Schriftbeweis insofern über 1b hinaus, als sich nun bereits der Blick auf Israel als Volk eröffnet. Umgekehrt darf nicht die Dialektik des Restmotivs in den nächsten Versen übersehen werden, in denen es in schroffer Antithese zum Volksganzen bloß das Überbleibsel anzeigt. Jedenfalls führt vom Rest zum Volk keine gradlinige und irdisch kontinuierliche Entwicklung, so sehr im Rest der Anfang eines schließlich „ganz Israel" umspannenden eschatologischen Geschehens erblickt wird. Für Pls ist das Motiv des Restes unlöslich mit dem Gedanken des Gerichtes und deshalb mit Neuschöpfung verbunden (Schrenk, Weissagung 29; Chr. Müller, Gottes Volk 46). Eben deshalb kann es anders als etwa in 4.Esra 13,48 ff. in Kontrast zum Gesamtvolk treten, selbst wenn es wie hier den Blick darauf freigibt. Inhaltlich ist der Rest nichts als die Judenchristenheit. Das Motiv wird darum in den Zusammenhang der paulinischen Rechtfertigungslehre gestellt, und zwar zunächst mit der Wendung λεῖμμα κατ' ἐκλογὴν χάριτος und dann mit 6. Die Formel entspricht ἡ κατ' ἐκλογὴν πρόθεσις in 9,11. Der Rest wurde durch Gnadenwahl geschaffen. ἐκλογή bezeichnet hier das aktive Handeln der Gnadenmacht (Luz, Geschichtsverständnis 82), in 7 dagegen deren Resultat, also die Auserwählten. Weil die

Wendung sich auf den Gottesspruch von 4 bezieht, ist nicht an einen vorzeitlichen, sondern an den in der Schrift sich offenbarenden Heilsratschluß gedacht. Das Stichwort ἐκλογή wurde Pls durch das Judentum vorgegeben (Schrenk, ThWb IV, 189; Fascher, RAC VI, 415 f.), das z. B. in 4.Esra 37—71 stereotyp von der Gemeinde der Auserwählten spricht. Die eschatologisch-polemische Gegenüberstellung des auserwählten Restes und des jüdischen Volkes bestimmt schon die Schriften Qumrans. Während dort jedoch der Rest durch strenge Beobachtung des Gesetzes qualifiziert wird, kennzeichnet Pls ihn nach 6 durch die Rechtfertigung. Das erste οὐκέτι in 6 bedeutet wie in 7,17. 20; 14,15; Gal 3,18 logisch „also nicht" (Lietzmann). ἐπεί im Sinn „da sonst" wird wie in 3,6; 11,22 mit adversativer Zuspitzung kausal gebraucht (B.-D. § 456,3). Im allgemeinen Verderben schuf alleinwirksame Gnade den eschatologischen Rest, und er bleibt nur bewahrt, wenn er sich nicht auf seine Werke, sondern einzig auf die Treue des Schöpfers zu seinem Geschöpf verläßt.

Pls beweist seine These, Israel sei nicht endgültig verstoßen, indem er exemplarisch von seiner Existenz wie derjenigen der Judenchristenheit her argumentiert. Warum tut er es mit Hilfe einer Typologie, wenn ein einfacher Hinweis genügt hätte? So ließ sich der Sachverhalt, daß die Judenchristenheit von ihm als der eschatologische Rest betrachtet wird, auch ohne das Zitat herausstellen. Auf den ersten Blick erscheint die Typologie also als unnötig, weil ihr Ergebnis weniger orakelhaft gewonnen werden konnte. Hat sie gleichwohl sachlichen Sinn, kann das nicht in ihrem Ziel, sondern nur in ihrer Veranlassung liegen, nämlich in der Lage des Apostels (wohl ähnlich Leenhardt; anders Luz, Geschichtsverständnis 81). Seine Situation ist der Elias vergleichbar, und so tröstet er sich mit der diesem gegebenen Verheißung. Elia gilt dabei nicht als zweiter Zeuge (gegen Rengstorf, Römische Christenheit 460), als Märtyrer (Munck, Paulus 302), als Bußprediger und Ankläger Israels (Chr. Müller, Gottes Volk 45), geschweige daß sein Eifern an die vorchristliche Vergangenheit des Pls erinnerte (gegen Rengstorf 461). Das tertium comparationis zum Apostel ist vielmehr, daß er zum Einzelnen in seinem Volk geworden zu sein scheint und über Israels Unglauben klagen muß, wie Pls es in 9,30—10,3 getan hat. Von da aus erhält die Typologie ihre besondere Bedeutung. Sie erlaubt nicht bloß, vom Rest zu sprechen, sondern ordnet die paulinische Situation, als in der Elia-Geschichte präfiguriert, in das Heilsgeschehen ein. Pls hat, wie sich später bestätigen wird, seiner Sendung heilsgeschichtlichen Charakter beigemessen und in sich den Elia der Endzeit erblickt. Welche Funktion haben in solchem Kontext 7—10, die zu 9,30 ff. zurückkehren und damit den Fortgang der Argumentation eher hindern als fördern? Pls ist durch das Zitat an die Realität des ungläubigen Israels erinnert worden. Die Typologie erfüllt sich auch darin, daß die Zeitgenossen Elias ihre eschatologische Entsprechung finden. Aus der in 6 aufgenommenen Rechtfertigungslehre ergibt sich, warum das so ist. Auf dem von ihm eingeschlagenen Wege der Werke konnte Israel anders als die Judenchristenheit, welche diesen Weg verließ, nicht zum Ziel gelangen. Jetzt werden ἐκλογή und λεῖμμα synonym. οἱ λοιποί sind das nicht christgläubige Judentum. Das läßt nicht erkennen, daß es sich um die überwältigende Majorität des Volkes handelt. Genauso spricht Pls jedoch häufig von seinen Gegnern als τινές. Eschatologische Betrachtung erblickt den Hauptstrom immer dort, wo die Verheißung ist, so daß sich auch hier die Umwertung der Werte vollzieht. Das Stichwort πωροῦσθαι nimmt σκληρύνειν von 9,18 auf und verschmilzt in der Überlieferung ununterscheidbar mit πηροῦσθαι, weil das Ergebnis des Austrocknens wie des Versteinerns die Verhärtung, übertragen die Verstockung ist (Zahn, Exkurs III; K. L. Schmidt, Verstockung 9 f.; ThWb V, 1024 ff.). παχύνειν gesellt sich als synonym zu dieser Wortgruppe. Das folgende recht freie Zitat aus Dt 29,3 wird durch die eingefügte Wendung πνεῦμα κατανύξεως aus Jes. 29,10 pointiert (Dobschütz, Schriftbeweis 306 f.). Hat der Genetiv des Infinitivs konsekutiven Sinn (B.-D. § 400,2), folgt aus dem Zusammenhang doch, daß zugleich damit das Ziel des göttlichen Willens ausgesprochen wird. In der gerade für unsere Kapitel kennzeichnenden Verbindung von Zitaten aus Tora und Ketubim oder Propheten (schon Vollmer, Zitate 37) unterstützt nach 9 David als Psalmdichter Mose. In die Grundstelle Ps 68,23 f. LXX wirkt wohl aus Ps 34,8 θήρα als Parallelwort zu παγίς ein. Die ursprüngliche Bedeutung von σκάνδαλον, nämlich Stellholz, Fallstrick macht sich hier noch bemerkbar und schlägt die Brücke zu den fast synonym gebrauchten beiden ersten Ausdrücken (Stählin, Skandalon 175 ff.). Die LXX scheint in einer Sonderüberlieferung zitiert zu werden, und die Kombination der Schriftstellen unter dem Stichwort „nicht sehen" legt als Quelle dafür eine urchristliche Testimoniensammlung nahe, wie sie auch zu 9,33 angenommen wurde (Michel, Bibel 86 f.; Cerfaux, l'aveuglement 3 ff.; Luz, Geschichtsverständnis 98). Die weite Verbreitung des ersten Zitates wird durch Mk 4,12 Parr; Joh 12,40; Apg 28,26 f. belegt und weist auf antijüdische Polemik als festen Sitz im Leben.

ἀνταπόδομα in 9c meint konkret den Anlaß zur Vergeltung. Der ganze Spruch ist ein Fluch (Lagrange; Michel), und nichts deutet darauf hin, daß er nur gegen die Führer Israels gerichtet wird (gegen Zahn; Muller-Duvernoy, L'Apôtre 80). Die eigentliche Schwierigkeit des Textes ergibt sich daraus, daß man nicht recht sieht, was Subjekt und Prädikate miteinander zu tun haben. Meint τράπεζα die fröhliche Mahlzeit, in welcher man jäh aufgeschreckt wird (Maier, Israel 113 nach Gunkels Interpretation des Urtextes; Zahn), die Tischgemeinschaft (Bauer, Wb 1631; Barrett; Michel) oder übertragen all das, wovon man lebt und was man tut (Althaus; Ridderbos; Schneider, ThWb V, 595; Goppelt, ThWb VIII, 212)? Muß die rabbinische Auslegung beachtet werden, welche kultisch vom „Tisch" spricht (Billerbeck), und ist konkret etwa an die Passafeier gedacht (Stählin, Skandalon 178; Michel, Bibel 354)? Aus dem Kontext läßt sich das nicht entnehmen. 1.K 10,21 zeigt jedoch, daß Pls τράπεζα kultisch verstehen konnte, und allein das gibt auch hier guten Sinn. Gerade der Kult als Repräsentation jüdischer Frömmigkeit veranlaßt die Verblendung Israels und seinen Fall, hält seinen Rücken unter dem Joch, dem es sich nicht entziehen kann. Nun wird auch die Antithese in 6 noch begreiflicher: Nicht die Sünden, sondern die frommen Werke hindern das Judentum, das ihm angebotene Heil anzunehmen, und halten es in der Knechtschaft. Schließlich erklärt sich von da die Einfügung der Worte „Geist der Betäubung" in das Zitat: Israels Unvermögen, das Heil zu sehen, hat eine dämonische Tiefe, die dem sich in der christlichen Botschaft äußernden Gottesgeist widersteht. In der Werkgerechtigkeit macht sich jene Kraft geltend, welche nach 1,24 ff. zugleich in Schuld und Verhängnis verstrickt und Gottes Zorn anzeigt. Umgekehrt verfällt man eben dann der immanenten Mächtigkeit des Kosmos, die in der Religiosität gipfelt, wenn man sich nicht der Macht der Gnade anheimgibt. Menschliche Existenz steht zutiefst im Widerstreit der Mächte, wenn sie ihre Frömmigkeit bekundet. Nach 1.K 10,21 treten dort Kyrios und Dämonen am härtesten in Konflikt, entsteht dort am leichtesten Blindheit und Taubheit, und das ungläubige Israel läßt das exemplarisch erkennen. ἕως τῆς σήμερον ἡμέρας am Ende von 8 weist auf den eschatologischen Augenblick hin, in welchem sich das enthüllt und darum die Wende erfolgen kann. Gnade gibt es paulinisch nur vom Richter her und durch das Gericht hindurch. Zugespitzt: Allein das ergriffene Gericht und der anerkannte Richter bedeuten Heil. Darum kann Gott sein Recht nie an den Frommen gewinnen, weil sie sich dem Richter entzogen wähnen. Er manifestiert seine Gottheit, indem er auch die Person der Frommen nicht ansieht. Er bekundet sich als gerecht, indem er uns unsere Wirklichkeit aufdeckt, und zeigt uns damit zugleich die Hilfe in der von ihm geschenkten, seine Schöpfermacht verherrlichenden Gerechtigkeit. Das Verbleiben in der eigenen Gerechtigkeit besagt andererseits, daß wir unsere Wirklichkeit verkennen, die uns gebotene Hilfe verschmähen, verstockt nicht bereit sind, uns den Gottlosen gesellen zu lassen. Unsere Verse entfalten, ehe Pls das Heil auch für Israel verkündet, nochmals die Prämisse dieser Verkündigung in der Rechtfertigungslehre. Israel wird nicht anders gerettet als die Heiden. Es gibt nur eine Möglichkeit des Zugangs zum wirklichen Gott, nämlich die Glaubensgerechtigkeit, an welcher Kirche und Synagoge sich scheiden. Die prädestinatianischen Aussagen, welche die Rechtfertigungslehre auch hier vor jedem Synergismus schützen, fixieren jedoch nicht Zustände, sondern weisen auf den sonderbaren Weg der Heilsgeschichte hin. In ihr erwächst Heil immer nur für die Verlorenen und Gerichteten, löst Gnade den Zorn ab, greift der heraufziehende neue Äon gerade im vergehenden alten Platz, triumphiert Gottes Alleinwirksamkeit über den Verstockten. An Israel bestätigt sich, was 1,18—3,20 über aller Welt feststellten. Eben deshalb kann es aber auch über ihm zu jener Wende kommen, die durch 3,21 angesagt wurde. Die paulinische Rechtfertigungslehre steht jenseits von Religion und Moral, wie die Kategorien des Determinismus und Indeterminismus, der Autonomie und Heteronomie vor ihr versagen. Die soteriologisch ausgerichteten Prädestinationssätze machen das ebenso deutlich wie die „Ethik" des Apostels. Pls denkt nicht von der Anthropologie her, sondern von den Wehen des Messias, in welchen die Realität der Welt und die Macht Gottes eschatologisch aufeinanderprallen und Heil nicht mehr an den frommen Werken, sondern durch die Annahme des Wortes von der richtenden Gnade entsteht. Gottes Freiheit dringt in die Verfallenheit der Welt ein, auch in die religiöse Welt, welche Israel heißt, und macht alle frei, die sich ihr anheimgeben, statt bei sich selbst zu bleiben. Hoffnung gibt es immer nur für die, welche aus sich selbst keine Hoffnung mehr haben. Der rettende Gott offenbart sich über menschlicher Auswegslosigkeit. Israel wird davon nicht ausgenommen. 7—10 haben die Funktion herauszustellen, daß die Heilszusage in 1—6 nicht die Ausführungen von c. 9—10 überspringt, sondern voraussetzt und nur im Rahmen der paulinischen Rechtfertigungslehre möglich wird. 6 wird dahin entfaltet, daß Rechtfertigung der Gottlosen in diesem Fall Rechtfertigung der Verstockten bedeutet. 32 wird damit vorweggenommen.

2. 11,11—24: Israel und die Heidenchristen

11 Ich frage also: Strauchelten sie, damit sie liegen blieben? Keineswegs! Durch ihren Fall (kam) vielmehr das Heil zu den Heiden, um sie zur Eifersucht zu reizen.
12 Ist aber ihr Fall (himmlischer) Reichtum für die Welt und ihr Versagen Reichtum
13 für die Heiden, um wieviel gewisser (wird) ihre völlige Annahme (es sein). Euch, den Heiden, sage ich also: Insofern ich der Heiden Apostel bin, preise ich meinen

14 Dienst, ob ich wohl mein Fleisch reizen und einige von ihnen retten möchte.
15 Denn wenn ihre Verwerfung Versöhnung für die Welt (bedeutete), was (soll)
16 ihre Annahme anders (sein) als Leben aus den Toten? Ist nämlich der Anbruch
     heilig, dann auch der Teig; und ist die Wurzel heilig, (sind) es auch die Zweige.
17 Wurden aber einige von den Zweigen ausgebrochen, während du aus dem wilden
     Ölbaum unter ihnen eingepfropft wurdest und Anteil an der fettspendenden Wur-
18 zel des (edlen) Ölbaums bekamst, so blicke nicht verächtlich auf die Zweige. Mußt
     du dich jedoch brüsten, (bedenke): Nicht du trägst die Wurzel, sondern die Wurzel
19 (trägt) dich. Du magst nun einwenden: Ausgebrochen wurden Zweige, damit ich
20 eingepfropft würde. Richtig. Infolge des Unglaubens wurden sie ausgebrochen, und
     du erhieltest festen Stand im Glauben. Sei nicht hochmütig, sondern habe Furcht!
21 Denn wenn Gott die natürlichen Zweige nicht verschont hat, braucht er auch dich
22 nicht zu schonen. Hab also acht auf die Güte und Strenge Gottes, Strenge über die
     Gefallenen, über dich aber Gottes Güte, wenn du in der Güte verharrst. Sonst
23 wirst auch du ausgebrochen werden. So werden auch jene (wieder) eingepfropft wer-
     den, wenn sie nicht im Unglauben bleiben. Denn mächtig ist Gott, sie wieder ein-
24 zupfropfen. Denn wenn du aus dem von Natur wilden Ölbaum ausgebrochen und
     wider die Natur in den edlen Ölbaum eingepfropft wurdest, um wieviel gewisser
     werden diese, welche natürlicherweise (zu ihm gehören), ihrem eigenen Ölbaum
     eingepfropft werden.

Literatur: M. M. Bourke, A Study of the Metaphor of the Olive Tree in Romans XI, 1947.
H. W. Bartsch, Die antisemitischen Gegner des Paulus im Römerbrief, Antijudaismus im Neuen
Testament, 1967, 27-43.

Die Leser werden in Spannung gehalten, weil auch dieser Abschnitt nicht die Lösung
des in 1a gestellten Problems bringt, obgleich 11a 12b. 15b. 23 f. es aufgreifen. Israels
Rettung wird angekündigt, aber nicht begründet. Jetzt wird vielmehr festgestellt, daß
sein Unglaube eine Kehrseite hat. Durch ihn ist es zur Bildung der heidenchristlichen Gemeinde gekommen. Solche in 11 f. vorgetragene These läßt den Apostel daran festhalten,
daß Gottes Weg mit seinem Volk noch nicht beendet ist. Nach 13—15 hat das Konsequenzen auch für seinen eigenen Auftrag, nach 16—24 für die Heidenchristen, weil sie
kein Recht zur Überheblichkeit haben. Die Argumentation bewegt sich erneut nach dem
Vorbild der Diatribe in Gesprächsform. 11a wiederholt präzisierend und auf 9,32 zurückblickend die Frage von 1a. προσκόπτειν wird nun in die beiden Akte des πταίειν =
„stolpern" und πίπτειν = „liegenbleiben" zerlegt (Michaelis, ThWb VI, 165). Nach 1a
und dem Kontext geht ἵνα auf die göttliche Absicht (gegen Sanday-Headlam; Lagrange).
11b begründet die entschiedene Ablehnung der Frage. παράπτωμα, im Anschluß an πίπτειν gesagt, meint hier nicht die Übertretung, sondern den konstatierbaren Fall. Das Argument hat zwei Prämissen. Nur ein Christ kann offensichtlich die Dinge so sehen, und
zweitens liegt ein heilsgeschichtlicher Aspekt vor. Israels Verhalten hat selbst dann eschatologische Bedeutung, wenn es sich dem Christus verschließt. So kam es zur Heidenmission. Pls zieht daraus den Schluß, das Werkzeug göttlicher Gnade gegen den eigenen Willen bleibe als solches Objekt dieser Gnade. Überraschenderweise führt er dafür keinen
Schriftbeweis, wie nach den vielen vorausgehenden Zitaten zu erwarten wäre (Michel).

Es meldet sich jetzt und im folgenden Abschnitt der Prophet, der die Probleme der eschatologischen Gegenwart zu erhellen vermag. Hinter 11b steht unausgesprochen die apokalyptische Anschauung, daß die Ersten zu Letzten werden und umgekehrt. Apokalyptischen Sinn hat auch der Infinitivsatz. Die Umkehr irdischer Verhältnisse ist ihrerseits
nur Etappe des gottgewollten Weges, dessen Ende in besonderer Weise gegen allen Augenschein mit Israels Geschick verbunden bleibt. Aus 10,19 wird das Stichwort παραζηλῶσαι
aufgenommen, das diesen Sachverhalt, für uns geradezu phantastisch, verdeutlichen muß.
Pls rechnet ernsthaft damit, daß die Heidenmission Israel eifersüchtig machen und Anlaß
zu seiner Bekehrung werden wird. Diese Hoffnung läßt sich nur begreifen, wenn die Bekehrung selber außerhalb jedes Zweifels steht und allein der Weg dahin als dunkel erscheint. Theologie und Praxis des Apostels können nicht adäquat erfaßt werden, solange
man von dieser Überzeugung keine Notiz nimmt. Daß sie uns aberwitzig dünkt, sollte
ihr Gewicht für Pls und seine Interpretation unterstreichen, statt es zu schmälern. 12
stellt noch klarer den Horizont heraus, in welchem hier gedacht und gehofft wird, und
zwar in einer Antizipation des Schlusses (Maier, Israel 119).

Der Vordersatz wiederholt mit schönem Parallelismus 11b. πλοῦτος ist wie in 9,23;
10,12 die eschatologische Segensfülle. In jüdischer Betrachtungsweise bezeichnet κόσμος,
durch ἔθνη alsbald präzisiert, die Welt der Heidenvölker (Sasse, ThWb III, 892). Die
Wendung klingt ebenso formelhaft wie die Aussage in 15, und wahrscheinlich verweist
Pls damit auf uns nicht mehr erkennbare Tradition. Lebhaft umstritten wird der Sinn
von ἥττημα, obgleich er nach allgemeiner Übereinstimmung aus der Antithese zu πλήρωμα
zu ermitteln ist und 12 mit 15 parallel läuft. Das seltene Wort, in falscher Etymologie
mit ἥττων zusammengebracht, kann nicht die Niederlage (Sanday-Headlam; Gaugler; Murray), den Verlust (Bardenhewer), sondern nur wie in 1.K 6,7 das Zurückbleiben
hinter gestellten Anforderungen (Maier, Israel 120), das „Minus" (Lietzmann) bedeuten.
Es liegt nahe, πλήρωμα = πλήρωσις in 13,10 als Erfüllen der Anforderung zu verstehen
(Lietzmann; Althaus; Plag, Wege 33 f.; 42 f.). Doch schließt die Parallele πρόσλημψις in
15 das ebenso aus wie die Wendung πλήρωμα τῶν ἐθνῶν in 11,25. Das Wort wird im
Blick darauf gebraucht, daß früher vom Rest gesprochen wurde, und meint die Auffüllung dieses Restes zu einem neuen Ganzen (Delling, ThWb III, 303). Damit wird das
Motiv des πᾶς Ἰσραήλ von 26 in seiner eschatologischen Modifikation vorweggenommen. Dahingestellt bleibe, ob mehr an den Akt des Auffüllens oder dessen Resultat, also
die „Vollzahl" gedacht wird. Das gilt auch ἥττημα gegenüber, das entweder durch „Versagen" oder „Ausfall" zu übersetzen ist. Der mit dem charakteristischen πόσῳ μᾶλλον eingeleitete Schluß a minori ad majus endet ohne Prädikat, das dem Vordersatz zu entnehmen ist. Gegenüber den vorhergehenden Kapiteln hat sich die Betrachtungsweise von
Grund auf gewandelt. Israel gilt in Gegenwart wie Zukunft als Segensträger. Die Pointe
liegt darin, daß nicht mehr zwischen wahrem und falschem Samen, Rest und Volk unterschieden wird. Das Judentum ist als πᾶς Ἰσραήλ kraft der ihm gegebenen Verheißung
eschatologische Größe und bleibt das selbst im Gericht und wider seinen Willen. Seine
Gesamtbekehrung wird zweifellos erwartet (Maier, Israel 122), ist jedoch daran gebunden, daß das Heil zuvor zu den Heiden gekommen ist. Der Gedankengang ist völlig apokalyptisch. Das betrifft zunächst den paulinischen Apostolat, wie 13—15 zeigen. Die
Verse richten sich an die Heiden, ohne wie in 1,6 f. ausschließlich die römischen Briefleser
anzureden (gegen Zahn). Bloß Phantasie kann daraus Streitigkeiten in der Gemeinde,

tatsächlich vorliegende Überheblichkeit der Heidenchristen (gegen Maier, Israel 123. 130; Oesterreicher, Rise 322; Michel; Jülicher; Dodd; Lütgert, Römerbrief 85) oder gar Antisemitismus (Munck, Christus 89 f.; Muller-Duvernoy, L'Apôtre 65 f.) ableiten und darin die Veranlassung des Briefes erblicken (Lütgert, Römerbrief 83 ff.; ähnlich Eichholz, Paulus 124). Eph zeigt zwar, daß in einem bestimmten paulinischen Missionsgebiet die Judenchristenheit sehr bald an den Rand gedrängt wurde. Doch wird das hier noch nicht sichtbar. Die Mahnungen in 16—24 ergeben sich ungezwungen aus dem Problem unseres Kapitels und beweisen allenfalls die richtige Voraussicht des Apostels, werfen für die Zustände in Rom jedoch nichts ab (Chr. Müller, Gottes Volk 104 ff.). Mögen die Adressaten des Briefes zunächst die römische Majorität sein, so gilt die Warnung doch allen nichtjüdischen Christen. Ihnen wird gesagt, daß gerade der paulinische Apostolat eine Heilserwartung für Israel involviert. ἐφ' ὅσον meint nicht temporal „sodann" (Ridderbos), sondern modal „insofern". ἐθνῶν ἀπόστολος summiert geradezu als Titel 1,5. 13 (Munck, Christus 91 f.). Von διακονία wird nicht bescheiden (Zahn) und demütig (Munck, Christus 93) gesprochen. Der Begriff ist nach 1.K 12,4 Äquivalent für Charisma, sollte um seines eschatologischen Horizontes willen jedoch nicht durch „Amt" übersetzt werden. Mit dem Kontext läßt sich kaum vereinbaren, daß δοξάζειν das Dankgebet meint (Michel). Pls preist vielmehr seinen Dienst dann, wenn er wie in 12 von der damit verbundenen Segensfülle für die Welt redet. Es hat zwar schon vor und neben ihm Heidenmissionare gegeben, die sich nach 2.K 11,13 auch Apostel nannten. Doch gilt ihnen nicht die universale Weite des Auftrags, kraft deren sich Pls „Apostel der Heiden" nennt. Er kann und will nicht darauf verzichten, sich dieses Auftrags zu rühmen, weil er das nicht um seiner selbst willen, sondern im Blick auf den Auftraggeber und die Frucht der ihm geschenkten Gnade willen zu tun hat. Der Gedanke führt näher an 2.K 10,13 f. als an 1.K 9,22 f. heran, weil es um die kosmische Weite des Dienstes geht. Die Fähigkeit, vielerlei Menschen auf vielfache Weise zu begegnen, ist gleichsam nur die Innenansicht und Konsequenz der Ökumenizität.

Höchst eigenartig und zugleich ungewöhnlich kennzeichnend für jene Dialektik, die sich regelmäßig mit dem Ruhm des paulinischen Werkes verbindet, wird das δοξάζειν in 14 einer weitergreifenden Absicht untergeordnet. Nicht weniger charakteristisch verschwimmt die Ausdrucksweise nun ähnlich, wie das schon in 1,10 ff. zu beobachten war. εἴ πως bekundet weder Bescheidenheit noch Fragwürdigkeit (gegen Zahn). Eher darf man von einer diplomatischen Vorsicht sprechen, welche die Karten noch nicht offen auf den Tisch legt. Genauso unbestimmt wird τινές ἐξ αὐτῶν gesagt (Munck, Paulus 38), obgleich das in keinem Verhältnis zur wirklichen Hoffnung des Apostels steht. σῴζειν ist missionarischer Terminus, „mein Fleisch" hat die alttestamentliche Bedeutung „mein Volk". Der Ton liegt auf dem Verb, das 11c aufgreift und Pls unverkennbar als Instrument des göttlichen Heilswillens über Israel herausstellen soll. Das klingt harmloser, als es ist. Es muß bedacht werden, daß Israel eifersüchtig gemacht werden soll, wenn es die „Fülle der Heiden" angenommen erblickt (Murray), und daß der Apostel in unvorstellbarer Eile die ganze Welt zu durchqueren sucht, um den „Reichtum der Heiden" zu verbreiten. Beides entspricht einander. Zur Fülle der Heiden kommt es nur durch den universalen Dienst des Pls. Die ganze Welt wird aber nicht bloß um der Rettung einiger Juden willen in Bewegung gebracht. Objekt des παραζηλῶσαι ist nach 10,19; 11,11 vielmehr das Volk. Was in 14 mehr verschleiert als ausgesprochen wird, ist in diesem Zusammenhang die Erwartung, daß der paulinische Dienst die göttliche Absicht verwirklicht und Israel den Anstoß zu der in 25 ff. geschilderten Bekehrung gibt. Das ist freilich ein derart ungeheurer Gedanke, daß er zweckmäßigerweise nur andeutend zum Vorschein kommt. Nirgendwo tritt die Maßlosigkeit des apostolischen Sendungsbewußtseins mehr heraus, und nirgendwo erweist sich schärfer Apokalyptik als treibendes Element der paulinischen Theologie und Praxis. Ihre innere Grenze hat solche Sendung allein in dem ebenso schrankenlosen Wissen, nichts als Werkzeug und Diener zu sein. Es genügt Pls nicht, Apostel der Heidenwelt zu sein. Offensichtlich hat er aus Dt 32,21 die Erkenntnis gewonnen, daß Gott sein Volk bekehren will, indem er es zur Eifersucht auf die Heidenchristen anstachelt. Christus, als Kosmokrator über die Völker herrschend und von ihnen bekannt, wird den Juden das Zeichen des angebrochenen Endes und der erfüllten Verheißungen, darum auch Gegenstand ihrer Hoffnung werden. Indem Pls nach 2.K 10,4 f. als Stratege dieses Herrn die Welt in dessen Gehorsam gefangennimmt, wird er notwendig zugleich das Werkzeug zur Bekehrung Israels (Maier, Israel 126). Falls heutige Exegese überhaupt solcher Anschauung ansichtig wird, tut sie diese als Einfall eines Optimisten ab (Dodd) oder fragt sie nach dem Recht eines theologisch so befremdlichen Argumentes, das einer psychologisierenden Dialektik der Geschichte entnommen scheint (Dinkler, Prädestination 96). Doch liegt hier der apokalyptische Traum eines Mannes vor, der in einem Jahrzehnt zu bewirken suchte, was zwei Jahrtausenden nicht gelang. Dieser Traum wurzelt in zwei Prämissen. Zum Ende der Geschichte gehört für Pls unaufgebbar die Bekehrung Israels. Er selber ist aber, sofern er unmittelbar Apostel der Heidenwelt und indirekt eben kraft der Heidenmission Diener der endzeitlichen Bekehrung des Judentums zu sein hat, nichts anderes als Vorläufer der Parusie (Sass, Kirche 48; Munck, Paulus 33—39). Wie Anfang und Ende des Heilsdramas durch das Geschick Israels bestimmt wird (Lietzmann; Maier, Israel 123), so hat der Apostel sich als Vollstrecker des gottgewollten Ausganges der Heilsgeschichte betrachtet. Räumt man diesen beiden Sachverhalten nicht die gebührende Bedeutung ein, interpretiert man nicht unsern Text, sondern ein Apostelbild, das eliminierend und reduzierend aus den paulinischen Briefen gewonnen wurde. c. 9—11 haben eine diakritische Funktion gegenüber der Geschichte der Pls-Exegese, so unangenehm diese Aussage heute sein mag.

15 nimmt 12 auf und begründet gleichzeitig 13 f. (Kühl; Maier, Israel 126). Die Pointe liegt im Nachsatz, der über 12b hinausgreift und das Handeln des Apostels als notwendig erklärt. Die Antithese von ἀποβολή = „Verwerfung" und πρόσλημψις = „Annahme" findet sich auch in der Glosse zu Sir 10,20: „Furcht des Herrn ist der Annahme Anfang, Anfang aber der Verwerfung ist Verhärtung und Hochmut." Formelhaft wie diese Begriffe scheinen auch die Wendungen καταλλαγὴ κόσμου und ζωὴ ἐκ νεκρῶν überliefert zu sein. Nach Jochanan b. Zakkai sind die Söhne der Tora Versöhnung für die Welt (Dahl, Volk 78). Spricht 2.K 5,19 in hymnisch vorgeprägter Weise von Weltversöhnung, meint das nicht wie in Kol 1,20; Eph 2,16 die Beendigung innerkosmischer Feindschaft, sondern diejenige, welche Gott seinen Geschöpfen mit sich gewährt. Die Wendung „Leben aus den Toten", die an die Tradition etwa von Joh 5,24 erinnert (Munck, Christus 95), darf nicht übertragen verstanden werden, sondern bezeichnet (gegen Schlatter; Gaugler; Bardenhewer; Huby; Leenhardt; Murray), was Pls sonst ἀνάστασις νεκρῶν nennt, verweist also auf die Parusie (heute zumeist). Die Bekehrung Israels ist für den Apostel auch danach der letzte Akt der Heilsgeschichte. Die apokalyptische Hoff-

nung des Judentums, daß die Heiden beim Triumph Zions herzukommen werden, ist in unsern Versen umgekehrt. Das geschieht schwerlich unreflektiert, weil Pls sein eigenes Werk damit verbunden hat (anders Luz, Geschichtsverständnis 393 f.). Auch die Heidenchristen müssen sich Rechenschaft über die eschatologische Bedeutung Israels geben, wie das Folgende klarmacht, das keine Zwischenrede bildet (gegen Dahl, Volk 245). Es besteht nicht das mindeste Recht, sich über das Judentum zu erheben. 16 steht dem neuen Abschnitt thematisch voran, und zwar nicht als Ausdruck jüdischen Hochgefühls (Kühl), sondern als apostolische Feststellung. Zwei Bildworte begründen. Man ist nicht genötigt, sie allegorisch zu verstehen. Das erste bezieht sich auf den in Num 15,20 f. befohlenen kultischen Brauch, eine Teighebe Gott zu weihen. Auch der Rabbinat griff metaphorisch auf diesen Brauch zurück, wenn er Adam die Teighebe der Welt nennt (Billerbeck). ἀπαρχή hat hier also anders als in 8,23 technischen Sinn und ist LXX-Übersetzung von חלה.   Als gottgeweiht ist sie heilig und heiligt so auch nach Philo, de spec. leg I, 131 bis 144 den ganzen Teig (Berger, Abraham 83 f.). Weil dieses Bild sich nicht für die weitere Argumentation eignet, wird es durch das zweite abgelöst, dem es immerhin das Stichwort „heilig" liefert. Zur Reflexion über die Vererbung religiöser Eigenschaften gibt Pls keinen Anlaß (gegen Dodd), und er spricht (gegen Jülicher) auch nicht von naturhafter Heiligkeit. Obgleich er nicht, dem ersten Bild entsprechend, von der Wurzel und dem Baum, sondern von Wurzel und Zweigen redet, geht es ihm nicht (gegen Kühl; J. Schneider, ThWb III, 720) um einen Wachstumsprozeß. Ihn beschäftigt das Verhältnis von Anfang und Ergebnis wie vorher dasjenige von Teil und Ganzem. Beides läßt sich nicht trennen, als hätte es nichts miteinander zu tun. Das erste, aus dem Kult genommene Bild liefert den Aspekt, unter dem auch das zweite gesehen wird: Heilig meint gottgeweiht. Pls scheint wie Jub 1,16; Hen 10,16; 93,2 ff. die Metapher „Pflanze der Gerechtigkeit" oder wie 1QH 8,4 ff. 10 ff. die des „heiligen Sprosses", der die ewige Pflanzung der Wahrheit hervortreibt, vorauszusetzen. Mit ihr wird das eschatologische Israel bezeichnet. In Hen 93,2 ff. gilt Abraham als Wurzel. So dürfte auch der Apostel, dem es um die Annahme des ungläubigen Israels geht, an die Erzväter denken (so zumeist; vgl. Schrenk, ThWb IV, 218; Maurer, ebd. VI, 989; Luz, Geschichtsverständnis 275 f.; Plag, Wege 35), nicht an die Judenchristen (Kühl; Lietzmann; Barrett). Die Bilder sind nur so weit auszudeuten, wie unbedingt erforderlich ist (Minear, Bilder 43 ff.). Pls liegt an der Kontinuität der verborgenen Gottestreue in Israels Geschichte, ohne daß die Einzelheiten genauer erörtert werden. Wichtig ist jedoch zu erkennen, daß die Betrachtungsweise sich gegenüber 9,6 ff. geändert hat. Ging dort alles auf die Auswahl, welche immer wieder irdische Kontinuität zerschlägt, so wird nun umgekehrt die Treue betont, welche auch irdische Kontinuität ermöglicht (Dahl, Volk 242). Paulinische Dialektik verbindet beides, und beides bestimmt das paulinische Bild der Heilsgeschichte, die sich nicht existentialistisch auflösen oder rational verrechnen läßt. Es gibt ihren geschichtlichen Zusammenhang, sofern der Schöpfer ihr Subjekt und Träger bleibt. Gerade das verhindert aber zugleich das Verständnis eines immanenten Entwicklungsprozesses.

Die Beweisführung in 17 f. und 19—22 läuft parallel. Von Strophen zu sprechen (J. Weiss, Beiträge 241; Maier, Israel 130), liegt kein Grund vor. Die metaphorische Redeweise wird beibehalten, ohne daß es zu wirklicher Allegorie kommt (gegen Michel). Wie fast stets bei Pls ist die Bildrede von der gemeinten Sache her geformt worden, so daß es zu Aussagen kommt, die man lieber nicht landwirtschaftlich zu verifizieren suchen sollte. Die gelegentlich bezeugte Praxis, einen nicht mehr tragenden Ölbaum durch aufgepfropfte Wildlinge zu verjüngen (Billerbeck; Bruce; J. Schneider, ThWb III, 721), dürfte wenig genutzt haben. Pls bezieht sich nicht auf sie, und sie würde seine Anschauung auch nur teilweise decken (gegen Schoeps, Paulus 256, der wie andere an Philo, de praem. II, 433 erinnert). Umgekehrt ist nicht zu beweisen, der Apostel sei sich des Widernatürlichen seines Bildes bewußt gewesen und habe von da die Wunderbarkeit des geschilderten Vorganges herausstellen wollen (Munck, Christus 96; Vischer, Geheimnis 126; Gaugler). Wohl wird das beschriebene Geschehen als Wunder betrachtet. Doch hat das keinen besonderen literarischen Ausdruck gefunden. Zu κατά und παρά φύσιν ist 1,26 f. zu vergleichen. ἐγκεντρίζειν ist term. techn., ἀγριέλαιος könnte in 17, anders als in 24, Adjektiv sein (Bauer, Wb 25). ἐν αὐτοῖς = unter, bei ihnen, also nicht anstatt. ῥίζα τῆς πιότητος meint die Wurzel, welche den Früchten ihren Fettgehalt gibt (Sanday-Headlam), während die des Oleasters nur Wasser ausspritzt (Maier, Israel 132). Der Apostel schildert, besser nicht als Stadtkind charakterisiert (gegen Lietzmann; Dodd), die eschatologische Wirklichkeit, um etwaige Überheblichkeit der Heidenchristen abzuwehren, die κατακαυχᾶσθαι = sich rühmend über einen andern stellen (Bultmann, ThWb III, 654) wirkt. 18b bringt die Summe: Die Heidenchristenheit wurzelt im alttestamentlichen Gottesvolk, gehört insofern zu den Proselyten (Chr. Müller, Volk 93). Der Gedanke wird in Eph 2,11 ff. breit ausgeführt. Doch hat der Apostel ihn typologisch schon in 1.K 10,1—13 entfaltet und damit Gedanken aufgegriffen, welche judenchristliche Missionare bereits vor ihm vertreten haben werden (gegen Munck, Christus 98). Antisemitismus braucht dabei nicht postuliert zu werden (gegen Leenhardt; H. W. Schmidt). Ein langer Weg führt vom Selbstverständnis der ältesten palästinischen Gemeinde, der heilige Rest des eschatologisch wiedervereinigten Israels zu sein, zu dem übertragenen Begriff des Gottesvolkes der Kirche in 1.Pt 2,9. Auf ihm sind auch die Judenchristen einzuordnen, die mit der Heidenmission begannen. Sofern sie die Heiden nicht zu Proselyten machten, konnten sie nicht mehr die palästinische Anschauung vom eschatologischen Zwölfstämmevolk, das sich aus Juden sammelt, festhalten. Umgekehrt erlaubte ihre Ekklesiologie ihnen noch nicht, auf den Gedanken des Gottesvolkes zu verzichten oder ihn bloß bildlich und übertragen zu verstehen. Für sie erwuchs Kirche aus Juden und Heiden. Das ließ sich mit dem Begriff des Gottesvolkes nur verbinden, wenn man die prophetische Verheißung ernst nahm, daß am Ende der Zeiten die Heiden hinzukommen und sich mit dem heiligen Rest aus Israel zum eschatologischen Volk des Eigentums verschmelzen würden. In solcher Modifikation hat Pls die Anschauung vom neuen Gottesvolk aufgenommen und sie dialektisch mit seiner Ekklesiologie ausgeglichen, in welcher der neue Bund dem alten entgegensteht, typologisch jedoch durch diesen vorgebildet wird. Das ist nicht die tragende Linie seiner Ekklesiologie, welche durch das Motiv des Christusleibes bestimmt wird. Andererseits ist ihm die überkommene Vorstellung unentbehrlich, weil er durch das Alte Testament wie von der Schöpfungslehre her gezwungen wird, das Volk der Verheißung mit dem der Endzeit zu verbinden. Diese Notwendigkeit ergab sich sowohl, wenn er seine Gemeinde mit Hilfe des alttestamentlichen Paradigmas vor Gefahren warnen mußte, wie wenn er wie hier Israel als Verheißungsträger auf Grund der Schrift zu verteidigen hatte. Der Gedanke des Gottesvolkes charakterisiert bei ihm das eschatologische Phänomen der Kirche nach seinem geschichtlichen Zusammenhang. Anders wäre es nicht mehr auf den Willen des Schöpfers zurückzubeziehen, würde es zum Myste-

rienverband, statt Gottes neue Welt zu sein. Eine Kirche allein aus Heidenchristen gibt
es für Pls nicht. Sie wäre Welt neben Welt und deren Ausschnitt, nicht Ziel des göttlichen Heilsplans mit der Welt. Sie würde von der Geschichte vor Ostern abstrahieren
lassen, den mit und seit der Schöpfung begründeten Anspruch auf die gesamte Welt preis-
geben und sich auf eine religiöse Gruppe reduzieren. Um des Geistes willen würde Geschichte geopfert und eine Gegenwelt etabliert. Der Gedanke des Gottesvolkes, das aus
der Wurzel Israels erwächst, hat also eine unaufgebbare Funktion in der paulinischen
Ekklesiologie, obgleich sie nur einen ihrer Aspekte und nicht einmal ihre Mitte darstellt.
Es gibt für den Apostel kein Heil, bei welchem von der Geschichte Israels abgesehen
werden könnte. Denn Heil ist für ihn jene Gerechtigkeit, in welcher der Schöpfer sein
Recht an der Welt gegen die Welt durchsetzt, indem sie die Verheißung erfüllt. 9,25 ff.
zeigen, daß Pls dabei bis an die Grenzen des Selbstwiderspruchs gegangen ist. Er konnte
es, weil er Gott sich sein Recht an der schuldigen, widerstrebenden, verworfenen Welt
holen läßt und Gnade den bis dahin verborgenen Zorn ebenso aufdeckt wie beendet.
Daraus erwächst die Dialektik der paulinischen Theologie im ganzen, die auch seinen
Begriff des Gottesvolkes prägt. In Gestalt Israels geschichtlich erwählt, bleibt es doch
nur dank der Treue Gottes gegenüber seiner Verheißung erhalten. Will es sich dieser
Treue gegenüber selbst behaupten, wird es zum Volk des Unglaubens, ohne damit aus
Gottes Anspruch zu fallen. Wie es Kirche nicht ohne Israel gibt, so bleibt Israel allein
Gottesvolk, wenn es Kirche wird.

19—22 wiederholen die Argumentation von 17 f. so, daß die vorher nur gedachte
Möglichkeit im Widerspruch der Heiden Gestalt gewinnt. Dabei wird das Verhältnis zu
dem ungläubig gebliebenen Israel als Folge und historische Ablösung verstanden (Peterson, Kirche 282). Die Antwort des Apostels ist nicht ironisch (gegen Zahn; Kühl; Lagrange; Michel; H. W. Schmidt), sondern stellt fest, daß der Einwand der Heidenchristen
nur dann richtig bleibt, wenn er gerade nicht historisch gemeint ist. Er ist auf Glaube
und Unglaube zu beziehen und von da einzugrenzen. Die Dative in 20 sind kausal
(Maier, Israel 133). In wohl missionarischer, auch 1.K 16,13 gebrauchter Formelsprache
ist vom „Stehen im Glauben" die Rede. Berührt sich die Argumentation mit derjenigen,
die Philo, de exsecrat 152 vom unedlen Schößling auf edlem Wurzelstumpf sprechen
läßt, könnte ein Topos jüdischer Propaganda zugrunde liegen (Michel). Jedenfalls besitzt man Glaube und Unglaube nicht als unverlierbare Eigenschaften (Luz, Geschichtsverständnis 278). Gerade der Glaubende ist bedroht und muß deshalb wie in 12,16 mit
semitisierender Wendung vor Hochmut gewarnt und wie in Phil 2,12 trotz scheinbarem
Widerspruch zu 8,15 zur Furcht gemahnt werden. Von der desperatio befreit, kann man
der securitas verfallen und hat sich davor zu fürchten, wenn man von der Furcht vor
der knechtenden Welt befreit bleiben will (Bultmann, Theol 321 f.; abwegig Chr. Müller, Volk 95). Der Begnadete bleibt im Anblick des Gerichtes und damit seines Richters,
wie 1.K 10,1—13 breit ausführen. Am Beispiel der natürlichen Zweige gewahrt der ein-
gepflanzte Schößling, daß es bei Gott keine Privilegien gibt und dessen Güte und Strenge
sich eben deshalb nicht trennen lassen. ἀποτομία meint als geläufiger hellenistischer Terminus die Gerichtsstrenge. Ausdruck und Stil verraten den Einfluß jüdischer Weisheitsrede (Michel; Köster, ThWb VIII, 109), die sich in der rabbinischen Unterscheidung der
beiden Maße des Erbarmens und des strengen Rechtes spiegelt (Billerbeck; Ridderbos).
Weil Glaube Gabe ist, muß man ihn stets neu aus Gottes Güte empfangen. Wer selbst

darauf ständig angewiesen ist, wird sie dem andern nicht verwehren. Der Einwand des Heidenchristen ist damit abgewiesen. 23 f. können nun die Hoffnung des Apostels für das ungläubige Israel aussprechen, die freilich auch hier an Gnade und Glaube gebunden bleibt. Pls hält selbst in seinen apokalyptischen Träumen daran fest, daß es nur einen Heilsweg gibt. Man mag auch umgekehrt sagen, daß die Anwendung der Rechtfertigungslehre auf Israel Pls zu diesen Träumen zwingt. Angesichts der jüdischen Wirklichkeit bleibt kein anderer Ausweg offen. Die Brücke zwischen beiden Aussagen liegt darin, daß der Apostel Rechtfertigung als endzeitliches Geschehen betrachtet und deshalb im Horizont der Auferweckung der Toten und der Schöpfung einer neuen Welt erfolgen läßt. Davon kann er Israel nicht ausnehmen. Besonders deutlich tritt dabei zutage, daß Gnade als Macht verstanden wird, welche Unglauben überwindet und in den Glauben holt. Das Wunder ist darum Voraussetzung des Glaubens. Gott ist als der Schöpfer δυνατός. Das begründet wie in 4,17 f. alle Hoffnung und ist wie dort das Ende des Verharrens im Unglauben, also der als Verhängnis geschilderten Verstockung. Auch die Heidenchristen haben solches Wunder erfahren, wie durch das Stichwort παρὰ φύσιν angedeutet wird. Wieder einmal mehr schließt Pls daran jenes πόσῳ μᾶλλον an, das die Übermacht der Gnade herausstellt. Der Schöpfer will und wirkt neue Schöpfung aus der Verwerfung, weil er nur so seine Schöpfung festhalten kann. Hat er es an denen getan, welche nicht sein Volk waren, wird er es bei seinem Volk nicht weniger tun. Israels Schuld und Verhängnis bestand darin, daß es seinem Schöpfer nicht traute und damit exemplarisch menschliches Verhalten überhaupt vertritt. Weil Pls erfahren hat, wer Gott wirklich ist, rechnet er auch über Israel mit dem, der das Nichtseiende ins Sein ruft und die Gottlosen gerecht macht. Das gilt wie über den Heiden nicht weniger dort, wo der fromme Mensch repräsentativ erscheint.

3. 11,25—32: Israels Erlösung

25 Denn nicht will ich, Brüder, euch dieses Geheimnis verbergen, damit ihr nicht auf eigene Einsicht baut: Teilweise Verstockung ist Israel widerfahren, bis die Fülle 26 der Heiden (in Gottes Herrschaft) eingegangen ist. Sodann wird ganz Israel gerettet werden. Steht doch geschrieben: Kommen wird aus Zion der Erlöser. Er 27 wird wenden die vielfache Gottlosigkeit von Jakob, und das wird mein Bund für 28 sie sein, wenn ich wegnehme ihre Sünden. Vom Evangelium her gesehen, sind sie zwar Feinde um euretwillen, von der Erwählung her gesehen jedoch Geliebte um 29 der Väter willen. Denn Gottes Segensgaben und Berufung sind unwiderruflich. 30 Denn wie ihr einst Gott ungehorsam waret, nun aber über deren Ungehorsam 31 Erbarmung fandet, so wurden jetzt diese über der euch (geschenkten) Erbarmung 32 ungehorsam, damit auch sie nunmehr Erbarmung fänden. Denn verschlossen hat Gott jedermann in Ungehorsam, damit er sich jedermanns erbarme.

Literatur: H. Windisch, Die Sprüche vom Eingehen in das Reich Gottes, ZNW 27 (1928), 163 bis 192. N. A. Dahl, Der Name Israel, Judaica 6 (1950), 161-170. Ders., Die Messianität Jesu bei Paulus, Stud. Paulina (J. de Zwaan), 1953, 83-95. E. Vogt, Mysteria in Textibus Qumran, Bibl. 37 (1956), 247-257. B. Reicke, Um der Väter willen, Röm 11,28, Judaica 14 (1958), 106-114. R. E.

Brown, The Semitic Background of the New Testament Mysterion I-II, Bibl. 39 (1958), 426-448, 40 (1959), 70-87. C. Spicq, ἀμεταμέλητος dans Rom XI, 29, Rev. Bibl. 67 (1960), 210-219. F. J. C. Iturbe, „Et sic omnis Israel salvus fieret" Rom 11,26, Stud. Paul. Congr. I, 329-340. P. Richardson, Israel in the Apostolic Church, 1969. R. Batey, „So all Israel will be saved", Interpretation XX (1966), 218-228. P. Stuhlmacher, Zur Interpretation von Römer 11,25-32, Probleme biblischer Theologie (Festschr. v. Rad), 1971, 555-570.

Der Apostel steht vor dem Ziel, dem er sich auf ungewöhnlich mühevollem Wege und doch planmäßig und mit kunstvoller Dialektik genähert hat. Es stand seit 11,1 deutlich vor Augen. Von Dt. 32,21 her haben 11—15 Heilsgeschichte, paulinischen Apostolat und Erlösung Israels unlöslich verknüpft. Darauf wird nach Beseitigung des letzten Einwandes in 16—24 jetzt, und zwar streng argumentativ, zurückgegriffen. 25—26a bringen die Schlußthese, für welche 26b—27 den Schriftbeweis führen, und 28—32 interpretieren nicht nur (Luz, Geschichtsverständnis 286), sondern begründen die These aus dem Zusammenhang der Rechtfertigungslehre. Von einem Einschub der Verse 25—27 kann keine Rede sein (gegen Plag, Wege 41 ff. 60. 65 f.). Aus 13 wird die Form der Belehrung der Heidenchristen beibehalten, um wie in 20 Überheblichkeit niederzuschlagen. Das gilt jedoch nur für die Einleitung, nicht den ganzen Abschnitt (gegen Luz, Geschichtsverständnis 292 f.). Wie in 12,16 gibt Prov 3,7 dafür das Stichwort. Die Polemik ist der in 1.K 4,10; 2.K 11,19 gegen die Pneumatiker gerichteten verwandt (Michel). Bei sich selbst klug sind diejenigen, die sich selbst vertrauen und rühmen. Sofern sie das Heil nicht justitia aliena bleiben lassen, variieren sie in frommer Weise die Haltung der Welt und des gottlosen Menschen. Die Lesart παρ' ἑαυτοῖς dürfte an Prov 3,7 angleichen, und ἐν ἑαυτοῖς erleichtert das Verständnis des ursprünglichen dat. commodi ἑαυτοῖς (Zahn; Pallis; Lagrange; Bauer, Wb 1714 gegen Lietzmann; Michel; H. W. Schmidt). Das Kriterium wirklicher Klugheit ist die inspirierte Einsicht in das, was 28—32 entfalten. Die wie 1,13 gebrauchte Einleitungsformel erhält hier ihren besonderen Sinn vom Objekt. Der ὅτι-Satz beweist, daß μυστήριον wie in 1.K 15,51 nicht die Erkenntnis des verborgenen Heilsratschlusses meint (gegen Lietzmann; H. W. Schmidt; Chr. Müller, Volk 38) oder den Heilsplan (gegen Brown, Mysterium I, 446) oder einen Lehrsatz darüber (Michel). Gedacht wird an das Heilsgeschehen als solches, das verborgen seiner Offenbarung harrt (Bornkamm, ThWb IV, 822. 829; Luz, Geschichtsverständnis 287 f.). Pls beruft sich nicht ausdrücklich auf eine ihm zuteil gewordene Erleuchtung, die ihm das Zukunftsgeschehen enthüllt hätte, und versteht sich schon gar nicht (Zahn) als Exeget der Worte Jesu. Das erlaubt jedoch nicht, von spekulierender Phantasie (Bultmann, Theol. 484) zu sprechen. Es liegt vielmehr ein besonders lehrreiches Beispiel gewaltsamer Umformung jüdisch-judenchristlicher Tradition vor, die geradezu in ihr Gegenteil verkehrt wird (anders Senft, L'élection 140; Batey, Israel 222 f.). Den Grundstock bildet die apokalyptische Erwartung der Restitution Israels und der damit verbundenen Völkerwallfahrt zum Zion. Vielleicht wird auch an Apk 11,13 und seinen Zusammenhang mit 11,1—3 zu erinnern sein, wo das Motiv des Völkersturms auf Jerusalem aus Dan 9,24—27; Sach 12,3 f. LXX; Test. Seb 9,6 ff. bewahrt zu sein scheint. Denn darin begegnet das Schema der Preisgabe Israels, die durch Gottes Gnade limitiert und schließlich in der Restitution aufgehoben wird (Chr. Müller, Volk 38 ff.). Daß Pls oder ihm voraufgehende Überlieferung dieses Schema spiritualisiert und christianisiert hätten, indem sie aus dem Völkersturm das Hinzukommen der bekehrten Heiden werden ließen und Preisgabe wie Restitution Israels von da interpretierten (Müller, Volk 42), ist jedoch eine phantastische Rekonstruktion, zu welcher die Parallelität von Apk 11,13 mit unserm Text verlockte. Wohl dürfte aber die Tradition von Mk 13,10 den Hintergrund unserer Stelle erhellen, wonach vor der Parusie das Evangelium in aller Welt verkündigt werden muß (Stuhlmacher, Interpretation 565 f.). Daß Restitution und Umkehr des Volkes zusammengehören, geht aus Jub 1,15. 23; 23,26 ff.; Ps Sal 18,4 f.; Ass. Mos 1,10 hervor (Behm, ThWb IV, 988).

Elemente der paulinischen Aussage sind also tatsächlich in jüdischer und christlicher Überlieferung vorgegeben. Das beweist, daß die Aussage als solche für den Apostel alles andere als überflüssig ist (Michel), seine apokalyptische Erwartung wie sein Selbstverständnis bestimmt. Die Umformung der Tradition charakterisiert ihn als Propheten (Schlatter; Jülicher; Gaugler; Michel; Ridderbos; Franzmann), der ihm zuteil gewordene und ihn auszeichnende Offenbarung weitergibt, wie es der Anschauung von Kol 1,25 ff. entspricht (Sass, Kirche 48; Goppelt, Christentum 119 gegen Zahn; Chr. Müller, Volk 38; Dinkler, Prädestination 96). Alles Vorangegangene führt zu der Summe: Israels Verstockung gab der Heidenbekehrung Raum. Umgekehrt zieht deren Vollendung Israels Erlösung nach sich. Stellung wie Antithese zu πᾶς Ἰσραήλ sprechen gegen adverbialen (Michel) oder gar temporalen Gebrauch (Plag, Wege 37) von ἀπὸ μέρους. Anders als in 7 werden die Grenzen der πώρωσις festgelegt (H. W. Schmidt). Sie betreffen nicht die Judenchristenheit. ἄχρι οὗ schränkt tatsächlich nun auch zeitlich ein. πᾶς Ἰσραήλ ist eine feste jüdische Formel, welche nicht die Summe der Individuen (Kühl; Jülicher; Michaelis, Versöhnung 125 ff.), sondern das seine Glieder aus sich heraussetzende Volk (Zahn; Lagrange; Munck, Christus 102; Dahl, Name 162; Gutbrod, ThWb III, 390) als die Gemeinschaft der Auserwählten (Minear, Bilder 58 f. 82; Schoeps, Paulus 119) bezeichnet. So kann die Parallele San 10,1: „Ganz Israel hat Anteil an der zukünftigen Welt" (Billerbeck IV, 2, S. 1016 ff.; Plag, Wege 46 f.) im Kontext bemerkenswerte Ausnahmen von dieser Aussage aufzählen (Barrett). Pls modifiziert die Formel, wenn er den Rest und die λοιποί in sie einbezieht. Er stellt ihr ähnlich summarisch die Wendung vom πλήρωμα τῶν ἐθνῶν gegenüber (Oepke, Neues Gottesvolk 216; Chr. Müller, Volk 107). Beides weist nicht auf eine Apokatasis hin, meint jedoch auch nicht (gegen Zahn; Lagrange) die Vielzahl der Völker. Apokalyptische Redeweise spricht nach 4.Esra 4,35 f.; Apk. Bar 23,4; 30,2 von der Vollzahl der Erwählten, und Apk. Joh 6,11; 7,4; 14,1 beziehen das auf die Christenheit so, daß der Übergang vom Judenchristentum in ein übertragenes Verständnis von der Gesamtkirche bereits sichtbar wird (Volz, Eschatologie 117; anders Munck, Christus 99 ff.). Anwendung auf die Heidenchristen allein begegnet nur hier, ohne daß wir das mit Gewißheit paulinisch nennen könnten. Die Formelhaftigkeit der Wendung und das absolut gebrauchte εἰσέρχεσθαι für den Eingang in die Gottesherrschaft (Windisch, Sprüche 165. 171; Sanday-Headlam; Ridderbos; ekklesiologisch Huby; auf die Völkerwallfahrt gedeutet bei Plag, Wege 37. 43 ff. 56 ff.) sprechen eher für vorpaulinische Tradition. Zu Unrecht wird καὶ οὕτως häufig als auf καθώς vorwegweisend verstanden (Chr. Müller, Volk 43; Gutjahr; Luz, Geschichtsverständnis 294; Stuhlmacher, Interpretation 559 f.; Franzmann). Es hat wie in Apg 17,33; 20,11 temporalen Sinn (Zahn; Jülicher; Althaus; Michel; Barrett; unklar Lagrange) und nennt nur so die Pointe der seit alters umstrittenen Aussage (vgl. Iturbe, Omnis Israel; Goppelt, Christentum 120 ff.). Der Schluß von 25 hat die Vorbedingung der Parusie und der mit ihr

erfolgenden Bekehrung des gesamten Israels angegeben, zu welcher der Apostel mit der
Erfüllung seines Auftrags beiträgt und die er wahrscheinlich noch selbst zu erleben hofft
(Maier, Israel 142; Stuhlmacher, Interpretation 560). Die jüdische Erwartung wird dabei
charakteristisch umgebogen. Israels Erlösung folgt der Annahme der Heidenwelt. Das
greift über den gebrachten Schriftbeweis hinaus, kennzeichnet zentral das von Pls ent-
hüllte Mysterium und markiert, Dt 32,21 entsprechend, das spezifische Moment der von
ihm empfangenen Offenbarung. Das Zitat gibt in den ersten drei Zeilen Jes 59,20, in der
vierten Jes 27,9 wieder. Beide Stellen werden durch das Motiv der aus dem Bund resultierenden Vergebung verbunden, und das macht auch den eigentlichen Inhalt des eschta-
tologischen Bundes für Pls aus (gegen Zahn). Wie ὁ ῥυόμενος festes Gottesprädikat der
LXX ist, so hat die rabbinisch bezeugte messianische Interpretation von Jes 59,20 (Sanday-Headlam; Lietzmann; Michel) die christliche Deutung ermöglicht (anders Ridderbos). Sie veranlaßt auch die Textänderungen des ἐϰ statt ἕνεϰεν Σιών und den Plural
τὰς ἁμαρτίας. Gedacht wird selbstverständlich nicht an den historischen Jesus (Kühl; Gutjahr; Lagrange) oder das christologische Geschehen im ganzen (H. W. Schmidt; Luz, Geschichtsverständnis 294), aber auch kaum an die in Jerusalem stattfindende Parusie (gegen Dahl, Messinanität 94 f.; Huby), sondern an die Wiederkehr des erhöhten Christus
aus dem himmlischen Jerusalem von Gal 4,26 (Stuhlmacher, Interpretation 561). Während die Christenheit bereits gegenwärtig im neuen Bunde lebt, wird Israel das erst in
der Parusie zuteil, und zwar durch den gleichen Geber Christus und mit der auch in
Jub 22,14 f. damit verbundenen Gabe der Sündenvergebung. Nicht das Heil ist anders,
wohl aber der Termin, und die Schrift bestätigt solche Hoffnung des Apostels.

Die Dialektik wie die ungewöhnlich sorgfältige Stilisierung von 28—32 beweisen, wie
wichtig dieser Abschnitt für Pls ist (Barrett). Doch hat man sich selten Rechenschaft über
seine Funktion gegeben. Die Überschrift „exegetische Folgerungen" kennzeichnet ihn bloß
formal, die Feststellung einer Interpretation bleibt zu allgemein (gegen Michel und Luz,
Geschichtsverständnis 295). Hier meldet sich vielmehr nochmals und abschließend die
paulinische Rechtfertigungslehre zu Wort (Chr. Müller, Volk 107). Sie bestimmt in gleicher Weise den Verlauf wie das Ende der Heilsgeschichte, verbindet das Geschick Israels
mit dem der Heiden und bildet als Zentrum der Botschaft unseres Briefes auch das Kriterium des Glaubens und der Hoffnung. Ganz so einfach läßt sich die Aussage 25 f. nicht
als spekulierende Phantasie abtun. Anders wäre nicht einzusehen, daß Pls sie nicht sofort
an 9,6 angeschlossen hat. Die Argumentation von c. 9—10 wäre ebenso überflüssig wie
die von 11,7—10. 16—24. Man hat den langen Umweg hin zu dieser Aussage als sinnvoll
und notwendig zu begreifen, wenn man den Skopus des Apostels verstehen will. Er hat
ihn nicht bloß in zwei langen Kapiteln vorbereitet und begründet, sondern auch eben
gegen den Verdacht bloßer Spekulation abzuschirmen versucht. Das bedeutet, daß man
ihn in dem ihn bestimmenden Horizont belassen muß. Es geht nicht um die persönliche
Hoffnung eines jüdischen Patrioten oder eines Apokalyptikers, und selbst der Schriftbeweis ist einem größeren theologischen Zusammenhang eingeordnet. Justificatio impiorum, durch viele frühere Hinweise in unsern Kapiteln bereits angekündigt, tritt nun als
beherrschendes Thema des Ganzen heraus. Man mag deren Projektion auf Israel als Volk
für unstatthaft halten, auch wenn sie schon in jüdischer Apokalyptik angebahnt wurde
(Rössler, Gesetz 64 f.). Doch gilt es zu sehen, daß die sachliche Einheit des Briefes an dieser Perspektive hängt und daß man, wo das nicht anerkannt wird, vielfache Akzente

setzen und eine Fülle kerygmatischer Fragmente voneinander isolieren muß. Pls hat die Schrift von seiner Rechtfertigungslehre her gelesen, von ihr her der Verheißung, dem Evangelium, dem Gebot ihren Platz angewiesen und alle seine Aussagen an ihr gemessen sehen wollen. Das besagt umgekehrt, daß diese Lehre ohne ihre scheinbar mythologischen, mystischen, apokalyptischen Einkleidungen nicht bleibt, was sie ist und sein will, nämlich die Botschaft von neuer Schöpfung unter dem Recht der göttlichen Gnade. Orientiert man sie am Individuum, wird sie unerträglich reduziert (Asmussen). Der Apostel kann an Israel nicht vorübergehen, weil seine Theologie es mit dem Heil der Welt zu tun hat. Andererseits ist dieses Heil nicht von dem der übrigen Welt zu trennen. Nach ihren Voraussetzungen ist solche Betrachtungsweise durchaus jüdisch, weil Israel selber seine Geschichte stets diejenige auch der Völker bestimmen ließ und Eschatologie darum in weltweiten Horizont stellte. Nicht mehr jüdisch ist, daß bei Pls das Maß für die Heidenwelt zum Maß auch des Judentums wird, weil Rechtfertigung der Gottlosen nicht mehr Israel und sein Gesetz zum Maß der Heidenwelt erklärt (Rössler, Gesetz 64 ff.).

28 bringt ein hartes Paradox, in welchem die beiden Zeilen sich in ihren einzelnen Gliedern antithetisch genau entsprechen. Israel hat sich stets als die Schar der Erwählten und Geliebten verstanden (Billerbeck), und zumal das apokalyptische Schrifttum gebraucht diese Ehrentitel ständig. ἐκλογή meint hier Gottes Handeln und im Kontext von 28b—29 zugleich die dadurch bestimmte heilsgeschichtliche Epoche. So dürfte auch κατὰ τὸ εὐαγγέλιον nicht bloß auf den Erlaß, sondern ebenso auf den Bereich der Heilsverkündigung gehen. Umstritten ist, ob ἐχθροί aktiv die Gegner (Zahn; Kühl; Lagrange; H. W. Schmidt; Maier, Israel 145; Chr. Müller, Volk 48; Oepke, ThWb II, 69) oder passivisch „verhaßt" bedeutet (Lietzmann; Jülicher; Huby; Michel; Murray; Foerster, ThWb II, 814). Das antithetische ἀγαπητοί spricht für den zweiten Sinn, ohne den ersten auszuschließen. δι' ὑμᾶς greift final die Aussage von 11b verkürzt auf, während διὰ τοὺς πατέρας kausal nicht auf das Verdienst der Patriarchen, sondern nach 29 auf die Segnungen und Verheißungen an sie blickt. Der Parallelismus ist an dieser Stelle also ähnlich rhetorisch wie in 4,25 (Michel; Reicke, Um der Väter willen; Oepke, ThWb II, 69). Israels Lage unterscheidet sich durch Zwielichtigkeit von andern. Spätestens hier sollte deutlich werden, daß Prädestination bei Pls nicht mit den Kategorien des Determinismus oder Indeterminismus erfaßt werden kann und auch nicht (gegen Maier, Israel 145) auf Gottes vorzeitlichen Ratschluß zurückgreift. Sie ist vielmehr Qualifikation durch die Geschichte des göttlichen Wortes, das den Menschen zu dem macht, was er in Wahrheit ist, nämlich zum Geschöpf, Verheißungsträger, Glaubenden oder zum Rebellen, Fluchträger, Verworfenen. Denn der Mensch steht coram deo und sub verbo und wird zeitlich und ewig dadurch bestimmt, in welcher Weise er es ist. Israel ist zugleich geliebt und verworfen, weil es die Verheißung empfing und das Evangelium nicht annahm. Es hat jedoch die Möglichkeit zur Umkehr, solange noch das Wort an es ergeht (Schrenk, Weissagung 32 f.). Die Sentenz in 29 begründet 28b und umschreibt, was in 3,4 ff. Gottes ἀλήθεια hieß (Chr. Müller, Volk 112). ἀμεταμέλητος wird wie in 2.K 7,10 geradezu juridisch gebraucht, ohne jedoch (gegen Schoeps, Paulus 256) Gottes Gebundenheit festzustellen (Luz, Geschichtsverständnis 296 spricht richtig von der Treue). Es hat (Bauer, Wb 90) den Sinn „unwiderruflich" und bezieht sich (gegen Spicq 216) nicht auf die Liebe, sondern auf die 9,4 f. genannten Konkretionen der Gnade. κλῆσις soll nicht (gegen Bardenhewer; H. W. Schmidt) spezialisieren, sondern ist die mit jedem Charisma widerfahrende Kraft

des Zuspruchs und Anspruchs Gottes. Der Begriff kann wie 1.K 7,15 ff. mit Charisma wechseln, weil in seinen Gaben Gottes Heilswille fordernd als Sendung auf den Plan tritt. Gott begabt nicht, ohne zu berufen, und umgekehrt. Der Mensch wird jedoch dadurch unauslöschlich gezeichnet, wie immer er sich dazu verhält. Man wird den Zugriff Gottes nicht mehr los, selbst wenn man ihn leugnet oder ihm zu entrinnen versucht. Der äußerst kunstvolle Chiamus in 30 f. begründet nicht das Voraufgegangene (gegen Kühl), sondern weitet es heilsgeschichtlich aus. Den Heidenchristen ist es wie Israel ergangen. Die Antithese von πότε, das auf die Zeit vor der Taufe blickt, und νῦν als der angebrochenen Heilszeit entstammt der Missionssprache. ἀπείθεια ist die Manifestation und das Ergebnis der ἀπιστία. Erbarmen stellt das heilsgeschichtliche Äquivalent der Rechtfertigung dar (Bultmann, ThWb II, 480; Theol. 283). Der Schluß von 30 nimmt den Gedanken von 11b auf. τῷ ὑμετέρῳ ἐλέει in 31 darf nicht in den Finalsatz hineingezogen werden (gegen Sanday-Headlam; Zahn; Gutjahr; Murray; Ridderbos; Munck, Christus 105; Tachau, Einst 111). Alles kommt darauf an, daß der jüdische Ungehorsam das Heil der Heiden ermöglichte und beides deshalb in schroffer Antithese aufs engste zusammenrückt. 31 wiederholt 30b chiastisch. Allerdings hat der Dativ nicht mehr den kausalen Sinn wie in 30b (gegen B.-D. § 196; Bauer, Wb 496; Huby). Er ist dat. commodi (Dibelius, Vier Worte 16), meint also „zugunsten". An dem zweiten, scheinbar inadäquaten νῦν in 31b hat man sich stets gestoßen und es deshalb schon in P⁴⁶ ausgelassen (auch Zahn; Plag, Wege 40), in andern Handschriften durch ein ὕστερον ersetzt. Doch wird es aus der apokalyptischen Anschauung des Kontextes verständlich: Die Endzeit ist so weit vorgeschritten, daß das πλήρωμα τῶν ἐθνῶν bald abgeschlossen sein wird und die Parusie bevorsteht (abgelehnt durch Luz, Geschichtsverständnis 298 f.; richtig Stuhlmacher, Interpretation 566 ff.). Ein τότε wäre darum unpassend (Stählin, ThWb IV, 1105; Dibelius, Vier Worte 15; Michel). Pls erwartet die Parusie wohl noch zu seinen Lebzeiten. Im Zusammenhang ist das freilich nur ein bemerkenswertes Nebenmotiv, weil entscheidend das aus 30 f. entnommene Gesetz gilt, wie 32 es formuliert.

σύγκλείειν ist wie Gal 3,23 metaphorisch gebraucht. οἱ πάντες meint nicht bloß das ungläubige Israel (gegen Zahn), sondern alle Welt (Chr. Müller, Volk 68), nämlich die Juden und die in 12 als κόσμος bezeichneten Heiden. Der Gedanke der Apokatastasis liegt auch hier fern, sofern er auf Individuen bezogen wird (gegen Dodd; vorsichtiger Dahl, Volk 253). Das Ziel der Heilsgeschichte ist, daß aus der alten die neue Welt hervorgeht, in welcher der Ungehorsam Adams durch dessen eschatologischen Antityp Christus nach 5,19; Phil 2,8 beseitigt wird. Der Skopus des Satzes ist erstaunlicherweise selten erkannt (vgl. beispielsweise Tachau, Einst 110 ff.). Hier stoßen sich nicht optimistische und pessimistische Weltanschauung (Jülicher), wird kein geschichtlicher Entwicklungsprozeß beschrieben (gegen Hoppe, Heilsgeschichte 169), unter dessen Verheißung alle Religionen stehen (Dodd). Unbestreitbar wird in unserm Vers das göttliche Grundgesetz aller Geschichte proklamiert (H. E. Weber, Problem 73; Maier, Israel 146. 149 f.). Doch wird alles falsch, wenn man das unter dem Aspekt der Entwicklung (Sanday-Headlam) statt des Paradoxes sieht und dann vom fröhlichen und tröstlichen Ergebnis fester Zuversicht spricht (Lietzmann). Zwischen Psychologie und universalgeschichtlicher Perspektive (Maier, Israel 146) schwankend, übersah man, daß hier das „grimmig beunruhigende Axiom", der Schlüssel und die Summe des Briefes (K. Barth) vorliegt, der konzentrierte Ausdruck der paulinischen Rechtfertigungslehre in ihrer tiefen Paradoxie (Barrett; Stuhlmacher, Interpretation 558, 567 f.). c. 9—11 erweisen sich jetzt als Wiederholung des Überganges von 1,18—3,20 zu 3,21. Nicht zufällig wurde schon dort der Aufbau vielfach pädagogisch und von einem Entwicklungsgedanken statt vom Paradox begriffen und mißverstanden, daß der Apostel nicht spekuliert, sondern im Rückblick auf seine und aller Christen Erfahrung argumentiert. Ebensowenig ist es zufällig, daß das bereits dort leitende Gesetz erst jetzt und gerade jetzt verkündet wird. Ganz davon abgesehen, daß hier ein vorläufiges Ende des bisherigen Briefes erreicht ist und Pls wie kein anderer neutestamentlicher Schriftsteller alles auf eine Klimax auszurichten weiß, wird das Wesen der Rechtfertigung der Gottlosen dann am schärfsten sichtbar, wenn sie gegenüber den Frommen geltend gemacht wird. Denn diese sind durch Israel repräsentiert. Der ganze Brief steht im Zeichen, daß kein Mensch aus Werken gerecht wird und auch die Frommen nicht dank ihrer Frömmigkeit in die Gottesherrschaft eingehen. Was man üblicherweise Heilsgeschichte nennt, dient im allgemeinen dazu, dem paulinischen Grundsatz seine Härte zu nehmen und die Rechtfertigungslehre zu verdunkeln. Doch fällt und steht die Verkündigung und Theologie des Apostels mit solcher Polemik als der unablösbaren Kehrseite seiner Gnadenlehre. Der soteriologisch handelnde Gott bleibt stets creator ex nihilo, wirkt immer resurrectio mortuorum, arbeitet nach 1.K 1,18—31; 2.K 3,5 f. unablässig mit dem nach menschlichem Urteil unbrauchbaren Material, also mit Gottlosen. Für Pls ist der wirkliche Mensch, ob Jude oder Heide, gottlos und ist es auch als Frommer. Was nach Mk 2,17 Jesu Wort und Tat bestimmte, hat der Apostel in seiner Theologie wie niemand sonst grundsätzlich reflektiert. Die Gnade bricht in den Bereich des Zornes ein, die Macht des Evangeliums erweist sich an den Ungehorsamen. Die Gottheit Gottes bekundet sich darin, daß sie die Wirklichkeit des Menschen aufdeckt und so der Menschlichkeit des Menschen Bahn bricht. Pls kann gerade das nicht auf Individuen beschränkt bleiben lassen, weil für ihn Gott der Schöpfer der Welt und nicht bloß das Gegenüber von Individuen ist. Darum verbindet sich mit der Rechtfertigungslehre die Heilsgeschichte in universaler Weite. Sie ist nicht deren Überbau, sondern deren Horizont, wie die Anthropologie ihre Tiefe im Alltag markiert. Pls hat es gewagt, zugleich jeden Einzelnen und die Weltgeschichte aus der Perspektive der Rechtfertigungsbotschaft zu sehen. Ende der alten, Beginn der neuen Welt ist nur als Rechtfertigung der Gottlosen zu denken, und so kann auch das Problem Israels konsequenterweise nur unter diesem Thema gelöst werden. Man mag im letzten ein Postulat erblicken (Güttgemanns, Heilsgeschichte 55), sollte den Charakter des Postulates aber dann jedenfalls auch der übrigen Botschaft des Apostels nicht a limine absprechen. Was unsern Text aus dem Brief abhebt, ist in Wahrheit die prophetische Rede, welche der Überprüfung bedarf und in diesem Fall Kritik herausfordert. Das Recht der Botschaft als solcher wird dadurch nicht tangiert. Vor allem ist zu erkennen, daß nur Apokalyptik die religionsgeschichtliche Möglichkeit an die Hand gab, die Rechtfertigungslehre über den individuellen Bereich hinausgreifen zu lassen und das heilsgeschichtliche Problem Israels in deren Zeichen zu behandeln. Das ist Funktion dieser Lehre in ihrer charakteristischen Besonderheit.

4. 11,33—36: Hymnischer Lobpreis

33 O Tiefe des Reichtums, der Weisheit und Erkenntnis Gottes! Wie unerforschlich sind 34 seine Gerichte und unaufspürbar seine Wege! Denn wer hat erkannt den Sinn des

35 Herrn, oder wer wurde sein Ratgeber, oder wer hat ihm etwas vorausgegeben, so daß
36 es ihm erstattet werden müßte? Darum: Alles ist aus ihm und durch ihn und zu ihm
hin. Sein ist die Herrlichkeit in ewigen Zeiten. Amen!

Literatur: G. Bornkamm, Der Lobpreis Gottes (Römer 11,33-36), Ende des Gesetzes, 70-75.
E. Vogt, Mysteria in Textibus Qumran, Bibl. 37 (1956), 247-252. W. Eltester, Schöpfungsoffenbarung und Natürliche Theologie im frühen Christentum, NTSt III (1956/7), 93-114. J. Jeremias, Chiasmus in den Paulusbriefen, ZNW 49 (1958), 145-156. K. Schwarzwäller, Das Gotteslob
der angefochtenen Gemeinde, 1970.

Wie Doxologie in 1,25 die Herrlichkeit des Schöpfers von der Schande seiner Geschöpfe trennte, in 9,5 für die Fülle empfangener Gaben der göttlichen Treue dankte,
so beendet sie nun den prophetischen Überblick über Israels Geschichte bis zu deren
Vollendung, wobei offensichtlich die Enthüllung des Mysteriums in 25—32 am stärksten
betont wird. Unbeschadet dieser letzten Feststellung sind unsere Verse das Pendant zu
9,1—5 und bekunden so mit der Einheit und Logik der behandelten Kapitel zugleich die
rhetorische Kunst des Apostels, welche auch in ihrem Detail zutage tritt. Die Analyse des
Stückes ist (seit Norden, Agnostos Theos 240 ff.) so weit vorangetrieben, daß fast nur
noch die Ergebnisse zusammengefaßt zu werden brauchen. Es liegt ein paulinischer Hymnus mit neun Kola in kunstvoller Steigerung vor. Die Anwendung einer Dreiergliederung
ist besonders kennzeichnend. Auf zwei staunende Exklamationen folgen drei synonyme
Fragen aus Jes 40,13 LXX, wobei in den Text ein einleitendes γάρ eingeschoben und in
der zweiten Frage καί durch ἤ ersetzt wird. Dann wird, von LXX abweichend und dem
Urtext sich nähernd (Lietzmann konstatiert Benutzung einer anderen Hiob-Übersetzung!), Hiob 41,3 zitiert (Parallelen bei Billerbeck). Den Abschluß bildet eine bedeutsame Formel aus stoischer Tradition, die wie das endende Amen am besten als Akklamation zu betrachten ist. Pls verwendet hier eine in Eph exemplarisch ausgebildete Technik, indem er aus Mosaikstücken verschiedenster Herkunft eine in sich geschlossene Einheit schafft. Zu den Fragen lassen sich reichlich jüdische Vorbilder beibringen (Billerbeck). Dem Ganzen steht Apk. Bar 14,8 ff. am nächsten: „Aber wer, o Herr mein Gott,
versteht dein Gericht, oder wer erforscht die Tiefe deines Weges, oder wer denkt nach
über die beschwerliche Last deines Pfades, oder wer vermag nachzudenken über deinen
unfaßbaren Ratschluß, oder wer hat jemals von den Geborenen Anfang und Ende deiner
Weisheit gefunden?" Allerdings sei schon hier vermerkt, daß diese Fragen, mit der
menschlichen Vergänglichkeit begründet, Resignation ausdrücken und darin sich vom paulinischen Skopus unterscheiden. Die Verbaladjectiva in 33 mit a-privativum sind typisch
hellenistisch und wohl durch die Diasporasynagoge vermittelt. Während die Einleitung
mit ὦ und die personifizierende Anrede des βάθος als hellenistisch gelten dürfen, gibt es
zu den fragenden Ausrufen mit ὡς eine Fülle alttestamentlicher Belege (Deichgräber, Gotteshymnus 62). Die dreifache Formel in 36 ist schließlich für jene stoische Anschauung
charakteristisch, welche Gott und Natur identifizierte und Ursprung, Verlauf und Ziel
des Universums als gottbestimmt betrachtete (anders noch Lagrange). Das schönste Beispiel des mannigfach variierten Schemas bietet Mark Anton, περὶ ἑαυτοῦ IV, 23: ἐκ σοῦ
πάντα, ἐν σοὶ πάντα, εἰς σὲ πάντα. Wieder hat hellenistisches Judentum die Formel aufgenommen. Daß Pls geflissentlich die Aussage mit ἐν durch die andere mit διά ersetzte, ist

begreiflich, weil in seiner Theologie für Pantheismus und entsprechende Mystik kein Platz war. In der Analyse des Aufbaus und des religionsgeschichtlichen Hintergrundes unserer Verse ist man so weit im wesentlichen einig (Norden, Agnostos Theos 240 ff.; Bornkamm, Lobpreis 70 f.; Harder, Gebet 51 ff.; Vögtle, Zukunft 167 ff.; Michel). Differenzen ergeben sich erst bei der Interpretation im einzelnen.

Die Genetive in 33a sind wohl sämtlich von βάθος abhängig, also zu koordinieren (Wilckens, ThWb VII, 518 f.). Dieser dreigliedrigen Formel entspricht in umgekehrter Reihenfolge die dreifache Frage in 34 f. (Bornkamm, Lobpreis 72; Deichgräber, Gotteshymnus 62), so daß diese interpretiert, was es mit der Terminologie der ersten auf sich hat. Gegen eine verbreitete Auffassung, welche durch die Adjektive in 33b genährt wird, ist zu behaupten, daß die Doxologie nicht dem grundsätzlich unerkennbaren Gott, seinen Eigenschaften (Lietzmann; Jeremias, Chiasmus 151) und zumal seiner absoluten Allmacht gilt, vor der sich auch Israel nicht sichern kann (gegen Eltester, Schöpfungsoffenbarung 99). Das widerspräche 1,20 wie dem gesamten Kerygma des Apostels. Die altkirchliche, um Gottes Wesen und Trinität bemühte Auslegung (Schelkle, Paulus 408 ff.) stellte falsche Weichen. Nur mit größter Vorsicht sollte aber auch von „Geschichtstheologie" (Bultmann, Theol. 229; Vögtle, Zukunft 169) gesprochen werden, so gewiß es Pls um Gottes geschichtliches Handeln geht. Dabei steht jedoch weder die Völkergeschichte (Bultmann, ebd.) noch die Weltentwicklung (Beyschlag, Theodizee 78), sondern ausschließlich das Verhältnis zu Israel im Blickfeld, wenngleich das exemplarische Bedeutung hat. Nicht weniger wichtig ist die Einsicht, daß es nicht um eine Aporie geht (gegen Beyschlag, Theodizee 47) und nicht einmal die Redeweise vom blinden und lobpreisenden Vertrauen in Gott adäquat ist (gegen Schwarzwäller, Gotteslob 213. 217). Das wäre nur eine Variation jener Resignation etwa von Apk. Bar 14,8, während Pls gerade seine Heilszuversicht mit der Doxologie krönt. Für ihn ist Israel nicht (Schwarzwäller, Gotteslob 219) „indefinibel", sondern Muster des in 32 zusammengefaßten Paradoxes. Unerforschlich und unaufspürbar ist wie nach 1.K 1,19, daß Gott sub contrario handelt und die Weisheit der Welt zuschanden macht, indem er Gerechtigkeit der Gottlosen statt der Frommen wirkt. Das zerbricht jede Wahrnehmung einer historischen Kontinuität und rational begreifbaren Entwicklung. Vielmehr ist das ad nihilum redigi der Weg der promissio von der Freiheit der Kinder Gottes. Gerade wo jene Schranke gesetzt wird, welche den menschlichen Willen, sich selbst zu transzendieren, ein Ende bereitet, offenbart sich nach einem paulinischen Lieblingsmotiv der πλοῦτος Gottes, die eschatologische Fülle, welche jeden ruft und benutzt, das zum Leben und Dienst Nötige gibt und Freude setzt. Sie wird nicht durch menschliche Hilfestellung mitverursacht und kann deshalb nicht durch Vergeltung für uns belohnt werden. Weil Allmacht sie heraufführt, ist das sola fide die einzige Antwort darauf. Zugleich mit ihr tritt wie nach 1.K 1,21 göttliche Weisheit auf den Plan, die keinen Ratgeber benötigt. Wo irdisch das Chaos herrscht und der Mensch pervertiert und pervertierend am Werk ist, kann nur jene Sophia helfen, die nach 1.K 1,30 im Christus solus liegt. Da bekundet sich schließlich auch die Gnosis, welche nach 8,29 f.; 1.K 8 göttliches Erwählen meint und nicht von unserm Begreifen, sondern vom Ergreifen des sola gratia Heil abhängen läßt. Nun spricht Pls jedoch als Ursache all dessen die unergründliche Tiefe der Gottheit an. Steht das nicht im Gegensatz zu den soeben gegebenen definierenden Aussagen, so daß man die vorliegenden Feststellungen (Delling, ThWb I, 359) als Versuch zu werten hat, eine Antwort ohne absolute Gültigkeit zu geben? An dieser Stelle wird über die Gesamtinterpretation der Verse entschieden. Man muß sich an 1.K 2,16 erinnern, wo genau die Frage von 34 aufgeworfen und vom Apostel mit der Erklärung abgetan wird, den νοῦς Χριστοῦ zu haben, nämlich jenes Pneuma, das nach 1.K 2,10 auch die Tiefen der Gottheit erforscht. Das haben wohl auch die Irrlehrer von Apk 2,24 von sich behauptet, denen in polemischer Verkehrung ein Wissen um die Tiefen Satans untergeschoben wird. Schließlich ist an die Fülle von Qumranstellen zu denken (vgl. Vogt, Mysteria 247 ff.), welche davon reden, daß Gott seinen Knechten die Geheimnisse der Vergangenheit, Gegenwart und Zukunft entschleiert. Pls steht hier in einer apokalyptisch-enthusiastischen Tradition (Michel; Leenhardt; kritisch erwägend Deichgräber, Gotteshymnus 63), und zwar nicht bloß sprachlich, sondern auch sachlich. Die Doxologie hat den gleichen Sinn wie 1.K 2,16c und später Eph 3,5 ff. Pneumatiker wissen um das, was der Welt verborgen ist, weil Gott ihnen seinen Weg und Willen offenbart hat. Sie wissen um das, was nach 1.K 2,9 ff. kein Auge gesehen und kein Ohr gehört hat und in keines Menschen Herz gekommen ist, weil sie um das wissen, was Gott den ihn Liebenden bereitet und seine Gnade uns geschenkt hat. Das eben ist in c. 9—11 und zumal dessen Schluß nach der Meinung des Apostels zutage getreten. Das Geheimnis Israels ist ihm nicht verborgen. Darauf antwortet er mit staunendem Lobpreis..

Allein diese Interpretation gibt der bisherigen Argumentation jenen triumphierenden Schluß, der 8,31 ff. entspricht, und wird der prophetischen Rede in 25 ff. wie dem Summarium in 32 gerecht. Sie erklärt auch die 33a entfaltenden Exklamationen in 33b. Die κρίματα werden zunächst erwähnt, wie c. 9—10 vom Gericht über Israel handelten. Rechtfertigung der Gottlosen ist nicht anders als vom Richter zu haben, der auch die Gottlosigkeit der Frommen entlarvt. So wurde schon in 1,18 ff.; 2,14 ff. die forensische Situation herausgestellt, in welcher sich die Heiden gleichfalls befinden. Gerechtigkeit und nicht, wie man häufig annimmt, Liebe Gottes ist der Zentralbegriff paulinischer Theologie. Wohl bekundet sich die Gerechtigkeit als Bundestreue des Schöpfers heilsam in der Liebe zum Geschöpf. Sie tut das jedoch in jenem bereits angebrochenen Gericht, welches auf den jüngsten Tag vorwegweist, Illusionen zerstört und das Geschöpf in der Wirklichkeit des Falls identifiziert, um Gottes Gottheit damit unvermischt zu halten. Gerettet werden immer nur die Gerichteten, die auf den ihnen gebührenden Platz gestellt worden sind, immer nur die Hilfsbedürftigen, die nicht mehr sich selbst rühmen und auf ihre Privilegien und Verdienste pochen können. Der Weg zum Heil läßt sich schlechterdings für niemanden davon isolieren. Weil alle Theologie durch die Differenz des gnädigen Gottes und des gefallenen Geschöpfes auch als Soteriologie, Christologie und Ekklesiologie bestimmt wird, sind die göttlichen Wege und Heilsratschlüsse für die Welt in ihrer Sucht, sich selbst zu transzendieren, nicht aus eigener Vernunft und Kraft zu erfassen. Doxologie erkennt das im nachhinein an. Im Gegensatz zum stoischen Weisen geht es nicht um Sympathie zwischen Himmlischem und Irdischem. Deshalb wird die τὰ πάντα-Formel korrigiert und ἐν σοί durch δι' αὐτοῦ ersetzt. Man hat sich bei 36 an 1.K 8,6 und die deutero-paulinische Aussage Kol 1,15 ff. zu erinnern, wo τὰ πάντα auf die Gemeinde als die neue Welt und das Spiel der Präpositionen auf die Herrschaft Christi in Welt und Kirche bezogen werden (Norden, Agnostos Theos 241; Eltester, Eikon 146). Die Tendenz dorthin liegt auch hier vor, weil c. 9—11 die Verbindung von Heiden und Juden zum einen Gottesvolk und zur neuen Schöpfung behandelt haben. Immerhin hat Pls diesen

20*

Gedanken hier nicht ausgeführt, er argumentiert nicht ausdrücklich christologisch und läßt τὰ πάντα schwebend bleiben. Ohne daß konkret darüber reflektiert würde, steht Gottes Werk zur Debatte. Wie in 1,18 ff.; 5,12 ff.; 8,19 ff. wird die universale Erlösung ins Auge gefaßt, deren Mitte die Christologie bildet. Wie in der Apk. Joh und in Phil 2,11 nimmt die Akklamation schließlich die kosmische Huldigung antizipierend auf. Im Lobpreis der Gemeinde wird schon jetzt laut, was einst alle Welt bekennen und mit ihrem Amen bestätigen muß.

F) 12,1—15,13: GOTTESGERECHTIGKEIT IM CHRISTLICHEN ALLTAG

Zu 6,11 ff. wurde deutlich, daß man die paulinische Paränese nicht als „Ethik" von der voraufgegangenen „Dogmatik" trennen darf. In ihr bekundet sich Rechtfertigung als Griff der Herrschaft Christi nach unserm Leben. Unser Heil gründet im Rechtsanspruch des Schöpfers auf uns, und dieser wird in der Paränese als Kehrseite unseres Heils sichtbar. c. 6 und 8 hatten solche Dialektik grundsätzlich unter der Überschrift „Gehorsam der Befreiten" entfaltet. Im folgenden Teil, der, dem Charakter des Briefes entsprechend, nicht zufällig die ausführlichste Paränese des Apostels bringt, wird das konkret auf den christlichen Alltag angewandt. Gerade wo es um Heil der Welt geht, kann paulinischer Realismus weder das Problem Israels noch die Dimension unserer Alltäglichkeit ausklammern. Denn im Alltag erhält die Welt ihre Tiefe und Konkretion. Was sich nicht in ihm verwirklicht, bleibt fromme Spekulation. Der Stand des Christen ist als Glaube nicht kontrollierbar. Wie er jedoch nicht ohne Wunder und Zeichen begründet wurde, bleibt er auch nicht ohne Wunder und Zeichen. Die libertas christiana und die nova oboedientia manifestieren nicht anders als die Botschaft des Evangeliums, daß Gott nach Welt gegriffen hat und das durch das irdische Verhalten der Gemeinde bestätigt und zeichenhaft dargestellt wissen will. Die Argumentation des Briefteils gliedert eine allgemeine Paränese in c. 12—13 von einer sich deutlich davon abhebenden und an die römischen Christen wendenden in 14—15,13 ab. Zunächst kann offenbleiben, ob die spezielle Paränese sich auf Mißstände in Rom bezieht oder Möglichkeiten vorzubeugen sucht, wie sie sich etwa, für das heidenchristliche Missionsgebiet repräsentativ, in Korinth ereigneten. Daß es jedoch überhaupt zu solcher Unterscheidung kommt, dürfte mit Situation und Zweck des Briefes zusammenhängen, weil wir sie sonst nicht kennen.

I. 12,1—13,14. Allgemeine Paränese: Christlicher Alltag in verschiedenen Dimensionen

Auch dieser Teil ist scharf gegliedert. Die Einleitung in 12,1—2 bildet gleichsam das Leitmotiv der folgenden Unterweisung und rahmt diese mit dem darauf zurückblickenden Summarium in 13,8—14 ein. 12,3—21 befassen sich mit christlicher Verantwortung, und zwar in 12,3—8 unter dem Aspekt herausgehobener gemeindlicher Funktionen, in 9—21 gegenüber Brüdern und Gegnern. 13,1—7 erörtert ausführlich das Verhältnis zu den heidnischen Obrigkeiten. So unsystematisch, wie man heute vielfach behauptet, ist der paulinische Gedankengang keineswegs, auch wenn er Temperament, Assoziationen und aufgegriffener Tradition breiten Spielraum gewährt. Schaut man aufs Ganze, beweist gerade der Römerbrief eine großartige Geschlossenheit der Argumentation, welche nur dem verborgen bleibt, der sich nicht genug Mühe mit ihr macht. Der Frage nach der Entwicklung urchristlicher Paränese kann hier nicht nachgegangen werden. Doch ist wenigstens der bei Pls erreichte Stand zu markieren. Es duldet nicht den mindesten Zweifel, daß die Gemeinde das Erbe ihres Herrn, wesentlich aus katechetischem Interesse, auch in Spruchsammlungen festgehalten hat. Wie das Erzählungsgut sind diese zunächst mündlich weitergegebenen Traditionen im Laufe der Zeit überwuchert worden. Prophetische Verkündigung, die im Namen des erhöhten Christus erfolgte, wurde der Geschichte des irdischen Jesus ebenso eingegliedert, wie jüdische oder im Heidenchristentum umlaufende Sentenzen adaptiert wurden. Noch stärker als die sonstige Botschaft ist die christliche Paränese den Einflüssen des Synkretismus ausgesetzt gewesen. Ihre Eigenart stellt ein Problem selbst dann dar, wenn man sie nicht schlechthin bestreitet. Sie äußert sich weniger im Stoff als solchem als vielmehr in dessen Auswahl, Ausrichtung und Akzentuierung, sofern sie nicht aus spezifisch urchristlichen Situationen wie etwa der Verfolgung erwächst. Umgekehrt sollte allerdings überlegt werden, ob der synkretistische Charakter der neutestamentlichen Paränese ausschließlich oder vornehmlich aus der unbestreitbaren Tendenz einer derartigen Tradition erklärt werden darf, verwandten Stoff sich anzueignen. Es könnte gerade hier und so sichtbar werden, daß die urchristliche Gemeinde mindestens grundsätzlich etwas anderes als ein esoterischer Verband war. Dann hätten nicht nur die Bedürfnisse nach konkreten Maßstäben in ständig wechselnden Verhältnissen diesen Synkretismus erlaubt und gefordert. Es läge ihm auch die Überzeugung zugrunde, daß Gottes Wille niemandem völlig unbekannt, christlicher Gehorsam konstitutiv Freiheit der Adaption vorhandener sittlicher Erkenntnis und insofern Erfüllung echter Humanität ist.

Offensichtlich war der Überlieferungsstoff ursprünglich eine Zusammenstellung verschiedenster Einzelweisungen, welche den vielfachen Situationen des christlichen Lebens exemplarisch Rechnung trugen. Ihre Einheit lag nicht in einem Prinzip, aus dem sie einsehbar und ableitbar wurden, sondern darin, daß der Geist entschlossene und darum konkrete Hingabe unseres Daseins fordert (Schrage, Einzelgebote 63 ff.). Er überläßt den einzelnen Glaubenden nicht dem Gutdünken, ruft ihn statt dessen in ein Verhalten, das seines Herrn und dessen irdischer Gemeinde „würdig" ist (ebd. 71 ff.). Dabei ist beides zu betonen: Der Geist fordert jeden Einzelnen ganz und konkret in seinen besonderen Verhältnissen und macht ihn zu einem neuen Lebenswandel fähig. Er tut es zugleich so, daß der Einzelne sich damit als Glied der Gemeinde erweist (ebd. 174 f.). Deshalb redet urchristliche Paränese fast durchweg die Gemeinde an und bindet insofern den Einzelnen an die Gemeinschaft, deren Charakter durch ihn mitherausgestellt werden soll. Diese Paränese ist andererseits keine das Leben der Gemeinde und ihrer Glieder möglichst vollständig umspannende Kasuistik. Auffälligerweise spielt das Motiv der Ordnung eine sehr untergeordnete Rolle. Die Probleme des Gottesdienstes werden erst in einer späteren Phase thematisch erörtert, sobald Zwischenfälle das erfordern. Das gilt im Grunde auch für die Schlichtung von Rechtsstreitigkeiten oder für Verhaltensregeln der christlichen Familie und die Tauglichkeit zu einem herausgehobenen Gemeindedienst, erst recht für den Umgang mit Juden und Heiden. Natürlich entstehen in diesen Gebieten schon früh

Konflikte. Sie geben jedoch erst in einem vorgeschrittenen Stadium Anlaß zu einer zusammenfassenden Erörterung. So greift man zunächst, wo es um derartiges geht, auch unbefangen auf Vorbilder der Umwelt zurück, wie Tugend- und Laster-Kataloge, Haustafeln, Bußverfahren, Gemeindeordnungen zeigen. Der Einzelne wie die Gemeinschaft haben eine bemerkenswerte Freiheit, ihre Verhältnisse selber zu gestalten und je nach den Umständen dabei zu variieren, wie etwa die abweichenden Formulare der eucharistischen Feier oder des Vaterunsers dartun. Man traut dem Geist zu, daß er jedem und allen das Nötige und Richtige aufdeckt. Die Anweisungen beschränken sich auf „Grundmotive" sittlichen Verhaltens (Schrage, Einzelgebote 122). Sie werden durch den Zusammenhang in christologischen, eschatologischen, sakramentalen Horizont gerückt und erhalten von da ihre spezifisch christliche Verbindlichkeit (ebd. 187 f.). Erhebliche Reduktion auf das Wesentliche ist jedenfalls charakteristisch. Beachtet man diesen Abstand sowohl von Prinzipien wie von einer Kasuistik, darf man feststellen, daß urchristliche Paränese das jeweils Erforderliche nur exemplarisch behandelt (ebd. 127).

Mit der Zeit ergibt sich notwendigerweise die kasuistische Regelung häufig umstrittener Fragen. Unvermeidlich wird dann die Überlieferung, die zunächst einfach durch Stichworte koordiniert war, allmählich auch unter bestimmten Aspekten systematisiert weitergereicht. Dieses Stadium spiegelt die schriftlich fixierte Paränese etwa in Mt 5—7; 18 oder in Tugend- und Laster-Katalogen und Haustafeln, schließlich in den Gemeindeordnungen der Pastoralen. Pls hat, soweit wir sehen können, als erster die Paränese theologisch reflektiert, selbst wenn er ihr Detail noch in lockerer Koordination weitergibt. Er mag dazu durch Anfragen der Gemeinden wie etwa im 1.Korintherbrief veranlaßt worden sein. Die Paränese gerade des Römerbriefes beweist jedoch, daß Systematisierung auch hier sich aus seiner Theologie ergab. Wie die Probleme von 14,1—15,13 vom Stichwort der gegenseitigen Annahme her und unter christologischer Begründung gelöst werden, so stellt Pls die allgemeine Paränese nicht von ungefähr in 12,1—2 unter eine Überschrift, der in 13,8—14 ein Summarium entspricht. Wie stark seine Theologie gestaltend einwirkt, zeigt sich, wenn die Einzelanweisung in 12,3—4 die Motive des Christusleibes und der Charismen voranstellt. Man braucht katechetische Tradition keineswegs als bereits vorliegend zu leugnen. Was immer aber im einzelnen übernommen und schlecht oder recht koordiniert wurde, das Ganze ist ein logisch aufgebauter Entwurf. Pls gibt darin so etwas wie ein Leitbild christlichen Verhaltens und benennt bestimmte Schwerpunkte, die in sachlicher Reihenfolge stehen. Daß die Paränese den Schluß des Briefes bildet, fügt sich solchem Verständnis ein. Der Apostel zieht hier gleichsam die Konsequenz der Botschaft für den gemeindlichen Alltag und bekundet sich darin als der Theologe, der nun seine Thematik zum letzten Male unter neuem Aspekt aufgreift.

1. 12,1—2: Einleitung. Gottesdienst inmitten der Welt

1 Ich ermahne euch nun, Brüder, unter Berufung auf die Barmherzigkeit Gottes, eure Leiber hinzugeben zu einem lebendigen, heiligen, Gott wohlgefälligen Opfer.
2 Das ist euer geistlicher Gottesdienst. Laßt euch nicht diesem Weltgefüge gleichschalten, euch vielmehr in erneuertem Denken ändern, um prüfen zu können, was Gottes Wille ist, (also) das Gute und Wohlgefällige und Vollkommene.

Literatur: O Casel, Die λογικὴ λατρεία der antiken Mystik in christlich-liturgischer Umdeutung, Jahrb. Liturgiewiss. 4 (1924), 37-47. H. Wenschkewitz, Die Spiritualisierung der Kultusbegriffe Tempel, Priester und Opfer im Neuen Testament, Angelos-Beiheft 4 (1931). C. H. Dodd, The Primitive Catechism, New Testament Essays T. W. Manson, 1959, 106-108. T. Y. Mullins, Petition as a literary Form, Nov. Test. 5 (1962), 46-54. H. Schlier, Vom Wesen der apostolischen Ermahnung nach Röm 12,1-2, Zeit der Kirche 74-89. Ders., Die Eigenart der christlichen Mahnung nach dem Apostel Paulus, Besinnung 340-357. E. Käsemann, Gottesdienst im Alltag der Welt, Ex. Vers. II, 198-204. P. Rossano, L'Ideale del Bello (καλός) nell'Etica di S. Paolo, Stud. Paul. Congr. II, 373-382.

Aus dem grundsätzlich Gesagten ergibt sich, daß aus c. 12—13 nicht ein Schema urchristlicher Katechetik zu eruieren ist, in welchem es um die Heiligkeit der Berufung, die Ablehnung heidnischer Laster, die christlichen Pflichten unter dem Liebesgebot, die eschatologische Hoffnung und schließlich die Ordnung und Zucht der Kirche geht (gegen Dodd, Catechism 108 f.; kritisch Schrage, Einzelgebot 134 ff.). Unbegreiflich wäre dann schon, warum Pls die Reihenfolge dieses Schemas höchst eigenwillig geändert hätte. Der Sinn der Einleitung und des Summariums am Schluß werden von dieser These überhaupt nicht erkannt. Das Stichwort παρακαλεῖν, das den Inhalt der folgenden Kapitel ankündet, hat wie im sonstigen Griechischen und in der Diasporasynagoge, so auch bei Pls vielfältigen Sinn (Schmitz-Stählin, ThWb V, 771 ff.; Bjerkelund, Parakalo 89 ff.). Der Kontext spricht jedoch eindeutig für ein schlichtes Ermahnen, so daß nur spekulativ aus der Verwendungsbreite des Verbs die Eigenart christlicher Mahnung in dem Dreiklang beschwörenden Aufrufens, bewegenden Bittens, ermutigenden oder tröstenden Zuredens herausgelesen werden kann (gegen Schlier, Eigenart 340 f.; Wesen 75 ff.; Eichholz, Theol. 265). Eine besondere Emphase, welche an das Motiv der familia Dei erinnert, liegt auch nicht in der Anrede, die wie häufig den neuen Abschnitt einleitet (gegen Schlier, Eigenart 342; Wesen 77), oder in der nicht kausal zu deutenden Übergangspartikel οὖν (gegen Cranfield, Commentary 4). Der folgenden Präpositionalwendung ist sie dagegen nicht abzusprechen, die nicht latinisierend (Zahn; Cranfield, Commentary 5) den Beweggrund anzeigt (gegen Oepke, ThWb II, 67). Wie etwa in 15,30 und einer bis heute bewahrten liturgischen Praxis (Schlier, Wesen 78 ff.) meint sie „unter Berufung auf", besser noch (Pallis): „im Namen von". Der bei Pls sich auch anderswo findende Plural οἰκτιρμοί bezieht sich nicht auf einzelne Erweise der Barmherzigkeit (anders Schlier, Wesen 78 ff.; Barth; Barrett), sondern nimmt die LXX-Übersetzung von רחמים auf (Bjerkelund, Parakalo 168), wie hellenistisch der Plural zuweilen Abstrakta wiedergibt (Sanday-Headlam; Lietzmann). Der alttestamentliche Ausdruck, der faktisch χάρις ersetzt, blickt auf die gesamte Heilsgeschichte als göttliche Selbstoffenbarung (Bjerkelund, Parakalo 163 f.). Christliche Paränese erhebt ihre Ansprüche, weil sie geschehene Barmherzigkeit bezeugen kann und diese weitergreifen lassen will. Erst wenn dieser Skopus herausgestellt ist, gewinnt der Nachweis Bedeutung, daß Parakalo-Sätze zum antiken Briefstil gehören, sich besonders in offiziellen Schreiben finden und der Danksagung des Briefeingangs entsprechen (Bjerkelund 17 ff. 34 ff. 108 f., nachdem schon Sanday-Headlam die Formelhaftigkeit betont hatten). Mindestens das Moment apostolischer Autorität kommt auf solchem Hintergrund deutlicher zum Vorschein, während die Verbindung mit Beschwörungsformeln (Bjerkelund 164 ff.) oder sogar Petitionen (Mullins, Petition 53 f.) abwegig ist. Die Präpositionalwendung hebt die paulinische Aussage aus dem literarischen Milieu heraus, trägt den Ton und kennzeichnet die Differenz in ihrer theologischen Relevanz. Heil aktiviert den Menschen und bekundet sich damit als Macht über unserm Leben wie der Gemeinde.

Die daraus resultierende Forderung wird wie in 6,11 ff. auf ein einziges Thema beschränkt. Verb wie Kontext verwenden zweifellos kultische Sprache, so daß παριστάνειν konkret die Darbringung eines Opfers meint (Sanday-Headlam; Ridderbos). Hingabe der Leiber ist die aus der Rechtfertigungsbotschaft folgende zentrale Forderung Gottes, der uns zu Gliedern des Regnums Christi gemacht hat und das von uns sichtbar bestätigt wissen will. Bereits in 6,11 ff. war die Leibhaftigkeit unseres Dienstes ausschlaggebend, weil es nicht bloß um unsere private Existenz, sondern um deren irdische Kommunikationsfähigkeit mit allen ihren Möglichkeiten jenem Schöpfer geht, der seinen Anspruch auf die Welt nicht fallen läßt. σῶμα darf darum auch hier nicht zur Chiffre für die Person verflacht werden (gegen Pallis; Taylor u. a.; richtig Schlatter; Gaugler u. a.) und ist nicht das Organ sittlicher Selbstbestätigung (Bardenhewer; Gutjahr; ähnlich Huby) oder Objekt der Askese (Sickenberger), sondern unser auf die Welt bezogenes Sein (K. A. Bauer, Leiblichkeit 179 f.). 2a schließt also logisch an. Mit dem Leib wird jene Welt, die wir selber sind, ihr von uns bestimmter Raum Gott übergeben. Anders als sonst dargebrachte Opfer verdient dieses die ursprünglich kultischen, jetzt ins Eschatologische transponierten Prädikate. Den blutigen Tieropfern gegenüber ist es lebendige Hingabe, und zwar unverborgen (anders Schlier, Wesen 83) im Alltag. Heilig heißt es nicht im ethischen Sinn (gegen Cranfield, Commentary 10), sondern als für die Gegenwart Gottes offen und sie bekundend. Damit verstärkt sich die heimliche Polemik, die schon das erste Prädikat enthielt: Gerade das, was sich nicht kultisch vollzieht und sonst als profan gilt, ist paradoxerweise gottgewollt, manifestiert seine Herrschaft und ist, wie das dritte Prädikat fast überflüssig hinzufügt, auch Gott wohlgefällig. Phil 4,18; 1.Pt 2,2. 5 machen wie der Kontext in 2 wahrscheinlich, daß hier Taufparänese benutzt wird, in welcher levitische Forderungen zugleich aufgenommen und umgebogen werden. Was früher kultisch galt, wird auf die Profanität unseres irdischen Wandels im ganzen ausgedehnt. Im Grunde wird damit sogar jedes kultische Denken aufgehoben, obgleich gegen solche Feststellung, zumal von katholischer Seite, lebhaft protestiert wird (Schlier, Eigenart 348; Wesen 85; vorsichtiger Seidensticker, Opfer 220. 325 ff.). Sie besagt natürlich nicht, daß der Gottesdienst und die Sakramente abgewertet werden sollten. Jedoch sind diese Veranstaltungen nicht mehr, wie es kultischem Denken entspricht, grundsätzlich vom christlichen Alltag derart getrennt, daß sie etwas anderes als die Verheißung für ihn und den Ruf in ihn hinein bedeuteten. 1.K 10,1—13 heben aufs schärfste heraus, daß in die weltliche Profanität verlängert werden muß, was dort beginnt, wenn es nicht statt Verheißung Grund für das Gericht sein soll. Entweder ist das ganze christliche Leben Gottesdienst und geben die Versammlungen und sakramentalen Handlungen der Gemeinde dafür Ausrüstung und Wegweisung oder die letzten werden faktisch ad absurdum geführt. Nicht der Kult trägt das Leben, obgleich dieses der Stärkung, Tröstung und stets neuen Verankerung im spezifisch gottesdienstlichen Geschehen bedarf. Dieser paulinische Skopus hatte sich schon bei der Erörterung der Beschneidungsfrage in 2,25 ff.; 4,9 ff. angedeutet. Er wird in seiner Schärfe verkannt, wenn man ihn von der Spiritualisierung kultischer Motive und Termini her zu begreifen sucht, welche tatsächlich ein gewichtiger Faktor in der heidnischen wie jüdischen Umwelt des Apostels und wohl selbst auf dem

Wege zu seiner Anschauung gewesen ist (gegen Casel, Mystik 40 ff.; Wenschkewitz, Spiritualisierung 57 f.; Grundmann, ThWb II, 58; Kittel, ThWb IV, 145 f.; Cerfaux, L'Eglise 114. 117; zum Vorgang als solchem vgl. Behm, ThWb III, 187 ff. 253; Seidensticker, Opfer 111 ff.).

Wo die Darbringung der leiblichen Existenz konstitutiv Gottesdienst begründet, geht es um mehr als Verinnerlichung des Rituellen in aufweichender oder verschärfender Absicht, nämlich um ein grundsätzlich anderes Verständnis vom wahren Gottesdienst. Hier werden die Temenoi der Antike zerbrochen, das „Rituelle", sofern es in gewisser Weise, aufs äußerste reduziert, beibehalten wird, der drohenden Isolation entnommen und nicht mehr ex opere operato wirksam. Die religionsgeschichtlich wie theologisch gleich bedeutsame Formel der λογικὴ λατρεία sagt, worum es Pls geht. Um sie richtig zu interpretieren, muß man ihre Tradition kennen, die in der stoisch-popularphilosophischen Polemik gegen den Aberglauben des antiken Opferwesens ihren Ursprung hat. Es ist danach unvernünftig und spricht der Gottheit, welche die Welt als Geist durchdringt, Hohn, wenn ihre Verehrung ungeistig geschieht. Es ist abscheulich, wenn man sich dabei der Mittel blutiger Tieropfer bedient (vgl. Lietzmann; Wenschkewitz, Spiritualisierung 55; Cranfield, Commentary 11 ff.). Wahrer Gottesdienst meint Übereinstimmung mit Gottes Willen zu seinem Lob im Denken, Wollen, Handeln. Der Weltbürger hat echter Frömmigkeit sittlichen Ausdruck zu geben (vgl. Strathmann, ThWb IV, 66). Die hellenistische Mystik variierte (vgl. Casel, Mystik 38 f.) das stoisch-popularphilosophische Motiv bemerkenswert, indem sie es auf die oratio infusa bezog. Die schönsten Zeugnisse dafür liefern die Hermetica, wo es in I,31 heißt: δέξαι λογικὰς θυσίας ἁγνὰς ἀπὸ ψυχῆς καὶ καρδίας πρὸς σὲ ἀνατεταμένης, ἀνεκλάλητε, ἄρρητε, σιωπῇ φωνούμενε. In XII, 23 wird gesagt: θρησκεία δὲ τοῦ θεοῦ μία ἐστί, μὴ εἶναι κακόν, und der große Hymnus XIII, 17 ff. ist in XIII, 18 f. 21 ausdrücklich als λογική und δεκτὴ θυσία bezeichnet. Selbst hier sollte man nicht bloß von Spiritualisierung sprechen, so gewiß sie mitspielt. Nach dem Kontext handelt der göttliche Geist vielmehr so, daß er den Beter zu seinem Werkzeug und Sprecher macht. Als Gottes Macht preist er sich selber durch sein inspiriertes Instrument auf Erden. Auch das hellenistische Judentum hat sich das Motiv angeeignet. Deshalb heißt bei Philo, de spec. leg I, 209 die Seele, welche den Schöpfer aus Gottes Kraft heraus zu ehren aufgerufen ist, μὴ ἀλόγως μηδ' ἀνεπιστημόνως ἀλλὰ σὺν ἐπιστήμῃ καὶ λόγῳ handelnd. Wenn sich hier noch popularphilosophische und mystische Anschauung mischen, so wird in Test. Levi III,6 vom Gottesdienst der Engel gesagt: προσφέροντες τῷ κυρίῳ ὀσμὴν εὐωδίας λογικὴν καὶ ἀναίμακτον θυσίαν. Während Orac. Sib VIII, 408 erneut vom sittlichen Tun als dem lebendigen Opfer sprechen, wird Ode Sal 20,1 ff. ganz von der Mystik beherrscht: „Ich bin ein Priester des Herrn und diene eben ihm priesterlich. Ihm bringe ich sein geistiges Opfer dar. Denn nicht wie die Welt und das Fleisch ist sein Geist, nicht denen gleich, die fleischlich dienen." Die Vorstellung vom gottgewirkten Lob, das die kultischen Opfer fortführt wie ersetzt, bestimmt bereits die Hodajoth Qumrans (J. Becker, Heil Gottes 129 ff.), hellt jedoch weniger die paulinische Anschauung als vorhandene jüdische Prämissen für sie auf. Daß der Apostel hier stärker der Bahn der Diasporasynagoge folgt, beweist wohl auch die ihm am nächsten kommende urchristliche Überlieferungsvariante. Auf die Taufparänese in 1.Pt 2,2. 5 ist bereits aufmerksam gemacht worden. Als wiedergeborene Kindlein haben die Christen mit der Heilsbotschaft τὸ λογικὸν ἄδολον γάλα getrunken und sind nun fähig, ἀνενέγκαι πνευματικὰς θυσίας εὐπροσδέκτους θεῷ.

Nach 2,9 ist dabei der Preis der Machttaten Christi durch das christliche Leben als Antwort auf die dazu rufende Botschaft und nach der Terminologie als geradezu offizieller Auftrag und verpflichtendes Amt zu betrachten. Hier wird sichtbar, daß seit der mystischen Variation des Motivs λογικός und πνευματικός austauschbar geworden sind (Casel, Mystik 40). Das Merkmal der Stelle ist jedoch die Übertragung dessen, was von der Oratio infusa oder dem himmlischen Lobpreis ausgesagt wurde, auf die christliche Lebensführung im ganzen. Mindestens insofern nähert man sich wieder der ursprünglichen popularphilosophischen Intention. Man könnte 1.Pt 2 als Nachklang paulinischer Gedanken verstehen. Doch spricht dagegen, daß hier offensichtlich selbständige Taufparänese vorliegt, wie die Motive der geistlichen Milch, des heiligen Priestertums und das Stichwort der Aretalogie in 2,9 zeigen. So findet sich die gleiche Anschauung denn nochmals in Joh 4,23 f. Danach gilt die Anbetung im Geist und in der Wahrheit als der eschatologische Gottesdienst (Casel, Mystik 40), der nicht mehr an die Versammlung in bestimmten Kultstätten gebunden ist. Pls steht also in einer durch feste Motive und Termini geprägten, durch hellenistisches Judentum vermittelten und im Zusammenhang der Taufparänese aufgenommenen christlichen Tradition.

Nun kann festgestellt werden, worin er sich ihrer bedient und wie er sie seinerseits abwandelt. Aus ihr stammt ebenso das Leitmotiv des geistlichen Gottesdienstes (Michel; Barrett), wobei nicht (gegen Kühl; Jülicher; Lietzmann; Lagrange; Sanday-Headlam; H. W. Schmidt) an das Vernunftgemäße zu denken ist, wie die Rede vom lebendigen und wohlgefälligen Opfer. Andererseits trennt Pls von der Mystik, daß er die gesamte Lebensführung darin einbezieht und die Leiblichkeit als den charakteristischen Bereich dieses Gottesdienstes betont. Damit wird die dem Infinitiv entnommene polemische Spitze vollends deutlich. Paradoxerweise dient die hier benutzte kultische Sprechweise einer durchaus antikultischen Tendenz (Bultmann, Theol. 117 f.): Der Gottesdienst der Christen besteht nicht in dem, was an heiligen Stätten, zu heiligen Zeiten und mit heiligen Handlungen praktiziert wird (Schlatter). Er ist die Hingabe der leiblichen Existenz in dem sonst profan genannten Raum und, als dauernd gefordert, im Alltag der Welt, wobei jeder Christ zugleich Opfer und Priester ist. Hier wird das allgemeine Priestertum aller Gläubigen proklamiert, von dem 1.Pt 2,9 sogar in sakralrechtlicher Terminologie reden kann. Von da aus muß 2 verstanden werden, und zwar nicht im Unterschied zu 1 bloß auf die Heidenchristen bezogen (gegen Zahn). Wichtig ist, daß in der Koine die Begriffe μορφή und σχῆμα den klassischen Sinn von Gestalt oder Form verlieren (anders noch Zahn; Jülicher; Huby; Althaus; E. Brunner; Cranfield, Commentary 15), wie etwa 1.K 7,31; 2.K 3,18; Phil 2,6 f.; 3,21 zeigen. Sie bezeichnen nun das Wesen der ganzen Existenz, die entsprechenden Verben nicht bloß äußere Veränderung (Behm, ThWb IV, 763 ff.). συσχηματίζεσθαι ist die Anpassung, μεταμορφοῦσθαι, wohl geläufiger als μετασχηματίζεσθαι, die Verwandlung, die im Zusammenhang der Taufparänese den Wechsel vom alten zum neuen Äon kennzeichnet. Daß wirklich Taufparänese die Stichworte liefert (Michel), ergibt sich daraus, daß die aus der Apokalyptik stammende Wendung αἰὼν οὗτος gebraucht, von ἀνακαίνωσις als der Wiedergeburt gesprochen und der Gotteswille als die Norm der Lebensführung genannt wird. Pls stellt diese traditionell vorgegebenen Motive in seine Thematik. Wie es ihm um den Dienst im Alltag und in der profanen Welt geht, so kennt er das Christsein nicht mehr als private Existenz. Es hat öffentlichen, für die Welt gewichtigen, nämlich eschatologischen Charakter. Wenn Gott unsere Leiber beansprucht, greift er in und mit ihnen nach der ihm gehörenden Schöpfung. Nur weltbezogene Existenz wird seinem Herrschaftswillen gerecht. Freilich würde dieser Wille verleugnet, bedeutete weltbezogene Existenz ein Leben in der Anpassung und unter Gleichschaltung mit dem nach 1.K 7,31 dem Untergang geweihten Kosmos. Christliches Dasein, Gott leibhaftig als Opfer in aller Öffentlichkeit dargebracht, ist unter allen Umständen Hinweis auf die neue, in Christus angebrochene Welt, also das Regnum Christi, und wird faktisch, je nach der Situation verschieden gestaltet, Demonstration gegenüber der bestehenden Welt sein. Die korinthischen Enthusiasten haben das durchaus begriffen, allerdings daraus falsche Konsequenzen gezogen. Deshalb wendet 2b ins Positive, was 2a negativ formulierte. Existenzwandel aus neuer Geburt und mit neuer Ausrichtung wird unter dem Stichwort des erneuerten νοῦς, also in Antithese zu 1,21 gefordert. Das klingt, als griffe der Apostel nun doch auf die Popularphilosophie zurück, welche den Menschen als vernünftiges Wesen zu vernünftigem Gottesdienst ruft, oder auf die Mystik, welche bei νοῦς nicht mehr an das geistige Vermögen des Menschen, sondern an die gottgeschenkte und verborgene pneumatische Daseinsweise denkt. Beide Möglichkeiten sind so auch häufig vertreten worden. Doch versteht Pls, wenn er nicht vom „Sinn Christi" redet, unter νοῦς wie im Kontext stets das kritische Urteilsvermögen, das sich prüfend distanzieren kann oder etwas als angemessen zu akzeptieren vermag (Bultmann, Theol. 214. 342). Eben deshalb ist δοϰιμάζειν als Fähigkeit des prüfenden Unterscheidens seine Funktion. So sehr das auch auf moralischem Gebiet notwendig wird, so wenig läßt es sich darauf beschränken (gegen Zahn; Dodd; Gutjahr; Leenhardt; Cranfield, Commentary 18). Die praktische Vernunft bedarf der Norm und des hier mit drei Appositionen feierlich als θέλημα τοῦ θεοῦ beschriebenen Gegenstandes. Das klingt präziser, als es tatsächlich ist. Was Gottes Wille jeweils von uns fordert, läßt sich nicht ein für alle Male festlegen, weil es nur in konkreter Entscheidung gegenüber einer gegebenen Situation erkannt und getan werden kann. Zweierlei ist hier wichtig. Antienthusiastisch spricht Pls wohl in der Redeweise der Popularphilosophie vom Guten, Gottgefälligen, Vollkommenen, um damit das Verbindliche im weitesten Sinne zu beschreiben (Schrage, Einzelgebote 117 ff.; Rossano, L'Ideale 377 ff.). Das besagt jedoch nicht (gegen Jülicher; richtig Schrage 170 f.), was Menschen gut und schön finden und vor ihrem Gewissen rechtfertigen können. Als gut, angenehm und vollkommen wird vielmehr einzig der Wille Gottes bezeichnet, der menschlichen Idealen im konkreten Fall durchaus entsprechen mag, in ihnen aber weder aufgeht noch sie ohne weiteres deckt. Der Apostel erkennt wieder wie in 1,19 f.; 2,14 ff. an, daß es für jedermann Richtlinien und letzte Inhalte der Verantwortlichkeit gibt und der Christ solche Humanität respektiert, bestätigt und nach Möglichkeit zu erfüllen sucht, weil er in der Welt und für sie lebt und das Phänomen der Ethik deshalb nicht mißachten kann. Vernunft ist ihm gegeben, um ihre Forderungen zu vernehmen, ihre Verbindlichkeit zu beurteilen. Der Glaube schaltet, wie aufs deutlichste 1.K 14 hervorhebt, solche Vernunft nicht aus. Umgekehrt ist schlechterdings nicht zu überhören, daß von einer Taufparänese her nicht nur die eschatologische Erneuerung des Menschen im ganzen, sondern gerade auch die des νοῦς verlangt wird. Das betrifft (gegen Bultmann, Theol. 212. 339) nicht den Charakter oder (gegen Behm, ThWb IV, 956) die Gesinnung, sofern sie (Bultmann, Theol. 263. 327) um die Erfassung der sittlichen Pflichten als der Forderung des Nomos bemüht ist (ähnlich Behm, ThWb IV, 763 ff.) und ihr Kriterium (Duchrow, Weltverantwortung 116 f.) in der Liebe findet.

Pls ist radikaler als seine Ausleger, weil für ihn Dienst an der Schöpfung und Gleichschaltung durch die Welt auseinanderfallen, eschatologische und ethische Entscheidung
sich nicht einfach decken und christliche Vernunft sich nicht selbstverständlich an den
sonst geltenden Maßstäben orientiert. Zu fragen, was Gott gefällt, mag sich konkret immer wieder mit dem einen, was Menschen und Welt für notwendig und wünschenswert
halten. Es kann jedoch davon ebenso abweichen, weil es dialektisch von Weltvergötzung
wie Weltverachtung, von Weltsucht wie Weltflucht trennt (Schrage, Einzelgebote 211).
Christliches Urteil in einer bestimmten Situation schließt den „großen Sprung" (K. Barth)
und einen radikalen Nonkonformismus (Schlier, Wesen 87; Eigenart 353; Franzmann)
als Möglichkeit und Gebot der Stunde nie aus. Dem Kontext liegt zweifellos besonders
an der kritischen Fähigkeit als Zeichen der ἀνακαίνωσις und Gabe des Geistes. Damit
wird der Anspruch erhoben, daß Christen im Blick auf den neuen Äon der Vernunft besser Rechnung zu tragen vermögen, als die Welt es im allgemeinen tut. Paradoxerweise
erfolgt das gerade auch dort, wo sie, göttlichem Willen entsprechend, sich den Trends
dieser Welt widersetzen und das dieser scheinbar Unvernünftige tun, wie Gott selber es
in der Sendung des Sohnes ans Kreuz getan hat.

2. 12,3—8: Anweisung für herausgehobene Charismatiker

3 Kraft der mir verliehenen Gnade weise ich jeden unter euch an, nicht hochfliegend
  über das hinaus zu denken, was zu denken sich gebührt, sondern auf Besonnenheit
  bedacht zu sein, — und zwar jeder Einzelne derart, wie Gott ihm das Maß des
4 Glaubens zugeteilt hat. Denn gleich wie wir in einem Leibe viele Glieder haben,
5 alle Glieder aber nicht dieselbe Funktion erfüllen, so sind wir, die Vielen, in Christus zwar ein Leib, einzeln in unserm gegenseitigen Verhältnis jedoch Glieder.
6 Wir haben nämlich je nach der uns verliehenen Gnade verschiedene Charismen.
7 (Es bleibe also) etwa Prophetie in Übereinstimmung mit dem Glauben; etwa Dia-
8 konie, dann (wirklich) im Dienst; etwa der Lehrende bei der Lehre; etwa der Seelsorger im Beistand; wer Almosen austeilt, bei schlichter Sachlichkeit; der Gemeinde-
  leiter bei eifriger Sorgfalt; der Pfleger im fröhlichen Sinn!

Literatur: F. Grau, Der neutestamentliche Begriff χάρισμα, seine Geschichte und seine Theologie, Diss. Tübingen, 1946. B. Hennes, Ordines sacri, ThQuartschr. 119 (1938), 427-469. E. Käsemann, Amt und Gemeinde im Neuen Testament, Ex. Vers. I, 109-134. Ders., Geist und Geistesgaben im Neuen Testament, RGG³, 1958, 1272-1279. Ders., Das theologische Problem des Motivs vom Leibe Christi, Paul. Perspektiven 178-210. G. Friedrich, Geist und Amt, Wort und
Dienst, Jahrb. Th. Schule Bethel, 1952, 61-85. H. Greeven, Propheten, Lehrer, Vorsteher bei Paulus. Zur Frage der „Ämter" im Urchristentum, ZNW 44 (1952/3), 1-43. H. Schürmann, Die geistlichen Gnadengaben in den paulinischen Gemeinden, Ursprung und Gestalt, 1970. Ph. H. Menoud,
L'Église et les ministères selon le Nouveau Testament, 1949. J. Brosch, Charismen und Ämter in
der Urkirche, 1951. H. Schlier, Corpus Christi, RAC III, 437-453. H. Hegermann, Zur Ablei-
tung der Leib-Christi-Vorstellung, ThLZ 85 (1960), 839-842. E. Schweizer, Die Kirche als Leib
Christi in den paulinischen Homologoumena, Neotestamentica 272-292. Ders., The Church as the
Missionary Body of Christ, Neotestamentica 317-329. A. M. Dubarle, L'Origine dans l'ancient
Testament de la notion paulinienne de l'église Corps du Christ, Stud. Paul. Congr. I, 231-240.
P. Bénoit, L'Église Corps du Christ, Communio 11 (1969), 971-1028. C. E. B. Cranfield, μέτρον
πίστεως in Romans XII, 3, NTSt 8 (1961/2), 345-351.

Der neue Einsatz ist ungewöhnlich scharf von 1—2 abgehoben. λέγειν bedeutet hier mehr als „meinen" oder „nahelegen" und klingt gebieterisch (H. W. Schmidt; Ridderbos). So wird es durch die Berufung auf die apostolische Autorität mit der stereotypen Formel, welche 1,5; 15,15; 1.K 3,10; Gal 2,9; Eph 3,2. 7 f. das paulinische Charisma bezeichnet, unterstrichen. Es empfiehlt sich schon deshalb nicht, den Begriff der Paränese durch den vielschichtigen andern der Paraklese zu ersetzen (gegen Grabner-Haider, Paraklese 4 ff.). Wenn irgendwo, wird hier Anweisung der Gemeindeordnung gegeben. Dem entspricht das kategorische παντὶ τῷ ὄντι ἐν ὑμῖν, das allgemeines Gehör verlangt. Endlich wird in 3 ein Thema angeschlagen, das nur indirekt aus 1—2 abgeleitet werden kann und den folgenden Abschnitt mit einer hellenistisch beliebten Wortspielerei (Dupont, Gnosis 70 f.) unter das Leitmotiv σωφρονεῖν stellt. Damit wird überraschend auf griechische Ethik zurückgegriffen, in welcher nach Aristoteles, Nikom. Eth 1117b 13 σωφροσύνη als eine der vier Kardinaltugenden gilt. Pls ist diese Anleihe auf dem Wege der Popularphilosophie über die Diasporasynagoge vermittelt worden. Er christianisiert sie nicht bloß durch das unnachahmliche Wortspiel, sondern auch durch den locker angefügten, kaum auf παντί zurückgreifenden Nachsatz. In einer Attraktion ist dabei ἑκάστῳ von ἐμέρισεν abhängig. Die Seltsamkeit dieses Einsatzes tritt noch klarer heraus, wenn man sich überlegt, daß die Paränese hier nicht, wie es zu erwarten stände, sich am Taufunterricht, an der eschatologischen Erwartung oder konkret am Liebesgebot orientiert. Von Ermahnung zur Demut (Pallis) zu sprechen, ist nicht präzis. Es geht um Nüchternheit (Bauernfeind, ThWb IV, 936 ff.), die das rechte Maß einhält (Luck, ThWb VII, 1099). Mit Recht hat man häufig Polemik gegen Schwärmerei vermutet, gegen die Pls auch sonst popularphilosophische Schlagworte verwendet, und an die Erfahrungen des Apostels in Korinth erinnert. Man wird das dahin zuspitzen dürfen, daß die gesamte Paränese dieser Kapitel entscheidend gegen den Enthusiasmus gerichtet ist und sich auch im Detail von da aus erklärt. Von solchem Aspekt begreift es sich, daß gleich anfangs vor Überheblichkeit, offensichtlich doch wohl der Unzufriedenheit mit der eigenen Gabe, gewarnt und wie in 1.K 12 die Themen der Charismen und des sie einenden Christusleibes aufgegriffen werden. Dem entspricht umgekehrt, daß die ekstatischen Äußerungen urchristlichen Lebens völlig zurücktreten, die schon in 1.K 12—14 gezügelt und in 2.K 10—13 an den Kriterien des Nutzens für die Gemeinde und der dienenden und leidenden Nachfolge des Gekreuzigten gemessen worden sind. In den Vordergrund rücken statt dessen Funktionen, auf welche keine Gemeinde verzichten konnte und die offensichtlich auch bereits besonderes Ansehen genießen. Ihre Wichtigkeit hebt sie von andern Charismen ab. Sie sind gerade deshalb stärker gefährdet und müssen so unter die Parole der Besonnenheit gestellt werden. Verhält es sich wirklich so, haben wir hier nicht bloß eine Gemeinschaftsethik (Nygren; Schrage, Einzelgebote 181), sondern den Ansatz einer ersten Gemeindeordnung vor uns, wie die Pastoralen sie in einem vorgeschrittenen Stadium ebenfalls den öffentlichen Funktionen in der Gemeinde gegenüber bieten. Erneut wird dann sichtbar, daß paulinische Paränese höchstens in sehr eingeschränkter Weise als „Ethik" zu bezeichnen ist. Viel angemessener wäre, zumal wenn man die Nähe zu 1.K 12—14 beachtet, von einer Charismenlehre zu sprechen.

Der Begriff Charisma ist, für paulinische Theologie im ganzen bedeutsam, schon in 1,11; 5,15; 6,23; 11,29 begegnet. Das dort Ausgeführte muß jetzt thematisch erweitert werden. Es ist keineswegs sicher, daß der Terminus vorchristlich gebraucht wurde. Die beiden philonischen Belege Leg. Alleg. III, 78 meinen nicht mehr als „Hulderweisung", was normalerweise durch χάρις ausgedrückt wird, und man mag mindestens fragen, ob ihre Seltenheit nicht für spätere Korrektur spricht. Die Varianten zu Ps 30,22; Sir 7,33; 38,30 unterliegen schwersten textkritischen Bedenken und haben den gleichen Sinn „Huld". Sonst erscheint das Wort spät (Conzelmann, ThWb IX, 393). Selbst wenn es früher und stärker bezeugt wäre, hat jedenfalls erst Pls es technisch gebraucht und mit theologischem Gewicht versehen (Cerfaux, Chrétien 229). So sicher wie hier läßt sich das von keinem andern Begriff oder irgendeiner Formel behaupten. Das muß seinen Grund haben, zumal dem Apostel das Äquivalent πνευματικά aus der Sprache seiner Gemeinden her vorgegeben war und von ihm nicht selten, allerdings durchweg polemisch, benutzt wird. Nach 1.K 12,1. 4 ff. hat ihn die Gemeinde unter diesem Stichwort gefragt, wie man sich zu den ekstatischen Bekundungen im Gottesdienst zu verhalten habe. Er wendet sich keineswegs grundsätzlich gegen diese, offensichtlich für die Urchristenheit charakteristischen Begabungen, nimmt sie im Gegenteil für sich selbst in Anspruch. Er kann sich Manifestation des Geistes ohne wunderbare ἐνεργήματα, mit denen eschatologisch himmlisches Wesen im Irdischen Platz greift, nicht vorstellen. Doch will er darin nicht Demonstrationen des neuen Äon sehen, die schon als solche christliches Leben erweisen und Vorrang in der Gemeinde beanspruchen dürfen, weil es sie nach 1.K 12,2 f. auch unter dämonischem Einfluß geben kann. Er ordnet sie deshalb einem weiteren Zusammenhang ein, indem er sie nur als φανέρωσις und διαιρέσεις des Geistes, also als dessen differenzierte Auswirkungen, gelten läßt, sie deshalb zweitens am Nutzen für das Ganze mißt und abstuft, sie weiter mit διακονίαι identifiziert und die ἀγάπη als ihr höchstes Ziel herausstellt, unter der Hand schließlich den Ausdruck πνευματικά durch χαρίσματα ersetzt. Die antienthusiastische Tendenz, welche sich auch in der Parallelisierung ekstatischer und administrativer Dienste bekundet (Ridderbos 321 ff.), ist deutlich. Das Grundanliegen der Gegner wird gewahrt, Ekstase und Wunder werden als mögliche Zeichen des Geistes anerkannt. Doch wird hervorgehoben, daß sie als solche im Zwielicht bleiben, sofern auch die Dämonen sie zu wirken vermögen. Erst ihre Anwendung im Dienst der Gemeinde garantiert ihre Legitimität. Noch nicht ihr Vorhandensein, sondern erst ihr rechter Gebrauch ist das Kriterium ihrer Christlichkeit und gibt ihnen den Platz in der Rangfolge der Geistesgaben, von welcher 1.K 12,8 ff. 28 ff. ganz unbefangen sprechen. Wird in diesem Zusammenhang der Ausdruck πνευματικόν durch χάρισμα ersetzt, tritt solche Pointe am schärfsten heraus. Denn die Macht der Gnade ist christologisch eingegrenzt, was unchristliche Verhaltensweisen von vornherein ausschließt. χάρισμα ist das in Christi Dienst genommene πνευματικόν, die Konkretion und Individuation der Gnade (Ridderbos 325), und greift darum weit über den Bereich des bloß Ekstatischen und Wunderhaften hinaus. Es ist das Verdienst der religionsgeschichtlichen Forschung (zuerst Gunkel, Wirkungen) gewesen, solchen Sachverhalt aufgedeckt zu haben, obgleich sie ihn als „Ethisierung" mißdeutete und abstrus als „Überwindung des Naturreligiösen" (Lietzmann) beschrieb. Sie erkannte noch nicht klar den eschatologischen Horizont und die christologische Bindung der paulinischen Anschauung, deren Anliegen nicht die Ausweitung in den Raum des Sittlichen ist, sondern die Integration des Ekstatischen in den Bereich der Gnadenwirkungen und damit seine Relativierung. Dem entsprach andererseits, daß vorhandene Anlagen und Begabungen des Einzelnen, sofern sie in den Dienst Christi genommen und gegen religiösen Individualismus zu Funktionen im Gemeindeleben entwickelt werden, ohne Vorbehalt als Charismen gelten (Menoud, L'Église 36 f.). Im Horizont des Regnum Christi sind auch sie Auswirkungen der Gnade (Conzelmann, ThWb IX, 395 f.). Pls eliminiert also das von den Enthusiasten betonte Moment des Übernatürlichen nicht, läßt es jedoch nicht vom gesamten Dienst des Christen und der Gemeinde isoliert werden. Auch in dieser Hinsicht wird der Abstand zwischen Kultischem und „Profanem" durchbrochen und gerade so einer außerordentlichen Differenzierung der Weg eröffnet. Wenn jeder Christ mit der Taufe den Geist und seine persönliche κλῆσις empfing, ist er insofern auch Charismatiker. Das Problem liegt jetzt darin, daß nicht wie bei den Schwärmern die himmlischen Gaben explosiv ins Irdische dringen und in der Gemeinde radikale Unordnung erzeugen. Pls hat dieser Gefahr gewehrt, wenn er in 1.K 13 durch die Agape alle Charismen zusammenfaßte oder in 5,15 die Gnade, in 6,23 das ewige Leben als Synonym für die Gottesherrschaft das Charisma schlechthin nannte, aus dem alle andern Ursprung und Ziel empfangen. Dem gleichen Zwecke dient es hier, wenn er mit der Hilfe der Popularphilosophie jene Besonnenheit als ihr Kriterium kennzeichnet, welche sich der Selbstüberschätzung und der aus Korinth bekannten Sucht nach den höchsten Gaben widersetzt. Der Pneumatiker wird irdisch haftbar gemacht. Das Charisma ist zwar von Gott geschenkte Auszeichnung des Einzelnen, aber gerade so zugleich die jedem unüberschreitbar gesetzte Grenze (Asmussen). Das führt ihn unter die Losung von 1.K 7,20, in dem ihm angewiesenen Stande zu verbleiben. Sie erscheint nur dann als schlechthin konservativ, wenn man ihre Front und ihre implizite Weite nicht erkennt. Denn sie wendet sich durchaus im Sinne der Rechtfertigungsbotschaft gegen alles Streben nach Autonomie und ermöglicht zugleich wie diese die Freiheit in der Hingabe, welche alle sich bietenden Möglichkeiten ihres Platzes bis aufs äußerste nützt. Der sich autark fühlende Mensch versperrt sich selbst echte Freiheit. Es gibt jenen Spielraum des überfließenden Reichtums der Gnade für jeden, der nicht in frevlerischer Selbstgerechtigkeit und Anmaßung seiner κλῆσις untreu wird. Die Überschreitung dieser Grenze wird durch παρ' ὃ δεῖ φρονεῖν angezeigt, wobei παρά wie in 1,25 den Sinn „im Vergleich zu" mit der Tendenz des Ausbrechens hat. Christliche σωφροσύνη nimmt durchaus ihre Chancen wahr, tut es aber vernünftig, nämlich im Respekt vor den durch die eigene und fremde Existenz wie die anstehende Situation gesetzten Grenzen. Eben deshalb wurde in 2 zur erneuerten, kritischen Vernunft gerufen. Sie hat sich auch und nach 1.K 14,14 ff. besonders den Geistesgaben gegenüber zu bewähren. 3d spricht das mit einer Terminologie und Motivation aus, welche im Zusammenhang der Charismenlehre stereotyp wiederkehren. Daß Gott ausgeteilt hat, umschreibt auch 1.K 7,17; 12,7 synonym mit Berufung das Wesen des Charisma. Wird das im Blick auf den Einzelnen gesagt, so folgt der Apostel damit wahrscheinlich dem jüdischen Grundsatz, Gott gebe niemandem den Geist in seiner Konkretion ganz (vgl. Billerbeck zu Joh 3,34). Das in solchem Kontext geläufige ἑκάστῳ ὡς sichert jedem die eigene Gabe zu, ruft ebenso jedoch jeden zur Bescheidung auf das von ihm Empfangene, weil sich darin seine unverwechselbare κλῆσις äußert. Niemand geht leer aus, keiner darf von der Ergänzung und Begrenzung durch den andern absehen. Der Charis Gottes entspricht jener Reichtum, der nach 1.K 7,7 jeden Charismatiker sein läßt (unbegreiflicherweise durch Grau, Charisma 197 ff. problematisiert), und zwar ständig (gegen Schrage, Einzelgebote 141 ff.; richtig Barrett). Das muß so sein, wenn anders Charisma wirklich die Konkretion und Individuation des Geistes ist (Bultmann, Theologie 326) und der Modus einer persönlichen Berufung. Pls hat auf diese Weise das allgemeine Priestertum aller Gläubigen begründet und ihnen nicht bloß im privaten Dasein, sondern in eschatologischer Öffentlichkeit und jure divino Autorität in wie gegenüber der Gemeinde zugesprochen. Charisma und Amt sind, obgleich das später nicht ohne zwingende Gründe geschah, so wenig wie Geist und Amt voneinander zu scheiden (Michel; Friedrich, Geist 81 f.; Conzelmann, ThWb IX, 396). Jeder Christ ist in seinem durch göttliche Gabe ihm zugemessenen Stande unvertretbar und besitzt darin eine von der Gemeinde anzuerkennende Autorität. Sie darf nicht verkürzt werden, solange er in diesem Stande als der ihm verliehenen Möglichkeit des Dienstes verbleibt. Umgekehrt hat jeder, sofern seine Gabe ihn auf einen konkreten Platz verweist und zu einem bestimmten Dienst ertüchtigt, sein μέτρον πίστεως, das von ihm selbst kraft des ihm gegebenen Geistes in erneuerter Vernunft zu erkennen ist. Darüber hinauszugreifen, ist sowohl Verletzung der Vernunft wie Verachtung der Souveränität des konkret gebenden Gottes. Über die hier verwendete Formel „Maß des Glaubens" wird lebhaft debattiert (Übersicht bei Cranfield, Rom XI, 3). Während die einen vom Glauben im üblichen Sinne zu der Nüance „Heilsglauben" kommen (Kühl), andere an den wunderwirkenden charismatischen Glauben denken (Bardenhewer; H. W. Schmidt), plädieren die dritten für den Glaubensstand (Bultmann, ThWb VI, 213. 220; Leenhardt). Die Frage, ob ein gen. appos. oder partit. vorliegt, ist nach der ähnlichen Wendung in 6 zugunsten der zweiten Möglichkeit zu entscheiden. Nach dem Kontext könnte Pls ebenso vom Maß des Geistes oder der Gnade sprechen (Michel). Geist und Glaube sind Kehrseiten des gleichen Sachverhaltes, einmal vom Geber, dann vom Empfänger her betrachtet. Glaube ist das dem Einzelnen vorgegebene und von ihm angenommene Pneuma, und zwar objektiv, sofern es sich niemand selbst setzen oder nehmen kann, subjektiv, weil jeder es für sich selbst annehmen muß, ohne sich vertreten zu lassen. Anders wäre es nicht Gabe und könnte es nicht Grenze sein, wie beides in μέτρον verbunden ist. Die Bedeutung „Bekenntnis" (Grabner-Haider, Paraklese 16) schießt über das Ziel hinaus.

Die Aussage entspricht genau derjenigen von 1.K 12,4 ff., die in Eph 4,7 interpretiert wird. So wundert es nicht, daß der Apostel wie in 1.K 12,12 ff. und in der gleichen Tendenz wie dort mit dem für seine Ekklesiologie charakteristischen Motiv des Christusleibes fortfährt. Der Unterschied beider Stellen liegt darin, daß hier nicht so deutlich das christologische Anliegen des Motivs und damit das Spezifikum paulinischer Ekklesiologie heraustritt. Ganz fehlt es jedoch nicht, wie der Übergang vom Vergleich in 4 zu der theologischen Feststellung in 5 mit dem Realität bekundenden Prädikat und der adverbialen Bestimmung ἐν Χριστῷ anzeigt. Wie in 1.K 12,12 ff. hat das Pls schon geläufige Motiv des sogenannten corpus Christi mysticum den Vergleich erst ermöglicht. Damit ist von vornherein die Anschauung abgelehnt, nach welcher hier bloß metaphorisch gesprochen wird (Minear, Bilder 179 ff.; Meuzelaar, Leib 42. 149 ff. u. a.). Man hat zwischen bildlicher Ausführung des Motivs und der zugrunde liegenden Konzeption des weltweiten Erlöserleibes zu unterscheiden, welche in den Deuteropaulinen aufs stärkste hervorgehoben wird. Daß Pls hier wie in Korinth auf die Ortsgemeinde blickt (Schlier, Corpus 437 f.), ändert daran nichts, weil diese für ihn stets die ganze Kirche repräsentiert. Auf die Frage nach Ursprung und Vermittlung des Motivs kann also nicht verzichtet werden, auch wenn in der gesamten Literatur der Mystik kein schwereres Rätsel vorliegen sollte (A. Schweitzer, Mystik 117), wofür allerdings die divergierenden Lösungsversuche durchaus sprechen. Drei Grundmöglichkeiten der religionsgeschichtlichen Erklärung werden vertreten und überschneiden sich in ihren Variationen. Am nächsten liegt die bis vor Plato nachweisbare Anschauung vom Riesenleibe des Kosmos, in welchem sich nach der mittleren Stoa göttliche διοίκησις spiegelt und durch Sympathie das All zu einer spannungsvollen Einheit gestaltet. Dem entspricht wohl bereits in orientalischer Mythologie das Verständnis des Menschen als eines Mikrokosmos in der Einheit seiner verschiedenen Elemente und Teile (vgl. Dupont, Gnosis 431 ff.; Schlier, Corpus 439 f.; Hegermann, Ableitung 841; Schöpfungsmittler 138 ff. im Blick auf die Aion-Vorstellung). Eine Variation dieser Anschauung liegt in der Übertragung des Leib-Motivs auf staatliche und gesellschaftliche Verhältnisse durch die Popularphilosophie vor, wie sie vor allem aus der berühmten Fabel des Menenius Agrippa Liv. Hist. II, 32 bekannt ist, aber darüber hinaus weite Verbreitung gefunden hat. Ihr Anliegen zentriert in der Auffassung, daß in der Polis als einem Organismus alle Glieder aufeinander angewiesen sind, und eine Stelle wie Epiktet, Diss. II, 10,4—5 macht klar, wie wenig das bloß als schönes Bild betrachtet werden darf. Es wird heute kaum noch bestritten, daß Pls, sofern er nicht direkt auf diese letzte Auffassung zurückgreift, zum mindesten doch den Gedanken vom Organismus der Gemeinde mit ihr teilt (Dodd, Gesetz 39 ff.; Robinson, Body 60 ff.; Bruce; Best; Cerfaux, l'Église 138; Meuzelaar, Leib 11 f. 143. 149 ff.; abschwächend auch Bultmann, Theol. 311). Allerdings muß solche Feststellung mindestens dadurch eingeschränkt werden, daß für den Apostel nicht die Glieder den Leib konstituieren, sondern dieser sie aus sich heraussetzt, und daß (gegen Meuzelaars Grundthese) der Leib nicht bloß dem Messias gehört, vielmehr dessen weltweite irdische Projektion und Manifestation ist. Keine einleuchtende Verbindungslinie läßt sich dagegen vom Riesenleib der Gottheit oder des Äons zur paulinischen Anschauung ziehen (etwa gegen Hegermann), weil das Verständnis vom Schöpfungsmittler zwar auf Christus übertragen werden konnte, die paulinische Christologie jedoch nicht durch die Protologie, sondern die Soteriologie bestimmt wird. So ist die Gemeinde auch nicht der Leib der Gottheit, wie sie als Tempel Gottes betrachtet werden kann, sondern derjenige des erhöhten Christus als dessen irdischer Machtbereich und sogar in Gestalt der Ortsgemeinde. Man muß schon von den Deuteropaulinen ausgehen und ihre Ekklesiologie höchst fragwürdig in die Paulinen hineinlesen, wenn man diese Einwände entkräften will.

Der zweite Erklärungsversuch besinnt sich auf die zur Adam-Christus-Typologie erörterte semitische Anschauung von der corporate personality. Das kann man in verwegener Unbefangenheit so tun, daß man direkte Verbindungslinien zum Alten Testament zieht und Gen 2,24 als Hauptbeleg nennt (Dubarle, L'Origine). Man setzt es mindestens voraus, wenn man vom „Leib des Messias" spricht (Meuzelaar, Leib 124 ff.) oder das paulinische Motiv als neue, auf den Apostel zurückgehende Ausprägung des Gedankens vom Gottesvolk betrachtet (Oepke, Neues Gottesvolk 224; Dahl, Volk 226 f.) oder das Gewicht der Idee vom Stammvater betont (E. Schweizer, Kirche 276 ff. 284) und sie derart ausweitet, daß dabei die Vorstellung vom Leibe des Kosmos auf die Menschheit übertragen worden sei. Die Hypothese, für den Hintergrund der paulinischen Vorstellung nicht völlig auszuschließen, steht auf wackligen Füßen. Das Neue Testament bietet für sie keinen einzigen unbestreitbaren Beleg, und man vermißt durchweg die Frage, wie weit die behauptete Anschauung im Urchristentum überhaupt noch lebendig war. Jedenfalls ist Christus für Pls nicht der eschatologische Patriarch, so daß sich das Motiv vom Stammvater auf ihn anwenden ließe (gegen E. Schweizer, Kirche 284). Die Antithese zwischen altem und neuem Äon, ihren Repräsentanten Adam und Christus wird hier mit einer religionsgeschichtlichen Kategorie überspielt, der Unvergleichbarkeit des Christusleibes als neuer Schöpfung nicht wirklich Rechnung getragen. Schließlich wurde bereits zu 11, 17 ff. erörtert, daß der Apostel die Anschauung vom Gottesvolk zwar aus der früheren Christenheit aufgegriffen hat, sie jedoch nur in apologetischen und polemischen Zusammenhängen verwendet, wenn er den Ansprüchen Israels zu begegnen hat. Diejenige vom Leibe Christi konkurriert mit ihr, läßt sich aber in gar keiner Weise einleuchtend aus ihr ableiten. Als eigentliches Problem gilt bei dieser wie bei der ersten Erklärung die Frage, wie es zur Benutzung des Motivs vom Leibe für die Kirche kam, während Pls eben nicht von der Leibhaftigkeit der Kirche, sondern vom irdischen Machtbereich des erhöhten Christus spricht, das zentrale Problem also das seiner Christologie ist.

Es ist der Vorzug des dritten Erklärungsversuches, daß mindestens dieses letzte klar gesehen wird. Man postuliert dann, daß der Leib des Christus in der Kirche kein anderer als der des Getöteten und Auferstandenen sein könne (E. Schweizer, Kirche 286 f.; Bénoit, L'Église 984 ff. mit großer Literaturangabe). Die Verbindung zwischen beiden wird sakramental gezogen: Wie Taufe und Eucharistie in den Christusleib der Gemeinde eingliedern, so sind wir in Wahrheit bereits auf Golgatha Christus inkorporiert, ist (Schnackenburg, Kirche 155) die Kirche der erweiterte Kreuzesleib Jesu (vgl. Robinson, Body 55 ff.; Sickenberger; Bénoit, L'Église 972 ff.; Cerfaux, Church 262 ff.) oder, wo Mystik vom Entwicklungsgedanken abgelöst wird, der Bereich, in welchem sich dieses Christusgeschehen auswirkt (Neugebauer, In Christus 104; Schweizer, Kirche 286 f.). Vom Leibe Christi wird dann als der Realität oder der bildlichen Umschreibung des „in Christus" gesprochen. Diese Deutung hat den Vorzug, daß sie auf religionsgeschichtliche Erklärungen verzichten kann und das Motiv aus innerchristlichen Prämissen erklärt, sofern sie nicht sogar eine paulinische Schöpfung annimmt (z. B. E. Schweizer, Kirche 289). Sie zahlt dafür freilich einen hohen Preis. Die Kirche wird zur Prolongation Christi (Robinson, Body 49 ff.; T. W. Manson, On Paul 67 u. a.), die Gläubigen umgekehrt sind von vornherein nicht bloß in den Dienst, sondern in das Erlösungsgeschehen selbst einbezogen. Nur eine Monographie kann die Literatur einigermaßen vollständig behandeln. Hier kam es darauf an, die Grundmodelle der Interpretation in ihren Vor- und Nachteilen möglichst scharf herauszustellen. Am interessantesten sind freilich die zwischen ihnen stattfindenden Übergänge, weil sie dartun, daß man selten mit einer Erklärung auskommt, und das Ausmaß der herrschenden Unklarheit an diesem Punkte charakterisieren. Tatsächlich wird man zugeben müssen, daß das religionsgeschichtliche Problem bisher ebensowenig zufriedenstellend beantwortet werden kann wie das andere der Adam-Christus-Typologie und beides mit höchster Wahrscheinlichkeit verbunden werden muß (Schlier, Corpus 445 ff.; Kümmel, Theol. 187). Für die letzte Annahme sprechen eindeutig die Deuteropaulinen als erste Deutung der paulinischen Stellen, aber auch die Taufterminologie, welche in 6,6 mit der Aussage über den alten Menschen auf Adam anspielt und ihm in Kol 3,10 den nach Christi Vorbild erneuerten entgegenstellt, die Einheit der Gemeinde in Gal 3,27 f. vom Anziehen des Christus, offensichtlich als des neuen Menschen, ableitet und das in 13,14 paränetisch aufgreift. Schließlich haben 5,12 ff. die beiden Herrschaftsbereiche Adams und Christi unüberhörbar konfrontiert. Wie die Eingliederung in den letzten dann etwa in 1.K 12,13 mit der Taufe verbunden wird, so in

1.K 10,16 mit der Feier der Eucharistie. Religionsgeschichtlich undeutlich bleibt hier, wie es zur Bezeichnung dieses Herrschaftsbereiches als Christi Leib gekommen ist, und die bereits erörterte Frage, von welchen Voraussetzungen aus Adam und Christus wie in 1.K 15,45 ff. unter dem gemeinsamen Oberbegriff des Anthropos kontrastiert werden konnten, so daß die Kirche den irdischen Leib des eschatologischen Adam bildet. Eine derartige Fixierung des vorliegenden Problems dämmt die Flut der Hypothesen ein, läßt das Recht ihrer Ansätze erkennen und zugleich die damit verbundenen Konstruktionsversuche kritisieren.

Die Sachinterpretation unserer Stelle braucht unter diesen historischen Aporien nicht zu leiden. Pls geht es nicht um die thematische Entfaltung seiner Ekklesiologie, die selbstverständlich in jedem neutestamentlichen Dokument Bedeutung hat, jedoch (gegen Leenhardt, Komm 13 f.) keineswegs zum zentralen Gegenstand des Briefes gemacht werden darf. Erstaunlicherweise erscheint das Motiv vom Christusleibe hier wie in 1.K 12,12 ff. nur im Zusammenhang der Paränese (E. Schweizer, Kirche 287 f. 291). Das spricht einerseits dafür, daß der Apostel es bereits übernommen hat und als bekannt voraussetzt, begründet auf der anderen Seite, daß das Theologoumenon als solches nur die Prämisse für einen Vergleich und den damit betonten Gedanken des Organismus bildet. Man darf die Dinge nicht umdrehen. Es geht um den Leib des Christus als des eschatologischen Adams, nicht um denjenigen eines Kollektivs wie der Kirche als der messianischen Gemeinde. Weil sich das irdische Regnum Christi aber leibhaft von der Welt absetzt und die Christen als Glieder in sich einbezieht, sich nicht erst durch sie konstituiert, kann umgekehrt nun auch das Verhältnis dieser Glieder untereinander unter dem Aspekt eines Leibes erörtert werden (gegen E. Schweizer, Kirche 287 ff.). Das liegt um so näher, als für Pls Leibhaftigkeit Voraussetzung der Kommunikation und des Dienstes ist, zu denen er hier gerade in Abwehr enthusiastischer Überheblichkeit aufrufen will. Nicht daß mit allen Christen dasselbe geschehen ist (gegen Neugebauer, In Christus 97 f.) und zwischen ihnen Harmonie herrscht (gegen Bruce; Best), ist für unsere Stelle entscheidend, sondern daß sich in der Gemeinde, wieder wie in 5,12 ff. semitisierend auf alle Einzelnen bezogen (Jeremias, ThWb VI, 541), die Vielen gegenüberstehen und sämtlich ein besonderes Charisma verkörpern. Das wird nicht bloß aus der Empirie abgelesen, sondern entspricht dem Willen Gottes und dem Wesen des allgemeinen Priestertums. Der Apostel ist weit davon entfernt, irgendwelcher Uniformität das Wort zu reden. Das würde zu einem religiösen Verband in und neben der Welt, einer Mysteriengemeinschaft mit dem Kultgott Christus führen. Die Pluriformität der Kirche ist für ihre Funktion lebenswichtig. Die Vielfalt ihrer Glieder, Gruppen und Begabungen gibt ihr den Charakter der Durchlässigkeit zu dem sie umgebenden Kosmos und macht deutlich, was es um den in seinem irdischen Regnum präsenten Christus (Bénoit, L'Église 982 ff.) ist. Er bemächtigt sich jedes Standes, aller vorhandenen Fähigkeiten und Schwächen seiner Glieder und benutzt die verschiedensten Ausprägungen seiner Nachfolge, um die Welt zeichenhaft zu durchdringen, statt sich von ihr zu isolieren. Eine Christenheit, die vor allem auf Partizipation an der Herrlichkeit ihres Herrn bedacht ist, flüchtet sich aus der Niedrigkeit, in die sie auf Erden gestellt ist und in welcher sie allein dem Erhöhten von Nutzen sein kann. Nimmt sie nicht mehr die Mannigfaltigkeit der Charismen und deren Lebensäußerungen im Denken, Handeln, Wollen, zugleich damit aber, was 1.K 12,14 ff. betonen, deren Begrenzungen, Mängel und fragmentarische Kennzeichen wahr, verkümmert sie nicht nur innerlich, sondern als Christusleib. Sie vertut dann ihre Chancen, zu jedem in seiner konkreten Situation und in adäquater Weise zu kommen, um ihm die Bruderschaft Christi zu bewähren. Gerade aus dieser Perspektive heraus ist die Rede vom Christusleib die ekklesiologische Formel geworden, mit welcher sich die hellenistische Christenheit zur Weltmission anschickte (Conzelmann, Grundriß 288). Im gleichen Sachverhalt liegt nun freilich Not und dauernde Gefährdung. Wird die Mannigfaltigkeit der Glieder und ihre Unvertretbarkeit derart betont, entstehen unvermeidlich Spannungen, werden die Glieder sich verselbständigen, einander beeinträchtigen oder sogar zu vergewaltigen suchen. Dann hört die Kirche erneut auf, Christi Leib zu sein, und verwandelt sich (Dodd) in eine Organisation religiöser Individuen, wie die korinthische Gemeinde exemplarisch zeigt. Der Appell an die Harmonie, der sich hinter dem Gedanken des Organismus oder der corporate personality versteckt, nützt dann wenig. Pneumatische Ganzheit und Einheit, deren Lebensprinzip Christus ist (Hegermann, Ableitung 841), läßt sich besser beschwören als verwirklichen. Hier kommt alles darauf an, daß Christus als Schöpfer und Richter seiner Gemeinde mit den Charismen zugleich deren Grenze setzt und die Glieder Leib „in Christus" bleiben, was wohl den Sinn von „durch Christus" und seinen Geist hat. Dann wird nämlich offenbar, daß sie gerade als seine irdischen Glieder es in leiblicher Kommunikation und Spannung auch gegenseitig sind, ihre Charismen Konkretionen der Charis. καθ' εἷς mit indeklinabel gewordenem εἷς unterstreicht. Es ist die Parallele zu dem ἑκάστῳ ὡς in 3. Gabe bleibt nur als Dienst am Bruder Charisma. Keiner geht leer aus, damit jeder weitergeben könne. Jeder hat die Autorität seines Herrn hinter sich, sofern er sich von ihm zur Anerkennung des fremden Charisma verpflichten läßt. Die Unio mit dem Herrn bekundet sich als Solidarität, als Spannung voraussetzende und nie endgültig beseitigende Einigung mit dem andern, der ebenfalls Knecht Christi ist. Verhält es sich so, läßt sich aus dem Motiv vom Christusleibe keine kirchliche Hierarchie als konstitutiv ableiten, selbst wenn man die deuteropaulinische Variation zugrunde legt, welche vom Haupt des Leibes spricht. Die Charismen stehen auch nicht als außergewöhnliche Gabe neben oder unter den sogenannten Ämtern, die bereits in den Pastoralen, eine fiktive apostolische Sukzession rekonstruierend, an die Ordination gebunden werden, insbesondere unter dem Apostolat (gegen Schlier, Wesen 81; Menoud, L'Église 32. 59 f.; Hennes, Ordines 444 und häufig). Eine Rangfolge ist damit nicht ausgeschlossen, wie sich aus dem Folgenden ergibt. Für sie sind jedoch die Notwendigkeiten der Praxis bestimmend, und diese können mit den jeweiligen Gegebenheiten durchaus wechseln.

3—5 waren Grundlegung, deren entscheidenden Sachverhalt 6a, ohne daß Abhängigkeit von 4 vorläge (richtig Bultmann, Stil 75; Michel; Lagrange gegen Zahn; Kühl; H. W. Schmidt), nochmals herausstellt. Pls kann sich nun dem Konkreten zuwenden, wobei εἴτε — εἴτε die Vielfalt der verschiedenen Charismen modellhaft aneinanderreiht. Immerhin wird wie in 1.K 12,8 ff. 28 auf das geblickt, was für den Aufbau und die Einheit der Gemeinde am wichtigsten ist. Weil in Rom andere Zustände als in Korinth angenommen werden, entfallen die ekstatischen Charismen. Dafür treten die in Eph 4,11 fast allein noch genannten kerygmatischen und die weitgefaßte Diakonie in den Vordergrund. Kaum zufällig ist die Umschreibung der verschiedenen Tätigkeiten durch generelle Substantive und Partizipien (Michel). Feste Ämter gibt es noch nicht (gegen Menoud, L'Église 38 f.), und es erscheint geradezu absurd, wenn aus der Reihenfolge die Stufen des römischen Priesteramtes herausgelesen werden (gegen Hennes, Ordines 435 ff.). Erst in Abwehr der Schwärmerei und im Rückgriff auf judenchristliche Verhältnisse ist es auch im paulinischen Missionsbereich zu Presbyterien und der Ordination gekommen, von denen der Apostel in den echten Briefen nirgends spricht. Anders wäre unbegreiflich, daß in den vielfachen Streitigkeiten mit und in den Gemeinden nicht die vorhandenen institutionellen Organe verantwortlich gemacht werden. Die Organisation befindet sich noch im Stadium des Anfangs. Trotz aller sich schon meldenden Schwierigkeiten wird auf die einigende und leitende Macht des Geistes vertraut, aus der heraus auch der Apostel konkrete Anweisungen gibt. So reicht hier der Blick weiter noch nicht über die Ortsgemeinde hinaus. Deshalb braucht nicht vom Apostolat gesprochen zu werden, den Pls zwar nach der stereotypen Formel von 3 unter die Charismen zählt, jedoch von der weltweiten Aufgabe der Völkermission her begreift. Die zuerst erwähnte Prophetie bezieht sich nicht auf die Wandermissionare der Didache und gilt anders als in dem Rückblick auf schon nicht mehr bestehende Verhältnisse Eph 2,5 nicht mit dem Apostolat zusammen als Fundament der Gesamtkirche. Doch zeigt 1.K 14, daß den Propheten die wichtigste Funktion im Gemeindeleben zukommt, und zwar nicht nach gängiger Vorstellung (etwa Schlatter; Bardenhewer) als Deuter der Zukunft, wie es generell nicht einmal für das Alte Testament zutrifft. Auf heidenchristlichem Boden und im Rahmen der Ortsgemeinde scheinen sie wesentlich nach griechischem Vorbild als Künder des göttlichen Willens für die Gegenwart betrachtet worden zu sein (Fascher, Prophetes 170 ff.; Greeven, Propheten 10; Pallis). Die Interpretation heiliger Texte war, wie Pls selber deutlich macht, in diese Tätigkeit einbegriffen, ohne dafür jedoch konstitutiv zu sein. Die Wahrung der Tradition, zu der neben Herrenworten und wohl auch der Mitteilung evangelischen Erzählungsstoffes (Schlatter; Greeven, Propheten 16 ff.; Schrage, Einzelgebote 135 ff.; Cranfield, Commentary 32), liturgische und katechetische Überlieferung und wie im Barnabasbrief Vermittlung des Alten Testamentes (Rengstorf, ThWb II, 150) gehören, war den Lehrern anvertraut. Werden in 1.K 14 die Propheten den Glossolalen gegenübergestellt, teilen sie mit diesen doch die Inspiration, die sich bei ihnen allerdings durch die Mittel der Vernunft und der verständlichen Sprache äußert und darum in gegenseitiger διάκρισις πνευμάτων überprüft werden kann. Von den Pneumatikern dürfen sie deshalb nicht abgehoben werden. Denn für Pls ist jeder Dienst in der Gemeinde vom Geist gewirktes Charisma, also pneumatisch. Die Aktualisierung der Botschaft in einer besonderen Situation wie in den Sendschreiben der Apk. Joh, sei es mahnend, warnend, richtend oder tröstend und wegweisend, dürfte das prophetische Spezifikum sein. Nirgendwo sagen die Briefe des Apostels, daß eine Gemeinde jeweils nur einen Propheten oder Lehrer hat. Jedenfalls ist kaum die auf einen Augenblick beschränkte Inspiration eines Einzelnen die Regel gewesen, obgleich alle Charismen der ganzen Gemeinde gehören. Nach 1.K 14,29 ff. lösen die Glieder eines festen Personenkreises (Greeven, Propheten 34 f.) einander in προφητεία und διάκρισις ab. Weil sie als solche anerkannte Autorität besaßen, konnten Propheten überlokale Bedeutung gewinnen, zu Wanderpredigern werden und sind teilweise ihre Schriften aufbewahrt worden. Ansätze zur Bildung fester Ämter sind demnach vorhanden, auch wenn noch nicht der Geist an kirchliche Riten gebunden wird und gemeindliche Ordnung als ihre Bestätigung gilt.

Solche Einsicht ist für die von 7 ab genannten Charismen wichtig. In ihnen dürften ebenfalls Archetypen späterer kirchlicher Einrichtungen zu sehen sein. Was zunächst aus Antrieb des Geistes freiwillig erfolgt und sich in der Arbeit bewährt, wird allmählich unentbehrlich. Wieder ist anzunehmen, daß ein fester Personenkreis als Träger dieser Dienste in der lokalen Gemeinde gilt (Schrage, Einzelgebote 182), einzeln wie insgesamt Autorität genießt und (gegen Best) künftige Gemeindeleitung vorbildet. Manches mag mit der Zeit verschwinden oder in verschiedenen Gemeinden fehlen, anderes konkretere Kontur erlangen. Immerhin sind Funktionen vorhanden, welche zu festen Ämtern in abgegrenzter Rangfolge führen können und dann sogar in feierlichem Zeremoniell etwa durch Ordination oder Gelübde seitens der Gemeinde anerkannt werden. Eine Phase des Übergangs zeichnet sich ab. Charakteristischerweise ist jüdische Gemeindeordnung selbst bei vergleichbaren Verrichtungen weder für Bezeichnung noch für Einsetzung und Wertung übernommen (Greeven, Propheten 40 ff.), geschweige daß sich die Dienste wie in den Pastoralen um ein Presbyterium oder den monarchischen Bischof sammeln. Umgekehrt werden die genannten Tätigkeiten aber auch nicht mehr aus der Situation heraus von beliebigen Gliedern der Gemeinde wahrgenommen, selbst wenn sie deren Unterstützung erfahren und ihre Träger sich noch frei ergänzen oder folgen. Konkrete Notwendigkeiten schaffen sich passende Organe, von denen bestimmte Verhaltensweisen erwartet werden. Auf keinen Fall darf man die Trias Apostel, Propheten und Lehrer nach liberaler Tradition (Greeven, Propheten 1 f.) von den übrigen Diensten trennen und den charismatischen Charakter der letzten bestreiten (gegen Michel; differenzierend Greeven 37 f.). Interessant ist, daß sich bereits mögliche Mißstände herausgestellt haben. Am gefährdetsten ist offensichtlich die Prophetie, wahrscheinlich weniger durch apokalyptische Phantastik (gegen Greeven, Propheten 10) als durch den Enthusiasmus, der sowohl mit seiner Freiheitspredigt Ordnung zerstören wie asketische Tendenzen begünstigen konnte. Sie wird deshalb zur ἀναλογία πίστεως gerufen. Die Deutung dieser Wendung ist lebhaft umstritten, so eindeutig ἀναλογία das rechte Verhältnis im Sinn von Entsprechung meint. Schlechterdings unsinnig ist ein Verständnis, wonach der Prophet sich nach seinem eigenen Glauben zu richten habe (Kittel, ThWb I, 350 f.; Althaus; Huby; Taylor; Bruce; Murray; Cranfield, Commentary 25). Das würde jedem Mißbrauch und sogar der Irrlehre die Türen öffnen. Kann man die Wendung auch nicht einfach mit der vom μέτρον πίστεως in 3 identifizieren (gegen Michel), so hat sie doch damit etwas zu tun. πίστις, dort als Kehrseite des Pneuma betrachtet, muß auch hier objektiven Sinn haben. Es gibt zwar zur Zeit des Pls, in welcher die Bekenntnisse allenfalls im Kern übereinstimmen, sonst jedoch recht variabel sind, noch keine regula fidei (gegen Baulès). Immerhin ist eine liturgische und wie in 1.K 15,1 ff. katechetische Unterweisung über die Wahrheit des Evangeliums mit entscheidenden christologischen Aussagen und grundlegenden Feststellungen zur Lebensführung vorhanden. Um solche fides quae creditur in Gestalt christlicher Lehre, konkret womöglich die Rekapitulation des Taufbekenntnisses, sicher der apostolischen Verkündigung, muß es hier gehen (Bultmann, ThWb VI, 214; E. Schweizer, ebd. VI, 425; Schrage, Einzelgebote 185). Trotz seiner Inspiration unterliegt der Prophet von da der Prüfung durch seine Gefährten und die versammelte Gemeinde, in welcher sich die Angemessenheit seiner Botschaft zu erweisen hat. Der Lehrende braucht vorläufig noch nicht an solche Norm gebunden zu werden, weil die ihm anvertraute Tradition ihn bindet. Sofern es Irrlehrer gibt, kommen sie wohl von auswärts in die Gemeinden. Weil noch keine überregionalen Kirchenverbände sich konstituiert haben, ist die Pluriformität der Lehrbildung nicht ohne weiteres erkennbar. So wird der Lehrende nur ermahnt, sich seiner Tradition derart hinzugeben, wie das 6,17 allen Christen anbefohlen wurde.

Selbst wenn Propheten, Lehrer und etwa Vorsteher als unbedingt erforderliche Dienste das Zentrum der hier vorausgesetzten kirchlichen Tätigkeit gebildet hätten, wird bemerkenswert der Diakonie der zweite Platz eingeräumt. Damit ist kaum abstrakt umschrieben, was an allen möglichen Hilfeleistungen anfällt (gegen Huby). Nicht nur die Diakonen von Phil 1,1, sondern auch Phoebe als Diakonisse in 16,1 sprechen dafür, daß auf paulinischem Boden sich hier zuerst so etwas wie ein festes „Amt" bildet (Lietzmann; H. W. Schmidt; Cranfield, Commentary 32; anders Jülicher; Schlatter). Natürlich bleibt noch weniger als irgendwo sonst jeder Christ davon unbeansprucht. Doch erfordert die Zusammensetzung einer Gemeinde wie Rom oder Korinth mit vielen verlassenen Witwen und Waisen, dem Proletariat des Welthafens und den dort ständig neuen Ankömmlingen, von Armen und Kranken zu schweigen, Kräfte, welche sich den damit erwachsenden Aufgaben ganz widmen und in ihnen so etwas wie einen Beruf erkennen. Wie die Lehrenden werden sie ermahnt, darin zu bleiben. Die in 8 genannten Charismen sind vielleicht weniger an feste Träger gebunden, obgleich Begabung und vorhandene Möglichkeiten auch sie heraustreten lassen (gegen Leenhardt; Huby). Ihre Funktionen dürften sich, nicht scharf umrissen, mit den schon erwähnten überschneiden. Wenn der παρακαλῶν besonders Seelsorge übt, hat der μεταδιδούς wohl in der Versammlung gespendete Almosen weiterzureichen (vgl. Lietzmanns Belege). Vom ersten ist wieder Treue gefordert, der zweite wird vor Eigennutz und Bevorzugung gewarnt. Die auch in 2.K 9,11 ff. mit dem Almosengeben verbundene Einfalt beachtet allein das Bedürfnis, ohne auf Vorteile und Lohn zu schielen. Überaus kennzeichnend für die anvisierte Phase folgt erst jetzt der προϊστάμενος, bei dem zweifellos nicht an die Familie und kaum (gegen Lagrange; Michel; Reicke, ThWb VI, 701; Cranfield, Commentary 35 u. a.) an Fürsorge und Liebestätigkeit, sondern wie in 1.Th 5,12 an verschiedene organisatorische Aufgaben bis zur Gründung von Hausgemeinden und (Greeven, Propheten 36 ff.) Regelung von Streitfällen gedacht sein mag. Weil sein Tun undankbar war, wird er zur σπουδή, also zur vollen Hingabe (Harder, ThWb VII, 566) gerufen. Der ἐλεῶν hat sich wohl der Kranken und Verlassenen als Pfleger anzunehmen und soll es in der Fröhlichkeit tun, die auch anderweitig gefordert wurde (Billerbeck; Bauer, Wb 1129).

3. 12,9—21: Die charismatische Gemeinde

9 Die Liebe sei ohne Heuchelei. Verabscheut das Böse, hänget dem Guten an, in der
10 Bruderliebe untereinander hingabefreudig, in Ehrerbietung einander höher ach-
11 tend, im Eifer für die Sache nicht lässig, im Geist brennend, jeden Augenblick zum
12 Dienst bereit! Freut euch in Hoffnung, haltet in Trübsal stand, verharrt im Gebet!
13 Erweist Anteil den Bedürfnissen der Heiligen, seht, wo ihr Gastfreundschaft üben
14 könnt! Segnet die Verfolger, segnet und verflucht nicht! Freut euch mit den Fröh-
15 lichen, klagt mit den Trauernden! Habt einen Sinn untereinander! Trachtet nicht
16 nach dem Hohen, sondern beugt euch zu den Niedrigen! Haltet euch nicht bei euch
17 selbst für klug! Vergeltet niemandem Böses mit Bösem, seid im vorhinein auf
18 Gutes gegen alle Menschen bedacht! Haltet, soweit es möglich ist und euch anlangt,
19 mit allen Menschen Frieden! Rächet, Geliebte, euch nicht selbst, sondern gebt (Gottes) Zorn Raum. Denn geschrieben steht: Mir gehört die Rache, ich will vergelten,

20 spricht der Herr. Wenn vielmehr deinen Feind hungert, speise ihn; wenn er dürstet, tränke ihn! Denn wenn du das tust, wirst du feurige Kohlen auf sein Haupt häufen. **21** Laß dich nicht vom Bösen überwinden, sondern überwinde mit dem Guten das Böse!

Literatur: D. Daube, Jewish Missionary Maxims in Paul, Stud. Theol. 1 (1948), 158-169. Ders., Appended Note. Participle and Imperative in 1.Peter (E. G. Selwyn, The First Epistle of St. Peter, 1952), 467-488. A. P. Salom, The Imperatival Use of the Participles, The New Testament Australian Biblical Review XI (1963), 41-49. C. H. Ratschow, Agape, Nächstenliebe und Bruderliebe, ZsystTh 21 (1950/2), 160-182. S. Morenz, Feurige Kohlen auf dem Haupte, ThLZ 78 (1953), 187-192. W. Klassen, Coals of Fire: Sign of Repentance or Revenge, NTSt 9 (1962/3), 337-350. L. Ramaroson, Charbons ardents: „sur la tête" ou „pour le feu" (Pr 25,22a — Rm 12, 20b), Biblica 51 (1970), 230-234. R. P. C. Spicq, Φιλόστοργος (A Propos de Rom XII, 10), Rev. Bibl. 62 (1955), 497-510. F. Dabeck, Der Text Röm 12,1-13,10 als Symbol des Pneuma, Stud. Paul. Congr. II, 585-590. R. Leivestad, Ταπεινός — Ταπεινοφρῶν, Nov. Test. 8 (1966), 36-47. K. Stendahl, Non-Retaliation and Love, Harv. Theol. Rev. 55 (1962), 343-355. Ch. H. Talbert, Tradition and Redaction in Romans XII, 9-21, NTSt 16 (1969), 83-93.

Fast selbstverständlich und dank des Einsatzes in 9 auch begreiflich, wird das Folgende fast durchweg unter das Thema der Liebe gestellt (Ratschow, Agape 163; Dabeck, Text 587 f. sogar bis 13,10). 9—13 (Jülicher und zumeist) oder 9—16 (Lagrange) soll dann das Verhältnis zu den Christen behandeln, während anschließend das zu den Nichtchristen erörtert wird. Die These ist höchst problematisch, selbst wenn man sie nicht (Dabeck, Text 587 ff.) stichometrisch unterbaut. Mindestens kreisen nicht alle Anweisungen direkt um diese vermeintliche Mitte (Michel). Allenfalls könnte man sagen, daß sie immer wieder zu deren Möglichkeiten zurückkehren. So wird anders als in 1.K 13 das Stichwort Agape in 9a auch keineswegs deutlich als Überschrift herausgestellt, bezeichnet vielmehr eine Verhaltensweise neben andern, nicht ihr Kriterium und ihre rechte Modalität. Dem kann man auch nicht mit dem Einwand begegnen, paränetische Überlieferung belasse das Einzelne ungeordnet oder verbinde es nur mit Stichworten und Assoziationen. Denn dann darf man keinen gemeinsamen Nenner suchen. Trostlos überschreibt die herkömmliche Lutherbibel das ganze Kapitel „Christliche Lebensregeln". Paßt das für 3—8 sicher nicht, so müßten danach in 9—21 Tugenden aufgezählt werden, während Pls diesen Begriff und seine Intention geradezu geflissentlich meidet. Der Zusammenhang unserer Verse mit 3—8 ist also auf andere Weise zu interpretieren. Dabei sollte beachtet werden, daß 9 weder stilistisch noch sachlich einen neuen Abschnitt markiert, umgekehrt jedoch 3—6a eine Einleitung zu allem Folgenden bilden. Das legt den Schluß nahe, daß auch in 9—21 der vielfältige charismatische Dienst der Christen beschrieben wird. Es wird Ernst damit gemacht, daß jeder Christ Charismatiker ist und die von ihm empfangene Gabe in seinem Alltag zu bewähren hat, wie der Schluß von 3 es forderte (seltsamerweise von Merk, Handeln 159 f., bezweifelt). Damit entgeht man den mehr als fragwürdigen Feststellungen, von den Begabungen gehe es nun zu den Gesinnungen (Zahn; Jülicher; H. W. Schmidt) oder den allgemeinen christlichen Fähigkeiten (Leenhardt) oder von den gottesdienstlichen Aktionen zum normalen Leben (Macdonald, Worship 18), und es zeige sich jetzt, daß vorher nicht von Charismen oder Ämtern gesprochen sei (Lagrange). Der Unterschied zu 3—8 liegt einzig darin, daß zunächst die herausgehobenen und gefährdeten Charismen benannt wurden, nun aber die Gemeinde mit all ihren

Gliedern exemplarisch auf das ihr Mögliche und Gebotene ausgerichtet wird. Widersprechen läßt sich dem nur, wenn man unpaulinisch Amt und Gemeinde auseinanderreißt,
dem ἑκάστῳ ὡς ὁ θεὸς ἐμέρισεν als stereotyper Umschreibung für Charisma ebensowenig
Gewicht wie dessen Äquivalenten κλῆσις und διακονία beimißt, anders als in 8,9 nicht
jeden Christen Geistträger nennen will, also die konstitutive Bedeutung des allgemeinen
Priestertums aller Gläubigen im weltlichen Alltag leugnet und das Zentrum paulinischer
Ekklesiologie verkennt.

Das in 9—21 Aufgezählte ist auch durchaus nicht selbstverständlich, selbst wenn
manches Juden und Heiden als gut gilt. Das Thema „die große Störung" (K. Barth)
erscheint über dieser Paränese nur dem oberflächlichen Blick unangemessen. Daß sich
gewichtige Tradition des Alten Testamentes und der Jesusüberlieferung dabei immer stärker zu Wort meldet, spricht eher dafür als dagegen. Wenn hier mehr oder weniger jedem
Christen mögliche Dienste benannt werden, sollte nicht vergessen werden, daß nach 1.K
14 auch Glossolalie und sogar Prophetie in der Gemeinde weit verbreitet und die Fähigkeiten 6b—8 mindestens grundsätzlich jedem zugänglich sind. Ein herkömmlicher Irrtum
versteht Charisma, das gewiß Individuation der Charis ist, als Besitz des Einzelnen statt
als Wirksamkeit der Gnade in der Gemeinde, die sich in der Einzelbegabung repräsentiert. Daß nicht jeder sich zu allem eignet und eben darum nicht über das ihm Gewährte
hinauslangen soll, ist damit durchaus vereinbar und gilt mindestens nach Intensität und
Gelingen auch für den folgenden Abschnitt. Manches wird einigen schwerer fallen als
andern. So wenig einer die übrigen überflüssig macht oder seinerseits leer ausgeht, so
wenig wird er in dem ihm Möglichen vergewaltigt. Die Unterschiede zwischen Starken
und Schwachen werden nicht aufgehoben. Stellvertretend hat jeder für den andern Zeichen des gemeinsamen Rufes zu setzen, alle tun es gegenüber der Welt. Man würde die
Paränese idealistisch und gesetzlich interpretieren, begriffe man nicht, daß für Pls Gnade
jedem eine Berufung gibt, welcher er im Bereich seiner Kraft nachkommen kann. Charisma ist immer spezifischer Anteil an der Charis in spezifischer Ausrichtung und mit spezifischen Mängeln. Nach 1.K 13,13 offenbart eschatologische Zeit auch das Charismatische als vorläufig. Steht der Christ nicht privat, sondern öffentlich im Angesicht seines
Herrn, so ist er dessen irdisches Siegeszeichen doch nur als zerbrechliches Gefäß und in der
justificatio impii, spiegelt er mit seinem Gehorsam das Bild Jesu und die Herrlichkeit
des Erhöhten in der Profanität der Welt und in der Begrenzung eigener Existenz. Demnach werden im folgenden Positionslichter aufgesteckt. Die Fülle verschiedener Situationen und christlicher Reaktion darauf läßt sich zwar andeuten, jedoch nicht vollständig
erfassen. So läßt sich auch keine scharfe Untergliederung vornehmen, wenngleich in 9—13
die christliche Gemeinschaft, in 14—21 das Verhältnis zu Nichtchristen und Gegnern im
Vordergrund stehen (Jülicher; Dodd). Im ersten Teil wird nicht bloß das Verhältnis zu
den Brüdern dargestellt, während das umgekehrt in 15 f. geschieht. Man hat damit zu
rechnen, daß der Apostel Sondertraditionen aufgreift.

Sehr fraglich ist, ob und wie weit man diese Überlieferungsstränge rekonstruieren und
gegeneinander abgrenzen kann. Die imperativisch zu interpretierenden Partizipien sind
als Hinweis darauf gewertet worden, daß urchristliche Paränese hier einer hebräischen
oder eher noch aramäischen Unterweisung folgt (Daube, Participle 467 ff.; Kritik durch
Salom, Use 45 ff.). Das Argument wird grundsätzlich für 9—13 anerkannt, jedoch variiert, wenn Pls selber semitischer Gewohnheit Tribut zollen soll (Cranfield, Commen-

tary 40). Gegen die letzte Meinung wird eingewandt, daß der Apostel das kennzeichnenderweise nicht häufiger tut, und wenig einleuchtend 9b als Anspielung auf die jüdische Lehre von den beiden Wegen angesehen (Talbert, Tradition 86 ff.). Für 14—21 wird die These großenteils bestritten, weil sich dort nicht nur reguläre Imperative finden, sondern auch LXX-Zitate. Ein überkommener Grundstock von 6 Regeln und zwei Strophen in 16a, 16b, 17a, 18, 19a, 21 soll christlicher Redaktion unterlegen sein (Talbert, Tradition 88 f. 90 f.). Skepsis ist wohl auf der ganzen Linie angebracht, sofern mehr als das imperativische Verständnis der Partizipien und unbezweifelbarer jüdischer und judenchristlicher Einfluß behauptet wird. Die Einzelexegese hat hier das letzte Wort. Auf keinen Fall kann nach der vorgelegten Auslegung 9a als Schluß zu 3—8 gezogen werden (gegen Talbert), auch wenn man anerkennt, daß 9b nicht direkt mit 9a zu verbinden ist (Cranfield, Commentary 39). Agape, von der Bruderliebe in 10 unterschieden, ist nach der früheren Definition mehr als Gefühl, nämlich das Dasein für andere. Als solches steht sie in Gefahr, sich über ihre Motive zu täuschen. Mit dem hellenistisch geläufigen (Wilckens, ThWb VIII, 569) ἀνυπόκριτος wird sie zu der absoluten Sachlichkeit gerufen, um die es schon in 6b—8 ging und welche ungeteilt und ohne Schielen ihren Dienst versieht. Betont man derart die Unbedingtheit ihrer Hingabe, wird die Assoziation zu 9b begreiflich. Agape hat es nach 1.K 13,6 mit der Wahrheit zu tun, ist darum nicht direktionslos. Wie nach Test. Benj 8,1; Dan 6,10; Gad 5,2 (Harder, ThWb VI, 562) hängt sie, illusionslos und zu demonstrativem Einsatz bereit, dem als notwendig und heilsam erkannten Guten an und verabscheut das Böse. Die stets vermittelnde Neutralität ist ausgeschlossen. Der Christ muß, ohne sich vor der Reaktion zu fürchten, für seinen Herrn und dessen Sache Partei ergreifen. Das gilt zumal im Verhältnis zu den Brüdern. Das neutestamentlich nur hier gebrauchte Adjektiv φιλόστοργος bezeichnet zunächst die Zärtlichkeit in Familie und Freundschaft (Sanday-Headlam: H. W. Schmidt), in der Koine, bis ins Politische und Religiöse ausgeweitet, das respektvolle und opferbereite Wohlverhalten (Spicq, Φιλόστοργος 507 ff.). Das überflüssige εἰς ἀλλήλους unterstreicht das Substantiv. Bruderschaft ist, in der Realität durchaus nicht einfach, unaufhörlich zu suchen und zu bewahren. Die familia Dei (Murray) bedarf der ständigen Initiative jedes ihrer Glieder, wenn es darum geht, keine Privilegien für sich zu beanspruchen und um des andern willen Verzicht zu üben. προηγεῖσθαι meint nicht (gegen den Luthertext und Spicq, Agape II, 145 f.) „zuvorkommen", sondern entsprechend Phil 2,3 „höher schätzen (Büchsel, ThWb II, 910 f. unter Verweis auf 2.Makk 10,12 „vorziehen"). 14,3 f. werden darauf hinweisen, daß im Bruder der berufende und annehmende Herr begegnet und ihm deshalb Anerkennung und selbst äußerliche Ehrung gebührt. Nach 11a geraten wir in Bewegung, wo immer wir als Christen gefordert sind. Der Satz wäre tautologisch, bedeutete σπουδή nicht bereits technisch die eifrige Tätigkeit im Dienst des Geistes (Greeven, Propheten 32 f.), welche uns die Rolle des Zuschauers verbietet und mit Händen und Füßen auch die Phantasie fordert. In 11b könnte man πνεῦμα als Äquivalent für ψυχή auf unser inwendiges Leben beziehen. Doch läßt das emphatische Partizip nur die Deutung auf den uns geschenkten göttlichen Geist zu, wie es Apg 18,25 entspricht. Die Darstellung der Pfingstgeschichte illustriert, und nach Apk. Joh 3,15 ist Lauheit schlimmstes Vergehen. Wo nichts brennt, gibt es auch kein Licht. 11c ist ein Zankapfel der Auslegung, weil gewichtige Varianten des westlichen Textes κυρίῳ durch καιρῷ ersetzen. Gegen die letzte Lesart spricht nicht nur schlechtere Bezeugung. In der neutestamentlichen

Umwelt bezeichnet die damit verbundene Wendung Opportunismus (Lietzmann; Bauer, Wb 406 f.). Umgekehrt ist die nicht von 12 her interpretierte Mahnung, dem Herrn zu dienen, ungewöhnlich blaß. Ein Abschreibfehler kann beide Male vorliegen. Um des überraschenden Skopus willen wird häufig καιρῷ bevorzugt (Zahn; Kühl; Leenhardt; K. Barth; J. Weiss, Beiträge 244; zumeist dagegen). Vielleicht hat gerade der üble Beiklang dieser Wendung korrigieren lassen. Eindeutige Entscheidung ist kaum möglich. Der Übergang zu 12 spricht jedoch für καιρῷ, und gemeint ist dann der entscheidungsträchtige Augenblick, in welchem es, nur aus der Situation zu rechtfertigen und deshalb mißverständlich, Partei zu ergreifen gilt. In 12 sind die Dative rhetorisch parallelisiert (Zahn). Hoffnung, Anfechtung und Gebet umschreiben exemplarisch das christliche Leben. τῇ ἐλπίδι scheint wie der folgende Dativ lokal gebraucht zu sein (Conzelmann, ThWb IX, 359), obgleich instrumentaler Sinn möglich ist. Jedenfalls ist Hoffnung hier nicht griechisch die Erwartung besserer Umstände oder alttestamentlich das Vertrauen, sondern das zuversichtliche Ausstrecken in eschatologische Zukunft (Bultmann, Theol. 340) und begründet so Freude auch in Widrigkeiten. Von diesen spricht 12b mit dem eschatologischen Begriff θλίψεις. Man hat den Anfechtungen nicht in passiver Geduld zu begegnen, sondern muß sie wie eine Last mit entgegengestemmter Schulter tragen. Das kann man, wenn man beharrlich am Gebet als dem Erweis des offenen Zuganges zu Gott und der Kindschaft festhält. Die gleichen abendländischen Zeugen wie in 11 lesen zumeist in 13a μνείαις statt χρείαις. Das ist (gegen Lietzmann) kaum ein Verschreiben, bekundet vielmehr die Sitte der Fürbitte für die Verstorbenen, wenn nicht sogar beginnenden Heiligenkult. Daß unter den Bedürfnissen der Heiligen die Kollekte für Jerusalem zu verstehen sei (Zahn; dagegen Cranfield, Comm. 47), ist einbegriffen, jedoch kaum Sinn der Stelle. ἅγιοι als urchristliches Selbstprädikat begegnete bereits früher. Gedacht dürfte vor allem an die Unterstützung der Witwen, Waisen, Gefangenen und Notleidenden sein. 13b entspricht dem ungezwungen. Antike Gasthäuser waren, zumal in der Hauptstadt und in Häfen, eine recht zweifelhafte Unterkunft, so daß φιλοξενία für von auswärts kommende Christen dringend geboten war (Spicq, Agape II, 149). Die Gestaltung des Abschnittes ist kunstvoll, obgleich man nicht von Paaren sprechen sollte (gegen Michel; Leenhardt; Ridderbos; Cranfield, Comm. 45). Auf die Antithese in 9b folgen in 10 ein synthetischer Parallelismus, in 13 nochmals aufgegriffen, während 11—12 Dreizeiler bilden. Sachlich differieren die Mahnungen derart, daß von einer einheitlichen Überlieferung schlechterdings keine Rede sein kann. Urchristliche Paränese überwiegt.

14—21 werden an 13 durch das Stichwort διώκειν angeschlossen, das jetzt freilich Verfolgung charakterisiert. Es läßt sich weder ein Übergang der Anrede an Einzelne behaupten, weil das Gesagte weiterhin der ganzen Gemeinde gilt (gegen Daube, New Testament 342), noch kann man einleuchtend die Aufnahme jüdischer Missionspraxis im Gefolge Hillels verteidigen (gegen Daube, Maxims 158 ff.). Denn es geht hier nicht bloß um Anpassung an verschiedene Situationen, sondern um Bekundung brüderlicher Gemeinschaft, wie sie für spezifisch urchristliche Paränese charakteristisch ist. In 14 und 21 liegen Reminiszenzen an Jesusworte vor, die seltsamerweise nicht als solche kenntlich gemacht werden. Doch zeigen auch die Synoptiker, daß katechetische Überlieferung Herrenworte sich integrierte und deren Autorität im Geist begründete. Die Sammlung von Herrenworten und paränetische Überlieferung konkurrierten und konnten ineinander verfließen, obgleich sich dabei zwei grundsätzlich verschiedene Interessen kreuzten. Für die Katechetik war offensichtlich die Sammlung aller für die Lebensführung brauchbaren Unterweisung wichtig, so daß auch alttestamentlich-jüdisches Erbe rezipiert wurde. Nimmt man an, daß Pls jetzt einer derartigen Sammlung folgt, wird man auch von der Traditionsgeschichte her mit 14 einen neuen Abschnitt beginnen lassen dürfen (Michel; Barrett; Talbert, Tradition 86; Daube, Maxims 162 f.). Die Überlieferung Mt 5,44 Par stellt den Menschen in den Gegensatz von Segen und Fluch und entnimmt ihn so der Neutralität. Für den Christen, von dem Pls spricht, gibt es zwar den Abscheu vor dem Bösen, aber nicht den Fluch. Wenn er die Verfolger segnet, entspricht er dem Urbild seines Herrn und hält Solidarität mit Gottes Geschöpf über dem Abgrund irdischer Feindschaft fest. Das gilt noch mehr, wo es diesen Abgrund nicht gibt. Dann wird die zweite Seligpreisung so verwirklicht, wie es bereits dem Juden geboten wurde (Billerbeck; Michel; Daube, Maxims 163 f.) und zumal Sir 7,34 zeigt. Nicht bloß die Grenzsituation, sondern der Alltag, in welchem Lachen und Weinen wechseln, ruft aus dem stoischen Ideal der Ataraxie, und zwar nicht bloß zur Anteilnahme, sondern zu bekundeter Bruderschaft mit allen. Die Solidarität erreicht ihren Höhepunkt, wenn in 16a mit einer sehr geläufigen Wendung von den Gliedern der Gemeinde verlangt wird, eines Sinnes zu sein. Das meint nicht Gleichheit des Denkens, die nur selten verwirklicht wird und nicht einmal wünschenswert ist. Es geht vielmehr um die Ausrichtung auf das eine Ziel der in der Gnade verbundenen Gemeinschaft, welche, exemplarisch in Phil 2,5 formuliert, über Spannungen hinweg eines Geistes sein läßt und sich als Einmütigkeit äußert. Das würde freilich sofort zerbrechen, verlockte uns das Hohe zum ὑπερφρονεῖν von 3 (Luck, ThWb VII, 1099). Selbstbehauptung müßte sich dann gegen den andern wenden. Nicht klar ist, ob in 16c ταπεινοῖς, den ὑψηλά entsprechend, neutrisch oder, nach fast durchgängigem Gebrauch im Neuen Testament und deshalb wohl vorzuziehen, maskulin zu verstehen ist (Lagrange; Best; Bruce; Cranfield, Comm. 53; anders Gutjahr; Sickenberger; Taylor; Ridderbos). Es läßt sich nicht einsehen, daß der Apostel nicht vom einen zum andern wechseln könnte, noch weniger, daß er dem Christen befiehlt, in niedrigen Umständen zu bleiben. Wohl muß aber die Gemeinschaft mit den Niedrigen und Unterdrückten festgehalten werden, wie das erneut Jesu Urbild entspricht. Dazu paßt das Partizip, das anders als in Gal 2,13; 2.Pt 3,17 oder das ἀπάγεσθαι 1.K 12,2 nicht „hingerissen werden" (gegen Grundmann, ThWb VIII, 20), sondern „sich hinabziehen lassen" (Lietzmann; W. Bauer, Wb 1258; H. W. Schmidt) meint, medial „sich herabbeugen". Auf keinen Fall darf ταπεινός als demütig verstanden werden (Leivestad, Ταπεινός 36 ff.). Es meint die äußere Not. Juden und Griechen widersprechen in gleicher Weise der Losung der ταπεινοφροσύνη, die ersten, weil sie darin nur den irdischen Zwang erblicken können, die andern, weil ihnen Servilität des freien Mannes unwürdig erscheint (vgl. Prat, Théol. II, 408 f.; Dihle, RAC III, 737 f.). Demgegenüber ist sie für das Neue Testament das Zeichen der mit dem gekreuzigten Christus angebrochenen Endzeit. Was man heute Mitmenschlichkeit nennt, ist unabdingbar daran gebunden, daß die Gemeinde Jesu auf der Seite der Niedrigen zu stehen und auch sozial das Ghetto der Klassen zu durchbrechen vermag. Sie wäre nicht vorhanden, wenn sie nicht dort wäre, und würde das Gesetz ihres Gottes verletzen, der sich stets den Niedrigen gesellt und das gerade eschatologisch aufzeigt. Der Eingang zur Basileia ist dem verwehrt, der sich nicht hier finden läßt und auch deutlich vernehmbar wird.

In sich geschlossen, handeln 17—21 vom Thema der Vergeltung, das gerade in Zeiten der Verfolgung akut wird. Vielleicht darf man 16c als Übergang dazu betrachten. Zitiert wird in pluralischer Form Prov 3,7. Wo Gott an die Seite der Niedrigen verweist, zerbricht nach 1.K 1.19 f. der Verstand der Klugen, weil dort gegen die Weisheit der Welt das Törichte geschieht. Christen kommen an solchem Zerbrechen auch sich selbst gegenüber nicht vorbei, dürfen sich nicht der eigenen Klugheit überlassen und sie als Waffe im Kampf um das Dasein benutzen. Anders würden sie dem Gegner zu vergelten suchen. Das targumartig verwandte Wort Prov 3,4 sprach ursprünglich wie in 2.K 8,21 von dem Herrn und den Menschen. Pls hat das erste Glied in 17 fallengelassen und dafür πάντες eingefügt. Das Kompositum des Verbs ist hier wohl zu betonen. Allen Gutes zu tun, soll nicht bloß gewollt, sondern geplant werden (Asmussen; Spicq, Agape II, 153). Die Absicht allein genügt nicht, sondern es gilt zu bedenken, wie man sie wirkungsvoll und mit gebührendem Takt erzielt. Wie 17a als Überschrift der Verse verstanden werden kann, ist 18 eine Konkretion. Das Gute äußert sich in Vermeidung von Streit und im Dienst am Frieden, obgleich das bezeichnend durch εἰ δυνατόν und τὸ ἐξ ὑμῶν doppelt limitiert werden muß. Grenze des Friedens kann ebenso der Wille des andern wie das eigene Christsein werden. Doch soll man das weder vorschnell postulieren noch sich durch Erfahrung in Resignation treiben lassen. Jedenfalls geht es nicht um Heroismus (gegen Baulès). Genauso kann Epiktet IV, 5,24 mahnen: εἰρήνην ἄγεις πρὸς πάντας ἀνθρώπους. Durch die Anrede wird unterstrichen, daß sich der Christ nie zu rächen hat. Geschieht ihm schweres Unrecht, hat er das der ὀργή anheimzugeben, welche auch hier das göttliche Gericht meint. τόπον διδόναι ist eine stereotype jüdische Wendung, die jedoch ebenso anderswo gebraucht wird (Bauer, Wb 1628 f.). Eingeschärft wird das Verbot durch Dt 32,35, und zwar wie in Hebr 10,30 eklatant von LXX abweichend, dem Urtext und Targum Onkelos nahe, so daß hier mit einer Übersetzungsvariante zu rechnen ist (Schrenk, ThWb II, 443; Michel). Auffallend ist auch, daß nach der üblichen Zitationsformel noch λέγει κύριος angefügt wird. Die Frage nach dem Grund dafür (Kittel, ThWb IV, 113) ist durch die Vermutung beantwortet worden, urchristliche Prophetie habe hier antijüdische Tendenz herausgestellt (Ellis, Use 107 ff.). Der Vergleich mit 1QS X, 17—20; CD IX, 2—5 (Cranfield, Comm. 56; Stendahl, Non-Retaliation) trifft nicht, weil es sich dort um das Verhältnis zum Angehörigen der Sekte handelt, nicht um eine allgemeingültige Aussage (Klassen, Coals 346). Der Christ spielt nicht jüngstes Gericht, legt vielmehr seine Sache in Gottes Hand, gerade weil Gottes Zorn (nicht wie bei Dodd als Prinzip einer moralischen Weltordnung) und Vergeltung bevorsteht. Er verschiebt auch nicht die Befriedigung seiner Gelüste, sondern überwindet die Ichsucht in der Liebe. Das ist der Schlüssel für das in 20 angehängte, vom vorangestellten ἀλλά abgesehen, genau der LXX entsprechende Zitat aus Prov 25,21 f. Wer den hungrigen Feind speist und den durstigen tränkt, häuft feurige Kohlen auf sein Haupt. Wie immer es mit dem Sinn des Urtextes sich verhalten mag (vgl. dazu Klassen, Coals 341 ff.; Ramaroson, Charbons 233), so scheint die Sentenz auf einen ägyptischen Buß-Ritus zurückzuweisen, in welchem es um erzwungene Sinnesänderung geht (Morenz, Kohlen 187 ff.). Das spricht dafür, das Wort hier nicht auf göttliches Strafgericht (Michel; Spicq, Agape II, 155), sondern (wie zumeist) auf Reue und Beschämung des Gegners zu beziehen, wobei der Hinweis auf den wunderbaren Optimismus des Apostels (Kühl; Jülicher) besser unterlassen wird. 21 greift die Überschrift von 17a auf und rundet ab. Nur Liebe überwindet das Böse durch das Tun des Guten. Das läßt nochmals fragen, ob nicht doch Agape das Leitmotiv der

Verse sei. Verneint man das, ist zuzugeben, daß es jedenfalls Anfang und Ende bestimmt und immer wieder in den Blick kommt. Ebenso lassen sich die hier genannten Aufgaben weithin als auch für Juden und Heiden geltende Tugenden betrachten. Von sittlichem Idealismus sollte gleichwohl nicht gesprochen werden. Wo man im Geist brennt und sich gleichzeitig den Niedrigen gesellt, geht es um eschatologisches Verhalten, in dessen Horizont auch die andern Forderungen zu sehen sind. Anders als für die Enthusiasten (Michel) hat man nicht himmlisches Wesen zu repräsentieren, sondern die irdischen Möglichkeiten wahrzunehmen. Die Mahnung gilt primär der ganzen Gemeinde, behandelt jedoch weder deren Aufbau etwa von der Ordnung in der christlichen Familie her noch das Verhalten in den Versammlungen, sondern die Regelung von alltäglichen Konflikten. Dem Einzelnen wird ungewöhnlich viel Spielraum im Rahmen seiner Fähigkeiten und Schwächen belassen. Daraus kann sich eine Gemeindeordnung wie in den Pastoralen entwickeln. Sie liegt hier jedoch noch nicht vor. Die Praxis wird keiner Theorie unterworfen. Sie ergibt sich aus dem Verhältnis zum konkreten Nächsten und dem in der jeweiligen Situation Notwendigen. Bestimmt ist sie durch eine Intensität der Forderung, welche der Fülle der Gnade entspricht und Charismatikern zugemutet werden darf. 3—8 und 9—21 sind dadurch verbunden, daß vom charismatischen Dienst in der irdischen und alltäglichen Realität gesprochen wird, im zweiten Teil jedoch die charismatische Gemeinde im Vordergrund steht.

4. 13,1—7: Das Verhältnis zu den politischen Gewalten

1 Jedermann soll den übergeordneten Gewalten untertan sein. Denn es gibt keine
2 Gewalt außer von Gott, und die bestehenden sind von Gott eingerichtet. Darum widersetzt sich, wer der Gewalt entgegensteht, der Anordnung Gottes, und die sich
3 widersetzen, werden sich selbst Verurteilung zuziehen. Denn die Regierenden sind kein Schrecken gegenüber dem guten Werk, sondern gegenüber dem bösen. Willst du die Gewalt nicht zu fürchten brauchen? Tue das Gute, und du wirst von ihr be-
4 lohnt werden. Denn Gottes Dienerin ist sie, dir zum Guten. Wenn du jedoch das Böse tust, fürchte dich! Denn nicht grundlos trägt sie das Schwert. Sie ist doch
5 Gottes Dienerin, Anwalt zum Zorn gegen den, der Böses tut. Darum besteht Notwendigkeit, untertan zu sein, nicht nur um des Zornes, sondern auch um des Ge-
6 wissens willen. Deshalb zahlt ihr ja auch Steuern. Denn Gottes Amtsleute sind sie,
7 ständig eben darauf ausgerichtet. Entrichtet allen das Geschuldete: Wem Steuer (gebührt) die Steuer, wem Zoll den Zoll, wem Furcht die Furcht, wem Ehre die Ehre!

Literatur: E. Käsemann, Römer 13,1-7 in unserer Generation, ZThK 56 (1959), 316-376. Ders., Grundsätzliches zur Interpretation von Römer 13, Ex. Vers. II, 204-222. A. Strobel, Zum Verständnis von Röm 13, ZNW 47 (1956), 67-93. Ders., Furcht, wem Furcht gebührt. Zum profangriechischen Hintergrund von Röm 13,7, ZNW 55 (1964), 58-62. C. Morrison, The Powers that be, 1960. O. Cullmann, Der Staat im Neuen Testament, ²1961. E. Barnikol, Römer 13, Studien zum Neuen Testament und zur Patristik für E. Klostermann, 1961, 65-133. G. Delling, Römer 13,1-7 innerhalb der Briefe des Neuen Testaments, 1962. H. von Campenhausen, Zur Auslegung von Röm 13, Aus der Frühzeit des Christentums, 1963, 81-101. J. Kosnetter, Röm 13,1-7: Zeitbedingte

Vorsichtsmaßregel oder grundsätzliche Einstellung, Stud. Paul. Congr. I, 347-355. F. Neugebauer, Zur Auslegung von Röm 13,1-7, KuD 8 (1962), 151-172. W. Böld, Obrigkeit vor Gott? Studien zum staatstheologischen Aspekt des Neuen Testamentes, 1962. R. Walker, Studie zu Römer 13, 1-7, ThEx. heute, NF 132 (1966). J. Kallas, Romans XIII, 1-7: An Interpolation, NTSt 11 (1964/5), 365-374. W. Schrage, Die Christen und der Staat nach dem Neuen Testament, 1971.

Über diesen Abschnitt ist von der letzten Generation im deutschsprachigen Bereich (vgl. meinen Überblick) besonders lebhaft und widersprüchlich diskutiert worden. Er ist in mancher Hinsicht bei Pls einzigartig. Schon das Thema des Verhältnisses zu den politischen Gewalten, sonst allenfalls gestreift, überrascht in der grundsätzlichen Paränese, weil die Christen damit relativ selten und dann nur passiv in Berührung kamen. Läßt der Apostel sich hier ausführlich auf diese Frage ein, muß das wohl in Zusammenhang mit der Adresse an die Gemeinde in der Hauptstadt des Imperiums gebracht werden. Nicht von der Hand ist zu weisen, daß nach den korinthischen Erfahrungen wie nach der Einleitung in 12,3 Schwärmer in die Grenzen irdischer Ordnung zurückzurufen sind. Unwahrscheinlich ist jedoch, daß es unter den Judenchristen in Rom ähnlich wie bei den Zeloten in Palästina Tendenzen des Aufstandes gegeben hat, selbst wenn die Diasporasynagoge von den Vorgängen vor dem jüdischen Krieg nicht unberührt geblieben wäre. Gerade sie genoß und bewahrte im allgemeinen die Vorzüge der religio licita. Die Austreibung von Juden unter Claudius ist in ihren Hintergründen undurchsichtig und mag lokal beschränkte Anlässe und Folgen gehabt haben. Daß Christen in erheblicher Zahl darein verwickelt worden wären (Kosnetter, Röm 13, S. 354), bleibt fraglich. Näher liegt die Vermutung, daß Pls sich gegen eine Haltung wendet, welche den politischen Gewalten im Bewußtsein, Bürger der himmlischen Polis zu sein, indifferent oder sogar verächtlich gegenübersteht (Ridderbos, Paulus 225; Schrage, Christen 52; Bornkamm, Paulus 219). Eigenartig wie das Thema als solches ist auch die Argumentation, welche jeder spezifisch eschatologischen und christologischen Motivation unseres Abschnittes in sich selbst entbehrt, so häufig man diese ihm wenigstens implizit zu entnehmen versucht hat. Statt dessen wird auf den Willen des Schöpfers rekurriert. Das ist zwar in jüdischer und judenchristlicher Missionspropaganda normal, geschieht bei Pls aber nur gelegentlich und zur Unterstützung seiner Gedankenführung, also im allgemeinen nicht thematisch. Man muß das um so stärker hervorheben, als die Auslegungsgeschichte unseres Textes quer durch die Kirchengeschichte hier fast durchweg eine Brücke für die Verständigung mit der politischen Umwelt geschlagen fand. Auftretende Konflikte bewegten zumeist nur christliche Gruppen und wurden gewöhnlich so gelöst, daß man die Gott geschuldete Verpflichtung der von den irdischen Machthabern geforderten kontrastierte. Generell hat man, nicht selten geradezu enthusiastisch (z. B. Jülicher für viele andere), von unsern Versen her das apostolische Verständnis für Ordnung, Autorität und zivile Loyalität im Dienste Gottes gefeiert. Das hat sich inzwischen, seitdem man den weltweiten Mißbrauch der Macht erschreckend vor die Augen geführt bekam, gründlich geändert. Jetzt nimmt man sowohl an der metaphysischen Begründung der politischen Gewalt Anstoß, wie man sich durch die Charakterisierung des zu erbringenden Gehorsams mit der Formel „untertan sein" provoziert fühlt, weil sie der Menschenwürde zu widersprechen scheint. Die Heftigkeit des Streites und die unübersehbar gewordene Literatur machen es ratsam, der Einzelinterpretation einige grundsätzliche Feststellungen vorauszuschicken und dabei besonders jene Aspekte zu berücksichtigen, über welche sich ein gewisser Konsens anbahnt.

Die Authentie des Textes läßt sich (gegen Pallis; Barnikol; Kallas) weder von äußeren noch von inneren Gründen aus bezweifeln. Daß er erst durch Irenäus, Haer V, 24,1 zitiert wird, um gnostische Mißdeutung der Gewalten auf Engelmächte abzulehnen, besagt angesichts der Tatsache nichts, daß 1.Pt 2,13—17 bereits die gleiche, offensichtlich judenchristliche Tradition benutzt ist. Unter Umständen darf diese Stelle sogar als erster Kommentar zu unserm Text betrachtet werden, wenngleich das problematisch bleibt. Das hohe Alter der Überlieferung wird jedenfalls dadurch gesichert, daß sie im Rahmen der Haustafel von 1.Pt 2 erscheint. Nicht übersehen läßt sich, daß die Derivate des Stammes ταγ— in unsern Versen das Leitmotiv abgeben (Delling, Röm 13, S. 39 ff.; Cranfield, Comm. 69 f.). Ihre unübersehbar antienthusiastische Funktion wird auch sonst in den paulinischen Briefen sichtbar. Während ὑπακούειν zumeist den freiwillig zu leistenden Gehorsam bezeichnet, stellt ὑποτάσσεσθαι stärker heraus, daß in der gottgesetzten Welt eine bestimmte Ordnung waltet, welche Über- und Unterordnung setzt (Delling, ebd. 49 ff.; ThWb VIII, 36) und deren Mißachtung das Leben in der Gemeinschaft zerstört. Deshalb kann das Verb sinnvoll sich gegen emanzipatorische Tendenzen etwa christlicher Sklaven und Frauen, welche Gleichberechtigung fordern, richten und in Haustafeln wie 1.Pt 2 als Überschrift verwandt werden. Für den Apostel erweist sich der Gott geschuldete Gehorsam gerade darin irdisch, daß man sich nicht aus dem Stande der Unterordnung begibt, vielmehr der ταπεινοφροσύνη als des Merkmals christlichen Lebens Rechnung trägt (Delling, ThWb VIII, 46). Anders geriete man in Anarchie, welche Liebe und Frieden in der Gemeinde zerstören und die Christenheit vor der Welt desavouieren würde. Die hier angesprochene Sache hat also einen paulinischen Kontext, den Interpolationshypothesen nicht ernst nehmen. Umgekehrt ist gegen eine verbreitete Meinung (z. B. Delling, Röm 13, S. 12 ff.; Cranfield, Comm. 78 f.) unbeweisbar, daß der Apostel bewußt oder aus mündlicher Überlieferung heraus auf das Wort Jesu in Mk 12,13—17 zurückgreift (kritisch z. B. Gaugler; Schrage, Christen 51 f.). Ganz davon abgesehen, ob nicht bereits die Gattung des Streitgespräches die synoptische Perikope als Gemeindebildung herausstellt und deshalb selbst die originelle Fassung der Pointe Mk 12,17 keineswegs sicher auf Jesus zurückweist, zitiert Pls das Herrenwort oder seine Tradition nicht und braucht er beides nicht in den Mittelpunkt zu rücken. Sofern seine Paränese einer zusätzlichen Stützung bedarf, genügt der Blick auf die unangefochtene Praxis, die Steuer und Zoll entrichten läßt, wofür das Verb ἀποδιδόναι normaler Ausdruck ist. Anders wäre hier die so auffälligerweise fehlende christologische Motivation leicht zu geben gewesen.

Umstritten ist die Beziehung zum unmittelbaren Kontext. Zwei Strömungen kreuzen oder verbinden sich dabei. Gewinnt man einerseits aus 11 ff. den in unserer Stelle vermißten „eschatologischen Vorbehalt" (selbst Schrage, Christen 54; Merk, Handeln 167; kritisch Delling, Röm 13, S. 65 ff.), so begründet man andererseits aus der Verbindung zu 12,9 ff. und 13,8 ff., besonders der Aufnahme des Stichwortes ὀφειλή von 7 in 8, daß hier ein Sonderfall der Agape abgehandelt wird. Beide Male erzielt man so ein charakteristisch christliches Verständnis des Abschnittes. Es läßt sich nicht leugnen, daß die gesamte allgemeine Paränese durch 12,1 f. und 13,8 ff. eingeklammert wird und damit tatsächlich ein spezifisch christliches Gepräge erhält (Merk, Handeln 164 ff. u. a.). Auf der Hand liegt ebenso, daß der Gehorsam gegen die politischen Gewalten nur in irdischer

Vorläufigkeit geschieht, dieses Moment darum nicht betont zu werden braucht. Unnachgiebig ist jedoch zu konstatieren, daß im Text selber wie christologische und eschatologische Motivation auch die Beziehung auf die Agape fehlt. Von der Frage abgesehen, ob man Obrigkeit überhaupt lieben kann und dies von ihr verlangt werden darf, ließ sich 12,9 ff. nicht einfach unter das Thema der Agape stellen. Der Stichwortanschluß in 8 ist nicht sachlich auszubeuten, und 8—14 sind schließlich ein in sich geschlossenes Summarium, das 12,1 f. entspricht, auf die Gesamtparänese als Nachwort folgt und nicht in direkten Zusammenhang mit dem unmittelbar Vorangehenden gebracht werden darf (gegen Cranfield, Comm. 62. 71; Duchrow, Weltverantwortung 173; Delling, Röm 13, S. 67 f.; Merk, Handeln 165; Schrage, Einzelgebote 262 ff. modifiziert). Unser Abschnitt ist ein selbständiger Block, der angesichts seines singulären Skopus zugespitzt ein Fremdkörper in der paulinischen Paränese genannt werden kann, selbst wenn das Stichwort der Unterordnung ihn mit andern Mahnungen verbindet. Er muß zunächst aus sich selbst interpretiert werden und läßt sich erst nachträglich von 12,1 f. her als Anweisung zum Thema des christlichen Gottesdienstes im Alltag der Welt verstehen (Ridderbos, Pls 224). Eine Variante des Versuchs, die paulinische Eschatologie in den Text einzubeziehen, ergab sich aus der Erinnerung daran, daß ἐξουσίαι beim Apostel auch die Engelmächte meinen kann. Daraus wurde die Folgerung gezogen, Pls fordere den Gehorsam gegen die politischen Autoritäten im Blick auf die sich in ihnen verkörpernden oder hinter ihnen stehenden himmlischen Gewalten. Die These wurde entwickelt, um den dämonischen Charakter der irdischen Macht hervorzuheben und den politischen Dienst des Christen als äußerst kritisch zu übende Praxis zu kennzeichnen. Ernsthaft und vielfältig diskutiert wurde sie aber erst, als durch ihren Hinweis die göttliche Einsetzung der politischen Gewalten als durch Engel vermittelt und repräsentiert unterstrichen wurde (Hauptvertreter war Cullmann, Staat 45 ff., in der 2. Auflage allerdings S. 67 ff. als Hypothese eingeschränkt). Obgleich die Feststellung vom paulinischen Wortgebrauch her nicht zu widerlegen ist, haben die Exegesen sie in überwältigender Mehrheit abgelehnt (vgl. die Gegengründe bei v. Campenhausen, Auslegung; Delling, Röm 13, S. 24 ff.; Schrage, Einzelgebote 223 ff.). Schon die Möglichkeit einer Deutung mit verschiedener Absicht spricht nicht gerade für sie. Die jüdische Anschauung von den Völkerengeln (vgl. Morrison, Powers 19 f.) darf nicht in die Debatte hineingezogen werden, weil von ihnen nicht die Rede ist und es der Paränese generell um den Gehorsam gegen die Machtträger, nicht um die Beachtung der regional und national geltenden Gesetze geht. Noch wichtiger ist, daß die echten Paulinen anders als etwa Hebr 1,14 von Engelmächten nur als der Gemeinde und dem Glauben feindlichen oder mindestens bedrohlichen Gewalten sprechen, nicht als Dienern am Werk der göttlichen Schöpfung. Man kann nicht einwenden, der Apostel setze hier bereits die Anschauung vom Triumph des erhöhten Christus über alle himmlischen und dämonischen Mächte voraus und die Engel seien damit nun in seinen Dienst gestellt. Wie das nicht aus dem Text hervorgeht, so widerspricht es der in 8,37 ff.; 1.K 15,24 ff. geschilderten Wirklichkeit, wonach Christi endgültiger Sieg über seine Feinde erst von der Parusie erwartet wird. Ist er weitgehend schon an die Erhöhung geknüpft, bezieht er sich auf jene Herrlichkeit des Kyrios, welche den Glaubenden eine gewisse Hoffnung in ihrer irdischen Anfechtung gibt. Eine himmlische Regierung mit Hilfe der Engelmächte ist bei Pls undenkbar. Engelverehrung wie bei den Irrlehrern des Kolosserbriefes scheidet für ihn aus. Von da aus sollte auch die Feststellung Gewicht ge-

winnen, daß in einer Anzahl neutestamentlicher Texte ἐξουσία und ἐξουσίαι ohne irgendwelche metaphysischen Hintergründe gebraucht werden.

Dieses sprachliche Argument ist jetzt auszuweiten. Zu den gesichertesten und frucht-
barsten Ergebnissen der Diskussion gehört die Einsicht, daß der Apostel sich in unserm
Abschnitt der Ausdrucksweise hellenistischer Administration bedient (Strobel, Verständnis 79 ff.). Die Wendung ἐξουσίαι τεταγμέναι umschreibt bevorzugt römische Staatsämter
(ebd. 85), λειτουργός meint ganz profan den Bevollmächtigten einer Behörde, während
ἀρχή die magistrale Gewalt bezeichnet (ebd. 86 f.). Die Charakteristik der staatlichen
Gewalt als τοῦ θεοῦ διαταγή entstammt dem rechtlich-politischen Bereich (Deissmann,
Licht 70 f.; Strobel 86). Wenn die kaiserliche Obrigkeit Verfügungen erläßt, ist ihr diese
Aufgabe von Gott zugewiesen, so daß sie damit selbst zu einer göttlichen διαταγή wird.
Das meint nicht abstrakt Ordnung schlechthin, sondern konkret „Anordnung". Das Verhältnis der Untertanen zu ihr wird geläufig durch ὑποτάσσεσθαι wiedergegeben und durch
Ausdrücke der „Schuldigkeit" bestimmt (Strobel 87 f.). Dem jus gladii, das wenigstens
zeitweise auch den Statthaltern des Cäsar übertragen wurde (Strobel 89), entspricht auf
der anderen Seite die Sitte der Belobigung und Ehrung verdienter Bürger und Gemeinden im offiziellen Schriftverkehr (Strobel 80 ff.), wobei καλός und ἀγαθός nicht moralische Qualitäten, sondern politisches Wohlverhalten kennzeichnen. In solchen Zusammenhang fügt sich die Erinnerung an die Pflicht, Steuern und Zoll zu zahlen, zwanglos ein,
die in der üblichen, durch Metaphysik befrachteten Auslegung ziemlich deplaziert wirkt,
und auch die Mahnung, geschuldete Furcht und Ehre zu bekunden, läßt sich von hier
aus verstehen (Strobel, Verständnis 82 f.; Furcht 59 ff.).Besonders beachtenswert ist
schließlich, daß die rätselhafte Wendung vom ἔκδικος εἰς ὀργήν in solchem Kontext
einen spezifischen Sinn haben kann. Während man gewöhnlich an den Rächer denkt,
kann ἔκδικος den „Anwalt" bezeichnen, welcher als Stellvertreter des Statthalters in
einer Gemeinde vermittelnd wirkt (Strobel, Verständnis 89 f.). Die außerordentliche Bedeutung dieser Nachweise tritt völlig erst dann heraus, wenn man sie mit der früher keineswegs hinreichend betonten Grundeinsicht verbindet, daß unser Text Paränese geben
will und das Hauptgewicht nicht auf der theologisch-metaphysischen Begründung, sondern der Mahnung zur Unterordnung unter die politischen Gewalten liegt. Quer durch
die Kirchengeschichte sind unsere Verse als locus classicus der paulinischen oder sogar
neutestamentlichen und christlichen Staatslehre betrachtet und verbindlich gemacht worden. Dann stand die Paränese fast zwangsläufig im Schatten einer Metaphysik des Staa-
tes oder der heilsgeschichtlichen Zuordnung von Staat und Kirche, und nicht bloß kon-
servativen, sondern auch reaktionären Anschauungen bis hin zu politischem Enthusiasmus
waren Haus und Tür in der Christenheit geöffnet. Mit Nachdruck muß demgegenüber
konstatiert werden, daß Pls keine theoretischen Erwägungen anstellt, erst recht keine er-
schöpfenden Aussagen über das Verhältnis zu den Obrigkeiten gibt und deshalb etwa
über mögliche Konflikte und die Grenzen der irdischen Autorität schweigt. Die Begründung seiner Forderung ist auf ein Minimum reduziert, während die Auslegung ihr zumeist ein Maximum zu entnehmen suchte. Sodann wird, wieder gegen das traditionell
vorherrschende Interesse an unserm Text, überhaupt nicht vom Staat als solchem oder
vom römischen Imperium gesprochen. Die personale Redeweise ist nicht zufällig. Dem
Apostel stehen, wie seine Terminologie anzeigt, die verschiedensten lokalen und regiona-
len Behörden, und zwar weniger als Institutionen, mehr in ihren Organen und Funktio-

nen vom Steuereinnehmer über die Polizei zu den Magistratsangestellten und römischen Delegaten hin, vor Augen. Es handelt sich um jenen Kreis von Machtträgern, mit denen der kleine Mann in Berührung kommen kann und hinter denen er die regionale oder zentrale Verwaltung sieht. Die Verhältnisse der hellenistischen Zeit bestimmen das Blickfeld. Selbst wenn man die Forderung, jede bestehende politische Autorität als Setzung des göttlichen Willens anzuerkennen, nicht relativieren will, entgeht man nicht dem Problem, in welcher Weise sie in die Gegenwart übertragen und dort verwirklicht werden kann.

Von diesen Prämissen ist endlich die religionsgeschichtliche Frage aufzuwerfen, also die Tradition zu kennzeichnen, aus welcher Pls die Begründung seiner Forderung schöpft. Daß in den Zeiten des Kaiserkults dem Imperium religiöse Verklärung zuteil wurde, welche sich auch dessen Organen gegenüber äußern konnte, läßt sich nicht bezweifeln (vgl. Morrison, Powers 79 ff.; 98 f.). Unverkennbar entstammen die paulinischen Aussagen jedoch, wie sehr im einzelnen einzuschränken und zu differenzieren sein mag, der Überlieferung des Judentums und zumal der Diasporasynagoge (Billerbeck; Michel; Delling, Röm 13, S. 8 ff.; Duchrow, Weltverantwortung 153 ff.; Schrage, Christen 14 ff.). Ungeachtet aller revolutionären Äußerungen, wie sie noch in der Apk. Joh. laut werden, ungeachtet auch der Tendenz, die Pflichten der Regierenden stärker als wie beim Apostel den Gehorsam der Untertanen herauszustellen (Zahn; Strobel, Verständnis 92), herrscht über eine lange Traditionskette hinweg die Anschauung von der durch Gott eingesetzten Obrigkeit vor. Das Zitat bei Josephus, Bell. Jud II, 8,7 § 140, „Nicht ohne Gott kommt jemandem die Herrschaft zu", mag sich allein auf die Ordnung in der essenischen Gemeinde beziehen (Neugebauer, Auslegung 159; Duchrow, Weltverantwortung 155). Der hebräische Text Sir 4,27 befiehlt kategorisch: „Widerstehe den Herrschenden nicht!" Allerdings muß nun präziser dargetan werden, wie Pls sich solche Überlieferung aneignet. Dazu ist zunächst die Struktur des Abschnittes zu betrachten (vgl. Duchrow, Weltverantwortung 139 f.). 1a ist offensichtlich der Obersatz und als solcher mit einer gewissen Feierlichkeit durch die alttestamentliche Wendung πᾶσα ψυχή und den dekretalen Jussiv eingeleitet. Natürlich soll niemand von der Regel ausgenommen werden, obgleich schon die Wendung und erst recht der Kontext auf die Glieder der Gemeinde weisen. Dreht man den Sachverhalt jedoch derart um, daß der Satz zum apostolischen Dekret für alle Menschen und Zeiten wird (Walker, Studie 8 ff. 11 ff.), wandelt sich die Paränese in die Proklamation eines Gesetzes für die Welt, wird der Apostel zum neuen Mose, der das alttestamentliche Gesetz aufgreift und universal ausweitet, als mindestens auch zentralen Inhalt seiner Botschaft den absoluten Gehorsam gegen die politischen Gewalten einprägt. Die These ist in jeder Hinsicht absurd und bekundet das am stärksten, wenn sie (S. 58) die theologia crucis mit der Unterwerfung unter die Obrigkeit verbindet. Gespenster steigen leider nicht bloß hier aus ihren Gräbern (vgl. ähnliche Tendenz bei Böld, Obrigkeit 58 ff. 73). Immerhin zeigt sich dabei, wie sehr man ein Jahrtausend lang in staatstheoretischem Interesse den Text mißbraucht hat. 1b begründet den Obersatz grundsätzlich, 3a praktisch, und ebenso ziehen 2 daraus eine grundsätzliche, 3b die praktische Folgerung. 4 wiederholt die Begründung von 1b in persönlicher Anrede, die durch 3b vorbereitet wurde, und verbindet das in 4b mit einer persönlichen Warnung, welche in 4c wieder mit dem gleichen Stichwort „Dienerin Gottes" ins Allgemeine gewandt wird. 5 kehrt, die Summe ziehend, mit einer Sentenz zu 1a zurück. 6a bringt ein Hilfsargument aus der Praxis, durch das in 6b die Begründungen von 1b und 4a nochmals bestätigt werden. 7 zieht die konkrete Anwendung aus allem Gesagten für das gesamte politische Verhalten der Gemeindeglieder. Man kann also (gegen Duchrow a.a.O.) nicht behaupten, der Gedankengang sei in systematischer Strenge fortführend aufgebaut, muß vielmehr (J. Weiss, Beiträge 244) von einer sich in Spiralen wiederholenden Argumentation teils grundsätzlicher, teils praktischer Art mit einem Ausblick auf überall gültige Realitäten sprechen. Dann ist es jedoch nicht möglich, mit dem Systematiker aus unserm Text die allgemeine Weltverantwortung des Christen abzuleiten. Natürlich bildet der Gehorsam gegenüber den Machthabern einen Teil solcher Verantwortung. Pls geht es jedoch ausschließlich um diesen Ausschnitt, nicht um das Ganze der Welt, ihrer Strukturen und Institutionen (gegen Duchrow, Weltverantwortung 171 ff.). Weitet man sein Anliegen aus, verläßt man nicht bloß den vorliegenden Text, sondern gibt zugleich zu erkennen, daß man weniger an der konkreten Paränese als im Gefolge kirchlich-dogmatischer Tradition an der Schöpfungsordnung (vgl. ebd. 152) und ihrer Wahrung interessiert ist. Dann kommt es zu einer aus Philo abgeleiteten Anschauung vom naturrechtlichen Hintergrund unseres Abschnittes (ebd. 171 ff.), an Stelle der Mahnung wird erneut deren Begründung, ins Grundsätzliche ausgezogen, zum heimlichen Thema.

Es erscheint überflüssig, wenn in 1a die Gewalten als ὑπερέχουσαι charakterisiert werden. Sinnvoll wird das aus der Negation in 1b, welche mit αἱ οὖσαι ausdrücklich auf die bestehenden, konkret irdische Autorität besitzenden und beanspruchenden Machtträger verweist, wie in 1.Pt 2,13 der König dieses Prädikat erhält. Jedes Legitimitätsprinzip wird zugunsten der empirischen Verhältnisse ausgeschaltet. Es genügt, daß politische Gewalt sich als solche durchzusetzen vermag. Man hat zwar immer wieder das Bild des Rechtsstaates in den Text projiziert. Doch bietet er nicht den mindesten Anhalt dafür, von Gerechtigkeitsinstitutionen und Gerechtigkeitsschutz durch ihre Organe zu sprechen (gegen Duchrow 166 f.). Jeder Satz läßt sich auch in einem Polizeistaat aufrechterhalten, und man kann schlechterdings nicht übersehen, daß der Apostel in einer Diktatur mit weitgehend bestechlichen und willkürlich handelnden Delegaten schreibt, von den kleinen despotischen Dienststellen und Amtsträgern zu schweigen. Die beliebte Auskunft früherer Auslegung, der Brief atme den Optimismus der anfänglichen, durch Seneka beeinflußten Regierung Neros, wird kaum noch vertreten. Sofern Pls wirklich wenigstens einen Aspekt des Rechtes aufgreift und den Behörden ein gewisses Vertrauen entgegenbringt, erklärt sich das ungezwungen aus der Furcht vor Anarchie, von welcher aus auch die gehäuften Derivate des Stammes ταγ- begreiflich werden. διαταγή bezeichnet die Anordnung (Zahn; Schlatter; Walker, Studie 22 ff.; Delling, ThWb VIII, 36). διάκονος und λειτουργοί sind nicht sakral zu deuten, meinen vielmehr die Dienstleute und Werkzeuge, wenngleich in ihrer Würde als Amtsträger (Lietzmann; Delling, Röm 13, S. 58; Schrage, Christen 57; Strathmann, ThWb IV, 238; anders noch Böld, Obrigkeit 62). So gibt die als ursprünglich bezeugte Wendung ἔκδικος εἰς ὀργήν auch den besten Sinn, wenn man sie, der bereits genannten Möglichkeit entsprechend, übersetzt: stellvertretender Anwalt für den Zorn (Bornkamm, Paulus 217). Schon die Präpositionalwendung spricht gegen die übliche Deutung auf den Rächer (Strobel, Verständnis 89 f. gegen etwa Kühl; Leenhardt; Barrett; Morrison, Powers 108; vgl. zum Problem Stählin, ThWb V, 441 f.). Faßt man das alles zusammen, kommt man zum Ergebnis, daß nach Gottes Willen auch die gefallene Welt Manifestationen und Mittel einer von ihm gesetzten Ordnung aufweist und daß darin der Schöpfer sein weiterwirkendes Handeln in ihr bekundet. Doch kann keine Rede davon sein, daß hier die justitia als fundamentum regnorum in den Blick kommt (gegen Kosnetter, Röm 13, S. 355), und es ist jedenfalls nur sehr eingeschränkt erlaubt, von „Schöpfungsordnung" zu sprechen. Pls vergißt nicht, daß die Welt gefallene Schöpfung ist, und der Text handelt allein von Gottes souveränem Tun, das Anordnungen trifft, sich Werkzeuge schafft und statt irdischer Gleichheit die Verhältnisse von Über- und Unterordnung sanktioniert (Delling, Röm 13, S. 21). Dagegen kann nicht ernsthaft eingewandt werden (gegen Duchrow, Weltverantwortung 142 ff.), naturrechtliche Argumentation sei dem Apostel auch sonst nicht fremd und die Schöpfungsordnung spiele bei ihm eine erhebliche Rolle. Die dafür herangezogenen Stellen tragen die Beweislast nicht. 1,20 f. handelt eben nicht von der sichtbaren Ordnung und Zweckmäßigkeit der Welt, sondern von des Menschen Begrenzung durch die Majestät des Schöpfers. 2,14 f. belegen nicht das ungeschriebene Sittengesetz, sondern jene vom Menschen in sich selbst vernommenen, jedoch sich nicht selbst gegebenen Forderungen einer höheren Instanz. Naturrechtlich argumentiert Pls allein 1.K 11,6 ff., also sehr charakteristisch bei der Frage der Haartracht im Gottesdienst. Darüber läßt sich kein systematisches Gebäude errichten, in welchem Röm 13 unterzubringen ist, wenn man nicht willkürlich gelegentliche Bemerkungen von vornherein im Sinn der späteren kirchlichen Dogmatik ausbaut und interpretiert. Die ἄρχοντες, in welchen sich nach geläufiger Redeweise (Strobel, Verständnis 81) die Gewalten personal konkretisieren, sind nicht Repräsentanten einer kosmischen Harmonie oder eines sittlichen Ideals, sondern Zuchtmeister gegenüber individueller oder gruppenweiser Emanzipation, welche menschliche Autonomie oder religiös begründete Gleichheit voraussetzt. Deshalb wird die Straffunktion der Machthaber in den Vordergrund gerückt und der Gemeinde versichert, daß sie bei angemessenem Verhalten nichts zu befürchten hat. Wie sie kaum Glieder in den höheren Schichten der Bevölkerung, geschweige in Verwaltung und Regierung, besitzt, gibt es in ihr keine Emanzipation, die sich in das Weltliche übertragen ließe.

Weil es sich religiös wie soziologisch so mit ihr verhält, ist ihr politischer Widerstand nicht gestattet. Auffälligerweise wird selbst die Einschränkung unterlassen, daß sie sich selbstverständlich nicht zum Verstoß gegen den göttlichen Willen und ihren Christenstand zwingen lassen darf. Pls kämpft offensichtlich völlig einseitig gegen die enthusiastische Gefahr. Das Problem der Apk. Joh taucht noch nicht auf und ist deshalb auch nicht mit unserm Text vollkommen unvereinbar. Umgekehrt zeigt sich darin zugleich die Schwäche der Argumentation. Lehrreich ist hier der Vergleich mit dem gleich dekretalen Verbot weiblicher Aktivität im Gottesdienst unter dem gleichen Stichwort der ὑποταγή 1.K 14,33 ff., wobei ebenfalls die apostolische Autorität durch Hinweise auf die allgemeine kirchliche Praxis und die konventionelle Schicklichkeit unterstützt wird, und zwar im selben Atemzug mit der Berufung auf den νόμος und λόγος τοῦ θεοῦ. Appelliert schließlich 1.K 14,37 f. an die pneumatische Einsicht der Gemeinde, tritt scharf heraus, daß die Paränese entscheidend ist, die Begründungen dafür weitgehend der Tradition entnommen werden und ihre Vielzahl sie eher schwächt als stärkt. Es ist nicht fraglich, daß Pls gültige Ordnung aufrichten will, andererseits es durchaus zeit- und situationsgebunden tut. Die Frontstellung gegen das Schwärmertum wird als das eigentliche theologische Anliegen erkennbar und durch göttlichen Willen legitimiert, während die dafür angetretene Beweisführung wie etwa in 1.K 11,3 ff. teilweise gesucht erscheint und nicht die gleiche Überzeugungskraft besitzt. In solchem Zusammenhang ist auch 1.K 6,1 ff. zu beachten, wo aus apokalyptischer Sicht heraus die weltlichen Gerichte, also politische Instanzen, als Schiedsrichter für innergemeindliche Streitfälle recht geringschätzig abgelehnt werden. Die paulinische Paränese ist grundsätzlich nicht theoretisch ableitbar und in unserm Text nicht die Konsequenz einer feststehenden Systematik der Schöpfungsordnung. Die theologische Begründung wird damit nicht beiseitegeschoben, bekommt so jedoch ihren angemessenen Platz. In allen genannten Fällen dient sie mit mehr oder weniger einleuchtender Eindringlichkeit der Forderung, die sich aus der Situation ergibt, macht sie sich vorliegende Tradition wie hier eine als patriarchalisch zu kennzeichnende Anschauung unbefangen zu eigen, muß sie nicht auf ihre teilweise schlechterdings antiquierte Einzelbegründung, sondern auf ihr zentrales Anliegen hin ausgerichtet werden. Die Religionsgeschichte liefert das Material, mit welchem der Apostel arbeitet, garantiert aber nicht, daß dessen Intention auch ihn vordringlich bestimmt, geschweige zeitlose Gültigkeit besitzt. Angesichts demokratischer Verhältnisse müßte beispielsweise die Mahnung notwendig eine Dialektik entfalten, welche hier überhaupt noch nicht zu Gesicht kommt.

2b droht den Aufsässigen das κρίμα an, das nach 2a und bei eschatologisch verstandenem Futur auf das göttliche Gericht geht, bei logischem Futur und im Blick auf das Motiv des φόβος in 3 f. aber auch auf die irdische Bestrafung bezogen werden kann. Auf die Warnung folgt der Versuch, Vertrauen gegenüber der justitia civilis (Schrage, Christen 57) zu erwecken. Die pauschale, weder die komplizierten Verhältnisse noch die persönlichen Erfahrungen des Apostels berücksichtigende Sentenz verrät klar die Aufnahme traditioneller Anschauung. Das Kennzeichen der Regierenden ist die vorhandene Macht, die als solche unvermeidbar Schrecken und Angst hervorruft. Die Guten, hier zweifellos die bürgerlich Rechtschaffenen, brauchen sich dadurch aber nicht betroffen zu fühlen. Nach den besseren Lesarten vertreten die Handlungsweisen die Täter. Persönliche Anrede unterstreicht, der Rhetorik der Diatribe entsprechend, und zieht die Anwendung. Im Verb θέλειν verbinden sich Wunsch und Absicht. Das Gute ist auch hier nicht auf das Gottesverhältnis (gegen Walker, Studie 33; Duchrow, Weltverantwortung 158 ff.; Cranfield, Comm. 74). bezogen, sondern auf die allgemeine Ehrbarkeit. Genauso geht es bei dem reichlich verwegen ohne jedes „vielleicht" verheißenen ἔπαινος nicht um das Gotteslob (gegen Walker, Studie 37), sondern um die Sitte öffentlicher Ehrung seitens der ausdrücklich genannten Obrigkeit. Die Streichung von σοὶ εἰς vereinfacht, beeinträchtigt aber die Tendenz der Ermunterung, die nicht (gegen Lietzmann; Michel) dahin umgebogen werden sollte, der Macht die Aufgabe, zum Guten zu erziehen, zuzusprechen. Wieder ist das Gute nichts anderes als das irdische Wohl, faktisch kaum mehr als Schutz vor Übergriffen. 4b wiederholt die Warnung von 2b3a, auf den Einzelnen zugespitzt, unter Hinweis auf das jus gladii höherer Instanzen. Auch in ihrem Strafvollzug ist die politische Gewalt Gottes Werkzeug und, wie früher begründet, Anwalt für den Zorn. Ob ὀργή, wofür die sonstigen paulinischen Belege sprechen (Leenhardt; Barrett; Morrison, Powers 108; Duchrow 155), das göttliche oder nach dem Kontext in 3 f. und wohl auch 5 das irdische Gericht (Lagrange) bezeichnet, ist kaum sicher zu entscheiden. Jedenfalls hat man weder an das göttliche Schwert zu erinnern (gegen Walker, Studie 40 ff.) noch an den eschatologischen Zorn (gegen Duchrow 162). Die irdische Strafe vollstreckt Gottes Urteil.

5 faßt nicht bloß zusammen, sondern verstärkt zugleich. Ein ernsthafter Grund, den Satz als Interpolation zu betrachten, liegt nicht vor (gegen Bultmann, Glossen 200), weil das Gewissen hier keineswegs (gegen Bultmann, Theol. 218; Walker, Studie 47) als vorschreibende Instanz gesehen werden muß, in welcher sich (Duchrow 164 f.) die platonische Tradition vom inneren Menschen fortsetzt. Die Übersetzung durch „Überzeugung" (Lietzmann) bleibt zu blaß, die durch „Verantwortungsbewußtsein" (Schrage, Christen 60) oder „ungeschädigtes Gewissen" (Pallis) weitet zu sehr aus. Anders als in 2,15 wird hier nicht darüber reflektiert, daß sich im kritischen Unterscheidungsvermögen zwischen Gut und Böse eine transzendentale Norm spiegelt, zumal Gut und Böse jetzt nicht ethisch orientiert sind. Daß in 5 nicht kontrastiert, sondern addiert wird (Walker, Studie 7), übersieht den Tenor des Satzes. Es geht darum, daß man im politischen Verhalten als Christ sich nicht bloß von der Furcht leiten läßt. Man kann durchaus kritisch zwischen Rechtschaffenheit und deren Gegenteil unterscheiden und deshalb den verlangten politischen Gehorsam erbringen, nicht mehr oder weniger. Steht das unter dem Stichwort ἀνάγκη, so ist damit einfach das Sollen gemeint, nicht die göttliche Weltordnung und Gesetzlichkeit (gegen Grundmann, ThWb I, 350) oder die Zustimmung zum göttlichen Auftrag der Behörden (Kühl; Cranfield, Comm. 76; Duchrow, Weltverantwortung 139; Maurer, ThWb VII, 914 f.; Walker, Studie 46 f.; richtig Schrage, Einzelgebote 96. 112; Ridderbos). Nicht einmal das vom Geist erleuchtete Vernunftvermögen des Christen (Hanson, Unity 95; ähnlich Lagrange; Michel) braucht bemüht zu werden, selbst wenn es nicht ausgeschlossen werden muß. Es handelt sich um jedermann Einsichtiges, das darum verpflichtet. 6 verweist illustrativ (gegen Walker, Studie 49 f.) auf die Praxis, wobei φόρος die Steuer, τέλος den Zoll anvisiert, das Verb (gegen Zahn) indikativischen Sinn hat. Die Autorität der Machthaber wird faktisch anerkannt. Der Schluß des Verses ist nicht sicher zu deuten. Übertrieben, wenn nicht sogar undenkbar wäre die Aussage, daß die Behörden ständig Gottes Dienstleute zu bleiben gedächten. Andererseits sind sie auch nicht unentwegt mit den Abgaben beschäftigt (vgl. Cranfield, Comm. 77 f.; Duchrow 140. 168). Versteht man (mit Bauer, Wb 1419) das Verb in der Bedeutung „sich emsig mit etwas abgeben", kann gemeint sein, daß die Regierenden, ihre Funktionen wahrnehmend, mit ihrem Tun im göttlichen Auftrag verbleiben (vgl. Sanday-Headlams Beleg aus Xenophon, Hell VII, 14). 7 zieht plerophorisch die Summe: Jeder hat das von ihm Geschuldete zu leisten. Es ist durch nichts angedeutet, daß die beiden letzten Prädikationen auf Gott gehen (gegen Schrage, Christen 61; als Problem empfunden bei Cranfield, Comm. 78 ff.; abgelehnt bei Murray; Delling, Röm 13, S. 62; Strobel, Furcht 59 ff.). Es gibt für den Christen keinen Scheingehorsam des bloß äußerlichen Verhaltens. Auch er steht immer unter Verpflichtungen, denen nachzukommen ist. Das gilt selbst politisch. Pls hat die Machthaber weder dämonisiert noch glorifiziert. Der Sprache hellenistischer Administration, der aus der jüdischen Tradition entlehnten Motivation, dem auf der Paränese ruhenden Gewicht hat eine nüchterne Interpretation zu entsprechen. Die Problematik der politischen Gewalt rückt überhaupt nicht ins Blickfeld. Das ist das eigentliche Problem des Textes und für uns seine Aporie. Erklären läßt sich das nur aus der einseitigen Front gegen befürchteten Enthusiasmus, die in 12,3 zutage trat und in 1.K 7,24 jeden anweist, in seinem von Gott verordneten Stande zu verbleiben. Wie der Apostel auch sonst die Schwärmer mit Hilfe popularphilosophischer Motive zur Ordnung ruft, tut er es hier in Aufnahme des hellenistischen Staats- und Bürgerideals (Strobel, Furcht

59). Man hat sich dem Alltag nicht zu entziehen, weil man dort dem Willen Gottes begegnet. Gewiß geht es im politischen Bereich um Vorläufiges. Doch verkennen nur Schwärmer, daß unser Gottesdienst sich im Vorläufigen zu vollziehen hat und dort recht und schlecht das in der Situation Notwendige zu tun ist (Bornkamm, Paulus 217 f.; Schrage, Christen 51 ff.). Die wirklich charismatische Gemeinde vernimmt Gottes Forderung dort und bewährt sich als solche mitten in irdischer Angefochtenheit und Niedrigkeit. Wenn die Kirchengeschichte die Gefahr des paulinischen Rufes zur ὑποταγή herausgestellt hat, so hing das damit zusammen, daß sie aus dem Ruf in die konkrete Situation eine Theorie machte, aus Paränese Systematik entwickelte und den Geist um des Gesetzes willen verriet. Eine etwa durch demokratische Verfassung veränderte Situation wird das verbindlich bleibende paulinische Anliegen, Gott auch im politischen Bereich zu dienen, nicht außer Kraft setzen. Sie duldet aber nicht das Festhalten an antiquierten Schlagworten, und mit antiker Metaphysik ist ihr nicht geholfen. Sie hat die alte Forderung aus der neuen Wirklichkeit und ihren Problemen heraus begreifen, sie in diese hinein übertragen zu lassen. Pls hat darauf vertraut, daß die charismatische Gemeinde das vermag.

5. 13,8—14: Summarium der allgemeinen Paränese

8 Niemandem sollt ihr etwas schulden außer dem (Einen): einander zu lieben. Denn
9 wer den andern liebt, hat das Gesetz erfüllt. Heißt es nämlich: Du sollst nicht ehebrechen, du sollst nicht töten, du sollst nicht stehlen, du sollst nicht begehren, und welches Gebot es sonst gibt, — zusammengefaßt ist es in diesem Wort: Lieben
10 sollst du deinen Nächsten wie dich selbst! Die Liebe tut dem Nächsten nichts
11 Böses. So ist des Gesetzes Erfüllung die Liebe. Ihr wißt doch schließlich, welche Zeit es ist. Schon (ruft) die Stunde euch, aufzustehen vom Schlaf. Denn näher (ist)
12 jetzt unser Heil als damals, da wir gläubig wurden. Die Nacht ist vorgerückt, der Tag herangekommen. Laßt uns also die Werke der Finsternis ablegen, die Waffen
13 des Lichtes anziehen! Laßt uns als in den Tag (gestellt) anständig wandeln, nicht in Schlemmereien und Trinkgelagen, nicht in Wollüsten und Ausschweifungen, nicht
14 in Hader und Streit! Zieht vielmehr an den Herrn Jesus Christus und verwirklicht nicht des Fleisches Neigung zu allerlei Begierden!

Literatur: A. Fridrichsen, Exegetisches zu den Paulusbriefen, Th. Stud. Krit. 102 (1930), 291 bis 301. W. Marxsen, Der ἕτερος νόμος Röm 13,8, ThZ 11 (1955), 230-237. G. Bornkamm, Wandlungen im alt- und neutestamentlichen Gesetzesverständnis, Glaube und Geschichte II, 73-119. A. Feuillet, Loi ancienne et Morale chrétienne d'après l'Épître aux Romains, Nouv. Rev. Théol. 42 (1970), 785-805.

Erstaunlicherweise werden fast durchweg zwar 11—14 als Zusammenfassung der allgemeinen Paränese betrachtet, aber nicht sieht man unsern ganzen Abschnitt als Entsprechung zu 12,1 f. (anders K. Barth; Asmussen). 8—10 sind nicht ein Exkurs zum Thema des Gesetzes (Michel), geschweige eine Übertragung der rechtlichen Verpflichtungen in den moralischen Bereich (Sanday-Headlam; Jülicher; Lagrange; Schlatter; Althaus; Nygren: E. Brunner). Der Stichwortanschluß mit dem Wortspiel (Fridrichsen, Exegetisches

295 ff.) von ὀφειλάς und ὀφείλετε, durch die sekundäre Lesart ὀφείλοντες noch betont, ist ein geschickter Übergang auch zu einem Summarium. 8—10 und 11—14 benennen zusammen, was als Hauptsache den geistlichen Gottesdienst im Verkehr der Christen miteinander wie im öffentlichen Verhalten vor dem Weltende bestimmt. Mit der ersten Weisung wird an die konkreten Mahnungen in 12,9 ff. 20 f. angeknüpft. Nachträglich tritt die Agape als Grundverfassung aller charismatischen Aktivität wie in 1.K 13,1 ff. heraus, nicht ohne Grund allerdings auf den Umgang mit dem Nächsten beschränkt, also wesentlich auf c. 12 bezogen. Die Verbindung zu 13,1—7 wird unter dem Stichwort, das gleichzeitig „Pflicht" und „Schuldigkeit" bezeichnet, hergestellt. Pls kann sehr wohl zwischen den verschiedenen Beziehungen unterscheiden und vertritt trotz der üblichen gegenteiligen Beteuerungen keine „Liebesethik". Wie in 8b nicht mehr auf die Anordnung des Schöpfers, sondern die Summe der Tora verwiesen wird, so kreuzen sich in 8a zwei Gedanken. Die Agape bleibt niemandem etwas schuldig, ist ihrerseits jedoch eine unendliche Aufgabe, mit welcher man anders als bei rechtlichen Auflagen niemals fertig wird. Beides ist so verflochten, daß durch εἰ μή eine Ausnahme statt des absolut Gültigen angezeigt zu werden scheint (gegen Cranfield, Comm. 83), während es wie in 1.K 7,17 den Sinn von ἀλλά hat. Das Verb ἀνακεφαλαιοῦσθαι in 9 wird in seiner ursprünglichen Bedeutung „zusammenfassen" gebraucht (vgl. Schlier, ThWb III, 681), meint also nicht zusätzliche Vervollständigung (gegen Feuillet, Morale 796 f.). Mannigfache Auslegung des Ausdrucks „Summe des Gesetzes" spiegelt die Schwierigkeiten des paulinischen Verständnisses vom Gesetz. Man hätte nie bestreiten dürfen, daß wirklich von der Tora gesprochen wird (gegen Spicq, Agape I, 259 ff.; Sanday-Headlam; problematisiert bei H. W. Schmidt). Weder vom geistigen Gesetz (v. Dülmen, Theologie 173) noch von Christus als Gesetz (Bläser, Gesetz 236. 239) ist die Rede. Die folgende Aufzählung der zweiten Tafel des Dekalogs widerspricht einer Interpretation auf das allgemeine Sittengesetz. Dann darf schlechterdings ἕτερος, das in 9c und 10 durch πλήσιος aufgenommen wird und dem auch in 2,1; 1.K 4,6; 14,17 entspricht, nicht mit νόμος verbunden werden (gegen Marxsens These; Merk, Handeln 165; Leenhardt; richtig Cranfield, Comm. 83 f.; Bornkamm, Wandlungen 112; vgl. den Überblick bei Michel und Gutbrod, ThWb IV, 1063). Es geht weder um das „übrige Gesetz" (Zahn) noch um die Antithese gegen das römische Gesetz, von dem als ersten der Kontext nichts sagt. 1—7 kann man von da aus nur verstehen, wenn im Hintergrund die lutherische Lehre von den beiden Reichen und dem tertius usus legis spukt, die justitia civilis also dem neuen christlichen Gesetz entgegengestellt wird. ἀγαπᾶν verlangt zudem ein Objekt, selbst wenn dieses nur hier mit ἕτερος bezeichnet ist.

Das wirkliche Problem des Textes liegt gerade darin, daß keinerlei Polemik gegen den Nomos vorliegt, geschweige gegen ein anderes Gesetz. Gilt die Liebe als des Gesetzes Summe, so liegen Ansätze dazu seit Hillel bereits im Rabbinat vor (Billerbeck I, 357 ff.; III, 306), obgleich daneben die Forderung des blinden Gehorsams stets erhalten blieb (vgl. Gerhardsson, Memory 136 ff.). Nicht fraglich ist, daß Pls einer judenchristlich katechetischen Tradition folgt, wie sie sich in Mt 5,17 ff. niedergeschlagen hat (Michel, Bibel 88 f.; Feuillet, Morale 798). Das geht schon aus der trotz 8,4; Gal 5,14 bei ihm auffallenden, aber aus Mt 5,17 bekannten Verwendung von πληροῦν hervor, dessen Perfekt gnomisch ist (B.-D. § 344). Die Sentenz in 10b, in welcher nach dem Kontext und dem in der Koine nicht mehr notwendig differenzierenden Sprachgebrauch πλήρωμα = πλήρωσις ist (gegen Kühl; Murray; Feuillet, Morale 796 f.), spricht ebenfalls dafür. Das aus mathematischem Wortschatz stammende, höchst ungewöhnliche ἀνακεφαλαιοῦσθαι setzt die rabbinische Frage voraus, auf welchen einfachen und behältlichen Nenner die unzähligen Einzelgebote der Tora zu bringen seien. Schließlich wird die zweite Tafel des Dekalogs wie in der B-Variante von Dt 5,17—21 LXX unter Auslassung von 20 wohl in der Reihenfolge jüdischer Diaspora aufgezählt (Schlatter; Michel), wie es partiell auch für Lk 18,20; Jak 2,11 gilt. Um die Aussage zu radikalisieren, ist καὶ εἴ τις ἑτέρα ἐντολή eingefügt. Jesus-Überlieferung meldet sich wie in Gal 5,14 mit dem Zitat aus Lev 19,18. Gemeint ist christlich, daß der Nächste so zu lieben sei, wie man es sich selbst gegenüber im allgemeinen tut, gerade in extremer Liebe des Nächsten aber nicht mehr tun kann. Das einleitende ἐν τῷ dieses Zitates ist in Textvarianten als überflüssig (Lietzmann) weggelassen. Aus all dem ergibt sich, daß Pls hier anders als in 12,1 f. keine selbständige Argumentation vorlegt, sondern die Gemeinde einfach auf ihr vertraute Tradition verweist. 10a ist erläuternde Begründung für 8b—9 und 10b eine kurze Wiederholung. Beachtet man das, wird begreiflicher, daß der Apostel zwar pauschal von Gesetzeserfüllung spricht, sich faktisch aber nur auf die ethischen Bestandteile der Tora bezieht (Bultmann, Theol. 342; Jülicher; Leenhardt; Bläser, Gesetz 42 f.; Cranfield, Comm. 85; Bornkamm, Wandlungen 96). Das differiert von seiner sonstigen Anschauung der Unteilbarkeit der Tora (vgl. den Hinweis auf die Problematik bei Ridderbos, Paulus 194—201), erklärt sich jedoch, wenn hier wie teilweise bereits in den Synoptikern und entschlossen in der späteren Heidenchristenheit eine Überlieferung zutage tritt, in der Gemeinde nur noch das sittliche Gesetz des Alten Testamentes verbindlich sein zu lassen. Pls hat das paränetisch aufgreifen können, nicht um ein Ideal zu proklamieren (gegen Lietzmann). Der ursprüngliche Wille Gottes wird nach 8,4 vom Pneumatiker darin erkannt und akzeptiert (Nygren), daß der Mensch aus der splendid isolation in das Leben für andere gestellt und dem uneigennützigen Gehorsam unterworfen wird.

Geprägte Tradition bestimmt auch 11—14. Genauer gesagt: Eschatologie verleiht nun der Paränese größere Intensität, weshalb man zuweilen von einem Wächterruf spricht (J. Weiss, Beiträge 245; Michel; Grabner-Haider, Paraklese 84). Hier schimmert noch durch, daß ursprünglich die Naherwartung die christliche Ermahnung begründete (Grabner-Haider 108 ff.), während bei Pls schon Taufe und Pneuma diese Funktion haben. Der Verweis auf die Kürze der verbleibenden Weltzeit dient jetzt dazu, die Dringlichkeit und Radikalität des alltäglichen Gottesdienstes zu betonen. Die einzelnen Motive sind vorgegeben und brauchen nicht mehr entfaltet zu werden. Im Rahmen eines Summariums genügt es, daran zu erinnern. καὶ τοῦτο ist steigernd gebraucht, καιρός bezeichnet wieder den schicksalsträchtigen Augenblick (anders Kühl). Die Leser wissen, daß sie in der Endzeit stehen. Die heute so beliebten Versuche, eine Entwicklung paulinischer Eschatologie mit der Tendenz einer Abschwächung der akuten Apokalyptik festzustellen (Dodd; Cranfield, Comm. 91 ff. u. a.), sind Wunschträume der modernen Exegeten. Wie in 1.Th 4,13 ff. wird brennende Naherwartung in der Gemeinde vorausgesetzt, die sich nicht durch den Verweis auf die Ewigkeit (Dodd; K. Barth; Althaus) oder den Tod (Sanday-Headlam; Ridderbos) entmythologisieren läßt. Die Rede von der ὥρα, aus Joh vertraut, die Aussage der synoptischen Gleichnisse über die Wiederkunft des Herrn zur Nachtzeit, der eindrücklich in dem kleinen Tauflied Eph 5,14 begegnende Ruf zum Aufstehen vom Schlaf gehören stereotyp zu apokalyptischer Paränese. Auch vom Inhalt her geurteilt, greift der Apostel also wie in 8—10 auf geläufiges Traditionsgut zurück und verleiht damit dem Abschnitt eine unbestreitbare Einheit. Ausgesprochen paulinische Akzente brauchen dabei nicht übersehen zu werden. So verbreitet das Motiv der Gegenwart als Zeit der Entscheidung ist, wird es doch durch ἤδη in 11b und die geradezu chronologische Bestimmung in 11c charakteristisch geformt. An ein Apokryphon zu denken (Conzelmann, ThWb VII, 443; IX, 337), liegt kein Grund vor. προκόπτειν ist der Alltagssprache entnommen, wird hier jedoch eschatologisch variiert (Stählin, ThWb VI, 712. 716). Als Termin des Gläubigwerdens ist offensichtlich die Taufe verstanden, so daß deutlicher als gewöhnlich die Parallelität von Sakrament und Glaube heraustritt. Unsere Verse sind als typische Taufermahnung zu betrachten. Tag und Nacht, auch 1.Th 5,4 ff. kontrastiert, stehen sich wie Licht und Finsternis gegenüber und kennzeichnen im Rahmen einer langen dualistischen Tradition (vgl. H. Braun, Qumran I, 185 f.), in welcher die alttestamentliche Anschauung vom Tage Jahwes nur einen Anknüpfungspunkt bildet, die Antithese von Weltzeit und Anbruch des himmlischen Wesens. Jeder seit der Taufe vergangene Zeitraum ist ein Schritt auf die endgültige σωτηρία in kosmischer Weite. Die Nacht ist vorgerückt, sofern ihr Ende begonnen hat, der volle Tag noch nicht da, obgleich sein Licht schon scheint. Man steht (gegen Lövestam, Wakefulness 29 ff.) auf jener Schwelle, die in 8,19 ff. als Stadium der messianischen Wehen charakterisiert wurde, und hat daraus Folgerungen für den gegenwärtigen Augenblick zu ziehen. In rigorosem Antienthusiasmus, der ursprünglich enthusiastische Termini und Motive aufgreift (vgl. Lövestam, Wakefulness 26 f.), wird dem irdischen Tag gerade durch den Blick auf den kommenden himmlischen Gewicht beigemessen, statt daß er entwertet würde (Schrage, Einzelgebote 24). Die Gegenwart ist wie nach 6,11 ff. Zeit des Kampfes. Zur festen Taufsprache gehört auch die Aufforderung zum Anziehen der geistlichen Rüstung. Sie auf das Anziehen der Tageskleidung und das Ablegen der Nachtgewänder zu beziehen (Zahn; Kühl; Lagrange; Schlatter; Althaus; Cranfield, Comm. 94), wirkt heute lächerlich. Ursprünglich mythologisch auf die Teilnahme am Kampf zwischen Licht und Finsternis bezogen (vgl. K. G. Kuhn, ThWb V, 297 ff.; Lövestam 42 f.), ist sie in 1.Th 5,8; 2.K 6,7; 10,4 und ausführlich in Eph 6,13 ff. eschatologisch abgewandelt. Das Motiv der Waffen wechselt, wie etwa in 1QM 15,9 „in Finsternis sind alle ihre Werke“, mit dem andern der ἔργα, das auch in Gal 5,19 ff. die Paränese bestimmt, aber Ausdruck existentieller Gebundenheit, nicht (gegen Jülicher; Lagrange) bloß sittlichen Verhaltens bleibt, wie der regierende Genetiv anzeigt. Wie in 11 ὑμᾶς angleichend durch ἡμᾶς ersetzt wurde, erklärt sich die schlecht bezeugte Lesart ἀποβαλώμεθα in 12b wohl aus der lateinischen Übersetzung abjiciamus und die Vertauschung von ὅπλα und ἔργα in 12c wieder als Angleichung an 12b. Was sachlich gemeint ist, wird wie Gal 3,27; Kol 3,9 ff. durch die Formel vom Anziehen des Herrn Jesus Christus, und zwar als des neuen Adam, beschrieben, welche die Eingliederung in den Christusleib als ständige Aufgabe charakterisiert (Lietzmann; Lövestam, Wakefulness 39. 41). Taufparänese liegt auch hier zugrunde. Jeder Christ repräsentiert irdisch seinen Herrn als Glied seines Leibes, und sein ganzes Leben ist reditus ad baptismum. Mit Recht sagt darum Luther: quia stare in via Dei, hoc est retrocedere et proficere, hoc est semper a novo incipere. Während die Schwärmer metaphysische Verwandlung des Wesens verkünden, geht es Pls um die von jedem Christen zu bestätigende und weiterzugebende Herrschaft Christi, welche den weltbeherrschenden Mächten schroff entgegensteht. Der Abschnitt schließt in 13 f. insofern nicht grundlos mit einem kleinen Lasterkatalog, der in 13b kunstvoll in drei parallele Paare gegliedert ist und in 14 mit einer rhetorisch wirksamen Antithese das Fazit bringt. In 13a darf ὡς ἐν ἡμέρᾳ nicht hypothetisch genommen werden (gegen K. Barth; Barrett; richtig Ridderbos). ὡς bedeutet: wie es wirklich der Fall ist, daß ihr im Zeichen des neuen Tages steht. Recht prosaisch wirkt in solchem Zusammenhang das zu bürgerlicher Ehrbarkeit rufende, auch 1.Th 4,12 gebrauchte εὐσχημόνως. Doch entspricht es den aufgezählten Lastern. Gelage und Trunkenheit, wilde Sexualität und Ausschweifung, Hader und Streit, in alten Lesarten angleichend ebenfalls in den Plural gebracht, sind Merkmale der vergehenden, haltlosen Welt. Unter Christi Herrschaft kommt es nicht bloß zu festem irdischen Stand, sondern zur Erneuerung des Sinnes von 12,1 f., welche sich dem gegenwärtigen Äon nicht gleichschalten läßt, vielmehr der Macht des Fleisches und dessen Sucht, die Gelüste zu befriedigen, widersteht. Natürlich ist 14b nicht, wozu die im Neuen Testament singuläre Formel πρόνοιαν ποιεῖν verführt hat (Bauer, Wb 1405 f.), limitierend gemeint (gegen den überkommenen Luthertext; Zahn; Schlatter; Althaus; E. Brunner; H. W. Schmidt; Behm, ThWb IV, 1006). Es gilt nicht, für den Leib zu sorgen, ohne seinen Trieben nachzugeben. Vielmehr darf dem Fleisch und seinen Tendenzen keinerlei Recht eingeräumt werden. Der Schluß stellt nochmals heraus, daß der Apostel gerade von der charismatischen Gemeinde eine durchgehend antienthusiastische Haltung verlangt. Die Taufe begründet militia Christi im leiblichen Bereich und im weltlichen Alltag. Sie hat nicht die Absonderung von der Profanität eingeleitet. Gottes regnum mundi will beinahe trivial eben im Profanen sich bekunden. Mitten in kosmischem Chaos, rauschhafter Besessenheit, heimlichem und öffentlichem Schmutz erweist der Christus in und mit seinen Jüngern seine Macht. Nicht das Außergewöhnliche ist die Mission der Kirche, was immer sie an Wundern und Zeichen begleiten mag, sondern die Erfüllung des göttlichen Willens in der Liebe und das Ende irdischer Besessenheit in der Zucht des neuen Gehorsams. Das bedeutet justificatio impiorum, ins Paränetische übertragen. Aufgenommenes Traditionsgut eignete sich glänzend dazu, die beiden Kapitel mit einem Summarium zu beschließen.

II. 14,1—15,13: Spezielle Paränese. Die Starken und Schwachen in der Gemeinde

Nur in unserm Brief folgt auf die allgemeine eine spezielle Paränese. Die Einmaligkeit dieses Vorgangs verlangt eine Erklärung. Es läßt sich nicht von der Hand weisen, daß hier frühere Erfahrungen des Apostels zu Wort kommen. Wurden die beiden letzten Kapitel zu Recht von einer antienthusiastischen Grundhaltung aus interpretiert, legt sich die Vermutung nahe, daß Pls korinthische Verhältnisse auch für Rom befürchtet oder mindestens vor ihnen warnen will. Das gilt um so mehr, als das Problem des Zusammenlebens von „Starken" und „Schwachen" gleichfalls 1.K 8—10 beherrscht und auch dort vom spezifisch paulinischen Verständnis der Charismen her beantwortet wird. In Korinth spielt ebenso die Frage der Askese eine erhebliche Rolle. Ein gewisser Zusammenhang besteht wenigstens hintergründig (etwa Sanday-Headlam; Taylor; Dupont, Appel 357 ff.), nämlich in der Erinnerung des Apostels an frühere Kämpfe, vielleicht jedoch auch tatsächlich, sofern die römische Gemeinde ähnliche Konflikte kennt oder zu erwarten hat. Diese Feststellung genügt aber allein keineswegs. Wie unser Abschnitt sich nicht auf die Enthaltung von den Götzen geweihtem Fleisch bezieht und nicht von Emanzipationsbestrebungen bei Frauen und Sklaven spricht, so richtet sich die Askese in Korinth wesentlich auf die Problematik der Sexualität. Die Starken und Schwachen vertreten beide Male konkret also verschiedene Anliegen, selbst wenn ihre Spannungen hier und dort Vergleiche erlauben und eine grundsätzlich gleiche Argumentation des Apostels herausfordern. Anders ist auch nicht einzusehen, daß das Thema dieses Briefteils nicht im Anschluß an c. 12 behandelt wird und warum das Summarium in 13,8—14 eine deutliche Zäsur schafft. Der neue Problemkreis mag anderswo gewonnene Erfahrungen aufgreifen und abwandeln, die Betrachtungsweise aus dem Horizont des Charismatischen fortführen. Er muß gleichwohl, was durch 13,1—7 bereits eingeleitet wurde, sich konkret an den Verhältnissen in Rom orientieren. Vorsichtiger gesagt: Er muß für Anlaß und Aufbau des Briefes von Bedeutung sein (Schumacher, Letzte Kapitel 29). Pls kennt die Gemeinde augenscheinlich nicht. Doch schließt das nicht aus, daß ihm einige Kenntnisse über deren Zustände vermittelt worden sind, und es wäre im Gegenteil ganz unglaubhaft, das bestreiten zu wollen. Von diesem Knotenpunkt des Verkehrs mußten Nachrichten auch die Christen überall in der damaligen Welt erreichen. Offenbleiben kann zunächst, wie weit wir aus den folgenden Ausführungen ein geschlossenes Bild gewinnen oder die paulinischen Absichten für das Ganze seines Briefes zu erkennen vermögen. Als Postulat ist die These zu wagen, daß Pls miteinander ringende Gruppen in Rom voraussetzt oder vermutet und das für die Interessen seines Schreibens ins Gewicht fällt. Die Gliederung des Unterteils läßt in 14,1—12 den Respekt vor der Bindung des Bruders an den gemeinsamen Herrn, in 14,13—23 die Warnung vor gegenseitigem Richten, in 15,1—6 das Vorbild Christi, in 15,7—13 die damit geschenkte Einheit von jüdischen und heidnischen Christen betonen (Marxsen, Einleitung 89 f.). Der Gedankengang ist also logisch und zielstrebig.

1. 14,1—12: Weite und Grenze christlicher Solidarität

1 Nehmt an den im Glauben Schwachen, damit es nicht zu richtenden Urteilen über
2 strittige Meinungen (kommt). Einer glaubt nämlich, alles essen zu dürfen. Der
3 andere ißt als Schwacher (nur) Gemüse. Nicht verachte, welcher ißt, den, der nicht ißt! Nicht richte, wer nicht ißt, den Essenden! Denn Gott hat (auch) ihn angenom-
4 men. Wer bist du denn, der du den fremden Knecht zu richten wagst? Er steht
5 und fällt dem eigenen Herrn. Er wird auch stehen bleiben. Denn fähig ist der Herr, ihn aufrechtzuhalten. Der eine unterscheidet bevorzugend Tag und Tag, der andere hält jeden Tag (gleich). Jeder hat in seinem eigenen Urteil gewiß zu sein.
6 Wer auf den (jeweiligen) Tag achtet, hat den Herrn im Sinn, und wer ißt, ißt im Blick auf den Herrn, weil er im Gebet Gott dankt. Weiter: Wer nicht ißt, ißt dem
7 Herrn zulieb nicht. Auch er dankt Gott im Gebet. Lebt doch niemand von uns sich
8 selbst, und niemand von uns stirbt sich selbst. Denn wenn wir leben, leben wir dem Herrn, und wenn wir sterben, so sterben wir dem Herrn. Ob wir also leben
9 oder sterben, bleiben wir des Herrn. Denn dazu ist Christus gestorben und leben-
10 dig geworden, daß er über Tote wie Lebendige herrsche. Du nun, — was richtest du deinen Bruder, und du auf der andern Seite — was verachtest du deinen Bruder?
11 Wir alle werden doch vor Gottes Richterstuhl gestellt werden. Denn geschrieben steht: Ich lebe, spricht der Herr. Jedes Knie soll sich mir beugen und jede Zunge

12 Gott die Ehre geben. Jeder von uns wird also für sich selbst Gott Rechenschaft geben müssen.

Literatur: E. Riggenbach, Die Starken und Schwachen in der römischen Gemeinde, ThStKr 66 (1893), 649-678. J. Dupont, Syneidesis, Stud. Hell. 5 (1948), 119-153. Ders., Appel aux faibles et aux forts dans la communauté romaine (Rom 14,1-15,13), Stud. Paul. Congr. I, 357-366. J. Bekker, Quid πληροφορεῖσθαι in Rom 14,5 significet, VD 45 (1967), 11-18. M. Black, The Christological Use of the Old Testament in the New Testament, NTSt 18 (1971), 1-14.

Die weite Verbreitung religiöser Askese in der Antike ist so gründlich dokumentiert (vgl. Lietzmann; Behm, ThWb II, 687 ff.; Strathmann, RAC I, 749 ff.), daß hier sofort präziser gefragt werden kann, welche möglichen Motive religionsgeschichtlich die römische Gemeinde bestimmt haben könnten. Die Schwierigkeiten des Problems sind genügend zu beachten. Jedenfalls darf man nicht von vornherein ausschließen, daß Pls Eventualitäten nur illustrativ verwertet, um seine Forderung, sich gegenseitig anzunehmen, zu unterstreichen. Denn zweifellos ist erneut die Paränese die Hauptsache, nicht die Erörterung der Zustände in der Gemeinde, und gegenseitige Annahme ist das Stichwort des ganzen Briefteils. Sieht man sich jedoch gezwungen, dem Text Hinweise auf konkrete Gruppen in der Gemeinde und zwischen ihnen bestehende Streitigkeiten zu entnehmen, so ist noch nicht selbstverständlich, daß es sich nur um zwei Gruppen, etwa die Christen aus Juden und Heiden, handelt, ihre Motive vollständig aufgedeckt werden oder mindestens die entscheidenden Aspekte einer einzigen Partei bezeichnen. Die Interpretation hat mit der gleichen Behutsamkeit zu verfahren, welche hier die Argumentation des Apostels bestimmt und ihn zunächst in Anspielungen sich äußern läßt. Gegen die Ansicht, Pls ginge es nur um die Einheit der Kirche (Leenhardt) und die anvisierten Gegensätzlichkeiten seien letztlich illustrativ, ist freilich umgekehrt einzuwenden, daß so weder die Länge des Abschnittes noch seine auffällige Stellung vor dem Briefschluß statt etwa nach c. 12 noch das immerhin sehr seltsame Detail motiviert werden können. Nach 1.Kor. gibt es doch viel tiefergreifende Probleme als den Vegetarismus, mit welchem der Apostel einsetzt, und die Enthaltsamkeit von Weingenuß, auf die er in 21 zu sprechen kommt. Vor allem ist die Beziehung auf Tagewählerei in 5 f. kaum als bloß hypothetisch erwogen anzusehen, weil sie in Gal 4,10 dem Gestirndienst zugeordnet und als mit dem Glauben unvereinbar perhorresziert wird. Selbst wenn die hier vertretene Toleranz demgegenüber verwundert, ist nicht gut denkbar, daß sie nur als fiktives Beispiel erwähnt wird. Man hat vielmehr zu folgern, daß auf wirkliche Praktiken in der römischen Gemeinde hingedeutet wird. Geschieht das unter der kontrastierenden Firmierung „Starke" und „Schwache", ist das nicht notwendig Beweis dafür, daß einzig zwei Gruppen gegeneinanderstanden. Es könnte sich um pauschale Bezeichnungen handeln, welche untereinander nicht in jeder Hinsicht übereinstimmende Kreise auf einen grundlegenden Gegensatz bringen. Immerhin ist das nach dem 1.Korintherbrief nur möglich, wenn es sich bei den Starken um Enthusiasten handelt, welche die Devise von 1.K 6,12 praktizieren: „Alles ist erlaubt", und die Schwachen nach 14,14 ff. wie diejenigen von 1.K 8—10 sich um die Frage des Reinen und Unreinen sorgen. Endlich kann man nicht übersehen, daß die Auseinandersetzung in 15,7 ff. in das Thema der Einheit von Christen aus Juden und Heiden einmündet. Das sind die Komponenten einer Realität, welche größte Vor-

sicht für die römische Gemeinde postulieren darf. In dieses Kombinationsnetz ist einzubeziehen, daß die Verhaltensweisen der Kontrahenten unter die Stichworte „richten"
und „verachten" gestellt werden und die Zusammensetzung der Gemeinde, wohl im Unterschied zu den durch nach Rom verschlagene Judenchristen gelegten Anfängen, durch
eine heidenchristliche Majorität bestimmt wird.

Von solchen Voraussetzungen ist in die Einzelexegese einzutreten. 1 gibt die beiden
Stichworte des ganzen Briefteils. Die „Schwachen im Glauben", welchen ihre Christlichkeit bestimmte Bedenken gegen die Übung der libertas christiana nicht nimmt, bilden
das Problem, und zwar in ihrem Verhalten zu den Starken wie in deren Reaktion auf
ihre Ängstlichkeit. προσλαμβάνεσθαι ist die dauernd wiederholte Antwort des Apostels
darauf nach beiden Seiten hin. Der Singular hat generischen Sinn, charakterisiert also
eine Gruppe. Pls wendet sich zunächst an die Starken, welche offensichtlich als Mehrheit
die Minorität provozieren. So gewiß die Konflikte auf den Gottesdienst übergreifen und
sich dort vielleicht besonders entzünden werden, so wenig bezieht sich die Forderung darauf, wenigstens dort einander anzunehmen und zu ertragen (Rauer, Schwachen 82). Ganz
abwegig ist es, das Verb auf die Taufhandlung gehen zu lassen (gegen Schlatter; Kirk)
oder es juridisch zu verstehen (gegen Michel; richtig Leenhardt; Nababan, Bekenntnis 35).
Gemeint ist die alltägliche Anerkennung der Bruderschaft, im weiten Sinn also die Solidarität (Rauer, Schwachen 80. 157). Unter allen Umständen sind διακρίσεις διαλογισμῶν
zu vermeiden. Die komprimierte Wendung dürfte sonstigem Wortgebrauch zum Trotz
nicht bloß bedenkliche Gedanken (H. W. Schmidt) oder gehegte Zweifel (Michel;
Schrenk, ThWb II, 97; Büchsel, ebd. III, 951) bezeichnen. Es handelt sich um die in 2
beschriebenen strittigen Ansichten mit spezifisch theologischem Gewicht, auf deren Grund
es zu gegenseitiger Verurteilung und sich befehdenden Parteien kommt (Zahn; Lagrange;
Ridderbos), nicht nur (gegen Kühl) zu Zweifeln auf der einen Seite. Pls selber sieht offensichtlich keinen Anlaß, denen von vornherein zu widersprechen, welche sich als stark
fühlen und von ihm ebenfalls so genannt, also mindestens beschränkt anerkannt werden.
Grundsätzlich steht er stets für die Sache der Freiheit, und er hat nicht einmal die Überheblichkeit getadelt, welche sich im Jargon ihrer Selbstprädikationen bekundet, sondern
nur deren Konsequenzen. Der Glaube macht für ihn nicht alle und alles gleich. Es ist
auch seine Meinung, daß es Glauben gibt, der seinen Platz nicht hinreichend ausfüllt. Das
mag sich moralisch (Sanday-Headlam; Gaugler) oder intellektuell (Lagrange; Leenhardt)
bekunden. Doch kommt es auf die Enge an, mit der man sich zufrieden gibt, und die
Forderung des Apostels geht dahin, sie nicht noch zu fördern, indem man sich abson-
dert oder sie gewalttätig zu sprengen sucht. Annahme bedeutet in diesem Fall, Raum
zum Wachsen und zur Kommunikation offenhalten. In 2 hat πιστεύειν schwebenden Charakter. Es geht um Meinung (Lietzmann; Asmussen) und Überzeugung (Nababan, Bekenntnis 37), die sich jedoch aus dem christlichen Selbstverständnis ergibt. Die ironische
Übertreibung, nach welcher der Schwache nur Gemüse ißt, beweist, daß es sich nicht
um das Problem des den Götzen geweihten Fleisches wie in 1.K 8—10 handelt (gegen Riggenbach, Starken 668 ff.; Asmussen; H. W. Schmidt; richtig Gaugler; Nababan, Bekenntnis 19. 38; Merk, Handeln 167), sondern um das des grundsätzlichen Vegetarismus, mit dem sich nach 21 Abstinenz gegenüber dem Weingenuß zu verbinden
scheint (Rauer, Schwachen 97 ff.). Zweifellos am wichtigsten ist der Hinweis auf die Tagwählerei oder deren Ablehnung in 5, selbst wenn diese Praxis einen andern Personenkreis

betrifft. Pls hat sie mindestens im gleichen Horizont gesehen wie die andern und sie deshalb mit ihnen zusammen erwähnt. Hier wird die religionsgeschichtliche Bestimmung des Standortes der „Schwachen" notwendig und möglich.

Provenienz aus jüdischer Orthodoxie ist ausgeschlossen. Generelle Enthaltsamkeit von Fleisch und Wein gab es dort nicht (Zahn; Kümmel, Einleitung 222; Rauer, Schwachen 129 ff.; gegen Lütgert, Römerbrief 91). Unterzogen sich nach dem Fall Jerusalems Einzelne ihr zum Zeichen der Trauer (Billerbeck), hat sich das im Volk nicht durchgesetzt. So gibt Pls auch keine nationale Motivation. Daß die Essener über bestimmte Fastenzeiten hinaus Fleisch und Wein verschmähten, ist schon deshalb problematisch, weil sie mindestens am Sabbat den Wein nicht entbehren konnten und ihre landwirtschaftlich arbeitenden Glieder auch kaum auf Fleisch verzichteten. Von Fastenzeiten ist jedoch keine Rede (gegen Behm, ThWb IV, 934; Gutjahr; Rauer, Schwachen 180 f.). Etwas anders liegen die Dinge mit der Tagewählerei, sofern der religiöse Kalender des Judentums nicht nur den Sabbat, sondern ebenso Fest- und Fastenzeiten einzuhalten verpflichtete (Zahn; Riggenbach, Starken 653 f.; Murray 257 ff.), Aberglaube und Dämonenfurcht weite Kreise bestimmte (Billerbeck). Doch gilt erneut, daß der Apostel sich weder auf das eine noch auf das andere besinnt (Schlatter; Nababan, Bekenntnis 48; gegen Kühl; Sickenberger; Althaus; H. W. Schmidt), ganz davon zu schweigen, daß er sich sowohl gegen die Furcht vor den Dämonen wie gegen eine Gemeindeordnung im Zeichen des Ritualgesetzes gewandt haben sollte (Rauer, Schwachen 133 ff.). Alternativ ist die Praxis der Schwachen als Relikt heidnischer Frömmigkeit betrachtet worden (Rauer, Schwachen 164 ff. 185 f.), die dann allerdings nur eine Gruppe der Heidenchristen charakterisieren könnte. Es kompliziert die Verhältnisse unnötig und unbegründet, wenn man das noch durch den ohnehin unglücklichen Begriff „Proselytenchristen" (Marxsen, Einleitung 91) zuspitzt. Die Alternative hat für sich, daß es im hellenistischen Heidentum religiös begründeten Vegetarismus und Weinverzicht wie eine mit Dämonenfurcht verbundene Astrologie gab, welche zwischen glückbringenden und üblen Tagen unterschied (vgl. RAC I, 817—831). Gegen sie spricht, daß Pls sich mindestens gegen die letzte Anschauung energisch gewehrt haben dürfte, eine heidenchristliche Sondergruppe recht unwahrscheinlich ist, bei dieser Erklärung ein Bruch zu 15,8 ff. entsteht, der die Einbeziehung des späteren Textes in den Gesamtabschnitt und sein Leitmotiv der gegenseitigen Annahme kaum begreifen läßt. Macht man sich so die Aporien beider Deutungen klar, liegt der Fehler in der Alternative. Gal 4,9 f.; Kol 2,16 ff. zeigen, daß ein synkretistisch beeinflußtes Judentum in die Gemeinde Eingang fand und wahrscheinlich besonders durch seine dort gewonnenen Anhänger zur Gefahr wurde. Es liegt am nächsten, daß die judenchristliche Minorität in Rom solcher Propaganda ausgesetzt war, die sowohl aus der heidnischen Umwelt wie zumal der Schar der um die Diasporasynagoge herumgelagerten „Gottesfürchtigen" ständig genährt werden konnte (ähnlich schon Jülicher; Lagrange; Barrett; Althaus; Best; Bornkamm, ThWb IV, 67). Daß der Apostel relativ milde reagiert, unterscheidet unsern Text von Gal 4,9 f. und Kol 2,16 ff. Vielleicht waren seine Informationen zu spärlich, um eine ernsthafte Bedrohung befürchten zu lassen. Die asketische Bewegung mag sich anders als in Gal nicht mit einem rigorosen Judaismus verbunden haben. So spielt die Forderung der Beschneidung keine Rolle und schon gar nicht wie in Kol eine ausgebildete Weltanschauung mit Angelologie und Dämonologie. Auf der Hand liegt, daß der Apostel in der ihm fremden Gemeinde ohnehin vorsichtiger als in den eigenen Kirchen argumentiert und vorhandenes Mißtrauen der Judenchristen nicht unnötig verstärkt. Solange er annehmen konnte, daß die Konflikte nur verschiedene Lebensführung aus jeweils anderer Tradition heraus betrafen, genügte nach dem Grundsatz von 1.K 7,7b. 24 die Mahnung zur gegenseitigen Toleranz.

Mehr als eine Hypothese ist vom Text nicht zu gewinnen. Trifft sie zu, sind die von der Majorität als schwach Bezeichneten Rigoristen, welche die Gegenseite mindestens so angreifen wie diese umgekehrt sie. Aus ihrer Glaubensüberzeugung werfen sie offensichtlich ihren Kontrahenten mangelnde Erfüllung oder sogar Verletzung der göttlichen Ordnung und Forderung vor. Ihre Tagewählerei mag unter modernem Aspekt als intellektuelle Schwäche und Aberglaube erscheinen. Mißt man sie an den Gepflogenheiten ihrer Umwelt, zahlen sie ihrer Zeit Tribut, wie selbst Pls von der Existenz der Dämonen und ihrer Macht im irdischen Alltag überzeugt ist. Von Beginn der Kirchengeschichte an ringen die Parolen des vollkommenen Gehorsams und der christlichen Freiheit miteinander. Das erzeugt einen echten theologischen Konflikt, der in veränderter Form jeder neuen Generation zu schaffen macht und immer wieder zur Gruppenbildung in der Christenheit führt. Die römischen Vorgänge haben also exemplarische Bedeutung, und sie erwachsen nicht zufällig dort, wo sich Christen aus Juden und Heiden begegnen. Ihrer religiösen Herkunft nach sind die Judenchristen an die Beachtung fester Tradition, die letztlich mit dem Heiligkeitsgesetz zusammenhängt, gebunden. Wie im Mutterland die Verschärfung der Tora dauernd mehr Gewicht gewinnt, gibt es die gleiche Tendenz auch in der Diaspora, also in der täglichen Konfrontation mit heidnischer Umgebung. Religiöse Askese um der Erhaltung der Reinheit willen konnte hier sogar mit dem Enthusiasmus Hand in Hand gehen, welcher aus dem Empfang des Geistes die Forderung ableitete, bereits auf Erden das himmlische Wesen asketisch zu bekunden. Der Sog der Zeitströmung äußert sich in der Heidenchristenheit allerdings auch in entgegengesetzter Richtung, nämlich in schwärmerischer Verachtung weltlicher Bindungen aus hemmungslosem und jede Rücksicht auf den Bruder abstreifendem Freiheitsgefühl. Nun wird das theologische Problem des Verhältnisses von vollkommenem Gehorsam und echter Freiheit praktisch zum Problem des Verhältnisses zwischen Glaube und Weltanschauung. Beides läßt sich nur theoretisch sauber unterscheiden, wird sich in der Wirklichkeit jedoch ständig überschneiden. Der Streit in der römischen Gemeinde ist also nicht bloß historisch und religionsgeschichtlich zu sehen und antiquiert (Nababan, Bekenntnis 25), wie oberflächliche Betrachtung annehmen wird. Auch dieser Briefteil hat es exemplarisch mit theologischen Grundfragen zu tun, von denen nicht abstrahiert werden darf, wenn man das Thema der Gerechtigkeit Gottes im Blick auf den christlichen Alltag und auf ihre Verwirklichung in der profanen Welt abhandelt. Immer wird es deshalb zum Konflikt zwischen denen kommen, welche das Christentum seinem Wesen gemäß zu repräsentieren beanspruchen, sich selbst als stark fühlen und den Kontrahenten als schwach diffamieren (vgl. dazu Dupont, Syneidesis 131 ff.; Gnosis 272 f.; Appel 138 f.). Pls greift den in der Gemeinde gängigen Jargon auf, läßt sich aber nicht in die Rolle des Parteigängers drängen. Die nicht vermeidbaren Konflikte sind nicht bloß durch persönliche Freundlichkeit (gegen Zahn; Kühl) und Anerkennung der guten Absicht (gegen Gutjahr) zu entschärfen. Die theologische Verurteilung des andern, welche richtend oder verachtend die Gemeinschaft aufkündigt, ist nicht erlaubt. Die vorhandenen Fronten müssen durchlässig bleiben und dem Bruder Spielraum offenhalten. 3c bezieht sich grundsätzlich auf beide Gruppen.

Wer sich von dem trennt, den Gott, nun wohl tatsächlich auf die Taufe gesehen, in die Gemeinde stellte, tastet die Gnade und das Recht seines Herrn an und greift in die Funktion des Weltenrichters ein. Ein im Stil der Diatribe gehaltener Hinweis auf antike Rechtsverhältnisse (Michel) verdeutlicht in 4 solchen Frevel. οἰκέτης ist der allein dem pater familias unterstehende Haussklave, der also von seinen Mitsklaven unabhängig ist. ἀλλότριος statt des zu erwartenden ἕτερος scheint zu verstärken. Richten kann man nur, für wen man zuständig ist, nicht fremdes Eigentum. στήκειν und πίπτειν sind wohl schon Ausdrücke der urchristlichen Erbauungssprache, die den Stand im Glauben oder den Fall aus ihm bezeichnen, hier verallgemeinert das Verbleiben auf dem angewiesenen Platz oder dessen Verlassen. Der Dativ meint nicht (gegen Lagrange; richtig Zahn; Nababan, Bekenntnis 42. 49): zum Nutzen oder Schaden des Herrn, sondern: ihm zulieb oder für ihn. Wie häufig gleitet der Vergleich in die anvisierte Realität, so daß 4a in die Nähe der Allegorese rückt. Allein der Herr befindet darüber, ob der von ihm angewiesene Platz bewahrt oder aufgegeben wird. Mit 4c bricht die Sache noch stärker in das nicht völlig aufgehobene Bild ein. Wie der Herr über den Platz seines Knechtes verfügt und über die Bewährung dort entscheidet, hat er auch die Möglichkeit und das Recht, erneut an die etwa verlassene Stelle zu setzen. Endgültig überschritten werden die Grenzen des Bildes mit σταθήσεται δέ, das (gegen Leenhardt) passivisch ist und kaum (gegen Michaelis, ThWb VI, 165; Grundmann, ebd. VII, 647 f.; anders Kühl; Ridderbos; Nababan, Bekenntnis 44) im eschatologischen Futur steht. Pls bekundet sein Vertrauen darauf, daß der Herr der Gemeinde deren einmal angenommenes Glied selbst bei geschehenem Fall wieder zum Stehen bringen wird. Gnade ist mächtiger als des Menschen Verfehlung. Anders als die Varianten mit dem Adjektiv, welche die Aussage erbaulich verstehen (auch Michel; H. W. Schmidt), weist δυνατεῖ doppelsinnig auf die Möglichkeit wie die Macht der Gnade. Die Varianten konnten das nicht fortführende (so Lietzmann; Lagrange; Ridderbos; Nababan 45 f.), sondern begründende γάρ streichen, weil es ihnen nur um die Zusicherung ging. 5 ist im Kontext ein Nachtrag. Bedeutet das einen hypothetisch angefügten und erwogenen Fall? Die Parallelität der Satzform zu 2 spricht dagegen. Pls fällt ein, daß auch Tagwählerei vorkommt. κρίνειν hat zunächst, wie das vergleichende παρά anzeigt (Riesenfeld, ThWb V, 730 f.), den Sinn von „vorziehen". Bestimmte Tage werden von andern abgehoben. Der unvollständig bleibende zweite Relativsatz verweist darauf, daß es auf der andern Seite Gleichgültigkeit gegenüber solcher Praxis gibt. Daß diese Angelegenheit erst nachklappend erwähnt wird, läßt sie als untergeordnet erscheinen. Das könnte sie kaum sein, wenn hier wie Gal 4,9 f.; Kol 2,16 ff. ein religiöser Kalender vorausgesetzt würde, der auf Grund eines den Kosmos bestimmenden Gesetzes die Beachtung von Fast- und Feiertagen erzwingt. Im Blickfeld scheinen Christen zu stehen, welche von Tagen unter glücklichem oder ungünstigem Gestirn überzeugt sind (vgl. Billerbeck; Lagrange). Pls nimmt weder rechtfertigend noch verwerfend zu diesem Verhalten Stellung. Ihn beunruhigen einzig dessen Auswirkungen auf das Gemeindeleben. 5b—6 fassen sein Anliegen epigrammatisch zusammen, wobei an 6a eine typische Koine-Interpolation angehängt ist (Lietzmann).

In allen Bereichen steht christliche Existenz im Dienst und nach 12,1 f. allein dann im Wohlgefallen des Herrn, der in unserm Text zweifellos Christus ist. 1.K 3,21 f. bringt das gleiche Motiv auf die Formel, daß alles erlaubt wird, sofern man unter Christi Herrschaft bleibt, und in 12,3 ist das nochmals dahin variiert, daß man in charismatischer

Freiheit lebt, solange man die Grenzen der einem geschenkten Gabe sieht und nicht die Gemeinde als Leib Christi zerstört. So begegnet nicht zufällig auch hier das charakteristische ἕκαστος als Adresse des apostolischen Dekrets. Der Grundsatz macht im einzelnen Diskussion nicht überflüssig, sondern sanktioniert geradezu verschiedenes Verhalten in der konkreten Situation. Eine Kasuistik hat von vornherein keinen Platz. Unendliche Weite vorhandener Möglichkeiten eröffnet sich der Kirche im ganzen wie der Einzelgemeinde, im Zusammenkommen mit andern wie im persönlichen Leben. Wo es das nicht gibt, zerfällt die Christenheit in Sekten. Christliches Dasein verkümmert, wo es sich uniformieren und unkritisch unter Konventionen stellen läßt. Unverrückbar gilt umgekehrt ein non plus ultra. Zeigt unser Verhalten nicht mehr die Zugehörigkeit zu Christus als letzte Bindung auf, wird Existenz gottlos. Unsere persönliche Freiheit endet einzig, aber radikal an unserm Herrn. Weite und Enge, Freiheit und Gebundenheit fallen so zusammen. Pls spricht jetzt nicht, wie zu erwarten wäre, vom Glauben oder vom Gewissen, obgleich νοῦς an dieser Stelle zweifellos mit beidem zu tun hat (vgl. Bultmann, Theol. 220. 327). Es geht dem Apostel um die erneuerte Vernunft von 12,2, deren kritisches Vermögen durch die Berufung in einen fest umschriebenen Raum zu fester Überzeugung und entschlossenem Handeln aus Einsicht in die eigene Situation führt, andererseits von da aus offen für neue Lagen und das Urteil des Bruders bleibt (Bultmann, ebd. 212. 327; Behm, ThWb IV, 957; Ridderbos). Das Pronomen verstärkt. Niemandem wird Verantwortung und Entscheidung erspart, jedem gleichwohl die völlige Gewißheit des πληρο-φορεῖσθαι nicht bloß zugesprochen, sondern sogar befohlen. Ein Christ wird nicht, wie es manchmal zu hören ist, durch das schlechte Gewissen über seine Unvollkommenheit und die Unentschlossenheit angesichts einer verworrenen Umwelt qualifiziert, sondern durch ihn von andern abhebende klare Einsicht, überzeugtes und freudiges Handeln und Leben (in hartem Widerspruch zur Deutung von J. Becker, Rom 14,5, der S. 11 ff. das Verb medial als „Gefallen haben an" versteht). Das Wortspiel mit φρονεῖν in 6a präzisiert. Während es zunächst auf die Unterscheidung der Tage zurückweist, bezeichnet es am Schluß die existentielle Ausrichtung auf das allein Notwendige. Nicht der Name und das Firmenschild, sondern der eindeutige Wille, in der Jüngerschaft zu bleiben, ist das Kriterium des Christlichen schlechthin. Was als „auf den Herrn bedacht" unsere Begrenzung charakterisiert, ist zugleich der Raum völliger und freudiger Übereinstimmung mit sich selbst, die nicht durch das Verhalten und den Widerspruch anderer beirrt zu werden braucht und ihnen nicht einfach den eigenen Platz räumt. Leben wir dem Herrn zu Gefallen, hat niemand das Recht, unsere Freiheit zu beschränken, unser Urteil zu normieren oder zu programmieren. Wo angebliche Liebe uns zu hindern sucht, den eigenen, unvertretbaren Beitrag zum allgemeinen Dienst zu leisten, gerät sie in die 12,9 angedeutete Gefahr der Heuchelei. Denn Gott will uns in unsern eigenen Möglichkeiten, in fröhlicher Unbefangenheit durchaus nichtkonformistisch. Der zweite Teil von 6 illustriert dieses Votum. εὐχαριστεῖν bezieht sich auf die auch heidnisch bezeugte (Schubert, Thanksgivings 139 f.) und im Judentum selbstverständliche (Harder, Gebet 121) Gewohnheit des Gebets über der Mahlzeit. Der Asket wie der Starke bekennen beim Essen, daß sie ihre Nahrung aus Gottes Hand empfangen und deshalb zu danken haben. Ihre verschiedene Einstellung zu den Speisen beeinträchtigt nicht die Anerkennung des gleichen Herrn. Wo das geschieht, werden starre Verbote sinnlos und ungezügelte Willkür unmöglich, sind die vorhandenen Konflikte zutiefst durch übergreifende Gemeinschaft relativiert.

23*

Das Exempel wird in 7—9 in einen das gesamte christliche Dasein umspannenden Horizont gerückt, der es seinerseits als kennzeichnenden Ausschnitt begründet und der Anweisung im Detail innere Notwendigkeit gibt. Es geht also nicht bloß um einen Seitenblick (Jülicher) oder eine Abschweifung (Kirk), sondern um die zentrale Aussage des Abschnittes, aus der sich alles andere als Folgerung ungezwungen ergibt. Rhetorische Kunst der Diatribe bestimmt die Formulierung, führt im Schluß von 8 zu einer pointierten Sentenz (Thyen, Homilie 56) und in 9 zur Benutzung eines Bekenntnissatzes (Nababan, Bekenntnis 9. 55 f.), ohne daß man deshalb die Verse hymnisierend nennen sollte (gegen H. W. Schmidt). So ist der Dank zwar Ausgangspunkt, aber nicht Leitmotiv der Aussage (gegen Thüsing, Per Christum 31). Als Indiz illustriert er, daß wir als die stets Empfangenden und durch die Heilstat Begnadeten dem Herrn gehören. Leben und Tod sind die extremsten Gegensätze in menschlicher Existenz und werden als solche von jedem persönlich erfahren. Der Christ bewährt sich darin, daß er sehenden Auges durch beides geht. Die Variationsbreite des Verhaltens ist auch hier unendlich, wird aber in der Fülle ihrer Möglichkeiten durch eine letzte Alternative bestimmt, ob man nämlich für sich selbst oder für den Herrn lebt und stirbt. Es gibt dazu eine Reihe antiker Parallelen (vgl. Bauer, Wb 666; Lagrange; Michel), die ebenfalls das Leben für sich selbst verwerfen, am schönsten der Satz Plutarchs, vit. Cleom. 31: αἰσχρὸν γὰρ ζῆν μόνοις ἑαυτοῖς καὶ ἀποθνῄσκειν. Schon sie meinen mehr als den Primat der Gewissensfreiheit, in welcher man für sich allein einzustehen hat (gegen Jülicher), so fraglos Humanität verraten wird, wo man Gewissensentscheidungen nicht respektiert. Erst recht spricht der Apostel nicht von menschlicher Selbstverantwortung, und die imperativischen Varianten in 8b sind erbauliche Korrekturen. Dem Herrn zu leben und zu sterben, ist für Pls das Kriterium des Christen in extremis und darum auch im Alltag, „die eine ethische Möglichkeit" (K. Barth), schon mit 12,6 anvisiert. 9 bringt sie in die Gestalt einer Glaubensformel, in welcher das tradierte Bekenntnis „für uns gestorben und auferstanden" von 1.K 15,3; 2.K 5,14 f.; Gal 1,4 frei umschrieben wird (Michel; Wengst, Formeln 40 f.; Nababan, Bekenntnis 27. 62). Die Einleitung εἰς τοῦτο γὰρ schließt in apodiktischer Schärfe jede Ausnahme aus. Der ingressive Aorist ἔζησεν, welcher den definitiven Akt bezeichnet (B.-D. § 331; Nababan 61) wurde später als nicht deutlich genug durch ἀνέστη ersetzt und dann beides sogar verbunden (Lietzmann; Lagrange). Die Voranstellung von νεκρῶν in 9b überrascht zunächst. Rhetorik, welche den Vordersatz chiastisch aufgreift, spielt zweifellos mit. Doch wird so betont, daß der Erhöhte in kosmischer Universalität Herrschaft über alles beansprucht und in der Gemeinde verwirklicht. Das Motiv von Eph 4,8 ff. wird vorbereitet, wonach Christus Leben und Tod durchmaß und nun über beides Macht besitzt. Die Kontur des Kosmokrator wird sichtbar, der niemanden der privaten Sphäre beläßt und alles auf sich ausrichtet. Zu ihm zu gehören oder nicht, wird zum eschatologischen Kriterium aller Menschlichkeit und qualifiziert darum auch alles Handeln, unsere Kriterien übergreifend. Von da aus wird die Funktion des Weltenrichterss, die in 10 f. dominiert, folgerichtig abgeleitet (Bultmann, Theol. 81; Thüsing, Per Christum 35 f.). Pls kann dabei zur konkreten Frage zurückkehren und sie nochmals in neuem Horizont grundsätzlich beantworten. Im Stil der Diatribe leitet eine Frage ein, welche stark betont den Einzelnen als Repräsentanten seiner Gruppe anredet. Wie kann man im Zeichen der universalen Herrschaft dessen, durch welchen Gott das Weltgericht vollstreckt, den Bruder richten oder verachten, als wäre man selbst des anderen Maß? 10c verschärft die

Frage indirekt, indem das Risiko einer derartigen Haltung mit jedem Wort herausgestellt wird. πάντες steht voran. Was immer uns irdisch schied, so müssen wir doch gemeinsam vor den Richter treten. παριστάνεσθαι c. dat. ist wie in 2.K 4,14 im Hellenismus technischer Ausdruck für das forensische Präsentiertwerden, βῆμα der amtliche Richtersessel. Der Kontext der vorigen Verse und vielleicht Erinnerung an 2.K 5,10 haben sekundäre Lesarten (Lietzmann; Lagrange u. a. gegen etwa Zahn; Kühl) dazu verführt, von Christus statt von Gott zu sprechen. Für den Apostel gibt es hier keinen sachlichen Unterschied. Christus übt die traditionell Gott zugeschriebene Funktion des Richters als dessen Stellvertreter aus. Daß wir ausnahmslos solchem Gericht entgegengehen und bereits irdisch im Umgang mit den Brüdern das darzutun haben, ist entscheidend. Hier zeigt sich, daß die paulinische Paränese nicht bloß von der Heilstat, sondern herkömmlich ebenfalls von der Enderwartung her motiviert werden kann. Auch wenn die eschatologische Wendung sich schon vollzog, steht letzte Entscheidung für den Einzelnen noch aus. Wer auf der Schwelle des eigenen Gerichtes steht, wird sein Verhalten zum Bruder daran orientieren. 7—9 sind zwar Zentrum des Abschnittes, dürfen jedoch nicht (gegen Nababan, Bekenntnis 22) isoliert werden. 11 führt fort und überhöht wie in Phil 2,10 f. ihre Prämisse. Zitiert wird Jes 45,23, wobei die Einleitung durch die schwurartige Versicherung ζῶ ἐγώ, λέγει κύριος mit rezitativem ὅτι aus Jes 49,18 ersetzt und in der LXX-Fassung von AQ ἐξομολογή- σεται gebraucht wird. Was sich im Urtext auf die Völker, in Phil 2,10 f. auf die kosmischen Mächte bezog, wird hier, der Paränese entsprechend, auf jeden einzelnen Menschen angewandt. Das Verb meint an unserer Stelle (gegen Michel, ThWb V, 215) nicht das eschatologische Sündenbekenntnis, sondern die mit der Proskynese verbundene Akklamation. Sie gehört ursprünglich in das Ritual der Inthronisation, wie sie in Phil 2,10 f. sich, ins Eschatologische transponiert, dem erhöhten Christus gegenüber vollzieht. Hier wie in der alttestamentlichen Vorlage ist sie die Anerkennung Gottes als des Herrn und Richters der Welt im Lobpreis der Unterworfenen (Black, Use 8). 10b ist damit konkretisiert, ohne daß (gegen Nababan, Bekenntnis 85 f.) Christus als redendes Subjekt des Zitates anzunehmen wäre. Ende der Welt wie jedes einzelnen Schicksals bedeutet, daß Gott allein Recht behält und ihm die Ehre gegeben wird. Daraus sind Konsequenzen für unsern Weg dahin gerade auch in der Gemeinde zu ziehen, wie 12 in paränetischer conclusio, durch ἄρα οὖν wie anderswo eingeleitet, unterstreicht. Gute Lesarten lassen οὖν und τῷ θεῷ aus und gewinnen so eine Sentenz. λόγον διδόναι ist feste forensische Wendung: Rechenschaft ablegen. Wer weiß, im letzten Gericht für sich selbst einstehen zu müssen, wird sich hüten, es andern gegenüber vorwegzunehmen.

2. 14,13—23: Merkmale der Gottesherrschaft in der Gemeinde

13 Laßt uns also nicht mehr einander richten! Richtet vielmehr euer kritisches Ver-
14 mögen darauf, dem Bruder nicht Anstoß oder Ärgernis zu bereiten! Ich weiß und
   bin im Herrn Jesus völlig überzeugt: Nichts ist in sich selbst unrein, sondern un-
15 rein ist es nur jenem, der etwas für unrein hält. Denn wenn dein Bruder um einer
   Speise willen in innere Not gerät, wandelst du nicht mehr der Liebe gemäß. Richte
16 nicht durch deine Speise jenen zugrunde, für den Christus gestorben ist! Keines-
17 falls soll das euch (verliehene) Gute verlästert werden. Denn das Reich Gottes ist
   nicht Essen und Trinken, sondern Gerechtigkeit, Friede und Freude im heiligen

18 Geiste. Wer also Christus darin dient, ist Gott wohlgefällig und gilt den Menschen
19 als bewährt. Wir jagen folglich dem nach, was dem Frieden und der gegenseitigen
20 Erbauung entspricht. Zerstöre nicht um einer Speise willen das Werk Gottes!
Alles ist zwar rein. Es wird jedoch dem Menschen schädlich, der es ißt, sofern er
21 sich daran stößt. Besser ist es, nicht Fleisch zu essen, nicht Wein zu trinken oder
22 etwas sonst (zu tun), worüber dein Bruder stolpert. Halte du den Glauben, den du
hast, für dich selbst Gott gegenüber fest! Selig ist, wer sich nicht selbst zu richten
23 braucht in dem, worüber er entscheidet! Wer aber, wenn er ißt, Skrupel empfindet,
der ist verdammt, weil er nicht aus Glauben (handelt). Denn alles, was nicht aus
Glauben (geschieht), ist Sünde.

Literatur: E. Peterson, ἔργον in der Bedeutung ‚Bau‘ bei Paulus, Biblica 22 (1941), 439-441.
O. E. Evans, What God requires of Man, Romans XIV, 14, ET 69 (1957/8), 199-202. H. Conzelmann, Der erste Brief an die Korinther, 1969, 173-178. K. Aland, Glosse, Interpretation, Redaktion und Komposition in der Sicht der neutestamentlichen Textkritik, Apophoreta (Festschr.
E. Haenchen, 1964), 7-31.

13 zieht als Überleitung aus dem Gesagten das Fazit im Blick auf beide Gruppen. Doch
liegt der Tenor wie in 13b, so im ganzen Abschnitt wesentlich auf der Mahnung für
die Starken. Der Stil der Diatribe bekundet sich wieder im Wechsel persönlicher Anrede
mit grundsätzlicher Aussage und im Spiel mit dem verschiedenen Sinn von κρίνειν und
dessen Komposita. Die Grundbedeutung „ein Urteil fällen" wird in 13a zu „verurteilen"
zugespitzt, in 13b zu „kritisch bedenken" abgewandelt. Die wie 9,33 vorgegebene Verbindung von πρόσκομμα und σκάνδαλον (vgl. Stählin, Skandalon 171 ff.), deren faktische
Tautologie (Stählin, ThWb VI, 753; VII, 355) in Varianten durch Auslassung des ersten
Substantivs beseitigt worden ist, wirkt hier schon abstrakt. Der Komparativ in 13b hat
adversativen Sinn. Statt einander zu verurteilen, soll man Anstoß und Ärgernis des
Bruders vermeiden. Auf den ersten Blick wird der Gang der Argumentation nicht durch-
sichtig (Lietzmann), weshalb zuweilen (Zahn; Bardenhewer; Michel) 14 als Parenthese
oder 16—19 als Digression betrachtet wird (Zahn; Leenhardt; als Klammer bei Baulès).
Tatsächlich begreift man den Sprung von 13 zu 14 mit seinem Grundsatz und von dort
zurück in die Paränese nur, wenn man die Parallele zu 1.K 8,7—13 bis in die gleichen
Stichworte hinein feststellt. Wie dort stimmt Pls grundsätzlich der Meinung der Starken
zu, lehnt jedoch deren radikale Verwirklichung um der Bruderliebe und der Erbauung
der Gemeinde willen ab. Eine zweite Einsicht muß sich mit dieser ersten freilich verbinden. 14 erinnert unverkennbar an das Logion Mk 7,15 und an die nach Apg 10,10—16
Petrus gegebene Offenbarung. Beide Male geht es unter dem Stichwort κοινόν um das
Problem ritueller Reinheit christlichen Lebens. Gal 2,1 ff. und das sogenannte Aposteldekret Apg 15,20. 29 zeigen die tiefen Konflikte auf, welche sich in der vorpaulinischen
Gemeinde mit dieser Streitfrage verbanden. Judenchristen, welche sich noch dem Heiligkeitsgesetz verpflichtet fühlten, mußten im Umgang mit Heidenchristen eine ständige
persönliche Gefährdung und in freier denkenden Genossen so etwas wie Abtrünnige erblicken. Die Wahrung der Tora auf der einen, die Einheit der Gemeinde auf der anderen
Seite standen hier auf dem Spiel. Die Problematik des Götzenopferfleisches in 1.K 8—10
ist ein besonders wichtiger Brennpunkt der Auseinandersetzung. Der Kampf verschärfte
sich zu einer Zerreißprobe, weil die heidenchristlichen Enthusiasten für die Sorgen der

Judenchristen keinerlei Verständnis hatten und sie als Skrupulanten verachteten. Pls meint, Anlaß zu haben, auch die römische Debatte um den Vegetarismus und die Tagewählerei mit diesem Streit verbinden zu müssen. Deshalb greift er das im hellenistischen Judentum gängige Stichwort κοινόν (vgl. Zahns Belege) und in 20 die Parole πάντα καθαρά auf. Er wendet sich jetzt gegen die Starken, welche er offensichtlich mit den Freiheitsschwärmern von 1.K 8,7 ff. identifiziert. Sowohl die theologische Frage wie der praktisch zu steuernde Kurs sind für ihn entschieden. Emphatisch leitet er mit der singulären, fast schwurartigen (Pallis), die Formel πέπεισμαι ἐν κυρίῳ von Gal 5,10; Phil 2,24; 2.Th 3,4 überbietenden Wendung οἶδα καὶ πέπεισμαι und der betonten Nennung des Namens Jesu 14 ein. Absolute Gewißheit und apostolische Autorität formen einen Lehrsatz (Michel). Müßig ist unter solchem Aspekt der Streit darüber, ob der Apostel sich auf ein Jesuswort beruft (so Zahn; Jülicher; Lagrange; Leenhardt; H. W. Schmidt; Nababan, Bekenntnis 93; wohl auch Michel) oder nicht (Kühl; in der Schwebe gelassen bei Sanday-Headlam). Die Interpretation „vermöge meiner Gemeinschaft" mit dem erhöhten Herrn (Lietzmann; Ridderbos) ist zu blaß (Michel; Neugebauer, In Christus 143) und wenigstens durch „kraft der Autorität des Herrn Jesus" zu verschärfen. Doch wird so wie in 1.K 11,23 an eine nicht zufällig mit dem Namen Jesu als deren Garant verbundene Bekenntnistradition erinnert (vgl. Dupont, Gnosis 310), die in der Auseinandersetzung mit dem gesetzesstrengen Judenchristentum gewonnen wurde, im Aposteldekret noch die Form eines Kompromisses hatte, in Mk 7,15 wohl zu Recht auf Jesu Verhalten und Botschaft sich gründete, in Apg 10,10 ff. auf eine Offenbarung an den Apostelfürsten und ersten Repräsentanten des freien Judenchristentums. Pls hat sie als unveräußerlichen Bestandteil seines Glaubens und seiner Mission übernommen und aktualisiert. Von ihr her konnte er das grundsätzliche Recht der Starken anerkennen und sich doch paradoxerweise gegen unverantwortliche praktische Konsequenzen wehren. Wie κοινόν = „profan" stammt καθαρός = „nicht verunreinigend" als Stichwort aus der jüdisch-judenchristlichen Debatte um das Heiligkeitsgesetz (Lietzmann; Michel). Die bleibende dogmatische Bedeutung von 14a liegt darin, daß nicht nur die Frage reiner und verunreinigender Speisen beantwortet, sondern der für die gesamte Antike grundlegende, bis heute nachwirkende Unterschied zwischen kultischer und profaner Sphäre für den Christen aufgehoben wird. Wie 12,1 ankündigte, ist damit zugleich der Bereich des heiligen Bezirkes und seiner Institutionen von der Christenheit grundsätzlich verlassen. Doch macht erst die Position den Sinn der Negation klar. An die Stelle des Vergangenen tritt eine neue Einsicht, die nicht als moralisch betrachtet und bezeichnet werden sollte. Eschatologisch und christologisch begründet, wird nun ein nicht weniger fundamentaler Gegensatz zwischen „rein" und „unrein" aufgerichtet. Anders als die korinthischen Schwärmer meint Pls nicht, daß es überhaupt keine irdischen Schranken für den Christen mehr gäbe. εἰ μή in der Bedeutung von ἀλλά (B.-D. § 488,8; Pallis) bezeichnet die Ausnahme. Sie gehört wohl ebenfalls zu der aufgegriffenen Lehrtradition, deren unpersönlichen Stil sie, vielleicht auch in der Aufnahme des Partizips durch ἐκεῖνος, teilt (Michel). So ist sie nicht einmal spezifisch christlich, macht vielmehr die Instanz des Gewissens geltend: Sofern jemand etwas für unrein hält, hat er das mit seinem Verhalten kundzutun, weil er sonst seine Humanität gefährdet. Mit verletztem Gewissen zu leben, ist bedrohlich. Es wird also nicht die Grenze der Gewissensentscheidung betont (gegen Schrage, Einzelgebote 154), sondern die Pflicht, ihr zu folgen.

Wichtig ist, ausdrücklich festzustellen, daß hier keine Lehre von den Adiaphora vorliegt (Kühl gegen Asmussen; vgl. Schrage, Einzelgebote 155 ff.). Wo immer der Streit um
das Erlaubte und Verbotene stattfindet, müssen die notwendigen Zeichen gerade im Felde
der sogenannten Adiaphora gesetzt werden, weil es für den christlichen Alltag nicht die
Indifferenz (gegen Lietzmann) zwischen der Herrschaft des Christus und der anderen des
Antichristen gibt. Mag die Welt der Dinge weitgehend profan sein, so sind es doch die
Geschöpfe Gottes nicht, die sich darin bewegen oder sie benutzen. Damit ist den Starken
der Wind aus den Segeln genommen. 13b mit fortführendem γάϱ aufnehmend, markieren 15—16 die Grenzen ihrer Freiheit durch die Rücksicht auf das zeitliche und ewige
Heil des Bruders. Häufig genug hat man das von der Anschauung der fides caritate formata her interpretiert (mindestens unscharf Leenhardt; E. Brunner). Die Liebe ist nicht
größer als der Glaube und behält deshalb nicht das letzte Wort (gegen H. W. Schmidt). Es
gibt die direktionslose, Wahrheit und Freiheit verleugnende, nur scheinbare Liebe, die
ebenso unchristlich und letztlich inhuman ist wie dogmatische Intoleranz. Läßt man die
Agape grundsätzlich die Freiheit überbieten (Michel), stellt man die Heiligung über den
Glauben genauso, wie wenn der Glaube nur innere Freiheit gewährt, aber nicht wie die
Liebe sagt, was ich tun darf (E. Brunner). Es geht darum, daß gerade im Verzicht auf
die eigene Freiheit sich christliche Freiheit bekunden kann (Bultmann, Theol. 343 f.), und
ihre Grenze nicht theoretisch, sondern nur im Raum der Wirklichkeit zu erkennen ist
(Conzelmann, Korintherbrief 175). Sie wird nicht durch das Wünschen, Wollen, Meinen
des andern bestimmt, sondern allein durch seine, im passivischen λυπεῖται angezeigte Not
(Ridderbos). So stellt auch Test. B 6,33 fest, der Gute betrübe nicht den Nächsten. Gedacht ist an den Zustand des geschlagenen Gewissens, nicht an etwaige Entrüstung darüber, daß ich Konventionen breche und Traditionen nicht folge. Provokation kann auch
dem Bruder nicht erspart werden, weil sein vermeintliches Recht so wenig wie das von
mir vorausgesetzte jenes letzte Wort hat, welches dem Herrn allein zusteht. 15c präzisiert den Sachverhalt, indem nun von „zugrunde richten" gesprochen wird. Hat das Verb
eschatologische Tragweite (Rauer, Schwachen 84; Mattern, Gericht 117; Conzelmann,
Korintherbrief 177), so bezieht es doch die Verletzung der Humanität in der Gegenwart
ein. Der folgende Relativsatz nimmt die bekannte und bereits erörterte Formel ἀπέϑανεν
ὑπέϱ, den Tod Christi nach seiner Heilsbedeutung charakterisierend, auf (Dupont, Appel 361), um die Schwere der aufgedeckten Gefahr zu motivieren. Mißbrauchte Freiheit
wendet sich nicht nur gegen Gottes Geschöpf, sondern pervertiert den Sinn der Heilstat.
Wer Christus als Erlöser und Hüter des Bruders verleugnet, verläßt selber den Bereich
des Heils und begibt sich erneut in denjenigen der durchkreuzten Selbstbehauptung, also
in die Rebellion des Fleisches gegen den Geist. Insofern wird jetzt tatsächlich die Liebe
wie zur Frucht, so auch zur Grenze des rechten Glaubens. 16 ist streng aus dem Kontext
zu begreifen und bleibt sonst unklar. τὸ ἀγαϑόν ist keineswegs sinnlos (Pallis), wenn es
wie in 8,28; 10,15 das Heil, genauer den Heilsstand meint (Kühl; Leenhardt; Michel;
Ridderbos; Nababan, Bekenntnis 94), also nicht das christliche Ideal (Lietzmann) und
ebenso nicht im Vorgriff auf 17, wo eine neue Argumentation beginnt, die Basileia (Asmussen; H. W. Schmidt). Unverständnis führte zur westlichen Lesart ἡμῶν (dafür Zahn),
während ὑμῶν an die Starken denkt und ἀγαϑόν dann die ἐξουσία von 1.K 8,9, also eben
ihre Freiheit im Auge hat (Sanday-Headlam; Lagrange; Barrett; Murray; Althaus;
Merk, Handeln 170; wohl auch Schlatter). τὸ ἀγαϑόν wird vielleicht abschwächend ge-

sagt, weil schon an die Möglichkeit der Perversion gedacht ist. Strittig ist endlich das Subjekt des Lästerns, das fast stets im Neuen Testament von Nichtchristen erfolgt (Nababan 95). Der Text wird überfordert, wenn man (Gutjahr; Michel; Gaugler) es bloß auf die Schwachen bezieht. Beides schließt sich nicht aus (H. W. Schmidt). Pls liegt einzig daran, daß die ohnehin anstößige libertas christiana nicht auch noch durch emanzipierende Willkür und durch Bruderstreit fragwürdig und zum Gegenstand des Spottes gemacht wird. Das würde Gottes Gnade desavouieren.

Dieser Zwischengedanke erklärt wohl den Übergang zu 17. Im Kontext überrascht der Vers zunächst ebenso wie die parallele Aussage in 14. Höchst ungewöhnlich wendet der Apostel wie in 1.K 4,20 den bei ihm seltenen Begriff βασιλεία τοῦ θεοῦ nicht auf die kommende Königsherrschaft Gottes an (gegen Lagrange). Immerhin ist diese letzte nach 1.K 15,24 f. die Vollendung der bereits gegenwärtigen Christusherrschaft und in ihr angebrochen. Pls widersetzt sich der enthusiastischen Eschatologie mit Hilfe seiner Apokalyptik, läßt sie jedoch insoweit gelten, als sie christologisch orientiert und begrenzt wird. Diese Dialektik wird verkannt, wenn man die Aussage spiritualisiert (Leenhardt), erbaulich vom Reich der Gnade (Gutjahr) oder säkularisierend vom Christentum oder von der christlichen Religion spricht (Kühl; Bardenhewer; Sickenberger). Wenn in der Gemeinde das Regnum Christi zu erblicken ist, hat dort bereits die Gottesherrschaft antizipierende Wirklichkeit gewonnen. Weil das irdisch nur in Angefochtenheit geschehen kann und die Schwärmer das übersehen, kommt es wie in 1.K 4,20 zu einer polemischen Definition. Denen, die sich ihrer Weisheit rühmen, wird gesagt: nicht im Reden. Hier heißt es parallel dazu gegenüber den Starken: nicht in Essen und Trinken. Antithetisch wird die Position dort durch „in Kraft" umschrieben, in unserm Verse durch Gerechtigkeit, Friede und Freude im heiligen Geist. Die Präpositionalwendung geht (gegen Zahn; Lagrange; Michel) auf alle drei Glieder, so daß Gal 5,22, nicht 1.Th 1,6 zur nächsten Parallele wird. Während die traditionelle Taufparänese in 1.K 6,10; 15,50; Gal 5,21 die Formel „das Reich ererben" gebraucht, scheint Pls hier zwar im Lehrstil (Michel), jedoch mit einer von ihm selbst gebildeten und deshalb nicht zufällig polemischen Definition zu argumentieren. Von den Vertretern einer radikalen realized eschatology scheidet ihn ein anderes Verständnis des Geistes. Dieser entrückt nicht der Welt und läßt das durch Askese oder Ungebundenheit gegenüber irdischer Ordnung demonstrieren. Er setzt andererseits (gegen Gutjahr; Baulès) nicht eine neue Skala christlicher Tugenden, stellt vielmehr in den Bereich eschatologischer Gnade. Gerechtigkeit ist nicht das rechte Handeln (so Sanday-Headlam; Barrett), sondern die göttliche Macht, Friede die Aufgeschlossenheit gegen jedermann, Freude der Stand unter offenem Himmel. Nicht Gefühle, sondern Befindlichkeiten sind hier als Merkmale der angebrochenen Gottesherrschaft und der christlichen Gemeinschaft beschrieben. 18 unterstreicht, gehört also noch zu 17 und der dort gegebenen Definition (gegen Michel). Spätere Handschriften verdeutlichten, daß der Satz sich auf 17b im ganzen bezieht, veränderten darum pedantisch ἐν τούτῳ um der Dreizahl im Vorigen willen durch ἐν τούτοις (Kühl; Ridderbos; Conzelmann, ThWb IX, 359; Merk, Handeln 170). „Dem Christus dienen" faßt das Genannte zusammen, ist das Wesen der in der Gemeinschaft sich offenbarenden Gottesherrschaft, hat darum die offene Tür zum göttlichen Wohlgefallen und, wie recht zuversichtlich hinzugefügt wird, auch zu den Menschen. Denn δόκιμος meint jetzt nicht wie sonst die Bewährung des Glaubens als solche, sondern im Gegensatz zur Lästerung jene Anerkennung (Grundmann, ThWb II, 263), in welcher das dem Glauben gemäße Handeln respektiert wird. 19 zieht daraus die grundsätzliche, 20a die praktische Folgerung. Gerade weil man den sehr gut bezeugten Adhortativ erwartet, ist die noch etwas stärkere Form des Indikativs vermutlich ursprünglich (Lagrange; Michel; Leenhardt; H. W. Schmidt gegen Zahn; Kühl; Ridderbos). Die alttestamentliche, schon 12,18 traditionell gebrauchte Wendung „dem Frieden nachjagen" geht hier im Unterschied zu 17 auf das Verhältnis zu den Brüdern. τὰ τῆς εἰρήνης wird umfassend gesagt, τὰ τῆς οἰκοδομῆς, rhetorisch parallel, verdeutlicht sachlich das erstrebte Ziel. „Erbauung" ist wieder ein antienthusiastisches Stichwort, das den Zusammenhalt und das Wachstum der Gemeinde als Aufgabe jedes charismatischen Verhaltens der Einzelnen bestimmt. Wo man, um den Frieden bemüht, Bruderliebe praktiziert, können sich wie nach 12,3 f. auch die andern an ihrem Platz entfalten. Gottes Werk meint schon um des Zusammenhanges mit οἰκοδομή willen nicht den Christenstand des andern (so Zahn; Kühl; Lagrange), geschweige Jesu Kreuz (Michel), sondern wie 15,2; 1.K 3,9 die Gemeinde (Rauer, Schwachen 85; Barrett; Ridderbos; Bertram, ThWb II, 640) als göttlichen Bau (Petersons Aufsatz). Sie über Speisefragen aufzulösen, wäre Frevel.

20b bringt lehrhaft wieder einen Grundsatz, der wie 14a, jetzt die dortige Negation positiv formulierend, die Meinung der Starken und, ähnlich wie in 1.K 6,12 f., ihre Schlagworte aufgreift. Jedoch muß wie in 14b die Einschränkung darauf folgen. Über gut und böse kann nicht abstrakt entschieden werden, wo konkret Menschen und die Erbauung der Gemeinde auf dem Spiele stehen. διὰ προσκόμματος bezeichnet den begleitenden Umstand. Die Aussage ist konzis. Das macht den Sinn von πρόσκομμα undeutlich (Stählin, ThWb VI, 757 f.; vgl. Skandalon 257). Will man nicht die Grundbedeutung aufgeben, ist zu verstehen: Wer essend Anstoß und Fall für den andern verursacht, tut das Böse, nämlich Unheil. In typischem Stil der Diatribe wechselt 21, das Gesagte verschärfend, erneut in die paränetische Anwendung über. προσκόπτει wird in starker Bezeugung durch ἢ σκανδαλίζεται ἢ ἀσθένει fortgeführt. Die Langform dürfte, weil man keinen rechten Anlaß für eine Textverkürzung gewahrt, eine spätere Interpretation nach 1.K 8,11—13 anzeigen (Lietzmann gegen Zahn: Kühl; Lagrange). Ebenso wird die merkwürdige relativische Attraktion ἐν ᾧ gerade um ihrer Schwierigkeit willen gegen die Konjektur μηδὲ ἕν (Zahn) festzuhalten sein. καλόν hat normativen oder komparativen Sinn (Ridderbos): Richtig ist, den Genuß von Fleisch, Wein und alles sonst den Bruder ins Stolpern Bringende zu meiden, sofern wirklich die Gefahr von 20b droht. In 22 wurde der Text ebenfalls korrigiert. Vorzügliche Lesarten bieten statt des recht überflüssigen Relativsatzes eine Frage, indem sie ἥν auslassen. Die Vereinfachung spricht gegen Ursprünglichkeit (anders Kühl). Pls erinnert an das Motiv von 12,3, wonach jedem der Glaube nur in begrenztem Horizont zuteil wurde, und fordert von den Starken, solche Schranke für sich und vor Gott einzuhalten. Der eigene Glaubensstand und die damit gewährte Freiheit brauchen deshalb nicht verleugnet zu werden. Der Makarismus geht nicht auf innere Glückseligkeit (gegen H. W. Schmidt), wie die Antithese von κατακρίνεσθαι in 23 zeigt (Nababan, Bekenntnis 105). Es handelt sich auch nicht um eine Warnung (gegen Michel), sondern um eine Bestätigung für die Freien. δοκιμάζειν meint hier mehr als die Entscheidung für das Geforderte (gegen Bultmann, Theol. 215; Ridderbos), nämlich das aus dem eigenen Glauben gewonnene und von ihm geprüfte Urteil. Selig ist, wer sich nicht selber dabei zu richten hat. Diese Zustimmung zur Position der Starken bildet aber auch jetzt nur die Prämisse für den folgenden Satz. Es gibt eben daneben die andern, welche nicht alles ohne Gewissensnot essen können. Was in 15 λυπεῖσθαι, in 1.K 8,7. 12 συνείδησιν μολύνειν oder τύπτειν heißt, wird nun in einem Wortspiel mit κρίνειν als Stand im Zweifel beschrieben. διακρίνεσθαι ist in dieser Bedeutung erst in christlicher Tradition belegt (Bauer, Wb 289; Dupont, Gnosis 270 f.). Es charakterisiert den gespaltenen Menschen (Büchsel, ThWb III, 950 f.), der sich gegen sein Gewissen vom fremden Glauben beeinflussen läßt und darum, wie der Begründungssatz feststellt, nicht mehr aus dem eigenen Maß der πίστις lebt. Wie der Makarismus von gegenwärtiger Seligkeit sprach, redet das außerordentlich harte, aus dem Wortspiel sich anbietende κατακρίνειν von schon gegenwärtig sich ankündigender Verdammung im Gericht. Hängt nach paulinischer Lehre die Seligkeit am Glauben, muß der Fall aus ihm Verdammung sein. Der Schluß bestätigt das mit einer theologisch gewichtigen Sentenz. Allgemein heute anerkannt, geht aus dem Kontext hervor, daß hier nicht über das Schicksal der Nichtchristen reflektiert wird. Umgekehrt sollte man in Abwehr eines derartigen Verständnisses den Satz nicht psychologisierend verharmlosen, indem man die innere Harmonie (H. W. Schmidt) des moralisch Handelnden postuliert (gegen Sanday-Headlam; Baulès; in der Tendenz auch Althaus). Sicherlich ist die Parallele 1.K 8,11 ff. zu beachten, und πίστις ist fast mit dem identisch, was dort Gewissen heißt (Bultmann, Theol. 220). Immerhin muß man ernst nehmen, daß vom Gewissen nicht die Rede ist und selbst das christliche Gewissen (gegen Schrage, Einzelgebote 152) vom Aberglauben erfaßt werden kann. Die Übersetzung von πίστις durch gutes Gewissen (Gaugler; Ridderbos) oder noch blasser durch Überzeugung (Sanday-Headlam; Lietzmann; Gutjahr; Bardenhewer; Best) ist äußerst fragwürdig, wenn man die Definition des Nachsatzes bedenkt. Pls warnt vor verletztem Gewissen und schützt sogar das irrende, um die Humanität des Menschen zu wahren. Fremdes Gewissen zu vergewaltigen, ist für ihn zweifellos Sünde. Man kann auch zugeben, daß πίστις sich hier besonders stark dem profanen Wortgebrauch „Überzeugung" nähert, wie anderswo dadurch Gläubigkeit, Christlichkeit oder das Christentum selbst bezeichnet wird. Der Glaube umgreift die gesamte Lebensführung und wechselt die ihn bestimmende Wahrheit nicht nach der jeweiligen Situation. Doch rechtfertigt das nicht die Moralisierung der Aussage dahin, daß man seiner tiefsten, selbstkritischen Überzeugung nicht zuwiderhandeln darf (gegen Sickenberger; E. Brunner) und das Gewissen mindestens relative Autonomie besitzt (gegen H. W. Schmidt). Sittliche Klarheit und innere, im Gewissensurteil begründete Zuversicht hat auch der Heide. Sünde entsteht jedoch, wenn man sich über Gottes Gabe hinwegsetzt und, statt das eigene μέτρον πίστεως zu beachten, in das ὑπερφρονεῖν gerät. Der Glaube ist konkrete Ausrichtung auf die Christusherrschaft, die ihn übergreift und in ihrer Weite Platz für die Besonderheiten ihrer Glieder läßt, also nicht uniformiert (Bultmann, Theol. 325; Nababan, Bekenntnis 103 ff.). Christus bleibt das einzige Maß für alle, und niemand hat seinen Glauben zur Norm für andere zu machen, sofern diese dem Christus dienen wollen. Auf Uniformität drängt der Schwache, wenn er sein Gesetz für den Bruder verbindlich macht, der Starke, wenn er dem Schwachen gewaltsam seine Erkenntnis zumutet. So formen wir einander nach dem eigenen Bilde und sündigen, weil der Glaube es immer und ausschließlich mit Christi Bild zu tun hat. Das Schwergewicht des Abschnittes ruht nicht auf den Verboten (gegen Michel), sondern auf den Merkmalen der Gottesherrschaft, welche sich durch Christus und den Geist in der Gemeinde verwirklicht. Wo der Unterschied zwischen profan und kultisch aufgehoben wurde, das Reich der Gerechtigkeit, des Friedens und der Freude anbrach, gibt es die über alle Differenzen der Existenz und Bindungen der Welt erhebende Freiheit. Sie ist jedoch dadurch christlich geprägt, daß sie über vorhandene Spannungen hinweg Solidarität wahrt. Weil sie nicht als persönlicher Besitz gilt und im Geber zugleich ihre Grenze findet, ist sie die Fähigkeit, Raum für den Nächsten freizumachen und den Bruder freizugeben. In ihr nimmt man sich gegenseitig an.

Über das textkritische und historische Problem der Auslassung von c. 15—16 und der späteren Einfügung von 16,25—27 nach unserm Kapitel braucht hier nicht ausführlich gehandelt zu werden (vgl. die Übersichten bei Lietzmann; Kümmel, Einleitung 225 ff.; Aland, Textkritik 18 ff.). Marcion, auf den die Streichung der folgenden Kapitel zurückgeht, hatte, wie sich ergeben wird, dafür gute Gründe, und so ist es auch verständlich, daß man auf seinen Spuren den Brief nicht ohne die Doxologie des Schlusses enden lassen wollte. Vom textkritischen Befund ganz abgesehen, ist umgekehrt die sachliche Zusammengehörigkeit von 15,1—13 mit c. 14 und von 15,14 ff. mit 1,9—15 so evident (z. B. Schumacher, Letzte Kapitel 17. 29), daß der ursprüngliche Brieftext mindestens c. 15 enthielt. Das Problem von c. 16 mag vorläufig dahingestellt bleiben.

3. 15,1—6: Das Vorbild Christi

1 Verpflichtet sind wir, die Starken, die Schwächen der Schwachen zu tragen und nicht
2 an uns selbst Gefallen zu haben. Jeder von uns möge dem Nächsten gefallen zum
3 Guten, zur Erbauung! Denn der Christus lebte auch nicht sich selbst zu Gefallen, sondern dem Schriftwort gemäß: Die Schmähungen derer, die dich schmähten, sind
4 auf mich gefallen. Was immer zuvor geschrieben wurde, ist jedoch zu unserer Belehrung geschrieben, damit wir in der Geduld und dem von den Schriften (gewähr-
5 ten) Trost die Hoffnung behalten. Der Gott der Geduld und des Trostes schenke
6 euch aber, unter einander, Christus Jesus folgend, eines Sinnes zu sein, damit ihr einmütig mit einer Stimme lobpreist Gott, den Vater unseres Herrn Jesu Christi!

Literatur: J. A. Fitzmyer, The Use of explicit Old Testament Quotations in Qumran Literature and in the New Testament, NTSt VII (1960/1), 297-333. A. Schulz, Nachfolge und Nachahmen, 1962.

Wenn anders als in den parallelen Ausführungen zum korinthischen Streit jetzt thematisch auf das Vorbild Christi reflektiert wird (Dupont, Appel 362), unterstützt der neue Abschnitt unsere Interpretation des Glaubensbegriffes in 14,23. Gewöhnlich betrachtet man 1—13 als geschlossene Einheit (ausführlich dazu Lagrange; anders Dodd; Althaus), obgleich man natürlich den Einschnitt durch den Gebetswunsch 5—6 und die in 7 ff. konstatierte Gegensätzlichkeit von Christen aus Juden und Heiden nicht übersehen kann. Schon das letzte Moment spricht dafür, in 7—13 nicht bloß den doxologischen Schluß der speziellen Paränese zu erblicken. Mindestens verbindet sich damit ein neuer Aspekt des bisherigen Themas. Andererseits legt nichts nahe, 1—6 von c. 14 zu trennen und diesen Versen eine Beziehung auf die vorchristliche Vergangenheit der Adressaten zu entnehmen (gegen Zahn). 1—2 führen, freilich verallgemeinert, die Paränese fort (Sanday-Headlam; Kühl; Lagrange). 3 begründet sie mit einem christologisch gedeuteten

Schriftwort, dessen Gewicht in 4 durch eine Reflexion über die eschatologische Aktualität des Alten Testamentes unterstrichen wird. 5—6 schließen mit einem rhetorisch kunstvollen und liturgisierenden Gebetswunsch. Wie 14,13a sind 1—2 eine Zusammenfassung des Skopus und wenden sich wie die auf 13b folgenden Verse an die Starken, welche offensichtlich die Mehrheit in der Gemeinde bilden. Hatte Pls sich bereits vorher grundsätzlich auf ihre Seite gestellt, tut er das jetzt betont pädagogisch. Läßt er sich anders als in c. 14 nicht mehr konkret auf die Streitigkeiten in Rom ein, so bereitet er damit schon den Abschluß des Ganzen vor. Überall gibt es Starke und Schwache, und überall sind, wie das Prädikat scharf herausstellt, die Starken besonders in Pflicht genommen. Sie haben mit der größeren Kraft auch größere Verantwortung (Leenhardt), während ihre Partner hilfsbedürftiger sind (Ridderbos). Nach 1.K 12,22 ff. ist das Anlaß genug, sich ihrer sorgsam anzunehmen. Es entspricht der hier im Hintergrund sichtbaren Charismenlehre des Apostels, daß die Unterschiede in der Gemeinde gesetzt sind, um gegenseitiges Einstehen füreinander zu ermöglichen, gegenseitiges Angewiesensein aufeinander als notwendig zu charakterisieren. Die Ausdrucksweise scheint spezifisch paulinisch zu sein, nicht vorgegebenen Parolen zu folgen. So meint das noch nicht in LXX, jedoch in andern Übersetzungen gebrauchte βαστάζειν (Sanday-Headlam) nicht nur dulden (gegen Barrett), vielmehr wie in Gal 6,2 „eine Last tragen", und ἀσθενήματα verdeutlicht das. An die Nüance „wegtragen" (Schlatter) ist nicht gedacht. Auch das Motiv μὴ ἑαυτοῖς ἀρέσκειν, das seit 12,2 und 14,18 vorbereitet ist und in 14,7 f. sachlich begründet wurde, dürfte für Pls eigentümlich sein. Selbst wenn hellenistisches Judentum die Stichworte vorgab, hat der Apostel ihnen die christliche Zuspitzung gegeben, indem er sie in den Zusammenhang des Liebesgebotes stellte, an das mit πλησίον in 2 erinnert wird. Die Liebe hat tragende Kraft und sucht, dem Herrn gehörig und ihm folgend, nicht den eigenen Nutzen, kann also auch nicht sich selbst zu Gefallen leben. Wie in der Bergpredigt ist in 2 gesagt, daß man Gott nicht wohlgefällig lebt, wenn man am Nächsten vorbeigeht. In 1.K 10,33 wird das dahin variiert, daß Pls allen zu gefallen strebt. Umgekehrt wird in Gal 1,10; 1.Th 2,4 ausdrücklich konformistische Anpassung abgelehnt. Solche Dialektik zeigt, daß es sich hier um ein paulinisches Grundmotiv handelt, das sorgsam reflektiert wurde. Ist der Mensch nicht ein isolierbares Wesen, muß er wie Herren auch Nächste haben und sich um Gemeinschaft mühen. Dabei ergibt sich jedoch die Gefahr, um menschlicher Sympathie willen das Wohlgefallen Gottes zu verlieren oder in vermeintlicher Frömmigkeit den Nächsten zu vernachlässigen. Die erneuerte Vernunft hat darum zu prüfen, wem und auf welche Weise man gefallen soll. Der an 14,19 erinnernde Zusatz klärt diese Frage. Wieder ist das Gute in umfassendem Sinne das Heilsame, und das wird durch οἰκοδομή interpretiert (Lagrange; Ridderbos; Nababan, Bekenntnis 108). Nach Gottes Willen lebt man andern zu Gefallen, wenn man zu ihrer Erbauung statt zu ihrer inneren und äußeren Zerstörung beiträgt. Wie die Gemeinde hat ihr einzelnes Glied ständig zu wachsen, und jeder muß, wie Charismenlehre mit ἕκαστος ἡμῶν auch hier andeutet, seinen Anteil dazu geben. Doch darf solches Wachsen und Reifen nicht erzwungen werden.

Die Mahnung ist Pls so wichtig, daß er sie christologisch ableitet. Christus wird wie in Phil 2,5 f. als Vorbild dargestellt, wobei allerdings zu berücksichtigen ist, daß nach 8,29 dieses Vorbild zugleich das Urbild bleibt. Was für ihn gültig war, hat es für seinen Jünger ebenfalls zu sein, wird sogar erst durch ihn notwendig und möglich (Nababan,

Bekenntnis 109). Die Ausleger wundern sich häufig darüber, daß nicht direkt auf das Leben und Leiden des irdischen Jesus verwiesen wird. Die Auskunft, das Zitat aus Ps 68,10 LXX bestätige die Notwendigkeit des Verhaltens Jesu aus dem göttlichen Heilsplan (Schlatter; Dodd), ist richtig, aber nicht ausreichend. Sie erklärt nicht, warum das Psalmwort, im Judentum noch nicht wie schon in der frühen Gemeinde messianisch gedeutet (Billerbeck), Jesus selbst in den Mund gelegt wird (unentschieden bei Michel). Wie im Urtext bezieht sich σέ auf Gott (Lagrange; Ridderbos), nicht auf den Nächsten (Kühl; Lietzmann). Es liegt jedoch kein Anlaß dazu vor, das Zitat im Kontext undeutlich und wenig glücklich zu nennen (Jülicher; Lietzmann). Bekennt der alttestamentliche Fromme, die Gott geltenden Schmähungen seien auf ihn gefallen, denkt er an die gegen ihren Herrn rebellierende Welt. Genau das trifft auf Jesus zu, womit übrigens der Akzent gegenüber Phil 2,5 ff. anders gesetzt wird. Es würde vorzüglich passen, dürfte man hier vom leidenden Gottesknecht sprechen und das mit der Aufnahme von Jes 53,4 unter dem Stichwort βαστάζειν in Mt 8,17 begründen. Das Zitat läßt jedoch solche Assoziation nicht zu, weil es in ihm nicht um die Annahme menschlicher Schuld, sondern um das Erleiden rebellischer Lästerungen geht, das Jesu irdische Geschichte im ganzen bestimmte (Nababan, Bekenntnis 109). Wie in Phil 2,5 ff. wird nur ein Einziges hervorgehoben (Lietzmann). Das ist aber nicht (gegen Schneider, ThWb V, 240) die selbstlose und demütige Gesinnung Jesu, sondern das Erleiden der Gottesfeindschaft (Murray). So wird nicht an die Menschwerdung, vielmehr wie Mk 15,36; Mt 27,34.48; Lk 23,36; Joh 2,17; 15,25; 19,29 an die Passion gedacht (Michel; Ridderbos). Sie demonstriert, daß der durch den Artikel als Messias charakterisierte Christus „sich nicht selbst gefiel". Er war der Geschmähte schlechthin und mußte es um Gottes willen sein. Insofern ist er Vorbild und Urbild unseres Verhaltens, in welchem der Starke sich zum Kraftlosen und Hilfsbedürftigen zu gesellen hat, deren Schmach mittragen muß und sich darin den Lästerungen der Welt aussetzt. Das Wort seines Herrn befiehlt es ihm über die Zeiten hinweg, nicht Nachahmung, sondern conformitas mit dem so qualifizierten Christus fordernd (Jervell, Imago 253; Thüsing, Per Christum 40). 4 ist nicht eine zweite Begründung für 1—2 (gegen Sanday-Headlam; Kühl), noch weniger ein eingesprengter Lehrsatz (Michel). Vielmehr wird motiviert, warum das christologisch verstandene Zitat paränetisch verwendet wird, und zwar ähnlich wie in 4,24; 1.K 9,10; 10,11. ὅσα meint bereits die gesamte Schrift, πάντα ist wie in 1.K 10,11; 2.K 5,17; Gal 4,20 interpoliert (Lietzmann). Die richtige Lesart des Verbs ist zweifellos προεγράφη, nicht προσεγράφη. Die Schrift dokumentiert im voraus eschatologisches Geschehen in der Entsprechung von Urzeit und Endzeit, welche aus der paulinischen Typologie bekannt ist. Sie weist so auf ihre Bestimmung hin, der Gemeinde des Christus Belehrung für deren Verhalten zu geben. Die zugrunde liegende hermeneutische Anschauung wird vom Judentum geteilt (Fitzmyer, Quotations 310). Ihr sachliches Recht steht außer Frage, wenn Christus selbst im Zitat zu Wört kommt. Dieser Sachverhalt erlaubt dann auch die bei Pls noch seltene, jedoch schon in 2.Tim 3,16 proklamierte und später immer mehr Gewicht gewinnende pädagogische Deutung des Alten Testaments, welche zur paränetischen Anwendung des Schriftwortes führt. Aus dem Munde ihres Herrn erfährt die Gemeinde Belehrung über ihr eigenes Verhalten.

Allerdings verbindet sich in unserm Text damit noch eschatologische Interpretation, sofern das zitierte Wort zu begründeter Hoffnung anleiten soll. Im Kontext, der bisher nicht von Hoffnung sprach, überrascht dieses Motiv zunächst. Doch wird es begreiflich, wenn es, mit dem folgenden Gebetswunsch verbunden, auf 7—13 vorwegweist, nämlich die eschatologische Einigung der Kirche aus Juden und Heiden. Sich ständig daraufhin auszurichten, ist integrierender Bestandteil christlicher Hoffnung. Trifft das zu, kann die ohnehin fragwürdige Beschränkung der διδασκαλία auf die traditionell jüdische Unterscheidung von Gut und Böse (Rengstorf, ThWb II, 148) nicht akzeptiert werden. Viel näher liegt die Erinnerung an Hebr, wo ebenfalls Gegenstand der Lehre die Anweisung ist, den Weg des Gottesvolkes in Geduld und Hoffnung und auf Grund der von Gott erfahrenen Tröstung fortzusetzen. Verfehlt erscheint von da auch die psychologisierende Feststellung, allein der Hoffende sei imstande, den Schwachen zu tragen (gegen Hansen, ThWb II, 824). Pls wendet sich an die ganze Gemeinde. Das Tragen der Schwachen gehört zu ihrer Erbauung, ist aber nicht deren in 6 genanntes Ziel, wenn die Schrift nicht nach allerdings geläufiger Anschauung (etwa Sanday-Headlam) zu einer besseren Moral verhelfen soll. Strittig ist, ob in 4b ὑπομονή und παράκλησις gemeinsam von τῶν γραφῶν abhängig sind (so Zahn; Kühl; Schlatter). Den Vorzug verdient, διὰ τῆς ὑπομονῆς selbständig sein zu lassen (Lagrange; Michel; H. W. Schmidt). Während das erste διά den Begleitumstand bezeichnet, hat das zweite kausalen Sinn, die Wiederholung der Präposition statt eines verbindenden καί ist rhetorisch. Die Schrift gibt Trost und erzieht allenfalls zur Geduld. Mit beidem halten die Belehrten ihre Hoffnung fest. Nach dem Kontext könnte παράκλησις, zumal wenn man die beiden Präpositionalwendungen von τῶν γραφῶν abhängig macht, auch Ermahnung bedeuten (Barrett). Doch wird das Wort in 5 offensichtlich mit dem Sinn „Trost" aufgenommen, und die Aussage παράκλησιν ἔχοντες τὰ βιβλία τὰ ἅγια 1.Makk 12,9 bildet eine schöne Parallele zu der so verstandenen Wendung. Der Gebetswunsch in 5 f. hat wie oft die Funktion, eine Argumentation abzuschließen. Die sorgfältige und liturgisierende Stilisierung läßt an gottesdienstliche Verlesung des Briefes denken (Sanday-Headlam; Asmussen). 5 nennt das Anliegen des Apostels, 6 das erhoffte Ergebnis. Feierliche Gottesprädikationen, wie sie im Psalter vorgebildet sind (Harder, Gebet 65), haben hier ihren guten Platz. Der Genetiv zeigt nicht die Eigenschaft Gottes an, sondern die Gabe, in welcher er sich offenbart. Zur Gebetssprache gehört auch der Optativ. Inhalt des Wunsches ist, was in 12,16a befohlen wurde. Über alle Verschiedenheiten hinweg bedarf die Gemeinde mit ihren Gliedern um des Friedens und der gegenseitigen Erbauung willen der gemeinsamen Ausrichtung. Deren Art wird durch κατὰ Χριστὸν Ἰησοῦν bestimmt, wobei weniger an das Vorbild (so zumeist) als an den Willen des Kyrios gedacht sein dürfte (Michaelis, ThWb IV, 671). Es ist das wichtigste Kriterium des von der Schrift gelehrten Weges, daß er unter der Herrschaft Christi verläuft, und die einzige Gewähr für echte Einheit. Diese äußert sich gottesdienstlich im gemeinsamen und einmütigen Lobpreis. Das in Apg zur festen Erbauungssprache gehörige, von Pls nur hier gebrauchte ὁμοθυμαδόν stammt ursprünglich (Heidland, ThWb V, 186) aus der politischen Versammlung, während das plerophorisch hinzugefügte „einstimmig", vielleicht der LXX entnommen (Harder, Gebet 57), das Bild des Chores voraussetzt. Bezeugt der gottesdienstliche Lobpreis nicht mehr in dieser Weise die alltägliche Gemeinschaft, kann die Gemeinde nicht bestehen. In der feierlichen Schlußformel hat das letzte Glied identifizierenden Sinn. Über alles hinaus, was sonst von ihm gesagt werden mag, ist der gepriesene Gott der Vater unseres Herrn Jesus Christus und darin unverwechselbar.

4. 15,7—13: Die Annahme auch der Heiden als Merkmal der Christusherrschaft

7 Darum nehmt einander an, wie auch der Christus euch zur Ehre Gottes angenommen
8 hat! Denn ich behaupte: Christus ist um der Wahrheit Gottes willen zum Diener
der Beschnittenen geworden, nämlich um die Verheißungen für die Väter als
9 gültig zu bestätigen. Die Heiden (mögen) jedoch Gott um der Barmherzigkeit
willen preisen, wie geschrieben steht: Darum will ich dich unter den Heiden
10 bekennen und deinem Namen lobsingen. Weiter sagt er auch: Frohlockt, ihr Hei-
11 den, mit seinem Volke! Und wieder: Lobt, alle Heiden, den Herrn, und alle Völker
12 sollen ihm Lob darbringen! Und nochmals sagt Jesaja: Es wird kommen der Spröß-
ling Isais, nämlich der sich erhebt, um über die Heiden zu herrschen. Auf ihn wer-
13 den die Heiden hoffen. Der Gott der Hoffnung erfülle euch aber mit aller Freude
und allem Frieden im Glauben, auf daß ihr immer reicher werdet in der Hoffnung
durch die Kraft des heiligen Geistes!

Literatur: F. Hahn, Das Verständnis der Mission im Neuen Testament, 1963. W. Bieder, Die Verheißung der Taufe, 1966.

Die meisten Ausleger begreifen unsern Abschnitt als Fortführung und äußerste Aus- weitung des 14,1—15,6 beherrschenden Themas von der gegenseitigen Annahme. Es soll nun auch auf die Einheit der Christen aus Juden und Heiden, also der Gesamtkirche, an- gewandt werden. Tatsächlich greift 7a das zentrale Motiv nochmals auf, werden in 7b der Gedanke von 3 und damit der Skopus des vorigen Textes wiederholt, treten nun die Christen aus Juden und Heiden an die Stelle der Schwachen und Starken. Das legt mindestens die Annahme nahe, daß der früher geschilderte Konflikt etwas mit der ver- schiedenen Zusammensetzung der römischen Gemeinde zu tun hat, präziser gesagt, we- sentlich das Verhältnis einer judenchristlichen Minorität zur heidenchristlichen Majorität mitbestimmte, wie schon die Untersuchung der religionsgeschichtlichen Problematik wahr- scheinlich machte. Die Verbindung mit dem Vorhergehenden wie die Ausweitung sind als solche unbestreitbar. Umgekehrt fällt auf, daß die Spannungen und Auseinandersetzun- gen gerade jetzt, wo man ihren Angelpunkt erreicht zu haben meint, völlig aus dem Blickfeld verschwinden. Der Text kann an ihnen nicht orientiert werden (richtig La- grange; Huby; Nababan, Bekenntnis 112). Dem entspricht der Umbruch des Stils aus der in 7 noch gegebenen Paränese in die Doxologie, die durch 6 bereits angedeutet wurde (Nababan 7). Schließlich ist wenigstens in 9—12 nicht die Einheit der Gemeinde, sondern die Annahme der Heiden als eschatologisches Wunder wie schon in 9,30; 10,18 ff. und in gewisser Spannung zu 11,25 ff. proklamiert (A. Schulz, Nachfolge 281; Luz, Geschichts- verständnis 390). Das darin vorliegende Problem ist kaum bemerkt, weil man nicht radi- kal genug die Rechtfertigungslehre des Apostels als Briefthema erkennt, so daß von ihr her auch die Paränese getragen und umklammert wird. Daß Christus uns angenommen hat, bekundet sich zutiefst und in kosmischer Weite darin, daß Gott sich der Heiden erbarmte. Wo quer durch alles Irdische die Gottlosen zu Gotteskindern werden, kann nichts die Glieder der Gemeinde mehr unüberbrückbar trennen, ist gegenseitige Annah- me unabweisbar, sind die Differenzen zwischen Starken und Schwachen nur Kinderspiel, müssen alle Verschiedenheiten zur Erbauung des Ganzen führen. Sogar die Paränese des Apostels beweist noch, daß seine Ekklesiologie von der Rechtfertigungslehre her gestaltet ist und diese nicht bloß ein Ausdruck seiner Soteriologie unter andern ist.

Nicht ohne Grund ist 7 darum als „Summe" (Sanday-Headlam) betrachtet worden. Das Stichwort „annehmen" markiert nun den alles überhöhenden Gipfel der Argumentation. Der 1—6 zusammenfassende, Christus wieder durch den Artikel als Messias prädizierende Nebensatz spricht weniger vom Vorbild als vom Heilsbringer. Denn καθώς hat nicht vergleichenden (Dupont, Gnosis 55), sondern begründenden Sinn (Nababan, Bekenntnis 112). Anders wäre die Präpositionalwendung am Schluß überflüssig, welche das Folgende als eschatologische Gnade kennzeichnet. Die stärker bezeugte Lesart ὑμᾶς verdient den Vorzug, zumal die Änderung in ἡμᾶς aus dem Kontext der Doxologie erklärlich wird (Leenhardt). Das λέγω γάρ leitet nicht ein zusätzliches Argument ein (gegen Murray), resümiert vielmehr paulinische Verkündigung in einer feierlichen Erklärung und streift beinahe die Bedeutung von „bekennen". Die Satzkonstruktion von 8—9 ist nicht glatt. Das hängt nicht so sehr an stilistischer Ungeschicklichkeit wie an einer doppelten Absicht des Apostels, der zwar die allen zuteil gewordene Gnade, jedoch gleichzeitig wie schon mehrfach im Brief den Vorzug der Juden betonen will. Läßt man 9a vom Verb in 8a abhängig sein (z. B. Lagrange), erhält man einen klaren Parallelismus, muß dann aber 8b als erläuternde Parenthese betrachten. Fast allgemein bezieht man statt dessen die beiden Infinitive in 8b und 9a auf εἰς τό zurück. Das hebt den stilistischen Bruch hervor, betont jedoch zugleich den offensichtlich im Kontext beabsichtigten Unterschied der Wendungen ὑπὲρ ἀληθείας und ὑπὲρ ἐλέους. Die Aussage 8a ist schon ihrem Wortlaut nach ungewöhnlich und ausgesprochen formelhaft. Hinweise auf Mk 10,45 (Michel; Ridderbos) oder 2.K 3,6 wirken gezwungen, weil weder der Opfergedanke unsere Stelle bestimmt noch Christus und der Apostel gerade in diesem Zusammenhang vergleichbar sind. Näher liegt die Annahme, daß mit διάκονος, dem Kontext wie etwa der Tradition von Joh 13 entsprechend, auf Jesu irdisches Werk geblickt wird (H. W. Schmidt). Das Perfekt γεγενῆσθαι ist dann angebrachter als die aoristische Variante (gegen Zahn) und bezieht sich natürlich nicht auf Fortdauer, sondern auf das Ergebnis des Geschehens (Ridderbos). Abwegig ist die Erklärung von Gal 4,4 her, Christus habe die Forderungen des Gesetzes erfüllt (gegen Sanday-Headlam). Das Abstrakt περιτομή steht für das Konkretum: die Beschnittenen. Alles kommt auf den Schluß an. Jesus hat sich irdisch als Diener des jüdischen Volkes bekundet. Er mußte das um der ἀλήθεια Gottes willen tun, womit wie in 3,4 jene Bundestreue bezeichnet wird (Nababan, Bekenntnis 113 f.), welche nach der Erläuterung des Finalsatzes ihre Verheißungen nicht fallen läßt. Was zumal den Patriarchen versprochen war (anders H. W. Schmidt), ist in der Sendung des Sohnes erfüllt. βεβαιοῦν hat auch hier juridischen Sinn, welcher Bestätigung und Erfüllung umspannt (Bauer, Wb 274; Schlier, ThWb I, 602). Keineswegs „ornamental" (Lietzmann; dagegen Barrett), aber in Aufnahme von 11,30 f. wird davon das Werk an den Heiden abgehoben. Es gründete in reiner Barmherzigkeit und ist als solches zu preisen, weil es an denen geschah, welche nicht Volk waren und Israels Verheißungen nicht besaßen. Wenngleich nicht klar ausgesprochen, ergibt sich aus der Antithese zu 8a, daß auf das Wirken des erhöhten Christus geschaut wird. Wieder ersetzt ἔλεος unter heilsgeschichtlichem Aspekt χάρις. Man hat nicht (gegen Michel) an einen Parallelismus zu denken, wie die jüdische Wendung Gnade und Wahrheit anzeigen könnte. Es liegt Überbietung vor: Die Bundestreue wird kosmisch ausgeweitet.

Die keineswegs störende und bloß pädagogisch an die Heiden gerichtete (gegen Jülicher) Zitatenkollektion verstärkt kunstvoll rhetorisch (Leenhardt) solche Differenzierung und das Gewicht von 9a. Pls hat seinem eigentlichen Anliegen 8a gleichsam als Prämisse voraufgeschickt, um das jüdische Erstlingsrecht am Heilsgeschehen festzuhalten.
Die Annahme der Heiden ist jedoch für ihn das entscheidende eschatologische Ereignis,
und so verbindet das Stichwort ἔθνη die Zitate untereinander. Die gut rabbinische Kombination von Worten der Tora, Nebiim und Ketubim mag judenchristlich für die Missionspredigt genützt worden sein (Michel, Bibel 54) und in Florilegien eine Rolle gespielt
haben. Trotz des gleichen Stichwortes ist sie hier jedoch auf den Apostel selbst zurückzuführen (Michel, ebd. 87), weil sie offensichtlich gewollt immer weitere Kreise zieht.
Die einzelnen Zitate folgen fast wörtlich der LXX. Ps 17,50 bzw. 2. Sam 22,50 ohne
die Anrede κύριε eröffnen den Reigen kaum zufällig. Nur wenn das Wort isoliert stände,
könnte man es für einen bloßen Schriftbeweis zu 9a halten. Die folgenden Zitate machen
darauf aufmerksam, daß Subjekt der Rede hier ein Einzelner ist. Es sollte ausgesprochen
werden, wäre damit David als angeblicher Verfasser des Psalms (Leenhardt) oder, wie
zumeist behauptet wird, Christus gemeint, vom gottesdienstlichen Vorbeter (Michel; Bieder, Verheißung 240) ganz zu schweigen. Wahrscheinlich ist die Aussage auf λέγω γάρ
zurückzubeziehen. Der Heidenapostel würde dann seine eigene Aufgabe in der Schrift
vorgezeichnet finden, und Objekt der Exhomologese wäre der erhöhte Christus (Nababan, Bekenntnis 119. 121). Solche Deutung erklärt allerdings nicht, daß die Anrede des
Psalmwortes ausgelassen ist, wofür jedoch auch eine andere Interpretation keinen zwingenden Grund ergibt. 10 zitiert eine Zeile aus Dt 32,43. Werden dabei die Heiden auf-
gefordert, sich im eschatologischen Gotteslob mit Israel zu vereinen, kann das nur auf
die Heidenchristen gehen, welche, nach 11,17 ff. dem Gottesvolk eingepflanzt und den
Judenchristen zugeordnet, mit diesen die endzeitliche Gemeinde bilden. εὐφραίνειν hat
häufig kultischen oder eschatologischen, jedenfalls emphatischen Sinn (vgl. Bultmann,
ThWb II, 772 f.), und die Beziehung auf den christlichen Gottesdienst liegt auch hier
nahe. In ihm wird die apostolische Verkündigung mit Jubel beantwortet. Die Einleitung
καὶ πάλιν ist durch „weiterhin" zu übersetzen (Bauer, Wb 1203). Ein aramäisches Äquivalent beweist ihren traditionellen Charakter (Michel, Bibel 72). In 11 wird Ps 116,1
leicht verändert. Die Anrede der ersten Zeile ist dem Objekt vorangestellt, die zweite
Zeile wird durch καί angefügt, und der Imperativ wurde zum Jussiv. Die Klimax gegenüber dem Vorhergehenden tritt nur heraus, wenn ἔθνη noch die Heidenchristen, λαοί aber
schon die Völkerwelt meint (Nababan 111). Der Preis des christlichen Gottesdienstes
wird universal. Das letzte Zitat aus Jes 11,10 folgt LXX, die hier den Urtext paraphrasiert. Für die Zeitangabe im Anfang hatte Pls keine Verwendung, weil es ihm nicht um
Künftiges geht, sondern um die bereits erfolgte, durch ἔσται angezeigte Epiphanie des
Davidsprosses. Von ihr spricht auch das als feierliches Christusprädikat zu deutende und
wohl den Auferweckten und Erhöhten kennzeichnende ἀνιστάμενος. Das Gewicht ruht
auf dem Infinitiv. Christus ist aufgetreten, um nicht bloß die Heiden für die Gemeinde
zu gewinnen. Er will über den Kosmos herrschen (Nababan 122) und ist darum wie in
8,20 Gegenstand der Hoffnung für die gesamte Schöpfung, welche durch die Völkerwelt
vertreten wird. Die Pointe des Spiels mit dem Stichwort ἔθνη liegt darin, daß die in jüdischen Augen Gottlosen den Lobpreis teilweise schon anstimmen, im übrigen dazu berufen
sind und die universale Herrschaft Christi beides begründet. Damit kommt die paulini-

sche Botschaft von der Rechtfertigung aus Glauben zum Ausdruck, die mit der Offenbarung der Gottesgerechtigkeit in der Christusherrschaft zusammenfällt. Das Alte Testament hat diese Verkündigung vorgezeichnet. Die Empfänger des Briefes müssen solche Übereinstimmung mit der Schrift anerkennen. Eine Apologie könnte nicht großartiger enden. Es tritt hier das gleiche Selbstverständnis wie in c. 9—11 zutage. Mit seiner Lehre vollstreckt der Apostel in eschatologischer Funktion den göttlichen, in der Schrift proklamierten Willen.

Der Gebetswunsch in 13 parallelisiert den von 5 f., ohne daß man (Lietzmann) von Tautologie sprechen sollte. Allerdings kehren bekannte und erörterte Motive wieder. Heil wird erneut durch Freude und Frieden charakterisiert, die sich in vielfacher Weise äußern können, so daß schon deshalb nicht bloß von Seelenfrieden (gegen Foerster, ThWb II, 410. 416) zu sprechen ist. Typisch sind in solchem Zusammenhang πληρῶσαι, das schlechtere Lesarten durch πληροφορήσαι ersetzen, und das emphatisch steigernde περισσεύειν. Die nicht lokal (gegen Grundmann, Kraft 112), sondern instrumental zu verstehende Wendung ἐν δυνάμει πνεύματος ἁγίου meint die Doxologie inspirierende und christliche Lebensführung bestimmende Macht. Eine Variation zeichnet sich dagegen ab, wenn man gegen westliche Zeugen, welche die Plerophorie der einander folgenden Infinitive störte, ἐν τῷ πιστεύειν für ursprünglich hält (anders Pallis; Nababan, Bekenntnis 123). Der Weg der Gemeinde muß im Glauben gegangen werden und läßt sich durch keine Doxologie überspringen. Noch wichtiger ist die singuläre Gottesprädikation „Gott der Hoffnung", die sich in dem περισσεύειν ἐν τῇ ἐλπίδι spiegelt. Im Kontext ist das nicht leere Rhetorik, wenn 9—12 richtig gedeutet wurden und alles in der Schlußzeile von 12 gipfelt, auf die sich die Gottesprädikation und der zweite Infinitiv in 13 ihrerseits beziehen. Nur die Hoffnung wird dieser Proklamation gerecht, wenn man aus der Liturgie in den irdischen Alltag schaut. Während es in 5 f. um die Geschlossenheit der Gemeinde ging, wie sie im Gottesdienst zutage treten soll, handelt es sich jetzt darum, daß keinen Augenblick lang das kosmische Ziel der Erlösung vergessen wird und die Lasten und Notwendigkeiten des Alltags in solchem Horizont verbleiben. Nur in der Kraft des Geistes ist das möglich. Wie unser Abschnitt den vorhergehenden überhöht, so gilt das auch für 13 gegenüber 5 f. Dieser Abschluß der speziellen Paränese schafft den Übergang zum letzten Briefteil.

G) 15,14—33: DER BRIEFSCHLUSS

Der Briefschluß bildet eine in sich geschlossene Einheit. Will man ihn der Übersichtlichkeit willen gliedern, heben sich die Abschnitte 14—21 mit der Charakteristik des paulinischen Werkes, 22—29 mit der Angabe der Beweggründe für den geplanten Besuch in Rom, 30—33 mit der Aufforderung zur Fürbitte voneinander ab.

I. 15,14—21: Die Richtschnur des Apostels und der Stand seines Werkes

14 Was mich persönlich euch gegenüber betrifft, meine Brüder, so bin ich davon überzeugt, daß auch ihr voll guter Gesinnung seid, überreich an aller Erkenntnis und

15 imstande, einander zu belehren. Ich habe euch teilweise ziemlich kühn geschrieben als einer, der euch kraft der mir von Gott verliehenen Gnade Bekanntes ins Ge-
16 dächtnis zurückrufen möchte. Habe ich doch den Auftrag, bevollmächtigter Diener Christi Jesu gegenüber den Heiden zu sein, indem ich priesterlich das Evangelium Gottes ausrichte, damit die Heiden als wohlgefällige, im heiligen Geist geweihte
17 Opfergabe dargebracht werden. Insofern habe ich (Grund zum) Ruhm in Christus
18 Jesus Gott gegenüber. Denn ich würde nichts zu nennen wagen, was Christus nicht durch mich gewirkt hat mit dem Ziel des Gehorsams der Heiden, in Wort und Werk, mit der Kraft von Wundern und Zeichen, in der Macht des Geistes.
19 Daher habe ich das Evangelium von Jerusalem im Kreise bis nach Illyrien zur
20 Vollendung bringen können. Meine Ehre habe ich nämlich darin gesucht zu predi-gen, wo Christus noch nicht Namen bekam, um nicht auf fremdem Grund zu
21 bauen. Vielmehr (handelte ich), wie geschrieben steht: Sehen sollen, denen nicht über ihn verkündet wurde, und die nicht gehört haben, sollen vernehmen.

Literatur: L. Gaugusch, Untersuchungen zum Römerbrief. Der Epilog (15,14-16,27), Bibl. Zeit-schr. 24 (1938/9), 164-184. 252-266. P. Brunner, Die Lehre vom Gottesdienst, Leitourgia I, 1954. K. Weiss, Paulus — Priester der christlichen Kultgemeinde, ThLZ 79 (1954), 355-364. H. Schelkle, Der Apostel als Priester, ThQu 136 (1956), 257-283. A. S. Geyer, Un essai d'explication de Rom XV, 19, NTSt VI (1959/60), 156-159. J. Knox, Romans XV, 14-33 and Paul's Conception of Apostolic Mission, JBL 83 (1964), 1-11. A. M. Denis, La fonction apostolique et la liturgie nou-velle en esprit, Rev. Sc. ph. th. 42 (1958) 401-436. 617-656. Cl. Wiéner, Ἱερουργεῖν (Rm 15,16), Stud. Paul. Congr. II, 399-404. R. W. Funk, The Apostolic Parousia: Form and Significance, Christian History and Interpretation (Studies presented to J. Knox, 1967), 249-268. E. Trocmé, L'Épître aux Romains et la méthode missionaire de l'apôtre Paul, NTSt VII (1960/1), 148-153. W. Pesch, Zu Texten des Neuen Testamentes über das Priestertum der Getauften, Verborum Veritas (Stählin-Festschr. 1970), 303-315. M. Hengel, Die Ursprünge der christlichen Mission, NTSt XVIII (1971/2), 15-38. H. Schlier, Die ‚Liturgie' des apostolischen Evangeliums (Röm 15,14-21), Martyria, Leiturgia, Diakonia (Festschr. H. Volk 1968), 247-259. F. Stolz, Zeichen und Wunder. Die prophetische Legitimation und ihre Geschichte, ZThK 69 (1972), 125-144.

Unverkennbar greift dieser Brieftteil auf das Anliegen des Proömiums in 1,8—15 zu-rück, ohne daß beides einfach zu parallelisieren wäre (gegen Nababan, Bekenntnis 125). Viel zu formal bleibt auch die Redeweise von einer „Klammer" des Schreibens (gegen Michel u. a.) Dann wäre es möglich, alles, was davon eingeschlossen wird, herauszulösen und es mehr als verwegen ein vom Apostel präkonzipiertes Lehrmodell für junge, sich von der Synagoge lösende Gemeinden sein zu lassen, das mit einem persönlichen Rah-men versehen, je nach Bedarf verteilt und so auch nach Rom geschickt werden konnte (so Trocmé, Méthode 148 ff. und in literarkritischer Variation Funk, Parousia 268). Der Fortschritt gegenüber den Unklarheiten, Kautelen und Retraktationen des Proömiums äußert sich nicht bloß darin, daß Pls jetzt viel ausführlicher, konkreter und entschlosse-ner seine Absichten bekundet. Unverhüllt tritt nun auch eine apologetische Tendenz zu-tage, welche ihn zu seinem Schreiben nötigte, das von hier aus mindestens in bestimmter Hinsicht zu einer Art von Rechenschaftsbericht über seine Verkündigung wird und deshalb früher gewonnene Erfahrungen und Einsichten spiegelt. Obgleich der Brief fast gänzlich, wenn auch unter einschränkender Perspektive und Antithetik, eine Summe paulinischer Theologie darstellt, bleibt er wie alle andern Schreiben des Apostels das Dokument einer besonderen Situation, dem man nicht den Stempel eines Lehrtraktates aufpressen darf. Solange diese Theologie im Abriß und nach ihrem Zentrum nicht vorgelegt war, mußte das Proömium sich in relativ vagen Andeutungen ergehen, die jetzt durch präzise Angaben und Konzeptionen ersetzt werden. Man verkennt gewöhnlich das hohe Maß von Diplomatie, das bereits die Konstruktion unseres Briefes charakterisiert. Pls hat sich sorgfältig gehütet, gleich mit der Tür ins Haus zu fallen. Er bedurfte wohl aus mehreren Gründen der römischen Hilfe für sein Werk und hielt es kaum ohne zwingenden Anlaß für zweckmäßig, die ihm fremde Gemeinde mit seiner Verkündigung und Lehre vertraut zu machen, ehe er seinem Anliegen klare Kontur gab. Insofern ist der ganze Brief eine Vorbereitung dieses „Epilogs". Verhält es sich aber so, darf man auch nicht umgekehrt den Schluß von seinem geradezu ungeheuren Anmarschweg isolieren oder die Theologie des Apostels von ihm her auf eine ihr selbst nicht entsprechende Formel bringen. Mit einigem Recht läßt sich sagen, die Mission sei der Sitz im Leben für diese Theologie (Hengel, Ursprünge 18), obschon die uns erhaltenen Fragmente sich weitaus stärker mit den Problemen junger Gemeinden und der Auseinandersetzung mit dort auftretenden Gegnern befassen. Es läßt sich ebensowenig leugnen, daß im Schlußteil etwas von spezifisch paulinischer „Missionsstrategie" (E. Brunner; Hengel 17) sichtbar wird, wobei allerdings die Realitäten durchaus ungesicherter Erfolge und nie erreichter, nicht einmal erreichbarer Ziele fragen lassen, ob solcher „Strategie" die Kennzeichnung als weithin illusionär erspart werden kann. Jedenfalls ist der Brief weder einfach ein Lehrtraktat noch nach Sprache, Argumentation und theologischem Niveau zentral ein Missionsdokument, obgleich er unter der Prämisse wie der Zielsetzung der Weltmission geschrieben wurde und dabei höchst konkrete Absichten in dieser Richtung verfolgt. Die Aufgabe der Interpretation des Folgenden besteht darin, den Zusammenhang zwischen beidem begreiflich zu machen, ohne dem einen oder andern das ihm zukommende Gewicht zu nehmen.

14 f. sind eine unverhohlene captatio benevolentiae (Barrett). Man braucht nicht (gegen Lagrange) die Aufrichtigkeit des Apostels zu bezweifeln, wenn man in 14 Rhetorik (selbst Huby) und eine gute Portion von Schmeichelei feststellt, wie sie auch 1.K 1,4 ff. begegnet. Die gesamte Paränese wäre überflüssig, wollte man den Vers wörtlich nehmen (Lietzmann). Pls erkennt, in der Kirchengeschichte selten wiederholt, der Gemeinde geistliche Selbständigkeit zu und tut das so emphatisch, daß seine Absicht nicht verkannt werden kann. Deshalb gebraucht er das Verb πέπεισμαι mit folgender Anrede, unterstreicht mit den Wendungen καὶ αὐτὸς ἐγώ = „ich meinerseits" und καὶ αὐτοί „ihr selber ohne Zutun anderer", schließlich mit der Fülle lobender Prädikationen. Es geht hier nicht bloß um Liebenswürdigkeit (Althaus) und höfliche Pädagogik (Lietzmann; H. W. Schmidt; Schumacher, Letzte Kapitel 38), erst recht nicht um oft, aber gerade Pls gegenüber zu Unrecht beschworene Bescheidenheit (Michel; Ridderbos). Man unterschlägt ein wesentliches Moment, wenn man übersieht, daß der Apostel ebenso charmieren wie grollen und ironisieren kann, alle Möglichkeiten des Stils an ihrem Platz einzusetzen vermag, um Gemeinden für sich zu gewinnen. Er tut es hier mit einem sehr kunstvoll aufgebauten Satz, welcher durch das Adjektiv μεστοί, die Partizipien πεπληρωμένοι und δυνάμενοι gegliedert ist und in der überschwenglichen Anerkennung vorhandener Gnosis in all ihren Spielarten gipfelt. Makellos, der Belehrung und Ermahnung von außen nicht bedürftig waren nicht einmal die einzelnen Glieder der Urchristenheit (gegen Schlatter; Lagrange). Der Gemeinde wird mit einem aus der LXX aufgegriffenen, hellenistischen Ausdruck

(Grundmann, ThWb I, 17) ἀγαθωσύνη zugesprochen, was wertlose Varianten durch ἀγάπη verflachen (Lietzmann). Das meint nicht abstrakt das rechte sittliche Verhalten (gegen Zahn; Kühl) oder konkret die Gutwilligkeit (Leenhardt; Ridderbos) oder die Güte (zumeist), sondern die Rechtschaffenheit (Michel; Schlier, Liturgie 247), die sich im Gegensatz zur Bosheit in gegenseitiger Aufgeschlossenheit äußert. Ihr gesellt sich die γνῶσις nicht als theoretisches Wissen, kaum aber auch bloß als auf Erbauung bedachte Erkenntnis (gegen Bultmann, ThWb I, 707; Ridderbos), vielmehr als Einsicht in die Heilsgeschichte (Michel) Von ihr her läßt sich ermahnen. Denn νουθετεῖν ist mehr als nur seelsorgerliches Einwirken auf Gemüt und Willen (gegen Behm, ThWb IV, 1015), nämlich wie in 1.K 4,14; 1.Th 5,12. 14 das zurechtweisende Mahnen (Delling, ThWb VI, 290; Michel). Die schlecht bezeugte Lesart ἄλλους schwächt ἀλλήλους ab (gegen Zahn). 15 ist auf dem Hintergrund solchen Lobes auf der ganzen Linie zu verstehen. Dem hervor-ragend belegten τολμηρότερον ist im Kontext das Adverb vorzuziehen, weil ἔγραψα sich auf den ganzen Brief bezieht. Der Komparativ hat (gegen Zahn) nicht superlativen Sinn, sondern umschreibt ein „reichlich kühn“. ἀπὸ μέρους schränkt noch weiter ein: nicht überall, jedoch teilweise (anders Lagrange; Schumacher, Letzte Kapitel 38; Gau-gusch, Studien 165). Es liegt kein Grund vor, an enthusiastischen Wagemut zu denken (gegen Michel). Angesichts der von ihm so gepriesenen Verhältnisse in Rom nennt Pls es kühn, seinen Brief derart ausführlich und theologisch befrachtet geschrieben zu haben, und wehrt erneut den Verdacht einer versuchten Einmischung oder Bevormundung ab. Seine Entschuldigung erreicht ihren Höhepunkt, wenn er einzig an Bekanntes erinnert haben will und damit einen gelegentlich verwandten rhetorischen Topos aufgreift (Bauer, Wb 559). ἐπαναμιμνῄσκειν bezeichnet fast technisch die in Judentum wie Griechentum übliche Wiederholung von Lehrtradition (Michel; H. W. Schmidt), ist also nicht auf die Paränese zu begrenzen (richtig Schlier, Liturgie 247; anders etwa Bjerkelund, Parakalo 159). Es ist nicht fraglich, daß der Apostel seine Rechtfertigungsbotschaft dem Alten Testament entnehmen zu können meinte und sogar als dessen Skopus betrachtete. Un-bestreitbar ist aber andererseits, daß diese Botschaft mit ihrer Zuspitzung auf das sola fide und sine lege in der Urchristenheit die Position eines theologischen Außenseiters war und blieb, eine bis heute selten ganz akzeptierte Provokation darstellt. Es zeugt von größter Verwegenheit, im Blick auf sie (so vorsichtig auch Eichholz, Theologie 125) das Wort „erinnern“ zu gebrauchen und mit dem Schluß von 14 festzustellen, daß die Ge-meinde das ihr im Brief Gesagte ohnehin weiß (vgl. dazu F. C. Baur, Paulus 402 ff.). Es muß sachliche Gründe haben, wenn Pls die captatio benevolentiae derart bis an die Grenzen des Erlaubten strapaziert. Er bereitet damit seinen Besuch und seine weiteren Absichten vor, gerät zugleich jedoch dadurch in jene Verlegenheit, die schon in den Ein-schränkungen von 1,11 ff. sichtbar wurde. Er will und muß Rechenschaft über seine Ver-kündigung geben und möchte andererseits Anstoß vermeiden, Mißtrauen zerstreuen.

Nicht zufällig bricht er so wie in 1,15 unvermittelt und hart aus der Entschuldigung heraus, um sein Recht zu behaupten. Mit der festen Formel von 1,5; 12,3. 6 beruft er sich auf die ihm verliehene spezifische Gnade des Heidenapostels (Zahn; Kühl; Lietzmann) und bezieht nun auch Rom in den Bereich seines Anspruches auf Autorität ein (Schlier, Liturgie 258). διὰ τὴν χάριν meint nicht den Zweck (gegen Zahn; H. W. Schmidt) und geht nicht auf den folgenden Finalsatz (gegen Nababan, Bekenntnis 126), sondern das vorhergehende Partizip (Bauer, Wb. 359), besagt also „kraft“. Der Rest des Abschnittes beweist, daß 14 f. eine konziliante Einleitung des jetzt erhobenen Anspruches waren. 16 drückt das mit einer Selbstprädikation aus, welche höchst ungewöhnlich genannt werden muß, schwächer in Phil 2,17 erscheint, jedoch 2.K 2,14—17; 10,4—6 parallelisiert werden sollte. Das Problem des Verses wird auf ein Nebengeleis geschoben, wenn man sich wie zumeist primär auf die unzweifelhaft liturgische Terminologie konzentriert. Für sich genommen kann διάκονος noch profan den Amtsträger bezeichnen. Doch hat ἱερουργεῖν eindeutig kultischen Sinn, nämlich priesterlichen Dienst vollziehen (vgl. den Aufsatz von Wiéner; Lietzmann; Michel; Schlier, Liturgie 249 ff.). Das gibt (anders Zahn) auch dem Substantiv sakrale Bedeutung. Während der Apostel die Anschauung von 12,1 f. persönlich wendet, wenn er sich in Phil 2,17 feierlich als Opfer auf dem Altar des gemeindlichen Glaubens bezeichnet, nennt er sich hier den Priester des Messias Jesus gegenüber der gesamten Heidenwelt. Die Präpositionalwendung schließt die Rede von einer „Kultgemeinde" (K. Weiss, Paulus 355 ff.) aus, von welcher sich schwerlich in kosmischer Weite sprechen läßt. Unerträglich verallgemeinert wird die singuläre Formel aber auch, wenn man (Nababan, Bekenntnis 7) die Mission als solche ein kultisches Geschehen sein läßt oder (Denis, Fonction 403 ff. 650 ff.) von der dauernden Liturgie des Christen als des durch den Apostel begründeten wahren Kultes in Überbietung des jüdischen spricht. In Wirklichkeit geht es in unserer Stelle weder um die Gemeinde und die Lebensführung ihrer Glieder noch um die Mission schlechthin, sondern allein um das delegierte, autorisierte und legitimierte Mandat des Heidenapostels (Schlier, Liturgie 251 f.). Anders als seinen modernen und romantisierenden Auslegern liegt Pls, wenn er sich als Priester des Messias prädiziert, nicht an der kultischen Dimension als solcher, betrachtet er das Evangelium (gegen Schniewind-Friedrich, ThWb II, 730; Denis, Fonction 656) nicht als kultische Einrichtung und vermeidet im allgemeinen das sakrale Verständnis seines Dienstes (Pesch, Priestertum 314; Nababan, Bekenntnis 128; F. Hahn, Missionsverständnis 93; anders P. Brunner, Gottesdienst 103 f.). Wie bereits in 12,1 f. werden hier kultische Termini und Motive ins Eschatologische übertragen (Michel; Schlier, Liturgie 248). Das zeigt deutlich der Rest des Verses. Priesterlich bringt oder verwaltet der Apostel keineswegs bloß die apostolische Tradition (gegen Denis, Fonction 403), sondern das Evangelium Gottes, wie Varianten zu 4.Makk 7,8 eine ähnlich übertragene Aussage im Blick auf die Tora machen. Zweck ist die Darbringung der Heidenwelt als im heiligen Geist geweihtes und deshalb wohlgefälliges Opfer. Die Wendung ἡ προσφορὰ τῶν ἐθνῶν bezieht sich nicht auf das durch den Apostel veranlaßte Selbstopfer der Christen (gegen Denis, Fonction 405 f.; Asmussen; Ridderbos). Der Genetiv ist epexegetisch, so daß die Heidenwelt selbst das Opfer ist. Die Vorstellung ist apokalyptisch und entspricht 11,11 ff. In schroffem Gegensatz zu der verbindlichen, sich entschuldigenden Einleitung interpretiert paulinisches Selbstverständnis die ganz persönlich empfangene Gnade und Aufgabe. Letztlich sind die Bilder vom Priester des Messias und dem kosmischen Eroberer, das 2.K 10,4 ff. bestimmt, austauschbar. Beide Male geht es um das singuläre Mandat und die weltweite Funktion des Heidenapostels, welcher die Gottlosen seinem Herrn zu Füßen legt und in dessen Triumphzug einreiht.

Pls weiß, wie weit er gegangen ist, gedenkt es jedoch nach 17 nicht zurückzunehmen. Abwehr eines möglichen Vorwurfes der Anmaßung (Kühl) liegt nicht vor. καύχησις kann sowohl das Tun (Bultmann, ThWb III, 649; Lagrange; Huby) wie nach 2.K 1,12 dessen Gegenstand (Michel) meinen. Lassen P[46] SA u. a. den Artikel, der ein auf 16 zurückweisendes Demonstrativ ersetzt, aus, so ist das, weil vereinfachend, kaum ursprünglich (Lagrange gegen Sanday-Headlam). τὰ πρὸς τὸν θεόν ist wie in Hebr 2,17; 5,1 adverbial (B.-D. § 160) = vor Gott gültig. Von liebenswürdigem Stolz über seinen Lebenserfolg (Gaugusch, Studien 166 f.) ist die Aussage nicht geprägt. Ruhm hat der getreue Diener seines Herrn, sofern sein Werk auf die ihm in Christus zugemessene Gabe und den kraft der Gnade verwirklichten Auftrag weist. 18 hat weniger anknüpfenden als erläuternden Sinn (H. W. Schmidt gegen Michel). Dabei verknüpfen sich (Lietzmann; Barrett) zwei Gedanken: Nur von Christi Werk durch ihn kann der Apostel sprechen, und anders würde er nicht davon zu reden wagen. τολμᾶν bezeichnet hier nicht die in 2.K 10,2. 12; 11,21 anvisierte Vermessenheit des Pneumatikers. Das Futur ist reservierter als das Präsens (Lagrange). λαλεῖν hat, weil Pls jetzt Bilanz über seine Arbeit zieht (Nababan, Bekenntnis 125), fast die Bedeutung „berichten" (anders Michel). Die Dialektik des Stichwortes καύχησις bestimmt auch 18—19. Pls sieht auf einen ungeheuren Erfolg zurück, welcher mit ὑπακοὴ ἐθνῶν die Situation von 11,11 ff. voraussetzt. Es wird nicht bloß an die gewonnenen Individuen gedacht, sondern, so kühn das sein mag, an die nach 9—12 lobpreisende Heidenwelt. In ihr wurde der Gehorsam Christi aufgerichtet, der mit der Annahme des Evangeliums identisch ist und sich in der nach einer Epiphanie gebührenden Exhomologese äußert. Umgekehrt wird unterstrichen, daß allein der in seinem Werkzeug präsente Christus die ihm zustehende Herrschaft unter den Völkern verwirklichen konnte, das eschatologische Geschehen also nicht der Person des Pls zu verdanken ist. Gerade weil das jedoch für den Apostel selbstverständlich ist, liegt der Nachdruck darauf, daß er begnadetes und effizientes Werkzeug war. Rhetorisch folgen deshalb zwei Doppelwendungen, die im Schluß zusammengefaßt werden. Die auch 2.K 10,11; 2.Th 2,17 begegnende Verbindung von Wort und Werk entspricht der griechischen Unterscheidung von Reden und Handeln. Hier bekommt sie jedoch die Zuspitzung auf die von Wundern begleitete Predigt, von der auch Hebr 2,4 spricht. So folgt die bereits stereotype und nicht mehr zu differenzierende Wendung „Wunder und Zeichen", welche die Erfahrung göttlicher Gegenwart in eschatologischen Machttaten bezeichnet (vgl. zum Hintergrund Stolz, Zeichen 125 ff. 144). ἐν δυνάμει πνεύματος resümiert mit einem gen. epex., fast tautologisch die Wundermacht des erhöhten Herrn feststellend (Grundmann, ThWb II, 311 f.). Dabei sollte nicht daran gedacht werden, daß nach jüdischem Volksglauben teilweise auch den Rabbinen Wunderkraft zugetraut wurde (Billerbeck). Zugrunde liegt die aus den Evangelien und der Apostelgeschichte bekannte Anschauung vom θεῖος ἀνήρ in ihrer christlichen Variation, welche die Enthusiasten nach 2.K 12,12 die „Zeichen des Apostels" fordern läßt. Während Pls dort den Gegnern gegenüber solche Legitimation zwar für sich beansprucht, ihre Bedeutung jedoch zugleich relativiert, wird hier nicht im mindesten eingeschränkt. Es handelt sich um eine andere Front. Nicht sind Schwärmer auf die Erde und in die Nachfolge zurückzurufen. Vielmehr ist einer Pls fremden und wahrscheinlich teilweise mißtrauenden Gemeinde gegenüber erwiesene und bestätigte Autorität zu verteidigen. Dazu wird ohne Bedenken die gängige Vorstellung von apostolischer Vollmacht herangezogen. Die Anfügung von ἁγίου oder θεοῦ in wichtigsten Lesarten erscheint eher begreiflich als der Text in B, der nur πνεύματος hat (Zahn; Kühl: H. W. Schmidt; unentschieden Lietzmann), zumal die Varianten für sekundäre Zusätze sprechen.

19b erklärt mit einleitendem ὥστε aus der dem Apostel zuteil gewordenen Gabe den

Erfolg seiner Wirksamkeit. Was in 16 mit einem gen. auct. Evangelium Gottes hieß, wird nun mit einem gen. obj. Christi Evangelium genannt. Die seltsame Wendung „das Evangelium erfüllen oder vollenden" (vgl. dazu Friedrich, ThWb II, 729 und die andere Interpretation bei Delling, ThWb VI, 296; Schlier, Liturgie 255), ist von der Angabe des Raumes her zu begreifen, die in Kol 1,25 fehlt, so daß es nicht zu einer echten Parallele kommt. Indem die Welt vom Evangelium durchdrungen wird, gelangt dieses selbst zur Vollendung. Es gehört zu seinem Wesen, daß es nicht bloß verkündet wird, sondern der Herrschaft Christi irdischen Geltungsbereich verschafft. Der zum Adverb erstarrte Dativ des Ortes κύκλῳ beschreibt nicht, wie man früher zuweilen annahm, sich um Jerusalem erweiternde Kreise, vielmehr den weiten Bogen zwischen den genannten Grenzen (Bauer, Wb 903 und zumeist). Trotz den anderen Angaben der Apostelgeschichte wird durch Gal 1 paulinische Predigt in Jerusalem ausgeschlossen (Geyser, Essai 157). Von einer solchen im illyrischen Grenzgebiet Mazedoniens wissen wir nichts. Die lokalen Angaben sind also nicht inklusiv gemeint, sondern bezeichnen die Ränder der Missiontätigkeit (anders Kühl; Schlatter; hypothetisch Munck, Paulus 44). Der Apostel denkt nicht an die Einzelgemeinden, vielmehr, seiner apokalyptischen Betrachtungsweise entsprechend (Lietzmann; Althaus), an Völker und Länder (z. B. Schumacher, Letzte Kapitel 41; Bornkamm, Paulus 72 f.). Die östliche Hemisphäre des Imperiums wird durch Jerusalem als heilsgeschichtlichem Mittelpunkt der Welt und Ausgangsort des Evangeliums einerseits, das Ende der Via Aegnatia andererseits bestimmt. Oft ist gefragt worden, warum zumal Ägypten unerwähnt bleibt, ohne daß man anders als mit der problematischen Vermutung darauf antworten kann, dieser Bereich bleibe der Ausbreitung palästinischer Mission vorbehalten. Selbst wenn man annimmt, daß Pls sich damit begnügte, gleichsam zeichenhaft Zentren des sich von da aus selbständig entwickelnden Christentums zu gründen, ist die Aussage, an der geographischen Realität gemessen, eine ungeheure Übertreibung (Jülicher; Pallis). Verständlich wird sie nur von der Grundvoraussetzung her, daß der Apostel sein Werk als Vorbereitung für die bevorstehende Parusie betrachtete (Saß, Apostelamt 131; Schoeps, Paulus 243). Daraus ergibt sich auch, was er in 20 provokativ seinen Ehrgeiz, in der thematischen Ausführung 2.K 10,13 ff. seinen „Kanon", nämlich Gesetz und Grenze seines Auftrags, nennt. Gegen vorzügliche Zeugen ist das Partizip φιλοτιμούμενον als lectio difficilior festzuhalten und sachlich von 19b abhängig. Der Vers ist keine Einschränkung (gegen Sanday-Headlam; Jülicher; Lietzmann), vielmehr als Überleitung zu den in 22 ff. bekundeten Plänen (Lagrange) Fortführung der paulinischen καύχησις unter neuem Aspekt, was nicht (wie bei H. W. Schmidt) abgeschwächt werden darf. Es besteht kein Grund dazu, οὕτως δέ unmittelbar mit dem Infinitiv zu verbinden und auf diesen appositionell die Antithese οὐχ ὅπου — ἀλλὰ καθώς folgen zu lassen (gegen Zahn; Kühl; Lagrange; Michel; Ridderbos). Das Partizip hat Eigengewicht, und ἀλλὰ καθώς ist Zitationseinleitung des selbständigen Satzes 21. Vom „Ehrgeiz", einer gestellten Forderung angemessen nachzukommen, sprechen auch 2.K 5,9; 1.Th 4,11. Wie nach 12,3 jeder Christ sein bestimmtes Maß hat und dafür gültige Kriterien beachten soll, ist der Apostel nicht weniger dadurch gebunden. 20b begründet subjektiv, was in 21 objektiv aus der Schrift abgeleitet wird, welche wieder von Pls ganz konkret auf den eigenen Auftrag bezogen wird. Die feierliche Wendung „Christus mit seinem Namen zu nennen" meint, den Kyrios zu proklamieren, und könnte der Missionssprache entstammen. Der Gedanke variiert die Ausführungen von 1.K 3,10 ff. Wird dort

Christus als einziges Fundament für jedes christliche Werk bezeichnet, so ist andererseits doch klar zwischen dem, der pflanzt, und dem andern, der begießt, unterschieden, wird also der Begründer der Gemeinde scharf von seinen Nachfolgern abgehoben. Die Variation gegenüber unserer Stelle, die allerdings schroffer spricht, wiegt nicht so schwer, wie es zunächst erscheint. Pls grenzt sich vom Werk anderer Missionare ab und baut nicht auf einem von ihnen gelegten Fundament. Die Anweisung dazu hat er aus Jes 52,15, bereits in LXX gegenüber dem Urtext auf die Heiden bezogen, empfangen. Die Vorstellung vom Gottesknecht kommt nicht in den Blick, und nichts deutet an, daß dessen Rolle vom Apostel übernommen worden ist (gegen Jeremias, ThWb V, 706; Gaugler; Leenhardt). Wohl erfüllt sich aber die eschatologische Verheißung in der gegenwärtigen Proklamation des Evangeliums (Nababan, Bekenntnis 133) und setzt den paulinischen „Kanon", nach welchem ihm nur gestattet ist zu missionieren, wo andere noch nicht hinkamen. Einzig apokalyptisches Selbstverständnis kann die Richtschnur des eigenen Verhaltens derart in der Schrift vorgezeichnet finden, daß deren Weissagung sich an den Apostel persönlich richtet und ihn zu ihrem Vollstrecker, also zum prädestinierten Instrument der Heilsgeschichte macht. Historistische Betrachtungsweise gerät dabei unvermeidlich in Aporien. Im nächsten Abschnitt wird davon ausführlich zu handeln sein.

II. 15,22—29: Die Beweggründe für die Romreise und den Umweg über Jerusalem

22 Daher bin ich auch oftmals gehindert worden, zu euch zu kommen. Jetzt habe ich
23 aber keinen Spielraum mehr in diesen Gegenden, empfinde jedoch seit langer Zeit
24 Sehnsucht, zu euch zu kommen. Ich habe nämlich vor, nach Spanien zu reisen und
hoffe, auf der Durchreise euch zu sehen und von euch dorthin Geleit zu erhalten,
25 wenn ich zuvor einigermaßen (meine Erwartung) von euch gestillt bekam. Im
26 Augenblick mache ich mich aber auf nach Jerusalem, den Heiligen zu dienen. Es
haben nämlich Mazedonien und Achaia beschlossen, den Armen unter den Heiligen
27 in Jerusalem eine Solidaritätsspende zukommen zu lassen. Denn es gefiel ihnen (so),
und sie sind es ihnen auch schuldig. Haben die Heiden nämlich an deren geistlichen
Gaben teilbekommen, sind sie umgekehrt ihnen zur Unterstützung in leiblichen
28 Dingen verpflichtet. Wenn ich das erledigt und ihnen solche Frucht offiziell doku-
29 mentiert habe, kann ich auf dem Weg über euch nach Spanien ziehen. Ich bin aber
gewiß, bei euch anlangend, mit der ganzen Fülle des Segens Christi zu kommen.

Literatur: K. Holl, Der Kirchenbegriff des Paulus in seinem Verhältnis zu dem der Urgemeinde, Ges. Aufs. II, 1928, 44-67. E. Barnikol, Römer 15. Letzte Reiseziele des Paulus. Jerusalem, Rom und Antiochien, Forschungen zur Entstehung des Urchristentums, des Neuen Testaments und der Kirche IV, 1931. L. Radermacher, σφραγίζεσθαι Rom 15,28, ZNW 32 (1933), 87-89. F. X. Dölger, Zu σφραγίζεσθαι Rom 15,28, Antike und Christentum 4 (1934), 280. H. Seesemann, Der Begriff Κοινωνία im Neuen Testament, 1933. G. V. Jourdan, Κοινωνία in 1 Corinthians 10,16, JBL 67 (1948), 111-124. Th. M. Taylor, The Place of Origin of Romans, JBL 67 (1948), 281 bis 295. H. Preisker, Das historische Problem des Römerbriefes, Wiss. Zeitschr. F. Schiller-Universität Jena 2 (1952/3), Geisteswissenschaftliche Reihe I, 25-30. G. Harder, Der konkrete Anlaß des Römerbriefes, Theologia Viatorum VI (1954/8), 13-24. T. W. Manson, St. Paul's Letter to the Romans — and others, Studies in the Gospels and Epistles, 1962, 225-241. K. H. Rengstorf, Paulus und die älteste römische Christenheit, Stud. Evang. II, 1964, 447-464. A. Roosen, Le genre littéraire de l'Épître aux Romains, Stud. Evang. II, 1964, 465-472. B. Noack, Current and Backwater in the Epistle to the Romans, Stud. Theol. 19 (1965), 155-166. H. W. Bartsch, Die Kollekte des Paulus, Kirche in der Zeit 20 (1965), 555 f. D. Georgi, Die Geschichte der Kollekte des Paulus für Jerusalem, 1965. L. Keck, The Poor among the Saints in the New Testament, ZNW 56 (1965), 100-129. Ders., The Poor among the Saints in Jewish Christianity and Qumran, ZNW 57 (1966), 54-78. H. W. Bartsch, Die historische Situation des Römerbriefes, Stud. Evang. IV (1968), 281 bis 291. G. Klein, Der Abfassungszweck des Römerbriefes, Rekonstruktion 129-144. W. Wiefel, Die jüdische Gemeinschaft im Antiken Rom und die Anfänge des römischen Christentums. Bemerkungen zu Anlaß und Zweck des Römerbriefes, Judaica 26 (1970), 65-88. G. Bornkamm, Der Römerbrief als Testament des Paulus, Geschichte und Glaube II, 120-139. J. Jervell, Der Brief nach Jerusalem. Über Veranlassung und Adresse des Römerbriefes, Stud. Th. 25 (1971), 61-73. H. W. Bartsch, … wenn ich ihnen diese Frucht versiegelt habe. Röm 15,28, ZNW 63 (1972) 95-107.

Während 1,13 unklar ließ, warum Pls seine Romreise bisher unausgeführt ließ, wird das jetzt mit dem auf 20 f. zurückweisenden διό begründet (vgl. Noack, Current 160 f.). Solange sich dem Apostel im östlichen Mittelmeerraum Hindernisse entgegenstellten, konnte er sich dem Westen nicht zuwenden, für den er jedoch von vornherein Rom als Ausgangsbasis betrachtete. Im Griechischen geläufig, im Neuen Testament singulär, meint τὰ πολλά „oftmalig", beinahe „regelmäßig". πολλάκις ist trotz guter Bezeugung eine abschwächende Korrektur, ἔχω in 23b und der Ersatz von ἱκανῶν ἐτῶν durch πολλῶν Angleichung an späteres Stilgefühl. 23a erklärt den Wegfall der früheren Behinderungen. τόπον ἔχειν ist, übertragen gebraucht, eine feste Wendung (Koester, ThWb VIII, 206), κλίματα weist auf das gegenwärtige Missionsfeld. Historisch ist die Feststellung, wie weit Pls auf seinen Reisen auch vorgestoßen sein mag, schlechterdings unrichtig (gegen Schumacher, Letzte Kapitel 43), psychologisch unbegreiflich, wenn man nicht die apokalyptische Grundkonzeption bedenkt. Sie stellt vor das Rätsel der Person und des von ihr empfundenen Auftrags, das sich in unser Geschichtsbild nicht einfügen läßt. Huscht die Auslegung darüber leichtfüßig oder mit fragwürdigen Bemerkungen hinweg, verkennt sie unverantwortlich die paulinische Theologie im ganzen und normalisiert sie deren dunklen Hintergründe. Jedenfalls ist das, was hier als sehnsüchtiger Wunsch bezeichnet wird, tatsächlich integrierender Faktor des apostolischen Programms von Anfang an, wenngleich der Beginn sich nur hypothetisch datieren läßt. Nach dem ersten, wohl ziemlich erfolglosen Versuch, in Arabien selbständig zu missionieren, ist Pls im Dienst der antiochenischen Gemeinde und selbst auf dem Apostelkonzil wohl noch im Schatten des Barnabas gewesen. Der Konflikt mit Petrus und den Jakobusleuten scheint ihn auch von Barnabas und Antiochien getrennt zu haben und die Wende für ein neues Selbstverständnis und seine Weltmission geworden zu sein, die von vornherein den Westen in ihre Pläne einbezog. Unaufhörliche Krisen in seinen Gemeinden haben dieses letzte Ziel hinausgezögert. Nun setzt er zum Absprung dafür an. 24 zeigt, daß Rom nur als Durchgangsstation und mögliche Operationsbasis ins Auge gefaßt wurde. Natürlich konnte das in 1,11 ff. noch nicht offen ausgesprochen werden. Doch braucht man deshalb nicht, wie es zuweilen getan wird, einen Widerspruch zu unserm Text oder ursprüngliche Unklarheit zu konstatieren. Die diplomatische Vorsicht, die im Proömium zutage tritt, bestimmt auch jetzt noch die Formulierung. Pls muß den Verdacht vermeiden, die Welthauptstadt zu seiner Domäne machen zu wollen, und will nicht brüsk aussprechen, daß er Rom

bloß als Brückenkopf betrachtet. Immerhin wird Spanien als eigentliches Reiseziel genannt, und es besteht nicht der mindeste Anlaß, 24b als Interpolation anzusehen, die
Ortsnamen willkürlich zu ändern und die Spanienmission eine Fiktion zu nennen (gegen
Barnikol, Reiseziele 13 ff. 16 f. 20). Das zunächst seltsame ὡς ἄν in 24a hat wie in 1.K
11,34; Phil 2,23 den temporalen Sinn „sobald" (Bauer, Wb 1776). Daß der Apostel Rom
nicht als Eroberungsziel (Barnikol 9) oder als Evangelisationsgebiet (Roosen, Genre 466 ff.
471) vor sich sieht (richtig Munck, Paulus 293), beweisen die Verben διαπορεύεσθαι =
„durchziehen" und θεᾶσθαι = „kennenlernen", der verklausulierte Schluß mit dem betonten πρῶτον, das die Vorläufigkeit, und dem ἀπὸ μέρους, das die Begrenztheit des Aufent-
haltes bekundet. Umgekehrt zeigt ἐμπλησθῶ, bildlich von der Stillung eines Verlangens
gebraucht, wie sehr Pls danach hungert, endlich die Zwischenstation seines neuen Auf-
bruchs zu erreichen. Jedes Wort hält hier das Ganze im Gleichgewicht. Erst wenn man das
bemerkt, bekommt 24b seine volle Bedeutung als sich schon ankündigendes Desiderat.
προπέμπειν bezeichnet, geläufig und fest in urchristliche Missionssprache übernommen
(Bauer, Wb 1406/7; Michel), wie in 1.K 16,6. 11; 2.K 1,16; Apg 15,3; Tit 3,13; 3.Joh 6
das Geleit. Kann es die Verabschiedung unter Gebet und mit guten Wünschen ausdrük-
ken (Sanday-Headlam) oder wie in Apg 20,38; 21,5 kurze Begleitung, so machen die
übrigen Stellen deutlich, daß die Scheidenden für ihre Reise ausgestattet werden. Pls
dürfte das am meisten von Rom erwarten, wozu wohl gehört, daß ihm landeskundige
Gefährten mitgegeben werden. Die Gemeinde soll also seine Arbeit aktiv unterstützen
und an ihren Lasten partizipieren. Der Brief ist mindestens auch im Blick auf solche
Hilfe geschrieben worden. Spanien war zwar, wie oft dargetan ist, ein gängiges Reise-
land und sicherlich nicht ohne eine Anzahl von Synagogen. Gleichwohl wagt der Apostel
sich nun in ein ihm unvertrautes Territorium, so daß seine Wünsche durchaus verständlich sind. Daß er sie vorerst nur in Nebensätzen andeutet, ist freilich für seine Lage aufschlußreich. Freimütig wagt er noch nicht zu sprechen. Der Kontrast zu seinen Erobe-
rungsplänen ist eklatant.

23 bleibt ein Anakoluth, die Erläuterung in 24 ersetzt den fehlenden und in späteren
Lesarten nachgetragenen Schluß. 25 springt zu einem neuen Thema über, ist also kein
Nebengedanke (gegen Lietzmann). Nochmals stellt sich der Romreise ein Hindernis in
den Weg, weil Pls vorher die von ihm gesammelte Kollekte in Jerusalem abliefern muß.
νυνὶ δέ setzt also eine andere Situation als in 23 voraus. Das dort grundsätzlich Ange-
meldete kann nicht sofort ausgeführt werden. Die Vorgeschichte der Kollekte ist aus den
beiden Versionen über das Apostelkonzil in Gal 2 und Apg 15 bekannt. Das Gewicht der
Sammlung für beide Parteien wird dadurch unterstrichen, daß der Apostel nach Gal 2,10
seitens der Jerusalemer keine weitere Auflage erhielt. Offensichtlich mußte er dieser Verpflichtung unter allen Umständen nachkommen, die nach dem Konflikt in Antiochien
vielleicht das letzte Band zur Urgemeinde blieb. Es stand nicht bloß seine persönliche
Glaubwürdigkeit auf dem Spiel. Völlige Bindungslosigkeit Jerusalem gegenüber erlaubte
seine Theologie nicht und konnte er sich in seiner praktischen Arbeit noch weniger leisten. Daraus erklären sich die Anweisung in 1.K 16,1—4, sonntäglich die Kollekte zu
betreiben, die beiden langen Kapitel 2.K 8—9 und hier die starke Herausstellung des
Effekts in 26 f. διακονεῖν hat in 25 wie in 2.K 8,4 den spezifischen, wenngleich kaum
kultischen (gegen Cerfaux, L'Église 100 f.) Sinn der mit der Kollekte gegebenen Dienst-
leistung (Strathmann, ThWb IV, 233 f.; Nababan, Bekenntnis 137). Das Partizip ist

nicht durativ, als ginge es um die Sammlung von ihrem Beginn an bis zur Aushändigung (gegen Michel), sondern meint den einmaligen Akt der Übergabe. Obgleich οἱ ἅγιοι in den Paulinen allgemein christliche Selbstprädikation geworden ist, bezeichnet es hier zweifellos, aus dem apokalyptischen Selbstverständnis der Frommen Israels übernommen, die Urgemeinde (vgl. Lietzmanns Exkurs). Dieser engere Sinn markiert zugleich mit dem Ursprung der Bezeichnung deren eschatologische Bedeutung auch in der ausgeweiteten Anwendung. Während nach 1.K 16,1 und indirekt auch Apg 20,4 die Kollekte ebenfalls in Kleinasien aufgebracht wurde, werden hier seltsamerweise nur Mazedonien und Achaja, und zwar als Umschreibung für die römischen Provinzen, genannt. Im Blick auf die Problematik des Folgenden ist zum mindesten zu fragen, ob Pls damit bewußt den Charakter der Sammlung als Auflage für sein gesamtes Missionsgebiet verhüllt. Denn es kann angesichts der Einleitung von 25 kaum vermutet werden, der Beitrag aus den übrigen Gemeinden sei noch nicht vollständig eingegangen. Nach allgemeiner Ansicht verrät die Angabe Korinth als Abfassungsort des Briefes, und nur vereinzelt ist mit wenig überzeugenden Gründen für Philippi plädiert worden (Th. M. Taylor, Place 285 ff.; möglich Friedrichs, RGG³ V, 1138). Was die Abfassungszeit betrifft, tendiert man heute im Gegensatz zu späteren Datierungen in der Vergangenheit auf die Ansetzung im Frühjahr 55 oder 56 (vgl. Georgi, Kollekte 91 ff.).

Die größten Schwierigkeiten bereiten 26 und 28. εὐδοκεῖν meint den feierlichen, aber freiwilligen Beschluß (Schrenk, ThWb II, 739). Das in der Wiederholung 27 hinzugefügte γάρ bedeutet hier „in der Tat" (B.-D. § 452.2; Ridderbos). Wird so betont, daß die Gemeinden aus eigener Verantwortung handelten, bleiben auf der anderen Seite die Auflage beim Apostelkonzil, die Initiative des Apostels und sein hartnäckiges Drängen zur Durchführung der Sammlung unerwähnt. Man wird eine retuschierende Tendenz konstatieren dürfen, welche die Kollekte als reine Liebesgabe erscheinen läßt und die Pls offensichtlich drückenden persönlichen Verpflichtungen verschweigt. Dazu paßt, daß die juridischen Termini ἁδρότης 2.K 8,20, λογεία 1.K 16,1, λειτουργία 2.K 9,12; Phil 2,30 durch κοινωνία ersetzt werden (vgl. Holl, Kirchenbegriff 60 f.; Georgi, Kollekte 40 f.; Keck, Saints I, 129). Das Wort kommt zwar, wie Phil 4,15 zeigt, im Zusammenhang der Geschäftssprache vor (Keck, Saints I, 118 f.; Leenhardt), hat jedoch bei Pls durchweg religiösen Klang (Seesemann, Κοινωνία 67. 99; Keck, Saints I, 118 f.), und zwar nicht bloß im Sinn der Partnerschaft, sondern der Teilgabe und Teilhabe (Seesemann; Jourdan, Κοινωνία 114). Eine Erinnerung an die LXX-Übersetzung von Lev 6,2 (Billerbeck; Leenhardt) ist abzulehnen (Seesemann, Κοινωνία 29 ff.). Es geht um die Bekundung der Solidarität. Durch τινά wird weiter abgeschwächt: Es handelt sich um keinen festgelegten Betrag. 27 gibt der Notiz eine sehr rationale, aus Gal 6,8 ff. vertraute Begründung. Zwar ist pointiert zweimal von ὀφείλειν die Rede. Doch hat das eindeutig moralischen Sinn (Keck, Saints I, 129). Erhielten die Heiden durch die von der Urgemeinde ausgegangene Mission Anteil an den geistgewirkten himmlischen Gaben, ist es recht und billig, wenn sie den in Not Geratenen mit ihrem irdischen Vermögen Dank abstatten. λειτουργεῖν mag das Motiv der ὀφειλή verstärken und die offizielle Unterstützung charakterisieren (Michel), wobei allenfalls der Kontext dem Wort eine religiöse Nüance gibt (gegen Huby). Der Gedanke an eine repräsentative Vorwegnahme der prophetisch angekündigten Völkerwallfahrt nach Zion (Munck, Paulus 298 f.; Hahn, Missionsverständnis 93), der in 2.K 9,10 die Kollekte zu motivieren scheint (Georgi, Kollekte 72 f.) und vielleicht deren

Verständnis durch die Judenchristen in Jerusalem spiegelt (ebd. 27 ff.), entfällt in userm Text völlig (ebd. 81 f.). Es läßt sich nicht einmal behaupten (gegen Grundmann, ThWb II, 58; Cerfaux, Church 133), die Gabe symbolisiere, daß die Heiden sich selbst Gott opferten. Das ganze Gewicht ruht auf der karitativen Fürsorge für die Urgemeinde, und es ist keineswegs ausgemacht, daß das unter dem Gesichtspunkt von 1.K 9,11 geschieht (gegen Georgi 83). Unbestreitbar gilt im hellenistischen Synkretismus die Anschauung, daß den Pneumatikern Dank mit irdischen Mitteln zu zollen sei, und Pls hat sich nach 2.K 11,7 f.; 12,13 ff. gegen Verdächtigungen wehren müssen, weil er seinerseits derartige Ansprüche nicht erhob. Doch läßt sich nicht sagen (gegen Georgi 83), solche Anschauung werde hier ökumenisch ausgeweitet, weil es ausschließlich um die Urgemeinde in ihrem historischen Primat geht. Die Aufforderung Gal 6,8 ff. wird unter dem Aspekt des Traditionsgedankens konkretisiert. Daß der Apostel indirekt auch die Römer zur Beteiligung an der Kollekte ruft, wird durch nichts nahegelegt, ganz davon zu schweigen, daß ihre Gabe nicht mehr rechtzeitig hätte entgegengenommen werden können. Das Problem des Textes liegt weniger in dem, was er ausspricht, als in dem, was er nicht erwähnt. Wäre die Vorgeschichte der Sammlung klar dargestellt und nicht alles bloß auf den Beweis der Solidarität ausgerichtet worden, hätten die Judenchristen in Rom und darüber hinaus die gesamte Gemeinde aufs stärkste von der Loyalität gegenüber Jersualem überzeugt werden können. Man greift kaum fehl, wenn man urteilt, daß Pls hier einen inneren Konflikt und äußere Spannungen überspielt. Wie sehr er seine Fürsorge für Jerusalem und den dadurch erweckten Eifer seiner Gemeinden ins Licht rückt, so sehr wahrt er andererseits seine Unabhängigkeit, gerade indem er die moralischen Bindungen und Verpflichtungen betont. Die Verlegenheit, in welcher er sich befindet, tritt allerdings heraus, wenn er diese Bindungen und Verpflichtungen eben nicht als Sonderfall ökumenischer caritas anvisiert. Bedürftige gab es schließlich überall (Holl, Kirchenbegriff 59; Bornkamm, Paulus 61), und die heidenchristlichen Gemeinden lebten selber teilweise in Bedrängnis. Die Einschränkung der Sammlung auf Jerusalem als Ursprungsort des Evangeliums (Holl, Kirchenbegriff 59; Leenhardt) wird der Weite der Sentenz in 27 nicht gerecht.

Diese Beobachtungen zwingen dazu, auf die durch K. Holls glänzenden Aufsatz zum Kirchenbegriff ausgelöste, noch immer lebendige Kontroverse einzugehen. Es läßt sich kaum bestreiten, daß die Gemeinde in Jerusalem von Anfang an anders organisiert war als die paulinischen Kirchen. Die Apostelgeschichte scheint zuverlässig zu schildern, daß man sich in Jerusalem auch nach der Gründung des neuen Zentrums in Antiochien weiterhin als Vorort der Christenheit verstand und als solcher in den Gebieten um Palästina anerkannt wurde (Holl, Kirchenbegriff 56 ff. 61 f.; A. Schweitzer, Mystik 155). Die Delegation der Jakobusleute in Antiochien und wenigstens teilweise die judaisierenden Gegner des Pls dürften diesen Primat über die gesamte Christenheit vertreten haben (Holl 64 f.), und der Apostel hat sich bei seinen Kämpfen nicht zuletzt gegen diesen kraft heiligen Rechtes erhobenen Anspruch wehren müssen, eine Unterwerfung unter Jerusalem abgelehnt (Bornkamm, Paulus 77). Man kann nicht mehr strikt beweisen, daß die Kollekte von beiden Seiten her und vielleicht von Anfang an verschieden gedeutet wurde. Immerhin hat diese Annahme ein hohes Maß von Wahrscheinlichkeit, und zweifellos hat Pls der Sammlung nicht zu allen Zeiten gleiches Gewicht beigemessen (vgl. dazu Georgis Buch). Wenn der Apostel sie ungeachtet aller damit verbundenen Gefahren persönlich überbringt, darin den Abschluß der bisherigen Phase seiner Tätigkeit erblickt und sie deshalb der Romreise vorordnet, markiert sie jedenfalls ein kirchengeschichtlich und theologisch ungewöhnlich bedeutsames Geschehen, das in userm Text heruntergespielt wird. Völlig ausgeschlossen ist jedoch, daß die Sammlung ursprünglich als christliche Analogie der jüdischen Tempelsteuer betrachtet wurde (gegen Holl, Kirchenbegriff 58; Asting, Heiligkeit 133 ff.; Sass, Apostelamt 120. 123; Schoeps, Paulus 63; Meuzelaar, Leib 74; dagegen Procksch, ThWb I, 107; Munck, Paulus 282 ff.; Georgi, Kollekte 29). Dann wäre sie regelmäßig fällig und ein eindeutiges Zeichen rechtlicher Unterordnung gewesen, der sich der Apostel auf dem Apostelkonzil nach seiner Schilderung in Gal 1 gerade entzog. Von solchen Voraussetzungen aus müssen nun auch die merkwürdigen Formeln „die Armen der Heiligen" in 26 und „Versiegelung der Frucht" in 28 interpretiert werden. Ist der Genetiv in der ersten Wendung epexegetisch, also eschatologische Selbstprädikation der Urgemeinde (Holl, Kirchenbegriff 59; Lietzmann; Dahl, Volk Gottes 18; Bammel, ThWb VI, 909; Hahn, Missionsverständnis 93; Nababan, Bekenntnis 138; Cerfaux, L'Église 96 ff.; möglich Nielen, Gebet 112), oder partitiv? In Gal 2,10 läßt sich (gegen Munck, Paulus 282) πτωχοί nur als Ehrenprädikat verstehen, so daß dessen urchristliche Verwendung gesichert ist (Bornkamm, Paulus 61; Georgi, Kollekte 23; Karpp, RAC II, 1117; grundsätzliche Bestreitung in den Aufsätzen Kecks). Die Urgemeinde hat damit eine Selbstbezeichnung des frommen Israels übernommen (Georgi 26 ff.), die eindrücklich in Qumran begegnet (Bammel, ThWb VI, 885—915, besonders 897 ff. 911; G. Jeremias, Lehrer 58 f.; bis auf 4QpPs 37 von Keck, Saints II bestritten). Selbst wenn man das aber zugesteht, spricht nicht nur die Wendung als solche, sondern auch ihr ganzer Kontext, der einzig die Hilfsaktion betont, für den gen. part. (Bultmann, Theol. 41; Munck, Paulus 284 f.; Georgi 82; G. Jeremias, Lehrer 61). Die Heiligen sind natürlich nicht die Leiter (so Cerfaux, L'Église 104; festgehalten in Church 136), vielmehr die Gemeinde. In 28 wird ebenso feierlich und geheimnisvoll wie unklar vom Versiegeln der Frucht gesprochen. Es ist begreiflich, daß die Auslegung sich hier in Hypothesen überschlug. Die ordnungsmäßige Aushändigung der Summe (Zahn; Kühl) sollte weniger prätentiös ausgedrückt werden. Von einer Garantie über ihre Unversehrtheit, an die sich angesichts der Verdächtigung in 2.K 8,20 f.; 12,18 denken ließe, ist nicht die Rede (gegen Leenhardt; Ridderbos). Die zuerst von A. Deissmann gegebene Erklärung, die Wendung sei dem Geschäftsverkehr entnommen und meine ursprünglich die Versiegelung eines Getreidesacks (vgl. Lietzmann; W. Bauer, Wb 1567 ff.; Hauck, ThWb III, 618; sachlich vorausgesetzt von Richter, RGG³ VI, 1367 und von Radermacher a.a. O. unter den Aspekt des pars pro toto gestellt), fordert den Einwand heraus, daß Pls nicht von der Übernahme, sondern der Auslieferung der Kollekte spricht. So kam man (Dölger a.a.O.) zur These, es handle sich um abgeblaßte Redeweise, welche die Überweisung und Sicherung eines Betrages beschreibe (ähnlich Fitzer, ThWb VII, 948: gewissermaßen unter Siegel abgeben). Spekulativ wurde die Frucht auf die paulinischen Gemeinden und die Versiegelung auf deren Eingliederung in die Urgemeinde durch ein repräsentatives Symbol bezogen (Bartsch, zuletzt in Situation 290 f.; ähnlich Bieder, Gebetswirklichkeit 105 ff.). Doch führt kein Weg an der Identifikation der Frucht mit der Kollekte und an dem juridischen Sinn von σφραγίζεσθαι vorbei. Durch καί explicativum eingeleitet, wird das auch 2.K 8,2. 11 gebrauchte ἐπιτελεῖν erläutert (Lagrange; Bartsch, Frucht 95). Indem der Apostel die unter so viel Schwierigkeiten betriebene Angelegenheit abschließt, gibt er der Urgemeinde mit der Kollekte die Bestätigung des Ertrages seiner Arbeit gleichsam unter Brief und Siegel (Georgi, Kollekte 86), bezeugt er die Dankbarkeit der Heidenchristen und die irdische Frucht der empfangenen geistlichen Güter.

29 bringt so etwas wie ein Aufatmen im Blick auf den bevorstehenden Abschluß dieser Aufgabe. Deshalb steht recht zuversichtlich οἶδα am Anfang und die feierlich überschwengliche Wendung ἐν πληρώματι εὐλογίας Χριστοῦ am Ende des Satzes. Nur erbaulich kann bei der letzten an den Jakobskampf gedacht werden (gegen H. W. Schmidt). Zu weit geht es aber auch, wenn man (Georgi, Kollekte 86) vom Kreislauf des Segens spricht, so gewiß Pls dieses Motiv kennt und alle Gaben als Verpflichtungen zur weitergebenden Hilfe versteht. Der Nachdruck liegt darauf, daß der Apostel, innerlich und äußerlich von einer offensichtlich drückenden Last befreit, mit der ganzen ihm verliehenen Vollmacht und deshalb mit der Fülle des Evangeliums nach Rom zu kommen gedenkt. Die verklausulierten Aussagen des Proömiums wie von 24 werden damit überboten. Der Träger des Evangeliums wird sein Mandat auch in der Hauptstadt nicht verleugnen. Daß diese Hoffnung sich anders als gedacht verwirklichte und die Spanienmission, nur in Clem. Rom. 5,6 f. wohl auf Grund unseres Textes erwähnt, nie stattfand, gibt dem Versprechen einen tragischen Beigeschmack.

Hier muß das zu 14 ff. aufgeworfene Problem thematisch erörtert werden, welchen Abfassungszweck der Brief verfolgt. Das Verständnis, das in ihm alternativ einen theologischen Traktat oder ein missionarisches Schreiben erblickt, war bereits abgelehnt. Hat F. C. Baur das Verdienst, die traditionelle dogmatische Betrachtungsweise energisch mit der Frage nach der geschichtlichen Situation durchbrochen zu haben, so stürzte er zugleich damit die Auslegung in bis heute nicht überwundene Aporien (vgl. die vorzügliche Übersicht bei Kuss, Paulus 179—204; auch G. Richter, Untersuchungen 7—15). Als seine systematische Konzeption der Antithese zwischen judenchristlichem Partikularismus und paulinischem Universalismus (vgl. Paulus 344 ff.; 374 ff.) zerbrach, konnte man der Einheit des Briefes immer weniger gerecht werden. Man half sich mit der recht zweifelhaften Ausrede, Pls sei nicht in seiner Gedankenführung so logisch konsequent, wie früher behauptet worden war, vielmehr äußerst sprunghaft, wobei Diktierpausen für weitere Abschweifungen gesorgt hätten. Teilaspekte wurden in den Vordergrund gerückt, die juridisch-ethische Komponente seiner Theologie von der sakramentalen, die Dogmatik von der Paränese getrennt, c. 9—11 als in den Brief eingefügter, ursprünglich selbständiger Entwurf (Dodd; Beare, BHH III, 1613), 1,18—3,20 als propädeutisch und weithin hypothetisch betrachtet. Überall wurde nach Niederschlägen missionarischer Predigt gesucht, die mehr oder weniger fragmentarisch verknüpft sein sollten (Kirk 32). Am wenigsten gelang es, die im Proömium und im Schluß geäußerten Absichten des Apostels mit dem breiten lehrhaften Hauptkomplex des Briefes organisch zu verbinden, wie die beinahe groteske Charakteristik des letzten als backwater im Unterschied von der eigentlichen Strömung, durch c. 9—11 repräsentiert, überdeutlich beweist (Noack, Current 159 ff.). Legt man alles Gewicht auf den theologischen Teil, kann man aus 29 und 1,5 f. 11 die Folgerung ziehen, Pls nehme mit der Proklamation des kirchengründenden Evangeliums sein Vorhaben in Rom vorweg. Mit dem ernst genommenen Grundsatz von 20 läßt sich das allerdings nur unter der für einen Protestanten besonders erstaunlichen Voraussetzung vereinigen, jede Gemeinde bedürfe der apostolischen Grundlegung, welcher die anonymen Christen in der Hauptstadt bisher entbehrten (Klein, Abfassungszweck 141 ff.). Von derselben Prämisse her konnte man auch für ein Zirkularschreiben plädieren, dessen Didache je nach dem Empfängerkreis mit wechselnden persönlichen Randbemerkungen versehen wurde (T. W. Manson, Letter 241; Trocmé, Méthode 151 ff.). Legte man umgekehrt ebenso unglaubwürdig gute Vertrautheit zwischen Pls und Rom zugrunde, wird der Brief zur seelsorgerlichen Konkretisierung des apostolischen Kerygmas (Rengstorf, Paulus 225 ff.). Gegenüber solchen extravaganten Hypothesen ist die Feststellung naheliegend, jedoch allzu einfach, Pls stelle sich mit seinem Schreiben der ihm unbekannten Gemeinde vor und verteidige dabei seine Verkündigung (Zahn; Dodd XXIV; Michel; Jülicher, Einleitung 114 ff.; Kümmel, Einleitung 223; Georgi, Kollekte 81). Eine Variante dazu bildet es, wenn der Brief angesichts des Besuches eine Bilanz ziehen oder ein Rechenschaftsbericht sein soll (Lagrange XXXIII f.; Beare, BHH III, 1611; Munck, Paulus 294; Richter, Untersuchungen 13 ff.), wobei man in Rom andere theologische Auffassungen vermuten kann (Michaelis, Einleitung 159). Weithin anerkannt wird, daß der Apostel frühere Erfahrungen auswertete (Lütgert, Problem 33; T. W. Manson, Letter 241; besonders Bornkamm, Testament 130 ff.; kritisch W. L. Knox, Church 96). Selbst wenn man dieser Anschauung in wesentlicher Hinsicht zuzustimmen bereit ist, bleibt offen, warum das Schreiben, das eher ein theologisches Vermächtnis als eine Introduktion genannt zu werden verdient, jedes normale Maß überschreitet, zumal die Romreise in Kürze erfolgen soll (Jülicher; Knox, Church 10). Vor allem durch c. 9—11; 14,1—15,13 gestützt, hängt seit F. C. Baur weiterhin das Thema des Verhältnisses von Christen aus Juden und Heiden in der Luft. Pls soll es dementsprechend um die Versöhnung beider Gruppen gehen (Zahn 13; Knox, Church 95; Marxsen, Einleitung 96; Harder, Anlaß 23 f.; Wiefel, Gemeinschaft 81; Bartsch, Situation 289; scharf kritisiert bei Klein, Abfassungszweck 136 f.). Spielarten dieser Auffassung lassen vor Antinomismus (Lütgert, Problem 69. 111) oder gar Antisemitismus (Bartsch, Situation 283 f.; vgl. Wiefel, Gemeinschaft 88) warnen, die Priorität der Juden betonen (Noack, Current 163 f.), in die Debatte zwischen beiden Gruppen eingreifen und die gegenseitigen Vor- und Nachteile herausstellen (Preisker, Problem 26 ff.) oder sich in gleicher Weise gegen Judaismus und Pneumatikertum wenden (Michel 9 ff.).

Solchem Starren auf die Umstände in Rom gegenüber zeichnet sich neuerdings eine Wende ab. Der Schwerpunkt wird auf die nach 30 ff. drohenden Gefahren in Jerusalem und die dort zu erwartenden Auseinandersetzungen mit den Judenchristen gelegt (Bornkamm, Testament 136; Jervell, Brief 65 f.; ein Ansatz dazu bei Marxsen, Einleitung 93. 95; grundsätzliche Zustimmung bei Kuss, Paulus 196. 200). Die Überbringung der Kollekte muß in der Urgemeinde und erst recht im ungläubigen Judentum als Provokation erscheinen (Georgi, Kollekte 84 f.). Die Arbeit des Apostels und die Einheit der Kirche stehen auf dem Spiel (Jervell 67), so daß sich die theologische Situation des Apostelkonzils erneut ergeben wird (Bornkamm 137 f.). Wie Pls diesen Konflikt nur persönlich bestehen kann und die Jerusalemreise deshalb für ihn unvermeidlich ist, sucht er andererseits die Solidarität der römischen Gemeinde, die er als Repräsentantin der Heidenwelt mitzuvertreten hat (Bornkamm 138; Jervell 64. 72). Was er zu seiner Verteidigung in Jerusalem zu sagen hat, bereitet er mit seinem Brief für sich selbst und in einer Art von Rechenschaftsbericht gegenüber den Empfängern vor (Jervell 71; Bornkamm 120 bevorzugt statt dessen die Formel „wohl disponierte Darlegung der Heilsbotschaft"; ähnlich

Kuss, Paulus 194). Bei dieser Sicht gelingt es unbestreitbar, den lehrhaften Komplex des Briefes und dessen Ausführlichkeit aus einem konkreten Anlaß abzuleiten wie diesem letzten das bisher ungebührlich vernachlässigte Gewicht zu geben. Man wird auch konzedieren, das Schreiben sei, durch die Kirchengeschichte erwiesen, ungewollt zum literarischen Testament des Pls geworden (Georgi, Kollekte 90), während schon der Einfall, Jerusalem die heimliche Adressatin zu nennen (Fuchs, Hermeneutik 191), sich kaum rechtfertigen läßt und die Überschrift „Der Brief nach Jerusalem" (Jervell) provozierend, zugleich jedoch abschreckend wirkt. Es geht eben nicht an, die Heilsgeschichte Israels derart gegen die Rechtfertigungslehre auszuspielen, daß Gal und Röm kontrastiert werden (Jervell 68 f.). Das heilsgeschichtliche „den Juden zuerst" wird vom Apostel in c. 9—11 unter apokalyptischer Perspektive in ein „Israel zuletzt" verwandelt, und diese Kapitel verdeutlichen ebenso wie alle polemischen Abschnitte in den andern Teilen, daß Israel in die Botschaft von der Rechtfertigung der Gottlosen einbezogen wird, was den strengen, am Gesetz festhaltenden Judenchristen durch keine Apologie schmackhaft gemacht werden kann. Der unbezweifelbare Wille des Pls, mit Hilfe der Kollekte zur Versöhnung und Einigung zu kommen, ist sachlich von vornherein zum Scheitern verurteilt. Weil es jedoch um dieses Zentrum geht, läßt sich auch nicht pauschal der Brief als das Testament des Apostels bezeichnen. Denn das sind die von ihm begründete Heidenchristenheit einerseits, seine schriftliche Hinterlassenschaft insgesamt auf der anderen Seite. Die hier gewählten Überschriften charakterisieren den verwundbarsten Punkt dieser Entwürfe: Was Pls in und von Rom erwartet, bleibt unklar, gegen 24 wird die These von der Missionsbasis bestritten (Jervell 63 f. 67) oder heruntergespielt (Bornkamm 122 f.), die Spanienreise nicht ernst genommen. Das ist eine vereinfachende Betrachtungsweise aus partieller Blindheit, welche den vorhandenen komplexen Entstehungsfaktoren (Kuss, Paulus 203) nicht entspricht, so nützlich sie als Teilaspekt ist.

Man sollte davon ausgehen, daß Pls sich tatsächlich mit seiner zentralen Botschaft der ihm unbekannten römischen Gemeinde vorstellt, und daran festhalten, daß diese Botschaft notwendig ärgerlich für Juden und Heiden wirken muß, ihre Anstößigkeit mindestens sachlich genau wie in Gal oder 1.Kor zutage tritt. Unterscheidet sich der Brief von allen anderen Paulinen konstitutiv durch seinen Reflexionscharakter, der frühere Erfahrungen spiegelt und zumeist nur durch fiktive Einwände aufgelockert wird, ist das unter der Formel „theologischer Rechenschaftsbericht" zu begreifen. Daß der Apostel Rom, wenn nicht als Operationsbasis, dann mindestens als Absprungsfeld für seine Missionspläne im Westen benötigt, läßt sich nach unserm Text schlechterdings nicht leugnen oder verharmlosen. Anders verkennt man das apokalyptische Selbstverständnis des Apostels, für die Auslegung freilich fast durchweg ein glühendes Eisen. Sofern Rom nur als Durchgangsstation vor Augen steht, fällt mit dem Besuch dort nicht einmal der „Kanon" von 20 grundsätzlich hin. Schließlich hat Pls auch in Ephesus gewirkt, das schwerlich von ihm begründet wurde, und die Welthauptstadt bietet fraglos unerobertes Terrain selbst für die Predigt des Evangeliums.

Das eigentliche Problem des Textes und damit des Abfassungszweckes liegt in der Kombination Rom-Jerusalem-Spanien und, wenn die Wichtigkeit der beiden letzten Faktoren genügend gewürdigt ist, in der Mittlerfunktion der römischen Gemeinde. Der Ausdruck wird absichtlich gewählt. Sehr oft wird bemängelt, daß Pls unklar und scheinbar unentschlossen redet, wenn es um seinen Besuch und die daran geknüpften Erwartungen, von der Spanienreise abgesehen, geht. Man konstatiert allenfalls den Wunsch nach Solidarität auch gegenüber Jerusalem. Doch muß das präzisiert werden. Dabei sind die wechselvolle Geschichte des Judentums (Wiefel, Gemeinschaft 68 ff.) wie die Anfänge der christlichen Gemeinde in Rom (ebd. 75 ff.) zu berücksichtigen. Die Austreibung unter Claudius hat die große, sich um zahlreiche Synagogen scharende, anders als in Alexandrien jedoch nicht einheitlich geleitete Judenschaft und die aus ihr erwachsene judenchristliche Gemeinde mindestens dezimiert. Nach Milderung und erst recht nach Aufhebung des Ediktes zurückkehrende oder neu einwandernde Judenchristen fanden eine heidenchristliche Majorität vor, werden aber auch als Minorität eine nicht unerhebliche Rolle gespielt haben, wie das römische Judentum zu neuer Blüte kam. Pls konnte damit rechnen, daß jedenfalls dieser Teil die Problematik seines Evangeliums verstand, über sein Wirken unterrichtet war und auch den Heidenchristen ein mehr oder weniger passendes Bild von beidem zu geben vermochte. Es stand zu erwarten, daß er mindestens hier auf ein in der Diaspora verbreitetes Mißtrauen gegenüber seinem Apostolat und seiner Lehre stoßen würde. Endlich ist zwar nicht exakt zu beweisen, jedoch kaum zu bezweifeln, daß seit der herodianischen Zeit und bei den vielfachen Handelsbeziehungen ein reger Verkehr zwischen den Juden in Rom und Jerusalem bestand und dieser auch die Judenchristen beeinflußte. Konnte Pls durch sein Schreiben die römische Gemeinde und zumal ihre judenchristliche Minorität für sich gewinnen oder wenigstens vorhandenes Mißtrauen teilweise zerstreuen, gewann er Rückendeckung auch gegenüber Jerusalem. Ob ihm das gelungen ist oder nicht, läßt sich nicht beantworten. Zu behaupten ist jedoch, daß der Apostel den Versuch dazu gemacht hat. Eben deshalb geht er auf die Vorwürfe seiner judenchristlichen Gegner ein, betont er den heilsgeschichtlichen Vorrang und die endliche Annahme ganz Israels, urteilt er über die Konflikte zwischen Starken und Schwachen bis zum Thema der Tagwählerei so ungewöhnlich milde und den Judenchristen entgegenkommend, begründet er sein Evangelium unentwegt aus der Schrift, aus der er sogar seine eigene weltweite Aufgabe ableitet. In der Sache gibt er nichts preis und geht dabei jedes Risiko ein. Indem er die Rechtfertigung der Gottlosen aus Glauben bis in die Paränese hinein auszieht und Ekklesiologie wie sein Apostolat allein darauf stellt, tut er es doch zugleich im Horizont erfüllter Weissagung. Der „wahre Jude" konnte sich seiner Argumentation nicht verschließen, die Heidenchristen, die ausdrücklich vor Mißachtung ihrer Brüder gewarnt werden, mußten darin ihren Stand bestätigt sehen. Pls konnte hoffen, daß die römische Gemeinde ihm nicht bloß im Westen weiterhalf, sondern seine Position auch in Jerusalem stärkte. Natürlich ist das Rekonstruktion. Die Historie bleibt jedoch das Feld von Rekonstruktionen, und deren Recht ergibt sich daraus, wie weit sie Probleme zu überwinden vermögen. Die vorgeschlagene Hypothese tut das im höchsten Grade.

III. 15,30—33: Die Dringlichkeit der Fürbitte für den Apostel und Schlußsegen

30 Ich mahne euch aber, Brüder, im Namen unseres Herrn Jesu Christi und bei der
   Liebe des Geistes, in den Gebeten für mich vor Gott mir Kampfeshilfe zu lei-
31 sten, auf daß ich vor den Ungläubigen in Judäa gerettet werde und mein für
32 Jerusalem bestimmter Dienst den Heiligen wohlgefällig sei. Dann erst kann ich

25*

33 fröhlich zu euch kommen und nach Gottes Willen mit euch ausruhen. Der Gott des Friedens sei aber mit euch allen! Amen.

Literatur: V. C. Pfitzner, Paul and the Agon Motif, 1967.

Unsere Verse sind, was immer über c. 16 zu sagen sein wird, der eigentliche Schluß des Briefes (Lagrange). Gal und Eph beweisen, daß Grüße nicht notwendig folgen müssen oder kurz und wie in 2.Kor, Phil, 1. und 2.Thess, Tit ohne Nennung von Namen bleiben können. Eine feste Regel gibt es hier für Pls nicht (Lietzmann). Es ist also nicht sonderbar, wenn sich einer dem Apostel unbekannten Gemeinde gegenüber nicht Grüße mit dem Segenswunsch verbinden. Ungewöhnlicherweise besteht der Schluß jedoch hauptsächlich aus einer dringlichen Mahnung zur Fürbitte, welche mit schwersten Befürchtungen begründet wird. Offensichtlich rechnet Pls, wie die Apostelgeschichte es rechtfertigt, mit ernsten Verwicklungen in Jerusalem und schließt Gefahr für sein Leben nicht aus. Das spricht nochmals gegen die vorhergehende Charakterisierung der Kollekte als einer bloßen Liebesgabe, die relativ privat und sogar ohne Beteiligung des Apostels hätte überbracht werden können. Ist die persönliche Übergabe notwendig und dabei von vornherein das Aufsehen unter den Juden Jerusalems in Kauf zu nehmen, handelt es sich zweifellos um eine offizielle Delegation. Noch wichtiger erscheinen die Zweifel, daß die Judenchristen in Jerusalem die Gabe, mit welcher die nach Gal 2,10 übernommene Verpflichtung eingelöst wird, einfach dankbar entgegennehmen werden. Die Auslegung konstatiert zumeist diesen Sachverhalt ohne Kommentar. Er erklärt sich aber nur dann, wenn die Konflikte mit der Muttergemeinde seit dem Zwischenfall in Antiochien weitergegangen sind und die Grenze des Abbruchs der gegenseitigen Beziehungen erreicht haben (Nababan, Bekenntnis 141). Ist die Auflage des Apostelkonzils für die Judenchristen Jerusalems nicht mehr selbstverständlich gültig und ungeachtet ihrer Armut unter Umständen sogar die Erfüllung unerwünscht, scheinen die getroffenen Vereinbarungen gegenstandslos geworden zu sein, Pls als Partner nicht mehr anerkannt zu werden. Wenn dieser umgekehrt in solcher von ihm mindestens für möglich gehaltenen Situation an der Abmachung festhält, wird die Kollekte von ihm primär eben nicht als Liebesgabe für die Armen, sondern als Demonstration kirchlicher Einheit gewertet, will er zwar seine Unabhängigkeit bewahren, auf keinen Fall jedoch in die Rolle eines Freibeuters geraten. Immerhin fürchtet er, daß sein Verhalten als Provokation erscheint und als solche sogar das Judentum in Jerusalem erbittert. Die Ausführungen in 25 ff. haben nur einen, jedoch nicht den entscheidenden Aspekt der Sammlung hervorgehoben und verschleiert, daß die Autorität des Apostels, der Bestand seiner Mission und vielleicht sogar sein Leben auf dem Spiele stehen (Jervell, Brief 67; Georgi, Kollekte 84 f.). Daß Pls in solcher Lage nach Bundesgenossen oder wenigstens Vermittlern zwischen ihm und der Urgemeinde sucht und seine Botschaft den Römern derart ausführlich, selbst mißtrauischen Judenchristen akzeptabel, darlegt, ist begreiflich und notwendig.

Die Einleitung ist nicht ohne Grund besonders feierlich. Sie folgt dem Schema von 12,1 (Bjerkelund, Parakalo 54; Jervell, Brief 65), so daß παρακαλῶ durch „bitten" zu schwach übersetzt wird (Spicq, Agape II, 195) und das διά in den folgenden Präpositionalwendungen wieder liturgisierend „kraft" oder „im Namen von" bedeutet (Stählin, ThWb V,

792 f.; Schettler, Durch Christus 50 ff.). Die Auslassung der Anrede in schwächeren Textzeugen ist um so weniger begreiflich, als der neue Einsatz durch die emphatische Anrufung des Kyrios mit all seinen Würden und die fast beschwörende Appellation an die vom
Geist geschenkte Liebe (anders Murray) unterstrichen wird. Dem entspricht die Bitte mit
dem im Neuen Testament singulären Kompositum συναγωνίσασθαι, das eine Parallele in
dem Simplex Kol 4,12 hat und im Blick auf die gefährliche Situation des Apostels das
Motiv des Agon auf das Gebet überträgt (Harder, Gebet 204; erbaulich Stauffer, ThWb I,
139). Die farblose Bedeutung „helfen" (Pfitzner, Agon 121 ff.) wird dem nicht gerecht
(von Severus, RAC VIII, 1181), und die Erinnerung an den Widerstand gegen Mächte
und Gewalten (Bieder, Gebetswirklichkeit 23) verkennt die anvisierten Gegner. Offensichtlich ist an das Gebet im Gottesdienst gedacht (Schumacher, Letzte Kapitel 46), der
durchaus übliche Wunsch um Fürbitte jedoch durch die Ausdrucksweise besonders eindringlich gemacht. 31 nennt die Bedrohungen, wobei das Verb auf Todesgefahr hindeutet,
ἀπό statt ἐκ das noch nicht Eingetroffene bezeichnet (Ridderbos). Mit ἀπειθοῦντες ist wie
in 10, 2f.; 11,30 an die sich dem Evangelium widersetzenden Juden gedacht, und der Zusatz ἐν τῇ ᾽Ιουδαίᾳ stellt heraus, daß sie nicht bloß in Jerusalem oder (so Bauer, Wb 749)
im südlichen Teil Palästinas, sondern im ganzen Lande (Gutbrod, ThWb III, 384) gegen
Pls stehen. Die zweite Gefahr liegt in der denkbaren Ablehnung der Kollekte seitens der
Judenchristen, die auch hier mit ihrer Selbstprädikation genannt werden. Die Wendung
διακονία μου ἡ εἰς ᾽Ιερουσαλήμ setzt voraus, daß die Gemeinde im ganzen Empfängerin
der Sammlung sein soll, wenngleich ihre Armen davon am meisten profitieren. Wird in
der Hoffnung, daß die Kollekte εὐπρόσδεκτος sei, apostolische Demut erblickt (Michel),
sind ihre Hintergründe nicht erkannt und durch Erbaulichkeit übertüncht. 32 ist mit
seinem zweiten, fast konsekutiven ἵνα von 31 abhängig. Erst wenn die in Jerusalem
drohenden Gefahren hinter ihm liegen, kann der Apostel ἐν χαρᾷ nach Rom kommen,
womit profan „fröhlich, erleichterten Herzens" gemeint sein dürfte. Die Wendung
διὰ θελήματος θεοῦ verdient gegenüber der Fülle von Varianten den Vorzug (Lietzmann; Ridderbos), zumal sie gegenüber den christologischen Modifikationen die conditio
Jacobaea ausdrückt. Wahrscheinlich geht sie auf den ganzen Satz, kann aber auch auf
das letzte Glied bezogen werden, weil das Partizip bereits durch ἐν χαρᾷ bestimmt wird
und συναναπαύεσθαι das ersehnte Ziel darstellt. Dieses Verb, in anderm Sinn noch Jes
11,6 LXX gebraucht, läßt alle weiteren Absichten fallen. Pls wartet sehnsüchtig auf die
Möglichkeit des Ausruhens und, etwas optimistisch, der gegenseitigen Erquickung. Daß
der Geist der Geschichte auf seiner Seite sei (Weinel, Paulus 177), wirkt demgegenüber
deplaziert, charakterisiert jedoch das liberale Bild des Apostels. 33 bringt die in 16,20;
Phil 4,9; 2.K 13,11; 1.Th 5,23; 2. Th 3,16; Hebr 13,20 wiederkehrende oder leicht abgewandelte Segensformel mit abschließendem Amen. Gottesdienstliche Praxis wird hier
literarisch aufgenommen (Schlier, ThWb I, 341), wie mindestens der auch Gal 6,18
endende Amen-Ruf anzeigt. Die Wendung „Gott des Friedens", in Test. Dan 5,2 wie im
Rabbinat bezeugt (Billerbeck; Michel), ist traditionell jüdisch. Sie hat hier besonders
guten Sinn. Friede als umfassende Heilsmacht Gottes ist der Inhalt all dessen, was der
Apostel den Römern wünscht. P[46] fügt die Doxologie aus 16,25—27 an. Man hat darin
einen Beweis gesehen, daß der Brief ursprünglich hier schloß und c. 16 Fragment eines
anderen Zusammenhanges ist (Kirk; Beare, BHH III, 1611). Doch scheitert solche These
schon daran, daß P[46] noch 16,1—23 folgen läßt, seinerseits also die behauptete Kurzform

des Briefes nicht mehr kennt. Er oder seine Tradition verstärken nur die Segensformel und markieren allenfalls insofern, daß hier sachlich der eigentliche Brief sein Ziel erreicht hat.

H) 16,1—27: ANHANG. EIN EMPFEHLUNGSSCHREIBEN

Drei Feststellungen sind der Exegese dieses historisch ebenso interessanten wie umstrittenen Kapitels voranzuschicken. Vom Schluß abgesehen, ist an der paulinischen Authentie nicht zu zweifeln. Gleichgültig ob es von Anfang an mit dem Römerbrief verbunden war oder nicht, handelt es sich nicht um ein sogenanntes Eschatokoll, aber auch nicht um das Fragment eines anderen Schreibens. Gegen beides spricht, daß ein in sich geschlossener und selbständiger Empfehlungsbrief vorliegt, wie die beiden Einleitungsverse zeigen. Daß diese, durch antike Parallelen belegte literarische Gattung (vgl. Deissmann, Licht 137 f. 163 ff.) auch in der Urchristenheit benutzt wurde, beweisen 1.K 16,3; 2.K 3,1. Es mag einzigartig sein (Kümmel, Einleitung 229), wenn Grüße sich in derartiger Menge damit verbinden. Doch läßt sich das unschwer aus der Situation der missionarischen Anfangszeit begreifen und setzt nur voraus, daß der Apostel sich an eine größere Gemeinde wendet, in welcher er zahlreiche Freunde hat. Unstatthaft ist es, diese Grüße zum Hauptinhalt des Schreibens zu machen, weil das weder 1—2 noch 17—20 entspricht. Über die Zugehörigkeit zum vorhergehenden Brief ist aus diesem Sachverhalt an sich so wenig Kapital zu schlagen wie für die abweichende Meinung. Festgestellt werden soll und muß einzig der Charakter des Kapitels als eines Anhangs, und allein die Detailuntersuchung kann Indizien dafür liefern, daß die Empfänger in Rom oder anderswo zu suchen sind, die Verbindung mit dem Brief also wahrscheinlich ursprünglich oder sekundär zu nennen ist. Die Gliederung des Kapitels liegt auf der Hand. Der Empfehlung in 1—2 folgen in 3—16 vielfache Grüße, in 17—19 eine Warnung vor Irrlehrern, die in 20 mit einem Segenswunsch endet. 21—23 schließen Grüße der Mitarbeiter und Freunde des Apostels an. 24 ist fraglos ein späterer Einschub aus 2.Th 3,18. Die nach Länge und Motivation aus allen Paulinen abstechende Doxologie in 25—27 kann sich keinesfalls bloß auf unser Kapitel beziehen. Sie ist im Blick auf den heute vorliegenden Gesamtbrief geschrieben.

I. 16,1—2: Empfehlung der Phoebe

1 Ich empfehle euch nun Phoebe, unsere Schwester, Diakonisse der Gemeinde in
2 Kenchreae. Nehmt sie im Herrn, den Heiligen angemessen, auf und steht ihr bei, in welcher Angelegenheit immer sie eure Hilfe benötigt. Denn für viele wurde sie ein Beistand, auch für mich persönlich.

Literatur: K. Erbes, Zeit und Ziel der Grüße Röm 16,3-15, ZNW 10 (1909), 128-147. 195-218. W. Michaelis, Kenchreä (Zur Frage des Abfassungsortes des Rm), ZNW 25 (1926), 144-154. E. J. Goodspeed, Phoebe's Letter of Introduction, Harv. ThR 44 (1951), 55 ff. W. Schrage, „Ekklesia" und „Synagoge". Zum Ursprung des urchristlichen Kirchenbegriffs, ZThK 60 (1963), 178-202. H. M. Schenke, Aporien im Römerbrief, ThLZ 92 (1967), 881-888.

Der Einfall, 1 f. als Unterschrift zu c. 15 zu betrachten und 3—20 als Fragment davon zu trennen (Schenke, Aporien 883 f.), ist nach beiden Seiten hin völlig willkürlich und wird durch die Verbindung von 3—20 mit 14,1—15,13 zu einem ursprünglichen Epheserbrief noch mehr diskreditiert. In antiken Verhältnissen benötigten Reisende, die an fremden Orten keine Freunde oder Bekannte hatten, Empfehlungsschreiben, wenn sie vor Gefahren bewahrt bleiben sollten, und für Frauen galt das besonders. συνίστημι wird technisch gebraucht. Unbestreitbar erscheint das sicher ursprüngliche δέ (Michel) zunächst als fortführend (Ridderbos), also als Einleitung eines neuen Abschnittes. Es aus der Seitenfolge des Kopialbuches eines Sekretärs zu erklären (Deissmann, Licht 200 f.; dagegen Erbes, Zeit 132; Michaelis, Einleitung 163), ist schlechthin phantastisch. Solange der Streit um c. 16 als selbständiges Schreiben nicht entschieden ist, kann man allenfalls vermuten, daß es auf ein weggebrochenes Präskript folgt. Der Name Phoebe begegnet auch sonst (Bauer, Wb 1708). Griechische Mythologie hat oft Pate gestanden, wenn es Sklaven zu benennen galt, und Freigelassene verleugneten das nicht. Über die hier durch ἀδελφή wie in Philem 2 als Glied der christlichen Gemeinschaft bezeichnete Phoebe wissen wir nur durch unsern Text. Nach den Varianten läßt sich nicht sicher entscheiden, ob das heraushebende καί ursprünglich ist. Sofern es die besondere Funktion unterstreicht, hat es sachlich guten Sinn. Kenchreä muß, wenn man 23 berücksichtigt, der östliche Hafen Korinths sein, von dem aus sich Handel und Verkehr mit dem Orient abwickelten (gegen diese traditionelle Auffassung Michaelis, Kenchreä 148 ff.). In Hafenstädten waren die Vorbedingungen für Gemeinden mit stark proletarischem Gepräge besonders günstig und zugleich für karitative Betreuung von Armen, Kranken, Witwen, Waisen, aber auch von ankommenden und abreisenden Glaubensgenossen unübersehbar vorhanden. Daß hier erstmalig und beiläufig in unserm Brief das Wort ἐκκλησία fällt, ist häufig erstaunt registriert worden, zeigt jedoch nur, wie wenig der Apostel ein theologisches Kompendium zu schreiben beabsichtigte und daß die Ekklesiologie jedenfalls nicht sein systematisches Hauptmotiv war. An unserer Stelle, die nicht direkt zu theologischer Reflexion herausfordert, mag es genügen, entgegen der traditionellen Meinung festzustellen, daß diese Selbstbezeichnung der christlichen Gemeinde nicht primär aus der LXX, sondern in Abgrenzung von der Synagoge aus hellenistisch politischem Sprachgebrauch erwuchs (Schrage, Ekklesia) und deshalb die empirische Versammlung bis hin zur Hausgemeinde charakterisiert. War die Interpretation der paulinischen Charismenlehre zutreffend, ist die immer neu aufflammende Debatte darüber überflüssig, ob διάκονος hier und in Phil 1,1 bereits ein kirchliches Amt meint (Zahn; Kühl; Lagrange; Michel; H. W. Schmidt) oder nicht (Michaelis, Kenchreä 146; Delling, Gottesdienst 141; Kalsbach, RAC III, 917; unentschieden Lietzmann; Althaus; Ridderbos). Solche Problemstellung verdeckt die paulinische Anschauung, nach welcher jeder Christ offiziell von seinem Herrn in Pflicht genommen, mit einem spezifischen Dienst betraut wurde und diesen in der Gemeinde wie ihr gegenüber unvertretbar wahrzunehmen hat. Sofern es bei Phoebe, durch Partizip und Ortsangabe betont, um einen ständigen und anerkannten Dienst geht, wird man mindestens eine Vorstufe zum späteren kirchlichen Amt konstatieren (Barrett; Schumacher, Letzte Kapitel 49; Oepke, ThWb I, 788), zumal es dafür (Bauer, Wb 367) heidnische Parallelen gibt. Der Finalsatz nennt den Zweck der Empfehlung, wobei προσδέχεσθαι nicht den religiös vertieften Sinn des προσλαμβάνειν in c. 14 f. hat, sondern profan die Aufnahme unter Gewährung von Unterkunft und eventueller Hilfe meint. Es greift zu weit, wollte man aus πρᾶγμα erschließen (Schumacher, Letzte Kapitel 49), Phoebe sei in einen Rechtshandel verwickelt. χρήζειν τινός bedeutet bereits klassisch (Bauer, Wb 1750) „benötigen". Die Empfehlung wird mit den beiden fast tautologischen Wendungen ἐν κυρίῳ und ἀξίως τῶν ἁγίων begründet. Was den Heiligen, worunter hier wieder alle Christen verstanden werden, angemessen ist, entspricht nach Phil 1,27 dem Evangelium, also dem Willen des Herrn. Emphatisch besagt das kaum mehr als: nach christlicher Ordnung. Phoebe hat nicht näher präzisierte Angelegenheiten zu erledigen, die unter Umständen von der Gemeinde erleichtert werden können. παριστάνειν wird profan gebraucht: beistehen, helfen (Reicke, ThWb V, 836). 2c bringt eine zweite Motivation. Phoebe darf nach ihrem eigenen Verhalten Unterstützung erwarten. Das neutestamentlich nur hier verwandte Wort προστάτις kann nach dem Kontext nicht den juridischen Sinn der Maskulinform haben, also den Vorsteher oder Vertreter einer Gemeinschaft bezeichnen (vgl. Bauer, Wb 1425), so daß auch nicht von „Schutzpatronin" (Deissmann, Paulus 185; dagegen Schumacher, Letzte Kapitel 50) die Rede ist. Frauen können keine rechtliche Funktion wahrnehmen und scheinen nach der Apk. Joh einzig in häretischen Zirkeln als Prophetinnen kirchliche Leitungsbefugnisse besessen zu haben (gegen Reicke, ThWb VI, 703). Gedacht ist an die Fürsorge im persönlichen Bereich, die Pls mit vielen andern von der Diakonisse erfahren hat. Auffälligerweise wird gegen die herrschende Ansicht (vgl. z. B. Zahn; Erbes, Zeit 129; Ridderbos; H. W. Schmidt) nichts von der Überbringung des Briefes gesagt, obgleich dadurch die Empfehlung an Gewicht gewonnen hätte. Kenchreä ist als Ort des Dienstes, nicht der Abreise der Phoebe erwähnt, kommt jedenfalls für eine Fahrt nach Rom kaum in Betracht. Für spekulative Erwägungen bietet dieser Abschnitt nicht den geringsten Anlaß.

II. 16,3—16: Apostolische Grüße

4 Grüßt Priska und Aquila, meine Mitarbeiter in Christus Jesus. Sie haben für mein
  Leben ihren Hals gewagt, und nicht allein ich, sondern zugleich alle Gemeinden aus
5 Heiden schulden ihnen Dank. (Grüßt) auch ihre Hausgemeinde. Grüßt meinen ge-
6 liebten Epainetos, der Asiens Erstling für Christus ist. Grüßt Maria, die sich oft für
7 euch geplagt hat. Grüßt Andronikus und Junias, meine Volksgenossen und (einstigen) Mitgefangenen, welche herausragen unter den Aposteln, die schon vor mir Chri-
9 sten waren. Grüßt meinen im Herrn geliebten Ampliatos. Grüßt Urbanus, unsern
10 Mitarbeiter in Christus, und meinen lieben Stachys. Grüßt den in Christus bewähr-
11 ten Apelles. Grüßt die vom Hause des Aristobul. Grüßt meinen Volksgenossen
12 Herodion. Grüßt die vom Hause des Narziss, sofern sie dem Herrn gehören. Grüßt
   Tryphaina und Tryphosa, welche sich im Herrn geplagt haben. Grüßt die geliebte
13 Persis, die sich vielfach im Herrn abmühte. Grüßt Rufus, den im Herrn Auserwähl-
14 ten, und seine Mutter, die auch die meinige (wurde). Grüßt Asynkritos, Phlegon,
15 Hermes, Patrobas, Hermas und die Brüder bei ihnen. Grüßt Philologos und Julia,
16 Nereus und seine Schwester und Olympas und alle Heiligen bei ihnen. Grüßt einander mit heiligem Kuß. Euch grüßen alle Gemeinden Christi.

Literatur: P. Feine, Die Abfassung des Philipperbriefes in Ephesus mit einer Anlage über

Röm. 16,3—20 als Epheserbrief, BFchrTh 20,4 (1916). A. v. Harnack, Κόπος (Κοπιᾶν, οἱ κοπιῶντες) im frühchristlichen Sprachgebrauch, ZNW 27 (1928), 1-10. F. V. Filson, The Significance of the early Home Churches, JBL 58 (1939), 105-112. J. Jeremias, Paarweise Sendung im Neuen Testament, Abba 132-139. T. Y. Mullins, Greetings as a New Testament Form, JBL 87 (1968), 418-426. J. I. H. McDonald, Was Romans XVI a separate Letter, NTSt 16 (1969/70), 369-372. R. Schnackenburg, Apostles before and during Paul's Time, Apostolic History and the Gospel (Essays F. F. Bruce), 1970, 287-303. K. M. Hofmann, Philema hagion, 1938.

Derart lange Grußlisten sind vor Pls nicht bekannt und in seinen andern Briefen nicht vorhanden, begegnen jedoch in allerdings geringerem Umfang später (vgl. dazu Deissmann, Licht 199; Roller, Formular 67 ff.; McDonald, Letter 370). Selbst wenn man solche Parallelen beachtet, wird man diese Liste ganz ungewöhnlich nennen. In ihr spiegelt sich etwas von der Vielfalt missionarischer Tätigkeit wie der bunten Zusammensetzung heidenchristlicher Gemeinden. Daß die Situation einer Hauptstadt des Imperiums vorausgesetzt ist, liegt auf der Hand, und zweifellos hat man Grund, zunächst an Rom zu denken. Guten Sinn hat es aber auch, daß die Liste sich an eine Empfehlung anschließt. Phoebe wird auf diese Weise sofort einer großen Zahl von Christen anbefohlen. Die Zuordnung von 1 f. zu c. 15 ist sachlich wie literarisch deplaziert, andererseits die Häufung der Grüße nicht die Hauptsache des Stückes. Offensichtlich bemüht Pls sich, bei möglichst vielen die persönliche Bindung, sei es auch bloß durch ein Adjektiv, zu unterstreichen und die Aktivität der Genannten hervorzukehren. Es geht um besonders wichtige und verdiente Personen, um welche sich wenigstens teilweise eine Gruppe anderer Christen scharen wird. Das häufige ἀγαπητός ersetzt den Brudernamen, wie 1.Th 2,8; Philem 16 und der Wechsel in 1.K 10,1 und 10,14 bestätigen (Stauffer, ThWb I, 51). Die Formeln „in Christus" und „im Herrn" werden sehr abgeblaßt und ohne wirklichen Unterschied gebraucht. Die zweite dürfte von der ersten abgeleitet sein, macht jedoch gerade in unserm Text deutlich, daß die erste nicht mystisch zu verstehen ist, sondern christliche Lebensführung als Stand in der den Menschen aktivierenden Herrschaft Christi kennzeichnet (Neugebauer, In Christus 129). Das kommt ebenfalls zum Ausdruck, wenn das Stichwort κοπιᾶν verwandt wird, das technisch die mit der Missionsarbeit verbundene Mühe meint, ohne daß sich solche Bedeutung mit einiger Gewißheit auf den Apostel selbst zurückführen läßt (vgl. Harnack, Κόπος). Interessant ist, daß hier mehrere Hausgemeinden auftauchen. In den Anfangszeiten war das die gegebene Form der Versammlung. Nach 1.K 16,19; Philem 2; Kol 4,15; Apg 12,12 scheinen Gruppen jedoch eine begrenzte Selbständigkeit in der Gemeinde behalten zu haben. Ist das Kapitel nach Rom gerichtet, könnte man darin eine Weiterführung der das römische Judentum bestimmenden Organisation erblicken (Dahl, Volk 202; Wiefel, Gemeinschaft 81; Bartsch, Situation 283). Allerdings wird diese Hypothese gleich von den nächsten Versen her fraglich. Als hervorragendste Gemeindeglieder sind Priska und Aquila betont an den Anfang gestellt und erhalten fast überschwengliches Lob. Nicht nur Pls ist ihnen, wie mit profanem Wortgebrauch gesagt wird, zu Dank verpflichtet, sondern alle heidenchristlichen Gemeinden. Zweifellos bezieht sich das nicht bloß darauf, daß sie in einer für den Apostel lebensgefährlichen Situation, wohl mit einer volkstümlichen Wendung formuliert (vgl. Deissmann, Licht 94 f.), ihren eigenen Hals für ihn riskiert haben. Genaue Angaben über den Zwischenfall sind nicht gegeben. Die Peristasenkataloge 2.K 6,5; 11,23 bieten den allgemeinen Rahmen dafür, und 1.K 15,32, vielleicht auch Apg 19,23 ff. lassen

Ephesus als Schauplatz des besonderen Vorkommnisses vermuten. Denn nach Apg 18,2 hat die Austreibung der römischen Juden unter Klaudius das judenchristliche Ehepaar dorthin verschlagen, so daß sie zu Gastgebern des Pls werden konnten. Die Erwähnung in 1.K 16,19; 2.Tim 4,19, die Prädikation als Mitarbeiter des Apostels, die Hinweise auf ihre Hausgemeinden und vor allem der Schluß von 4 berechtigen dazu, die beiden zu den bedeutendsten urchristlichen Missionaren im Diasporagebiet zu zählen, die ihre Arbeit unabhängig von Pls begonnen, jedoch in Verbindung mit ihm weitergeführt haben. Missionierende Ehepaare, in 1.K 9,5 ausdrücklich bezeugt, variieren das jüdische Schema der Aussendung von zwei „Jochgenossen" christlich (vgl. J. Jeremias, Paarweise Sendung). Die Frau kann dabei Zugang zu der Männern im allgemeinen blockierten γυναικωνῖτις finden. Dieser Anteil der Christin für die früheste Gemeindebildung wird selten gebührend berücksichtigt, obgleich gerade unser Kapitel dazu auffordert, in welchem Priska nur den ersten Platz in einer größeren Schar einnimmt. Das wechselvolle Schicksal und die weitreichende Tätigkeit des Ehepaares erlauben durchaus die Annahme, daß es nach Milderung und Aufhebung des Klaudius-Ediktes zurückkehrte und erneut in Rom eine Hausgemeinde um sich sammelte, wenngleich der Zeitraum dafür außerordentlich kurz bemessen war (repräsentativ Lietzmann; Kümmel, Einleitung 228; dagegen Deissmann, Licht 238; Bornkamm, Paulus 249; Marxsen, Einleitung 100). Umgekehrt ist die These nicht aus dem Text, sondern nur aus der Kombination des Kapitels mit dem Brief zu erweisen, wäre eine Äußerung über die Rückkehr im Zusammenhang durchaus möglich gewesen. Wie kritisch man immer einem argumentum e silentio gegenüber sein mag, so verstärkt sich sein Gewicht durch den folgenden Gruß. Der Heidenchrist Epainetos wird als ἀπαρχή Asiens bezeichnet, also als Erstbekehrter des westlichen Kleinasiens mit Ephesus als Zentrum, wie in 1.K 16,15 Stephanas der Erstgeborene Achajas heißt. Natürlich kann man auch ihn, etwa im Gefolge Priskas und Aquilas (Althaus), nach Rom übergesiedelt sein lassen (Zahn; Sickenberger). Doch ist das reine Spekulation, solange es nicht erwähnt wird, und zwar eine schlechte, wenn man seine Bedeutung in seiner Heimat bedenkt. Die Lesart Μαριάμ bei P⁴⁶S u. a. in 6, welche aus Maria wohl eine Jüdin macht (Zahn; dagegen Sanday-Headlam; Lagrange), bleibt problematisch, zumal der Name auch außerhalb des Judentums vorkommt (Bauer, Wb 971 ff.). Der in 12b wiederkehrende Vermerk über die von ihr übernommene große Mühe findet eine hübsche, allerdings profane Parallele in einer erhaltenen Inschrift (Deissmann, Licht 266). Das durch ἡμᾶς korrigierte ὑμᾶς läßt die Frage offen, wie Pls zu dieser Kenntnis gekommen ist.

7 stellt nochmals vor das Problem des Apostelbegriffs in paulinischer Zeit. ἐπίσημοι bedeutet jedenfalls nicht bloß „bei den Aposteln angesehen" (Zahn), sondern „unter ihnen hervorragend" (Bauer, Wb 590; Rengstorf, ThWb VII, 267; Lietzmann; Schlatter; Michel; Schnackenburg, Apostels 293). An sogenannte „Gemeindeapostel" ist nach den übrigen Attributen nicht zu denken. Dann kann es sich bei Andronikus und Junias trotz ihrer nichtjüdischen Namen nur um judenchristliche Missionare handeln, welche wie die in 2.K. 11,5. 13. 22 f. bekämpften den Aposteltitel für sich beanspruchen dürfen und, wie steigernd hinzugefügt wird, bereits vor Pls Christen waren. Nicht zu entscheiden ist, ob sie als solche der Urgemeinde angehörten (Roloff, Apostolat 60 f.) oder, wohl wahrscheinlicher, den Delegaten Antiochiens, als welche Pls und Barnabas in Apg 14,4. 14 ebenfalls Apostel genannt werden (Schnackenburg, Apostles 293 f.). Insofern bleibt auch

unklar, ob für sie das 1.K 9,1 genannte Kriterium, Augenzeuge des Auferstandenen zu sein, gilt oder die Funktion der Gründung und Erhaltung von Gemeinden allein maßgeblich ist. Der Apostelbegriff, auf den wir hier stoßen, ist vermutlich in der ältesten hellenistischen Christenheit geprägt worden (Schnackenburg, Apostles 294 ff.). Beide stehen als „Jochgenossen" in der paarweisen Sendung (Jeremias, Sendung 136) und werden wie Herodion in 11 mit dem Wortgebrauch von 9,3 als συγγενεῖς = „Volksgenossen" bezeichnet. Mit Pls verbindet sie persönlich gemeinsam erlittene, (gegen Kittel, ThWb I, 196) nicht bildlich zu verstehende Gefangenschaft, auf deren Umstände nicht eingegangen wird und für deren Datierung die schon genannten Peristasenkataloge weiten Spielraum bieten. Die bisher genannten Personen sind, von Epainetos abgesehen, Judenchristen. Denn auch für Maria in 6 liegt das mindestens nahe. Bei einigen andern läßt sich das nicht völlig ausschließen. Nicht spezifisch jüdische Namen tragen in hellenistischer Zeit viele Juden. Umgekehrt gibt es dafür in den folgenden Versen nur recht fragwürdige Gründe, während für Sklaven und Freigelassene typische Namen sich häufen (vgl. den Exkurs bei Lietzmann). Nur erbauliche Spekulation vermag den Rufus in 13 mit dem in Mk 15,21 erwähnten zu identifizieren, wie es nicht selten geschieht. Wird er ἐκλεκτὸς ἐν κυρίῳ genannt, so ist damit urchristliche Selbstprädikation auf einen Einzelnen übertragen, um ihn wie den in 10 als δόκιμος bezeichneten Appelles mit einem epitheton ornans zu versehen, das sich nur emphatisch von ἀγαπητός abhebt. Die Nennung seiner Mutter hat die Legendenbildung gefördert. Daß Pls sie wie seine eigene betrachtet, bekundet von ihr erfahrene und erhebliche Fürsorglichkeit, die ihm jedoch überall zuteil werden konnte. Herodion in 11 ist zwar Judenchrist, braucht jedoch persönlich trotz seinem Namen nichts mehr mit den Herodäern zu tun zu haben, und das gilt ebenso für Aristobul in 10, bei dem man sogar den Christenstand bezweifeln muß. Die Formulierung zeigt bloß, daß sich in seiner familia eine christliche Gruppe befindet, wie das, mit offensichtlich einschränkendem Nachsatz, in 11 auch von den Leuten des Narziß gesagt wird. Daß dieser ein kaiserlicher Freigelassener sei, Tryphaina und Tryphosa um des Gleichklangs der Namen und der unmittelbaren Folge willen Schwestern gewesen seien, sind Hypothesen historischer Neugier, welche den Text überfordern. Die Aufzählungen in 14 und 15 beziehen sich auf die repräsentativen Glieder zweier Hausgemeinden, zu denen eine ungenannte Zahl weiterer Christen gehören. In hellenistischer Zeit nicht verwunderlich, überwiegen griechische Namensformen bei weitem alle andern. Spezifisch stadtrömische unter den lateinischen lassen sich kaum mit einiger Wahrscheinlichkeit eruieren (gegen Lagrange). Christen aus Juden und Heiden haben sich gemischt. Sie gehören sozial vorwiegend den unteren Bevölkerungsschichten an. Ein erhebliches Kontingent stellt der Orient. Frauen spielen eine gewichtige Rolle. Eine derart zusammengesetzte Gemeinde konnte in jeder Großstadt des Imperiums existieren. Rom bietet sich zweifellos zunächst dafür an. Bei genauer Beachtung dessen, was der Text hergibt und was er zu sagen unterläßt, verflüchtigen sich aber die dafür geltend gemachten Indizien so stark, daß mindestens Zweifel gegenüber dieser These geboten sind. Sucht man nach einer Alternative, kommt, wie seit Anfang des vorigen Jahrhunderts behauptet ist (vgl. die Übersicht bei Schumacher, Letzte Kapitel 61 ff.), fast nur Ephesus in Frage. Das Proömium des Briefes spricht gegen enge Vertrautheit des Apostels mit der römischen Gemeinde. Man kann sich dieser Feststellung nicht entziehen, indem man auf die Paränese in 14,1—15,13 verweist, weil Pls natürlich nicht ohne jede Information über die römischen Verhältnisse ist und mit sich befehdenden christlichen Gruppen auch anderswo zu tun gehabt hat. Unerlaubt dürfte die Vermutung sein, daß er nicht alle genannten Personen persönlich kennt, sondern über sie nur durch Mittelsmänner unterrichtet wurde (etwa gegen Erbes, Zeit 141 f.; Schumacher, Letzte Kapitel 75; Kümmel, Einleitung 227). Die ehrenden Prädikationen erhalten dann stark rhetorischen Charakter und verlieren an sachlicher Glaubwürdigkeit. Das wichtigste Argument wird seltsamerweise kaum präzis formuliert. Die aufgezählten Christen sind Repräsentanten einer Gemeinde, deren Umfang wenigstens verdoppelt werden muß. Hat Pls jedoch so viel Freunde in Rom, kann er damit rechnen, mindestens ebensoviel Verteidiger seiner Person und Sache dort vorzufinden. Der lange Rechenschaftsbericht über seine spezifische Lehre erübrigt sich dann, seine Unsicherheit gegenüber den Adressaten brauchte nicht derart hervorzutreten, und er könnte sogar hoffen, daß seine bedeutendsten Vertrauten für ihn in Jerusalem intervenieren. Von solchen Prämissen her erscheint es besser, unser Kapitel vom übrigen Brief zu trennen und seine Leser nicht in Rom zu suchen. Betrachtet man es grundlegend als Empfehlungsschreiben für Phoebe, ist das durchaus möglich und spricht mindestens nicht weniger für Ephesus als für Rom. Vielleicht darf man von da aus auch erklären, daß der vielfache ἀσπασμός nicht, wie zu erwarten, in der 1.Person Sing., sondern in der 2. des Plurals gehalten ist. Ein Empfehlungsschreiben konnte an eine Gruppe oder an einen Einzelnen gerichtet sein, welche die Grüße weiterzugeben hatten. Der hypothetische Charakter dieser Erwägungen sei ausdrücklich betont. Doch befinden sich die Vertreter einer anderen Ansicht in keiner günstigeren Position. 16 bringt die aus 1.Th 5,26; 1.K 16,20; 2.K 13,12 und, leicht abgewandelt, aus 1.Pt 5,14 bekannte Aufforderung zum brüderlichen Kuß als der Bekundung christlicher Gemeinschaft. Das entspricht antiker Sitte bei mannigfachen Gelegenheiten, welche sich auch brieflich niederschlägt und teils besonders herzliche, teils feierliche Begrüßung ausdrückt (Thraede, RAC VIII, 505 ff.). Diese Parallelen erklären jedoch nicht die Redeweise vom „heiligen Kuß", durch welche die Bezeugung der gegenseitigen Verbundenheit in den Bereich eschatologischer Zusammengehörigkeit der „Heiligen" gehoben wird. So sollen nicht mehr bloß Einzelne, sondern die Gemeinde im ganzen handeln. Religionsgeschichtlich geurteilt, geht es um gegenseitige und allgemeine Segensmitteilung, wie sie auf andere Weise durch Handauflegung bei der Krankenheilung oder Ordination erfolgt (von Thraede nicht genügend berücksichtigt). Aus solcher Perspektive gesehen, wundert es nicht mehr, daß die Aufforderung neutestamentlich im Kontext liturgisierender Formeln steht (Hofmann, Philema 4—17; Michel) und mindestens in 1.K 16,20 bei der Vorbereitung der Eucharistie erfolgt (Hofmann, Philema 24 f.; Windisch, ThWb I, 499; Stählin, ThWb IX, 138; bestritten durch Thraede 508 ff.). Der zuerst wieder durch Justin, Apol. I, 65,2 bezeugte gottesdienstlich-liturgische Brauch wird also bereits durch Pls vorausgesetzt, wobei offenbleiben kann, ob er ausschließlich an die Eucharistiefeier gebunden ist. Von da aus wird auch 16b verständlicher. Die Umstellung nach 21 in westlichen Handschriften ist deutliche Korrektur. Man hat hier den klaren Beweis dafür finden wollen, daß unser Kapitel nach Rom gerichtet wäre, weil nur im Blick auf die Hauptstadt der emphatische Gruß aller christlichen Gemeinden begreiflich würde (Holl, Kirchenbegriff 47; Kümmel, Einleitung 229). Die Kraft dieses Argumentes ist nicht leichthin abzuweisen. Umgekehrt wird man nicht übersehen, daß ähnlich in 4 von allen heidenchristlichen Gemeinden gesprochen wurde und das fraglos eine Übertreibung darstellt. Der Apostel kann beanspruchen, im Namen der ganzen Christenheit zu sprechen (Schumacher, Letzte Kapitel 53 f. 96), zumal er nach 21 ff. Delegaten der Gemeinden um sich hat (Dodd). Bezieht man 16b jedoch auf 16a und erkennt man diese Verbindung als gewollt, weil tatsächlich der Satz besser auf 21 folgte, kann man noch konkretisieren: Der heilige Kuß demonstriert die Gemeinschaft der gesamten Christenheit. Indem Pls dazu auffordert, kann er zugleich die Gemeinde im Namen dieser Christenheit grüßen.

III. 16,17—20: Apostolische Warnung vor Irrlehrern und Segen

17 Ich ermahne euch aber, Brüder, auf solche achtzugeben, welche Spaltungen und Ärgernisse anrichten, der Lehre zuwider, die ihr gelernt habt. Wendet euch von ihnen
18 ab! Denn solche Leute dienen nicht unserm Herrn Christus, sondern ihrem Bauch und täuschen durch einleuchtende und wohlklingende Rederei die Herzen der Arg-
19 losen. Wohl gelangte die Kunde von eurem Gehorsam zu allen. Ich kann mich also über euch freuen. Doch will ich, daß ihr weise seid zum Guten hin, ohne Kontakt
20 aber gegenüber dem Bösen. Der Gott des Friedens wird in Kürze den Satan unter euren Füßen zermalmen. Mit euch sei die Gnade unseres Herrn Jesus.

Literatur: W. Schmithals, Die Irrlehrer von Rm 16,17-20, Stud.Th XIII (1959), 51-69. A. Strobel, Untersuchungen zum eschatologischen Verzögerungsproblem, vgl. zu 1,16 f.

Abrupt bricht diese Warnung in die Grüße von 3—16 und 21—23 ein, zudem weder im Kontext noch mit ihrer Schärfe im vorangegangenen Brief motiviert. Man hat den Anstoß (Schumacher, Letzte Kapitel 55 f.) auf verschiedene Weise zu lösen versucht. Am weitesten geht die Vermutung, es handele sich um ein später eingefügtes Fragment (Erbes, Zeit 146), abgemildert durch die Annahme einer Digression (Zahn), für welche das paulinische Temperament verantwortlich gemacht wird (Lietzmann; Schumacher 56). Daß auf den in 16 erwähnten gottesdienstlichen Akt eine amtliche Verwarnung in ebenfalls kultischem Rahmen folge (Michel), ist weder beweisbar noch wahrscheinlich. Ebensowenig befriedigt die Auskunft, Pls komme nun noch als Seelsorger zu Wort (Dodd), gebe nur eine vorbeugende und vage Warnung (Huby). Eine akute Gefährdung der Gemeinde liegt augenscheinlich vor, und diese bezieht sich nicht (gegen Lietzmann) auf die Streitigkeiten von c. 14 f., sondern auf von außen kommende Irrlehrer. σκοπεῖν meint wie in Lk 11,35; Gal 6,1 jenes Achtgeben, das in Versuchung geboten ist, und διχοστασίαι καὶ σκάνδαλα sind nach dem unmittelbaren Zusammenhang mehr als Gruppenkonflikte über die angemessene Lebensführung oder nicht konforme theologische Meinungen, nämlich Zerreißung der Gemeinde auf Grund von Verführung zur Ketzerei (Stählin, Skandalon 184 f.; Schlier, ThWb I, 511; Fuchs, ThWb VII, 417; Schmithals, Irrlehrer 52 f.). So richtig es sein mag, daß Pls mit der Einleitung der Warnung einem festen Schema folgt, so wenig kann (gegen Bjerkelund, Parakalo 160. 167) zugestanden werden, die Ermahnung sei „urban". Dem Tenor des Abschnittes nach hat das Verb fast den Sinn von „beschwören". Mit Recht wird für den Schluß des Infinitivsatzes an 6,17 erinnert (Lietzmann; Fuchs, ThWb VII, 417). Das impliziert, daß dort keine Glosse vorliegt. Die ängstliche Abgrenzung gegenüber dem „Lehrbegriff" der Pastoralen (Stählin, Skandalon 185) ist durchaus unberechtigt. Der Apostel spricht von der fides quae creditur, welche in Gestalt fester Tradition mitgeteilt und empfangen wird, wie das in 1.K 11,23; 15,1 f. für bestimmte wichtige Teile aus ihr gilt. Man kann und muß sie lernen, und es gibt Gegner, welche solche Tradition durch eine andere zu ersetzen versuchen. Pls hat insofern den Ansatz dazu geliefert, daß die Pastoralen von der „gesunden Lehre" sprechen können und sich auf sie berufen. Das Evangelium übergreift, wie früher dargelegt wurde, das Kerygma, weil es zugleich dessen Norm bildet, und wird unter diesem Aspekt Lehre (vgl. Rengstorf, ThWb IV, 415; Schmithals, Irrlehrer 58 ff.). Der Apostel befiehlt, sich von den Verführern abzuwenden. Es gehört zum Stil seiner Polemik, daß die Gegner anonym bleiben und verächtlich durch οἱ τοιοῦτοι bezeichnet werden (Michel). Darum fällt es uns schwer, sie scharf zu profilieren. Es muß sich um Christen handeln, weil anders die Antithese von 18a sinnlos wäre (Schmithals, Irrlehrer 53. 62). Man hat deshalb früher zumeist an Judaisten gedacht, von dem durch F. C. Baur entworfenen Geschichtsbild abhängig. Weil der Kontext das nicht im mindesten stützt, läßt man das Problem heute häufig unerörtert oder unentschieden. Doch sind die Parallelen zu Phil 3,18 f. und 2.K 11,13 ff. unübersehbar. Wie in der letzten Stelle judenchristliche Agitatoren als Satansdiener entlarvt werden, welche sich der Täuschungsmittel ihres Meisters zur Verführung der Gemeinde bedienen, wird in der ersten von Feinden des Kreuzes Christi gesprochen, deren Gott der Bauch ist. κοιλία repräsentiert dabei das Wesen der σάρξ in ihrer äußersten Weltverfallenheit bis hin zu der in 1.K 6,12 ff. gegeißelten libertinistischen Ausschweifung. Entscheidend ist die religiöse Tarnung und der dadurch veranlaßte Betrug. Es wäre zu verwegen, wollte man die Verwendung des Hapaxlegomenons χρηστολογία aus einem Wortspiel mit χριστολογία erklären (zu Stählin, Skandalon 186). Jedenfalls bildet es tautologisch mit dem profan und sensu malo gebrauchten Begriff εὐλογία ein Hendiadyoin: für sich einnehmende, aber unwahrhaftige Schönrednerei (Bauer, Wb 638; Schmithals, Irrlehrer 63 f.). ἄκακοι bezeichnet die „Arglosen" (Bauer, Wb 57 f.), die in ihren Herzen, also zuinnerst, getäuscht werden. Das erinnert an die Polemik in 1.K 2,1 ff.; 2.K 10,10 f., aus der sich in 19 auch die Aufnahme des Stichwortes σοφοί verstehen läßt (Schmithals 65 f.). Der Schluß legt sich nahe, daß hier eine frühe Ketzerbekämpfung stattfindet, welche sich wie in 2.K 10—13 und Phil 3 gegen der Libertinage verdächtige, gnostisierende Judenchristen wendet (Schmithals, Irrlehrer 54 ff. 67; zurückhaltend Kümmel, Einleitung 228). Mehrfach ist an Ass. Mos. 7,4—7 als Parallele erinnert worden (Lagrange; Michel). Doch läßt sich dieser Text nur schwer einordnen und legt das Gewicht auch auf die Ausnutzung der armen Frommen durch frevelnde Prasser. 19a stellt fest, daß die angeredete Gemeinde noch intakt ist, so daß der Apostel sich ihrer freuen kann. Wird ihr Glaube hier schlechthin als ὑπακοή charakterisiert, so meint das die Unterwerfung unter die empfangene Lehre, wie es erneut 6,17 entspricht. Daß die Kunde davon überall hingedrungen ist, wiederholt das Motiv von 1,8, braucht jedoch nicht mehr als Aufnahme eines Pls geläufigen Komplimentes zu sein, obgleich dadurch nochmals die Frage der Verbindung unseres Kapitels mit dem Römerbrief aufgeworfen wird. Der Gegner ist noch nicht in die Gemeinde eingedrungen, steht aber vor ihrer Tür. Seinen Ansturm vorbereitend, gibt der Apostel die Losung aus, weise in Hinsicht auf das Gute zu sein, worunter wie in 8,28; 14,16 das Heil zu verstehen ist (H. W. Schmidt). Der Ruf zur erneuerten Vernunft von 12,2 ist damit aufgegriffen. Er impliziert, daß man sich nicht auf das Böse einläßt. Ob in ἀκέραιος das Herrenwort Mt 10,16b nachklingt, ist schwer auszumachen, nach Phil 2,15 jedenfalls nicht selbstverständlich. Das vorangestellte θέλω hat gebieterischen Ton. Dramatisch endet der Abschnitt in 20 mit einer Verheißung, die zugleich Gebetswunsch und eine Variation des Fluches ist. Man mag dazu (wie Deissmann, Licht 359 ff.) antike Rachegebete heranziehen oder (wie Jülicher; Lagrange; Michel) auf das Anathema in 1.K 16,22 hinweisen. Beides genügt nicht, und es ist viel zu harmlos, hier bloß eine Anspielung auf Gen 3,15 zu erblicken und dem ἐν τάχει die tröstliche Zusicherung zu entnehmen, der Spuk gehe schnell vorüber (Lagrange; Lietzmann; Schmithals, Irrlehrer 66). Gen 3,15. mag der Ausgangspunkt für eine mythische Vorstellung gewesen sein, in welcher die Schlange mit dem Satan identifiziert wurde (Foerster, ThWb V, 581). Sie mündet in einem apokalyptischen Traditionsstrom, der das „in Kürze" der Parusie betont (Strobel, Verzögerungsproblem 181. 185) und ebenso durch die Verheißung Test. Levi 18,11 f. wie die Verwünschung in der 12. Bitte des Sch°mone Esre repräsentiert wird (Michel; Leenhardt; H. W. Schmidt). Prophetie wird hier laut. Wenn Gott als Friedensbringer bezeichnet ist, meint das nicht persönliches Heil als seine Gabe, sondern die Besiegung des Satans nach kosmischem Kampf, eschatologisch endgültige Befriedung der Erde (Foerster, ThWb II, 413). Gott ist der Sieger, welcher Satan als endzeitlichen Drachen vernichtet. Er tut es jedoch so, daß die Gemeinde an seinem Siege teilbekommt. Sie wird als Schar der Überwinder nach antikem Gestus ihre Füße auf den Unterworfenen setzen und ihn zertreten, also auch ihrerseits eschatologische Macht ergreifen (Weiß, ThWb VI, 629). Weil die Parusie unmittelbar bevorsteht, geschieht das in Bälde. Läßt man diese Interpretation gelten, kann man das Kapitel unmöglich nur von den Grüßen her verstehen und sachlich inhaltslos nennen.

Allerdings ist dann unser Kapitel vom vorangegangenen Brief abzuheben (Schmithals, Irrlehrer 67 f.; Friedrich, RGG³ V, 1138). Der Apostel spricht hier mit einer Autorität, die er den Römern gegenüber zwar gelegentlich andeutet, im allgemeinen jedoch geradezu sorgfältig vermeidet. Er tut es mit derartigem Grimm, wie er sich sonst im Brief nirgendwo äußert, und gegenüber Gegnern, welche aus dem Brief her nicht identifiziert werden können. Situation und Reaktion darauf sind völlig anders, das Interesse von 15 14—32 ist aus den Augen gekommen. Die Hypothese eines selbständigen kleinen Schreibens nach Ephesus erhält so größte Wahrscheinlichkeit (nach Feine, Abfassung; Michaelis, Einleitung 160 ff.; Bornkamm, Paulus 249; Georgi, Kollekte 79 f.), und in einem Empfehlungsschreiben sind (gegen Lietzmann; Kümmel, Einleitung 229) größere theologische Auslassungen nicht zu erwarten (McDonald, Letter 372). Über das Problem des abschließenden typischen Segens ist nach 23 zu handeln.

IV. 16,21—23: Grüße der Mitarbeiter des Apostels

21 Es grüßen euch mein Mitarbeiter Timotheus sowie Lucius und Sosipater, meine
23 Volksgenossen. Ich Tertius, der Schreiber des Briefes, grüße euch im Herrn. Es grüßt euch Gajus, mein Gastgeber und der für die ganze Gemeinde. Es grüßt euch der Stadtkämmerer Erastus und der Bruder Quartus.

Literatur: H. J. Cadbury, Erastus of Corinth, JBL 50 (1931), 42-58. G. J. Bahr, The Subscriptions in the Pauline Letters, JBL 87 (1968), 27-41.

Ebenso überraschend, wie Pls aus den Grüßen mit 17 in die wilde Polemik sprang, kehrt er nun, allerdings als Mittler derjenigen seiner augenblicklichen Umgebung, zu ihnen zurück. „Ganz natürlich" kann man das nur finden, wenn man 17—20 aus „ganz plötzlich aufloderndem Impuls" erklärt hat, welcher „für ein paar eindringliche Worte" dem Schreiber die Feder aus der Hand nehmen und die bis dahin geübte Zurückhaltung durchbrechen läßt (gegen Lietzmann). Von der zweifelhaften Psychologie abgesehen, die auf solche Weise zum letzten Ausweg aus der Verlegenheit des Interpreten gemacht ist, wird man mit der Kategorie „Nachträge" weder dem Problem des Kapitels im ganzen noch seines Details gerecht. War 17—20 ein Nachtrag, hat der Apostel im Brief theologische Theorien entwickelt und an der konkreten Situation der Gemeinde vorbeigeredet. Ist ihm, der 15 Kapitel unter ein festes Thema stellte und logisch aufbaute, zum Schluß der Atem ausgegangen, so daß es nun zu einem wirren Durcheinander sich ablösender, jeder Ordnung entbehrender Einfälle kommt? Die Frage ist um so notwendiger, als unsere Verse nach dem Segen in 20 tatsächlich einen Nachtrag bilden, der Gruß des Tertius den Zusammenhang von 21 und 23 unterbricht und das wichtigste paulinische Dokument mit diesem Schluß gleichsam im Sande sich verläuft. Nur um den Preis einer willkürlichen Hypothese entgeht man diesen Schwierigkeiten teilweise, wenn man 21—23 auf 15,33 folgen läßt (Georgi, Kollekte 81; möglich Bartsch, Situation 282). Noch weniger leuchtet ein, daß unser Kapitel eine „geistliche" und für Pls charakteristische Ausweitung des den antiken Brief gewöhnlich schließenden ἔρρωσο ist, mit dem auch Grüße und Nachträge verbunden werden (Roller, Formular 70. 193 ff.), und die Unordnung zu Lasten des Sekretärs geht (auch Bahr, Subscriptions 39). Dann wird die Empfehlung der Phoebe um ihr Gewicht gebracht, die sachliche Diskrepanz von 17—20 zum Hauptbrief ist überhaupt nicht wahrgenommen, und es beunruhigt auch nicht, daß die zweifellos abschließenden Segensformeln in 15,33 und 16,20 sich ebenso stoßen wie die von 16,20 und 16,24. Der Brief hat in 15,33 sein Ziel erreicht. Niemand würde etwas vermissen, wenn c. 16 nicht folgte. Warum gilt als ausgemacht, daß Pls etwa nach Ephesus kein kurzes Billett geschickt haben kann, und ist es nicht eine petitio principii, ob er sich gerade dafür eines Sekretärs bediente oder nicht? Von der Tiefe und Sorgfalt der Gedankenführung im Briefe hat jedenfalls der nichts verspürt, der ihre Stilisierung einem Schreiber zutraut. Hier ist offensichtlich ein subjektives Urteil unvermeidlich, der Streit der Meinungen kaum zu beenden. In einem Empfehlungsbrief gab es Platz, zahlreiche Bekannte in einer vertrauten Gemeinde zu grüßen und eine dringliche Warnung vor drohender Irrlehre auszusprechen. Mit einer Gemeinde wie Ephesus hatten auch Mitarbeiter des Apostels und korinthische Christen Kontakt, so daß sie ihre Grüße in einem Nachtrag zur Segensformel in 20 anbringen konnten. Die vermeintliche Unordnung löst sich so am einfachsten, während sie am Ende des Römerbriefes unerträglich wirkt. Daß Pls-Briefe kompiliert wurden, beweisen mindestens 2.Kor und Phil. Es ist unbillig, die Probleme des Interpreten vom Tisch zu fegen, indem man von ihm den historischen Nachweis verlangt, daß und unter welchen Umständen zwei verschiedene Schreiben verbunden werden konnten (gegen Lietzmann; Schumacher, Letzte Kapitel 102 f. u. a.). Das gilt um so mehr, wenn man die unleugbaren Probleme selber nur mit psychologischen Konstruktionen zu meistern vermag.

Verhält es sich mit dem Text wie angenommen, wird es höchst fragwürdig, ob die nun genannten Personen mit der Kollekte zu tun haben (gegen Erbes, Zeit 206 f.; Schuma-

cher, Letzte Kapitel 100; Georgi, Kollekte 80). Timotheus verdient als ständiger Beglei-
ter und Delegat des Apostels das Prädikat ὁ συνεργός μου wie kaum ein anderer. Von
den folgenden drei wird ausdrücklich gesagt, sie seien Judenchristen. Als Repräsentanten
der Heidenchristenheit können sie deshalb schwerlich auftreten, und allein sie kämen
allenfalls als Mitüberbringer der Sammlung in Betracht. Von dem seit Origenes mit
Lukas identifizierten Lucius wissen wir überhaupt nichts. Daß Jason mit dem in Apg
17,5 ff. erwähnten gleichzusetzen sei, ist recht zweifelhaft, während Sosipatros mit dem
Sopater von Apg 20,4 identisch sein mag (Lietzmann). Auch von Tertius erfahren wir
nur durch unsere Stelle. Die Verwendung eines Schreibers, dem selbst Privatbriefe dik-
tiert werden, ist üblich (Roller, Formular 14 ff.; Billerbeck) und wird indirekt durch
1.K 16,21; Gal 6,11 für die Paulinen bezeugt. Singulär (Windisch, ThWb I, 499) grüßt
auch dieser die Empfänger des Briefes, was nur sinnvoll ist, wenn er mit ihnen bekannt
ist (Zahn; Lagrange; Schumacher 102). Die These, unser Kapitel sei nach Rom gerichtet,
gewinnt dadurch nicht an Wahrscheinlichkeit. Logisch ist anzunehmen, daß dieser Gruß
ursprünglich abschließen sollte. 23 bildet dann einen zweiten Nachtrag, in welchem sich
die ortsansässigen Korinther noch melden. Denn es gibt keinen Grund dafür, Gajus den
Mazedonier von Apg 19,29 oder den Derbäer aus Apg 20,4 sein zu lassen (gegen Zahn;
Michaelis, Abfassung 145), wenn 1 und der Kontext für den in 1.K 1,14 erwähnten Korinther als Gastgeber des Apostels sprechen (zumeist). Gerade weil er zu den korinthischen Erstbekehrten gehört, finden viele den Weg zu ihm. ὅλη ἡ ἐκκλησία kann nur die universale Kirche, nicht die Ortsgemeinde bezeichnen (Lagrange; Lietzmann), weil es wie bei
Pls um Unterkunft, nicht um Gestellung eines Versammlungsraumes geht. Korinthische
Ortsansässigkeit läßt auch Erastus von seinen Namensvettern in Apg 19,22 und 2.Tim
4,20 unterscheiden. ὁ οἰκονόμος τῆς πόλεως ist ein geläufiger Titel, welcher dem mit
Rechnungsangelegenheiten einer Stadt Beauftragten zukommt. Unter Umständen kann
ein Sklave den nicht gehobenen Posten einnehmen (Cadbury, Erastus 49 f.; Bauer, Wb
1108 f.). Der Bruder Quartus ist völlig unbekannt. 24 erscheint besonders in jenen Lesarten, welche die Schlußdoxologie hinter 14,23 stellen. Nach 2.Th 3,18 formuliert, wiederholt der Vers entweder den Segen von 20 oder ersetzt ihn, ist also zweifellos sekundär. Man hat sich daran gestoßen, daß die Grüße den Abschluß bildeten, und eine sach-
gerechte Ordnung herzustellen versucht, ist also bereits auf das Problem unseres Kapitels
aufmerksam geworden.

V. 16,25—27: Eine unechte Schlußdoxologie

25 Dem aber, der euch zu stärken vermag nach meinem Evangelium und der Verkündigung Jesu Christi, nach der Offenbarung des Geheimnisses, das ewigen Zeiten ver-
26 schwiegen war, jetzt aber enthüllt ist durch prophetische Schriften und im Auftrag
des ewigen Gottes für alle Völker kundgetan wurde, um Glaubensgehorsam zu
27 schaffen, — dem einzig weisen Gott: durch Jesus Christus (gebührt) dem Herrlichkeit in ewigen Zeiten. Amen.

Literatur: P. Corssen, Zur Überlieferungsgeschichte des Römerbriefes, ZNW 10 (1909), 1-45.
L. Mowry, The early Circulation of Paul's Letters, JBL 63 (1944), 73-86. E. Lohmeyer, Das

Vater-unser, ²1947. J. Dupont, Pour l'Histoire de la Doxologie finale de l'épître aux Romains, Revue Bénédictine 63 (1948), 3-22. E. Kamlah, Traditionsgeschichtliche Untersuchungen zur Schlußdoxologie des Römerbriefes, Diss. Tübingen, 1955. J. Knox, A Note on the Text of Romans, NTSt II (1955/6), 191-193. W. Manson, Notes on the Argument of Romans (Chapters 1-8), New Testament Essays, Studies in Memory of T. W. Manson, 1959, 150-164. W. Schmithals, Zur Abfassung und ältesten Sammlung der paulinischen Hauptbriefe, ZNW 51 (1960), 225-245. T. W. Manson, St. Paul's Letter to the Romans — and others, Studies in the Gospels and Epistles, 1962, 225-241. J. Dupont, ΜΟΝΩΙ ΘΕΩΙ (Rom 16,27), Ephem. Theol. Lov. 22 (1946), 362-375. G. Delling, ΜΟΝΟΣ ΘΕΟΣ, ThLZ 77 (1952), 469-476. K. Goldammer, Der Kerygma-Begriff in der ältesten christlichen Literatur, ZNW 48 (1957), 77-101. L. M. Dewailly, Mystère et Silence dans Rom XVI, 25, NTSt 14 (1967/8), 111-118. D. Lührmann, Das Offenbarungsverständnis bei Paulus und in Paulinischen Gemeinden, 1965.

Unsere Analyse führt zur Annahme einer redaktionellen Bearbeitung des Briefes, welche sich in der Anfügung von c. 16 äußert. Damit ist zugleich das Problem der Authentie, der Absicht und der ursprünglichen Stellung der Schlußdoxologie aufgeworfen, wie die Textgeschichte vor Augen führt. Der Fragenkomplex kann als solcher und im ganzen den Einleitungen in das Neue Testament überlassen werden (vgl. die straffe Zusammenfassung bei Lietzmann). Immerhin nötigt unsere Interpretation zur Abgrenzung gegenüber einer Anzahl von aufgestellten Hypothesen. Daß 16,25 ff. keinesfalls ursprünglich den Zusammenhang von 14,23 und 15,1—13 zerrissen haben kann, ist evident. Diese Version setzt jene altlateinische voraus, in welcher 15,1—16,23 fehlten und der Brief damit nicht bloß um den Höhepunkt der speziellen Paränese in 15,1—13, sondern auch um seine konkrete, durch 15,14 ff. markierte Veranlassung gebracht wurde. War die Stellung der Doxologie jedoch problematisch geworden, konnte sich Verlegenheit entweder darin äußern, daß man sie wie in FG u. a. ganz ausließ, oder darin, daß man sie wie in AP u. a. nach 14,23 stehen ließ und nach 16,23 wiederholte. Elegant ist die Lösung von P⁴⁶, welche ebenfalls die Aporie kennt, sie aber behebt, indem sie die Doxologie sachlich ansprechend an c. 15 anfügt und 16,1—23 als Nachtrag behandelt. Gelten jedoch 16,1—23 bereits als Bestandteil des Briefes, kann man diesen kaum so klanglos enden lassen. Alle Wahrscheinlichkeit spricht für die aufs stärkste bezeugte Position nach 16,23. Von da aus ist die in Variationen vorgetragene Ansicht zu bestreiten, der Brief sei eine ursprünglich für eine Mehrzahl von Gemeinden bestimmte Unterweisung, welche durch einen persönlich gehaltenen Nachtrag jeweils auf einen konkreten Empfängerkreis ausgerichtet werde (nach Kamlah, Untersuchungen 2 schon durch E. Renan, Saint Paul, 1869, 63 ff. vertreten). Die Verkürzung des Briefes erfolgt durch einen späteren Eingriff in den Text. Die These behauptet sich bis heute in der Form, c. 16 sei ein Begleitschreiben, mit welchem der Römerbrief auch der Gemeinde in Ephesus zur Kenntnis gebracht worden sei (vgl. Mowry, Circulation 73 ff.; J. Knox, Note 191 f.; T. W. Manson, Letters 189 f.; W. Manson, Notes 151 f.; Best; Bruce). Selbst wenn c. 16 als kleiner Epheserbrief betrachtet wird, ist Phoebe nicht als Überbringerin des Hauptbriefes charakterisiert, von einer Weiterreise nach Rom als Phantasieprodukt zu schweigen. Von der Sache her ist nicht begreiflich, warum außer Rom nur Ephesus informiert sein sollte, von den Umständen her nicht, daß Pls, der es offensichtlich eilig hatte, einem derartigen Umweg zugestimmt hätte; von 15,14 ff. her ergibt sich, daß ausschließlich die römischen Christen angesprochen werden. Die These dient einzig dem Zweck, die Vereinigung des für selbständig gehaltenen c. 16 mit dem Römerbrief zu erklären. Bleibt die

Lösung unbeweisbar und wahrscheinlich sogar unannehmbar, ist die ihr zugrunde liegende Frage nicht zu überhören. Nur sollten wir zugeben, daß wir sie nicht zu beantworten vermögen, ohne uns durch diese Aporie von der aus dem Text gewonnenen Überzeugung abbringen zu lassen, c. 16 sei ein nicht nach Rom gerichtetes Empfehlungsschreiben. Das führt notwendig zu dem Problemkomplex der Entstehung des Corpus Paulinum, für dessen Beginn ebenso Kompilation wie Kombination verschiedener Briefe angenommen werden muß. Über ganz vage und sehr zweifelhafte Vermutungen kommen wir freilich auch hier gerade bei den Anfängen nicht hinaus, wenn etwa Ephesus (so die zuletzt genannten Ausleger) oder Korinth (Schmithals, Abfassung 240. 243 f.) als Ort für die Sammlung im ältesten Stadium, also auch für die Vereinigung von c. 16 mit dem Hauptbrief, genannt werden. Diese Perspektive hat jedoch den Wert, daß sie die Frage nach der Absicht der Schlußdoxologie scharf stellt. Sie ist sowohl nach ihrer Position wie nach der Fülle ihrer Motive in den echten Paulinen einzigartig und kann, wenn man an der Selbständigkeit von c. 16 festhält, unmöglich diesem kleinen Schreiben integriert, sondern nur dem Prozeß seiner Kombination mit dem Römerbrief zugeordnet werden. Das heißt, daß sie nicht paulinisch ist (gegen Sanday-Headlam; Zahn; Lagrange; Sickenberger; Schumacher, Letzte Kapitel 105 ff.; Murray, Exkurs 262 ff.; möglich Michaelis, Einleitung 163; Kritik schon seit Anfang des vorigen Jahrhunderts, besonders bei F. C. Baur, Paulus 414 ff.; vgl. die Übersichten bei Kamlah, Untersuchungen 1 ff.; Dupont, Doxologie 3 ff.). Außer Betracht bleiben mag hier die Frage, ob sie den Schluß eines ältesten Corpus Paulinum bildete (Schmithals, Abfassung 240; zustimmend Bartsch, Situation 282). Nicht unwahrscheinlich ist, daß sie in Zusammenhang mit der Streichung der Adresse in 1,7. 15 steht, also die „katholische" Bedeutung des Gesamtbriefes herausstellt (Corssen, Überlieferungsgeschichte 18 ff.; Mowry, Circulation 78 f.; Dupont, Doxologie 7 f.). Ihren liturgischen Sitz im Leben wird man kaum bestreiten können (Lietzmann; Jülicher, Einleitung 106; Champion, Benedictions 123; Michel; H. W. Schmidt; Ridderbos).

Wie in 11,36b; Gal 1,5; Phil 4,20 und anderswo liegt die nominale Form der Doxologie vor, welche der vorangestellten Bezeichnung Gottes im Dativ den Nominativ des Lobes, eine Zeitangabe und das bestätigende Amen folgen läßt (Lohmeyer, Vater-unser, 165 ff.). Als Schlußformel läßt sie sich erst im hellenistischen Judentum nachweisen (Deichgräber, Gotteshymnus 39). Die Aufnahme der Gottesprädikation durch das zweifellos ursprüngliche (Lietzmann gegen Zahn), in wenigen Textvarianten vereinfachend beseitigte ᾧ läßt das Ganze zum Anakoluth werden. Der dadurch erregte Anstoß wird gemildert, wenn man erkennt, daß der Relativsatz 27 literarisch das Schema der Responsion durch die Gemeinde im Gottesdienst verwendet, das Relativ also den Sinn eines Demonstrativs hat (Kamlah, Untersuchungen 72. 86). 25a bringt die Gottesprädikation in der schon traditionellen Umschreibung durch ein Partizip mit abhängigem Infinitiv, wie sie auch Eph 3,20; Jud 24 f. durch τῷ δυναμένῳ eingeleitet ist. Gottes Wesen wird nicht abstrakt durch seine Eigenschaften, sondern durch die eschatologisch Heil schaffende und erhaltende Wundermacht charakterisiert (Kamlah, Untersuchungen 80 ff.). Der vorhandenen Gemeinde gegenüber bewährt sie sich im στηρίζειν, das neutestamentlich schon der Erbauungsterminologie angehört und die Bewahrung in endzeitlicher Versuchung meint (Kamlah 33 f.). Mit 25a und 27 ist das Schema der ursprünglichen Doxologie dargeboten, das in unserm Text den Rahmen für ganz ungewöhnliche Erweiterungen bildet, von dem man aber gerade deshalb als der Grundlage auszugehen hat (Kamlah 77). δέ am Anfang hat wie in Phil 4,19 f.; Hebr 13,20; 1.Pt 5,10 einführenden und zusammenfassenden Sinn. εἰς τοὺς αἰῶνας τῶν αἰώνων, plerophorisch eine ehemalige Akklamation εἰς τοὺς αἰῶνας aufgreifend und doxologisch abwandelnd, stammt, wie 4.Makk 18,24 zeigt, aus dem griechischen Judentum und macht darauf aufmerksam, daß hier Ewigkeit als Ablauf unendlicher Zeitfolgen vorgestellt wird. Die Streichung des Genetivs in P⁴⁶ BCL ist sekundär. Die Aussage ist wohl eher indikativisch als optativ zu ergänzen (H. W. Beyer, ThWb II, 76; Kittel, ebd. 251; Kamlah 86 f.), würde aber selbst im letzten Fall nur das bestätigen, was Gott hat und ihm gebührt (Deichgräber, Gotteshymnus 32; Stuiber, RAC IV, 215). Das zugrunde liegende Schema ist durch die Zufügung von διὰ Ἰησοῦ Χριστοῦ christianisiert worden, dessen etwas unglückliche Stellung der Unachtsamkeit des Tertius angelastet worden ist (Sanday-Headlam). Es gehört sachlich jedenfalls nicht zum vorangehenden Gottesprädikat, wo es sinnlos wäre, sondern als betonte Vorwegnahme zum Folgenden (Kamlah 84 f.; unsicher Stuiber, RAC IV, 214). Die grundsätzliche Unterscheidung des übrigen Textes in paulinisierende Wendungen und einen Hymnus über das göttliche Mysterium (das die These Kamlahs) läßt sich schon deshalb nicht halten, weil in 25b—27a beides ineinander verfließen würde. Doch trifft sie einen richtigen Sachverhalt, von dem die Interpretation methodisch auszugehen hat. Dem Verfasser liegt daran, die Bedeutung des paulinischen Apostolates herauszustellen, und er verbindet dieses Interesse mit dem andern, das vom Apostel gebrachte Evangelium in Aufnahme eines überkommenen, tatsächlich in liturgischen Stücken profilierten Revelationsschemas als Mysterium zu charakterisieren. Das Ganze ist deutlich gegliedert, sofern vom einleitenden Infinitiv drei Präpositionalwendungen abhängen und der dann folgende zentrale Begriff durch drei partizipiale Aussagen bestimmt wird, ehe die feierliche Gottesprädikation in 27a enthüllt, wem die Doxologie gilt. Der seit Origenes bezeugte Zusatz in 26 „und durch die Epiphanie unseres Herrn Jesu Christi" dient sowohl interpretatorischen wie dogmatischen Zwecken, ist zweifellos sekundär (gegen Zahn) und kann 2.Tim 1,10 entlehnt sein.

Mit κατά wird nicht auf das Mittel (Schlatter), sondern die Norm verwiesen, der entsprechend die Stärkung der Gemeinde allein wahrhaft christlich geschieht. Indirekte Polemik gegen Irrlehrer ist denkbar, wenngleich nicht notwendig anzunehmen. Die Formel „nach meinem Evangelium" begegnete schon in 2,16, will hier wie dort das Evangelium nicht auf die Botschaft des Apostels beschränken, jedoch noch mehr als dort diese Botschaft als legitimen Ausdruck des Evangeliums kennzeichnen. Beide sind unlöslich verbunden (Molland, Euangelion 95 f.). Das gibt dem Apostel seine Autorität (Kamlah 42 f.) und begründet, daß man an seiner Verkündigung nicht vorbei oder hinter sie zurückgehen darf (Roloff, Apostolat 93). Wahrscheinlich ist von da aus auch die merkwürdige Verbindung mit dem „Kerygma Jesu Christi" zu verstehen. Es wäre ungemein verlokkend, dürfte man sie dahin deuten, Christus sei der auctor evangelii (Molland 100), und zwar bereits als der irdische Jesus (Schniewind-Friedrich, ThWb II, 728; Friedrich, ebd. III, 716; Zahn; Schlatter; H. W. Schmidt; Goldammer, Kerygma-Begriff 82; vgl. Übersicht bei Kamlah 61 f.). Die apostolische Tradition würde dann nach unserer Stelle diejenige Jesu fortsetzen. Datiert man die Doxologie spät, ist solche Deutung nicht auszuschließen. Von 10,17 her läßt sich der gen. auct. so verteidigen, daß man den erhöhten Christus das apostolische Evangelium wirken läßt. Gegen diese Interpretationen spricht jedoch, daß κήρυγμα mindestens primär die Predigttätigkeit bezeichnet (Goldammer, Kerygma-Begriff 80 ff.) und der damit verbundene Genetiv ein gen. obj. sein muß. Das entspricht auch dem Zusammenhang besser, weil dann das spezifisch paulinische Evangelium jeder echten Botschaft von Christus zugeordnet wird. καί ist explikativ (Schumacher, Letzte Kapitel 106 f.; Kamlah 62). Mindestens hier wird so sichtbar, daß (gegen Goldammers Grundthese, allerdings mit einem Reservat gegenüber unserm Text) κήρυγμα als Vorgang sich auf einen bestimmten Inhalt bezieht und nur der Akzent sich vom einen zum andern verlagert (Kamlah 63; Friedrich, ThWb III, 715 f.). Die Präpositionalwendung in 25c charakterisiert gerade diesen Inhalt näher und tut es in solcher Plerophorie, daß schon dadurch das eigentliche Thema der Doxologie markiert wird. Die Ausdrucksweise erscheint zunächst durchaus paulinisch. Wie 1,17; Gal 1,16 den Empfang der Heilsbotschaft verbal auf göttliche ἀποκάλυψις zurückführen, so Gal 1,12 substantivisch. Doch läßt die nächste Parallele Eph 3,3 ff. bereits fragen, ob hier der Ausdruck noch apokalyptisch gemeint ist oder nicht bloß die göttliche revelatio bezeichnet. Die Frage verstärkt sich im Blick auf den folgenden Genetiv. Pls hat sich nach 1.K 4,1 zwar als Verwalter der göttlichen Geheimnisse verstanden und, wie 11,25 ff. zeigt, sein Evangelium in der Verkündigung eines Mysteriums gipfeln lassen. Von der umstrittenen Stelle 1.K 2,1 abgesehen, wird von ihm aber das Evangelium nie als solches das Mysterium schlechthin genannt, wie es in den Deuteropaulinen geschieht. Für Pls ist nach 2.K 4,3 f. das Evangelium nur den Ungläubigen verborgen, und zwar kraft dämonischer Verblendung. So spricht unser Text anders als 11,25 nicht vom Heilsgeschehen, sondern vom Heilsratschluß, wie es für jüdische Apokalyptik (Bornkamm, ThWb IV, 822), besonders Qumran charakteristisch ist (Kamlah 112 ff.; Michel; Braun, Qumran I, 187 f.) und in Kol 1,26 f.; Eph 1,9; 3,3 f. 9 aufgenommen wird. Von diesem Mysterium heißt es in der bekannten Antithese von „Einst" und „Jetzt", es sei durch ewige Zeiten in Schweigen gehüllt, jetzt aber durch prophetische Schriften kundgemacht worden. Offensichtlich wird damit recht eigenwillig das Revelationsschema abgewandelt, das, je nach dem Kontext leicht verändert, in 1.K 2,7 ff.; Kol 1,26 f.; Eph 3,5.9 f.; 2.Tim 1,9 f.; Tit 1,2 f.; 1.Pt 1,20 frühere Verborgenheit der gegenwärtigen Offenbarung entgegenstellt (Kamlah 89 ff.). Dieses Schema wird freilich durch andere Wortwahl im ersten Gliede überboten. Das Motiv der seit Äonen währenden Verborgenheit gehört nach Kol 1,26; Eph 3,9 fest zur Tradition, und die uns widersinnig erscheinende (Sasse, ThWb I, 199), aber präzis die semitische Vorstellung von Ewigkeit spiegelnde Verbindung χρόνοις αἰωνίοις meint nichts anderes. Sie hebt allenfalls den zeitlichen Aspekt noch schärfer heraus, unter dem sie in 2.Tim 1,9 auf die Erwählung, in Tit. 1,2 auf die Verheißung bezogen wird. Völlig singulär im Neuen Testament sind aber Ausdrucksweise und Anschauung, wenn nicht von der Verborgenheit des Mysteriums, sondern dem es in der Vergangenheit umhüllenden Schweigen die Rede ist. Die erbauliche Feststellung, Gottes Geheimnis sei nie ganz enthüllt (Schumacher, Letzte Kapitel 109), nützt ebensowenig wie der Hinweis darauf, daß in jüdischer Apokalyptik, z. B. in 4.Esra 14,26, zwischen schon zu verkündigenden und noch geheim zu haltenden Lehren unterschieden wird (Kamlah 109 ff.). Wichtiger sind 4.Esra 6,38 f.; 7,30; Apk. Bar 3,7, sofern in diesen Stellen vom ursprünglichen Schweigen vor der Schöpfung gesprochen ist. Daraus kann sich eine Spekulation wie die in unserm Vers vorliegende entwickeln. Daß in Sap. 18,14 ein weiterer Schritt in dieser Richtung getan wird, eine aus der Protologie in die Eschatologie transponierte Tradition sich meldet, läßt sich kaum rechtfertigen (gegen Kamlah 123). Unser Text handelt nicht vom göttlichen Wort, das ins Schweigen der Welt springt, sondern von demjenigen, das auf göttliches Schweigen folgt, selbst dann aber Mysterium bleibt (Dewailly, Mystère 115 ff.). Die nächsten Parallelen dazu finden sich bei Ignatius, Magn 8,2; Eph 19,1, obgleich die Spekulation dort schon über das ursprüngliche Revelationsschema mit seiner die Äonenwende anzeigenden Antithese hinausgreift. Es wundert nicht, daß man von da aus in unserm Text die Anfänge gnostischer σιγή-Spekulation gefunden hat (Corssen, Überlieferungsgeschichte 32 ff.; Lührmann, Offenbarungsverständnis 122 f.). Mindestens die Richtung, in der er sich bewegt, wird damit gekennzeichnet.

26a spricht demgegenüber von der Gegenwart des Heils. Es ist allerdings zu fragen, ob νῦν und φανεροῦν noch den streng eschatologischen Charakter wie in 3,21 haben oder ihn nicht bereits heilsgeschichtlich abflachen. Denn dem Schweigen in ewigen Zeiten steht nun, durch τε hervorgehoben, die Offenbarung durch prophetische Schriften entgegen. Auch diese Wendung bringt uns in Verlegenheit. Daß Pls das Alte Testament als Prophetie las, hat sich gezeigt und braucht nicht durch Qumran-Parallelen gestützt zu werden. Inwiefern erfolgt aber die Offenbarung des endzeitlichen Mysteriums gerade durch die alttestamentliche Prophetie? Es ist ebenso unhaltbar, in unserer Wendung einen Verweis auf 1,2 zu erblicken, weil dort die Schriften der Propheten anders als hier die Verheißung des Evangeliums darstellen, wie anzunehmen, die Wendung sei bereits in einem postulierten Hymnus enthalten gewesen (Kamlah 28 ff.; 48 ff.; 124). Der angebliche Hymnus in unsern Versen ist ein Phantasieprodukt, das sich aus den Gegebenheiten gehobener Prosa und benutzter Traditionen nicht rechtfertigen läßt, stilistisch jedoch ein Monstrum wäre. Das Sachproblem wird zudem nicht geklärt, wenn man nicht ohne den geringsten Anhalt im Text hinzufügt, die alttestamentlichen Schriften würden in der apostolischen Auslegung ihres Geheimnischarakters entkleidet und so in der christlichen Predigt zum Mittel der göttlichen Offenbarung (ebd. 52; ähnlich Schumacher, Letzte Kapitel 111). Umgekehrt erscheint es (gegen Jülicher; Lührmann, Offenbarungsverständnis 123 f.) gleich unmöglich, an neutestamentliche Prophetie zu denken und sich dafür auf Eph 3,5 zu berufen. Dort sind die Apostel den Propheten vorangestellt, und gerade darauf käme es in unsern Versen doch an, die apostolische Botschaft zum Mittel der gegenwärtigen Offenbarung zu machen. Das Problem ist von der Antithese des Schweigens in der Vergangenheit und dem Vorliegen von Offenbarungsschriften in der Gegenwart her anzufassen. Es läßt sich klären, wenn man den typisch griechischen Begriff von Prophetie voraussetzt, der die Verkündigung im Namen eines Gottes bezeichnet (vgl. Fascher, Prophetes 52 f.). Prophetisch sind Schriften dann, wenn sie Offenbarung bringen. Die Doxologie ist in einer Gemeinde verfaßt, welche wie die von 2.Pt 3,16 schon eine Sammlung kanonisch geltender Schriften hat und welcher Offenbarung nur noch darin entgegentritt. Ob und wieweit das Alte Testament dazugehörte, muß offen bleiben. Grundsätzlich ist es nicht auszuschließen, solange es sich nicht um Marcioniten handelt. Paulinische Briefe müssen dagegen einbezogen werden, Evangelien können mitgemeint sein. Worauf alles ankommt, ist dies, daß „prophetisch" als mit „Offenbarung bezeugend" synonym verstanden wird. Pls hat bei dieser Vorstellung sicher nicht Pate gestanden. Die Erinnerung an ihn meldet sich jedoch wieder in 26b. Zunächst muß allerdings bedacht werden, daß wir hier auf neue Schwierigkeiten stoßen. Für das Revelationsschema ist die zeitliche und sachliche Antithese charakteristisch. Für das überschießende dritte Glied gibt es im Grunde weder Notwendigkeit noch Platz, und so wird denn auch die Zeit-angabe durch die formelhafte, schon 1.K 7,6; 2.K 8,8 und dann wieder 1.Tim 1,1; Tit 1,3 begegnende Umstandsbestimmung κατ' ἐπιταγήν = „auf den Befehl" (Bauer, Wb 597) ersetzt. γνωρίζειν taucht im traditionellen Schema zwar Eph 1,9; 3,3 ff. 10; Kol 1,27 auf, ist im allgemeinen aber mit φανεροῦν synonym, so daß es zu einer Steigerung des Ge-dankens nur durch die Präpositionalwendung zu kommen scheint, welche die universale Bedeutung des Mysteriums, offensichtlich im Rückgriff auf 1,5, zum Ausdruck bringt (Kamlah 53). Hier ist „Gehorsam des Glaubens" als gen. obj. zu verstehen, τὰ ἔθνη meint die Völkerwelt. Der letzte Zweck des Mysteriums ist, die Ökumene zur Unterwer-fung unter die christliche Lehre zu bringen. Damit wird ein Motiv angeschlagen, das am schärfsten in Zeile 4—5 des Hymnus 1.Tim 3,16 sich äußert (schon Norden, Agnostos Theos 255,5) und dort den kosmischen Herrschaftsantritt Christi bezeichnet, der, auf der Erde proklamiert, weltweite Unterwerfung im Glauben zur Folge hat. Stimmt solche Interpretation, geht daraus hervor, daß mit unserm Versteil ein anderes Revelations-schema sich mit dem vorhergehenden zugleich verbindet wie stößt. Nicht die Enthüllung des Geheimnisses in dem der Gemeinde zugänglichen Schriftkanon, sondern die uni-versale Bekanntgabe wird jetzt betont, und γνωρίζεσθαι meint eben diese Bekanntgabe, der man sich nicht entziehen kann, ist also nicht wie sonst mit φανεροῦσθαι synonym (vgl. Bultmann, ThWb I, 718). Die Wendung kann nur paulinisierend genannt werden (Bultmann, ThWb VI, 206). Dem entsprechen die aus dem hellenistischen Judentum übernommenen Gottesprädikationen. Wie αἰώνιος θεός neutestamentlich allein hier ge-braucht wird, um den dauernden, weltweiten Anspruch und die Autorität der göttlichen ἐπιταγή zu unterstreichen, so ist μόνος σοφὸς θεός stereotyp bei Philo (Kamlah 83 f.). Natürlich äußert sich darin nicht ein philosophischer Gottesgedanke (vgl. Duponts Auf-satz dazu), sondern wie in 3,30 das vom Urchristentum übernommene alttestamentlich-jüdische Bekenntnis (Delling, ΜΟΝΟΣ ΘΕΟΣ 474 ff.). Doch sollte man unsere Verse nicht mehr dem Gottesdienst zuweisen (gegen Delling, ebd. 476). Die liturgische Doxologie ist literarisch benutzt und ausgestaltet, um den Brief einen angemessenen Abschluß zu geben. Verschiedene Traditionen sind dabei vereint worden, ohne daß sich auch nur im Kern etwas wie ein Hymnus nachweisen läßt. Die Gottesprädikation des allein Weisen charak-terisiert die Tendenz und bestimmt zugleich den Platz der schon stark hellenisierten Vor-stellung vom göttlichen Mysterium (vgl. Lührmann, Offenbarungsverständnis 126). Got-tes Weisheit stellt die Zeiten unter den von ihr geplanten, in einem Kanon bereits fixier-ten und durch apostolische Proklamation weltweit bekanntgegebenen Heilsratschluß. Der Brief dokumentiert das.

Ist die Doxologie ursprünglich dem Briefende zuzuordnen, entfällt die Grundlage für die weitverbreitete Ansicht, sie stamme aus marcionitischen Kreisen. Pls selber läßt sie sich ebensowenig zuschreiben. Am nächsten berührt sich ihr Zentrum mit Anschauungen, die in Kol, Eph und 1.Tim 3,16 aufgenommen und verarbeitet wurden, führt aber über dieses Stadium mit der Spekulation über das göttliche Schweigen hinaus. Verbindung mit den Pastoralen, deren Datierung zudem ungewiß ist, kann nur höchst fragwürdig be-hauptet werden (gegen Kamlah 128 ff.). Man wird sich damit begnügen müssen, an eine paulinisch beeinflußte Gemeinde zu Anfang des 2. Jahrhunderts zu denken und sogar ein späteres Datum nicht auszuschließen. Gekennzeichnet wird damit eine Phase im Prozeß der Sammlung paulinischer Briefe.